Veröffentlichung
der Joachim Jungius-Gesellschaft
der Wissenschaften
Hamburg
Nr. 62

V&R

Carl Philipp Emanuel Bach und die europäische Musikkultur des mittleren 18. Jahrhunderts

Bericht über das Internationale Symposium
der Joachim Jungius-Gesellschaft
der Wissenschaften Hamburg
29. September – 2. Oktober 1988

Herausgegeben von
Hans Joachim Marx

Mit 24 Abbildungen
und zahlreichen Notenbeispielen

Göttingen · Vandenhoeck & Ruprecht · 1990

CIP-Titelaufnahme der Deutschen Bibliothek

Carl Philipp Emanuel Bach und die europäische Musikkultur des mittleren 18. Jahrhunderts :
Bericht über das internationale Symposium der Joachim-Jungius-Gesellschaft der Wissenschaften Hamburg, 29. September–2. Oktober 1988 /
hrsg. von Hans Joachim Marx. – Göttingen : Vandenhoeck und Ruprecht, 1990
(Veröffentlichung der Joachim-Jungius-Gesellschaft der Wissenschaften ; Nr. 62)

ISBN 3-525-27810-1

NE: Marx, Hans Joachim [Hrsg.]; Joachim-Jungius-Gesellschaft der Wissenschaften: Veröffentlichung der Joachim-Jungius-Gesellschaft ...

Herstellung: Hubert & Co., Göttingen

Vorwort

Das Symposium, das vom 29. September bis zum 2. Oktober 1988 im Musikwissenschaftlichen Institut der Universität Hamburg stattfand, hatte sich zur Aufgabe gestellt, das kompositorische Lebenswerk Carl Philipp Emanuels, des „Hamburger" Bach aus dem historischen Kontext seiner Zeit heraus zu verstehen und zu interpretieren. Damit war zugleich der Blick auf einen Zeitabschnitt, man könnte auch sagen: auf eine Epoche gerichtet, die von den Zeitgenossen selbst als etwas grundsätzlich Neues erfahren und gedacht worden ist. Wenn Carl Philipp Emanuel Bach 1772 in seiner Autobiographie bemerkt, „von allem dem, was besonders in Berlin und Dresden zu hören war, brauche ich nicht viele Worte zu machen, (denn) wer kennt den Zeitpunkt nicht, in welchem mit der Musik sowohl überhaupt als besonders mit der akkuratesten und feinsten Ausführung derselben eine neue Periode sich gleichsam anfing", – wenn Bach also von einer *neuen* Periode des musikalischen Komponierens und Vortragens spricht, dann will er sagen, daß er und seine Zeitgenossen sich der Andersartigkeit ihrer Tonsprache vollkommen bewußt waren. Nicht die Ablehnung überkommener Kompositionsprinzipien im Sinne eines Aufbegehrens gegen das Tradierte bestimmte seine Vorstellung vom Komponieren, sondern das Bewußtsein, daß das Alte und das werdende Neue völlig verschiedene Phänomene sind, die sich gegenseitig nicht ausschließen. Wilfried Barner spricht in diesem Zusammenhang von einer „Dialektik von Kontinuität und Negation", die es ermöglicht, das Neue aus dem Horizont der geschichtlichen Erfahrung heraus zu schaffen.

Diese Problemstellung ist im Festvortrag und in den Referaten der fünf Round tables während des Symposiums eingehend und eindringlich behandelt worden. Eine wichtige Ergänzung waren die sich anschließenden Diskussionen, so daß es angebracht schien, sie in Referatform im Berichtband mit einzubeziehen. Außerdem wurden einige Beiträge, die während des Symposiums nicht vorgetragen worden waren, ihrer wichtigen Forschungsergebnisse wegen aufgenommen. Dabei handelt es sich um ästhetische Fragen (Darrel M. Berg), um wirkungsgeschichtliche (Gudrun Busch, Thomas Christensen), interpretatorisch-analytische (Wolfgang Gersthofer, Ada Kadelbach, Bernhard Stockmann) und überlieferungsgeschichtliche (Hans-Günter Klein, Manfred Hermann Schmid, Hartmut Krones), die das Generalthema in vielfältiger Weise erweitern und vertiefen.

Dem Präsidenten der Joachim Jungius Gesellschaft, Herrn Professor Seifert, sei für seine Zustimmung gedankt, die zum Teil umfangreichen Ergänzungen in den Band mit aufzunehmen.

Hans Joachim Marx

Inhalt

Präsident Gerhard Seifert

Eröffnungsansprache

Sehr verehrte Frau Vizepräsidentin, sehr verehrter Herr Präsident, meine sehr verehrten Damen und Herren, liebe Gäste,

im Namen der Joachim Jungius-Gesellschaft der Wissenschaften begrüße ich Sie alle sehr herzlich und danke Ihnen zugleich auch dafür, daß Sie durch Ihre Teilnahme zu der großen Ehrung beitragen, die Hamburg in diesen Wochen Carl Philipp Emanuel Bach anläßlich seines 200. Todestages bereitet.

Gestatten Sie mir, wenn ich aus der großen Zahl der hier versammelten Teilnehmer und Gäste einige Persönlichkeiten besonders willkommen heiße:

- Frau Professor Dr. Angelika Wagner, Vizepräsidentin der Universität Hamburg. Der Universität Hamburg ist die denkmalspflegerische Restaurierung dieses traditionsreichen schönen Gebäudes zu verdanken.
- Herrn Professor Dr. Finscher, Heidelberg, vom Präsidium der Internationalen Gesellschaft für Musikwissenschaft und Herrn Generalsekretär Dr. Haeußler, Basel. Die Internationale Gesellschaft für Musikwissenschaft hat dankenswerterweise die Schirmherrschaft über dieses Symposium übernommen.
- Herrn Professor Dr. McCredie aus Adelaide/Australien, Präsident der Australischen Gesellschaft für Musikwissenschaft,
- die Vertreter der Kulturbehörde der Freien und Hansestadt Hamburg. Die Kulturbehörde hat wesentliche materielle und ideelle Beiträge zu der großen Veranstaltungsreihe „Der Hamburger Bach und die Neue Musik des 18. Jahrhunderts“ geleistet,
- alle Referentinnnen und Referenten, die durch ihre wissenschaftlichen Vorträge den Mittelpunkt dieses Symposiums bilden und uns das kompositorische Werk von Carl Philipp Emanuel Bach und seine Verbindung zur europäischen Musikkultur des mittleren 18. Jahrhunderts vermitteln werden,
- und die Künstler, die uns während dieses Symposiums die Musik von Carl Philipp Emanuel Bach näherbringen werden, insbesondere Frau Professor Picht-Axenfeld, die meisterhafte Cembalo-Interpretin.

Mein besonderer Gruß und Dank zugleich gilt den Herren Professoren Dr. Marx, Hamburg, und Dr. Edler, Kiel, welche in vorbildlicher Weise und mit großem persönlichen Engagement dieses Symposium vorbereitet und seine Leitung übernommen haben.

Ich möchte an dieser Stelle auch der Stiftung Volkswagenwerk herzlich für die tatkräftige finanzielle Unterstützung dieses Symposiums danken.

Anläßlich des 200. Todestages von Carl Philipp Emanuel Bach findet in Hamburg eine Fülle von Veranstaltungen statt. Hierzu gehören Konzerte, Musikwettbewerbe, Ausstellungen, Vorträge und dieses Symposium. Es ist das besondere Verdienst von Herrn Prof. Marx, unter Mitarbeit zahlreicher Studentinnen und Studenten des Musikwissenschaftlichen Institutes der Universität Hamburg, ein vorzügliches Programmbuch von fast 250 Seiten erstellt zu haben. Angesichts dieser vielen Ereignisse möchte ich daher in meiner Begrüßung nur einige persönliche Betrachtungen vortragen, die zum einen die Beziehungen zwischen der Joachim Jungius-Gesellschaft und Carl Philipp Emanuel Bach betreffen, zum anderen die Verbindungen zwischen der Familie Bach und Telemann sowie einem mehr medizinischen Randaspekt.

Carl Philipp Emanuel Bach wurde 1767 nach dem Tode von Georg Philipp Telemann zum Musikdirektor der fünf Hamburger Hauptkirchen und gleichzeitig zum Kantor des Gymnasiums Johanneum ernannt. 1629 – etwa 150 Jahre zuvor – war Joachim Jungius zum Rektor des Johanneum berufen worden. Joachim Jungius hatte eine große Bedeutung für die Entfaltung der Wissenschaften in Hamburg im 17. Jahrhundert, so daß Goethe von ihm sagte: „Dieser Mann ist eine ganze Akademie“, und hinzufügte: „ein Mathematiker, Physiker und Logiker von Haus aus, der sich aber mit freiem Sinn der lebendigen Natur ergeben und seiner Zeit vorschreitende Arbeiten geliefert hat“. Und Alexander von Humboldt stellte fest, daß „an Gelehrsamkeit und philosophischem Geist den großen Jungius keiner seiner Zeitgenossen übertroffen hat“.

Eine weitere Beziehung zum Johanneum und damit zu Joachim Jungius basiert darauf, daß Carl Philipp Emanuel Bach in Hamburg einen Freundeskreis hatte, der sich im Haus von Johann Albert Heinrich Reimarus traf und zu dem auch Lessing, Klopstock und Matthias Claudius gehörten. Johann Albert Heinrich Reimarus hatte sich nach Abschluß des Medizinstudiums als praktischer Arzt in Hamburg niedergelassen und war später zum Professor der Naturlehre und Naturgeschichte am Johanneum ernannt worden. Sein Vater Hermann Samuel Reimarus hatte ebenfalls, als Professor für orientalische Sprachen, am Johanneum gewirkt und genoß hohes wissenschaftliches Ansehen. Die Veröffentlichung der wissenschaftlichen Schriften von Hermann Samuel Reimarus steht im Mittelpunkt der Arbeit der

Reimarus-Kommission der Joachim Jungius-Gesellschaft. Als Carl Philipp Bach starb, verfaßte Klopstock als Mitglied des Freundeskreises von Reimarus die folgende Grabinschrift:

„Der tiefsinnige Harmonist
Vereinte die Neuheit mit der Schönheit.
War groß
In der vom Wort geleiteten,
Noch größer
In der kühnen sprachlosen Musik".

Zwischen Telemann, dem Vorgänger im Amt des Hamburger Musikdirektors und Kantors am Johanneum, und der Familie Bach bestanden langjährige persönliche Verbindungen. Telemann war Taufpate von Carl Philipp Emanuel gewesen, der am 8. März 1714 in Weimar geboren worden war, und gemeinsam mit Johann Sebastian Bach und Georg Friedrich Händel Mitglied der „Societät der musikalischen Wissenschaften", welche in Leipzig von Lorenz Christoph Mizler gegründet worden war. Mizler war Bachs Theorie- und Clavierschüler gewesen und hatte Bach auch seine Doktorarbeit gewidmet. Nur Musiker in amtlicher Stellung, heißt es in den Statuten dieser Societät, durften gewählt werden. Die Mitglieder hatten ihre Arbeiten einander „postfrey" zuzusenden und sie spätestens in einem Monat zurückzugeben. Bei „Trauer und Freuden Fällen" sollte zu Ehren des betreffenden Mitgliedes eine Ode oder Kantate veröffentlicht werden. Nach Bachs Tode wurde eine „Singgedicht" verfaßt, in welchem ein Rezitativ wie folgt lautete:

„Der große Bach, der unsre Stadt, [gemeint war Leipzig]
In der Europens weite Reiche
erhob, und wenig seiner Stärke hat,
Ist - leider! eine Leiche".

Doch Bach selbst tröstet am Ende seine Freunde damit, „daß die musikalischen Verhältnisse im Himmel noch besser als die zu Leipzig sind".

Mizler war eine Art Universalgelehrter, und sein höchstes Ziel war es, für die musikalische Wissenschaft eine Grundlage aus Mathematik und Philosophie zu gewinnen. 1734 hatte er seine Magisterarbeit geschrieben: „Quod musica ars sit pars eruditionis philosophicae" („Ob die musikalische Kunst ein Teil der philosophischen Weisheit ist").

Carl Philipp Emanuel Bach hat ebenso wie Telemann den Ruf Hamburgs als Musikmetropole befestigt. Enthusiastisch schrieb damals der schwäbische Dichter und Musiker Christian Friedrich Daniel Schubart über Hamburg: „Alles ist daselbst Sang und Klang, die größten Virtuosen treten da auf, und werden fürstlich belohnt; die Dilettanten erheben sich zur Meisterschaft. Die Theatralmusik ist eine der trefflichsten in Deutschland; eben nicht stark besetzt, aber so richtig in der Ausführung, daß Concertmeister dahin reisen sollten, um zu lernen, wie man Orchester anführt. Da die ersten Producte der Welt daselbst aufgeführt werden, so ist leicht zu erachten, welch eine große Musikschule Hamburg für unser Vaterland geworden".

Doch nun zu einem medizinischen Sachverhalt: Carl Philipp Emanuel Bach war das 5. Kind aus der Ehe von Johann Sebastian Bach mit Maria Barbara, einer Cousine zweiten Grades. Maria Barbara verstarb im Juli 1720, im gleichen Jahr, in dem Johann Sebastian Bach eine Reise nach Hamburg antrat, um sich an der St. Jacobi-Kirche mit der berühmten Arp Schnitger-Orgel zu bewerben. 1721 heiratete Johann Sebastian Bach Anna Magdalena und hatte aus dieser Ehe weitere dreizehn Kinder.

In der von Esther Meynell verfaßten *Little Chronicle of Magdalena Bach* heißt es zum Thema „Tod und Leben der Bachschen Kinder": „Die ganze Zeit war unsere Familie angewachsen und die Wiege stets bewohnt gewesen, wenn auch ach! die erwürgende Hand des Todes manchen der kleinen Einwohner uns jählings wieder entrissen hatte. So verloren wir von unseren dreizehn Kindern sieben, und das traf unser Herz schwer."

Übertragen wir diese Verhältnisse auf unsere Zeit, so hätten wir wahrlich keinen Grund, uns zu einem solchen Symposium zusammenzufinden.

Mit dieser medizinischen Randbemerkung möchte ich das Symposium eröffnen.

Stefan Kunze

Carl Philipp Emanuel Bach – Zeit und Werk

Im Pantheon der „Großen Deutschen“, so der Titel eines Sammelwerks mit repräsentativem Anspruch, wird man eine Darstellung über Carl Philipp Emanuel Bach, den zweitältesten Sohn Johann Sebastian Bachs, nicht finden. Sie dort zu suchen, wäre aber nicht abwegig. Denn der Ruhm C. Ph. E. Bachs war zu seinen Lebzeiten in Deutschland erstaunlich, nahezu ohne Beispiel. Und er war bemerkenswert dauerhaft, hielt sich noch einige Jahrzehnte nach seinem Tod im Jahr 1788. Wenn bis um 1800 von „Bach“ die Rede war, dann war fast immer nicht etwa Johann Sebastian, sondern Carl Philipp Emanuel gemeint, den man ein „Original-Genie“, einen „großen Original-Componisten“ nannte und mit den auszeichnendsten Epitheta belegte. Johann Sebastian war der „Vater Bach“, der Vater eines weit berühmteren Sohnes. Niemand hat und hätte damals gezögert, ihm, dem „unsterblichen Bach“, Größe zuzuerkennen. (Mit dem Begriff der „Größe“ verband man durchaus zeitüberdauernde Bedeutung und Maßgeblichkeit.) „Unser erster Classiker der Tonkunst“ heißt es mit Blick auf die deutsche Musik einmal über ihn[1]. So wurde er noch zu Lebzeiten eingeschätzt. Man geizte nicht mit überschwenglichen Formulierungen: „Seine Seele ist ein unerschöpfliches Meer von Gedanken, und so wie das große Weltmeer den ganzen Erdball umfaßt und tausend Ströme ihn durchdringen, so umfaßt und durchströmt Bach den ganzen Umfang und das Innerste der Kunst.“[2] Nachrufe, wie sie C. Ph. E. Bach erhielt, hätte sich Johann Sebastian nicht träumen lassen: „[...] Er war einer der größten theoretischen und practischen Tonkünstler, der Schöpfer der wahren Art das Clavier zu spielen [...] Seine Compositionen sind Meisterstücke und werden vortrefflich bleiben, wenn der Wert von modernem Klingklang längst vergessen sein wird [...]“[3]. Und kein Geringerer als Klopstock verfaßte für den Freund zwei emphatische Grabinschriften, die nicht bloß Bewunderung, sondern auch intime Kenntnis des Werks verraten. Beide fanden keine Verwendung. Die für ein Denkmal in der Hamburger Großen St. Michaeliskirche lautet:

---

1 Freiherr v. Eschstruth, *Musicalische Bibliothek,* Marburg und Gießen 1784, S. 152.
2 Schreiben über die Berlinische Musik, Hamburg 1775, zit. nach: J. F. Reichardt, *Briefe, die Musik betreffend,* Leipzig 1776, S. 72.
3 *Hamburgischer Unpartheiischer Correspondent,* vom 15. Dezember 1788.

Steh nicht still, Nachahmer,
Denn Du mußt erröten, wenn Du bleibst.
Carl Philipp Emanuel Bach,
Der tiefsinnigste Harmonist,
Vereinte die Neuheit mit der Schönheit,
War groß
In der vom Worte geleiteten,
Noch größer
In der kühnen sprachlosen Musik;
Übertraf den Erfinder des Klaviers,
Denn er erhob die Kunst des Spiels
Durch Lehre
Und Ausübung
Bis zu dem Vollendeten.

Allein die Tatsache, daß hier ein Dichter von hohem Ansehen einem Komponisten aus persönlichem Impuls und aus offenbarer Wertschätzung ein Denkmal setzte, verdient vermerkt zu werden. Im Hause Klopstock war C. Ph. E. Bach ein häufiger Gast. Vielleicht geht man nicht zu weit, aus der frei rhythmischen Poesie Klopstocks und dem freien Phantasieren am Klavier, für das Carl Philipp Emanuel berühmt war, den Gleichklang musikalischer und dichterischer Intentionen herauszuhören. Es würde sich lohnen, einer solchen Spur nachzugehen, ohne platter Parallelisierung zu verfallen. (Vgl. dazu den Anhang.)

Im ersten Viertel des 19. Jahrhunderts indessen verblaßte das Bild C. Ph. E. Bachs. Der Ruhm des Vaters, dessen Musik man damals neu zu entdekken begann, holte den des Sohnes ein. Schon um 1800 dürfte außer vereinzelten geistlichen Kompositionen das Werk von Carl Philipp Emanuel keine klingende Aktualität mehr besessen haben. Und schließlich war da die Instrumentalmusik der Wiener Klassiker, die alles überstrahlte und in ihren Bann zog, und gerade das Feld besetzte, auf dem sich zu Zeiten C. Ph. E. Bachs die deutsche Musik gegenüber der italienischen und französischen in besonderem Maße profiliert, vor allen Carl Philipp Emanuel den Mitlebenden gezeigt hatte, wo und wie der beherrschenden italienischen Musik, in erster Linie der Oper, die Stirn geboten werden konnte. Jetzt war die Situation gegeben, in der die Musik von C. Ph. E. Bach aus der Perspektive Johann Sebastian Bachs als die des bedeutenden Sohnes eines inkommensurabel großen Komponisten, und aus der Perspektive von Haydn, Mozart und Beethoven als die des eigenwilligen ‚Vorgängers' eingeschätzt wurde. Vereinzelt setzt die Umwertung schon früh ein. Ein geradezu verblüffendes Beispiel bieten die Kompositionslehre (1782–93) von Heinrich Christoph

Koch und das *Musikalische Lexikon* (1802) desselben Autors. Nahezu wörtlich kehren die erklärtermaßen von Konzerten C. Ph. E. Bachs inspirierten Passagen aus dem Lehrbuch über das Ideal des Solokonzerts im Lexikon wieder, werden jedoch hier ausdrücklich auf Mozart bezogen[4]. Man vergegenwärtige sich, daß in Bachs Todesjahr 1788 die Trias der letzten großen Sinfonien Mozarts entstand, Haydn durch seine Quartette und Sinfonien längst eine europäische Berühmtheit war. Der „classische Componist", das „Original-Genie" wurde zum „*Vor*klassiker" gestempelt, die Epoche, in der er lebte und wirkte, zur „Vorklassik". Diese Optik fand und findet immer noch ihre (scheinbare) Bekräftigung darin, daß sich auch in der Geschichte der deutschen Literatur eine ähnliche Konstellation ergab. Die Dichtung eines Klopstock entgeht im allgemeinen Bewußtsein nicht leicht dem Vorurteil, das sie im Vorhof der Weimarer Klassik ansiedelt – zumindest was ihren Rang angeht. – Es wäre allerdings illusorisch zu meinen, ‚Vorurteile' seien als defiziente Urteilsformen einfach durch ‚wahre' Urteile zu ersetzen. Meist wird sich herausstellen, daß auch die vermeintlich gegründeten Urteile nicht ohne ein Vorverständnis auskommen, das freilich nur dann legitim ist, wenn es expliziert wird. Die Musik von C. Ph. E. Bach heute mit den Ohren damaliger Hörer vernehmen und an den Maßstäben ihrer eigenen Zeit messen zu wollen – solche Versuche sind schon deshalb zum Scheitern verurteilt, weil sie einen vorsätzlich beschnittenen Erfahrungshorizont herstellen müssen. Vor der Totalität unserer musikalischen Erfahrung dürften radikale Umwertungen wieder in sich zusammenfallen, weil sie nicht konsensfähig sind.

Dennoch geht es nicht an, das uneingeschränkte Ansehen, das C. Ph. E. Bach zu seiner Zeit genoß, als historische Tatsache bloß zu konstatieren, sie im übrigen einfach auf sich beruhen zu lassen und als ‚zeitbedingte' Erscheinung abzutun, ohne den Versuch zu unternehmen, die besondere (vielleicht verschüttete) Qualität dieser einstmals allgemein bewunderten Musik herauszuarbeiten – nicht um historisches Wissen zusammenzutragen, sondern Sinn und Sensibilität zu schärfen. Ohnehin ist es wohl in den seltensten Fällen haltbar und ein Zeichen für Verlegenheit, Epochen als solche des „Übergangs" und der „Vorbereitung" zu definieren. Diese Sicht impliziert eine Wertung und ein biologistisches Geschichtsbild (die Verwechslung des post hoc mit dem propter hoc)[5]. Die in der häufig zwischen *Kunst*geschichte und Kunst*geschichte* schwankenden Musikhistoriographie geläufige und scheinbar plausible epochale Kategorie der „Vorklassik" krankt offensichtlich an

---

4 H. Chr. Koch, *Versuch einer Anleitung zur Composition,* Rudolstadt 1782, Leipzig 1787 und 1793, III. Teil, S. 332; Musikalisches Lexikon, Frankfurt 1802, Sp. 354.

5 Modelle wie dies von „Anarchie" und „Herrschaft" bzw. „interregnum" und „regnum", oder allgemein von Ursache und Wirkung dürften in der Kunstgeschichte kaum greifen.

der stillschweigenden und daher unzulässigen Vermischung ästhetisch wertender und historiographischer Aspekte. Die Formel dieser Logik ist brüchig: zum überragenden Phänomen der Wiener klassischen Musik müsse sich, was epochal unmittelbar vorausging, als Vorstadium verhalten. Die „Vorklassik" präsentierte sich (so gesehen) als eine Epoche des Dazwischen (zwischen Bach und Wiener Klassik), als eine Epoche, die (aus der Rückschau) ihr Eigenes, ihren Sinn aus der Vorbereitung auf ein Anderes, Vollendetes bezog. Aus der Vielfalt der verzerrenden Implikationen hebe ich nur die eine hervor: Die Musik der Wiener Klassiker sei gewissermaßen das Resultat, die Synthese der Tendenzen und Traditonen gewesen, die in der „vorklassischen" Epoche sich in mehr oder minder unausgereifter Form gezeigt haben. Aber wie das Eigentliche und Unerhörte der Musik von Haydn, Mozart und Beethoven (trotz unleugbarer Beziehungen zu bestehenden Traditionen) *nicht* ableitbar (keine ‚bessere' „Vorklassik") ist, so sollte man auch die Musik der vorausgehenden Epoche bzw. Generation *nicht* auf die der Wiener Klassiker fixieren, auf die sie faktisch nicht fixiert ist. Dies wäre die Voraussetzung, um der Musik der sogenannten „Vorklassiker" historisch und ästhetisch Gerechtigkeit widerfahren zu lassen und sie in ihrem Selbstsein zu begreifen. Kein Komponist, und sei er der geringste, hat je auch nur eine Note komponiert, um etwas ‚vorzubereiten'.

Doch noch ein anderes, aus der Vermischung der Aspekte fast zwangsläufig resultierendes Vorurteil bedürfte dringend der Revision: Wenn von Epochen der Musikgeschichte die Rede sein soll, dann wäre nicht nur das Werk von Johann Sebastian Bach auszunehmen, sondern auch die Musik der Wiener Klassiker. Der epochale Umbruch ist um 1730 bereits in vollem Gange, ohne daß die Musik von Bach von ihm berührt würde. (Das Jahr 1750, Johann Sebastian Bachs Todesjahr, markiert keinen epochalen Einschnitt.) Wann immer man andererseits die klassische Phase im Schaffen Haydns und Mozarts beginnen lassen möchte, eine klassische Epoche der Musik hat es gesamteuropäisch nicht gegeben. Das Jahr 1781 ist gewiß ein signifikantes Datum in der Geschichte der europäischen Musik gewesen, weil es gute Gründe dafür gibt, daß zu dieser Zeit im Werk Haydns und Mozarts die reife, klassische Stufe erreicht wurde. Aus epochaler Sicht indessen ist es ebensowenig einschneidend wie das Todesjahr Bachs oder das Todesjahr Beethovens. Und schon um 1800 bahnte sich ungeachtet der Ausstrahlung, die insbesondere von den Instrumentalwerken der Wiener Klassiker ausging, Neues an, das sich nicht an diese anschloß, sondern an den vielfältig verzweigten Hauptstrom der „vorklassischen" Musik. C. Ph. E. Bachs Passions-Kantate *Die letzten Leiden des Erlösers* und das Oratorium *Die Israeliten in der Wüste* (beide 1769) beispielsweise schlugen mit Carl Heinrich Grauns *Tod Jesu* (1755) die Brücke zum Genre des erbaulichreligiösen Konzert-Oratoriums, das vor allem in der ersten Hälfte des 19. Jahrhunderts den Nerv einer aus dem Gefühl gespeisten, gleichsam säkularisierten Religiosität traf[6].

Wie steht nun C. Ph. E. Bach, im Jahr 1714 wie Gluck geboren, Generationsgenosse von Giovanni Battista Pergolesi, Johann Stamitz und von Friedrich dem Großen (*1712), *in* und *zu* seiner Epoche? Wie verhält sich seine Musik in der komplexen Konstellation, die ich in allgemeinsten Zügen zu umreißen suchte? Die Frage ist einigermaßen schlüssig allerdings nur zu beantworten, wenn man sich der Musik von C. Ph. E. Bach um ihrer selbst willen nähert, ihren Eigensinn zur Kenntnis nimmt, wenn man der Versuchung widersteht, sie voreilig ‚einordnen' und sie mit dem leeren Begriffsraster von ‚Übergang', ‚Vorbereitung' und „Vorklassik" erfassen zu wollen. Die Zeitgenossen jedenfalls haben vor allem diese besondere, unvergleichliche Seite seiner Musik wahrgenommen, wenn sie ihren originalen Charakter hervorhoben. Charles Burney, der musikkundige Reisende aus England, der C. Ph. E. Bach in Hamburg einen Besuch abstattete und dem wir die vielleicht lebendigste Schilderung von dessen Persönlichkeit verdanken, meinte sogar, Carl Philipp Emanuel scheine in der Klaviermusik, gleich Domenico Scarlatti (dem eine Generation Älteren!), „sein Zeitalter hinter sich zurück zu lassen"[7]. Allerdings: Die Klaviermusik von C. Ph. E. Bach, die zu seiner Zeit Aufsehen und höchste Bewunderung erregte, auf die sich sein Ruhm vor allem gründete, ist der heute vielleicht unbekannteste Teil seines Schaffens. Das Bild von Carl Philipp Emanuel in einer breiteren Öffentlichkeit des musikinteressierten und musizierenden Laien wird vornehmlich geprägt (und damit verzeichnet) durch Nebenwerke, die es tatsächlich in stattlicher Zahl gibt. Dies rührt nicht zuletzt daher, daß sich die besondere Qualität der Klavierkompositionen in einer Spielweise erschloß, für die C. Ph. E. Bach bei seinen Zeitgenossen berühmt war, die aber heute schwer erreichbar ist (darauf wird noch zurückzukommen sein). Lassen wir von vielen Stimmen die Burneys zu Wort kommen, der sich an verschiedenen Stellen unter dem unmittelbaren Eindruck von Carl Philipp Emanuels Spiel äußerte: „Sein heutiges Spielen bestärkte meine Meinung, die ich von ihm und seinen Werken gefaßt hatte, daß er nemlich nicht nur der größeste Komponist für Clavierinstrumente ist, der jemals gelebt hat, sondern auch im Punkte des *Ausdrucks,* der beste Spieler. Denn, andere können vielleicht eine eben so schnelle Fertigkeit haben. Indessen ist er in jedem Style ein

6 Nicht von ungefähr reicht die Aufführungsgeschichte der drei genannten Kompositionen bis weit ins 19. Jahrhundert.

7 Ch. Burney, *Tagebuch einer musikalischen Reise,* Aus dem Englischen übersetzt von C. D. Ebeling, Hamburg 1772 (I. Bd.), 1773 (II. und III. Bd.) [Faks.-Neudr. Documenta Musicologica XIX, Kassel etc. 1959], Bd. III, S. 215.

Meister, ob er sich gleich hauptsächlich dem *Ausdrucksvollen* widmet. Er ist, glaub ich, gelehrter als selbst sein Vater, so oft er will, und läßt ihn, in Ansehung der Mannigfaltigkeit der Modulation, weit hinter sich zurück [...]"[8]. Burney spricht nicht vom größten Klavierkomponisten *seiner* Zeit, sondern von zeitloser Größe. Dies ist bemerkenswert, bemerkenswert aber auch die enge Verflochtenheit zwischen Vortrag und Komposition. Wurde schon der Grad der Belebung der Komposition durch die unnachahmliche Art des ausdrucksvollen, individuellen Vortrags als beispiellos empfunden, so war den Zeitgenossen mindestens in gleichem Maße die physiognomische Unterschiedlichkeit der Werke erstaunlich. „Jede [sc. der Sonaten] hat etwas Besonderes", meinte J. F. Reichardt, „wodurch sie sich von allen anderen deutlich unterscheidet."[9] War jene eigenartige Aufeinanderbezogenheit von ausdrucksgetränkter Darstellung und Komposition oder die Tendenz zur Individualisierung der Musik zeitgemäß? Aufs Ganze gesehen ist die Frage zu verneinen; eher war das Gegenteil der Fall. Im herrschenden „vermischten Geschmack" (J. J. Quantz) der „galanten Musik" (J. A. Scheibe) lag vielmehr die Tendenz zur Glättung, zur Eingängigkeit. C. Ph. E. Bach war von daher gesehen gewiß ein Außenseiter. Man braucht ihn nur mit seinem jüngeren Bruder Johann Christian, dem „Londoner Bach", in Vergleich zu setzen. Als Opern- und Instrumentalkomponist war Johann Christian der Mann seiner Zeit, und nicht von ungefähr ist er es gewesen, der sich aus den Bindungen an seine Herkunft gänzlich löste.

Noch ein Anderes haben die Zeitgenossen mit bemerkenswertem Scharfblick erkannt: Der Schwerpunkt von C. Ph. E. Bachs schöpferischem Vermögen lag in der Klaviermusik. Sie war seine eigentliche Domäne, wiewohl er zu den vielseitigsten und fruchtbarsten Komponisten in der neueren Geschichte der Musik gehörte, es (außer der Oper) keine Gattung gab, in der er nicht bedeutsam tätig gewesen wäre. Doch in der Klaviermusik konnte er weitgehend unbekümmert um geltende Konventionen ganz original sein. Heute erweist sie sich (im Unterschied etwa zur Klaviermusik von Domenico Scarlatti) als der vielleicht am schwersten zugängliche Bezirk seines außerordentlich umfangreichen Oeuvres – die Pianisten und Cembalisten meiden ihn zumeist. Mit einigen Ausnahmen unter den Sinfonien, Klavierkonzerten und Vokalkompositionen nehmen die Klavierwerke zweifellos den höchsten Rang ein. Und auch dies paßt eigentlich kaum ins Bild einer Epoche, in der die italienische Oper, Seria und Buffa, sowie auf dem Feld der Instrumentalmusik seit etwa 1750 die Sinfonie, das Streichquartett und ver-

---

8 Burney/Ebeling (s. Anm. 7), Bd. III, S. 213 f.

9 *Briefe eines aufmerksamen Reisenden die Musik betreffend,* 2 Teile, Frankfurt/M. und Leipzig 1774–76, Teil II, S. 10.

wandte Gattungen eine mit Abstand dominierende Rolle spielten. (Noch für Haydn war die Klaviersonate keine zentrale Gattung. In den Mittelpunkt neben Sinfonie, Streichquartett und Konzert rückte sie erst bei Beethoven.) Je mehr indessen die Klaviermusik um 1750 verflachte, desto höher stieg das Ansehen C. Ph. E. Bachs als Klavierkomponist und -spieler, da seine Musik sich den allgemeinen Tendenzen zum Gefälligen, Leichten, Galanten, zur Musik für „Liebhaber" widersetzte. Carl Philipp Emanuel schrieb in der Hauptsache für „Kenner". Dem Virtuosen bot und bietet die zumeist intime Sprache seiner Klavierwerke wenig. Dagegen verwundert es nicht, daß Haydn nach eigenem Bekenntnis von Bachs Klaviermusik fasziniert war, von der er wahrscheinlich um 1748 die „Preußischen" und möglicherweise auch die „Württembergischen" Sonaten kennenlernte: „Da kam ich nicht mehr von meinem Claviere hinweg", so soll sich Haydn laut Griesinger geäußert haben, „bis sie [sc. die Sonaten] alle durchgespielt waren, und wer mich gründlich kennt, der muß finden, daß ich dem Emanuel Bach sehr vieles verdanke, daß ich ihn verstanden und fleißig studiert habe. Emanuel Bach ließ mir auch selbst einmal ein Compliment darüber machen."[10] Der Niederschlag der Bewunderung für C. Ph. E. Bach ist in Haydns Klaviersonaten unschwer auszumachen. Die Frage wäre allerdings, wie weit die Annäherung wirklich reiche und welche Impulse für Haydns kompositorisches Denken im allgemeinen von der Musik Carl Philipp Emanuels ausgingen. Sie dürften im Kern eher ideeller und anregender Natur gewesen sein. Was Haydn aufnahm, zeigt sich jedenfalls in neuen Konstellationen der Konstruktion und der Gehalte. Es liegt wenig daran, bei der oberflächlichen Registrierung von ‚Einflüssen' stehenzubleiben.

Carl Philipp Emanuel Bach soll wiederum Haydn geschätzt haben. Entgegengesetzten Behauptungen trat er mehrfach öffentlich entgegen. Wie weit seine Kenntnis von Haydns Werken ging, wissen wir nicht. Im Musikalien-Nachlaß fand sich kein einziges, überhaupt fehlt die Musik aus dem süddeutsch-österreichischen Raum ebenso wie die italienische. Soweit bekannt, ist in den von Carl Philipp Emauel in Hamburg veranstalteten Konzerten kein Werk von Haydn je erklungen. Umgekehrt dürfte die Musik C. Ph. E. Bachs um 1780 in Wien, wo sie wohl zu keiner Zeit heimisch geworden war, als antiquiert angesehen worden sein. Eine private, dann auch öffentliche Aufführung (Februar und März 1788) der gerade erst (1787) publizierten Kantate *Auferstehung und Himmelfahrt Jesu* (Text: Karl Wilhelm Ramler) unter Leitung Mozarts mit erster Sängerbesetzung und mit einem

---

10 G. A. Griesinger, *Biographische Notizen über Joseph Haydn,* Reprint der Ausgabe Leipzig 1810. Mit einem Nachwort, Berichtigungen und Ergänzungen von P. Krause, Leipzig 1979, S. 13.

Orchester von 86 Personen wurde wahrscheinlich von Gottfried van Swieten, dem Enthusiasten älterer Musik, initiiert, fand jedoch lebhaften Anklang[11]. Dies kann nicht darüber hinwegtäuschen, daß die Wege der Musik in Nord- und Süddeutschland/Österreich sich damals schon längst getrennt hatten, die Musik C.Ph.E.Bachs schon aus diesem Grunde unzeitgemäß wirken mußte. Trotzdem blieb das Ansehen vornehmlich der Klaviermusik bei einem kleinen Kreis von Kennern hoch. Noch Beethoven zeigte Interesse an Carl Philipp Emanuels Klavierkompositionen: „[...] von Emanuel Bachs Klavierwerken habe ich nur einige Sachen", schrieb er am 26. Juli 1809 an Breitkopf & Härtel, „und doch müssen einige jedem wahren Künstler nicht allein zum hohen Genuß sondern auch zum Studium dienen [...]"[12].

Die Klaviermusik von C.Ph.E.Bach spricht gewiß eine ihr gänzlich eigene, unverwechselbare Sprache, der sich in seiner Epoche nichts Ähnliches oder (mit Ausnahme Haydns und Mozarts) gar Ebenbürtiges entgegensetzen ließe. Indem er sich von Anfang an vor allem der Sonate (Klaviersonate) zuwendete, mithin einer damals neuen und zukunftsträchtigen Gattung, kehrte Carl Philipp Emanuel sich entschieden ab von der alten Epoche, die Hugo Riemann treffend das „Generalbaßzeitalter" genannt hat, und von den alten Gattungen der Klaviermusik (Präludium, Fuge, Suite etc.). C.Ph.E.Bach war der erste Komponist, der sich mit Entschiedenheit auf die Sonate verlegte. Erstaunlicherweise geschah dies noch unter den Augen von Johann Sebastian Bach.

Mit den Friedrich II. gewidmeten sechs „Preußischen" (1742) und den sechs „Württembergischen" Sonaten (1744, Widmungsträger: Herzog Karl Eugen) begann die Reihe von ca. 150 Klaviersonaten, die eine Konstante seines kompositorischen Schaffens bildeten. Das Sonaten-Oeuvre gipfelte in den sechs Sammlungen von *Sonaten, freien Fantasien und Rondos für Kenner und Liebhaber,* die von 1779 bis 1787 in Jahres- bzw. Zweijahresabstand erschienen. Carl Philipp Emanuel hielt an seinem Sonatenkonzept, das sich vorab im Anspruch merklich von allem unterschied, was damals an Klaviersonaten komponiert wurde, unbeirrt über fast 50 Jahre hinweg fest. Mit gewissem Vorbehalt kann man sagen, daß es sich (auch dies bemerkenswert) im Lauf der Zeit kaum gewandelt hat. Vor allem aber ging C.Ph.E.Bach in seinen Sonaten von der durch und durch persönlichen, gänzlich unkonven-

---

11 Zu dieser Aufführung und ihrem Echo: *Mozart. Die Dokumente seines Lebens.* Gesammelt und erläutert von O.E.Deutsch, Kassel etc. 1961, S.273. – Außerdem: A.Holschneider, „C.Ph.E.Bachs Kantate ‚Auferstehung und Himmelfahrt Jesu' und Mozarts Aufführung des Jahres 1788", in: Mozart Jahrbuch 1968/70, S.264–280.

12 *Beethovens Sämtliche Briefe.* Kritische Ausgabe mit Erläuterung von A.Chr.Kalischer, Bd. I, Berlin u. Leipzig 1906, Nr.196, S.282ff.

tionellen Handschrift nicht ab. Daraus erklärt sich auch, daß er zwar das neue Genre aufgriff, sich aber von der zum Weltläufigen tendierenden Diktion distanzierte, die von der italienischen Opernsinfonia ausgehend alle anderen instrumentalen Gattungen erfaßt hatte. Sogar in der knapp gefaßten Autobiographie kam er darauf zu sprechen. Es sei von der Höhe, zu der sich die Tonkunst erhoben habe, schon viel verlorengegangen: „Ich glaube, daß das itzt so beliebte Komische, hieran den größten Antheil habe."[13] Und er vergaß nicht zu erwähnen, daß der Italiener Baldassare Galuppi (seit den 1750er Jahren einer der prominenten Repräsentanten der Opera buffa) ihm hätte beipflichten müssen. Im Hamburger Literaten- und Gelehrtenkreis, wo Carl Philipp Emanuel verkehrte, muß das Thema berührt worden sein. Lessing berichtete davon: „Bach klagt über den jetzigen Verfall der Musik. Er schreibt ihn der komischen Musik zu, und sagt nur, daß *Galuppi,* der einer von den ersten komischen Komponisten ist [...], *selbst versichert habe,* der Geschmack an der komischen Musik verdränge sogar die alte gute Musik aus den Kirchen in Italien [...]"[14].

Was aber ist mit dem Komischen gemeint? Zweifellos nicht etwa die musikalisch komischen Züge in einer Musikkomödie, sondern das vom Generalbaß-Komponieren vollständig emanzipierte neue Prinzip des musikalischen Satzbaus, das mit der neuen Gattung der Musikkomödie (Opera buffa) genuin verbunden und insofern ‚komisch' war, ein Prinzip, das den unvermittelten, ungemein beweglichen Wechsel der Gebilde, heitere Leichtigkeit ermöglichte und darum ein vornehmlich dem komischen Theater adäquates, populäres Idiom hervorbrachte. Der neuen Geschmeidigkeit in der Handhabung der Bauelemente, die sich seit etwa 1730 nach und nach in allen Genres der Musik durchsetzte, verweigerte sich C. Ph. E. Bach. Seine Vorbehalte gegenüber dem „Komischen" betrafen demnach Fundamentales.

Das neue musikalische Idiom der Opera buffa bewies seine Universalität insbesondere in der neuen Gattung der Sinfonie, die ihre Herkunft aus der italienischen Opern-Sinfonia nicht verleugnete. In seinen weniger zahlreichen (ca. 18), aber bedeutenden Sinfonien hielt sich C. Ph. E. Bach von dem allgemeinen und erfolgversprechenden Weg fern. Vor allem die sechs für van Swieten im Jahr 1773 komponierten Streichersinfonien und die vier Orchestersinfonien des Jahres 1775/76 (erschienen in Leipzig 1780) fielen gänzlich aus dem Rahmen des Zeitüblichen. Die letztgenannten bezeichnete er als „das größte in der Art, was ich gemacht habe." Zu den Streichersinfonien meinte Johann Friedrich Reichardt: „Schwerlich ist je eine Composition von höherem, keckerem, humoristischerem Charakter einer genialen

13 Burney/Ebeling (s. Anm. 7), III. Teil, S. 201.
14 *Kollektaneen zur Literatur,* Wien 1804, S. 245 f.

Seele entströmt." Es sind im vollen Sinne des Wortes Ausnahmewerke, die zwar beim Hamburger Publikum tiefen Eindruck hinterließen, denen aber weitreichende Wirkung versagt blieb. Sinfonien und Klaviersonaten, ebenso wie übrigens die Klavierkonzerte, wiesen somit in dieselbe Richtung: C. Ph. E. Bach verschloß sich keineswegs den neuen Genres der Musik, die eine neue Epoche signalisierten, doch er faßte sie auf seine eigene, unverwechselbare Weise auf.

Ein ähnlich zwiespältiges Bild bietet die Vita. Ein gänzlich unspektakulärer, fast unauffälliger Lebensgang steht in scharfem Kontrast zur aufregenden Originalität der Hauptwerke. Alle Zeichen deuteten zunächst auf Epigonalität. Nach eigenem Bekunden hatte er im Klavierspiel und in der Komposition niemals einen anderen Unterricht gehabt als den seines Vaters. Nach dem Besuch der Thomasschule betrieb er auf Wunsch des Vaters in Leipzig und dann in Frankfurt/Oder das Studium der Rechte. Dies fiel durchaus nicht aus der älteren nord- und mitteldeutschen Musikertradition. Man denke an Schütz, Kuhnau, Händel und andere. So ehrenvoll und auszeichnend die Berufung des 24jährigen Carl Philipp Emanuel an den Hof des preussischen Kronprinzen Friedrich (1738) und nach dessen Thronbesteigung (1740) in den Dienst des Königs erscheinen mochte, ungewöhnlich war eine solche Laufbahn nicht. Allerdings dürfte der vergleichsweise untergeordnete Rang eines Hofcembalisten seinen Fähigkeiten und seinem Anspruch als Komponist von Anfang an kaum genügt haben, zumal die Besoldung weit hinter der seiner Kollegen bei Hofe zurückblieb und nur zögernd im Lauf der Jahre erhöht wurde. (Die Relationen sprechen für sich: im Jahr 1744/45 erhielt er 300 Taler; Johann Joachim Quantz, Friedrichs Flötenlehrer und höchste Instanz in Dingen des musikalischen Geschmacks, sowie der Hofkapellmeister Carl Heinrich Graun erhielten 2000, die Konzertmeister Johann Gottlieb Graun und Franz Benda 1200 bzw. 800; der erste Kastrat hingegen bezog das Spitzengehalt von 3000 Talern.) Carl Philipp Emanuel war nicht mehr der Typus des höfischen Musikers – im Unterschied zu Graun oder Quantz. Ein Kapellmeisteramt an einem anderen Ort hat er entweder nicht angestrebt oder es wurde ihm nicht angeboten. Siebenundzwanzig Jahre verblieb er im Dienste des Königs, kam, wie man vermuten darf, mit mäßiger Zufriedenheit seinen höfischen Pflichten als „Accompagnist" nach. Daß ihn der König auch als Komponisten von außergewöhnlichem Rang geschätzt haben könnte, muß man wohl bezweifeln. Innerlich entzog sich Bach dem höfischen, vom konservativen Geschmack des Königs gelenkten Musikleben, verkehrte mit Vorliebe im Kreis von Gelehrten, Literaten, Dichtern wie Ramler, Gleim, sowie in den Salons des gehobenen Bürgertums, etwa in der Bankiersfamilie Itzig. Aus den Berliner Tagen datiert auch der Umgang mit Lessing. Es war überhaupt viel bürgerliche

Denkungs- und Lebensart in seinem Wesen. Dagegen mutet die höfische Stellung seltsam anachronistisch an. Immerhin ließ sie ihm, vor allem während der langdauernden kriegsbedingten Abwesenheiten des Königs, genug Freiheit, die eigene Linie zu verfolgen und den Umgang zu pflegen, der ihm gemäß war.

Mit dem Wechsel nach Hamburg als Kantor am Johanneum und als städtischer Musikdirektor für die fünf Hamburger Hauptkirchen nahm der Lebensgang C. Ph. E. Bachs äußerlich den gleichen Verlauf wie der seines Vaters. Da die Glanzzeiten Hamburgs als Opernstadt bereits der Vergangenheit angehörten, bekleidete er (seit 1768) das geachtetste Amt, das Hamburg zu vergeben hatte. Der berühmte Georg Philipp Telemann, übrigens sein Pate, war der Vorgänger gewesen. C. Ph. E. Bach versah sein Amt zwar gewissenhaft – der weitaus größte Teil seiner Kirchenmusik stammt aus der Hamburger Zeit –, doch eine Berufung zur Kirchenmusik kann er kaum empfunden haben. Die gegenüber den Instrumentalwerken im allgemeinen merkbar geringere Bedeutung seiner geistlichen Kompositionen lassen daran keinen Zweifel. Hätte er das Thomaskantorat, um das er sich nach dem Tode des Vaters bewarb, erhalten, dann wäre die innere Beziehungslosigkeit zwischen Aufgabe und künstlerischem Wollen noch deutlicher hervorgetreten. Die Hauptgattungen der protestantischen Kirchenmusik, Kantate und Passionsvertonung, waren schon vor 1750 (Johann Sebastian Bachs Todesjahr) keine Aufgabe mehr, die einem Komponisten vom Gewicht Carl Philipp Emanuels noch hätten viel bedeuten können. Der Niedergang war allgemein, wenngleich die Institutionen überlebten, und betraf durchaus nicht nur die Verhältnisse in Hamburg, derer sich (was das offizielle Musikleben angeht) Carl Philipp Emanuel „zuweilen ein wenig schämen“ mochte, wie er Burney gestand[15]. Er fühlte sich indessen für die nicht gänzlich befriedigenden musikalischen Verhältnisse dadurch entschädigt, daß er noch mehr als in Berlin seiner Neigung nachgeben konnte, mit ausgezeichneten Persönlichkeiten des Geisteslebens freundschaftlich umzugehen, aus Gespräch und Gesellschaft Anregungen auch für seine Musik zu ziehen. Im Kreise von Lessing (in Hamburg 1767–1770), Matthias Claudius, der sehr musikalisch war und gut Klavier spielte, von Klopstock, der Professoren Johann Georg Büsch und Christoph Daniel Ebeling, des Verlegers Bode, der Dichter Gerstenberg, Johann Heinrich Voss, des Arztes und Popularphilosophen Reimarus, scheint er sich wohlgefühlt zu haben. Die Gesprächs-, Lese- und Musizierabende der frühbürgerlichen Salons waren Carl Philipp Emanuels geistige Heimat, nicht die Belange des Kantorenamtes, aus dem ihm (anders als seinem Vater in Leipzig) keine Mißhelligkeiten erwuchsen.

15 Burney/Ebeling (s. Anm. 7), III. Teil, S. 191.

Die Hauptwerke, Klaviersonaten und -phantasien, haben ihren Ort im intimen, privaten Bereich des häuslichen Musizierens.

Man hat durchaus den Eindruck, daß C. Ph. E. Bachs äußere, ereignisarme Biographie, die weder Höhen noch Tiefen kannte und sich fast altväterisch ausnimmt, und seine innere, von der die besten seiner Kompositionen zeugen und die in ihrem bürgerlichen Zuschnitt an die spätere Zeit der Romantik und des Biedermeier denken läßt, beziehungslos nebeneinander herliefen. Die Biographie paßt nicht recht zur Epoche, das Werk aber (soweit es bedeutend ist) nicht zur äußeren Biographie.

In *einem,* dafür entscheidenden Punkt indessen hat C. Ph. E. Bach den Nerv seines Zeitalters getroffen bzw. sich ihn zu eigen gemacht. Seine Musik repräsentiert in reiner, freilich sehr persönlich geprägter Form die „Empfindsamkeit", die zur Signatur einer ganzen Epoche – eben jener, in der er wirkte – erhoben wurde. Mehrfach sprach er in eindringlichen Worten aus, was damals allgemeine Überzeugung war: Musik solle das Herz rühren, die Affekte erregen, und: „Aus der Seele muß man spielen, und nicht wie ein abgerichteter Vogel"[16]. Und wenn Christoph Martin Wieland von seinen Abderiten berichtet, sie hätten „keinen Begriff davon, daß die Musik nur insofern Musik ist, als sie das Herz rührt", dann war jedem verständigen damaligen Leser ihr Banausentum hinreichend deutlich gemacht[17]. Die aufgeklärte Rationalität schuf sich mit der „Empfindsamkeit" einen anderen Schlüssel zur Welterfahrung. In der Instrumentalisierung der Empfindung, die mit irrational emotionsträchtiger Subjektivität keinesfalls verwechselt werden sollte, verrät sich jedoch der rationalistische Geist der Aufklärung. Die von Vernunft durchwaltete Ordnung der Welt besaß ihr Pendant in einer wohlorganisierten und -dosierten Palette von Empfindungen, die sich zu einem Kanon der Affekte zusammenschloß. Insbesondere die ‚mittleren Empfindungen' standen in Ansehen und ergaben den im höfischen Zeitalter schicklichen Ton des Galanten, in der Musik den „galanten Stil". Rousseaus berühmte Formel, Musik sei die „Sprache des Herzens" (langage du cœur), verleugnet, so befreiend sie gewirkt hat, mit der Überzeugung, auch Empfindungen müßten ihre durchorganisierte Sprache haben, und trotz der Berufung auf die Natur die rationalistische Herkunft nicht. Aber gerade auf diese eigenartige Verbindung von aufgeklärter Ratio und Empfindungsbereitschaft ist die Entstehung einer ungemein differen-

---

16 *Versuch über die wahre Art das Clavier zu spielen,* Berlin 1753 [I. Teil], S. 119. (Faksimile-Nachdruck hrsg. von L. Hoffmann-Erbrecht, Leipzig 1957.) Seine Lebensskizze (Burney/Ebeling, III. Teil, S. 209) beschloß er folgendermaßen: „Mich däucht, die Musik müsse vornehmlich das Herz rühren, und dahin bringt es ein Clavierspieler nie durch bloßes Poltern, Trommeln und Harpeggiren; wenigstens bei mir nicht."

17 *Geschichte der Abderiten* (1774), Ausgabe Stuttgart 1958, S. 18.

zierten Sensibilität und Formulierungsfähigkeit in Dingen der Empfindung zurückzuführen.

Die Tatsache, daß die empfindsamen Tendenzen nicht zuletzt auch in der Musik Früchte trugen, läßt an eine intensive Wechselbeziehung zwischen empfindsamer Literatur und empfindsamer Musik denken. Im Falle C. Ph. E. Bachs geht sie über den epochalen Gleichklang hinaus, besitzt den Charakter einer auf der Basis persönlichen Umgangs ausdrücklich betriebenen Annäherung. Es wäre einer genaueren Prüfung wert, welche Anregungen inhaltlicher und formaler Art Carl Philipp Emanuel etwa aus den Dichtungen Klopstocks, Gellerts, Ramlers, Gerstenbergs u. a. bezogen hat. Nicht nur die Vertonung der Gellertschen geistlichen Oden und Lieder unmittelbar nach deren Erscheinen (1757) und die bedeutsame Vorrede der Publikation (bereits 1758) zeigen, mit welch wachem Sinn Carl Philipp Emanuel auf ihn ansprechende Poesie als Komponist zu reagieren vermochte. In Carl Heinrich Grauns bis ins 19. Jahrhundert hinein ungemein populärer Vertonung von Ramlers *Tod Jesu* (1755) stellte sich empfindsame Gleichgestimmtheit zwischen Text und Musik unwillkürlich ein. Dagegen kann man sich kaum dem Eindruck entziehen, daß C. Ph. E. Bach mit seiner Vertonung des Ramler-Oratoriums *Auferstehung und Himmelfahrt Jesu* (entstanden zwischen 1777 und 1780, erschienen 1787) die Absicht vorschwebte, die Musik an den empfindsamen Gehalten nicht nur teilnehmen zu lassen, sondern sie in musikalische Rede-Struktur ganz und gar umzusetzen.

Carl Philipp Emanuel Bachs literarischer Horizont endete jedoch kaum an der Grenze des deutschen Sprachraums, in dem (nimmt man Klopstock, Claudius und Wieland aus) die Empfindsamkeit sich nicht selten in kleinliche Empfindelei verlor. Durch den befreundeten Verleger und hervorragenden Übersetzer englischer Literatur, Johann Joachim Bode, dürfte er auch auf die mit hintergründigem Humor, mit spielerischem, oft exzentrischem, ja gelegentlich bizarrem, aber stets geistvollem Witz versetzte Form der Empfindsamkeit aufmerksam geworden sein, die in Laurence Sternes (fragmentarischen) Romanen, dem *Tristram Shandy* (1760 ff.) und der *Sentimental Journey* (1768), ihr weitreichendes Wesen trieb. Bodes Übersetzungen, zuerst der *Empfindsamen Reise,* dann des *Tristram Shandy,* standen am Anfang einer nachhaltigen Wirkung auf die deutsche Literatur bis hin zu Jean Paul. Eine Erweiterung des Begriffs über den Kreis des Rührenden, Larmoyanten und der galanten Affekte zeichnete sich ab, die auch die musikalischen Vorstellungen C. Ph. E. Bachs berührt haben mag.

Es bedarf allerdings keiner Parallelisierungen, um die Einsicht zu festigen, daß C. Ph. E. Bach in seiner Musik der Empfindsamkeit ein eigenes, unverwechselbares Profil verliehen hat. Insofern kann der empfindsame Beweggrund seines Komponierens nur partiell als ‚Ausdruck' der Epoche begriffen werden. Nichts lag ihm ferner, als den rührenden, manchmal larmoyanten Ton aufzunehmen, der sogar in das weltläufige und in Europa tonangebende Idiom der italienischen Oper eingezogen war, und der das große Publikum der „Liebhaber" ansprach. Wie kaum ein Komponist seiner Zeit trennte Carl Philipp Emanuel offenbar scharf zwischen Kompositionen, die er für sich bzw. für den kleinen Kreis der mit seiner Musik vertrauten „Kenner" schrieb, und solchen, die er für andere, d.h. für das Publikum hatte schreiben müssen[18]. Seine Phantasie trieb ihn in seinen besten Werken zu einer für die Zeitgenossen unerhörten Radikalisierung der Empfindung, die den Stempel des Persönlichen trug. Nur unter diesem besonderen Aspekt kann es sinnvoll sein, C.Ph.E.Bach für einen „empfindsamen Stil" in Anspruch zu nehmen. Sprachlose Empfindungen zu einer musikalischen *Sprache* zu steigern, in artikulierte Sprache zu verwandeln, Rousseaus Metapher von der „Sprache des Herzens" gleichsam wörtlich zu nehmen: dies waren Grundimpulse seiner musikalischen Phantasie. Den Zeitgenossen blieb diese Absicht nicht verborgen. Er habe gezeigt (so liest man in einem späteren Nachruf der [Leipziger] *Allgemeinen Musikalischen Zeitung* von 1801), „die reine Musik sei nicht bloß Hülle für die angewandte oder von dieser abstrahiert, sondern vermöchte sich zur Poesie zu erheben, die um desto reiner sei, je weniger sie durch Worte (die immer Nebenbegriffe enthalten) in die Region des gemeinen Sinnes hinabgezogen würden."

Mit Sympathie begleitete Carl Philipp Emanuel die Bemühung des viel jüngeren Johann Nikolaus Forkel, in der Einleitung zu seiner *Allgemeinen Geschichte der Musik* (I. Band 1788) den Grund zu einer Theorie der musikalischen Rhetorik zu legen. Vielleicht hat er Forkel sogar dazu ermuntert. Jedenfalls verfaßte C.Ph.E.Bach noch in seinem letzten Lebensjahr (1788) eine Rezension – seine einzige übrigens –, um vor allem auf Forkels bedeutsame Einleitung hinzuweisen: „[...] Man hat die Musik schon lange eine Sprache der Empfindung genannt, folglich die in der Zusammensetzung ihrer und der Zusammensetzung der Sprachausdrücke liegende Ähnlichkeit dunkel gefühlt; aber noch niemand hat sie, so viel Recensent bewußt ist, so deutlich entwickelt und für die Theorie der Kunst [...] so wichtige Folgen daraus hervorgeleitet, als der Herr Verfasser in dieser Einleitung thut [...]".[19]

Die Radikalisierung der Empfindsamkeit wirkte sich in der Musik von C.Ph.E.Bach in mehrfacher Hinsicht aus. Entscheidendes kam auf den Vortrag an. Dies erklärt die prominente Stelle, die der *Versuch über die wahre Art das Clavier zu spielen* (1753, mehrere Auflagen bis 1787 bzw.

18 Siehe die Äußerung in der Autobiographie: Burney/Ebeling (Anm.7), III. Teil, S.208f.
19 *Hamburgischer Unpartheiischer Correspondent,* 1788 No.6, 9. Januar.

1797) im Werk Carl Philipp Emanuels einnimmt und auch zu seiner Zeit einnahm. (Daß dieses Lehrwerk nicht allein stand, seine Entstehung vielmehr dem allgemeinen Aufklärungsideal und dem spezifischen Interesse an den Fragen des Aufführungs-Geschmacks verdankt, tut seiner Bedeutung keinen Abbruch. Bedenkt man, daß nur ein Jahr früher der *Versuch einer Anweisung die Flöte traversière zu spielen* [1752] von Johann Joachim Quantz, um dieselbe Zeit *Von der musikalischen Poesie* [1753] von Christian Gottfried Krause, wenig später Johann Friedrich Agricolas *Anleitung zur Singekunst* [1757] als kommentierte Übersetzung der Gesangsschule von Pier Francesco Tosi [1723] erschienen waren, dann fällt es schwer, keinen programmatischen Ansatz zu vermuten. Er war sicherlich vom Zeitgeist eingegeben, scheint jedoch im friderizianischen Berlin konkrete Formen erhalten zu haben. Wahrscheinlich fühlte sich auch Leopold Mozart zu seinem *Versuch einer gründlichen Violinschule* [1756] durch den Vorgang von Quantz und C. Ph. E. Bach ermutigt oder gar veranlaßt.)

Des weiteren erschien ein bisher unbekannter individueller Impuls in der Musik von C. Ph. E. Bach, durch den sich die Empfindung als die eines unverwechselbaren Ichs bekunden wollte. Damit im Zusammenhang steht das wohl wesentlichste Merkmal seiner Musik: die Brechung des musikalischen Satzbaus und die häufig gewaltsam herbeigeführte melodisch-harmonische Diskontinuität, die ‚Punktualisierung' des musikalischen Vorgangs. Der sprechende Charakter ging bei Carl Philipp Emanuel nicht *mehr* aus der figurativ und kontrapunktisch durchartikulierten Kontinuität des Generalbaßsatzes hervor - wie bei Johann Sebastian Bach -, *noch* nicht aus der in beweglichen Antagonismen plastisch und geistvoll disponierten, im Einzelnen ebenso wie im Ganzen eindringlich durchgeformten, bedeutsam formulierten Konstruktion -wie bei den Wiener Klassikern -, sondern aus der affektiven Aufladung kurzer, häufig formelhafter Gebilde, die in überaus origineller und überraschender, nicht selten ans Bizarre, Extravagante grenzender Prägung erscheinen. Nicht von ungefähr erreichte C. Ph. E. Bach das Non plus ultra der ihm vorschwebenden „Sprache der Empfindung" in den erstaunlichen Klavierfantasien, deren letzte (1787) den Titel „C. P. E. Bachs Empfindungen" trägt. In der eigenartigen Zerrissenheit, die gerade die originärsten Kompositionen, z. B. die Hamburger Sinfonien, als positive ästhetische Qualität kennzeichnet, zeigt sich, daß er den diskursiven Redecharakter seiner Musik einerseits aus der Fragmentierung der Generalbaß-Kontinuität zog, andererseits aus der dem Generalbaßsatz widerstreitenden neuen Kompositionsweise der Kurzgliedrigkeit, der Symmetrien, Korrespondenzen, Responsionen und der regelmäßigen Gruppierungen (Zwei-, Vier-, Achttaktigkeit, Periodik etc.). Den neuen Tendenzen zur harmonisch-metrischen Überschaubarkeit hat sich Carl Philipp Emanuel nicht entzogen, doch sie blieben stets eingespannt in die Konfrontation mit dem generalbaßmäßigen, Symmetrien eher ausschließenden Duktus. Man könnte sagen: Carl Philipp Emanuel machte die prinzipielle Unvereinbarkeit von Generalbaßsatz und neuer Bauweise, die auf Kleingliedrigkeit und auf metrischer Überschaubarkeit beruhte, zum bewegenden Moment seiner Musik.

Die ‚Empfindungs-Rhetorik' C. Ph. E. Bachs hat ihr ideelles Vorbild zweifellos im rezitativischen, der Prosa angenäherten Vortrag, nicht in der damals neuen, der Versstruktur zuneigenden Bauweise mit ihren Korrespondenzen, Symmetrien und Responsionen[20].

Sehr zu unterscheiden ist (nebenbei bemerkt) der gebrochene Prosa-Charakter in der Musik Carl Philipp Emanuels vom Prosafluß in Johann Sebastian Bachs Werken. Dieser konstituiert sich im kontinuierlichen, metrisch freien Gang des Generalbasses und des polyphonen Satzes: Die versprachlichende figurative Artikulation erstand auf musikalisch autonomer Basis. C. Ph. E. Bach hingegen folgte dem Modell einer im Rezitativ bereits musikalisierten Prosa. Die zeitliche und strukturelle Nähe zur Sprachkunst Klopstocks – zu denken wäre vor allem an die freien Rhythmen und freien Versmaße, nicht zuletzt auch an den empfindsamen Grundzug seiner Poesie – könnte darüber hinaus Einsichten in wesentliche Aspekte der Musik von Carl Philipp Emanuel vermitteln[21].

Das Unregelmäßige ergab in seiner Musik das Sprechende, Besondere, Persönliche. Wegen ihrer jähen Brechungen wurde und wird sie gelegentlich in eine, allerdings wenig schlüssige und faktisch nicht belegbare, Beziehung zur Bewegung des „Sturm und Drang" gebracht. In der Tat mögen das Frappante, oft Exzentrische, Gewollte und manchmal angestrengt Originelle, die nicht selten herbeigezwungene, affektbetonte Diskontinuität, vor allem aber die Überformung regelmäßiger Bildungen, die Neigung zum Prosa- statt zum Verscharakter an die Aufbruchs-Stimmung und Genie-Ästhetik des „Sturm und Drang" erinnern. Tatsache aber ist auch, daß der „Sturm und Drang" erst zu einer Zeit Konturen gewinnt (Ende der 1760er Jahre), da C. Ph. E. Bach längst seinen Weg gefunden hatte. Allgemeine Parallelen von solcher Art sagen nicht allzuviel und sind eher geeignet, die Analyse der Phänomene durch vorschnelle, ‚geistesgeschichtliche' Verallge-

20 Dies gilt vor allem für die Klavier-Fantasien, aber mutatis mutandis auch für die Klaviersonaten und Sinfonien. In letzteren aber tritt der Zwiespalt zwischen Prosa-Duktus und versanaloger Struktur besonders schroff zutage.

21 Auf die innere Verwandtschaft zwischen Klopstocks Poesie und C. Ph. E. Bachs Musik verwies bereits ein Artikel von Triest in der *Allgemeinen Musicalischen Zeitung* (AMZ) von 1801 (Sp. 229): „[...] *Bach* war ein anderer *Klopstock,* der Töne statt Worte brauchte. [...]".

meinerungen zu ersticken als zu fördern. Dabei braucht nicht geleugnet zu werden, daß die Musik von C. Ph. E. Bach Berührungspunkte zu allgemeineren Tendenzen ihrer Zeit aufwies. Im Ganzen gesehen hielt sie sich jedoch eher abseits der epochalen Hauptströmungen.

Es bleibt schließlich die Frage, weshalb trotz der außerordentlichen Originalität seiner besten Werke der Ruhm C. Ph. E. Bachs in dem Maße abnahm wie der Haydns, der Wiener klassischen Instrumentalmusik insgesamt, sowie die Kenntnis Johann Sebastian Bachs zunahmen. Eine gewisse Begrenzung scheint mir in der Vorstellung einer ‚Rede der Empfindungen' begründet zu sein, in der ‚Empfindung' mit ‚Affekt' im Sinne der Affektenlehre des 18. Jahrhunderts nahezu gleichzusetzen wäre, ‚Empfindung' (als „Empfindsamkeit") sich somit nicht gänzlich vom Formelhaften löste (z. B. Seufzer-Melodik). Eine gewisse Gleichförmigkeit der Affektlage dürfte auch auf den extensiven, freilich stets affektbezogenen Gebrauch der Verzierungen zurückzuführen sein, der manieristisch anmutet. Die Empfindungswelt der Musik von C. Ph. E. Bach wird manchem im Vergleich zu der Vieldimensionalität der empfindungshaltigen Ideen sowohl bei Johann Sebastian Bach als auch bei Haydn, Mozart und Beethoven eindimensional erscheinen. Und vielleicht enthält schon der Begriff „Sprache der Empfindung", so buchstäblich verstanden, wie ihn Carl Philipp Emanuel mit bewundernswerter Konsequenz kompositorisch verstand, einen unaufhebbaren Widerspruch. Denn Affekte dulden keine Grammatik, keinen *logos* bzw. ihre musikalischen Analoga. Es lag demnach nahe, daß die architektonische Seite der Musik, dort wo sie vornehmlich als empfindsame Affektsprache aufgefaßt wurde, in eine untergeordnete Rolle gedrängt wurde. Eigentlichen, höheren Sprachcharakter scheint sich Musik aber in dem Maße angeeignet zu haben, wie ihre Konstruktion, ihre ‚grammatischen', artikulierenden Zusammenhang stiftenden Kräfte im einzelnen wie im Ganzen gestärkt und differenziert wurden, weniger dort, wo dem fluktuierenden Affekt Raum gegeben war[22].

---

22 Nicht von ungefähr gelangte J. N. Forkel über die Konzeption der Musik als „Sprache der Empfindung" zu dem folgenreichen Denkfehler, der die musikästhetische Diskussion des 19. Jahrhunderts weitgehend beherrschte: Weil Musik Gefühlssprache, also begriffslos sei, müsse sie *mehr* als Sprache sein, diese übersteigen und hinter sich zurücklassen (‚Sprache des Unaussprechlichen'). Forkels Argumentation lautet: „Sie [sc. die Musik] ist zwar eine Sprache, aber eine Sprache der Empfindungen und nicht der Begriffe [...] Ähnlichkeiten sind es nur, die sich in keiner Sprache sagen lassen, weil man in keiner Sprache Worte für sie hat, und weil sie erst da anfängt, eigentlich Sprache der unendlichen Grade von Empfindungen zu werden, wo andere Sprachen nicht mehr hinreichen, und wo ihr Vermögen sich auszudrücken ein Ende hat." (*Musikalisch-kritische Bibliothek* I, 1778, S. 66 f.) Voraussetzung ist die höhere Bewertung des Affekts gegenüber dem logos. Denn ohne sie hätte die Musik durchaus auch als rudimentäre, noch nicht

C. Ph.E. Bachs subtile Empfindungsrhetorik erfordert, um heute adäquat aufgefaßt zu werden, eine entsprechend intime und sensible Darstellung, von der wahrscheinlich auch der *Versuch* keine hinreichende Anschauung zu bieten vermag. Zwar erfuhren neuerdings die Sinfonien sowie einige geistliche Werke überzeugende Wiedergaben. Doch der interpretatorische Zugang zu der Empfindungswelt der Klavierwerke läßt sich viel weniger leicht freilegen. Sie verlangten intimsten Klang und intimste Raumverhältnisse. C. Ph. E. Bachs bevorzugtes Instrument war das Clavichord. Ob und inwieweit Cembalo und modernes Klavier an seine Stelle treten können, ist fraglich; zudem bietet keine Form des öffentlichen Konzerts den angemessenen Rahmen. Im Kreis von Spezialisten der ‚alten Musik' (Hörern wie Ausführenden) verengt sich andererseits der Horizont. Carl Philipp Emanuels Claviermusik könnte ihre Chance allenfalls in privater Geselligkeit gebildeter Kenner erhalten, die *keine* Spezialisten sind.

Mit der Rekonstruktion ‚empfindsamer' Spielweisen ist es nicht getan. Dem denkenden Betrachter, der im Idealfall zugleich Spieler wäre, ist es vielmehr aufgegeben, aus den seltsamen Brechungen und Gangarten des musikalischen Gefüges jene Einstellung wiederzugewinnen, die den stummen Notentext als klingende, sprechende Wirklichkeit erst mit Sinn erfüllt. Ein schwieriges Unterfangen – weil der gesuchte Sinn bereits die Sinn-Erfahrung voraussetzt, und weil die singuläre Phantasie Carl Philipp Emanuels an keiner anderen als an seiner eigenen Musik erfahren werden kann.

Die Frage, ob der Persönlichkeit und dem Komponisten Carl Philipp Emanuel Bach Größe zukommt, kann getrost offen bleiben. Wichtiger ist (so kommt es mir wenigstens vor), daß er die geschichtliche Situation des epochalen Umbruchs seiner musikalischen Einbildungskraft dienstbar machte, um aus der Brechung die Kraft redender Empfindung zu schöpfen. Dadurch werden viele seiner Werke stets denkwürdig und bedeutend bleiben.

Nachbemerkung: Der Text des Vortrags wurde für den Druck revidiert, mit Nachweisen versehen und an mehreren Stellen erweitert.

---

zur Klarheit des begrifflichen logos gelangte ‚Sprache' eingeschätzt werden können, somit nicht als gesteigerte, sondern als defiziente Sprache. In Wahrheit besagt die Metapher ‚Sprache' für Musik lediglich eine Analogie, durch welche der Musik Sprach*charakter* zugeschrieben werden soll. Es ist daher logisch und sachlich unzulässig, die Musik als gesteigerte oder geminderte Form von Sprache aufzufassen. Musik ist weder mehr noch weniger als Sprache, sondern (falls man bei dem metaphorischen Ausdruck ‚Musiksprache' bleiben will) eine Sprache eigenen Rechts.

Anhang
C. Ph. E. Bach – „ein anderer Klopstock"

Nicht von den persönlichen Beziehungen zwischen dem Komponisten Carl Philipp Emanuel Bach und dem 10 Jahre jüngeren Dichter Friedrich Gottlieb Klopstock, auch nicht von den vereinzelten Klopstock-Vertonungen Carl Philipp Emanuels, ebensowenig wie von einer hypothetischen ‚Geistesgemeinschaft' oder von den gängigen Verweisen auf den ‚Zeitgeist' in der Epoche der Empfindsamkeit soll im folgenden die Rede sein. Es geht vielmehr darum, einige konkrete Sachverhalte in der Musik C. Ph. E. Bachs und in der Poesie und Poetik Klopstocks einander gegenüberzustellen. Dieser hier nur skizzierte Versuch ergibt überraschende und m. E. unabweisbare Analogien zwischen dem musikalischen und dem sprachlichen Gefüge. Dabei möchte ich nicht so weit gehen, C. Ph.E. Bach die gleiche Stelle zuzuweisen, die zweifellos Klopstock für die deutsche Sprache und Poesie einnimmt.

C. Ph. E.Bach und Klopstock in einem Atem zu erwähnen und zu würdigen, war den Zeitgenossen offenbar nicht fremd. Ich zitiere eine verhältnismäßig späte, rückblickende Würdigung der Klaviermusik C. Ph. Emanuels durch den Stettiner Theologen Triest in der „[Leipziger] Allgemeinen musikalischen Zeitung": „In ihm [sc. C. Ph. E. Bach] regte sich irgend eine *ästhetische,* d. h. aus Begriff und Empfindung zusammengesetzte *Idee,* welche sich nicht in Worten ausdrücken läßt, ob sie gleich *nahe* an die *bestimmte* Empfindung streift, welche uns der Gesang darstellen kann, und wovon sie gleichsam das Urbild ist. Diese trug er auf sein Klavier (oder in Noten) über, indem seine innige Vertrautheit mit der Tonmechanik ihm die nötigen Formen dazu fast von selbst zuführte. Da ihn nun sein *Dichter*geist von gemeinen Ideen zurückhielt, wenn er frei komponieren durfte, so konnte es nicht fehlen, daß diejenigen, deren Geist dem seinigen nicht verwandt war, ihn nicht verstanden und nur nach wiederholter Übung kaum ahndeten, was für ein Gedankenreichtum darin verborgen wäre. *Bach* war ein andrer *Klopstock,* der Töne *statt* Worte gebrauchte. Ist es die Schuld des Odendichters, wenn seine lyrischen Schwünge dem rohen Haufen Nonsens zu sein scheinen?"[23]

Von einer ‚Radikalisierung der Empfindung' könnte auch bei Klopstock gesprochen werden, und zwar dergestalt, daß Empfindungen ins Sprachgefüge selbst fast gewaltsam eingreifen, um das Gemüt des Lesers oder Hörers in Bewegung zu setzen: „Die tiefsten Geheimnisse der Poesie liegen in

23 „Bemerkungen über die Ausbildung der Tonkunst in Deutschland im achtzehnten Jahrhundert", in: [Leipziger] Allgemeine musikalische Zeitung, 1801, Sp. 300 f.

der Aktion, in welche sie unsere Seele setzt. Überhaupt ist uns Aktion zu unserm Vergnügen *wesentlich.* Gemeine Dichter wollen, daß wir mit ihnen ein Pflanzenleben führen sollen."[24] Mit der aus Horaz abgeleiteten Forderung, die auch von C. Ph. E. Bach, J. J. Quantz u. a. erhoben wurde, es könne Affekte nur der erregen, der sich selbst in die verschiedenen Affekte versetzt habe, rückte Klopstock von der Doktrin der Nachahmungs-Ästhetik (Batteux) ab: „Wenn mein Freund *beinahe* eben das empfindet, was ich empfinde, weil ich meine Geliebte verloren habe; und diesen Anteil an meiner Traurigkeit andern erzählt: ahmt der nur nach? [...] Von dem Poeten hier weiter nichts als Nachahmung zu fordern, heißt ihn in einen Akteur verwandeln, der sich vergebens als einen Akteur anstellt. Und vollends der, der seinen Schmerz beschreibt! der ahmt also sich selbst nach?"[25]

Die Brechung sowohl der gewöhnlichen Prosa als auch des regelmäßigen Gleichklangs metrisch und rhythmisch gleichgebauter sowie reimender Verse war für Klopstock eines der Mittel, die Gemütsbewegung dichterisch zu vollziehen und beim Hörer oder Leser hervorzurufen. Man vergegenwärtige sich etwa die Elegie „Die künftige Geliebte" (1747, Titel erst 1771), die auch geeignet ist, den empfindsamen Grundton wahrzunehmen. Das Versmaß der „elegischen Distichen" erlaubte die Komposition eines prosaähnlich freien, widerständigen Rhythmus:

> Dir nur, liebendes Herz, euch, meine vertraulichsten Tränen,
> Sing' ich traurig allein dieses wehmütige Lied.
> Nur mein Auge soll es mit schmachtendem Feuer durchirren,
> Und, an Klagen verwöhnt, hör' es mein zärtliches Ohr!
> Bis, wie Byblis einst in jungfräulichen Tränen dahin floß,
> Mein zu weichliches Herz voller Empfindung zerfließt.
> Ach! warum, o Natur, warum, unzärtliche Mutter,
> Gabst du zur Empfindung mir ein zu biegsames Herz?
> [...]

Sogar in liedhaften Oden vermied Klopstock den meist bindenden Reim. Die Übernahme der modifizierten Sapphischen Strophe in dem Gedicht „Die tote Clarissa" (1751) führte zu einem Rhythmus, der dem harten, gebrochenen Prosagefälle nähersteht als dem sangbaren, regelmäßigen und gereimten Vers:

> Blume, du stehst verpflanzet, wo du blühest.
> Wert, in dieser Beschattung nicht zu wachsen,
> Wert, schnell wegzublühen, der Blumen Edens
> Bessre Gespielin!
> [...]

24 „Gedanken über die Natur der Poesie", 1759, in: Friedrich Gottlieb Klopstock, Werke in einem Band, hrsg. v. K. A. Schleiden, Nachwort v. F. G. Jünger, München 1954, S. 296.
25 Ebda.

Da die (vielfach modifizierte) Anverwandlung antiker Metren nicht auf Restitution abzielte, sondern auf die Herstellung unregelmäßiger, die Empfindung bewegender Rhythmen, verwundert es nicht, daß Klopstock auch zu Versmaßen eigener Erfindung gelangte, beispielsweise in der Ode „An Sie“ (1752):

> Zeit, Verkündigerin der besten Freuden,
> Nahe selige Zeit, dich in die Ferne
> Auszuforschen, vergoß ich
> Trübender Tränen zuviel!
> [...]

Die Anregung durch antike Metren bahnte den Weg zu den freien Rhythmen. Sie begegnen erstmals in dem Gedicht „Die Genesung“ (1754/1771), das demnach seine Herkunft von der strophischen Form des geistlichen Lieds und der Ode nicht verleugnet:

> Genesung, Tochter der Schöpfung auch,
> Aber auch du der Unsterblichkeit nicht geboren,
> Dich hat mir der Herr des Lebens und des Todes
> Von dem Himmel gesandt!
> [...]

Freie Rhythmen in liedhaft-strophischer Form: einen verblüffend ähnlichen Zwiespalt machte C. Ph. E. Bach in seiner Musik fruchtbar, indem er durchaus traditionelle Baumittel einerseits aus dem Generalbaßsatz, andererseits aus dem symmetrie- und korrespondenzbildenden neuen Kompositionsverfahren zu eigenartig sperrigen Bildungen verband.

Klopstock hielt den Gegenstand des Gedichts dann für „gut gewählt, wenn er gewisse durch die Erfahrung bestätigte starke Wirkung auf unsere Seele hat“[26]. Der Gedanke aber ist dem Gegenstand vorzugsweise dann angemessen, „wenn er nicht bloß Betrachtung bleibt, wo er Leidenschaft hätte werden sollen; [...]“[27]. Bezeichnenderweise empfahl Klopstock, um solche Angemessenheit zu erreichen, dem Dichter nicht das Verfahren des Baumeisters, sondern das freiere Zeichnen des Malers: „Es gibt eine Anordnung des Plans eines Gedichts, die einem Gebäude gleicht; und sie sollte einer schönen Gegend gleichen. Der Poet ist kein Baumeister; er ist ein Maler. Ich nenne ihn hier in einem anderen Verstande einen Maler, als man diesen Ausdruck gewöhnlich nimmt. Ich rede von ihm, als von dem Zeichner seines Grundrisses. Wie wenig Kunst gehört dazu, eine gewisse Symmetrie gerader Linien zu machen. Durch die Zusammensetzung krummer Linien Schönheit hervorzubringen, erfordert eine andere Meisterhand.“[28]

---

26 Ebd.
27 Ebd.
28 Ebd., S. 297.

Die unregelmäßige Fügung zur Herstellung und Stärkung des aus dem Affekt geschöpften Sprachcharakters und die Überformung bzw. Vermeidung der „Symmetrie“ sind Monente, die in der Musik von C. Ph. E.Bach ihre genaueste Entsprechung besitzen. Gleiches gilt für Klopstocks Hinweis auf den in der Poesie geforderten Gebrauch neuer oder ungewöhnlicher Wörter bzw. auf die Erneuerung ihrer Bedeutung durch ungewöhnliche, der glatten Rede und der normalen Syntax entgegenwirkende Wortstellung: „Die edlen und für die Poesie vorzüglich brauchbaren Wörter sind, fürs erste, diejenigen, die keine niedrigen, oder lächerlichen Nebenbegriffe veranlassen. [...] Ferner sind für die Poesie vorzüglich brauchbare Wörter, die wirklich etwas sagen, und nicht nur zu sagen scheinen. [...] Es ist nicht nötig zu sagen, daß Wörter von ausgemachter Stärke unter die für die Poesie brauchbarsten gehören; [...]“[29]. Weiterhin heißt es ebenda: „Die deutsche Sprache, die nun anfängt gebildet zu werden, hat noch neue Wörter nötig. Ich rechne unter die neuen auch einige wenige veraltete, die sie zurücknehmen sollte.“[30]

Klopstock wurde nicht müde, den Zusammenhang zwischen der Aktivierung der Affekte und der poetischen Sprachbehandlung zu betonen. Nur selten seien die „Leidenschaften“ in der Prosa derart lebhaft, „daß sie eine notwendige Veränderung der eingeführten Wortfügung erfordern. Die Poesie erfordert dieselbe oft. Denn die Abschilderung der Leidenschaften ist dasjenige, was in einem guten Gedichte herrschen soll. Die Regel der zu verändernden Wortfügung ist die: Wir müssen die Gegenstände, die in einer Vorstellung am meisten rühren, zuerst zeigen. Die Stellen, wo in dem Gedichte die Einbildungskraft herrscht, sollen ein gewisses Feuer haben, das sich der Leidenschaft nähert; eine neue Ursache, die Wörter anders, als nach der gewöhnlichen Ordnung der Prosa, zusammenzusetzen.“[31]

Aus dem fragmentarischen Artikel „Von der Wortfolge“ sei noch folgendes zitiert: „Über die poetische Wortfolge ist hauptsächlich zweierlei anzumerken. Fürs erste macht der Inhalt der Worte, durch die Ordnung selbst, in welche sie der Dichter gestellt hat, einen Teil seines Eindrucks. Zweitens wird diese Ordnung auch deswegen, weil sie abweicht, bemerkt.“[32] Als den Maßstab betrachtete Klopstock stets die normale, die „völlig kalte Prosa“. Das Prinzip jedoch, die affektbedingte Abweichung von der glatten Fügung, führte Klopstock zugleich auch zur Abkehr vom Gleichklang gereimter Verse und der Strophen aus gleichgebauten Versen, so daß der Idealtypus Klopstockscher Poesie sich wieder der ungebundenen, prosaischen

29 „Von der Sprache der Poesie“, 1758; ebd., S. 323.
30 Ebd., S. 324.
31 Ebd., S. 325.
32 „Aus den Fragmenten über Sprache und Dichtkunst“, Hamburg 1779; ebd., S. 331.

Sprache - allerdings auf poetischer Ebene - annäherte. Gänzlich analoge Vorgänge lassen sich, wie gezeigt wurde, in der Musik C. Ph. E. Bachs beobachten: die Neigung zu einer Prosaik in ausdrücklich poetischer, d. h. dem Affektvollen dienender Absicht durch Überformung und Brechung des versanalogen Baus mit harmonischen, melodischen und rhythmischen Mitteln. Und buchstäblich auf sein Komponieren treffen die Äußerungen zu, mit denen Klopstock die Grundsätze solcher Abweichungen vom normalen (prosaischen) Sprachgebrauch zusammenfaßte:

„Der Dichter hat vornehmlich vier Ursachen, warum er die Wortfolge ändert:

1. Er will den Ausdruck der Leidenschaft verstärken;
2. etwas erwarten lassen;
3. Unvermutetes sagen;
4. dem Perioden gewisse kleine Nebenschönheiten geben, wodurch er etwa mehr Wohlklang, oder leichtere und freiere Wendungen bekömmt. Ich nenne dies die Grundsätze der *Leidenschaft,* der *Erwartung,* des *Unvermuteten,* und der *Neben*ausbildung.“[33]

Wollte man C. Ph. E. Bachs Poetik mit wenigen Sätzen umreißen, bräuchte kaum ein Wort von Klopstocks Formulierung geändert zu werden. Die poetische Theorie Klopstocks entsprach seiner poetischen Praxis, in der sich allenthalben der Wille bekundet, durch ungewöhnliche, gesuchte Wortwahl und Wortstellung sowie durch diskontinuierliche Rhythmen der deutschen Dichtung eine neue Welt zu erschließen. Die konstitutiven, strukturellen Analogien zum Verfahren von Carl Philipp Emanuels ‚Empfindungsrhetorik' drängen sich geradezu auf. Die ‚gebrochene' Rhythmik Klopstocks findet sich analog in der Tendenz C. Ph. E. Bachs, die glatten Fügungen des konventionellen musikalischen Baus, wo immer es anging, durch ungewohnte harmonische Gänge, durch befremdende melodische Wendungen oder durch eine äußerst intrikate Rhythmik selbst dort zu vermeiden, wo gleichmäßige, überschaubare Konstruktion (z. B. kurzgliedrige Perioden) die Grundlage bildete. Auch ihm schwebte eine emphatische Prosaik vor. Der Affekt sollte nicht bloß Redecharakter erhalten, sondern den Hörer und Spieler auf der Ebene der Empfindung in Aktivität versetzen. Daraus erklärt sich die Heftigkeit, oft die Gewaltsamkeit, mit der Carl Philipp Emanuel zu Werke ging. Wie sich Klopstock von der unterhaltenden, geselligen, in der Wahl der Metaphern stereotypen Anakreontik distanzierte, so nahm C. Ph. E. Bach Abstand von der galanten höfischen Musik bzw. von der Musik für „Liebhaber“. Der Ton des Angespannten, mitunter Ange-

33 Ebd., S. 332.

strengten der Klopstockschen Poesie eignet gleichermaßen den besten Kompositionen Carl Philipp Emanuels. Daß aber die stets hochgespannte, ausdrucks- und affektgeladene Temperatur den Radius der Aussagemöglichkeiten eher einschränkte als erweiterte, daß auch manieristische Einförmigkeit nicht immer vermeidbar war, diesem Eindruck wird man sich kaum verschließen können. Er stellt sich in ähnlicher Weise im Umgang mit der Poesie Klopstocks und mit der Musik C. Ph. E. Bachs ein.

Es bliebe die Frage, weshalb Carl Philipp Emanuel sich der Vertonung von Klopstocks Dichtungen fast gänzlich enthielt, obwohl, wie wir behaupteten, die poetischen Absichten beider Künstler in die gleiche Richtung gingen. Sicherlich verhinderte der hohe Begriff, den Klopstock vom Dichtertum hegte, die Verfertigung von Oratorien- oder Kantatentexten. Andererseits war für Carl Philipp Emanuel die Odenkomposition (nimmt man die Vertonung von Gellerts geistlichen Oden aus) eher ein Nebengebiet seiner kompositorischen Aktivität, auf dem er sich beengt fühlen mußte. Der innere Grund jedoch dürfte in den wahlverwandten und strukturell analogen Formungen liegen, die dem Komponisten um so engere Fesseln anlegen mußten, je mehr der gedichtete Vorwurf jene Momente wirksam werden ließ, die auch musikalisch intendiert waren. C. Ph. E. Bachs Musik und Klopstocks Poesie blieben inkompatibel, weil ihre Poetik übereinstimmte.

I

Die Musik in der europäischen Kultur des mittleren 18. Jahrhunderts

Gerhard Sauder

Die empfindsamen Tendenzen in der Musikkultur nach 1750

Dem Fabeldichter Pfeffel wird der Satz zugeschrieben, Empfindsamkeit sei das Genie zur Tugend. Der Popularphilosoph Villaume nennt die Empfindsamkeit „zu unsrer Zeit die große Haupttugend des Menschen"; man kenne „für sich keinen größeren Ruhm, und für andre kein erhabners Lob. *Empfindsam,* heißt eben so viel, als *tugendhaft, vortrefflich*"[1]. Durch die Identifizierung von „Tugend" und „Empfindsamkeit" wurde diese zur höchsten gesellschaftlichen Tugend erhoben. Zwischen 1760 und 1780 etwa gehörte es zur Verhaltensnorm, zumindest den Anschein eines empfindsamen Herzens zu erwecken. Die Hoffnung wurde genährt, wenigstens unter den Gleichgesinnten – und dies waren meist Angehörige der „mittleren Stände" – sympathetische Solidarität erwarten zu können. Man glaubte sogar, aus den eher Trägen als Gefühllosen noch „Funken der Tugend" „ziehen" zu können, wenn die Rührung nur mächtig genug sei. Die Vorstellung allgemeiner sympathetischer Solidarität machte jedoch vor dem Bereich des ökonomischen Systems halt – Adam Smith hat die moralischen Empfindungen *und* den Reichtum der Nationen analysiert, ohne eine Verbindung zwischen Geld und Moral herzustellen. Im gesellschaftlichen Leben des 18. Jahrhunderts gibt es gewiß Beispiele einer in Handlung umgesetzten Empfindsamkeit, etwa in der Rechtsprechung, in karitativen Anstalten, in einer größeren Bereitschaft zu Mildtätigkeit. Aber es war eine schöne Utopie, von der „wahren Empfindsamkeit" großen Tatenreichtum für die ganze bürgerliche Gesellschaft zu erwarten.

Wenn Empfindsamkeit als „Komplex affektiv geladener Erwartungs- und Verhaltensdispositionen" gelten darf, als kollektive Tendenz, die für eine soziale Gruppe typisch ist und die ein relativ stabiles Vorstellungssystem ausgebildet hat, gehört sie zu den neuerdings auch hierzulande stärker beachteten „kollektiven Mentalitäten"[2]. Empfindsame „Tugend" – zwischen

---

1 P. Villaume, „Etwas über die Empfindsamkeit", in: *Halberstädtische gemeinnützige Blätter,* 1. Jg., Halberstadt 1785(–86), 4. Quartal, 44. St., S. 342. Vgl. Verf., *Empfindsamkeit.* Bd. I: Voraussetzungen und Elemente, Stuttgart 1974, S. 205 f.

2 Vgl. R. Reichardt, „Histoire des Mentalités". Eine neue Dimension der Sozialgeschichte

Idee und Verhaltensnorm – ist Teil der für die Aufklärung fundamentalen Auffassung von Moral im Sinne einer vernünftigen Praxis der „mittleren Stände". Empfindsamkeit ist nicht mit Irrationalismus gleichzusetzen. Wenn eine Aufklärung der Empfindungen angestrebt wird, so läßt sich die Tendenz doch nicht auf „Reflexion des Fühlens" einschränken.

Ihr ideengeschichtlicher Ursprung ist die in der englischen und schottischen Philosophie entwickelte und von anglikanischen liberalen Geistlichen verbreitete Theorie des „moral sense"[3]. Sie setzt voraus, daß jedem menschlichen Herzen ein „natürliches Gesetz" des „immediate feeling and finer internal sense" eingeschrieben sei, wobei die Vernunft als Regulativ in ihrer Funktion von Hutcheson und Hume ausdrücklich bestätigt wird. Shaftesbury hat den Menschen als ein von Natur mit „benevolence" begabtes, geselliges Wesen verstanden, das sich den Affekten unter Leitung der Vernunft anvertrauen kann. Das moralische Gefühl ist Richter über Tugend und Laster. In radikalen Interpretationen wird sogar behauptet, es könne zwischen Gut und Böse so spontan wie das Ohr zwischen Harmonie und Disharmonie unterscheiden.

In der anhaltenden Diskussion über den „moral sense" wurden im 18. Jahrhundert immer schlagendere Argumente gegen die Gründung der Ethik auf das Gefühl vorgebracht. In dieser Ausschließlichkeit haben allerdings weder Shaftesbury noch Hutcheson und Hume ihren Ansatz formuliert. Adam Smith verzichtete wie auch die meisten deutschen Vertreter der Theorie des „moralischen Gefühls" auf die Fiktion eines eigenen „Sinnes" und erkannte „Sympathie" als Mitgefühl mit jeder Art von Affekten als Prinzip der Morallehre. Der Göttinger Philosoph Johann Georg Heinrich Feder vertrat in einer 1776 veröffentlichten Abhandlung die These, das moralische Gefühl sei nicht von „einfacher Beschaffenheit", sondern entstehe „aus der Zusammenkunft und Verknüpfung von mancherley Eigenschaften und Verhältnissen".

„Es gibt daher zwar ein natürliches moralisches Gefühl, in der Bedeutung eines Vermögens, den Unterschied des moralisch Guten und Bösen *in vielen Fällen einigermassen,* ohne die Vorstellung von allgemeinen Grundsätzen des Rechts nöthig zu haben, bisweilen kraft des unmittelbaren Eindruks, kraft der natürlichen Ideenassociation, und zwar mit *Rührung,* mit Wohlgefallen, oder Misfallen zu erkennen, welche Art der Erkenntniß, nach dem

---

am Beispiel des französischen Ancien régime", in: *Internationales Archiv für Sozialgeschichte der deutschen Literatur* 3 (1978), S. 131 ff.; U. Raulff (Hg.), *Mentalitäten-Geschichte. Zur historischen Rekonstruktion geistiger Prozesse,* Berlin 1987.

3 Vgl. Verf., *Empfindsamkeit.* Bd. I, S. 73 ff.; W. H. Schrader, *Ethik und Anthropologie in der englischen Aufklärung. Der Wandel der moral-sense-Theorie von Shaftesbury bis Hume,* Hamburg 1984.

gewöhnlichen Sprachgebrauch, oft fühlen, oder empfinden genennt wird. Aber kann dieses Gefühl, *unabhängig von der Anleitung und Aufklärung der Vernunft,* nicht zum Richter über Recht und Unrecht angenommen werden; [...]."[4]

Trotz aller theoretischen Unterschiede in der Rezeption des „moralischen Gefühls", dessen Kultivierung Wieland in der Frühphase der Empfindsamkeit um 1755 schon in dem „Plan einer Academie zu Bildung des Verstandes und des Herzens junger Leute" zu empfehlen wagte, breitete sich empfindsame Moral unter den langsam sich selbst aufklärenden „mittleren Ständen" beharrlich aus.

Das in Feders Zitat schon anklingende gleiche Recht für „Kopf" und „Herz", die Suche nach Gleichgewicht, richtiger Proportion der Vermögen konnte sich auf die früh schon in den moralischen Wochenschriften gepriesene „Zufriedenheit" als wesentliche Bürgertugend berufen. Leidenschaften wurden als Störungen des affektiven Gleichgewichts verstanden. Kant kritisierte sie in der *Anthropologie* als Krebsschäden für die reine praktische Vernunft – sie behinderten jede Wahl- und Entscheidungsfreiheit[5]. Nur die sanften Empfindungen wie Mitleid, die vermischten Empfindungen, zärtliche und moralische Empfindungen wie Wohlwollen und Sympathie lassen sich in das System der affektiven Proportionalität integrieren. Enthusiasmus und Schwärmerei trüben die Erkenntniskraft; Empfindelei gilt als überspannte Einbildungskraft, als „Empfindnis" aus Phantasmen.

Auch Hypochondrie und Melancholie wurden als „Imaginationskrankheiten", als Übersteigerungen von Einbildungskraft und Selbstbeobachtung eingeschätzt. Wurde aber in der wohlproportionierten Empfindsamkeit ein Ausgleich zwischen Selbst- und Mitgefühl erreicht, dann gewann Empfindsamkeit als Selbstgefühl der Vollkommenheit ihren höchsten Wert und offenbarte ihre eigentümliche anthropologische Funktion. Mit den Worten Lessings: „*Der mitleidigste Mensch ist der* beste Mensch, zu allen gesellschaftlichen Tugenden, zu allen Arten der Großmuth der aufgelegteste. Wer uns also mitleidig macht, macht uns besser und tugendhafter [...]"[6].

Die Mängel älterer Untersuchungen der empfindsamen Tendenz lassen sich weitgehend auf das Nichterkennen der Dialektik von Selbst- und Mit-

---

4 J. G. H. Feder, „Ueber das moralische Gefühl, oder Beantwortung der Fragen: Giebt es ein moralisches Gefühl? Wie fern hat es der Mensch von Natur? Was sind seine eigentlichen Gründe? Und was hat es also für einen Werth in Ansehung der Erkenntniß und Empfehlung der Pflichten?", in: *Deutsches Museum,* Bd. 1 (1776), S. 499 f.

5 I. Kant, *Anthropologie in pragmatischer Hinsicht,* in: *Immanuel Kant, Werke in zehn Bänden.* Hrg. v. W. Weischedel, Bd. 10, Darmstadt 1968, S. 600.

6 Lessing an Nicolai, [13.] November 1756, in: *Lessings Briefwechsel mit Mendelssohn und Nicolai über das Trauerspiel. Nebst verwandten Schriften Nicolais und Mendelssohns.* Hrg. u. erläutert von R. Petsch, Darmstadt 1967 (Repr. der Ausg. Leipzig 1910), S. 54.

gefühl zurückführen. Die Annahme, sowohl Empfindsamkeit als auch Empfindelei seien einzig als egoistische und narzißtische Phänomene zu verstehen, ist falsch. Mitleid als „gemischte Empfindung“ par excellence, Wohlwollen und allgemeine Sympathie als zentrale Elemente der Empfindsamkeit belegen ihre moralische und soziale Funktion nicht weniger deutlich als die stereotypen Aufforderungen ihrer Theoretiker zu einer „tatenreichen Empfindsamkeit“, zu wohltätigen Handlungen. Ihren spekulativen Höhepunkt erreichen diese Vorstellungen in der zeitgenössischen Konzeption des Selbst-Gefühls als Total-Empfindung des Subjekts, als Selbstgefühl zumindest momentaner Vollkommenheit. Der Regierungsrat H. B. Weber drückte das so aus: „Eine Seele, die sich einmal den Gefühlen der Theilnahme und des warmen Wohlwollens für andere aufgeschlossen hat, wird darum leicht in dieser sanften Gefühlsexpansion verbleiben, und nicht bloß dabey bleiben, sondern sich gerne noch mehr expandiren, weil sie immer neue Gegenstände der Rührung und Theilnahme für das aufgeschlossene Herz findet. Hierzu kommt zugleich der eigene süsse Genuß, der in dieser Expansion des Herzens und in allen Aeusserungen des rein sympathetischen Triebes natürlich liegt. Denn wo gäbe es ein süsseres Vergnügen, als das, den reinmenschlichen Gefühlen seines Herzens folgen zu können, sich ihren Regungen und ihrer andern zugleich wohlthätigsten Würksamkeit zu überlassen?“[7] Dieser Aspekt der Empfindsamkeit kann nicht aus dem Pietismus allein hergeleitet werden. Die Funktion der Vollkommenheit verweist auf die philosophische Tradition von Descartes, Leibniz, Wolff und der von ihm ausgehenden Schulphilosophie, für die Vollkommenheit in allen Disziplinen der Weltweisheit einen Grundbegriff darstellt. Die „äußere“ und „innere“ Vollkommenheit wird immer wieder im Kontext von „Glück“ zum Thema der Reflexion.

Wenn auch die Empfindsamkeit in England, Frankreich und Deutschland zunächst in philosophischen, popularphilosophischen, kunsttheoretischen und literarischen Texten ihre Ausbreitung fand, so blieben doch alle wichtigen Bereiche des kulturellen Lebens im 18. Jahrhundert von ihr nicht unberührt. In Theorie und Praxis der Musik wird für die Zeit nach 1750 schon lange von einer empfindsamen Periode gesprochen - die in der Aufklärung noch selbstverständliche Vergleichung der einzelnen Künste, ja ihre theoretische Begründung aus dem einen Prinzip der Nachahmung erleichterte den theoretischen Diskurs der Musiktheoretiker beträchtlich. Die ästhetische Rechtfertigung der Musik, die bislang oft hinter den anderen schönen Künsten der Malerei und Dichtung zurückstehen mußte, war mit Hilfe der ge-

7 H. B. Weber, *Vom Selbstgefühle und Mitgefühle, ein Beytrag zur pragmatischen Anthropologie,* Heidelberg 1807, S. 167.

meinsamen empfindsamen Orientierung mit besseren Argumenten möglich. Im Hinblick auf die Wirkung verfolgten Dichtung und Musik nun dieselben Ziele: Erregung von Empfindungen. Der englische Theoretiker Jacob betrachtete die Fähigkeit zum emotionalen Ausdruck als wesentliches Kriterium künstlerischer Überlegenheit – für ihn war die Musik ein emotionaleres Medium als Dichtung und Malerei[8].

Die Emotionalisierung von Musik und Dichtung erfolgte nicht in Form von Geniestreichen, sondern bereitete sich im frühen 18. Jahrhundert vor, indem Tendenzen des Barock zunächst noch fortgeführt wurden. In den musiktheoretischen Texten dieser Phase ist bereits die Affekterregung das Grundgesetz musikalischer Komposition und Wirkungsästhetik. In einer Zeit, in der die Rhetorik als differenziertes System noch selbstverständlicher Bestandteil des Schulunterrichts war, lag es nahe, deren Kategorien auch in der Musik zu verwenden. „Beiden Künsten gemeinsam sind auf der untersten Stufe rein grammatikalische Figuren, die, ganz an den Stoff gebunden, wohl zu bestimmten Entsprechungen führen, einer Vereinigung auf höherer Ebene nicht dienen können. Den im Text enthaltenen begrifflichen Vorstellungen entsprechen auf der musikalischen Seite die wortausdeutenden Figuren; (...) hier versucht die Musik, die Sprache an Deutlichkeit des Ausdrucks zu erreichen, ja wohl zu übertreffen. Die Musik unternimmt es, an die Stelle des sprachlichen Symbols ein eigenes zu setzen. (...) Die höchste Vereinigung beider Künste aber wird erreicht durch die Affektdarstellung, und die affekthaltigen Figuren auf beiden Seiten offenbaren daher auch am reinsten den hohen Grad der Verschmelzung, dessen Musik und Rhetorik fähig waren."[9]

Die handwerklich-technische Ausrichtung dieser Theorie, die von der „Machbarkeit" in den Künsten überzeugt war, wenn nur die richtigen Anweisungen zur Verfügung standen, bestimmt die Überlegungen von Christian Hunold, genannt Menantes, der wohl als erster freier Schriftsteller in Deutschland gelten darf. In seinen *Academische(n) Neben-Stunden allerhand neuer Gedichte. Nebst einer Anleitung zur vernünftigen Poesie*[10] heißt es: „Figuren und was zur Bewegung des Gemüths gehört/ sind in der Gewalt eines Klugen und Tugendhaften über die maßen dienlich/ die kalte Herzen damit zu löblichen Empfindungen anzufeuern." Wenn der englische Moralphilosoph Francis Hutcheson, einer der Gründer der „Schottischen Schule", als

8 J. W. Draper, „Poetry and Music in Eighteenth Century Aesthetics", in: *Englische Studien,* Bd. 67 (1932/33), S. 75.

9 H.-H. Unger, *Die Beziehungen zwischen Musik und Rhetorik im 16.–18. Jahrhundert,* Hildesheim 1969 (Repr. der Ausg. Würzburg 1941), S. 98.

10 Chr. Hunold(-Menantes), *Academische Neben-Stunden allerhand neuer Gedichte. Nebst einer Anleitung zur vernünftigen Poesie,* Halle und Leipzig 1713, S. 47.

Voraussetzung rhetorischer Wirkung seine Lehre vom „moral sense" nennt, zeichnet sich die allmählich zu beobachtende Abkehr vom rhetorischen System ab: „Auf dieses *moralische Gefühl* gründet sich alle Gewalt des *Redners.*"[11]

Aber noch bis in die Mitte des achtzehnten Jahrhunderts hinein blieb in der musikalischen Rhetorik – wie in der literarischen – „die Theorie der Form eng verbunden mit Unterweisungen in der Kunst oder Technik, die Gefühle und Leidenschaften der Hörer zu bewegen. Formen- und Affektenlehre griffen ineinander."[12] Insbesondere beruft sich Johann Joachim Quantz neben anderen Theoretikern nach der Jahrhundertmitte in seinem *Versuch einer Anweisung die Flöte traversiere zu spielen* (1752) auf das rhetorische System: „Der musikalische Vortrag kann mit dem Vortrage eines Redners verglichen werden. Ein Redner und ein Musikus haben sowohl in Ansehung der Ausarbeitung der vorzutragenden Sachen, als des Vortrages selbst, einerley Absicht zu Grunde, nämlich: sich der Herzen zu bemeistern, die Leidenschaften zu erregen oder zu stillen, und die Zuhörer bald in diesen, bald in jenen Affect zu versetzen. Es ist vor beyde ein Vortheil, wenn einer von den Pflichten des andern einige Erkenntniß hat."[13] Quantz rechtfertigt seine Anlehnung an die Rhetorik mit dem Argument, die Musik sei „nichts anders als eine künstliche Sprache, wodurch man seine musikalischen Gedanken dem Zuhörer bekannt machen soll." Da jede vernünftige Rede solche Ausdrücke erfordere, die jedermann verstehe, dürfe dies auch in der Musik nicht „auf eine dunkele oder bizarre Art" geschehen, die dem Zuhörer unbegreiflich wäre[14]. Die Verbindung der Musik mit der Rhetorik sollte daher eine Gemeinverständlichkeit ermöglichen, deren Instrument u. a. die Verzeichnisse der in beiden Künsten zu erregenden Affekte darstellen. In Weißenborns *Gründlicher Einleitung zur teutschen und lateinischen Oratorie*[15] gelten als „affectus boni, welche zu erregen sind", z. B. Liebe, Haß, Verlangen, Abscheu, Freude, Traurigkeit usw., als „Affectus mali, welche zu unterdrücken sind", z. B. Neid, Schadenfreude, Verzweiflung an der

---

11 F. Hutcheson, *Untersuchung unsrer Begriffe von Schönheit und Tugend in zwo Abhandlungen. I. Von Schönheit, Ordnung, Uebereinstimmung und Absicht. II. Von dem moralischen Guten und Uebel.* Aus dem Englischen übersetzt (von J. H. Merck), Frankfurt und Leipzig 1762, S. 272.

12 C. Dahlhaus, „Gefühlsästhetik und musikalische Formenlehre", in: *Deutsche Vierteljahrsschrift für Literaturwissenschaft und Geistesgeschichte* 41 (1967), S. 507.

13 J. J. Quantz, *Versuch einer Anweisung die Flöte traversiere zu spielen.* Kritisch revidierter Neudruck nach dem Original Berlin 1752. Mit einem Vorwort und erläuternden Anmerkungen versehen von A. Schering, Leipzig ²1926, S. 46.

14 Ebd., S. 47.

15 Vgl. Chr. Weissenborn, *Gründliche Einleitung zur Teutschen und Lateinischen Oratorie und Poesie,* Dreßden und Leipzig 1731; vgl. Unger, *Die Beziehungen zwischen Musik und Rhetorik,* S. 101 f.

eigenen Wohlfahrt. Gottsched führt in seiner *Ausführlichen Redekunst*... als angenehme Affekte Zufriedenheit, Ehrliebe, Hoffnung, Freude, Gunst, Liebe, Mitleiden, Verlangen und Zuversicht auf[16]. Für die musikalische und die rhetorische Affektenlehre eignen sich die affekthaltigen Figuren am besten zur Darstellung und Erregung menschlicher Empfindungen. In teilweise umfangreichen Tabellen haben Musiktheoretiker gezeigt, wie die musikalische Darstellung von Affekten durch Figuren wie Aposiopese, Exclamatio, Polyptoton, Anapher, Gradatio oder Ellipse erfolgen kann[17]. Welche Bedeutung der Affektdarstellung in der Musik vor 1750 zugesprochen wurde, läßt sich mit Äußerungen von Johann Mattheson belegen. Von ihm stammt der Grundsatz: „Alles, was ohne löbliche Affekte geschieht, heißt nichts, gilt nichts, tut nichts". Für ihn ist es keine Frage, daß sowohl mit Vokal- wie Instrumentalmusik „alle Affekte durch bloße Töne (auch ohne Zutun einiger Worte oder Verse) rege zu machen" sind[18]. Doch ist diese rhetorisch orientierte Affektenlehre der Musik von jeder Art von „Ausdruck" oder subjektiver Empfindungssprache noch weit entfernt. Die musikalische Rhetorik setzte - unbeschadet ihrer Wirkungsabsicht - eine „gegenständliche, objektivierende Auffassung musikalischer Gefühlscharaktere voraus"[19]. Noch Kant hat seine Musikästhetik im § 53 der *Kritik der Urteilskraft* als Affektenlehre formuliert; die Einheit eines Werkes wird nicht durch seine Form, sondern durch einen einheitlichen Affekt hervorgebracht, der das „Thema" eines Stückes bildet[20]. Selbst in der Phase intensivster Diskussion über das Grundprinzip aller Künste, die Nachahmung, behielt die Affektenlehre in der Musik ihre Geltung. Im Sinne der Beherrschbarkeit des Hörers und der beabsichtigten Wirkungen werden Takt, Tonart, Instrument, Tonfolge und Rhythmus genau auf den zu erzielenden Affekt hin ausgewählt. Der Affekttypus muß immer sogleich erkennbar sein und die Hörer in das erwartete Reaktionsmuster zwingen. C. Ph. E. Bach denkt 1753 durchaus in dieser Tradition, wenn er vom Künstler schreibt, dieser könne sich so „der Gemüther seiner Zuhörer (...) bemeistern", um „viele Affeckten kurtz hintereinander zu erregen und zu stillen"[21].

Das Nachahmungsprinzip wurde im Hinblick auf darstellungsästheti-

---

16 Vgl. Unger, *Die Beziehungen zwischen Musik und Rhetorik,* S. 102.

17 Ebd., S. 104, 106 ff.

18 J. Mattheson, *Das forschende Orchestre,* 1721. Zit. n. MGG, I Sp. 118.

19 Dahlhaus, Gefühlsästhetik und musikalische Formenlehre, S. 508.

20 Vgl. *Musik - zur Sprache gebracht. Musikästhetische Texte aus drei Jahrhunderten.* Ausgewählt und kommentiert von C. Dahlhaus und M. Zimmermann, München und Kassel 1984, S. 137 f.

21 C. Ph. E. Bach, *Versuch über die wahre Art das Clavier zu spielen.* Erster und zweiter Teil. Faksimile-Nachdruck der 1. Auflage, Berlin 1753 und 1762, hrg. von L. Hoffmann-Erbrecht, Leipzig ²1969, III, § 13, § 15.

sche, produktionsästhetische und wirkungsästhetische Aspekte diskutiert. Für den schaffenden Künstler galten die Verse aus der horazischen „Ars poetica“ als Grundsatz einer emotionalen Kunstlehre: „... si vis me flere, dolendum est/Primum ipsi tibi ...“[22] Quantz empfahl dem Anfänger schon, auf das „Singen der Seele, oder die innerliche Empfindung“ zu achten und sie bei sich selbst zu erwecken. Der gute Vortrag müsse „*ausdrückend*“ und „*jeder vorkommenden Leidenschaft gemäß seyn.*“ Der „Ausführer eines Stükkes“ müsse sich selbst in die „Haupt- und Nebenleidenschaften, die er ausdrücken soll, zu versetzen suchen.“ Er müsse sich „bey jedem Tacte in einen andern Affect setzen“, um „sich bald traurig, bald lustig, bald ernsthaft, u. s.w. stellen zu können: welche Verstellung bey der Musik sehr nöthig ist. Wer diese Kunst recht ergründen kann, dem wird es nicht leicht an dem Beyfalle der Zuhörer fehlen, und sein Vortrag wird also allezeit *rührend* sein.“[23] C.Ph.E.Bach hat diese Forderung der Affekt-Nachahmung mit nahezu denselben Worten wiederholt: „Indem ein Musicus nicht anders rühren kann, er sey dann selbst gerührt; so muß er nothwendig sich selbst in alle Affecten setzen können, welche er bey seinen Zuhörern erregen will (...).“[24]

Der englische Theoretiker Daniel Webb hat in seinen *Betrachtungen über die Verwandtschaft der Poesie und Musik* (dt. 1771) auf einen geradezu physiologischen oder nervösen Grund der Nachahmungstheorie in Dichtung und Musik hingewiesen. Er nimmt an „daß die Seele, bey besondern Rührungen, gewisse Vibrationen in den Nerven erregt, und den Lebensgeistern gewisse Bewegungen eindrückt. Ich setze voraus, daß es der Musik eigen ist, ähnliche Vibrationen zu erregen, ähnliche Bewegungen der Nerven und Lebensgeister mitzutheilen. (...) Wenn also die musikalischen Töne eben dieselben Empfindungen in uns hervorbringen, welche die Eindrücke irgend einer besondern Leidenschaft begleiten, alsdann sagen wir, daß die Musik mit dieser Leidenschaft einstimmig ist, und die Seele muß, wegen einer gewissen Aehnlichkeit in ihren Wirkungen, ein lebhaftes Gefühl von einer Verwandschaft ihrer Art zu wirken haben.“ Webb versteht die Musik als „Kunst des Eindrucks“ und der „Nachahmung“. Doch wendet er sich gegen die Nachahmung musikalischer Ideen durch artikulierte Töne, durch das Realisieren der Metaphern einer Textvorlage[25]. Darin folgte er Batteux. Mit Rameaus

---

22 Horaz, Epistola ad Pisones (*Ars poetica*), V. 102 s. Vgl. J.Stenzel, „‚Si vis me flere‘ – ‚Musa iocosa mea‘. Zwei poetologische Argumente in der deutschen Diskussion des 17. und 18.Jahrhunderts“, in: DVjs 48 (1974), S.650–671.

23 Quantz, *Versuch einer Anweisung ...*, S.45, 51, 53.

24 C.Ph.E.Bach, *Versuch ...*, S.85, § 13.

25 D.Webb, *Betrachtungen über die Verwandtschaft der Poesie und Musik, nebst einem Aus-*

Modifikation der Affekttradition - er erkannte die sinnliche Schönheit der Harmonie als Voraussetzung für eine affektive Kraft der Melodie - und mit Rousseaus Gegenposition eines Primats der Melodie vor der Harmonie und mit dessen Warnung vor extremem Naturalismus in der Affektdarstellung bahnte sich die Auflösung des bisher meist streng befolgten Affektprinzips an. 1754 warf Caspar Ruetz dem Batteuxschen Naturbegriff eine unzulässige Einengung des Reichtums der Musik vor, wenn unter „Natur" nicht mehr als „die natürliche Aussprache eines Affects" verstanden werden solle: „Nimmt man hier aber die Natur für den Inbegriff klingender Körper, so sind ohne Zweifel viele Muster von Tönen in der Welt vorhanden, davon aber die wenigsten der Musik zur Nachahmung dienen können. Der Musicus hätte also auch vieles zu reisen, wenn er allen Schall der in der Welt befindlichen klingenden Körper lernen wollte."[26]

Gipfelte der Versuch der Naturnachahmung durch Darstellung und Evokation der Affekte darin, daß man in jedem Tonstück - bei zyklischen Formen in jedem einzelnen Satzteil - einen einzigen Affekt repräsentierte und erregen wollte, so wurde nach 1750 immer häufiger die Einheit des Affekts aufgegeben zugunsten der schnellen Aufeinanderfolge der Empfindungen und Gefühle. Viele Zeugnisse bekunden es: Crescendo war für empfindsame Hörer in der zweiten Jahrhunderthälfte geradezu „eine Offenbarung. Die Gefühlserregung beim erstmaligen Hören eines Crescendos konnte so stark sein, daß sich das Publikum vor Aufregung von den Plätzen erhob und laut schluchzte." In der damals neuen Musik war das fluktuierende Auf und Ab an die Stelle des gleichförmig Bewegten im alten Stil getreten[27].

Die innige Verbindung von Musik und Rhetorik vor der Jahrhundertmitte lockerte sich immer mehr - wie auch in der Literatur das rhetorische System an Geltung verlor. In der Schulpraxis spielte es jedoch noch etwa hundert Jahre eine nicht unbedeutende Rolle.

Die neue Annäherung der beiden Künste unter empfindsamer Prämisse erfolgte von seiten der Literatur in einer intensiven Rezeption musikalischer Empfindungen. Die Saiten-Metapher spiegelt diesen Rezeptionsprozeß im Detail. In Diderots Shaftesbury-Essay „Sur le mérite et la vertu" heißt es: „Un homme sans passions est donc un instrument dont on a coupé les cor-

---

zuge aus eben dieses Verfassers Anmerkungen über die Schönheiten der Poesie. Aus dem Englischen übersetzt von Johann Joachim Eschenburg, Leipzig 1771, S. 4f., 22, 99.

26 *Historisch-kritische Beyträge zur Aufnahme der Musik,* hrg. von F. W. Marpurg, Berlin 1754, S. 300f. Zit. n. P. Schleuning, *Geschichte der Musik in Deutschland. Das 18. Jahrhundert: Der Bürger erhebt sich,* Reinbek bei Hamburg 1984, S. 372.

27 L. Balet/E. Gerhard, *Die Verbürgerlichung der deutschen Kunst, Literatur und Musik im 18. Jahrhundert.* Hrg. und eingeleitet von G. Mattenklott, Frankfurt/Main-Berlin-Wien 1973, S. 343, 347.

des ou qui n'en eut jamais."[28] Das Bild des von Empfindungen bewegten Menschen wurde mit Vorliebe durch die Vorstellung eines vibrierenden Saiteninstruments versinnlicht: „Jeder Ton, der bei seinem Erwachen an sein Ohr schlug, rührte auch die empfindsamen Saiten seiner Seele; (...)."[29] Nach seiner ersten *Messias*-Lektüre notierte Schubart: „Eine Saite meines Herzens, von keinem Finger noch berührt, tönte da zuerst, und klang überlaut."[30] Gotter eignete den ersten Band seiner Gedichte (1787) mit folgenden Widmungsversen Gleim zu:

"Ihm verwandt ist jede schöne Seele,
Rein, wie seiner Harfe Silberton,
Ist sein Herz, der ew'gen Liebe Spiegel;
Seine Rede süß, wie Honigseim."[31]

Fast noch häufiger als die Empfindsamen selbst bedienen sich die Kritiker der Empfindelei der Saiten-Metaphorik. Thomas Abbt klagt: „Ach! die Natur hat mir die Saite des Schmerzes allzu gut in der Seele aufgezogen (...)."[32] Die Empfindelei galt als „Verstimmung" der Empfindungssaiten: „Eine stärker gespannte Saite giebt einen feineren und klingenderen Ton, eine schwächer und nachlassender gespannte, einen gröberen und tieferen (...). Gröbere und schlaffer gespannte Fibern werden also zu keinen so starken und feinen Empfindungen geneigt seyn, als feinere und stärker gespannte und elastischere." Und so kann es von einem Empfindler heißen: „Die Saiten seiner Empfindungen sind durch Ueberspannung und durch zu heftige Vibrationen erschlafft; feinere und sanftere Eindrücke können sie nicht mehr rühren oder bewegen (...)."[33]

Campe hat in seinen zahlreichen Analysen von Empfindsamkeit und Empfindelei die Formel von der „überspannten Empfindsamkeit" vorbereitet. Als Ursache für die Entstehung so vieler „empfindlichen und empfindelnden Männerchen und Weiberchen" nimmt er an, „daß von den vielen Saiten ihrer thierischen und geistigen Natur grade nur die einzige Saite der Empfindnißkraft ausschließend gespannt worden ist, und alle die übrigen

---

28 D. Diderot, *Œuvres philosophiques,* Paris 1961, S. 11, Anm. 1.

29 Ch. F. Timme, *Der Empfindsame Maurus Pankrazius Ziprianus Kurt, auch Selmar genannt. Ein Moderoman.* III. Bd., Erfurt 1782, S. 183.

30 Ch. F. D. Schubart, *Leben und Gesinnungen,* I. Teil, Stuttgart 1791, S. 16f.

31 G. Wappler, „‚Guten Tag, lieber Gleim!' Handschriftliche Widmungen in der Gleimbibliothek zu Halberstadt", in: *Marginalien. Zeitschrift für Buchkunst und Bibliophilie,* Heft 31/1968, S. 54.

32 Zit. n. B. Lecke, *Das Stimmungsbild. Musikmetaphorik und Naturgefühl in der dichterischen Prosaskizze 1721–1780.* Göttingen 1967 (= Palaestra Bd. 247), S. 14.

33 E. F. Ockel, *Ueber die Sittlichkeit der Wollust,* Mitau, Hasenpoth und Leipzig 1772, S. 282, 172f.

schlaff gelassen wurden. Was Wunder, daß ihr ganzes Wesen nichts als Misklang angeben kann?"[34]

Äußerte sich die Verbindung der literarischen mit der musikalischen Empfindsamkeit mit Vorliebe im Gebrauch der Saitenmetaphorik, so taucht die Musik in empfindsamen Texten besonders häufig in Funktionsbestimmungen der empfindsamen Tendenz auf. Wie in der älteren Affektenlehre die „Pathologie" analog zum Pathos-Bereich der Rhetorik formuliert wurde, so stimmen nun auch die wirkungsästhetischen Überlegungen überein. Über dreißig Jahre lang verändert sich die Argumentation kaum. Christian Gottlieb Krause schrieb in seiner *Abhandlung von der musikalischen Poesie*: „Die sanften Empfindungen reizender Töne machen die Sitten feiner (...). Ihre Eindrücke befördern die Fertigkeit, Liebe, Güte und Mitleiden zu empfinden, und geben unsern Leidenschaften die nützlichste Mäßigung, als worinn das wahre Wesen der Tugend besteht. Vermittelst des Vergnügens, so sie verursachen, werden die Gemüthsneigungen gebildet (...)."[35] In Ockels Abhandlung *Ueber die Sittlichkeit der Wollust* von 1772 findet sich der Lobpreis musikalischer Wirkungen: „Und die Tonkunst! die alle Arten von Vergnügen in sich vereinigt, aus allen Quellen ihre Reize schöpft, und dadurch eine Zauberkraft erhält, (die wir, je weniger wir sie begreifen, desto stärker fühlen) das ganze System unserer Nerven in eine heilsame und dem Klange der Saiten harmonische Spannung zu versetzen. Sie ruft die Lebensgeister zurück, wenn sie fliehen, und ist selbst himmlische Arzeney für kranke Seelen. Sie, die allmächtige Göttinn der Leidenschaften, weckt schlummernde Empfindungen in unserm Herzen, schwillt es in heroischen Entschliessungen auf, erhebt es zu Gott und dem Himmel, zerschmelzt es in zärtliches Mitleiden; (...). Den Barbar verwandelt sie in einen sanften Menschenfreund, und das finstere Gesicht eines Cato erheitert sie mit holdem Lächeln. Und wie sehr erhöhet sich noch ihre Macht, wenn sich die Accorde der menschlichen Stimme mit ihr vereinigen! Sie, die Tonkunst, ist die lauterste Quelle unserer Lust."[36]

1783 hielt der Justizkommissar Hahn bei der Eröffnung der Musikalischen Gesellschaft in Anklam/Pommern eine Rede „Von dem vorteilhaften Einfluß der Tonkunst auf das Herz des Zuhörers". Nach einer Gegenüberstellung von Empfindsamkeit und Empfindelei in Campescher Manier bekennt er: „Ich halte jeden Menschen, der reines, wahres und natürliches Gefühl im Busen trägt, der im guten Sinn empfindsam ist, zu jeder großen und

34 *Allgemeine Revision des gesammten Schul- und Erziehungswesens von einer Gesellschaft praktischer Erzieher.* III. Theil. Hrg. von J. H. Campe, Hamburg 1785, S. 413, 409 f.

35 Ch. G. Krause, *Abhandlung von der musikalischen Poesie,* Berlin 1752. Zit. n. Balet/Gerhard, *Die Verbürgerlichung der deutschen Kunst,* S. 296 f.

36 Ockel, *Ueber die Sittlichkeit der Wollust,* S. 228 f.

edlen That aufgelegt; den Unempfindsamen für den elendesten, bedaurenswürdigsten; den Empfindler aber für einen Thoren. Das wahre, unerborgte, das natürliche Gefühl des Schönen und Erhabenen macht uns also die Gewalt der Music allein fühlbar. Sollte es auch in der Brust noch nicht völlig entwickelt seyn, so wird die Music es nach und nach ausbilden und lebhafter machen."[37]

Philipp Julius Lieberkühn, Lehrer der öffentlichen Schule zu Neu-Ruppin, veröffentlichte 1784 eine in Padua ausgezeichnete Preisschrift unter dem Titel *Versuch über die Mittel in den Herzen junger Leute, die zu hohen Würden oder zum Besiz großer Reichthümer bestimmt sind,* Menschenliebe *zu erwekken und zu unterhalten.* Darin ist auch von den „sanften Zaubereien der Musik, der Malerei und der Dichtkunst" die Rede, um junge Herzen für die „milden Gefühle der Menschenliebe, der Zärtlichkeit und der Großmuth empfänglich" zu machen. „Insonderheit ist es die göttliche Tonkunst, diese mahlerische Sprache der Empfindungen, die das menschliche Herz weich und menschlich macht. Sie kann das härteste Gemüth durch ihre sanften Harmonien gewinnen, und den sittlichen Gefühlen öfnen. Laßt darum früh eure Kinder einen Geschmakk an dieser wohlthätigen Kunst gewinnen, durch einen zwekmäßigen Unterricht, der nicht blos künstliche Spieler, sondern gefühlvolle Herzen zu bilden strebt."[38]

Im letzten Drittel des Jahrhunderts scheinen diese Empfehlungen besonders intensiv befolgt worden zu sein. Es war ein neues, musikalisch und literarisch gebildetes bürgerliches Publikum entstanden – in den Musikzentren gewiß schon früher. Neuerungen im Notendruck, ein wachsender Bedarf an Stücken für ein oder zwei Personen, an Solostücken für Clavier, Violine oder Flöte, an Liedern mit Clavierbegleitung ermutigten die Komponisten, den Markt zu beliefern. Frauen waren immer häufiger Adressaten von Sammlungen „für den empfindsamen Clavierspieler", „für fühlende Seelen" oder „für Herz und Empfindung". Vom Spiel der Frauen war eine Empfindungsvielfalt zu erwarten, die den Männern, wie man meinte, meist abging. 1770 veröffentlichte C. Ph. E. Bach *Six Sonates pour le Clavecin à l'usage des Dames*[39].

---

37 *Magazin der Musik,* hrg. von C. F. Cramer, II/1, Hamburg 1784, S. 202. Zit. n. Schleuning, *Geschichte der Musik in Deutschland,* S. 207.

38 Ph. J. Lieberkühn, *Versuch über die Mittel in den Herzen junger Leute, die zu hohen Würden oder zum Besiz großer Reichthümer bestimmt sind,* Menschenliebe *zu erwekken und zu unterhalten.* Eine von der Akademie der Wissenschaften und Künste in Padua gekrönte Preisschrift, Züllichau 1784, S. 56 f.

39 Vgl. M. Mahony Stoljar, *Poetry and Song in Late Eighteenth Century Germany. A Study in the Musical Sturm und Drang,* London/Sydney/Dover, New Hampshire 1985, S. 10, 30 f., 84.

Der Begriff „Hausmusik“ ist im 17. Jahrhundert aufgekommen. Er wurde jedoch erst nach 1830 eigens eingeführt, um das Repertoire zu bezeichnen, das zur Aufführung in der bürgerlichen Privat- und Familiensphäre bestimmt oder geeignet war als „Tonkunst für einsame Stunden und für den traulichen Familienkreis“ (F. Rochlitz)[40]. Die bürgerliche Bevorzugung von Lied und Clavier erlaubt es, bereits im späten 18. Jahrhundert von einer neuen häuslichen Musikkultur zu sprechen. In der Rezension einer gerade erschienenen Lieder-Sammlung bemerkte Schubart 1774: „Die Tochter spielt sie auf dem Flügel, und singt dazu der Bruder nimmt die Flöte oder die Geige, und der Vater streicht den Baß – Welch ein angenehmes Familienconcert in den Winterabenden!“[41]

Die nun üblichen Formen der Hausmusik und die Empfindsamkeit gehen zahlreiche Verbindungen ein. Es kommt nicht nur zu neuen Varianten und musikalischen Formen der Empfindsamkeit, sondern sie selbst wird musikalisch schöpferisch. In einer Abhandlung über die Zärtlichkeit, die in der moralischen Wochenschrift *Der Gesellige* 1749 erschien, heißt es: „Eine freundliche und angenehme Stimme gehört gewiß nicht unter die letzten Ausbrüche der Zärtlichkeit. Man kann sagen, daß die Zärtlichkeit der Liebe, als eine recht geschickte Componistin, eine eigene Melodie erfunden, nach welcher sie ihre Stimme einrichtet. Diese Melodie kann unmöglich durch Worte beschrieben werden. Jederman weiß, das wir den Zorn, die Kaltsinnigkeit, den Haß, die Herrschsucht, durch einen gewissen Ton der Stimme anzeigen können. Und wenn ein Mann seiner Frau in einem solchen Tone auch solche Worte sagt, die eben keinen Mangel der Liebe anzeigen, als wenn er ihr in dem Tone eines Officiers, der seine Soldaten übt, etwas befihlt: so empfindet er gewiß alsdenn nichts von der Zärtlichkeit der Liebe. In dem tiefsten Baße läst sichs schwerlich zärtlich reden.“[42]

Zur Evokation einer Musik-Szenerie ist in der Literatur am häufigsten das mit Clavier begleitete Lied gewählt worden. In den Illustrationen der zeitgenössischen Romane gehört das Clavier zu den Requisiten, mit denen ein bürgerliches Interieur auszustaffieren ist. Das Clavier selbst wird zum Adressaten in melancholischer Stimmung. Friedrich Wilhelm Zachariä hat seine Ode „An das Clavier“ 1761 veröffentlicht:

---

40 E. Reimer, Art. „Hausmusik“, in: *Handwörterbuch der musikalischen Terminologie,* hrg. von H. H. Eggebrecht, Wiesbaden 1972 ff., S. 2.

41 Ch. F. D. Schubart, *Deutsche Chronik.* Zweyter Jahrgang. Drittes Stück. Den 9. Jänner, 1775, S. 23 f. Besprochen wird: *Auserlesene scherzhafte und zärtliche Lieder, in Musik gesetzt von Johann Andre.* Erster Theil, Offenbach/M. und Mannheim 1774.

42 *Der Gesellige, eine moralische Wochenschrift.* Dritter Theil, 129. St., Halle 1749, S. 277. Zit. n. dem Reprint: *Der Gesellige. Eine Moralische Wochenschrift,* hrg. von S. G. Lange und G. F. Meier. Teil 3 und 4 (1749). Neu hrg. von W. Martens, Hildesheim/Zürich/New York 1987.

Du triumphirende Macht über den traurigen Gram,
Du Meisterstück der hohen Harmonie,
Du, mein getreues Clavier, singe die Tage hinweg,
Die, Nächten gleich, mit schwarzen Flügeln fliehn.

Sonst rauscht' ein fröhlicher Ton, wie er in Opern entzückt,
Die Saiten durch, und jauchzte Symphonien;
Auch klang ein gaukelnder Tanz, von pantomimischem Fuß
Dem schwarzen Gott der Hölle vorgetanzt.

Sonst sang ein lachender Lied siegender Augen Triumph,
Die himmelblau, als wie im Lenz die Luft,
In mein empfindendes Herz alle die Liebe geflößt,
Für die allein mein Herz geschaffen war.

Doch itzt, verlaßnes Clavier, schweiget das schmeichelnde Lied,
Das *Hagedorn* der Freud und Jugend spielt.
In Dissonanzen gehüllt, schaff ich mir einsam den Ton,
Der meinen Schmerz in finstern Noten sagt.

Wenn der erheiternde Stral besserer Hoffnung mir lacht,
Und nicht mein Flehn der leichte Wind verweht;
Dann soll ein scherzendes Lied, dir, o *Seline,* geweiht,
Durch deine Macht den Liebesgott erhöhn.[43]

Das Gedicht schließt sich - von der Sujetwahl her gesehen - an Zachariäs Melancholie-Gedichte an. Die Melancholie wurde früh schon nach dem englischen Vorbild des „joy of grief" in die emotionale Skala der Empfindsamkeit integriert. Erstaunlich an Zachariäs Ode ist die Beschränkung des Claviers auf Harmonie, fröhlichen Opernton, das Jauchzen von Symphonien und den Tanz. Das Clavier scheint sich nur als Instrument des Liebes- und Gesellschaftsliedes den Ausdrucksbedürfnissen des melancholischen Ich anzupassen. Die Erwähnung Hagedorns und seiner Lieder für Freude und Jugend weist auf das gesellige Lied des Rokoko hin, das vor allem die „Bremer Beiträger" pflegten. In der Entbehrung heiterer Geselligkeit und der Zuneigung Selines verweigert sich das Clavier - das klagende Ich schließt die Dissonanzen und die „finstern Noten" des Schmerzes in die einsame Innerlichkeit ein. Erst die Hoffnung führt aus solcher Selbstverschlossenheit des Melancholikers heraus; das Heilmittel gegen diese Seelenkrankheit, die wiedergewonnene Liebe, ermöglicht aufs neue den Ausdruck der geselligen Freuden. Das „scherzende Lied", Synonym des Rokokoliedes, wird der Geliebten geweiht und dient der Verherrlichung Amors.

In diesen Zusammenhang gehört eine ältere Sammlung von Liedern: Ohne Jahresangabe erschienen 1753 *Oden mit Melodien. Erster Theil. Berlin* - Herausgeber, Textdichter und Komponisten verraten ihre Namen nicht. Als Herausgeber der 31 Lieder konnten Karl Wilhelm Ramler und Chri-

---

43 F. W. Zachariä, *Scherzhafte Epische und Lyrische Gedichte.* Neue durchgehends verbesserte Auflage. Zweyter Bd., Braunschweig u. Hildesheim 1761, S. 421.

stian Gottfried Krause identifiziert werden. Ramler war für die Texte verantwortlich und hatte Werke von Gleim, Hagedorn, Giseke, Ebert, Uz, Ewald von Kleist, Johann Adolf Schlegel (?) und Johann Matthias Dreyer ausgewählt. Die Kompositionen stammten von Krause selbst, von C. Ph. E. Bach, Graun und Benda. In einem Brief an Gleim vom 29. Dezember 1752 hatte Krause die Absicht der Sammlung umrissen, einen neuen und verfeinerten Geselligkeitsstil zu befördern und speziell die Liedkultur - nicht zuletzt im Sinne der „Zärtlichkeit" - in der Familie und der Geselligkeit überhaupt zu heben. Seine Vorstellungen illustrierte Krause mit einer Erinnerung an festliche Stunden im Bachmannschen Hause zu Magdeburg: „Stellen Sie sich eine solche Gesellschaft mit Frauenzimmern vor, wie Sie mit H. Klopstock, Herrn Sulzern vor etlichen Jahren in Magdeburg gehabt, wo man folatiert, springt, scherzt etc. und wo man nicht zusammenkommt, zu musiciren, wo aber doch Keinem übelgenommen wird, wenn er sich an einen Flügel stellt, eines spielt und eines singet oder auch selbst ohne Flügel eines singet."[44]

Zachariäs Gedicht hat gezeigt, daß die frühe Empfindsamkeit im Rokoko, die „Zärtlichkeit", noch völlig eingebunden bleibt in eine Kultur der Geselligkeit. Ungesellige psychische Dispositionen wie etwa die Melancholie entfernen nicht nur aus der Gesellschaft, sondern führen auch zum Verzicht auf eines der beliebtesten Medien geselligen Umgangs, das gemeinsame Lied, das private Clavierspiel.

Wenige Jahre nur trennen Zachariäs Rokoko-Empfindsamkeit von Goethes Evokation eines Romanhelden, dessen fehlgeleitete Empfindsamkeit, Empfindelei und Leidenschaft zu einer „Krankheit zum Tode" gesteigert werden. *Die Leiden des jungen Werthers* sind durchsetzt mit literarischen Titeln und Texten. Die Malerei und das Zeichnen spielen für den dilettierenden Werther keine geringe Rolle; die Wirkung der Musik erfährt er durch Lotte. Der Funktionswandel des einsamen Clavierspiels gegenüber Zachariäs Gedicht ist offenkundig: dort ist das heitere Rokokolied, ja jedes gespielte musikalische Werk Verpflichtung auf Geselligkeit oder Erinnerung an sie - hier, in Goethes Roman, gewinnt das Clavierspiel den monologischen Charakter, auf den der Roman insgesamt angelegt ist; denn der Adressat der Tagebuch-Aufzeichnungen, Wilhelm, tritt selbst indirekt kaum in Erscheinung. Der monologische Kunstausdruck, den Werther in seinem Leiden an der Gesellschaft auch in Literatur und Kunst sucht, erhält in Lottes Clavierspiel geradezu therapeutische Kraft: „Sie hat eine Melodie, die

44 Der Brief wurde gedruckt in: E. C. v. Kleist, *Werke.* Hrg. und mit Anmerkungen begleitet von A. Sauer, Berlin 1881/82, Bd. 2, S. 253, Anm. 2. Zit. n.: Ch. Perels, *Studien zur Aufnahme und Kritik der Rokokolyrik zwischen 1740 und 1760,* Göttingen 1974 (= Palaestra Bd. 261), S. 151.

sie auf dem Klavier spielt mit der Kraft eines Engels, so simpel und so geistvoll, es ist ihr Leiblied, und mich stellt es von aller Pein, Verwirrung und Grillen her, wenn sie nur die erste Note davon greift.

Kein Wort von der Zauberkraft der alten Musik ist mir unwahrscheinlich, wie mich der einfache Gesang angreift. Und wie sie ihn anzubringen weiß, oft zur Zeit, wo ich mir eine Kugel vor'n Kopf schießen möchte. Und all die Irrung und Finsternis meiner Seele zerstreut sich, und ich atme wieder freier."[45]

Auch Zachariäs Ode ist als Preislied auf die Macht der Musik zu verstehen – das Clavier vermag jedoch den einsamen Ton der finsteren und dissonantischen Stimmung nicht zu treffen. In dieser Lage befindet sich auch Werther – aber er läßt sich von Lottes Clavierspiel angreifen und erfährt gleichsam die orphische und heilende Gewalt der Musik. Zachariäs melancholisches Ich bedarf zuerst der wiedergewonnenen Liebe, um zum Clavier und zu einem scherzenden Lied zurückzufinden. Werther wird durch Lottes „Leiblied" zumindest vorübergehend aus seiner Finsternis gerissen. Die Betonung des „Ausdrucks" in ihrem Clavierspiel verdeutlicht den stilistischen Unterschied und Wandel vom frühempfindsamen Rokoko zur entfalteten Empfindsamkeit noch stärker: „Heut saß ich bei ihr – saß, sie spielte auf ihrem Klavier, manchfaltige Melodien und all den Ausdruck! all! all! – Was willst du? – (...) Und auf einmal fiel sie in die alte himmelsüße Melodie ein, so auf einmal, und mir durch die Seele gehn ein Trostgefühl und eine Erinnerung all des Vergangenen, all der Zeiten, da ich das Lied gehört, all der düstern Zwischenräume des Verdrusses, der fehlgeschlagenen Hoffnungen, und dann – Ich ging in der Stube auf und nieder, mein Herz erstickte unter all dem. Um Gottes Willen, sagt ich mit einem heftigen Ausbruch hin gegen sie fahrend, um Gottes Willen hören sie auf."[46]

Zu den Kunstgriffen des Goetheschen Romans gehört die Verwendung indirekter Sprachformen. Bei der letzten Begegnung Werthers mit Lotte ist die leidenschaftliche Szene mit Worten zunächst nicht faßbar. Aber Lotte vermag die „Verwirrung ihres Herzens zu stillen", indem sie „einige Menuets auf dem Klavier" spielt[47]. Sie bittet Werther, seine Übersetzung von Gesängen Ossians vorzulesen.

Der indirekte Diskurs treibt die Gefühle beider jedoch so hoch, daß die folgende letzte Leidenschaftsszene die Entscheidung Werthers zu sterben erzwingt. Die Tabuisierung des Liebesgeständnisses von Werther und Lotte

---

45 J.W. Goethe, *Der junge Goethe 1757–1775.* 2. Hrg. von G. Sauder (= J.W. Goethe, *Sämtliche Werke nach Epochen seines Schaffens. Münchner Ausgabe.* Bd. 1.2), München 1987, S. 226f.

46 Ebd., S. 272f.

47 Ebd., S. 283.

verleiht dem Kunstgriff des indirekten Diskurses auch „innere" Notwendigkeit im Roman. Immer wieder erweist sich Lotte als die „stärkere" Figur, die es versteht, die auferlegte affektive Sprachlosigkeit durch ihr Clavierspiel zu kompensieren: „warum durft ich nicht an ihrem Halse mit tausend Küssen antworten – Sie nahm ihre Zuflucht zum Klaviere und hauchte mit süßer leiser Stimme harmonische Laute zu ihrem Spiele. Nie hab ich ihre Lippen so reizend gesehn, es war, als wenn sie sich lechzend öffneten, jene süße Töne in sich zu schlürfen, die aus dem Instrumente hervorquollen, und nur der heimliche Widerschall aus dem süßen Munde zurückklänge – Ja wenn ich dir das so sagen könnte!"[48] Eine intensivere Verbindung von Instrument und Gesang ist in der Literatur dieser Zeit der empfindsamen und leidenschaftlichen Töne nicht erdacht worden. Die scheinbar monologische Szene wird auf doppelte Weise dialogisch: Clavier und Gesang antworten sich wie Schall und Widerschall; die „süßen Töne" finden Gehör bei dem leidenschaftlich erregten Liebhaber – ein „Echo" entsteht nicht, und die musikalische Kommunikation bleibt einseitig und asymmetrisch.

Der qualitative Unterschied solcher Musik-Evokationen zu den Gedichten Johann Martin Millers, eines Mitgliedes des Göttinger Hainbundes, ist beträchtlich. Miller hat eine Reihe von motivverwandten Texten veröffentlicht: „An Daphnens Klavier" (1773), „Lobgesang eines Mädchens. Am Klavier" (1773), „Als Mariane am Klavier sang. Um Mitternacht." (1775). Diesen Gedichten entsprechen Passagen in Millers Romanen, die zum größeren Teil speziell für ein akademisches und studentisches Publikum geschrieben sind. Darin tauchen die geselligen Clavier-Szenen der Rokoko-Literatur mit empfindsamen Varianten wieder auf; Klopstock-Lieder mit Clavierbegleitung spielen eine große Rolle. Doch wird das bei Goethe so mächtige Ausdrucks-Prinzip bei Miller nur am Rande in Beschreibungen der empfindsamen Wirkung von Gesang und Clavierbegleitung spürbar. Bei Miller sind diese Musikszenerien in Prosa und Lyrik eher Requisit einer „modernen" bürgerlichen Jugendkultur. Das Lied erhält überdies meist auch eine erbauliche Funktion als Loblied oder Dankgebet an Gott, der dem Mädchen einen Geliebten und die Liebe geschenkt hat. Die dissonantischen Töne Goethes fehlen hier nahezu völlig. Der „Silberschall" und der „Strom von Harmonieen" ist zwar auch bei Miller des „Lebens Wiederhall", doch ohne die Verwirrungen des Herzens in *Werther.* Die heute geradezu parodistisch klingenden Zeilen „Ihre ganze Seele glüht,/Und sie singt ein deutsches Lied."[49] verraten die überwiegend *literarische* Affektivität von Millers Figuren – sie sind nicht wie Goethes Gestalten auf indirekte Sprachen ange-

---

48 Ebd., S. 269.
49 J. M. Miller, *Gedichte,* Ulm 1783, S. 268. Vgl. S. 253, 366.

wiesen, weil die Leidenschaft nicht mehr direkt formuliert werden kann, sondern sie agieren in entsprechenden Situationen, die Anlaß zur Verwendung der bereits konventionalisierten empfindsamen literarischen Topoi geben. Bei Miller kommt die erbauliche und didaktische Komponente in seinen empfindsamen Schriften hinzu.

Nicht zuletzt auf C. Ph. E. Bach spielt Millers Gedicht von 1772 an, das überschrieben ist mit:

Das deutsche Mädchen an ihr Klavier.

Kein wälsches Lied, voll Opernschmerz,
Entehre dich, Klavier!
Kein buhlerischer Afterscherz
Des Franzen schall' auf dir!

Deutsch war dein Meister; Deutsch bin ich,
Und liebe keuschen Sang;
Drum mischen deutsche Lieder sich
In deinen ersten Klang!

Dein Lächeln, Schwester Unschuld, sey
Des Spieles bester Lohn!
Dir nur, und meinem Jüngling weih'
Ich künftig jeden Ton.

Dein vaterländisch Lied* sing ich
Ihm dann, o *Winthem,* zu.
Dein *Klopstock* sang es auch für mich;
Denn deutsch bin ich, wie du!

Der Jüngling werde stolz, daß ihn
Ein Herz, wie meines, wählt;
Und sink' an meinen Busen hin,
Den gleicher Stolz beseelt!

Wieder wird das Clavier angesprochen oder wohl eher „angesungen". Wie bei einer „Einweihung" werden italienische Opernarien und französischer Gesang als „entehrend" von ihm ferngehalten – im Gegensatz dazu werden das Deutsche, Keuschheit und Unschuld bis hin zur stolzen Liebe zu einem stolzen Jüngling evoziert. Die vierte Strophe verweist auf ein berühmtes Gedicht Klopstocks, das zuerst 1771, dann im Göttinger Musenalmanach von 1774 erschien – die Vertonung von Carl Philipp Emanuel Bach war dem Text beigegeben. Die Vortragsanweisung lautet „Stolz". Millers Gedicht ist eine verehrende Variation auf Klopstocks Gedicht, das allerdings auch viele spöttische Parodien hervorrief. Es beginnt mit den Versen „Ich bin ein deutsches Mädchen!/Mein Aug ist blau, und sanft mein

---

* Vaterlandslied zum Singen für Johanna Elisabeth von Winthem. S. Klopstocks Oden S. 274[50]

50 Ebd., S. 153 f.

Blick,/Ich hab' ein Herz,/Das edel ist, und stolz, und gut."[51] Wie die Anmerkung Millers verrät, war es der Nichte von Meta Moller, Klopstocks Frau, gewidmet. Nach deren frühem Tod hat er die Winthem geheiratet. Ein Ölgemälde - der Maler ist unbekannt - im Besitz des Museums für Hamburgische Geschichte zeigt die junge Frau am Clavier[52]. In der auf dem Pult aufgeschlagenen Liedersammlung ist die erste Strophe des „Vaterlandsliedes" in C. Ph. E. Bachs Vertonung zu erkennen; es handelt sich um eine exakte Vergrößerung des Notenbildes aus dem *Musenalmanach.* Nicht zuletzt dieses Gemälde dokumentiert, daß die begeisterte (sicher auch die parodistische) Aufnahme von Klopstocks Gedicht eng mit Bachs Vertonung verbunden war. Millers Gedicht ist nur in diesem Beziehungsgeflecht von empfindsamer, „deutscher" Lyrik und Musik zu verstehen.

Verglichen mit der Funktion des Claviers in empfindsamen Texten spielen einige andere Instrumente eine eher marginale Rolle. Vor allem in der Lyrik, die Jean Paul in seiner *Vorschule der Ästhetik* erneut an die „Lyra", die Leier, zurückband, wird dieses poetische Instrument neben der Flöte, dem Clavichord und der Glasharmonika häufig besungen.

In der Auseinandersetzung um den Vorzug der Singstimme vor allen Instrumenten, auch vor der reinen Instrumentalmusik, stellt die Verwandtschaft eines Musikinstruments mit der menschlichen Stimme ein wichtiges Wertkriterium dar. Der Hohlfeldsche Bogenflügel, ein „clavecin à archet", besitze „zwar nicht den gewöhnlichen Silberklang eines gemeinen Flügels, aber gegentheils einen der Menschenstimme desto ähnlichern schmeichelnd durchdringenden Ton", wie es in einem anonymen Artikel heißt.[53]In Sulzers *Allgemeiner Theorie der Schönen Künste* von 1771/74 („Instrumentalmusik") wird in diesem Zusammenhang die Oboe hervorgehoben: „Unter allen Instrumenten, worauf leidenschaftliche Töne können gebildet werden, ist die Kehle des Menschen ohne allen Zweifel das vornehmste. Darum kann man es als eine Grundmaxime ansehen, daß die Instrumente die vorzüglichsten sind, die am meisten fähig sind, den Gesang der Menschen Stimme nach al-

51 *Göttinger Musenalmanach auf das Jahr 1774.* Unveränderter reprografischer Nachdruck der 1774 bei J. C. Dietrich, Göttingen, erschienenen Ausgabe, Darmstadt 1980, S. 101. Erstdruck des „Vaterlandslieds": *Staats- und Gelehrte Zeitung Des Hamburgischen unpartheyischen CORRESPONDENTEN!* Am Freytage, den 19. April 1771, Nr. 63.

52 Vgl. die Abb. 37 auf S. 81 und die Legende zu Kat.-Nr. 120, S. 95, in: *Carl Philipp Emanuel Bach. Musik und Literatur in Norddeutschland.* Ausstellung zum 200. Todestag Bachs in Hamburg/Kiel, Heide in Holstein 1988.

53 *Historisch-kritische Beyträge zur Aufnahme der Musik,* hrg. von F. W. Marpurg, Bd. 1, Berlin 1754, S. 169 f. Zit. n.: *Der critische Musicus an der Spree. Berliner Musikschrifttum von 1748 bis 1799. Eine Dokumentation.* Hrg. von H.-G. Ottenberg, Leipzig 1984, S. 173.

len Modifikationen der Töne nachzuahmen. Aus diesem Grund ist die Hoboe eines der vorzüglichsten."[54]

So gehören in den Kontext einer empfindsamen Musikkultur gewiß die zahlreichen Gedichte auf Singvögel, vor allem Nachtigallen. Der Naturton ist für die fortschreitende empfindsame Ästhetik das Höchste überhaupt – die Windharfe, die in den künstlichen Ruinen der englischen Parks gerne installiert wurde, verkörpert wohl am besten die Vorstellung von der „tönenden Natur"[55].

Wenn es richtig ist, daß die Empfindsamkeit eine überwiegend bürgerliche Tendenz gewesen ist, so erstaunt die Dominanz häuslicher Musikübung in literarischen Texten nicht. Erst in den siebziger Jahren wird gelegentlich auch Instrumentalmusik – bis hin zum großen Konzert – sprachlich umworben. Aber es fehlt auch nicht an Stimmen gegen die „blose Instrumental-Musik", „dieses leere nonsensikalische Geräusch": „Rauschend und sanft! das sind die grosen Haupt-Parthien! (...) Wenns vorbei ist, hat die Seele nichts, woran sie sich halten könnte! keinen Character, keinen Humor! keine bestimmte Situation, keine bestimmte Leidenschaft! Nichts! es ist ganz vorüber!"[56]

Daß Instrumentalmusik in empfindsamen Texten selten dargestellt wurde, liegt wohl weniger an solcher prinzipiellen Gegnerschaft als vielmehr an den Grenzen empfindsamer Darstellungsmöglichkeiten. Im Roman wird die empfindsame Tendenz von meist mittleren literarischen Talenten getragen und schnell von epigonalen Imitatoren ausgebeutet. Sie alle sind nicht fähig, das an sich naheliegende Sujet „instrumentale Musik" sprachlich zu fassen: die literarische Empfindsamkeit lebt weitgehend vom Klischee und der Nachahmung der gefeierten literarischen Muster von Richardson, Sterne, bis zu Klopstock und Goethe. Vor Jean Paul findet sich eine der ausgedehntesten Passagen einer Musik-Evokation in dem Briefroman *Adolfs gesammlete Briefe* (1778) von Albrecht Christoph Kayser. Der talentiert geschriebene Roman, der trotz der Abhängigkeit von *Werther* einige Originalität entfaltet, zeigt den Helden als unerhörten Liebhaber Sophiens, die kurz vor der Hochzeit steht. Bei einem Konzert, das im Hause des Geheimrats V* veranstaltet wird, empfindet Adolf seine Situation zwischen Hoffnungslosigkeit und Liebe: „Es war mir so wohl und so weh, ein

---

54 Vgl. Ottenberg, S. 235 ff.

55 Vgl. A. Langen, „Zum Symbol der Äolsharfe in der deutschen Dichtung", in: *Zum 70. Geburtstag von Joseph Müller-Blattau.* Hrg. von Ch. H. Mahling, Kassel/Basel/Paris/London/New York 1966 (= Saarbrücker Studien zur Musikwissenschaft, Bd. I), S. 160–191.

56 (Ch. L. Schreiber), *Die Schönen von Stuttgardt, und das Fräulein in einer Reichsstadt,* Frankfurt und Leipzig 1782, S. 56 f.

Zustand, der über allen Ausdruck ist. Du weißt, wie ich die Musik liebe, wie sie mein Herz hinschmilzt zu seligen Thränen, wenn ein Andante oder ein Adagio oder eine wehmüthige Arie sich sanft in mein Herz gießt, und wie alles kocht und flammt in mir, wenn eine wilde Sinfonie daher rauscht, wie ein brausender Strom. (...) Bald flucht' ich in Gedanken meinem Schicksale (...) und bald, oft auf einmal, sank ich mit der Musik herab, wurde wieder zärtlich, wieder Adolf, liebte die Welt wieder und Sophien (...)."[57] Nachdem Sophie den Saal betreten hat, weiß sich Adolf kaum zu fassen, aber ein Violinkonzert bringt ihn wieder zu sich selbst. Adolf wird aufgefordert, Flöte zu spielen: „Mit Zittern trat ich ans Pult, und da Sophie eben, wie ich mein Stück auflegen wollte, vor mir vorübergieng, ließ ich den ganzen Pack zweimal nach einander hinfallen, daß mich alles ansah und anstaunte. Kunst in der Musik fang' ich an zu hassen, ich liebe die Komposition, wo sich meine Empfindung stimmt, und Kunst erregt mir Bewunderung, nicht herzrührendes Gefühl. Je einfacher etwas gesezt ist, je mehr wirkt es auf mein Herz; und darum hatte ich mir auch zu Hause so ein Stück ausgesucht, im Fall ich ja etwas blasen müßte, das nach diesem Geschmacke von unserm Z* komponirt ist, ein Recitativ und eine Arie, die Klagen der Marie um ihren Klavigo. Die Singstimme ist so leicht und so fliessend, wo das unglückliche Mädchen all die glücklichen Tage erzählt, die sie mit ihm verlebte, und dann, wo sie im steigenden Zorne den Augenblick verflucht, in dem sie ihn zum ersten male sah, so voll Ausdruck, daß Du meinem Z* mit Thränen dafür danken würdest, wenn du's hörtest. Weil er es eigentlich blos für mich komponirte, hat er vorzüglich im Akkompagnement auf meine Flöte Rücksicht genommen und mich denn da so ganz kopiert, daß mir's vorkömmt, als blies ich all diese Klagen kunstlos aus meinem Herzen nach. Er weiß, daß ich die Flöte nur für Liebe und zärtliche Klagen geschaffen halte, und hat das herrlich benuzt. Minchen sang's, und sie übertraf sich diesmal selbst. Sie deklamirte vortreflich und sang dann die Arie mit einer Unschuld und Anmuth, die alles bezauberte, alles hinriß. Was mein Spiel betrifft, so erhielt ich viel Beifall. Von der äussersten Wut geht mit dem Schlusse des Recitativs die Musik in die Arie über, die ausserordentlich zärtlich ist. Den Uebergang dazu hat Z* meiner Flöte und meiner Phantasie ganz allein überlassen, und es gerieth mir diesmal ziemlich gut, auszudrükken, wie all der Zorn des gutherzigen Mädchens sich wieder auflöst in die zärtliche Wehmuth der verlaßnen Liebe. Eine Todtenstille herrschte während dem ganzen Recitative, vorzüglich aber unter meiner Kadenz. Alles horchte mit lauschendem Ohre dem zärtlichen Mädchen meiner Flöte zu; als aber die andern Instrumente zur Arie einfielen, war ein unbändiges Klat-

57 (A. Ch. Kayser), *Adolfs gesammelte Briefe,* Leipzig 1778, S. 94f.

schen und Bravorufen. Es hätte mir schmeicheln können, von so vielen Kennern gelobt zu werden; aber all der Beifall war mir nichts gegen Einen – Ein paar Thränen, die ich still über Sophiens Wangen gleiten sah, belohnten mich mehr, als alles. (...) Ich kühlte mich auf dem Vorsaal ein wenig ab, und sezte mich denn, da ich wieder hinein gieng, in eine entfernte Ecke des Saals. Es wurden noch verschiedne Stücke gemacht, die mich entzückten. Vorzüglich rührte mich eine Arie von Anfossi, die die Tochter des geheimen Raths sang. Den Beschluß machte eine Sinfonie von Vanhall. Ich mögte den herrlichen Mann einmal umarmen, mit Thränen ihm danken für all die seligen Augenblicke, deren er mir schon so viele schuf. Nach Glukken wirkt er unter allen den vortreflichen Kompositeurs am meisten auf mein Herz, und für ein paar Gänge besonders wüßt' ich nicht, was ich ihm geben wollte, wenn ich sie gemacht hätte."[58]

Der Erzähler und Briefschreiber spricht zwar von den mannigfaltigen Erscheinungsformen der Musik bei diesem Konzert, von Sinfonien und Arien, aber er sucht weniger die Erfahrung der Musik selbst, sondern sein hin- und hergerissenes Ich in den Tönen zu finden. So ist es einleuchtend, daß sein eigenes Flötenspiel und Minchens Gesang „herzrührendes Gefühl" mit vielen Nuancen hervorrufen. Die Passage wird beschlossen mit drei Sätzen über eine Sinfonie von Johann Baptist Vanhall (1739–1813), der, von tschechischer Herkunft, als Schüler von K. Ditters von Dittersdrof mit seinen Sinfonien als Vorläufer der klassischen Wiener Sinfonik gilt. Über seine Musik selbst wird nichts gesagt, wohl aber die empfindsame Wirkung beschrieben; der Vergleich mit Gluck im Hinblick auf die Herzrührung zeigt, daß selbst ein offenbar musikkundiger Autor die Grenzen des wirkungsästhetischen Sprechens über Musik nicht zu überschreiten vermochte.

Jean Paul ist nicht allein der bedeutendste Autor empfindsamer deutscher Literatur, er hat auch wie kein anderer Romanschriftsteller vor ihm nach einer Sprache für neue Musikerfahrungen gesucht. Gewiß dominieren auch bei ihm die von empfindsamer Literatur geforderten wirkungsästhetischen Beobachtungen. Dazu werden sie zumindest in großen Zügen an die Struktur des musikalischen Werkes zurückgebunden. Die Evokation von reiner Instrumentalmusik wird im *Hesperus* (1795) mit Bedacht in einem aristokratischen Kontext situiert. Im „großen laubenvollen Garten" des Adligen Le Baut gibt der „Virtuose Stamitz" anläßlich des Geburtstags der adligen Dame Klotilde ein Konzert. Im Hinblick auf das bürgerliche Ambiente der Hausmusik ist es bedeutsam, daß Jean Paul den Ort des Gartenkonzerts auch „sozial" charakterisiert: „Stamitz und sein Orchester füllten eine erleuchtete Laube – der adelige Hörsaal saß in der nächsten hellsten Nische

---

58 Ebd., S. 96 ff.

und wünschte, es wäre schon aus - der bürgerliche saß entfernter, und der Kaplan flocht aus Furcht vor dem katarrhalischen Tau-Fußboden ein Bein ums andre über die Schenkel - Klotilde und ihre Agathe ruhten in der dunkelsten Blätterloge."[59]

Erst als die Ouvertüre erklingt, nimmt Viktor in der entferntesten Laube Platz - aus seiner und aus Horions Empfindung („in einer finstern Laube") wird das Konzert entwickelt: „Die Ouvertüre bestand aus jenem musikalischen Gekritzel und Geschnörkel - aus jener harmonischen Phraseologie - aus jenem Feuerwerkgeprassel widereinander tönender Stellen, welches ich so erhebe, wenn es nirgends ist als in der Ouvertüre. Dahin passet es; es ist der Staubregen, der das Herz für die großen Tropfen der einfachern Töne aufweicht. Alle Empfindungen in der Welt bedürfen Exordien; und die Musik bahnet der Musik den Weg - oder die Tränenwege.

Stamitz stieg - nach einem dramatischen Plan, den sich nicht jeder Kapellmeister entwirft - allmählich aus den Ohren in das Herz, wie aus Allegros in Adagios; dieser große Komponist geht in immer engern Kreisen um die Brust, in der ein Herz ist, bis er sie endlich erreicht und unter Entzükkungen umschlingt.

Horion zitterte einsam, ohne seine Geliebten zu sehen, in einer finstern Laube, in welche ein einziger verdorrter Zweig das Licht des Mondes und seiner jagenden Wolken einließ. Nichts rührte ihn unter Musik einer allezeit mehr, als in die laufenden Wolken zu sehen."[60]

Horion klingen die Töne wie die „überirdischen Echo seines Traumes"[61]; um das Pianissimo zu hören, nähert er sich dem Orchester und erblickt wie im Traum Klotilde, „die ihr Wiegenfest mit andächtigen Tränen heiligte: o war es da zu seinem Zergehen noch nötig, daß die Violine ausklang, und daß die zweite Harmonika, die Viole d'Amour, ihre Sphären-Akkorde an das nackte, entzündete, zuckende Herz absandte? - O! der Schmerz der Wonne befriedigte ihn, und er dankte dem Schöpfer dieses melodischen Edens, daß er mit den *höchsten* Tönen seiner Harmonika, die das Herz des Menschen mit unbekannten Kräften in Tränen zersplittern, wie hohe Töne Gläser zersprengen, endlich seinen Busen, seine Seufzer und seine Tränen erschöpfte: unter diesen Tönen, nach diesen Tönen gab es keine Worte mehr; die volle Seele wurde von Laub und Nacht und Tränen zugehüllt - das sprachlose Herz sog schwellend die Töne in sich und hielt die äußern

59 Jean Paul, *Werke.* Hrg. von N. Miller. Nachworte von W. Höllerer, Bd. 1, München/Wien ³1970, S. 775.
60 Ebd.
61 Ebd., S. 776.

für innere – und zuletzt spielten die Töne nur leise wie Zephyre um den Wonneschlaftrunknen [...].“[62]

Zu den wichtigsten Elementen empfindsamer Literatur gehört der Topos des Verstummens aller Sprache vor der Übermacht der Empfindung. Der „Unsagbarkeitstopos“, der z.B. im *Werther* indirektes Sprechen erzwingt, wird von Jean Paul auf die Theorie der Instrumentalmusik als der „absoluten Musik“ übertragen. Musik ohne Text kann nun, im empfindsamen Kontext, als die Sprache par excellence gelten, die alle Wörtersprache übersteigt. Jean Pauls neues „Sprechen“ über neue musikalische Erfahrungen, die eine soziale Einschränkung auf aristokratische Kultur schnell sprengten, ist nach Carl Dahlhaus „musikästhetisch ebenso bedeutsam wie eine unbekannte musikalische Wahrnehmungsweise. Die Dichter, deren Sprache den Musikern und dem musikalischen Publikum dazu verhilft, sich dessen zu vergewissern, was sie hervorbringen und hören, sind demnach Schlüsselfiguren einer als Rezeptionsgeschichte verstandenen Musikgeschichte (und sogar einer mit der Rezeptionsgeschichte vermittelten Kompositionsgeschichte).“[63]

---

62 Ebd., S. 777.
63 C. Dahlhaus, in: *Musik – zur Sprache gebracht,* S. 175. Vgl. S. 179.

Ernst Lichtenhahn

Der musikalische Stilwandel im Selbstverständnis der Zeit um 1750

Die Schwierigkeiten im musikwissenschaftlichen Umgang mit dem 18. Jahrhundert betreffen weniger das Besondere, die weithin durchforsteten Einzelheiten der Personen, der Gattungen und Schreibarten, der Aufführungsbedingungen, -arten und -orte, als nach wie vor vielmehr die Frage nach den allgemeinen Grundzügen, den Periodisierungsmöglichkeiten, mithin auch nach dem Stilwandel.

Ein erster Grund für die Schwierigkeiten liegt in der besonderen Rezeptionsgeschichte des 18. Jahrhunderts und zumal seiner mittleren Zeit: Begriffe wie „Vor-“ und „Frühklassik“, die unausrottbar scheinen, bezeugen es ebenso wie die Rede von den „Bachsöhnen“, gegen die nichts einzuwenden wäre, spräche man nicht zugleich mit den Familienverhältnissen – wenn auch ungewollt – den stilgeschichtlichen oder gar wertästhetischen Vergleich an. Die Vorstellung von einer bloßen Übergangszeit zwischen Johann Sebastian Bach und der Wiener Klassik ist so stets noch gegenwärtig.

Ein weiterer Grund hängt mit dem ersten eng zusammen: von jeher hat sich das Interesse für diese „Übergangszeit“ auf die Instrumentalmusik konzentriert, während für das mittlere 18. Jahrhundert selber doch die italienische Oper – vorsichtiger ausgedrückt: die in italienischer Sprache gesungene Oper – die zentrale Gattung war.

Ein dritter Grund für die Schwierigkeiten liegt wohl gleichermaßen in der Zeit selber wie in der Rezeptionsgeschichte. Er betrifft das Musikschrifttum als Zeugnis des Selbstverständnisses. Die Situation ist paradox: Zum einen gewinnt das Schrifttum dermaßen an Breite, Vielfalt und Nähe zur Praxis, daß von vornherein anzunehmen wäre, die Grundzüge der Musik jener Zeit und ihre Wandlungen ließen sich leicht daraus ermitteln. Zum andern aber erweist es sich, daß die Kategorien, in denen gedacht wird, so heterogen sind und viele Begriffe so unterschiedlich und widersprüchlich verwendet werden, daß sich ein Gesamtbild von selbst niemals abzeichnet. Hinzu kommt als Eigentümlichkeit der Forschungs- und Rezeptionsgeschichte, daß dieses Schrifttum nicht nur nach Sprachen, sondern auch gleichsam nach Gattungen oft willkürlich unterteilt wird: Je konkreter und anschaulicher die Kompositionslehre, die Frage nach den Schreibarten oder die Spiel- und Singpraktiken angesprochen sind, desto eher werden die Texte musikgeschichtlich befragt und ausgewertet. Je mehr sie sich aber der Abstraktion und Spekulation nähern, je mehr von Nachahmung der Natur und Erkenntnisvermögen die Rede ist, desto deutlicher zeigt sich die Tendenz, sie auszusondern und ins umzäunte Vorgärtlein der philosophischen Ästhetik zu verweisen.

Vor diesem Hintergrund sei nun der Versuch unternommen, gerade solche Texte stärker heranzuziehen, die bei der Frage nach der musikalischen Praxis und nach dem Stilwandel sonst eher außer acht bleiben, die aber gerade in diesem Zusammenhang aufschlußreich sind. Konkret geht es dabei um Texte, die sich mit Batteux und seiner Nachahmungstheorie auseinandersetzen. Und damit verbindet sich natürlich auch die Absicht, zumindest einen Ausschnitt aus dem mittleren 18. Jahrhundert in seiner Eigenständigkeit und nicht bloß als Übergang zu verstehen. Was die traditionelle Blickrichtung auf die Instrumentalmusik betrifft, so läßt sich die „rezeptionsgeschichtliche Belastung" nicht ohne weiteres ausräumen. Das ist - unverhohlen gesagt - eine Frage des Interesses: Die Orientierung an der Instrumentalmusik, auf die sich Scheibes emphatischer Begriff des „neuen Periodus"[1] so wenig bezieht wie Marpurgs Bestimmung des neuen deutschen Geschmackes[2] - beide denken an die Opern Hasses und Grauns -, ist getragen von der Überzeugung, daß das wesentlich Neue, der wesentliche Wandel sich nicht im Bereich der Oper ereignet habe. Vom Vorwurf eines letztlich doch wieder finalen Denkens auf die Wiener Klassik hin ist diese Überzeugung nur schwer zu befreien, mag sie auch im Kontext eines Carl Philipp Emanuel Bach-Kolloquiums der Rechtfertigung weniger bedürfen. Ein Rückfall ins Denken des 19. Jahrhunderts braucht sich damit dennoch nicht zu verbinden. Immerhin läßt sich unterscheiden zwischen der Abklassifizierung der Instrumentalmusik des mittleren 18. Jahrhunderts als einer bloßen „Vorform" und dem entgegengesetzten Versuch, nun gerade die Eigenarten und Wandlungen jener Kunst, die unter dem Blickwinkel der späterhin etablierten „absoluten Musik" übersehen oder mißdeutet wurden, besser zu verstehen.

Zur Verdeutlichung dieses zweiten Aspekts sei kurz jene Nahtstelle ins

---

1 J.A. Scheibe, „Abhandlung vom Ursprunge, Wachsthume und von der Beschaffenheit des itzigen Geschmacks in der Musik", in: *Critischer Musikus,* Leipzig ²1745, S.766 (Repr. Hildesheim etc. 1970).

2 Fr.W. Marpurg, „Anmerkungen" zu [Ch.G. Krause,] „Schreiben an den Herrn Marquis von B. über den Unterschied zwischen der italiänischen und französischen Musik", in: *Historisch-Kritische Beyträge zur Aufnahme der Musik* 1/1, Berlin 1754, S.25 (Repr. Hildesheim & New York 1970).

Auge gefaßt, wo zu Beginn des 19. Jahrhunderts die Auffassung von der Instrumentalmusik des 18. sich wandelte. Ein symptomatischer Beitrag hierzu, der zugleich den Blick schärft für die Fragen, die ans Selbstverständnis des mittleren 18. Jahrhunderts zu richten sind, findet sich bei Ernst Ludwig Gerber. Im Nachtrag über Johann Sebastian Bach des Neuen Tonkünstler-Lexikons von 1812[3] charakterisiert Gerber die Instrumentalmusik nach etwa 1740[4] als weithin opernhaftes Konglomerat aufeinanderfolgender, heterogener Ideen; Haydn sei es dann gewesen, der es vertanden habe, „statt der bisher an einander gereiheten Flicklappen aller Art, durch die Bearbeitung und Zerlegung eines einzigen Satzes, ein grosses, schönes Ganzes zu bilden". Und dann schlägt Gerber den Bogen in die Vergangenheit: Nun auf einmal sei „die Wichtigkeit der Muster, welche uns Sebastian Bach in dieser Art von Kunst hinterlassen hatte", einleuchtend geworden. „Man fand das Studium derselben immer nothwendiger, da es nun nicht sowohl mehr auf Herbeyschaffung musikalischer Ideen, Figuren, Ausdrücke und Rhythmen ankam, sondern auf die Fertigkeit, den gesammelten Vorrath von Materialien kunstgerecht behandeln und verarbeiten zu lernen."

Die perspektivische Verkürzung, der dann bis 1850 auch C.Ph.E.Bach zum Opfer fällt – „als wenn ein Zwerg unter die Riesen käme" in Schumanns Mendelssohn-Zitat[5] – ist bei Gerber vorgezeichnet. Als Aussage gegen die Instrumentalmusik jener Zeit schlechthin aber ist das Urteil nicht zu werten. Erstens ist aus der näheren Bestimmung der „reinen Musik", wie Gerber sie nennt und für das mittlere 18. Jahrhundert bestimmt, das Bewußtsein der Stilunterschiede, mithin auch des „neuen Geschmacks" durchaus noch abzulesen, bestand doch nach seiner Auffassung die nachmals „vernachlässigte" Kunst darin, „ein reichhaltiges Thema zu erfinden, selbiges zu zergliedern, und so aus diesen Theilen, entweder nach dem herrschenden Geschmacke in freyer Manier, oder nach den Regeln des Kontrapunkts und der Fuge, ein schönes selbstständiges Ganzes zu bilden"[6]. Zweitens finden sich in Gerbers altem Lexikon zu C.Ph.E.Bach Aussagen, die eine andere Grenze ziehen, als sie der spätere Text im nachhinein suggeriert: auf Burney gestützt bemerkt Gerber, Bachs Werke hätten zum Teil

3 E.L.Gerber, „Bach (Johann Sebastian)", in: *Neues historisch-biographisches Lexikon der Tonkünstler* 1 Leipzig 1812, S.219–221 (Repr. hg. v. Othmar Wessely, Graz 1966).

4 Gerber spricht (Sp.220) von der „seit 70 Jahren" vernachlässigten „Bearbeitung der reinen Musik".

5 R.Schumann, „Studien für das Pianoforte von J.N.Hummel", in: *Gesammelte Schriften über Musik und Musiker,* Leipzig 1854, 1, 16. In Schumanns ursprünglichem Text (*Neue Zeitschrift für Musik* 1 [1834], S.74) steht das Mendelssohn-Zitat noch nicht. Vielmehr bezeichnet Schumann dort in einem später gekürzten Satz C.Ph.E.Bach als „fantastischen Jüngling unter Schlafmützen".

6 Gerber, a.a.O., S.220.

keinen allgemeinen Beifall erhalten „wegen dem itzigen allgemeinen Hange zum komischen“[7].

Daß für Gerber ein Zusammenhang besteht zwischen dem Hang zum Komischen und der später dann verurteilten opernhaften Instrumentalmusik, ist offensichtlicht. Unter seine eigenen „Lieblingswerke“ zählt Gerber an gleicher Stelle die *Sechs Sonaten mit veränderten Reprisen.* – Gerber schärft den Blick für ein Spannungsfeld zwischen Freiheit und Ordnung – und das heißt alter wie auch neuer Ordnung –, das in der Tat im Selbstverständnis des musikalischen Stilwandels um 1750 von zentraler Bedeutung ist.

*

Wenn die Frage nach dem Selbstverständnis hier an die Zeit um 1750 gerichtet wird, so nicht deswegen, um nun doch wieder in der Mitte des Jahrhunderts den entscheidenden Stilwandel anzusetzen. Dass die insgesamt einschneidendste Wende die der zwanziger und dreißiger Jahre ist, sei nicht bestritten. Nur kommt es auf die Blickrichtung an, und da tritt der Wandel um 1720/30 unter kompositionsgeschichtlichen Aspekten deutlicher zutage als unter rezeptionsgeschichtlichen. Das heißt nicht, daß umstandslos die Verspätung der Reflexion gegenüber der Praxis ins Feld zu führen ist; stärker fällt ins Gewicht, daß um die Jahrhundertmitte – zumal eben mit Batteux' Nachahmungstheorie und der ungewöhnlich großen Zahl an deutschen Überstzungen dieser Schrift – die Diskussion um Wesen und Wandel auch der Musik neue Perspektiven und Orientierungshilfen bekommt.

Insgesamt zeigt sich so eine breite und charakteristische Palette musikalischer und kunsttheoretischer Schriften. Das Wichtigste sei kurz erinnert. Damit ergeben sich zugleich Hinweise auf die besonderen Interessen der Schreibenden wie auch – zumindest ansatzweise – auf deren Denkart. Das Spektrum reicht von der vermehrten und verbesserten Auflage von Scheibes *Critischem Musikus* 1745, wo durch den Zusatz der Streitschriften der Schlußstrich unter die Kontroverse um Johann Sebastian Bach gezogen wird, über Mizlers 1739–54 erscheinende *Musikalische Bibliothek* mit ihrem traditonellen wissenschaftlichen Anspruch und über Matthesons Spätschriften bis hin zu Marpurgs 1754 erstmals vorgelegten *Historisch-kritischen Beyträgen zur Aufnahme der Musik,* die gleich im ersten Band mit dem Bericht über Rousseaus „Lettre sur la musique française“ und mehreren von Batteux' Schrift angeregten Texten neue Farbe bekennen. Batteux' Hauptwerk selber, *Les beaux arts réduits à un même principe,* erscheint in Paris 1746; die

7 Ders., „Bach (Carl Philipp Emanuel)“, in: *Historisch-Biographisches Lexicon der Tonkünstler* 1, Leipzig 1790, S. 82 (Repr. hg. v. Othmar Wessely, Graz 1977).

wichtigsten und frühesten deutschen Übersetzungen sind die von Bertram 1751, von Gottsched aus demselben Jahr und sodann die kritisch kommentierten von Johann Adolf Schlegel von 1752 und wiederum Gottsched von 1754. Daß auch Krauses Schrift *Von der musikalischen Poesie* (1753) von Batteux beeinflußt sei, vermutete Walter Serauky wohl zu Recht[8]. Daneben aber sind es die praxisorientierten, zugleich aber die Reflexion über Wesen und Wandel der Musik völlig miteinbeziehenden Werke, die die Jahrhundertmitte in besonderer Weise prägen: 1752 der *Versuch einer Anweisung die Flöte traversiere zu spielen* von Quantz sowie 1753 C. Ph. E. Bachs erster Teil des *Versuchs über die wahre Art das Clavier zu spielen.*

Die Lücken im Schrifttum, wie sie Marpurg im ersten Heft der *Beyträge* noch aufzeigt und die er „in Absicht auf den veränderten heutigen Geschmack" zu füllen auffordert[9], werden weithin bald geschlossen: Die Forderung nach einer „Anweisung zur Singkunst" erfüllt Agricola, die nach einer „Abhandlung über die Art und den Geschmack des Accompagnements", die sich nicht auf „die Reinigkeit einer vierstimmigen Begleitung" einschränkt, sondern Natur, Bewegung und Charakter jedes Stückes Rechnung trägt, durch Bachs zweiten Teil des *Versuchs,* die Forderung nach einer Violinschule durch Leopold Mozart und die nach einer hinreichend weit gefaßten, verläßlichen und zugleich modernen Systematik der Akkorde vielleicht am ehesten durch d'Alemberts Traktat nach Rameau, den Marpurg selber in deutscher kommentierter Fassung vorlegen wird.

Zeichnet sich schon in dieser Übersicht das für jene Zeit charakteristische, ebenso vielfältige wie praxisnahe und zugleich aufgeklärt kritische Interesse an der Musik ab, so sind es in besonderem Maße Marpurgs restliche zwei Forderungen, die über die gedanklichen Grundlagen und Voraussetzungen der Stildiskussion um 1750 Aufschluß geben. Der Ruf nach einer „Historie der Tonkunst" ist das eine; er bleibt bezeichnenderweise vorerst unerfüllt. Nach Marpurgs Vorstellung müßte in einem solchen Geschichtswerk vor allem „der einer jeden Nation besonders eigene Geschmack, und die Verbesserung desselben" dargestellt sein, und dies „in gehöriger Verbindung" aller nur denkbaren Aspekte. Zwar gab es ja längst die unzähligen „Comparaisons" zumal des französischen und italienischen Goût, ferner die Proklamationen eines „vermischten Geschmacks" und auch bereits – wie noch zu streifen sein wird – die Abhebung eines prononciert „deutschen Geschmacks" von den andern, zumal vom italienischen; was Marpurg vorschwebt, ist aber offenbar nicht eine dogmatisch normative Wesensbestim-

8 W. Serauky, *Die musikalische Nachahmungsästhetik im Zeitraum von 1700 bis 1850,* Münster 1929, S. 73 (= Universitas-Archiv 17).
9 F. W. Marpurg, „Vorbericht", in: *Beyträge* 1/1, S. ii–xii.

mung der Musik mit historisch-antiquarischem Ingress oder letztlich nur zum Beleg beigebrachten geschichtlichen Fakten, wie dies bei historiographischen Texten jener Zeit oft der Fall ist, sondern schon eher so etwas wie eine auf breiter Kenntnis beruhende, sammelnde und sichtende historische Darstellung. – Das internationale Sammeln eigener Erfahrungen setzt erst später, mit Burney und Reichardt ein. Marpurgs letzte Forderung ist die nach einer musikalischen Kritik, die sich allen Fragen aufgeschlossen zeigt und auch die Meinung des Andersdenkenden gelten läßt. Ob Marpurg in seinen eigenen Schriften diese Forderung erfüllte, ist fraglich. Gewiß aber finden sich unter seinen Mitarbeitern Figuren wie etwa der junge Johann Adam Hiller, die eine Art von konziliantem Subjektivismus vertreten, der als neue Form der Darstellung mit dem neuen Inhalt, d.h. einer mehr am Gefühl als am Raisonnement orientierten Auffassung, sehr genau übereinkommt. Von der Polemik eines Mattheson, von der Arno Forchert nachwies, daß sie ihren Grund nicht allein in einer streitbaren Persönlichkeit, sondern ebenso stark in der Auffassung von der kritischen Wahrheitssuche hat[10], ist diese konziliante Haltung der jüngsten hier zu streifenden Generation weit entfernt.

*

Wenn es nun darum geht, inhaltlich und im einzelnen Momente des musikalischen Stilwandels im Schrifttum der Zeit um 1750 aufzuzeigen, so empfiehlt sich eine grobe Unterteilung der Texte in zwei Gruppen. Zur ersten gehören die expliziten Periodisierungsversuche, die mit Beispielen der Schreibart oder mit bestimmten Werken und Komponistennamen belegte Aussagen über Wendepunkte in der gegenwärtigen Musikgeschichte enthalten. Zur zweiten Gruppe gehören die indirekten Zeugnisse, deren Gegenstand nicht die Periodisierungsfrage, sondern eine oft scheinbar ahistorische, eben zum Beispiel nachahmungsästhetische Stellungnahme ist – Zeugnisse, die sich aber trotzdem unschwer als von bestimmten Erfahrungen gegenwärtiger Musik geprägte oder auf bestimmte Erscheinungen des Wandels gemünzte Texte zu verstehen geben.

Als Beispiel eines expliziten Periodisierungsversuchs sei Scheibes „Abhandlung vom Ursprunge, Wachsthume und von der Beschaffenheit des itzigen Geschmacks in der Musik" aus dem vierten Teil des *Critischen Musikus* von 1745 herangezogen. Hier findet sich mit Bezug auf Hasse und Graun die bereits erwähnte Äußerung, sie hätten „zu unsern Zeiten den Ruhm unsers Vaterlandes, in Ansehung der Musik, aufs höchste gebracht",

---

10 A. Forchert, „Polemik als Erkenntnisform: Bemerkungen zu den Schriften Matthesons", in: *New Mattheson Studies*, hg. v. G.J. Buelow und H.J. Marx, Cambridge etc. 1983, S. 199ff.

und mit ihnen beginne „gleichsam ein neuer Periodus in der Musik“[11]. Eine unmittelbare stilistische Bestimmung des Neuen bei Hasse und Graun gibt Scheibe nicht; er begnügt sich mit der lakonischen Bemerkung, sie seien „bereits unserm Vaterlande bekannt genug“; er wolle also „von ihren Verdiensten nichts weiter gedenken“. Mittelbar gibt er jedoch auf doppelte Weise genauere Auskunft: zunächst ex negativo, indem er Qualitäten und Mängel einiger Vorgänger, d.h. älterer deutscher Komponisten gegeneinander stellt. So sind für ihn Kuhnaus Werke „melodisch“, „ungemein lieblich“, und sie besitzen „eine recht natürliche Anmuth“. Andrerseits aber werde Kuhnau noch hie und da vom „Strome der harmonischen Setzer hingerissen“. So sei er oft matt, ohne „gehörige poetische Auszierungen“, mithin „hin und wieder zu prosaisch“. Von Reinhard Keiser heißt es dagegen, seine Sätze seien „galant, verliebt, und zeigen alle Leidenschaften, deren Gewalt das menschliche Herz am meisten unterworfen ist“. Die Melodie finde sich bei ihm also „in ihrer natürlichen und wesentlichen Gestalt ... feurig, ohne Zwang, und die Liebe selbst“. Hingegen sei Keiser „oft zu leichtsinnig“, er würde auf Harmonie am liebsten ganz verzichten, gebrauche sie also nicht „zur Zierde seiner Gedanken, um sie dadurch erhabener und schöner zu machen“. So sei er „in seinen sinnreichen Sätzen nicht nachdrücklich genug“. Scheibe zeigt mit diesen Charakterisierungen, die hier als Belege genügen müssen, deutlich, wo er mit seiner Bestimmung des „neuen Periodus“ hinaus will: es geht darum zu zeigen, daß Hasse und Graun das ideale Gleichgewicht von Melodie und Harmonie erreicht haben. Das Stichwort vom Ideal führt denn auch zur zweiten mittelbaren Charakterisierung, die Scheibe von der Kunst Hasses und Grauns gibt, nämlich zu einer systematischen Erörterung des guten Geschmacks im allgemeinen und in der Musik im besonderen – eine Erörterung, die er bezeichnenderweise an dem Punkt folgen läßt, da er mit seiner historischen Skizze beim Höhepunkt, bei Hasse und Graun, mithin bei der Gegenwart der deutschen Musik angekommen ist. Und hier ist es dann wieder – diesmal auf die Gottschedsche Formel vom Gleichgewicht des empfindenden und urteilenden Verstandes gebracht – dasselbe allgemeine Bild, das sich abzeichnet: die Vorstellung einer melodischen, galanten, durch eine vernünftige Kunst der Harmonie ins Erhabene gebrachten Musik.

Obwohl Scheibe vom „neuen Periodus“ spricht, kann vom Bewußtsein eines Stilwandels im Sinne eines sich ankündigenden oder durchbrechenden Neuen hier nicht die Rede sein. Das Denkmodell ist vielmehr das der „perfectio“, des Aufstiegs zu einem Höhepunkt. Gewiß lassen sich aus dem Text genauere Hinweise auf stilistische Eigentümlichkeiten der Zeit finden, so

11 Scheibe, a.a.O., S.766f. – die Passagen über Kuhnau und Keiser S.763.

etwa, wenn Scheibe betont, „daß die recitativische Schreibart allerdings die beste Sprache der Affecten seyn kann, wenn ein solcher geschickter Tonkünstler, als Herr Hasse ist, sich derselben bedienet[12]". Im übrigen aber – und dies läßt sich in vielen Texten feststellen – zeigen sich die Spuren des Neuen, wie es späterhin positiv gewürdigt wird, eher im Negativen, in Klagen über Auswüchse und Verfallserscheinungen, also in verzerrter Form. Wenn Scheibe einen musikalischen Satz kritisiert, in dem die Melodie zwar „leicht", aber „gemein und niederträchtig" und die Harmonie zwar „frey", aber „unbändig, wild und ohne Zusammenhang" sei[13], so mag die Assoziation Lied und Ode bzw. freie Fantasie nicht ganz abwegig sein. Daß das Bewußtsein eines Stilwandels zuerst in der Kritik sich ankündigt, ist jedenfalls auch in Schriften des 18. Jahrhunderts immer wieder festzustellen.

Expliziter Hauptpunkt der Kritik bei Scheibe ist freilich der Verfall der italienischen Musik, wie er ihn zu sehen glaubt. Wie denn seine Abhandlung ja überhaupt darauf ausgerichtet ist zu beweisen, daß von einer Vorherrschaft der italienischen Musik nicht mehr die Rede sein könne. Mit dem Periodisierungsgedanken ist also die Diskussion um die Nationalstile eng verknüpft. Das ist freilich nichts Neues; neu ist nur die prononcierte Auffassung eines spezifisch deutschen Geschmacks, den Quantz dann als den neuen vermischten Geschmack propagiert.

Um 1750 hat sich diese Auffassung noch nicht allgemein durchgesetzt. Ihr zum Durchbruch zu verhelfen, ist offenbar Marpurgs besonderes Anliegen, bringt er doch im ersten Heft seiner *Beyträge* Krauses „Schreiben an den Herrn Marquis von B. über den Unterschied zwischen der italiänischen und französischen Musik", um in eigenen Anmerkungen dazu Stellung zu nehmen. So sagt er: „Wenn in diesem vorhergehenden Schreiben ... über den welschen und französischen Geschmack gestritten wird; so muß man den fälschlich so genannten welschen, das ist, denjenigen bey uns itzo blühenden neuen deutschen Geschmack, der niemahls von der Welt in Italien existieret hat, ... darunter verstehen ... Wann wird man aber endlich aufhören, den bey uns herrschenden Geschmack einen welschen zu nennen?"[14] Das Grundmuster ist ein ähnliches wie bei Scheibe: auch Krause geht von einer Vorstellung des idealen Gleichgewichts aus; er formuliert sie freilich anders und moderner: „Die itzigen deutschen Meister zeigen, daß sie zugleich kühn denken, und die Regeln beobachten können."[15]

Auch Quantz läßt sich mit Scheibe vergleichen. Der „vermischte Geschmack", wie er ihn im letzten Kapitel seines *Versuchs* charakterisiert, ist

12 Ebd., S. 782.
13 Ebd., S. 761.
14 Marpurg, *Beyträge* 1/1, S. 25.
15 Ebd., S. 28.

gleichfalls End- und Höhepunkt einer „perfectio". Anders als Scheibe und Krause setzt nun allerdings Quantz den deutschen Geschmack nicht mehr polemisch gegen andere Nationalstile, sondern versteht ihn als eine Synthese: „Wenn man aus verschiedener Völker ihrem Geschmacke in der Musik, mit gehöriger Beurtheilung, das beste zu wählen weis: so fließt daraus ein vermischter Geschmack, welchen man, ohne die Gränzen der Bescheidenheit zu überschreiten, nunmehr sehr wohl den deutschen Geschmack nennen könnte: nicht allein, weil die Deutschen zuerst darauf gefallen sind; sondern auch, weil er schon seit vielen Jahren, an unterschiedenen Orten Deutschlands, eingeführt worden ist, und noch blühet, auch weder in Italien, noch in Frankreich, noch in andern Ländern, mißfällt."[16]

Eine genauere stilistische Bestimmung des „deutschen Geschmackes" gibt Quantz an dieser Stelle nicht; aufschlußreich ist aber der gesamte vorangehende Teil des Kapitels, das die Überschrift trägt „Wie ein Musikus und eine Musik zu beurtheilen sey". Geht es doch – mit eindeutigem Schwergewicht auf der Instrumentalmusik vom Konzert bis zum Solo – um eine Art Formenlehre: dem Aufbau und dem Charakter instrumentaler Sätze gilt das Hauptinteresse. In solchen Fragen bewandert zu sein, erscheint nun als zentraler und wichtiger als die Beherrschung der Regeln im alten Sinne. Das ist freilich – wie die Kapitelüberschrift zeigt – primär von der Absicht her motiviert, dem Hörer zu einem kompetenten Urteil zu verhelfen. Der Musiker aber ist gleichfalls angesprochen, und unter diesem Gesichtspunkt erscheint das Kapitel durchaus als Stilbestimmung. Deutlich zeigt sich dies in der Schlußbemerkung zu den einzelnen Gattungen, wo überdies bezeichnenderweise von der Melodie und ihrer abwechslungsreichen Gestaltung die Rede ist, als komme es darauf nun vor allem andern an. „Dergleichen Vermischung unterschiedener [nämlich gefälliger und brillanter] Gedanken aber, ist nicht nur beym Solo allein, sondern vielmehr auch bey allen musikalischen Stücken zu beobachten. Wenn ein Komponist diese recht zu treffen, und dadurch die Leidenschaften der Zuhörer in Bewegung zu bringen weis: so kann man mit Rechte von ihm sagen, daß er einen hohen Grad des guten Geschmackes erreichet, und, so zu sagen den musikalischen Stein der Weisen gefunden habe."[17]

*

Um nun schließlich auf ein paar Beispiele der andern Textgruppe zu kommen, auf Texte, die eher von im weitesten Sinne philosophischen oder systematischen Fragestellungen ausgehen und nur indirekt den Stilwandel

---

16 J.J. Quantz, *Versuch einer Anweisung die Flöte traversiere zu spielen,* Breslau ³1789, S. 332 (Repr. Kassel & Basel 1953 [Documenta musicologia 1/2]).

17 Ebd., S. 305.

ansprechen, so bietet sich wie gesagt die frühe Batteux-Rezeption als besonders ergiebiger Ausschnitt. Geschmack und Nachahmung als zentrale Themen oder Schlagworte des Jahrhunderts erscheinen hier je in neuer Sicht und in einem neuen Verhältnis.

Was den Geschmack betrifft, so läßt sich in grober Verkürzung formulieren, daß mit diesem Begriff – und zumal mit dem entsprechenden und älteren französischen Begriff des „goût" im Kontext der „Querelle des anciens et des modernes" – zunächst einmal eine Instanz ins Spiel gebracht wurde, die zur ästhetischen Rechtfertigung des Neuen, dem antiken Regelkanon nicht Konformen taugen sollte. Eine Art „gesunder Menschenverstand" also, der aber nicht schlechthin als natürliche Empfindungsfähigkeit aufzufassen ist. Vielmehr gelten Kultur und Bildung als selbstverständliche Voraussetzung dafür, daß einer „Geschmack", bzw. „guten Geschmack" hat. Im Untertitel von Matthesons *Neu-Eröffnetem Orchestre* von 1713 ist dieser Geschmacksbegriff mit aller Deutlichkeit enthalten: „Universelle und gründliche Anleitung / Wie ein Galant-Homme einen vollkommnen Begriff von der Hoheit und Würde der edlen Music erlangen / seinen Gout darnach formieren / die Terminos technicos verstehen und geschicklich von dieser vortrefflichen Wissenschaft raisonnieren möge." In der Nachfolge der Wolffschen Popularisierung Leibnizscher Konstruktionen, in der Gottsched, an diesen anschließend Scheibe und auch Mizler stehen[18], tritt die Geschmacksdiskussion ins Licht einer philosophischen Erörterung der Erkenntnisvermögen. Die Voraussetzung des Gebildetseins bzw. die Nicht-Voraussetzungslosigkeit des Geschmacks und des Geschmacksurteils wird nun explizit erfaßt. Für Gottsched – und ganz ähnlich für Scheibe – „entscheidet dann letztlich doch der Verstand, welcher Geschmack gut ist, nämlich der, ‚der mit den Regeln übereinkommt, die von der Vernunft in einer Art von Sachen allbereit fest gesetzet worden'"[19].

Bei Batteux nun erscheint das Verhältnis umgekehrt. Gleich zu Beginn seiner Abhandlung, deren deutsche Übersetzung durch Schlegel unter dem Titel *Einschränkung der schönen Künste auf einem einzigen Grundsatz* erscheint, hält er fest: Die Natur der Künste ist aus dem „Génie de l'homme", der sie produziert, zu entwicklen. Die „preuves" sind aus dem „sentiment" zu gewinnen, „d'autant plus, que c'est le Goût qui est le juge-né de tous les beaux Arts, & que la Raison même n'établit ses regles, que par rapport à lui

18 Vgl. J. Birke, *Christian Wolffs Metaphysik und die zeitgenössische Literatur- und Musiktheorie: Gottsched, Scheibe, Mizler*, Berlin 1966 (Quellen und Forschungen zur Sprach- und Kulturgeschichte der germanischen Völker N. F. 21).

19 Ebd., S. 48 – das Gottsched-Zitat aus *Critische Dichtkunst,* 2. Aufl., S. 117.

& pour lui plaire"[20]. Das führt nun zu einer Befreiung von strenger Regelkenntnis und damit zu einer Erweiterung der Urteilskompetenz unter den Hörern, die nicht gering zu schätzen ist und von der man annehmen darf, daß sie sowohl für die Musik jener Zeit als auch für deren Verstehen und Deuten Konsequenzen hatte.

In Marpurgs *Beyträgen* findet sich 1755 das „Sendschreiben eines Freundes an den andern über einige Ausdrücke des Herrn Batteux von der Musik", das den Lübecker Kantor Caspar Ruetz zum Verfasser hat, und auf das noch kurz zurückzukommen sein wird. Zunächst sei hier die Antwort des angesprochenen Freundes, des Lübecker Konrektors Overbeck, herangezogen. Overbeck nimmt in der Frage der Urteilskompetenz die radikalste Haltung ein, die sich denken läßt: „Soll nach Empfindungen geurtheilet werden, so wäre ich geneigt, von den Empfindungen des rohen und ungebaueten Menschen allemal mehr zu machen, als von denen, die mir ein kunstverständiger Meister anrühmet. Die erstern sind unschuldig. Die letztern können gar zu leicht partheyisch seyn." Diese Auffassung gehört für Overbeck zu den „Meynungen von der heutigen Musik, die das Buch des Batteux mir nicht so wohl beygebracht, als eigentlich nur bey mir bestärket hat"[21].

Diese Auffassung vom Urteil allein aus Empfindung und die radikale Folgerung, daß der Mensch im Naturzustand hier das Maß abgebe, konnte freilich nicht unwidersprochen bleiben. Immerhin gesteht Ruetz in seiner Beantwortung der Antwort zu, daß die Vorstellung auf ein einfaches Lied, etwa ein Gondellied oder ein Matrosenlied in venezianischen Opern, durchaus passen könne. Auch ist er der Meinung, die „Liebhaber und Kenner der Musik brauchen keines Leitfadens der Vernunft und der Ueberlegung, um recht empfinden zu können"; empfinden und urteilen aber will er getrennt wissen: „Eine Musik empfinden und schmecken, ist ein ganz ander Ding, als eine Musik beurtheilen. Es kann auch wohl miteinander bestehen, die Natur in der Musik empfinden, und die Beobachtung gewisser Regeln wahrnehmen."[22] Da sind die Verhältnisse im alten Sinne ins Lot gebracht, und Ruetz äußert denn auch kritisch zu Batteux: „Wäre er nicht ein Feind von allem, was künstlich ist, würde er nicht verlanget haben, dass ein Gelehrter und

20 Ch. Batteux, *Les Beaux Arts réduits a un même principe,* Aufl. Paris 1773, S. 21 (Repr. Genève 1969).

21 Overbeck, „Antwort auf das Sendschreiben eines Freundes an den andern, über die Ausdrücke des Herrn Batteux von der Musik", in: Marpurg, *Beyträge* 1/4 (1755), S. 316 f.

22 C. Ruetz, „Beantwortung der vorhergehenden Antwort", ebd., S. 323 f. Im „Sendschreiben eines Freundes an den andern über einige Ausdrücke des Herrn Batteux von der Musik" (ebd., S. 295) zu den Unterschieden an „Fasslichkeit, Naturell und Erfahrung" in bezug auf die Gattungen und Schreibarten: „Vieler ihre Fähigkeit erstrecket sich nicht viel weiter, als auf eine kurze und einfältige Ode, Menuet und Polonnoise."

Ungelehrter bey Anhörung einer Musik gleich viel empfinden müsse; sonst läge die Schuld an dem Musikus, weil er nicht die Sprache der Natur aufrichtig redete."[23] Auf der Seite der Kompositionskritik entsprechen dem die heftigen Worte des alten Mattheson, der in der *Geschmacksprobe* beklagte, daß die Musiker „sich nicht um den geringsten Besitz förmlicher Schulwissenschaften und Regeln bekümmern; sondern nur ein und andre allgemeine, practische Grundsätze annehmen. Das ist die Mode. Das ist ein Stück des herrlichen Geschmacks unsrer Zeiten."[24]

Was sich im Meinungsaustausch von Ruetz und Overbeck und weit darüber hinaus in jener Zeit abzeichnet, ist die neue zentrale Betonung der unmittelbaren natürlichen musikalischen Empfindung. Und zunehmend wird deutlich, daß die Formen und Gattungen, die Unmittelbarkeit am ehesten gewährleisten – zumal die Ode, dann aber auch die tanzgebundene Instrumentalmusik und die freie Fantasie – in ihrem Ansehen steigen. Mit der neuen Rezeptionshaltung hängt auf Produktionsebene zusammen, daß der unmittelbare und natürliche Ausdruck auch vom Komponisten gefordert wird. Wie C. Ph. E. Bach vom Musiker fordert, daß er nicht anders rühren könne, als wenn er selbst gerührt sei[25], so sagt auch Ruetz: „Wenn der Componist etwas setzet, darin eine Leidenschaft oder ein Affect lieget, ... so setzt er sich zuvor ... selbst in den Affect"[26]. Das läßt sich weder auf Interpretation beschränken, noch mit dem Hinweis auf Horaz, bei dem die Auffassung vorgebildet ist, als Gemeinplatz relativieren[27]. Natürlich kannte man Horaz auch vorher; bezeichnend aber für den Umgang mit der betreffenden Stelle – und darüber hinaus wohl überhaupt mit den „auctoritates" – ist Mizlers auf die Musik hin paraphrasierte Übersetzung des Passus „si vis

23 C. Ruetz, „Sendschreiben", ebd., S. 288 f.

24 J. Mattheson, *Die neueste Untersuchung der Singspiele, nebst beygefügter musikalischen Geschmacksprobe,* Hamburg 1744, S. 125 (Repr. Leipzig 1975). Den Verlust der Wissenschaft sieht Mattheson darin, daß nur noch zwei Tonarten anerkannt und die diatonischen, chromatischen und enharmonischen Klangstufen nicht mehr unterschieden würden, daß man ferner behaupte, ein b erniedrige ebenso, wie ein # erhöhe, und daß in der Kirchenmusik „Sarabanden, Giquen, Currenten etc." Verwendung fänden. Allerdings hat dann derselbe Mattheson zehn Jahre später in *Plus ultra* (Hamburg 1754) „wider diejenigen, die diese oder jene Zirkel – oder Zahlenkunst für das wahre Fundament der Musik angeben, vieles sehr nachdenkliches vorgebracht. Es heisst, dass die freyesten, erhabensten und feurigsten Gemüther von dem Begriffe und Gebrauch dieser edlen Kunst [sc. der Kirchenmusik] dadurch abgeschrecket, und zu steif und stumpf werden, was erbauliches in Kirchen oder Schulen zu stiften." Als einen der wenigen guten Kirchenmusiker hebt Mattheson dabei Caspar Ruetz hervor – zit. nach Marpurg, *Beyträge* 1/2, Berlin 1754, S. 143.

25 C. Ph. E. Bach, *Versuch über die wahre Art das Clavier zu spielen* 1, Berlin 1753, S. 122 (Repr. hg. v. Lothar Hoffmann-Erbrecht, Leipzig 1978).

26 C. Ruetz, „Sendschreiben", a. a. O., S. 287.

27 Vgl. C. Dahlhaus, „‚Sie vis me flere ...'", in: *Die Musikforschung* 25 (1972), S. 51 f.

me flere dolendum est primum tibi ipsi" durch die Worte „Wenn ich weinen soll, musst du erst einen Schmerz durch eine klägliche u. erbärmliche Melodie ausdrücken"[28].

*

Das Bild des musikalischen Stilwandels im Selbstverständnis der Zeit um 1750 ist weder deutlich noch einheitlich, dazu sind nicht nur die Autoren nach Alter und Herkunft zu unterschiedlich; auch die Untersuchungsgegenstände - Schreibarten, Gattungen, Ausführung, Rezeption - sind zu vielfältig. Je nach mitgebrachten oder übernommenen Normen und Leitgedanken, deren Tauglichkeit nicht immer gewährleistet ist und oft zu jener Zeit auch zu wenig geprüft wird, ergeben sich unterschiedliche Bilder. Dennoch spiegeln sich Wandlungen. Und angesichts der Tatsache, daß weitaus die meisten Zeugnisse aus dem Berliner Kreis stammen, darf auch über die musikalischen Werke und unmittelbaren Äußerungen im *Versuch* hinaus angenommen werden, daß Carl Philipp Emanuel Bach vielfältig an dem Bestreben nach Formung eines Selbstverständnisses teilhatte.

28 L. Mizler, „Übersetzung von Horazens Dichtkunst, durchgehends auf die Musik angewendet", in: *Musikalische Bibliothek* 3/4, Leipzig 1752, S. 614.

Franklin Kopitzsch

Die Hamburger Aufklärung zur Zeit Carl Philipp Emanuel Bachs

Die beiden Jahrzehnte, in denen Carl Philipp Emanuel Bach in Hamburg wirkte, waren für die Aufklärung an Alster und Elbe eine entscheidende Zeit[1]. Aus einer wissenschaftlich-literarischen Richtung hatte sich die Aufklärung zu einer literarisch-publizistischen Strömung entwickelt. Seit 1765, seit der Gründung der „Hamburgischen Gesellschaft zur Beförderung der Manufacturen, Künste und nützlichen Gewerbe", der noch heute bestehenden „Patriotischen Gesellschaft von 1765", entfaltete sie sich zu einer praktisch-gemeinnützigen Reformbewegung. In den sechziger Jahren begann der Kampf der lutherischen Orthodoxie, angeführt vom streitbaren Hauptpastor von St. Katharinen, Johan Melchior Goeze, gegen die „Neuerer", gegen tolerantere Haltungen. Aufklärung und Empfindsamkeit verbanden sich und prägten das kulturelle Leben der Stadt. Die Aufklärung wurde zu einem Faktor der Modernisierung – in enger Wechselwirkung mit zwei anderen bedeutenden Wandlungsprozessen, der Herausbildung der Öffentlichkeit und der Entstehung der Freizeit.

Seit dem Gottorper Vertrag von 1768, der Einigung mit dem alten Widersacher Dänemark, war Hamburg unbestritten Reichsstadt, die größte und jüngste im Heiligen Römischen Reich Deutscher Nation. Hamburg war Deutschlands bedeutendster Hafen und Handelsplatz. Allerdings litt die Stadt lange unter der Nachkriegskrise nach dem Ende des Siebenjährigen Krieges, mußte sich ihr Gewerbe gegen die Konkurrenz der dem Merkantilismus verpflichteten größeren Nachbarstaaten zu behaupten suchen. Hamburgs wichtigster Partner im 18. Jahrhundert war Frankreich. So verwundert es nicht, daß auch an französischer Kultur und Literatur stets ein großes Interesse bestand. Auch mit England bestanden nicht nur kommerzielle Verbindungen, englische Literatur und Philosophie wurden nicht min-

---

1 Dazu ausführlich F. Kopitzsch, *Grundzüge einer Sozialgeschichte der Aufklärung in Hamburg und Altona,* Hamburg 1982 (= Beiträge zur Geschichte Hamburgs, 21); zusammenfassend ders., „Die Aufklärung in Hamburg", in: W. Rausch (Hrg.), *Städtische Kultur in der Barockzeit,* Linz/Donau 1982 (= Beiträge zur Geschichte der Städte Mitteleuropas, 6), S. 177–194. Auf beide Veröffentlichungen wird im folgenden, auch in Formulierungen, zurückgegriffen.

der rezipiert. Als wirtschaftliches Zentrum war Hamburg ein günstiger Platz für den Austausch von Meinungen und Nachrichten, so daß es sich zur führenden deutschen Pressestadt entwickeln konnte.

Die Gründung der „Patriotischen Gesellschaft" war eine wichtige Zäsur in der Stadtgeschichte. War die Aufklärung zunächst von Gelehrten und Literaten getragen worden, so traten zu den Akademikern, zu Professoren und Lehrern, Ärzten, Juristen und Geistlichen erstmals in nennenswertem Umfang Kaufleute hinzu. Damit war eine Hinwendung zur Praxis ebenso verbunden wie eine neue Form der Organisation. Die gemeinnützige Sozietät stand jedem offen, der sich zu ihren Zielen bekannte. Ämter wurden durch Wahlen und auf Zeit vergeben. Damit wurden entscheidende Schritte aus den kleinen Zirkeln der gelehrten Gesellschaften, der Freundeskreise und der seit 1737 in Hamburg vertretenen Freimaurerlogen mit ihren besonderen Formen der Zulassung und Aufnahme getan. Ein Anspruch auf Mitwirkung am Gemeinwesen wurde angemeldet, Partizipation an den Stadtgeschicken angestrebt, durchaus im Rahmen der bestehenden politischen Ordnung, so daß die Senatoren 1767 der Vereinigung ihren „Beifall und Schutz" gewährten. 96 Hamburger traten der Sozietät 1765 bei, 188 folgten bis 1789, als die Gesellschaft sich eine neue Verfassung gab und noch stärker öffnete. An der politischen Mitsprache und Führung der Stadt Beteiligte waren ebenso vertreten wie davon Ausgeschlossene. Neben den in der Stadt dominierenden Lutheranern fanden sich auch Mitglieder der Minderheiten ein, Reformierte, Mennoniten, Katholiken, seit 1800 auch Juden.

Die „Patriotische Gesellschaft" schuf moderne, zukunftsweisende Einrichtungen oder bereitete sie durch intensive Diskussion vor und begleitete sie dann unterstützend.1767 begründete sie das berufsbildende Schulwesen, das sie bis zur Verstaatlichung 1864 eigenverantwortlich führte. 1768 richtete sie eine Rettungsanstalt ein, um Menschen vor dem Tod durch Ertrinken oder Ersticken zu bewahren. 1778 war sie maßgeblich an der Versorgungsanstalt beteiligt, die Leibrenten-, Witwen- und Waisenkassen umfaßte und als erste moderne Lebensversicherung Deutschlands gilt. Die „Ersparungs-Classe" war die erste Sparkasse überhaupt. 1782 entstand eine Kreditkasse für die Grundbesitzer, insbesondere zur Sicherung mittelständischer Existenzen. 1788 schließlich wurde die Armenanstalt gegründet, die mit ihren neuen Prinzipien – Arbeit statt Almosen, Hilfe zur Selbsthilfe, Zugang zur Bildung für die Kinder der Armen – und der Selbstverwaltung und Mitverantwortung durch die Bürger weit über Hamburg hinaus beachtet wurde. Allen diesen neuen Einrichtungen war Publizität, Rechenschaft über das Geleistete, selbstverständlich. Auch damit brachten sie ein neues Element in die Stadt.

Maßgeblichen Anteil an den beachtlichen sozialreformerischen Bestrebungen hatte Johann Georg Büsch, Professor der Mathematik am Akademischen Gymnasium, Initiator des öffentlichen Vorlesungswesens, Leiter einer Handelsakademie von europäischem Rang, vielseitiger Publizist und Schriftsteller, mit seiner Frau Gastgeber in einem weltoffenen, den Künsten zugetanen Haus. Büsch erkannte, daß Armut nicht Folge von Laster und Müßiggang war, sondern strukturelle und konjunkturelle Ursachen hatte. Mit dem Geistlichen Johann Matthias Liebrecht hatte er 1768 eine Armenarzneikasse geschaffen, die ihn zu den Armen in die Gängeviertel und Hinterhöfe, in die vielen Aufklärern unbekannten Elendsquartiere führte. Zehn Jahre später richtete er mit dem Hauptpastor an St. Petri Christoph Christian Sturm ein Institut für die kranken Hausarmen ein. Für dieses „Medicinische Armen-Institut" organisierte Büschs engster Mitarbeiter Christoph Daniel Ebeling, der als Literat begonnen hatte, auch ein Freund und Kenner der Musik war, sich als Lehrer und Autor der Geographie und der Ökonomie zuwandte und einer der großen Amerikanisten seiner Zeit wurde, seit Ende 1780 Konzerte, die zweimal im Winter im Saal der „Handlungs-Akademie" stattfanden[2]. Am 5. April 1786 leitete Bach ein Konzert zugunsten des „Armen-Instituts" in der Hauptkirche St. Michaelis[3]. Auch die Freimaurer veranstalteten, wiederum mit Beteiligung Bachs, Konzerte zugunsten der Armen, die auch Nichtmitgliedern gegen einen entsprechenden Obolus offenstanden[4].

Als die „Patriotische Gesellschaft" ihre Reformarbeit begann, fand sich ein Kreis von Kaufmannssöhnen zusammen, die selbst die „Handlung" erlernten. Aus ihm gingen wichtige Förderer und Gestalter der Aufklärungsbewegung in den achtziger und neunziger Jahren hervor: Johann Michael Hudtwalcker, Georg Heinrich Sieveking und Caspar Voght. Dazu gehörte auch der spätere Baseler Staatsmann und Geschichtsschreiber Peter Ochs. Durch den Einfluß von Hauslehrern, des Akademischen Gymnasiums und der Handelsakademie, nicht zuletzt auch Büschs, durch ausgedehnte Lektüre und Theaterbesuche angeregt, begeisterte sich dieser Zirkel für die neuen geistigen Strömungen, verband Aufklärung und Empfindsamkeit, wallfahrtete vor dem Beginn der Arbeit auf dem Kontor am frühen Morgen

---

2 M. Hoyer, „Chor-/Orchesterkonzert Sonnabend, 8. Oktober 1988, 20 Uhr Hauptkirche St. Michaelis", in: H. J. Marx (Hrg.), *Der Hamburger Bach und die neue Musik des 18. Jahrhunderts.* Eine Veranstaltungsreihe anläßlich des 200. Todesjahres von Carl Philipp Emanuel Bach 1714–1788. Programmbuch, Hamburg 1988, S. 148–159, hier: S. 153 f.

3 Dazu eingehend Hoyer (wie Anm. 2), S. 148–159.

4 J. Sittard, *Geschichte des Musik- und Concertwesens in Hamburg vom 14. Jahrhundert bis auf die Gegenwart,* Altona, Leipzig 1890, S. 112 f.; Ch. Gugger, „C. Ph. E. Bachs Konzerttätigkeit in Hamburg. ‚Zur Ehre Gottes – Zum Besten der Jugend – Zum Nutzen des Publici'", in: *Hamburger Bach* (wie Anm. 2), S. 169–185, hier: S. 174.

zum Grab der Meta Klopstock in Ottensen, entdeckte die Schönheit der Natur um Hamburg, versuchte sich in eigenen literarischen Beiträgen, diskutierte wissenschaftliche, künstlerische und theologische Fragen. 1767 bildete er eine literarische Gesellschaft, 1770 eine Lesebibliothek. Voght hat im Rückblick auf diese Zeit von einer „Geistesbefreiung" gesprochen, von einem Enthusiasmus, wie er nur im ersten Jahr der Französischen Revolution wiedergekehrt sei[5]. Mit dem Kreis der angehenden Kaufleute beginnt in Hamburg die Geschichte der Lesegesellschaften, der verbreitetsten Organisationsform der Aufklärung.

Die bedeutendste Lesegesellschaft der Stadt war die von Büsch und Friedrich Gottlieb Klopstock bald nach dessen Übersiedlung von Kopenhagen nach Hamburg gegründete Vereinigung. In ihr wurde ein frühaufklärerisches Postulat, die Einbeziehung der Frauen in die Aufklärungsgesellschaft, verwirklicht. Die „Damen" bestimmten, wie die erhalten gebliebenen Statuten zeigen, über die Lektüre und den Ablauf der Zusammenkünfte. An den Sitzungen nahmen auch Gymnasiasten, Schüler der Handelsakademie und Fremde teil, die während ihrer Besuche in Hamburg offensichtlich gern gesehene Gäste waren[6]. Nach und nach wurde das Lesen dann von der Leidenschaft der Herren für das Kartenspiel zurückgedrängt. Nach Lektüre und Spiel folgte das Abendessen. Auch der Gesang kam, wie die Altonaer Aufklärer Piter Poel und Johann Christoph Unzer überliefert haben, zu später Stunde zu seinem Recht. Dabei tat sich besonders Johanna Elisabeth von Winthem, Klopstocks spätere Frau, hervor. Poel wie Unzer berichteten, daß dann die Treffen bis in die Nacht angedauert hätten[7]. Die frühesten Nachrichten über die Klopstock-Büsch'sche Lesegesellschaft verdanken wir dem Briefwechsel zwischen Gotthold Ephraim Lessing und Eva König, beiden war die Sozietät zu empfindsam[8]. Mit Büsch gehörte Klopstock auch einer Tischgesellschaft Hamburger und Altonaer Aufklärer an, die sich seit 1783 einmal im Monat traf. Die Handlungsakademie war nicht nur das Domizil der Lesegesellschaft, sondern besaß auch einen Konzertsaal. Die Kon-

5 Kopitzsch, *Grundzüge* (wie Anm. 1), S. 388–398, mit Quellenauszügen und Literaturhinweisen.

6 Ebd., S. 404–413, ebenfalls mit Quellenauszügen und Literaturhinweisen.

7 H. Sieveking, *Georg Heinrich Sieveking. Lebensbild eines hamburgischen Kaufmanns aus dem Zeitalter der französischen Revolution,* Berlin 1913, S. 417f. (Poel); H.-W. Engels, „Johann Christoph Unzer (1747–1809). Bemerkungen zum Lebensschicksal eines vielseitigen Gelehrten", in: *Unser Blatt* (Hrg. vom Bürgerverein Flottbeck-Othmarschen) 40 (1988), Nr. 5, S. 4–6, Nr. 6, S. 4–5, Nr. 7, S. 5–6, Nr. 8, S. 4–5, hier: Nr. 6, S. 4f. (Unzer). Abbildung des Briefes von Unzer an Klopstock vom 1. November 1775 ebd. in Nr. 8, S. 5.

8 *Meine liebste Madam. Gotthold Ephraim Lessings Briefwechsel mit Eva König 1770–1776,* hrg. von G. und U. Schulz. München 1979, S. 55, 60, 63f.

zerte, die Bach dort gab, waren „die bei der gebildeten Gesellschaft Hamburgs beliebteste Konzertreihe dieser Zeit“[9]. Subskribenten wurden 1770 auch durch die „Neue Zeitung“ geworben. Wie groß die Nachfrage war, läßt sich daran erkennen, daß im „Hamburgischen unpartheyischen Correspondenten“ 1779 die Anfahrt der Kutschen genau geregelt wurde[10]. Neue Abonnenten und die sonst zugelassenen Fremden konnten damals keine Aufnahme finden.

Bachs Einführung in das Amt des Musikdirektors und Kantors nahm der Senior des Geistlichen Ministeriums, Hauptpastor Goeze, vor. Er war in Bachs Hamburger Zeit der große Gegenspieler der Aufklärer. Den Dogmen seiner Kirche verpflichtet, von der Einheit von Stadt und Kirche zutiefst überzeugt, unbeirrt an die Verbalinspiration glaubend, griff er jede Abweichung von den ihm als unantastbar geltenden Grundlagen seiner Konfession, die er für die einzig wahre hielt, unnachsichtig an. Er wandte sich gegen Häretiker und Heiden, in denen er nicht einmal Irrende oder Unwissende sah, sondern ausschließlich zu bestrafende oder zu bekehrende Menschen. In der Toleranzfrage, einem der großen Themen der europäischen wie der deutschen Aufklärung, hielt er sich streng an die geltenden Gesetze, deren Änderung zugunsten der Minderheiten er erbittert ablehnte. Gewissensfreiheit war ihm schon mit der bloß geduldeten privaten Religionsübung identisch. „Ruhe der Kirche“ und „bürgerliche Ruhe“ standen für ihn in unauflösbarer Wechselwirkung, die durch Neuerungen nur gestört werden könnte. „Religionsspötter“ bekämpfte Goeze ebenso wie jene Geistlichen und Pädagogen, die für einen kindgerechten Religionsunterricht eintraten. Wer sich für eine tolerantere Fassung des Bußtagsgebetes einsetzte, wer die Ewigkeit der Höllenstrafen bezweifelte, der rief ihn auf den Kampfplatz. Sowohl im Streit um die Sittlichkeit der Schaubühne als auch in der Auseinandersetzung um das Bußtagsgebet konnte er seine Meinung nicht gegen den Senat durchsetzen. Goeze legte zwar daraufhin das Seniorat nieder, doch wehrte er sich fortan als Einzelkämpfer nicht weniger heftig gegen die Abweicher und Neuerer, wobei er die Öffentlichkeit keineswegs scheute, mitunter vielmehr geradezu suchte, seinen publizistischen Anhang mobilisierte und allerorten die Obrigkeit zum Eingreifen aufforderte. Als es um die Ewigkeit der Höllenstrafen ging, verbot ihm der Senat den Verkauf einer seiner Polemiken, doch er ließ die Schrift in Hamburg und im nahen Altona, das zum dänischen Gesamtstaat gehörte, drucken und konnte über

9 G. Jaacks, „Gott behüte meinen Nachfolger für dergleichen zur Verzweiflung leitenden Geschäften! Carl Philipp Emanuel Bach als ‚Music-Director‘ Hamburgs“, in: D. Lohmeier (Hrg.), *Carl Philipp Emanuel Bach. Musik und Literatur in Norddeutschland.* Ausstellung zum 200. Todestag Bachs, Heide 1988, S. 40–59, hier: S. 46.

10 Sittard (wie Anm. 4), S. 106.

20000 Exemplare absetzen. Mit allem Nachdruck focht Goeze im Fragmentenstreit, einer der großen Debatten der deutschen Aufklärung, gegen Lessing, der Teile der radikalen Bibel- und Glaubenskritik des Hamburger Gelehrten Hermann Samuel Reimarus, die dieser zu Lebzeiten nicht zu publizieren gewagt hatte, herausgab, um damit ein offenes Gespräch über Grundfragen und Grundlagen des christlichen Glaubens zu eröffnen.

Der überwiegende Teil der Theologen, allen voran Goeze, sah jedoch in den Fragmenten nur eine Herausforderung und Gefahr. Für Goeze war der „Same der Rebellion" gesät, er fürchtete um den Bestand der kirchlichen und staatlichen Ordnung. Deshalb rief er mit Erfolg nach dem Einschreiten der Obrigkeit. Bescheidene Einwürfe gegen die Religion gestand er zwar zu, doch sollten sie in der Sprache der Gelehrten vorgebracht werden. Lessings Auffassung, daß dem Menschen ewige Wahrheiten nicht erreichbar seien, daß gerade in der nie abgeschlossenen, immer neuen Suche nach Wahrheit menschliche Existenz bestehe, war Goeze, der es mit den „unbeweglichen Gründen" hielt, völlig unverständlich und inakzeptabel. Lessing blieb schließlich nur die Bühne zur Antwort auf Goezes Attacken. *Nathan der Weise,* das unverändert aktuelle Plädoyer für Toleranz und Menschlichkeit, für Vielfalt im Glauben und Denken, war Lessings Schlußwort im Kampf mit Goeze.

Die von der Aufklärung beeinflußten Hamburger, vor allem die der jüngeren Generation, wandten sich in jenen Jahren mehr und mehr von der Orthodoxie ab, die ihre religiösen Bedürfnisse nicht mehr erfüllte und von deren dogmatischer Enge und Hartherzigkeit sie sich abgestoßen fühlten. Auch in den Mittel- und Unterschichten, in denen die Orthodoxie noch in den sechziger Jahren einen festen Rückhalt hatte, wurde ihr Anhang kleiner. Der Senat versuchte in den siebziger Jahren mehrfach, den Reformierten die gesicherte private Religionsübung zuzugestehen. Doch scheiterte dies zunächst am Widerstand der Bürgerschaft, der bürgerlichen Kollegien und des Geistlichen Ministeriums. Erst 1785 fand der Senat bei den Bürgern Zustimmung. Mit dem „Reglement für die Fremden Religions-Verwandten" vom 19. September 1785, das ein Jahr später auch auf die Französisch-Reformierten ausgedehnt wurde, erhielten die Reformierten und die Katholiken „eine freie und ungestörte Religionsübung" und konnten – mit einigen Einschränkungen – eigene Kirchen erbauen und Gemeinden bilden. Goeze meinte dazu nur lakonisch, das Publikum sei durch die Zeitungen „genug dazu präpariert worden"[11]. Damit erkannte er in der öffentlichen

---

11 R. Hermes, *Aus der Geschichte der Deutschen evangelisch-reformierten Gemeinde in Hamburg,* Hamburg 1934, S. 162. Ausführlich zu Goezes Kämpfen Kopitzsch, *Grundzüge*

Meinung, im Einfluß der aufklärerischen Medien, zweifellos einen wesentlichen Faktor des Wandels. Auch das Zusammenwirken von Menschen unterschiedlicher Konfession in den Vereinen und Gesellschaften trug zu veränderten Haltungen und Meinungen bei.

Auch mit seinem Kollegen an St. Petri, dem mit Bach besonders verbundenen Pastor Sturm, geriet Goeze aneinander. Einmal ging es um die von Sturm abgelehnte Begleitung von zum Tode Verurteilten durch Geistliche an die Richtstätte, die Goeze als dem Herkommen verpflichteter Mann ungeachtet der rechtlichen und ansatzweise auch schon psychologischen Diskussion um Fragen des Strafrechts und Strafvollzugs für selbstverständlich hielt[12]. Zum anderen war die Mission Thema des Streites. Hartwig Harms hat diese heftige Diskussion gut zusammengefaßt. Danach wollte Goeze „verhindern, daß den Missionen die Unterstützung entzogen würde", nachdem Sturm „in einer Predigt behauptet hatte, ‚die Schiffahrt und Handlung, die Kriege und Empörungen sind unter der Regierung Gottes die Mittel, durch welche die Erkenntnis der christlichen Lehre weit allgemeiner, als durch Missionen, ausgebreitet wird'. Bei den Heiden, die so weit entfernt sind, daß sie gewiß nichts von Christus erfahren können, sollten wir - so hatte jener gemeint - es Gott überlassen, ob er sie direkt erleuchtet, ihren guten Willen als Glauben annimmt oder ihnen die Früchte der Erlösung ohne Glauben zugute kommen lassen will. Ganz entschieden setzt Goeze dagegen, daß bis heute die christliche Religion durch Mission ausgebreitet worden sei und Handel, Verkehr und Kriege ganz andere Folgen, z. B. den Sklavenhandel, hätten"[13].

Sturm war einer jener Geistlichen, die in Wort und Tat den Erwartungen der Aufklärer entsprachen, Nächstenliebe über Dogmen stellten, Vernunft und Gefühl anzusprechen wußten. Johann Arnold Günther, als Jurist, tätiges Mitglied der „Patriotischen Gesellschaft" und seit 1792 auch als Senator einer der wichtigsten Hamburger Aufklärer, hat in seiner Sammlung aufschlußreicher Kurzporträts Goeze und Sturm, die im selben Jahr starben, charakterisiert und kontrastiert:

„1786. *Johann Melchior Goeze,* geb. zu Halberstadt 1717, Pastor an der Katharinen-Kirche 1755, Senior 1760 bis 1770. Gründlich gelehrter Theolog, Philolog, Historiker, Literator, Kanzelredner von Feuer und Kraft, unermüdlicher Schriftsteller, unermüdlicher Widersacher jeder Neuerung und aller Neuerer: streibar und streitübend gegen jede Ab-

---

(wie Anm. 1), S. 452–502, jetzt auch W. Boehart, *Politik und Religion. Studien zum Fragmentenstreit (Reimarus, Goeze, Lessing),* Schwarzenbek 1988.

12 „Sturm (Christoph Christian, Mag.)", in: *Lexikon der hamburgischen Schriftsteller bis zur Gegenwart,* 7. Bd., Hamburg 1879, S. 345 f., hier: S. 346, Nr. 11 und 12.

13 H. Harms, *Hamburg und die Mission zu Beginn des 19. Jahrhunderts. Kirchlich-missionarische Vereine 1814 bis 1836,* Hamburg 1973 (= Arbeiten zur Kirchengeschichte Hamburgs, 12), S. 130 f.

weichung des von ihm geglaubten und gepredigten Systems bis in den Tod. Starb 1786, 69 Jahr alt.
1786. *Christoph Christian Sturm,* geb. zu Augsburg 1740, Pastor an der Peters-Kirche 1778. Als warmer, herzlicher und durchaus practischer Kanzelredner, Lieder-Dichter, Volks-Schriftsteller und Mensch, ehrwürdig, vielwürkend, unvergeßlich. Starb 1786, 46 Jahr alt"[14].

Sturms Erbauungsbücher und Lieder wurden auch und gerade in Hamburg sehr geschätzt. Er verherrlichte „Gottes Größe in der Natur" und fand damit im seit Barthold Heinrich Brockes darauf eingestimmten Lesepublikum große Resonanz. Seine von Bach vertonten *Geistlichen Gesänge,* die 1780 und 1781 erschienen, wurden in Hamburg immerhin mit 224 Exemplaren vorbestellt[15]. Sturm war an der Vorbereitung des neuen Hamburger Gesangbuchs von 1788 maßgeblich beteiligt, dessen Einführung er zwar nicht mehr erlebte, das ihm jedoch eine lange Nachwirkung sichern sollte.

Neben der praktisch-gemeinnützigen Reformbewegung und den Veränderungen im religiös-kirchlichen Bereich ist das hamburgische Theaterleben ein wichtiges Element der Hamburger Aufklärung in der Zeit von Bachs Aufenthalt. Ein Jahr vor Bach war Lessing nach Hamburg gekommen; wie Bach entzog er sich dem friderizianischen Preußen und ließ sich an Alster und Elbe nieder, in der Hoffnung, hier endlich zu gesicherter Existenz, zu freier Entfaltung seiner Kräfte gelangen zu können. Doch das Nationaltheater, die „Hamburgische Entreprise", scheiterte. Intrigen und Spannungen unter den Akteuren, ihren Freunden und Förderern belasteten schon den Beginn. Die namentlich bekannten Träger des Unternehmens waren keineswegs Repräsentanten des hamburgischen Bürgertums, sondern Außenseiter: durch ihre Konfession, denn einige gehörten der reformierten Glaubensgemeinschaft an, durch fehlende kaufmännische Solidität und durch Geschäftsbeziehungen zu dem in Hamburg wegen seiner engen, für beide Partner einträglichen, für Hamburg dagegen kostspieligen Beziehungen zu Dänemark nicht gerade beliebten Kriegsgewinnler und Großkaufmann Heinrich Carl Schimmelmann. Die mangelnde Verankerung der Entrepreneure in der hamburgischen Gesellschaft, die in der Krisenzeit nach 1763 ohnehin mit politischen und wirtschaftlichen Problemen vollauf beschäftigt war, das Desinteresse des Senates, dem es nur um die notwendigen Feuerspritzen im Schauspielhaus zu tun war, und die Gleichgültigkeit großer Teile der Gelehrten und Literaten wurden neben den internen Schwie-

14 (J.A. Günther), „Proben einer Bildergalerie Hamburgischer Männer des achtzehnten Jahrhunderts", in: *Hanseatisches Magazin* 5 (1801), S. 115–172, hier: S. 147.

15 M. Marx-Weber, „Der Hamburger Bach und seine Textdichter", in: *Bach* (wie Anm. 9), S. 73–84, hier: S. 78. Auf Brockes weist im Zusammenhang mit Sturm hin F. Wehl, *Hamburgs Literaturleben im achtzehnten Jahrhundert,* Nachdruck der Ausgabe Leipzig 1856, Wiesbaden 1967, S. 241.

rigkeiten in der Verwaltung und Finanzierung zu Ursachen des Mißlingens. Die vielversprechenden Ankündigungen konnten nicht eingehalten werden, so daß sich der Spielplan nicht grundlegend von der bisherigen Praxis unterschied. Der erhoffte Zuschauerzuspruch erwies sich als Illusion, das „Kenner- und Liebhaberpublikum aber blieb das kleinere, zur Unterstützung unzulängliche", wie Johann Friedrich Schütze in seiner Theatergeschichte von 1794 feststellte[16]. Das erfolgreichste Werk der „Entreprise" war Lessings *Minna von Barnhelm,* damals ein brisantes Zeitstück, das denn auch erst nach Verhandlungen zwischen dem Senat, dem preußischen Gesandten und Berliner Stellen mit einigen Kürzungen allzu deutlicher Anspielungen auf preußische Wirklichkeit seine Uraufführung erlebte. Mehr Beifall als das Lustspiel fand beim Publikum offensichtlich die Tatsache, daß erstmals preußische Uniformen auf der hamburgischen Bühne zu sehen waren.

Mit dem Mißlingen des Nationaltheater-Versuches und seines mit Johann Christoph Bode betriebenen Druckerei- und Verlagsprojektes waren für Lessing tiefe persönliche Enttäuschungen verbunden, hatte er doch gehofft, endlich eine unabhängigere, materiell gesicherte Existenz führen zu können. Bode dagegen vermochte sich in Hamburg zu behaupten. Er war als Schriftsteller und Übersetzer tätig, ein aktiver Freimaurer war er auch und der Musik zugetan. Er spielte Violoncello, übersetzte teilweise und verlegte Charles Burneys *Tagebuch seiner Musikalischen Reisen.* Was Lessing in Hamburg hielt, was ihn auch in seiner Wolfenbütteler Zeit immer wieder anzog, war der Kreis seiner Freunde, war das offene Gespräch. Bei Büsch, im Hause des Arztes Johann Albert Heinrich Reimarus, neben Büsch der führende Reformer in der Frühzeit der „Patriotischen Gesellschaft", fühlte er sich wohl. Zu seinen Freunden gehörte auch Bach, den er aus Berlin kannte und bald nach dessen Ankunft in Hamburg wiedertraf[17]. In ihm schätzte er einen kompetenten Ratgeber in Fragen der Musik[18]. Die Brisanz des Lessingschen Denkens und Schreibens wie die Rücksichtnahme auf die Orthodoxie und ihren Anhang inner- und außerhalb der Stadt werden deutlich an der Haltung des Senats zur vom Theater vorgesehenen Trauerfeier für den Autor der *Hamburgischen Dramaturgie.* Zunächst wollte der Senat die Ehrung untersagen, die ihm angesichts des Fragmentenstreites wohl zu gefährlich dünkte. Dank des Einspruchs eines der Theaterdirektoren, ver-

16 J. F. Schütze, *Hamburgische Theater-Geschichte,* Nachdruck der Ausgabe Hamburg 1794, Leipzig 1975, S. 342.

17 R. Daunicht, *Lessing im Gespräch. Berichte und Urteile von Freunden und Zeitgenossen,* München 1971, S. 137 f., 259 f., 271.

18 G. E. Lessing, *Collectanea,* in: Ders., *Sämtliche Schriften,* hrg. von K. Lachmann, 3. Aufl. bes. von Franz Muncker, 15. Bd., Leipzig 1900, S. 125–423; hier: S. 316–318: Musik.

mutlich des inzwischen als Großkaufmann anerkannten Senatorensohns Caspar Voght, konnte die Feier doch noch stattfinden. Der Senat freilich beschloß am 7. März 1781, „daß davon keine Notiz zu nehmen“[19], und verhinderte Berichte über die Ehrung in den hamburgischen Zeitungen.

Erfolgreicher als die Träger der „Entreprise“ war Friedrich Ludwig Schröder, der das hamburgische Theater von 1771 bis 1780, erneut von 1786 bis 1798 und noch einmal 1811/12 leitete. Schröder war einer der Erneuerer der Freimaurerei nach den Krisen in der Jahrhundertmitte. Er hatte entscheidenden Anteil daran, daß die Schaupieler, vordem eine Randgruppe, in die Gesellschaft integriert wurden und Anerkennung fanden. Anders als das Nationaltheater konnte sich Schröder auf einen Kreis von Freunden, die „Gesellschaft der Theaterfreunde“, stützen. Zu ihr gehörten Matthias Claudius, Bode, der Kaufmann und Schriftsteller Moses Wessely, ein Freund Lessings und Moses Mendelssohns, und Caspar Voght[20]. Schröder gelang es in den Jahren seiner ersten Direktion, das Hamburger Theater zur führenden deutschen Bühne zu machen. Er verhalf den Werken der Autoren des Sturm und Drang zum Durchbruch und brachte William Shakespeares Dramen in großen Inszenierungen heraus. Wie in jenen Tagen, als *Hamlet* und *Othello* 1776 erstmals gegeben wurden, die Zuschauer reagierten, hat Schütze berichtet. Über *Othello* notierte er: „Ohnmachten über Ohnmachten erfolgten während der Grausszenen dieser ersten Vorstellung. Die Logenthüren klappten auf und zu, man gieng davon oder ward nothfalls davon getragen, und (beglaubten Nachrichten zu Folge) war die frühzeitige misglückte Niederkunft dieser und jener namhaften Hamburgerin Folge der Ansicht und Anhörung des übertragischen Trauerspiels. Ungeachtet dieser lautbaren, notorischen Unfälle ward Othello am folgenden Tage wiedergegeben, doch – bei nicht sehr vollem Hause. Die Direktion entschloß daher weislich: bei der dritten Vorstellung, am 4. Dezbr., den *Othello mit Veränderungen* anzukünden. Die Veränderungen bestanden in Auslassung oder Milderung gräslicher Szenen und Ausdrücke. Desdemona und Othello, der seinen Irrthum einsehen muste, wurden am Leben erhalten. So ward das Stück am 5. Dez. noch einmal bei vollem Hause gegeben“[21].

Schützes Beschreibung ist ein Beleg mehr für die Empfindsamkeit in den

---

19 Staatsarchiv der Freien und Hansestadt Hamburg Bestand Senat Cl. VIII. No. X Senatsprotokoll 1781, S. 75. Zum Kontext F. Kopitzsch, „Lessing und Hamburg. Aspekte und Aufgaben der Forschung“, in: *Wolfenbütteler Studien zur Aufklärung* 2 (1975), S. 47–120, 3 (1976), S. 273–325, hier: 1975, S. 89–94.

20 B. Litzmann, *Friedrich Ludwig Schröder. Ein Beitrag zur deutschen Litteraturgeschichte,* 2 Bde., Hamburg, Leipzig 1890–1894, hier: 2. Bd., S. 63 ff.

21 Schütze (wie Anm. 16), S. 454.

sechziger und siebziger Jahren, die, wie autobiographische und biographische Zeugnisse zeigen, mit der Aufklärung eng verbunden war. Auch zur Musik gibt es der Theaterrezeption vergleichbare Dokumente. Am Silvesterabend 1775 führte Bach in Büschs Handlungsakademie Georg Friedrich Händels *Messias* auf. Der Schriftsteller Johann Heinrich Voß, der damals in Wandsbek lebte, berichtete darüber Ernestine Boie, seiner späteren Frau, am 5. Januar 1776: „Ich hätte 24 Stunden ohne Eßen und Trinken da stehn, und mir bloß den Chor vorspielen laßen mögen". Und abschließend: „O Händel! Händel! wer ist dir gleich unter den Sängern der Erde, der gleich dir, kühnen Flugs, Zaubereyen tönt! Alles was ich hier geschrieben habe, ist Wischwasch. Die höchste Idee, die man sich aus einer solchen Beschreibung machen kann, ist kaum ein schwacher Schatten von dem Gefühl, welches er in die Seelen strömt"[22].

Auch das Theater beteiligte sich mit Opern, Singspielen und Konzerten am musikalischen Leben der Stadt. Schröder hatte 1785 vom Senat und den Oberalten, dem ersten und vornehmsten Kollegium der Bürger, die Erlaubnis erhalten, an Sonnabenden Konzerte zu veranstalten, 1793 wurden ihm auch Sonntagskonzerte gestattet[23]. Damit war das Theater auch an den Tagen zugänglich, an denen es vorher geschlossen bleiben mußte. In seinen in der Haft auf dem Hohenasperg niedergeschriebenen *Ideen zu einer Ästhetik der Tonkunst* lobte der Schriftsteller und Journalist Christian Friedrich Daniel Schubart, der auch ein guter Musiker und Musikkenner war, die „Theatralmusik" in Hamburg[24].

Der dänische Schriftsteller Jens Baggesen, der 1789 Hamburg besuchte, hielt in seinem Reisebuch fest: „Hamburg ist nicht der Tempel der Musen, es ist ihre Herberge, und die Grazien *wohnen* dort nicht, sie *logieren*"[25]. Zu denen, die nur Logisgäste waren, gehörte der Jurist und begabte Schriftsteller Daniel Schiebeler, der den Text zu Bachs Oratorium *Die Israeliten in der Wüste* schrieb. Er litt darunter, daß er sich in Hamburg nur ungenügend künstlerisch entfalten konnte, daß er nur wenig Resonanz fand. Für ihn war Hamburg „Stomachopolis", die Magenstadt, in der das kulinarische Vergnügen wichtiger als das geistige Leben war[26]. Andere, freilich nur wenige Künstler logierten nicht, sie wohnten in Hamburg. Klopstock und Bach

---

22 *Bach* (wie Anm. 9), S. 69, Nr. 73.

23 Schütze (wie Anm. 16), S. 683 f.; Sittard (wie Anm. 4), S. 83, 146–153.

24 Ch. F. D. Schubart, *Ideen zu einer Ästhetik der Tonkunst,* hrg. von J. Mainka, Leipzig 1977 (= Reclams Universal-Bibliothek, 673), S. 154. Die erste Ausgabe der *Ideen* erschien 1806 in Wien.

25 J. Baggesen, *Das Labyrinth oder Reise durch Deutschland in die Schweiz 1789,* München 1986 (= Bibliothek des 18. Jahrhunderts), S. 65.

26 Kopitzsch, *Grundzüge* (wie Anm. 1), S. 384 f.

zählten dazu. Sie fanden in der Gesellschaft – nicht zuletzt durch Büsch – ihren Platz. Der „Hamburgische unpartheyische Correspondent" erklärte dazu im Nachruf auf Bach am 16. Dezember 1788: „Im Umgange war er ein aufgeweckter munterer Mann, voll Witz und Laune, heiter und fröhlich in der Gesellschaft seiner Freunde"[27]. Offensichtlich fühlte er sich in der „republikanischen Geselligkeit"[28], wie Hamburgs letzter Domherr, der tätige Aufklärer Friedrich Johann Lorenz Meyer, den Umgang in den Häusern Büschs und Reimarus' kennzeichnete, sehr wohl. Auch im nahen Altona hatte Bach Freunde und Bekannte, so den Stadtsyndicus und späteren Bürgermeister Caspar Siegfried Gähler, eine zentrale Gestalt der Altonaer Aufklärung und ihres Vereinswesens, maßgeblich beteiligt an der Öffnung des Christianeums, der dortigen Gelehrtenschule, für jüdische Schüler. Gähler musizierte selbst, Bach und er schätzten einander sehr[29].

Schubart widmete in seinen „Ideen" Hamburg, das er als freiheitliches Gemeinwesen pries[30], auch wenn ihm die Toleranzprobleme nicht verborgen blieben[31], ein eigenes Kapitel, in dem er Bach eingehend würdigte. „Daß durch diesen außerordentlichen Mann die Musik in Hamburg ungemein gebildet werden mußte,versteht sich von selbst. Alles ist daselbst Sang und Klang, die größten Virtuosen treten da auf und werden fürstlich belohnt, die Dilettanten erheben sich zur Meisterschaft"[32]. Diese Charakterisierung ist sicherlich übertrieben, doch gab es im Hamburg des 18. Jahrhunderts ein großes Interesse an der Musik, waren „Kenner" und „Liebhaber" vorhanden. Heinrich W. Schwab hat diese auch bei Bach und Schütze begegnenden Begriffe treffend erläutert. „Der *Kenner* steht der Kunst wissend gegenüber". „Der *Liebhaber* verhält sich konträr dazu. Er ‚genießt' die Kunst ... und beurteilt ein Werk allein nach den emotionalen Eindrücken, die es auf ihn macht"[33]. Der Kreis der „Kenner" und „Liebhaber" ließe sich durch die Auswertung der Pränumeranten- und Subskribentenverzeichnisse näher

---

27 *Hamburger Bach* (wie Anm. 2),S. 49. Zu Bachs Hamburger Bekannten und Freunden s. H. Miesner, *Philipp Emanuel Bach in Hamburg. Beiträge zu seiner Biographie und zur Musikgeschichte seiner Zeit,* Leipzig 1929, S. 26–49; H. G. Ottenberg, *Carl Philipp Emanuel Bach,* Leipzig 1982. (= Reclams Universal-Bibliothek, 923), S. 189–213. Wichtig auch Jaacks (wie Anm. 9) und Marx-Weber (wie Anm. 15).

28 F. J. L. Meyer, *Skizzen zu einem Gemälde von Hamburg,* 2 Bde., Hamburg 1800–1804; hier: 1. Bd., 2. Heft, S. 131.

29 Kopitzsch, *Grundzüge* (wie Anm. 1), S. 744.

30 Ebd., S. 602 f. mit Anm. 2203 und 2204.

31 U. Stephan-Kopitzsch, *Die Toleranzdiskussion im Spiegel überregionaler Aufklärungszeitschriften,* Frankfurt am Main, Bern, New York, Paris 1989 (= Europäische Hochschulschriften, 3, 382), S. 91 f.

32 Schubart (wie Anm. 24), S. 153 f.

33 H. W. Schwab, „Carl Philipp Emanuel Bach und sein Komponieren fürs Publikum", in: *Bach* (wie Anm. 9), S. 123–134; hier: S. 128.

bestimmen. Dazu sollten die Listen in literarischen und musikalischen Werken vergleichend herangezogen werden, wie überhaupt die Literaturrezeption ohne den Aspekt der Vertonung nicht erfaßt werden kann[34].

Der Konzertsaal, auch darauf hat Schwab hingewiesen[35], war ein Ort der Öffentlichkeit - wie die Kaffeehäuser und das Theater. Neben den Häusern mit aufklärerisch-republikanischer Geselligkeit, neben den Logen und Vereinen waren sie alle Stätten, an denen sich Aufklärung und Empfindsamkeit entfalteten. Bereits 1890 hat Josef Sittard das Konzertleben im Kontext dieses soziokulturellen Wandels gesehen, als er betonte, „dasselbe hängt zusammen mit der Entwickelung der Kunst zu immer größerer Selbständigkeit, mit der Erweiterung des gesellschaftlichen Lebens überhaupt“[36]

Zu den Bildquellen, die Hamburgs Kulturgeschichte im Zeitalter der Aufklärung sinnfällig illustrieren, gehört das Titelkupfer von Sturms *Geistlichen Gesängen.* Das Bild zeigt die Muse der Musik über der Silhouette Hamburgs mit den Türmen der Kirchen und den Schiffen im Hafen. In einem Medaillon sind Sturm und Bach, Dichter und Musiker, zu sehen[37]. Den Entwurf lieferte Adam Friedrich Oeser, ausgeführt wurde er von Johann Gottfried Friedrich Fritzsch, die Porträts schuf Andreas Stöttrup, der 1784 Bach und Sturm wie sich selbst, die beiden zeichnend, darstellen sollte. Dies Bild ist im Besitz der Hamburger Kunsthalle[38]. Solche Dokumente - auch das von Johann Heinrich Wilhelm Tischbein für die Klopstock-Büsch'sche Lesegesellschaft geschaffene Ölgemälde „Die Vorlesung“ (Bild der Theone), das sich heute in der Staats- und Universitätsbibliothek Hamburg - Carl von Ossietzky - befindet, gehört dazu[39] - zeigen Verbindungen der Künste, die in ihrer Gesamtheit Hamburgs kulturelles Leben prägten und die es gerade in ihrer Verknüpfung und Wechselwirkung weiter zu erhellen gilt.

---

34 Vgl. dazu neben Marx-Weber (wie Anm. 15) auch: *Telemann und seine Dichter. Konferenzbericht der 6. Magdeburger Telemann-Festtage vom 9. bis 12. Juni 1977,* 2 Teile, Magdeburg 1978.

35 Schwab (wie Anm. 33), S. 123 f.

36 Sittard (wie Anm. 4), S. VII.

37 *Bach* (wie Anm. 9), S. 94, Nr. 115, Abb. 32, S. 72.

38 Ebd., S. 93, Nr. 112, Abb. 35, S. 79.

39 *Deutschland und die Französische Revolution 1789/1989.* Eine Ausstellung des Goethe-Instituts zum Jubiläum des welthistorischen Ereignisses. Stuttgart 1989, S. 31, Tafel 10/1 (mit Abb.). S. auch W. Kayser, *500 Jahre wissenschaftliche Bibliothek in Hamburg. Von der Ratsbücherei zur Staats- und Universitätsbibliothek.* Mit Beiträgen von Hellmut Braun und Erich Zimmermann, Hamburg 1979, S. 315 f. zu Abb. 132.

Darrell M. Berg

C. Ph. E. Bach und die „empfindsame Weise“

Empfindsam und *Empfindsamkeit* gehören zu den gängigsten musikalischen Bezeichnungen, und es kann mit Bestimmtheit darauf gerechnet werden, daß in der Beschäftigung und Auseinandersetzung mit der Musik der Mitte des 18. Jahrhunderts diese Bezeichnungen auftauchen. Oft wird Empfindsamkeit als eine Art Krankheit behandelt, von der ein Gutteil der norddeutschen Instrumentalmusik ergriffen worden ist, wobei Carl Philipp Emanuel Bach als der hervorragendste Träger dieser Krankheit angeführt wird. Musikhistoriker haben zuweilen das Zeitalter der Empfindsamkeit so weit rückwärts ausgedehnt, daß es die Barockmusik einschließt, die die Epidemie der Mitte des 18. Jahrhunderts vorwegzunehmen scheint, oder behauptet, Empfindsamkeit sei eigentlich die Krankheit der Romantik unter einem anderen Namen[1]. Häufig waren die Anwendungen der Bezeichnung *empfindsam* unscharf und nachlässig und scheinen nur den gemeinsamen Aspekt aufzuweisen, daß sie sich auf Instrumentalmusik beziehen.

Es ist aufschlußreich, *empfindsam* mit einer anderen auf die Musik der nahezu selben Periode angewandten Bezeichnung zu vergleichen: *galant*. Als musikalisches Etikett erfreute sich *galant* gegenüber *empfindsam* des Vorteils, daß es im 18. Jahrhundert häufig auf die Musik angewandt wurde. Die Bezeichnung *galant* hatte auf dem Höhepunkt ihrer Beliebtheit zahlreiche Bedeutungen aufzuweisen – urban, höfisch, geschickt, erotisch, ungezwungen, spontan –, und ihre Anwendungen im Bereich der Musik waren auch verschiedenartig. Doch spiegeln die musiktheoretischen Erörterungen der Bezeichnung *galant* im 18. Jahrhundert bestimmte stilistische Normen und deren Entfaltung und Entwicklung wider. Aus diesen Anwendungen schließt David Sheldon, daß das Adjektiv *galant* „anmutig, fließend“ und „angemessen verziert“ bedeutet habe, als es im frühen 18. Jahrhundert auf die Musik angewandt wurde; um die Mitte des Jahrhunderts würden bestimmte stilistische Normen bereits klarer umrissen: Vermeidung der Ein-

1 Vgl. H. Besseler, „Bach als Wegbereiter“, in: *Archiv für Musikwissenschaft* 12/1955, S. 4; Hinweise auf die Empfindsamkeit als frühe Erscheinungsform der Romantik sind so üblich, daß es kaum mehr möglich ist, einen einzelnen Vertreter dieser Auffassung hervorzuheben.

schränkungen des Kontrapunkts und Ausbildung der angenehmen und ausdrucksvollen Melodie[2].

Demgegenüber tritt *empfindsam* etwas später auf, erstmals – soweit bisher bekannt – in einer Schrift von 1755[3]. Nachdem Lessing 1768 „empfindsame Reise" als Übersetzung des Titels von Sternes *Sentimental Journey* vorgeschlagen hat, ist *empfindsam* so modisch wie seine englischen Gegensütcke *sentimental* und *sensible* geworden[4]. Das Wort war während eines kürzeren Zeitraums in Mode als *galant* und sein Gebrauch war bei weitem nicht so vielfältig. Seine Bedeutung wies jedoch mehrere Nuancen auf (einige davon haben sich sogar mit einzelnen Bedeutungsaspekten von *galant* überschnitten): jeder Nuance des Verhaltens gegenüber empfindungsfähig; auf Gefühle stark reagierend; für alle Eindrücke empfänglich und nachgiebig – daher unmoralisch; unaufrichtig und übermäßig gefühlvoll. Gegen 1780 fingen Schriftsteller an, Empfindsamkeit in herablassendem Ton zu erwähnen; in seinem kleinen Stück *Der Triumph der Empfindsamkeit* hat Goethe die Ausschweifungen der Empfindsamkeit, *Die Leiden des jungen Werthers* eingeschlossen, verspottet.

Zuweilen ist *empfindsam* im Kontext damaliger Erörterungen über Musik zu finden, meistenteils aber bezieht es sich auf einen qualitativen Zustand des Zuhörers, nämlich auf dessen Aufnahmefähigkeit. In einigen seltenen Fällen scheint das Wort auf die Musik selbst Anwendung zu finden. Johann Georg Sulzer schreibt den Erfolg der Musik des 18. Jahrhunderts „der feinen Empfindsamkeit der Italiäner" zu[5]. Johann Joachim Eschenburgs Übersetzung von Charles Burneys Händel-Biographie lobt die „Empfindsamkeit" der Begleitungen zu Händels Opernarien[6]. Aber solche Stellen, auch wenn sie sich eher auf Musik als auf ihre Komposition beziehen könnten, lassen fast nichts über ihre Stileigenschaften erkennen und berechtigen zu der Frage, ob der von Musikhistorikern so zuversichtlich postulierte *empfindsame Stil* lediglich eine Konstruktion der Musikwissenschaft des 20. Jahrhunderts ist.

---

2 Vgl. D. Sheldon, „The Galant Style Revisited and Re-evaluated", in: *Acta Musicologica* 47/1975, S. 240–70.

3 Vgl. B. Hosler, *Changing Aesthetic Views of Instrumental Music in Eighteenth-Century Germany,* Ann Arbor 1981, S. 119, worin Ch. F. Nicolai, *Briefe über den itzigen Zustand der schönen Wissenschaften in Deutschland,* Berlin 1755, S. 14, zitiert wird.

4 Vgl. G. E. Lessing, *Gesammelte Werke,* Bd. 9, Berlin 1957, S. 282. Den hier angeführten Auszug aus Lessings Brief (Hamburg, Sommer 1768) an Johann Joachim Christoph Bode hat Bode im Vorbericht zu seiner Übersetzung von Sternes Roman veröffentlicht.

5 *Allgemeine Theorie der schönen Künste,* Bd. 2, Leipzig 1774, S. 793.

6 *Dr. Karl Burney's Nachricht von Georg Friederich Händels Lebensumständen,* übers. v. J. J. Ch. Bode, Berlin/Stettin 1785, S. XLVII f.

Dennoch gibt es einige wenige Schriften, die implizieren, daß es im 18. Jahrhundert einen Begriff des *empfindsamen Stils* in der Musik gegeben hat. Als Johann Friedrich Reichardt im frühen 19. Jahrhundert seine Selbstbiographie schrieb, blickte er auf seine Jugendzeit zurück und schrieb zu den Besuchen bei dem Hamburger Professor der Mathematik Johann Georg Büsch im Jahre 1774: „In dem frohen Kreise ward lustiger Chorgesang angestimmt und das nicht bloß in empfindsamen Weisen, oft auch im Ton' ausgelassner Freude."[7] An dieser Stelle wird eine extravertierte, übermütige Weise empfindsamen Melodien gegenübergestellt. Obwohl diese nicht näher beschrieben werden, ist anzunehmen, daß sie introvertiert, sanft, nachdenklich, etwa melancholisch waren. In seiner Studie über Empfindsamkeit bestätigt Gerhard Sauder diese Wahrnehmung des *Empfindsamen,* indem er Stellen aus literarischen Kritiken der Jahre 1780–1790 zitiert, in denen nachdrücklich *Empfindsamkeit* im Gegensatz zur Heftigkeit des *Sturm und Drang* als zart und schmachtend beschrieben wird[8].

In seinem Essay von 1804 über das deutsche Liederspiel hat Reichardt auch auf *Empfindsamkeit* in der Musik hingewiesen. Er verglich kunstvolle Opernarien mit dem einfachen deutschen Lied. „Unsere Lieder", schrieb er, „bestehen großenteils aus empfindsamen Liebesliedern und aus Trinkliedern."[9] Obwohl diese Bemerkungen von Reichardt einen *empfindsamen Stil* nicht ausdrücklich definieren, deuten sie doch auf besondere zeitgenössischen Vorstellungen von einem solchen Stil hin.

Die *empfindsame Weise* scheint mindestens ebensoviel mit Vokal- als mit Instrumentalmusik verbunden gewesen zu sein. Ferner dürfte anzunehmen sein, daß nicht nur die Musik selber, sondern auch die spezifischen Umstände ihrer Aufführung zur *empfindsamen Weise* beigetragen haben. In diesem Zusammenhang ist Reichardts Darstellung der Abende bei Büsch bezeichnend, aus der sich schließen läßt, daß dieser Stil, jedenfalls 1774, eher für innig-private, traute Zusammenkünfte als für öffentliche Gelegenheiten, bei denen Vokalmusik aufgeführt wurde, vorbehalten war. Im Zusammenhang seiner Beschreibung hat Reichardt weiter ausgeführt, daß sowohl Liebhaber als Berufsmusiker an solchen Aufführungen teilnahmen[10].

Sicher bestand die in der zweiten Hälfte des 18. Jahrhunderts am häufigsten veröffentlichte Vokalliteratur – die als solche mit Reichardts Beschreibung von *empfindsam* übereinstimmt – aus Sammlungen und einzelnen Lie-

---

7 „Noch ein Bruchstück aus J. F. Reichardt's Autobiographie", in: *Allgemeine musikalische Zeitung* 16/1814, Nr. 2, Sp. 25.

8 Gerhard Sauder, *Empfindsamkeit,* Bd. I, Stuttgart 1974, S. 227–28.

9 „Liederspiele", Tübingen 1804, in: *Briefe, die Musik betreffend,* Berichte, Rezensionen, Essays, hg. v. G. Herre und W. Siegmund-Schultze, Leipzig 1976, S. 234.

10 Reichardt, „Noch ein Bruchstück ...", a. a. O., Sp. 23–29.

dern mit Clavierbegleitung, die für die Aufführung im Hause bestimmt waren. Obgleich das einfache Lied mit Clavierbegleitung früher entstanden war, kam es in Deutschland erst in den fünfziger Jahren in Mode. Zunächst seien nun die Jahre, die die Mitte des Jahrhunderts umspannen und in denen die sogenannte „erste Berliner Liederschule" entstanden ist, untersucht.

Ob das Wort *empfindsam* vor 1755 in der deutschen Literatur zu finden ist oder nicht, die Jahre 1740–1768 gehören nichtsdestoweniger dem Zeitalter der *Empfindsamkeit* an. In Georg Jägers vorzüglicher Studie *Empfindsamkeit und Roman* wird nachgewiesen, daß in diesen Jahren die Bedeutung von *empfindsam* ebenfalls durch zwei anderen Wörtern – *zärtlich* und *empfindlich* – ausgedrückt wurde. Von der Entstehung des Wortes *empfindsam* bis zum plötzlichen Anstieg seiner Beliebtheit im Jahre 1768, hat sich die Anwendung dieser drei Wörter überlappt, wobei *zärtlich* häufig mit einem der anderen beiden benutzt wurde[11]. In dieser frühen Phase der *Empfindsamkeit* läßt sich das Überlappen von Stilen als auch von Wörtern beobachten – empfindsame Literatur der Jahre 1740–1768 weist viele der allgemein unter den Bezeichnungen *galant* und *Rokoko* zusammengefaßten Eigenschaften auf. Ein charakteristischer Ausdruck der leichten, scherzhaften, amourösen, zuweilen sanft moralistischen Stimmung dieser Periode war die Anakreontik[12].

Die Anakreontiker schrieben Verse in der „Schäferart", in der sie sich den Themen der Liebe, der Freundschaft, des Weins und der Rosen widmeten und mit echter oder falscher Bescheidenheit ihre Oden als *Kleinigkeiten* bezeichneten. Der Begründer und Hauptvertreter dieser Bewegung war der Dichter Johann Wilhelm Gleim, der in den vierziger Jahren eine kurze Zeit in Berlin wohnte. Unter denen, die Gleims Interesse für anakreontische Verse teilten, waren der Dichter Karl Wilhelm Ramler und der junge Berliner Advokat und Amateurmusiker Christian Gottfried Krause, der sich leidenschaftlich für Musikästhetik interessierte[13]. Mit Gleims Einverständnis gaben Krause und Ramler 1753 eine Anthologie von anakreontischen Liedern heraus, die von Friedrich Wilhelm Birnstiel verlegt wurde: *Oden mit Melodien,* mit Vertonungen von Komponisten, die alle, außer Georg Philipp Telemann, dem Berliner Kreis angehörten – Johann Friedrich Agricola, C. Ph. E. Bach, Franz Benda, Carl Heinrich und Johann Gottlieb Graun, Krause, Christoph Nichelmann und Johann Joachim Quantz (die Namen

---

11 G. Jäger, *„Empfindsamkeit und Roman,* Stuttgart 1969, S. 11–20. Enthält sehr brauchbare Bestimmungen dieser Wörter und ihrer Bedeutungsnuancen.

12 A. Anger, *Literarisches Rokoko,* 2. durchges. u. erg. Auflage, Stuttgart 1968, S. 14 f.

13 Viele der ästhetischen Ansichten Krauses sind in seinem Briefwechsel mit Gleim aus den Jahren 1747 bis 1766 enthalten, der sich im Gleimhaus in Halberstadt befindet.

der Dichter, Komponisten und Herausgeber wurden übrigens in der ersten Ausgabe dieser Sammlung nicht genannt). Zwei Jahre später erschien ein zweiter Band von *Oden mit Melodien,* und 1761 brachte der Verleger Birnstiel, vom Erfolg dieses Genres ermuntert, noch eine weitere Anthologie mit demselben Titel heraus.

Krause – viel eher als Ramler – war der Förderer der Zusammenarbeit zwischen deutschen Dichtern und Berliner Komponisten und der bemerkenswerten Entwicklung des Liedes in der zweiten Hälfte des 18. Jahrhunderts. Am 20. August 1748 schrieb er einen Brief an Gleim, in dem er diesen um eine Kantate bat und aufforderte: „Helfen Sie doch de[n] Hrn. von Kleist, Hrn. Ra[m]lern und Hrn. Uzen, deren empfindliche Herzen zum Cantaten machen so geschickt sind.“[14] Schon im Jahre 1747 war er auf der Suche nach einer Ästhetik, mit der sich die Vertonung von Oden, Liedern und anderen Texten normativ anleiten lassen sollte. In einem Brief an Gleim bemerkte er, daß die Umstände, unter denen Musik aufgeführt würde, einen wichtigen Aspekt ihres Charakters ausmachte. Auch behauptete er, daß man „[n]ur von wenig Musiken [...] andächtig, verliebt [wird]; großmütig und tugendhaft wohl gar nicht.“ Zu diesem Zwecke trage die Poesie mehr bei. Daraus schloß er, daß die Musik noch strikteren Regeln der Prosodie als ihr Text folgen sollte, um das richtige Verständnis der Wörter nicht zu verstellen. Musik müsse leicht sein, denn was „leicht ist wird bald deutlich und das ist eine Schönheit“[15].

Im „Vorbericht“ zur Sammlung der *Oden mit Melodien* von 1753 findet sich nur eine Andeutung der Ideen Krauses über die musikalische Prosodie. Die Bemerkung, daß „der Musikus“ gewisse Symmetrien in die Strophen wünsche, „damit sich die wiederkehrende Melodie zu jeder Strophe schicke“, scheint zu bedeuten, daß der musikalische Stil auch einfach und symmetrisch sein müsse[16]. Weit ausdrücklichere und strengere Regeln findet man in der anonymen „Vorrede“ zu Birnstiels Anthologie von 1761. Zum Beispiel:

- Gerade metrische Teilungen seien ungeraden vorzuziehen.
- In der Melodie „müssen schwer zu treffende Sprünge vermieden werden.“ Der Umfang der Stimme „darf nicht ohne Not die Dezime überschreiten.“
- Die musikalische Vertonung müsse hauptsächlich syllabisch sein.
- Sie müsse so einfach sein, daß auch Liebhaber sie leicht aufführen könnten[17].

14 Brief vom 20. 8. 1748, Gleimhaus Nr. 2347.
15 Brief vom 22. 3. 1747, Gleimhaus Nr. 2337.
16 *Oden mit Melodien* (hrg. v. Ch. G. Krause und K. W. Ramler] Berlin 1753, „Vorbericht“.
17 *Oden mit Melodien,* Berlin 1761, „Vorrede“, S. 4–8.

Krause hatte klar umrissene Vorstellungen von der Rolle der Clavierbegleitung des Lieds. Kurz vor der Veröffentlichung der ersten Sammlung von Liedern schrieb er an Gleim:

„... wir wünschen, daß die Melodien unserer Lieder alle so wären, daß sie selbst ohne Flügel und Accompagnement gesungen werden können, oder musikalisch zu sprechen, daß die Verfertiger derselben sie ohne Claviere oder einiges anderes [I]nstrument componirten, und bey deren Composition nicht daran gedächten, daß auch ein Baß dazu gespielt werden sollte".[18]

Krauses Vorstellungen über die entbehrliche Rolle des Claviers im Lied werden im „Vorbericht" zur Sammlung der *Oden mit Melodien* von 1753 wiederholt. In einem Vergleich des deutschen Liedes mit seinem Hauptvorbild, dem französischen Lied, wird betont:

„Wenn unsere Componisten singend ihre Lieder componiren, ohne das Clavier dabey zu gebrauchen und ohne daran zu gedenken, daß noch ein Baß hinzu kommen soll: so wird der Geschmack am Singen unter unserer Nation bald allgemeiner werden und überall Lust und gesellige Fröhlichkeit einführen."[19]

Welche gemeinsamen musikalischen Merkmale kennzeichneten *empfindsame* Lieder? Krauses Überzeugung, die Melodien von Oden, Trinkliedern und moralisierenden Fabeln müßten ihren Texten untergeordnet werden, scheinen großenteils von den Liederkomponisten in der zweiten Hälfte des 18. Jahrhunderts geteilt worden zu sein. In ihren Vertonungen sind die meisten Komponisten bei einem rhythmisch unkomplizierten Stil angelangt, obwohl wenige die von den Herausgebern der Sammlungen *Oden mit Melodien* als Normen angestrebte Unauffälligkeit und rhythmische Symmetrie erreichten. C. Ph. E. Bach scheint sogar den Vorbehalten gegenüber ungeraden rhythmischen Teilungen wenig Beachtung geschenkt zu haben. „Dorinde", eins der fünf Lieder, die er zu den *Oden mit Melodien* beitrug, weist weder einen geraden Takt noch einen symmetrischen Periodenbau auf, sondern ist im Dreivierteltakt geschrieben, und seine fünf Perioden entsprechen nicht den sieben Versen des Gedichts. Zwei Perioden bestehen aus je sieben Takten, die letzte aus fünf. Trotzdem hat C. Ph. E. Bach den Eindruck der Symmetrie hervorzurufen vermocht, und auch für den ungeschultesten Sänger bietet dieses Lied wenig Schwierigkeiten.

Gab es außer der Eigenschaft der Anspruchslosigkeit noch ein weiteres musikalisches Element, das *die empfindsame Weise* gekennzeichnet hat? Innerhalb des für Lieder empfohlenen syllabischen Stils haben Komponisten anscheinend versucht, dessen Strenge zu mildern, während sie an seiner Anspruchslosigkeit festhielten. Es ist bedeutsam, daß in der „Vorrede" zur Neuausgabe der *Oden mit Melodien* von 1761 das gelegentliche Setzen von

18 Brief vom 29. 12. 1752, Gleimhaus Nr. 2360.
19 *Oden mit Melodien* 1753, „Vorbericht".

Beispiel 1. C. Ph. E. Bach. „Dorinde“, Wq 199, Nr. 7/H 679, *Oden mit Melodien,* Bd. 2, Berlin 1755.

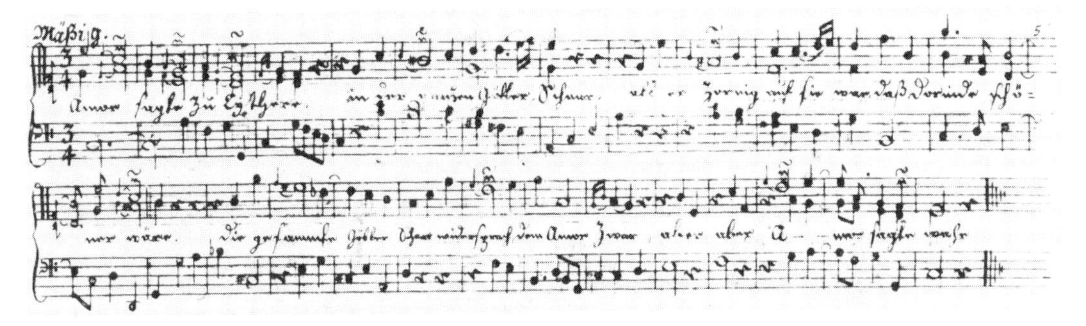

mehr als einem Ton bei langen Silben gebilligt wird, „um dem Gesange mehr Zierde zu geben“. Zuweilen, wenn beispielsweise der Reim männlich ist, dürften sogar Vorschläge an Enden der Perioden vorkommen[20]. In Liedern der Mitte des 18. Jahrhunderts, wie in den meisten Genres der Zeit, sind „Seufzer“ reichlich vorhanden. Aber in diesen *empfindsamen* Liedern kommen Seufzer häufig im Innern der Perioden als ein Notenpaar je Textsilbe vor. Diese Ketten von „Binnenseufzern“ sind ein Kennzeichen – vielleicht das einzige musikalische Merkmal – des *Empfindsamen.* Viele von C. Ph. E. Bachs Liedern enthalten Gruppen von „Binnenseufzern“. In seinem „Der Frühling“, 1780 veröffentlicht, werden sie zu einer Manieriertheit.

Bach fand es angezeigt, Lieder zu mehreren Berliner Anthologien der fünfziger und sechziger Jahre sowie auch zu zahlreichen späteren Sammlungen beizutragen. Darüber hinaus hat er bis zu seinem Lebensende sechs Sammlungen mit eigenen Liedern veröffentlicht, die erste – seine Gellert-Lieder – 1758, eine siebte Sammlung kam posthum heraus[21]. Daß fünf dieser Sammlungen geistliche Lieder enthalten, spiegelt die Erweiterung des Genres wider, daß nun auch Lieder philosophischen und religiösen Charakters einschloß. Schon vor der Veröffentlichung der Anthologie von 1753 schrieb Krause an Gleim, daß es ratsam sei, scherzhafte Lieder gelegentlich zu unterbrechen, um ernste Lieder zu hören[22]. Im Laufe der fünfziger Jahre beschäftigten sich norddeutsche Komponisten immer mehr mit geistlichen Liedern, wobei C. Ph. E. Bachs Gellert-Lieder von 1758 bei dieser Entwicklung zur Vorhut gehörten. Sein Lied „Betrachtung des Todes“ hat mit den Liedern in der anakreontischen Weise einige Eigenschaften gemeinsam –

20 *Oden mit Melodien* 1761, „Vorrede“, S. 8.

21 C. Ph. E. Bach, *Herrn Professor Gellerts Geistliche Oden und Lieder,* Berlin 1758; *Neue Lieder-Melodien nebst einer Kantate zum Singen beym Klavier,* Lübeck 1789.

22 Brief vom 29. 12. 1752, Gleimhaus Nr. 2360.

Beispiel 2. C. Ph. E. Bach, „Der Frühling“, Wq 197, Nr. 14/H 750, Nr. 14, 30 Geistliche Lieder für eine Singstimme und Klavier, hrg. v. Herman Roth, Leipzig 1921 (Erstveröffentlichung Hamburg 1780 in: *Herrn Christoph Christian Sturms geistliche Gesänge mit Melodien zum Singen bey dem Claviere*).

symmetrische Periodizität und bescheidenen Tonumfang. Aber die in diesem Lied vorherrschende Tendenz zur Subdominante und die etwas „eckige“ Melodie verleihen ihm einen schwermütigen Charakter.

In der „Vorrede“ zu den Gellert-Liedern drückte Bach einige im Widerspruch zu Krauses ästhetischen Prinzipien stehende Vorstellungen aus: nach Bach implizierte der Zwang, dieselbe Melodie an alle Strophen eines Gedichts anzupassen, das Lied musikalisch verarmen zu lassen[23]. Er habe seine eigene Harmonie und Manieren hinzugefügt, weil er die Melodie „der Willkühr eines steifen General-Baß-Spielers nicht überlassen“ wolle[24]. Beiläufig erwähnte er, daß seine Gellert-Lieder sich als Clavierstücke spielen ließen[25]. Rezensionen der Gellert-Lieder in zwei Berliner Zeitschriften waren anerkennend und lobten Bachs vorzügliche Behandlung dieser geistlichen Weise[26]. Die in einer dritten Rezension ausgedrückten Vorbehalte konzentrieren sich auf den für Theoretiker der Berliner Liederschule höchst problematischen Aspekt von Bachs Liedern, der gerade die größte Entwicklungsfähigkeit für das Lied des 19. Jahrhunderts aufwies: die Rolle des Claviers. Diese Oden, so der Rezensent, „scheinen zwar eigentlich mehr zum Clavierspielen als zum Singen eingerichtet zu seyn.“ Indessen, fügte er hinzu, „findet doch ein durch gute Vorübungen genugsam zubereiteter Hals hierbey vielfältige Gelegenheit, sich im guten Vortrage der kleinen Manieren, im Treffen verschiedener nicht ganz leichter Tonfolgen, und überhaupt im Ausdrucke fertiger und sicherer zu machen“[27]. Aber es war Krause, der am ausdrücklichsten gegen Bachs Behandlung der *empfindsamen Weise* Stellung bezog. Kurz nach Erscheinen der Gellert-Lieder schrieb

---

23 Bach, a. a. O., „Vorrede“: „... weil keinem Tonverständigen unwissend seyn kann, daß man von einer Melodie, wonach mehr als eine Strophe gesungen wird, nicht zu viel fordern müsse ...“

24 Bach, a. a. O., „Vorrede“.

25 Bach, a. a. O., „Vorrede“: „... man kann sie also zugleich als Handstücke brauchen.“

26 *Bibliothek der schönen Wissenschaften und der freyen Künste,* Bd. III, St. 1, Leipzig 1758, 186 f.: „Die geistlichen Lieder des Herrn P. Gellerts sind zur Erbauung, und zwar zur Erbauung im Gesange geschrieben. Es schien ihnen also ohne Melodien gleichsam ein Vorzug zu fehlen, und sie hätten denselben nicht leicht von einer würdigern Hand empfangen können, als von dem berühmten Herrn Bach, welcher schon längst gewohnt ist, den edelsten Ausdruck mit den Geheimnissen der Kunst, und die ihm eigene Bündigkeit, mit einem fließenden Gesange zu verknüpfen“; F. W. Marpurg (Hrg.), *Kritische Briefe über der Tonkunst ...,* Berlin 1760, 250 f.: „... Da die Gegenstände der gellertschen Muse etwas erhabner, als Wein und Liebe, sind: so konnte der berühmte Componist auch nicht anders, als sich von der gemeinen Bahn der Odenschreibart entfernen, und wer könnte von der göttlichen Kunst eines Bachs etwas anders, als was außerordentliches und allezeit vortrefliches erwarten?“

27 *Allgemeine Deutsche Bibliothek,* Bd. I, St. 1, Berlin/Stettin 1766, S. 302.

Beispiel 3. C. Ph. E. Bach, „Betrachtung des Todes", Wq 194, Nr. 26/H 687, Nr. 26, *Herrn Professor Gellerts geistliche Oden und Lieder,* Berlin 1758.

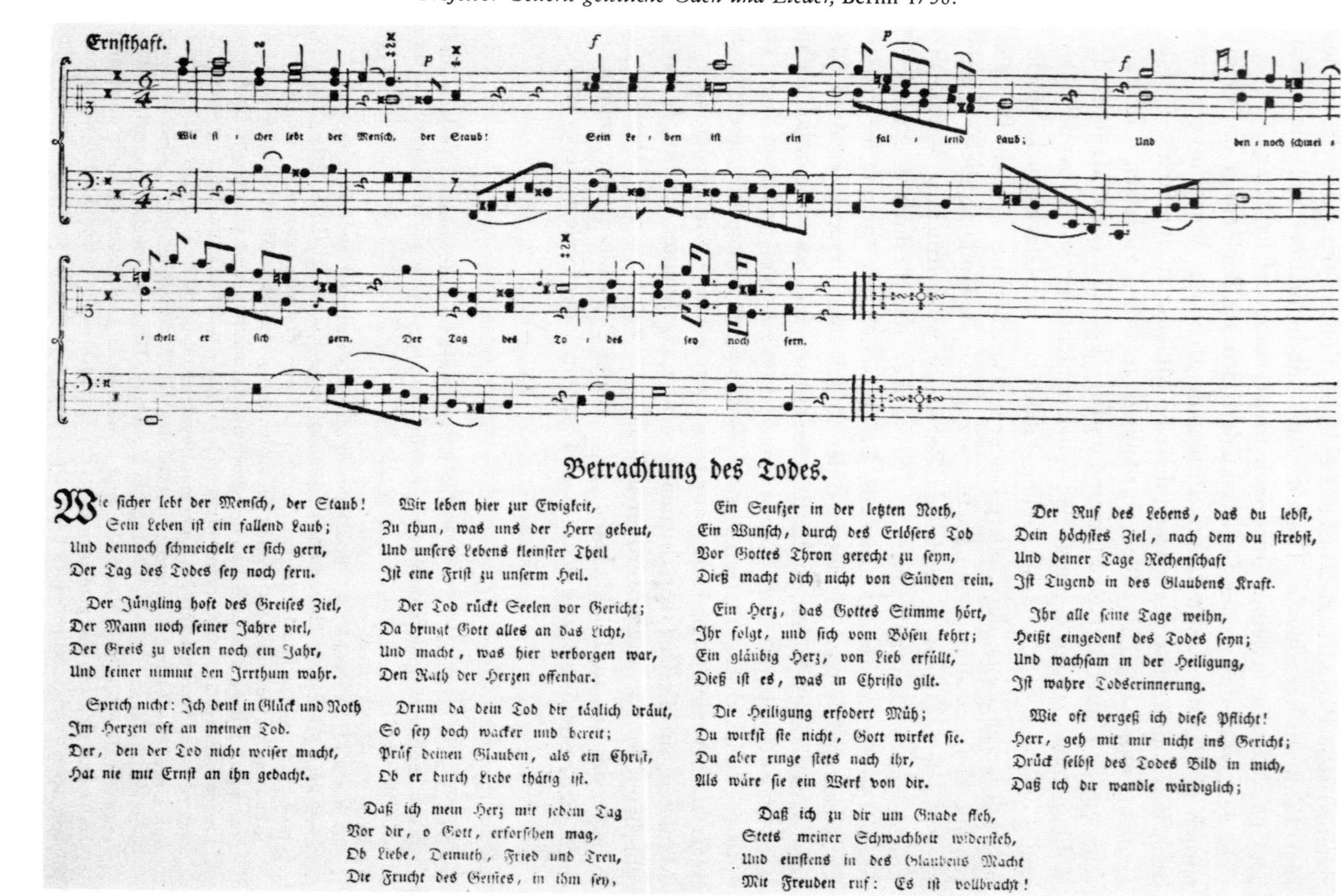

Betrachtung des Todes.

Wie sicher lebt der Mensch, der Staub!
Sein Leben ist ein fallend Laub;
Und dennoch schmeichelt er sich gern,
Der Tag des Todes sey noch fern.

Der Jüngling hoft des Greises Ziel,
Der Mann noch seiner Jahre viel,
Der Greis zu vielen noch ein Jahr,
Und keiner nimmt den Irrthum wahr.

Sprich nicht: Ich denk in Glück und Noth
Im Herzen oft an meinen Tod.
Der, den der Tod nicht weiser macht,
Hat nie mit Ernst an ihn gedacht.

Wir leben hier zur Ewigkeit,
Zu thun, was uns der Herr gebeut,
Und unsers Lebens kleinster Theil
Ist eine Frist zu unserm Heil.

Der Tod rückt Seelen vor Gericht;
Da bringt Gott alles an das Licht,
Und macht, was hier verborgen war,
Den Rath der Herzen offenbar.

Drum da dein Tod dir täglich dräut,
So sey doch wacker und bereit;
Prüf deinen Glauben, als ein Christ,
Ob er durch Liebe thätig ist.

Daß ich mein Herz mit jedem Tag
Vor dir, o Gott, erforschen mag,
Ob Liebe, Demuth, Fried und Treu,
Die Frucht des Geistes, in ihm sey,

Ein Seufzer in der letzten Noth,
Ein Wunsch, durch des Erlösers Tod
Vor Gottes Thron gerecht zu seyn,
Dieß macht dich nicht von Sünden rein.

Ein Herz, das Gottes Stimme hört,
Ihr folgt, und sich vom Bösen kehrt;
Ein gläubig Herz, von Lieb erfüllt,
Dieß ist es, was in Christo gilt.

Die Heiligung erfodert Müh;
Du wirkst sie nicht, Gott wirket sie.
Du aber ringe stets nach ihr,
Als wäre sie ein Werk von dir.

Daß ich zu dir um Gnade fleh,
Stets meiner Schwachheit widersteh,
Und einstens in des Glaubens Macht
Mit Freuden ruf: Es ist vollbracht!

Der Ruf des Lebens, das du lebst,
Dein höchstes Ziel, nach dem du strebst,
Und deiner Tage Rechenschaft
Ist Tugend in des Glaubens Kraft.

Ihr alle seine Tage weihn,
Heißt eingedenk des Todes seyn;
Und wachsam in der Heiligung,
Ist wahre Todeserinnerung.

Wie oft vergeß ich diese Pflicht!
Herr, geh mit mir nicht ins Gericht;
Drück selbst des Todes Bild in mich,
Daß ich dir wandle würdiglich;

Beispiel 4. C. Ph. E. Bach, „Jehova herrscht“, Wq 196, Nr. 23/H 733, Nr. 23, *Herrn Doctor Cramers übersetzte Psalmen mit Melodien zum Singen bey dem Claviere*, Leipzig 1774.

Beispiel 4. C. Ph. E. Bach, „Jehova herrscht", Wq 196, Nr. 23/H 733, Nr. 23, *Herrn Doctor Cramers übersetzte Psalmen mit Melodien zum Singen bey dem Claviere,* Leipzig 1774.

er an Gleim: „Herrn Bachens Composition ist recht schön wie gewöhnlich. Doch ist Schade, daß sie nicht ohne Claviere kann gesungen werden.“[28].

Bachs 1774 veröffentlichte Vertonung des 93. Psalms nach Johann Andreas Cramer hat Krause nicht mehr erlebt.

Obwohl Carl Philipp Emanuel Bach nicht der einzige Komponist seiner Zeit war, der seine Lieder mit einer lebhaften und selbständigen Clavierbegleitung versah, hat er dennoch die Rolle des Sängers und der Clavierbegleitung am erfindungsreichsten verarbeitet. Die *empfindsame Weise* hing ebensoviel von einem besonderen Ambiente als von einem musikalischen Stil ab. Bachs Clavierlieder haben zu einer stilistischen Erweiterung des musikalischen Horizonts beigetragen und ahnten – wie seine Beiträge zu vielen anderen Genres – Entwicklungen des 19. Jahrhunderts voraus.

---

28 Brief vom 13. 3. 1759, Gleimhaus Nr. 2372.

II

Carl Philipp Emanuel Bach in seiner Zeit

Andreas Glöckner

Carl Philipp Emanuel Bach und Leipzig

Nach Leipzig kam Carl Philipp Emanuel Bach im Alter von neun Jahren, als sein Vater im Mai 1723 das Amt des Thomaskantors und „Director musices" übernommen hatte. Am 14. Juni 1723, drei Wochen nach der Übersiedlung von Köthen nach Leipzig, wurde er zusammen mit seinem älteren Bruder Wilhelm Friedemann in die Thomasschule aufgenommen[1] und erhielt hier eine fundierte Ausbildung. Die sächsische Handelsmetropole und Universitätsstadt bot dem jungen Carl Philipp Emanuel Bach vielfältige Anregungen in geistiger und vor allem in musikalischer Hinsicht. So hatte er, wie er Charles Burney im Jahre 1773 berichtete, schon in frühen Jahren „das besondre Glück ... in der Nähe das Vortreflichste von aller Art von Musik zu hören und sehr viele Bekanntschaften mit Meistern vom ersten Range zu machen, und zum Theil ihre Freundschaft zu erhalten." „In meiner Jugend" – so fährt er fort – „hatte ich diesen Vortheil schon in Leipzig, denn es reisete nicht leicht ein Meister in der Musik durch diesen Ort, ohne meinen Vater kennen zu lernen und sich vor ihm hören zu lassen. Die Grösse dieses meines Vaters in der Komposition, im Orgel und Clavierspielen, welche ihm eigen war, war viel zu bekannt, als daß ein Musikus vom Ansehen, die Gelegenheit, wenn es nur möglich war, hätte vorbey lassen sollen, diesen grossen Mann näher kennen zu lernen."[2] Leider lassen sich viele solcher Besuche von namhaften Musikern im Hause Bachs nicht sicher datieren beziehungsweise können nur indirekt belegt werden. In den Leipziger Jahren Carl Philipp Emanuel Bachs waren es nachweislich Johann Francisci[3], Johann Christian Hertel[4], Johann Caspar Vogler[5], Franz Benda[6] und Conrad Friedrich

1 *Bach-Dokumente,* hrg. vom Bach-Archiv Leipzig. Supplement zu: *Johann Sebastian Bach. Neue Ausgabe sämtlicher Werke,* Band II (fortan als *Dok II* abgekürzt): *Fremdschriftliche und gedruckte Dokumente zur Lebensgeschichte Johann Sebastian Bachs 1685–1750.* Vorgelegt und erläutert von W. Neumann und H.-J. Schulze, Leipzig, Kassel 1969, Nr. 149.

2 *Bach-Dokumente,* hrg. vom Bach-Archiv Leipzig. Supplement zu: *Johann Sebastian Bach. Neue Ausgabe sämtlicher Werke,* Band III (fortan als *Dok III* abgekürzt): *Dokumente zum Nachwirken Johann Sebastian Bachs 1750 bis 1800.* Vorgelegt und erläutert von H.-J. Schulze, Leipzig, Kassel 1969, Nr. 779.

3 *Dok II,* Nr. 469.

4 *Dok III,* Nr. 688.

5 *Dok II,* Nr. 266.

6 *Dok III,* Nr. 731.

Hurlebusch[7], die dem Thomaskantor ihre Aufwartung machten. Ohne Zweifel sind dies nur einige Namen eines viel umfangreicheren Musikerkreises, und nicht ohne Grund hat Carl Philipp Emanuel Bach die Wohnung seines Vaters rückblickend mit einem „Taubenhause u. deßen Lebhaftigkeit" verglichen[8].

Nach eigenen Aussagen wurde er nicht nur auf dem Clavier, sondern auch in der Komposition ausschließlich von seinem Vater unterwiesen. Für den Clavierunterricht dürften zunächst das *Clavier-Büchlein* für Wilhelm Friedemann Bach und die Inventionen als Literatur gedient haben. Später erarbeitete er sich den ersten Teil des *Wohltemperierten Claviers.* Eine 1732 entstandene eigenhändige Abschrift des Cis-Dur-Präludiums BWV 848/1[9] belegt seine Beschäftigung mit diesem wichtigen Lehr- und Studienwerk.

Offenbar im Zusammenhang mit dem Orgelunterricht bei seinem Vater steht auch eine von Carl Philipp Emanuel Bach um 1734 angefertigte Abschrift des sogenannten Pedal-Exercitiums BWV 598[10].

Vermutlich schon zu Beginn der Leipziger Zeit dürfte der zweitälteste Bach-Sohn, obwohl Externer, kein Alumne, als Chorist in der ersten oder zweiten Kantorei der Thomasschule mitgewirkt haben. Als Helfer bei der Herstellung von Aufführungsmaterialien und als Instrumentalist ist er dagegen erst seit dem Frühjahr 1729 nachweisbar, also mit Beginn des 16. Lebensjahrs. Spätestens im Jahre 1730 hatte er im Cembalospiel solche Fertigkeiten erworben, daß ihn der Vater für Figuralaufführungen in den beiden Hauptkirchen und Konzerte des Collegium musicum im Zimmermannschen Coffee-Hause mit heranziehen konnte. Auffälligerweise fertigte er seit 1730 bei Kopierarbeiten in erster Linie Continuostimmen an; 1732/33 erhielt er außerdem den Betrag von sechs Talern für das Stimmen des Cembalos in der Thomaskirche[11]. Als Continuoschreiber finden wir ihn beispielsweise in den Aufführungsmaterialien zur Kaffeekantate BWV 211[12], zu den Violinkonzerten a-Moll BWV 1041[13] und d-Moll BWV 1043[14] oder im

---

7 *Dok III,* Nr. 927.

8 *Dok III,* Nr. 803.

9 Nationale Forschungs- und Gedenkstätten Johann Sebastian Bach der DDR, Leipzig, Go. S. 3 (Sammlung Gorke).

10 Staatsbibliothek Preußischer Kulturbesitz, Berlin-West (fortan als SPK abgekürzt), Mus. ms. Bach P 491.

11 Stadtarchiv Leipzig, Rechnung Der Kirchen zu St Thomae in Leipzig Von Lichtmeße Anno 1732. bis Lichtmeße Anno 1733., S. 49.

12 Österreichische Nationalbibliothek Wien, SA. 67 B. 32.

13 SPK Mus. ms. Bach St 145.

14 Biblioteka Jagiellońska Kraków, Mus. ms. Bach St 148.

Stimmensatz zur g-Moll-Ouvertüre von Johann Bernhard Bach[15] – also in Musikalien, die zweifelsfrei für das Bachische Collegium musicum bestimmt waren.

Zum eigenen Vortrag für die abendlichen Veranstaltungen mit diesem Ensemble hat er sicherlich auch seine eigenen Konzerte für Cembalo und Streicher a-Moll und Es-Dur (Wq 1 und Wq 2) in den Jahren 1733 und 1734 beigesteuert. In diesem Zusammenhang gehört offenbar auch sein Versuch, das d-Moll-Violinkonzert des Vaters, also die Vorlage für das Konzert BWV 1052 (die Frage nach der Autorschaft des Werkes kann hier nicht diskutiert werden), auf das Cembalo zu übertragen. Von dieser Transkription sind allerdings nur die Streicherstimmen in einem spätestens 1734 von Carl Philipp Emanuel Bach selbst geschriebenen Aufführungsmaterial überliefert[16]. Die erhaltene Cembalostimme stammt hingegen wohl erst aus seiner Berliner Zeit. Sie ist allem Anschein nach – darauf weisen jedenfalls mehrere Korrekturen – eine Neufassung des erstmalig schon um 1734 von Carl Philipp Emanuel Bach transkribierten Cembaloparts. Carl Philipp Emanuel Bachs Mitwirkung im Bachischen Collegium musicum ist indirekt auch durch einen Brief Jacob von Stählins bezeugt. Am 20. Juli 1784 schrieb der Petersburger Historiker an seinen Sohn: „Ich bin entzückt von der Erinnerung des berühmten Emanuel Bach an unseren beinahe täglichen freundschaftlichen Umgang in Leipzig, wo ich bisweilen ein Solo oder ein Concert im Collegium Musicum seines seligen Vaters spielte."[17] Nicht zuletzt dürfte auch die auf Forkel zurückgehende Mitteilung, daß das Cembalokonzert BWV 1063 für das gemeinsame Musizieren von Johann Sebastian, Wilhelm Friedemann und Carl Philipp Emanuel Bach komponiert worden sei, um diesen eine Gelegenheit zu verschaffen, „sich in allen Arten des Vortrags auszubilden"[18], auf die Mitwirkung der Söhne im Collegium des Vaters hinweisen, bot sich doch dort die beste Gelegenheit, sie öffentlich vorzutragen.

Über die ungewöhnliche Art, wie Carl Philipp Emanuel Bach in seiner Jugend die Streichinstrumente (namentlich Violine und Viola) gespielt haben soll, berichtet uns Johann Friedrich Reichardt: „Bach's Orchestercompositionen zeugen überall von einigem Mangel an genauer Kenntniß in Behandlung der Instrumente, woran die verkehrte Art, mit der er, der von Natur links war, einige der ersteren in der Jugend getrieben hatte, wohl zum Theil

---

15 Deutsche Staatsbibliothek Berlin-DDR (fortan als DSB abgekürzt), Mus. ms. Bach St 320.

16 SPK Mus. ms. Bach St 350.

17 *Dok III,* Nr. 902, hier zitiert nach: *Johann Sebastian Bach. Leben und Werk in Dokumenten.* Als Taschenbuch zusammengestellt von H.-J. Schulze, Kassel etc. 1975, S. 21.

18 *Neue Bach-Ausgabe,* Serie VII, Band 6, Kritischer Bericht, S. 26.

Schuld sein mochte."[19] Offensichtlich führte der junge Bach den Geigenbogen mit der linken Hand, was zur Folge hatte, daß er Streicherpassagen stets aus der Perspektive einer seitenverkehrten Spieltechnik komponierte. Daß er unter der Leitung seines Vaters gelegentlich Violine, Viola beziehungsweise Violetta gespielt haben wird, bezeugen entsprechende Stimmenabschriften[20] von seiner Hand. Bei der Ausbildung auf diesen Instrumenten war sicherlich auch nur Johann Sebastian Bach sein einziger Lehrer.

In Zusammenarbeit mit dem älteren Bruder Wilhelm Friedemann, seiner Stiefmutter Anna Magdalena und mit Unterstützung von nahestehenden Schülern des Thomaskantors hatte er nicht selten Aufführungsmaterialien in „Familienarbeit" mit herzustellen. Dies ist beispielsweise bei den Originalstimmen[21] zur Missa von 1733 BWV 232[I] und bei der Begräbnismotette „Der Geist hilft unser Schwachheit auf" BWV 226[22] der Fall. Wurde ein Aufführungsmaterial kurzfristig benötigt, mußte der zweitälteste Bach-Sohn ebenfalls helfend eingreifen. Auf eine solche Situation lassen die Stimmen zur Pfingstkantate BWV 174 „Ich liebe den Höchsten von ganzem Gemüte" und die Partiturabschrift der apokryphen Lucas-Passion BWV 246 schließen. Bei dem letztgenannten Werk übertrug der Thomaskantor seinem Sohn die Weiterführung der Kopie, welche Carl Philipp Emanuel Bach offensichtlich in großer Eile zum Abschluß zu bringen hatte. Darauf deuten jedenfalls zahlreiche Flüchtigkeitsfehler und sonst unübliche Notationsweisen (wie der Verzicht auf das Ausschreiben wiederkehrender Ritornelle in den Arien). Bemerkenswerterweise ist er bei der Partiturabschrift nicht nur als Kopist, sondern anscheinend auch als Bearbeiter des fremden Werkes tätig gewesen. Dafür sprechen folgende Beobachtungen: Der von Johann Sebastian Bach geschriebene Kopftitel auf der ersten Partiturseite erweist sich als unvollständig, denn es fehlen die in der Partitur geforderten Querflöten, das Fagott, die Taille und die beiden Soprane. Der nach Abschluß der Partiturkopie von Carl Philipp Emanuel Bach geschriebene Titelumschlag enthält dagegen die vollständigen Besetzungsangaben. Dies deutet auf einen erst während der Partiturabschrift in Gang gesetzten Bearbeitungsprozeß,

---

19 *Johann Friedrich Reichardt. Sein Leben und seine musikalische Thätigkeit.* Dargestellt von H(ans) M(ichael) Schletterer, Augsburg 1865, S. 163.

20 Violetta in DSB Mus. ms. Bach St 44 (BWV 16), Viola certata I und II in DSB Mus. ms. Bach St 65 (BWV 213), Violino I, II, Viola in SPK Mus. ms. Bach St 57 (BWV 174), Violino II in DSB Mus. ms. Bach St 153 (BWV 1068), Violino II in Georg Friedrich Händel, Kantate „Armida abbandonata", Stimmen, Hessische Landes- und Hochschulbibliothek Darmstadt Mus. ms. 986; vgl. auch A. Glöckner, „Neuerkenntnisse zu Johann Sebastian Bachs Aufführungskalender zwischen 1729 und 1735", in: *Bach-Jahrbuch* 1981, S. 44 ff. und S. 70 ff.

21 Sächsische Landesbibliothek Dresden, Mus. 2405-D-21.

22 SPK Mus. ms. Bach St 121.

bei dem Arien uminstrumentiert beziehungsweise werkfremde Sätze eingefügt wurden. Bereits 1977 habe ich darauf hingewiesen, daß die Passion stilistisch außerordentlich heterogen ist[23]. Während der Evangelientext wohl schon im ersten Jahrzehnt des 18. Jahrhunderts vertont wurde, dürften die madrigalischen Teile des Werkes (Eingangschor, sechs Arien und ein Terzett) nicht wesentlich früher als zum Zeitpunkt der Bachschen Partiturkopie (also um 1730) entstanden sein. Man gewinnt jedenfalls den Eindruck, daß sie erst nachträglich in die schon wesentlich ältere fremde Passionsmusik eingefügt wurden. Im Hinblick auf den Autor jener neueingefügten Sätze stellt sich - wie schon erwähnt - die Frage, ob der junge Carl Philipp Emanuel Bach nicht nur als Kopist tätig war, sondern auch als Bearbeiter beziehungsweise als Komponist. Aus stilkritischer Sicht könnten einige Sätze, namentlich das Terzett „Weh und Schmerz in dem Gebären" und die Tenor-Arie „Laßt mich ihn noch einmal küssen" hypothetisch ihm zugeschrieben werden.

Im Hinblick auf seine Tätigkeit als Kopist ist auffallend, daß Carl Philipp Emanuel Bach - mit Ausnahme des schon erwähnten Aufführungsmaterials zum Cembalokonzert d-Moll BWV 1052a - von seinem Vater nie als sogenannter Hauptschreiber eingesetzt wird, sondern lediglich Einzelstimmen, vorwiegend Continuo-, Violin- und Violastimmen kopiert - also Stimmen, von denen wir annehmen können, daß er sie bei den Aufführungen selbst spielte. Anscheinend gab es im Thomaskantorat eine Festlegung, nach der man vornehmlich solche Alumnen mit Schreibarbeiten beauftragte, die sich als Instrumentalisten oder Vokalisten nur bedingt oder überhaupt nicht einsetzen ließen. Dies könnte jedenfalls erklären, warum Carl Philipp Emanuel Bach nur gelegentlich zum Notenkopieren herangezogen wurde. Im Aufführungsapparat seines Vaters wurde er in erster Linie als Spieler für Continuo, Violine und Viola gebraucht.

Am 1. Oktober 1731 nahm Carl Philipp Emanuel Bach das Studium der Rechtswissenschaften an der Leipziger Universität auf. Ob er tatsächlich den ernsthaften Vorsatz gefaßt hatte, eine juristische Laufbahn einzuschlagen, erscheint fraglich, zumal er sich kaum zwei Jahre später bereits um eine Organistenstelle in Naumburg bewarb. Seinem Taufpaten Georg Philipp Telemann folgend, der 30 Jahre zuvor ebenfalls in Leipzig ein Jurastudium aufgenommen hatte (es aber dann aufgab), entschied sich der junge Carl Philipp Emanuel Bach - seinen musikalischen Neigungen folgend - wohl auch sehr bald für den Musikerberuf.

Bereits in den Leipziger Jahren wird deutlich, was die beiden älteren

23 Vgl. A. Glöckner, „Johann Sebastian Bachs Aufführungen zeitgenössischer Passionsmusiken", in: *Bach-Jahrbuch* 1977, S. 91 ff., 108.

Söhne Wilhelm Friedemann und Carl Philipp Emanuel später einmal grundlegend voneinander unterscheiden sollte. Während sich der älteste Bach-Sohn von Anfang an verpflichtet sah – und wohl auch dahingehend erzogen wurde –, das kompositorische Erbe seines Vaters weiterzuführen, löste sich der jüngere Bruder ziemlich rasch vom väterlichen Einfluß und beschritt eigene Bahnen. Beobachten läßt sich dies an einer zunächst vielleicht nebensächlich erscheinenden Angelegenheit: Am 7. Juni 1733 verfaßte Johann Sebastian Bach im Namen seines ältesten Sohnes ein Schreiben an den Rat der Stadt Dresden, mit dem sich dieser erfolgreich um die vakante Organistenstelle an der Sophienkirche bewarb. Der Vater schrieb für Wilhelm Friedemann Bach nicht nur eigenhändig die Bewerbung, sondern gab diesem offensichtlich noch das Probestück mit auf den Weg in die sächsische Metropole. Allem Anschein nach waren es Präludium und Fuge G-Dur BWV 541, da sowohl für die autographe Reinschrift des Orgelwerkes[24] als auch für das Bewerbungsschreiben für Wilhelm Friedemann Papier mit gleichem Wasserzeichen benutzt wurde. Beide Handschriften fallen somit in zeitlich unmittelbare Nähe. In väterlicher Fürsorge schien Johann Sebastian Bach seinem ältesten Sohn alle Wege ebnen zu wollen. Ganz anders verlief eine Bewerbung Carl Philipp Emanuel Bachs um die Organistenstelle an der Wenzelskirche in Naumburg am 19. August des gleichen Jahres – also zwei Monate später. Das Bewerbungsschreiben an den Rat der Stadt stammt nicht wie im Falle der Bewerbung Wilhelm Friedemann Bachs von der Hand des Vaters, sondern wurde von Carl Philipp Emanuel Bach in einer eigenhändigen Kalligraphie niedergeschrieben, und dieser Sachverhalt könnte die Vermutung rechtfertigen, daß auch das Probestück von ihm selbst verfaßt worden war, denn immerhin lagen 1733 bereits einige durchaus eigenständige und keineswegs unbedeutende eigene Kompositionen vor.

Carl Philipp Emanuel Bachs Leipziger Werke

Es ist auffallend, daß wir von Carl Philipp Emanuel Bachs Leipziger Werken keine autographen Erstschriften besitzen; diese sind – mit Ausnahme der Ende 1731 bis Anfang 1732 erfolgten Eintragungen Carl Philipp Emanuel Bachs in das zweite Notenbüchlein für Anna Magdalena Bach – verschollen oder wurden vom Komponisten – wie noch zu erwähnen ist – offenbar kurz vor seinem Tode vernichtet.

Die Autographen zu den Triosonaten Wq 143 und Wq 145–147[25] sowie

---

24 SPK N. Mus. ms. 378.

25 In SPK Mus. ms. Bach P 357; das Wasserzeichen in dieser Handschrift, gekrönter Adler

die Autographen zu den Klaviersonaten Wq 65, 2[26] und Wq 65, 4[27] lassen anhand von Wasserzeichen und Schrift eindeutig erkennen, daß sie erst Mitte der 40er Jahre entstanden sind. Sie bieten zudem eine stark veränderte Lesart der ursprünglichen Fassungen[28]. Nicht mehr nachprüfbar ist dies hinsichtlich der Partitur-Autographen zu den Cembalokonzerten Wq 1 und Wq 2, da die ehedem in der Bibliothek der Berliner Singakademie aufbewahrten Quellen durch Kriegseinwirkungen vernichtet wurden. Es liegt aber nahe anzunehmen, daß diese hier nicht in den Erstschriften von 1733 beziehungsweise 1734 existierten, sondern in der Niederschrift der Neufassungen von 1743 beziehungsweise 1744. Auch der von Johann Sebastian Bach und Carl Philipp Emanuel Bach um 1746 geschriebene Stimmensatz zum Cembalokonzert a-Moll Wq 1 (St 495) überliefert das Werk nicht in seiner Erstfassung von 1733, sondern in der überarbeiteten Gestalt aus dem Jahre 1744. (Ich verweise in diesem Zusammenhang auf die Ausführungen von Hans Joachim Marx in der jüngsten Ausgabe der *Musikforschung*[29].) Die von Marx identifizierte Handschrift ist darüber hinaus ein wichtiger Beleg für einen der Besuche Carl Philipp Emanuel Bachs in Leipzig, die auch in einer Mitteilung des ehemaligen Thomasschülers Johann Friedrich Wilhelm Sonnenkalb Erwähnung finden. 1759 berichtet dieser in Marpurgs Historisch-Kritischen Beiträgen zur Aufnahme der Musik über Konzerte der Jahre ab 1746 im Hause Johann Sebastian Bachs in Anwesenheit der Söhne Wilhelm Friedemann und Carl Philipp Emanuel: Es wurde dort „öfters Concert gehalten, wo ich denn auch den Herrn Bach in Berlin [also Carl Philipp Emanuel], und den andern Herrn Bruder in Halle [Wilhelm Friedemann], welche in Leipzig zum Besuch waren, ... mehr als einmal habe spielen hören“[30].

Wie das Werkverzeichnis erkennen läßt, hat Carl Philipp Emanuel Bach alle seine Leipziger Werke nachträglich einer tiefgreifenden Überarbeitung unterzogen. Diese Neufassungen sind durchweg in der Berliner Zeit entstanden und stammen aus den Jahren 1744 bis 1747. Als eine klare Distanzierung von den Erstfassungen seiner Frühwerke könnte die folgende Passage aus einem Brief an den Braunschweiger Literaturprofessor Johann Joa-

---

mit „Z“ (Zittau) auf der Brust, befindet sich auch im Autograph zum Cembalokonzert Wq 18 (1745) in DSB, Mus. ms. Bach P 352.

26 Biblioteka Jagiellońska Kraków, in Mus. ms. Bach P 771.

27 SPK Mus. ms. Bach P 746.

28 Vgl. dazu vor allem D. M. Berg, „Carl Philipp Emanuel Bachs Umarbeitungen seiner Claviersonaten“, in: *Bach-Jahrbuch* 1988, S. 123 ff. sowie W. Horn, *Carl Philipp Emanuel Bachs frühe Klaviersonaten,* Hamburg 1988.

29 H. J. Marx, „Wiederaufgefundene Autographe von Carl Philipp Emanuel und Johann Sebastian Bach“, in: *Die Musikforschung* 41 (1988), Heft 2, S. 150 ff.

30 *Dok III,* Nr. 703.

chim Eschenburg vom 21. Januar 1786 verstanden werden: „Ich vergleiche mich gar nicht mit Händeln, doch habe ich vor kurzem ein Ries u. mehr alte Arbeiten von mir verbrannt u. freue mich, daß sie nicht mehr sind“[31]. Trotz solcher Maßnahmen konnte Carl Philipp Emanuel Bach nicht verhindern, daß einige seiner Jugendwerke in ihrer ursprünglichen Gestalt abschriftlich tradiert wurden, wie das Beispiel der d-Moll-Triosonate Wq 145 zeigt. Eine Kopie aus den 30er Jahren des 18. Jahrhunderts[32] überliefert das Werk in seiner Leipziger Fassung von 1731. (Daß Max Seiffert die in der vorliegenden Quelle lediglich „Mons. Bach“ zugeschriebene Komposition 1904 unter Johann Sebastian Bachs Namen veröffentlichte, sei hier nur am Rande vermerkt.) Ein Vergleich der Frühfassung des Werkes mit seiner Neufassung von 1747[33] zeigt ziemlich klar, wie Carl Philipp Emanuel Bach in späteren Jahren versucht, alles traditionell wirkende, alles das, was noch unmittelbar an den Kompositionsstil des Vaters erinnert, umzugestalten beziehungsweise zu eliminieren. Der altertümlich anmutende Adagio-Kopfsatz wird vollständig fallengelassen. Das kontrapunktisch geführte und deutlich an die letzte Tenorarie des Weihnachtsoratoriums BWV 248 (oder genauer gesagt an deren Parodievorlage[34]) angelehnte Thema des zweiten Satzes erfährt eine gravierende Veränderung, die das Arienvorbild kaum noch erkennen läßt. In dieser Verfahrensweise offenbaren sich sehr klar die künstlerischen Intentionen des zweitältesten Bach-Sohnes: Nur durch ein weitgehendes Lösen von der Tonsprache des Vaters gelang es ihm, einen autonomen Kompositionsstil zu finden. In diesem Sinne haben sich die älteren Bach-Söhne, Wilhelm Friedemann und Carl Philipp Emanuel, auch gegenüber Johann Nicolaus Forkel geäußert, indem sie betonten, sie hätten „nothwendig eine eigene Art von Styl wählen müssen, weil sie ihren Vater in dem seinigen doch nie erreicht haben würden“[35].

Sein Bestreben, sich aus der Einflußsphäre des Vaters zu lösen, und der Wunsch, musikalisch etwas Eigenständiges zu initiieren, mögen Carl Philipp Emanuel Bach bewogen haben, Leipzig im Spätsommer 1734 zu verlassen. Bach blieb jedoch mit der Stadt weiterhin eng verbunden. Mehrfach weilte er hier zu Besuch bei seinem Vater. In späteren Jahren wurden nicht wenige seiner Kompositionen in der Messestadt gedruckt beziehungsweise verlegt. Schon 1731 hatte Carl Philipp Emanuel Bach in Leipzig sein erstes Opus, das *Menuet pour le Clavessin* Wq 111 in Kupfer gestochen. Später

31 *Dok III,* Nr. 908.
32 Musikbibliothek der Stadt Leipzig, MP Ms 9.
33 In SPK Mus. ms. Bach P 357.
34 BWV 248 a, Satz 6.
35 J. N. Forkel, *Über Johann Sebastian Bachs Leben, Kunst und Kunstwerke,* Leipzig 1802, S. 44.

ließ er hier u. a. die *Clavier-Sonaten und freyen Fantasien nebst einigen Rondos für Fortepiano für Kenner und Liebhaber* und *Herrn Doctor Cramers übersetzte Psalmen mit Melodien* drucken. Somit ergaben sich vielfältige Verbindungen zu den Leipziger Verlagshäusern. Besonders enge Kontakte pflegte er zu Johann Gottlob Immanuel Breitkopf, mit dem er eine sehr rege Korrespondenz unterhielt. Noch heute sind über 180 eigenhändige Briefe an den Leipziger Verleger erhalten[36].

Breitkopf war denn auch in besonderem Maße an der Drucklegung beziehungsweise am handschriftlichen Vertrieb der Werke Carl Philipp Emanuel Bachs beteiligt. Die thematischen und nichtthematischen Verzeichnisse der gedruckten und ungedruckten Musikalien des Leipziger Verlagshauses enthalten ein relativ umfangreiches Angebot an Kompositionen des zweitältesten Bach-Sohnes. Als Druckausgabe bei Johann Gottlob Immanuel Breitkopf erschienen von Carl Philipp Emanuel Bach u. a. die *Oden mit Melodien* Wq 199, das Oratorium nach einem Text von Carl Wilhelm Ramler *Auferstehung und Himmelfahrt Jesu* Wq 240 und das doppelchörige *Heilig* Wq 217. In einem Brief vom 16. September 1778 an den Verleger kommentierte der Komponist das letztgenannte Werk folgendermaßen: „dieses Heilig ist ein Versuch, durch ganz natürliche und gewöhnliche harmonische Fortschreitungen eine weit stärkere Aufmerksamkeit und Empfindung zu erregen, als man mit aller ängstlichen Chromatik nicht im Stande ist zu thun. Es soll mein Schwanen Lied, von dieser Art, seyn, und dazu dienen, daß man meiner nach meinem Tode nicht zu bald vergeßen möge."[37] Über den befreundeten Verleger unterstützte Carl Philipp Emanuel Bach auch seine verwitwete Halbschwester Elisabeth Juliana Friderice Altnickol. Nicht zuletzt verlegte Breitkopf in den Jahren 1784 bis 1787 die von Johann Philipp Kirnberger und Carl Philipp Emanuel Bach besorgte Ausgabe der vierstimmigen Choralgesänge Johann Sebastian Bachs.

Mindestens zweimal unternahm Carl Philipp Emanuel Bach den Versuch, an die Wirkungsstätte seines Vaters zurückzukehren. Im Protokoll des sogenannten Engen Rates vom 7. August 1750 finden wir ihn unter den Bewerbern um die vakante Stelle im Thomaskantorat. Der Leipziger Rat entschied sich jedoch für den Dresdner Kapellmeister Gottlob Harrer. Bemerkenswert im Zusammenhang mit Bachs Bewerbung um die Nachfolge für seinen Vater ist der bereits erwähnte Bericht von Johann Friedrich Wilhelm Sonnenkalb, in dem der ehemalige Thomasschüler des weiteren anführt: „ich erinnere mich auch immer noch mit Vergnügen des prächtigen und

36 Hessische Landes- und Hochschulbibliothek Darmstadt.

37 *Briefe von Carl Philipp Emanuel Bach an Johann Gottlob Immanuel Breitkopf und Johann Nicolaus Forkel,* hrg. und kommentiert von E. Suchalla, Tutzing 1985, S. 85.

vortreflichen Magnificats, welches der Herr Bach in Berlin zu meiner Zeit in der sogenannten Thomaskirche an einem Marienfeste aufführte, ob solches gleich noch zu den Lebzeiten des nunmehro seeligen Herrn Vaters war“[38]. Für Sonnenkalbs Mitteilungen erscheinen zwei Erklärungen möglich: Entweder hatte Carl Philipp Emanuel Bach kurz vor dem Tode seines Vaters als dessen Substitut die Leitung der Figuralmusik in den beiden Hauptkirchen übernommen, oder das erwähnte Magnificat (Wq 215) war das Probestück im Zusammenhang mit seiner Bewerbung um das Thomaskantorat im Jahre 1750. Es kann hierbei nicht übersehen werden, daß die Komposition typische Merkmale einer Probemusik aufweist und man gewinnt den Eindruck, daß ihr Verfasser zeigen möchte, in allen Kompositionsstilen habil zu sein. Wie souverän er beispielsweise die kontrapunktische Satztechnik seines Vaters beherrscht, demonstriert er in einer 246 Takte langen Fuge über den Text „Sicut erat in principio“. Die Aufführung seines Magnificats in der Leipziger Thomaskirche fand offenbar an einem Marienfest des Jahres 1750 (2. Februar, 25. März oder 2. Juli statt). Wie ernst es dem zweitältesten Bach-Sohn mit seiner Rückkehr nach Leipzig war, bezeugt die Tatsache, daß er sich nach dem Tode von Gottlob Harrer, im Juli des Jahres 1755 erneut um das Thomaskantorat in Leipzig bewarb. Trotz eines Empfehlungsschreibens, welches sein Taufpate Georg Philipp Telemann an den Rat gesendet hatte, blieb auch dieser zweite Bewerbungsversuch erfolglos.

---

38 *Dok III,* Nr. 703.

Christoph Wolff

Carl Philipp Emanuel Bach und Wien. Zum Kontext der Orchester-Sinfonien mit zwölf obligaten Stimmen

Das Thema „Carl Philipp Emanuel Bach und Wien“ impliziert eine musikhistoriographisch wichtige Frage, die nach zwei Richtungen hin zu stellen wäre, die sich aber – jedenfalls nach dem gegenwärtigen Forschungsstand – kaum wirklich hinreichend beantworten läßt: Welcher Art und von welch erkennbarer Auswirkung sind die Beziehungen zwischen Bach und Wien sowie umgekehrt zwischen Wien und Bach?

Daß diese Frage so eindeutig auf Carl Philipp Emanuel Bach zugespitzt ist und sich nicht etwa verallgemeinernd durch „Hamburg und Wien“ substituieren ließe, liegt nun an nichts anderem als an der – zumindest im musikalischen Bereich festzustellenden– Imkompatibilität der Orte bzw. Regionen. Die bürgerliche Musikkultur Hamburgs wurde in der zweiten Hälfte des 18. Jahrhunderts nach dem Tode Telemanns von dessen Nachfolger Bach als dem ranghöchsten, aktivsten und produktivisten Musiker der Stadt nahezu uneingeschränkt beherrscht und bot damit einen kaum zu überbietenden Gegensatz zu der von der Aristokratie geprägten Kaiserstadt Wien und deren Umfeld. Charles Burney vermerkt in seinem Tagebuch: „Hamburg besitzt gegenwärtig außer dem Herrn Kapellmeister Bach keinen hervorragenden Tonkünstler, dagegen aber gilt dieser auch für eine Legion.“[1] Und wenn 1789 in Cramers Magazin über Hamburgs Musikleben zu lesen steht: „Die besten und frequentesten Concerte hatte ehemals der große Bach“[2], so erscheint dies nur symptomatisch, und zwar sowohl im Blick auf die Rolle des öffentlichen Konzerts als auch in bezug auf die dominierende Figur Bachs.

Hingegen wäre über die außerordentlich facettenreiche – Theater, Kirche und Kammer auf den verschiedensten Ebenen einschließende – Wiener Mu-

---

1 Ch. Burney, *Tagebuch einer musikalischen Reise,* Bd. III, Hamburg 1773, Neuausgabe, hrg. von E. Klemm, Leipzig 1968, S. 443.

2 Zit. nach Ottenberg (Anm. 4), S. 159.

sikszene kein vergleichbar lapidarer Eindruck zu gewinnen gewesen. Das breite Spektrum der musikalischen Institutionen (gestützt vom Hof über den höheren und niederen Adel bis hin zur berufsständischen Tonkünstler-Societät) sowie eine Vielzahl individueller Mäzene, Impresarios, und vor allem Musikern österreichischer, deutscher, böhmischer, ungarischer, italienischer und sonstiger Provenienz machten sich im Auf und Ab der Erfolge und Mißerfolge gegenseitig Konkurrenz, dies zugleich aber auch mit einem notwendigerweise stimulierendem Effekt für die Gesamtwentwicklung.

Die unterschiedlichen Bedingungen gerade auch in der Sozialstruktur des Musiklebens dürfen nicht außer Acht bleiben, wenn es um das Verhältnis des Hamburger Bach zur Wiener Szene des späteren 18. Jahrhunderts gehen soll, selbst wenn man diese insbesondere auf den engeren Umkreis von Haydn und Mozart beschränkte. Doch nicht daß Haydn (der zwar erst ab 1790 in Wien lebte, aber bereits lange zuvor sich mehr als partiell nach Wien orientierte) oder Mozart in Wien eine Emanuel Bach ähnliche Rolle eingenommen hätten. Nicht einmal der kaiserliche Hofkapellmeister Antonio Salieri ließe sich zum Vergleich anführen, da Hamburg seinerzeit keinen regulären Opernbetrieb besaß. Indessen repräsentieren Haydn (18 Jahre jünger als Bach) und Mozart (wiederum 24 Jahre jünger als Haydn) trotz des Generationenunterschieds gemeinsam die entscheidenden Eckpfeiler dessen, was unter dem Zentralbegriff „Wiener Klassik" den musikgeschichtlichen Ausklang des 18. Jahrhunderts und den Beginn eines neuen Zeitalters einläutete, an dessen Gestaltung die Musik C. Ph. E. Bachs letztlich keinen direkten Anteil mehr hatte.

Nun soll das Thema „Carl Philipp Emanuel Bach und Wien" nicht etwa auf eine allgemeine historiographische Diskussion von Bachs Verhältnis zum sogenannten „klassischen Stil" ausgedehnt werden. Dies ließe sich auch kaum sinnvoll tun, ohne nicht – wollte man über die Erkenntnisse insbesondere von Ernst Fritz Schmid[3] und Hans Günter Ottenberg[4] hinausgelangen – den Beziehungskreis deutlich zu erweitern, zu vertiefen und die Musik vor allem etwa von Hasse, Carl Heinrich Graun, Gluck und nicht zuletzt Johann Christian Bach mit einzubeziehen. Vielmehr möchte ich im Rahmen der Erörterung des Problemkreises „Carl Philipp Emanuel Bach in seiner Zeit" einige vordringlich auf die Frage der wechselseitigen Beziehungen zu Haydn und Mozart gerichtete Beobachtungen anstellen, und zwar in erster Linie mit dem Blick auf die Symphonik als einem für die Kompositions- und Gattungsgeschichte in der zweiten Hälfte des 18. Jahrhunderts besonders charakteristischen und herausragenden Phänomen. Der Blick auf

---

3 *Carl Philipp Emanuel Bach und seine Kammermusik,* Kassel 1931.
4 *Carl Philipp Emanuel Bach,* Leipzig 2/1986.

die Symphonik gilt zwar weniger der Gattung als solcher, sondern vielmehr einer eher abstrakten und gleichwohl entscheidenden satztechnischen Komponente: dem Orchestersatz, seiner Funktion und Faktur.

I

Als Ausgangspunkt dient C. Ph. E. Bachs letztes und reifstes symphonisches Werk, die im Alter von 62 Jahren geschriebenen vier *Orchester-Sinfonien mit zwölf obligaten Stimmen* (Wq 183), deren autographe Partitur Bach dann merkwürdigerweise gerade an den Ort beförderte, der dank Haydns, Mozarts und später Beethovens und Schuberts Wirken die eigentliche Heimat der klassischen Symphonie genannt werden kann. Es kann hier allerdings nicht darum gehen, in eine detaillierte gattungsgeschichtliche und analytische Diskussion einzutreten.[5] Und um es gleich vorweg zu sagen: ich beabsichtige nicht etwa, einen geraden Beziehungsstrang von Bachs zu Mozarts Sinfonien zu ziehen. Vielmehr soll eine Reihe von Aspekten zur Sprache kommen, die sich in den engeren Kontext der 12-stimmigen Sinfonien einfügen.

Als Emanuel Bach vom Winter 1775 bis zum Sommer 1776 seine vier letzten Sinfonien schrieb[6], schloß er sich zwar in deren Form und Gestaltung wesentlich an seine früheren Werke derselben Gattung an (zumal an die 1773 veröffentlichten sechs *Streichersinfonien* Wq 182), setzte sich jedoch an die Spitze einer sich bis dahin nur partiell abzeichnenden Tendenz, nämlich die Symphonie zu einer spezifisch orchestralen Gattung werden zu lassen und sie zugleich den Prinzipien einer strengen kompositorischen Durchbildung der Gesamtpartitur ohne Rücksichtnahme auf spieltechnische Anforderungen zu unterwerfen. Und als Bachs zwölf-stimmige Sinfonien 1780 bei Schwickert in Leipzig (mit Widmung an den preußischen Prinzen Friedrich Wilhelm) im Druck erschienen[7], konnte schon aufgrund der Reputation des Autors ihre Signalwirkung kaum verborgen bleiben. Auch Bach selbst war sich offensichtlich durchaus im Klaren über den Stellenwert, wenn er am 30. November 1778 an Breitkopf schreibt: „ich habe

5 Vgl. hierzu allgemein E. Suchalla, *Die Orchestersinfonien Carl Philipp Emanuel Bachs nebst einem thematischen Verzeichnis seiner Orchesterwerke,* Diss. Mainz 1968.

6 Staatsbibliothek Preußischer Kulturbesitz Berlin/West, Signatur: Mus. ms. Bach P 350. Original Daten am Schluß der 2. Sinfonie („Ende. / d. 11. Nov. 1775.“) und der 4. Sinfonie („Fine / d. 12. Juni / 1776.“).

7 *Orchester-Sinfonien / mit / zwölf obligaten Stimmen / 2 Hörnern, 2 Flöten, 2 Hoboen, 2 Violinen / Bratsche, Violoncell, Fagott, Flügel und Violon / Seiner Königlichen Hoheit, / Friedrich Wilhelm, / Prinzen von Preussen, / unterthänigst gewidmet / von / Carl Philipp Emanuel Bach, / Capellmeister und Musikdirektor in Hamburg. / Leipzig, / im Schwickertschen Verlage. / 1780.*

vorm Jahre 4 große Orchester Sinfonien mit 12 obligaten Stimmen gemacht. Es ist das größte in der Art, was ich gemacht habe. Weiter etwas davon zu sagen, leidet meine Bescheidenheit nicht."[8]

Die erforderliche große Besetzung des Orchesters (ganz abgesehen von den ausdrücklich verlangten sieben Bläsern) war ein besonderes Charakteristikum der Stücke, wie auch eine Ende 1780 im *Hamburgischen Correspondenten* erschienene Annonce des Stimmendruckes zeigt: „Eben das Neue und Originale, was man in allen Bachischen Compositionen so sehr bewundert, trifft man auch in diesen Sinfonien an, die einen unbeschreiblichen Effect machen, wenn sie gehörig besetzt und gut ausgeführt werden. Wir haben sie vor einiger Zeit von einem Orchester, das aus einigen 40 Personen bestand, und vom Herrn Capellmeister selbst angeführt ward, gehört. Jede Sinfonie ward zweymal gespielt, und nie vergessen wir den Eindruck, den diese Musik auf uns machte."[9]

Darüber, daß dieses Bachsche Sinfonien-Opus trotz seines ungewöhnlich hohen technischen Anspruches eine relativ weite Verbreitung verfuhr, kann kein Zweifel herrschen. Der heutige Fundort von Exemplaren des Schwikkertschen Druckes gibt denn auch nur ein äußerst oberflächliches Bild. Immerhin deuten die vorhandenen Exemplare in den von Hamburg aus gesehen südlicheren Gebieten (aufgrund der lückenhaften RISM-Informationen[10]) in Paris und Straßburg, im Tiroler Kloster Stams, in der Thurn und Taxis-Sammlung zu Regensburg oder der Estense-Bibliothek zu Modena auf eine weit überregionale Streuung. Zwar ist Wien nicht dabei, doch gehörten dort 1780 neben den Baronen Braun, Ditmar und van Swieten der Verleger Artaria zu den regelmäßigen Abnehmern Bachscher Werke; van Swieten und Artaria übernahmen von den Bachschen Veröffentlichungen regelmäßig mindestens 6 bis 12 Exemplare[11]. So läßt sich schlicht voraussetzen, daß die Druckausgabe der Orchester-Sinfonien ihren Weg auch nach Wien fand und dann wohl auch dort zur Aufführung gebracht wurde. In-

8 *Briefe von Carl Philipp Emanuel Bach an Johann Gottlob Immanuel Breitkopf und Johann Nikolaus Forkel*, hrsg. und kommentiert von E. Suchalla (= Mainzer Studien zur Musikwissenschaft, Bd. 19), Tutzing 1985, Nr. 66.

9 Zit. nach Briefe (Suchalla), S. 415.

10 RISM 1/I/1, Nr. B 55.

11 Vgl. Briefe (Suchalla), S. 341. – Artaria annoncierte übrigens den Druck von Haydns Sinfonien Nr. 79–81 von 1784 zusammen mit der Ausgabe von C. Ph. E. Bachs Klopstock-Ode „Morgengesang" (vgl. Hob.-Verzeichnis, Bd. 1, Nr. 79). – Verbreitung und Stellenwert der Bachschen Sinfonien kommt nicht zuletzt auch darin zum Ausdruck, daß der Leipziger Verlag Breitkopf & Härtel 1801 – also im Jahr des Erstdrucks von Beethovens Erster Symphonie – einen Nachdruck der Schwicker-Ausgabe von 1780 veranstaltete.

wieweit freilich das Bachsche Opus wirklich zur Kenntnis genommen wurde, bleibt ganz und gar ungewiß.

Zur behutsamen Spekulation verleitet allerdings das Partiturautograph (heute in der Staatsbibliothek Preußischer Kulturbesitz Berlin/West unter der Signatur *Mus. ms. Bach P 350*)[12] aus der Sammlung Poelchau. Nach einer eigenhändigen Notiz Georg Poelchaus auf dem Titelblatt hatte dieser die Handschrift 1818 als „Geschenk des Herrn Abts Stadler in Wien" erhalten. Nun wäre es verlockend anzunehmen, daß Abbé Maximilian Stadler, der als alter Freund der Familie Mozart nach 1796 Konstanze und und Georg Nikolaus Nissen beim Sichten und Ordnen des Mozartschen Nachlasses sachkundige Hilfstellung bot[13], eben dort wie nachweislich einige wichtigere Materialien (darunter ein Teilstück des Mozartschen Requiem-Autographs) auch die Orchester-Sinfonien von Emanuel Bach erhalten habe. Völlig ausschließen läßt sich dies durchaus nicht, wenn man zuvor annehmen wollte, Mozart selbst habe die Partitur von van Swieten als vermutlichem Zwischenbesitzer geschenkt bekommen (vielleicht im Zusammenhang mit der noch zu diskutierenden Wiener Aufführung von Bachs Ortorium *Auferstehung und Himmelfahrt Jesu* im Jahre 1789). Nähere Anhaltspunkte gibt es dafür nicht. Abbé Stadler könnte die Partitur 1803 bei der Versteigerung der Swietenschen Bibliothek[14] erworben haben, falls er sie nicht schon vorher geschenkt bekommen hatte. Denn der Abbé war mit dem Baron bestens bekannt und führte nach seinem autobiographischen Aufzeichnungen bei dem Präfekten der kaiserlichen Hofbibliothek in den 1780er und 1790er Jahren manche an Musik, Literatur und Jagd interessierte Persönlichkeit ein[15].

Wie bekannt bestand zwischen van Swieten und Bach eine enge Beziehung, die sich vor allem auf die überaus große Wertschätzung der musikalischen Autorität Emanuels durch van Swieten gründete, die bei ihm mindestens in den 1780er Jahren noch mehr zählte als diejenige Haydns. Van Swieten hatte noch zu seiner Berliner Zeit die 1773 entstandenen und hernach gedruckten *Sei Sinfonie* für Streicher bei Bach bestellt. Dem Hamburger Komponisten mußte daran gelegen sein, daß der nach Wien zurückgekehrte einflußreiche Baron, dem er auch seine 1781 veröffentlichte dritte

---

12 Siehe oben Anm. 3; gelangte 1841 mit der Sammlung Georg Poelchaus in die Königliche Bibliothek Berlin.

13 Vgl. Ludwig Finscher, „Maximilian Stadler und Mozarts Nachlaß", in: *Mozart-Jb.* 1960/61, S. 168–172.

14 Vgl. A. Holschneider, „Die musikalische Bibliothek Gottfried van Swietens", in: *Kongreß-Bericht Kassel 1962,* S. 175.

15 Vgl. G. Croll, „Eine zweite, fast vergessene Selbstbiographie von Abbé Stadler", in: *Mozart-Jb.* 1964, S. 172–184.

Folge der *Clavier-Sonaten für Kenner und Liebhaber* widmete, sein neuestes und größtes symphonisches Opus kennenlernte. Und da er selbst die Partitur des zum Druck beförderten Werkes kaum mehr benötigte, konnte er ihr eine für ihn nunmehr wichtigere Funktion übertragen. Hatte doch eine Rezension des Stimmendruckes bei Crusius *(Allgemeines Bücher Verzeichnis)* 1780 vermerkt: „Es ist eine mühselige Arbeit, vielstimmige Stücke aus einzelnen Partien zu studiren, um das Ganze daraus zu beurtheilen. Man muß durchgehends die Einbildungskraft in der äußersten Spannung erhalten, wenn man das einigermaßen ergänzen will, was man nicht übersehen kann: und dann analysirt man, anstatt zu empfinden, woraus kein sicheres Urtheil entstehen kann. Unterdeßen, wenn man diese Symphonien auch blos nach der Oberstimme beurtheilen wollte, so würde man das Originalgenie des großen Meisters nicht verkennen."[16] Zum Erweis dessen, worauf es Bach bei den neuen Sinfonien ankam, konnte schließlich kein besseres Dokument als die Partitutr selbst herhalten, zumal er wußte, daß Wien in keinem Fall eine falsche Adresse sein konnte.

Bis etwa zum Beginn des letzten Viertels des 18. Jahrhunderts war große Orchesterbesetzung außerhalb des Bereichs von Oper und Oratorium und schon gar für reine Instrumentalmusik noch durchaus ungewöhnlich, allerdings deutlich im Vormarsch gerade auch in dem nicht von den normalerweise kleinen Hofkapellen abgedeckten Bereich. Daß hin und wieder Zahlen genannt werden („einige 40" Spieler der oben erwähnten Hamburger Aufführung unter Bach bilden überdies noch keinen besonders großen Apparat), deutet eben auf die erwähnenswerte Ausnahme. Dies gilt auch noch beispielsweise für Mozarts erstes Darbieten einer Sinfonie in Wien 1781 (es handelte sich um KV 338) mit einer doppelt so großen Besetzung von ca. 80 Spielern, die er seinem Vater gegenüber ausdrücklich anführt[17]. Die Standard-Bläserbesetzung – wiederum von Ausnahmen abgesehen – beschränkte sich vor allem bei gedruckten Sinfonien normalerweise auf 2 Oboen- und 2 Horn-Stimmen. Dies gilt selbst auch für Haydns symphonische Produktion bis um 1782, als mit den drei Sinfonien Nr. 76–78 eine Bestückung von sechs Bläsern (1 Flöte, 2 Oboen, 2 Hörner und Fagott) zur neuen Norm wird.

Bloße Besetzungsstatistiken besagen freilich nichts über die musikalische Relevanz der verlangten Instrumente. Hier wäre insbesondere anzumerken, daß sich Bachs Instrumentation ganz grundsätzlich von der in Wien und darüber hinaus üblichen, wesentlich auf Harmoniestützung und dynami-

---

16 Zit. Briefe (Suchalla), S. 378.

17 *Mozarts Briefe und Aufzeichnungen,* hrg. von W. A. Bauer und O. E. Deutsch, Bd. 3, Kassel 1963, S. 106.

sche Differenzierung zielende Praxis unterscheidet. Obligate Bläserführung ist (abgesehen etwa von Menuett-Trioabschnitten und vergleichbaren Sonderfällen) durchaus unüblich, insbesondere aber deren Integration in den Sonatenprozeß, der sich als solcher und speziell hinsichtlich seiner harmonisch-melodischen Kontinuität ebenfalls gravierend von der Bachschen Konzeption unterscheidet. Einige knappe Bemerkungen mögen zwei entscheidende Punkte erläutern:

(1) In seiner Themenwahl speziell für die Ecksätze (die langsamen Sätze sind ohnehin mehr im Sinne von überleitenden Episoden konzipiert) bemüht sich Bach anders als in den früheren Streichersinfonien deutlich um orchester-effektives Material, wirkungsvolle Tutti-Themen.

Er scheut sich dabei auch nicht, konventionell und vielfach erprobte Tuttimotiv-Modelle einzubringen – allerdings, wie es im 1. Satz der Sinfonie D-Dur, Wq 183/1 (Allegro di molto) geschieht, um sie umzudeuten und auch in thematisch-motivische Arbeit einzubeziehen. Greifen wir eine sequenzierende Passage heraus, in der die beiden Diskant-Bläserpaare (Flöten und Oboen) alternierend synkopierte Reperkusionstöne bringen.

(2) Diese „Allerweltsfigur“[18] isoliert Bach und verleiht ihr für den gesamten 1. Satz quasi-thematische Funktion. Zunächst als exponierter einzelner Reperkussionston in der 1. Violine, dessen Synkopierung in Augmentation (Ganze, Halbe) beginnt und in Diminution (Viertel, Achtel) endet. Hinzu tritt ein bizarr-dreiklangsmäßiger Kontrapunkt mit asymmetrischen Phrasenlängen. Dieser Komplex wird auf insgesamt drei Stufen (D, h, G) präsentiert.

18 Üblicherweise als Begleitfigur und nicht thematisch auftretend; so auch bei Mozart etwa in den ersten Sätzen der Sinfonien KV 183 und 504 oder auch im Klavierkonzert KV 466.

Der nächste Abschnitt führt nach den Streichern das Tutti ein und chromatisiert die Reperkussionsfigur, bei simultaner Darbietung in Augmentation (Flöten, Oboen) und Diminution (1. Violinen).

Eine zunehmend obligate Behandlung des gesamten Satzes setzt im folgenden Abschnitt ein. Der Dreiklangskontrapunkt wird fragmentiert und, als Sechszehntelkette diminuiert, über die Partitur verteilt; Oboen und Hörner skandieren die Reperkussionsfigur in der Mittellage.

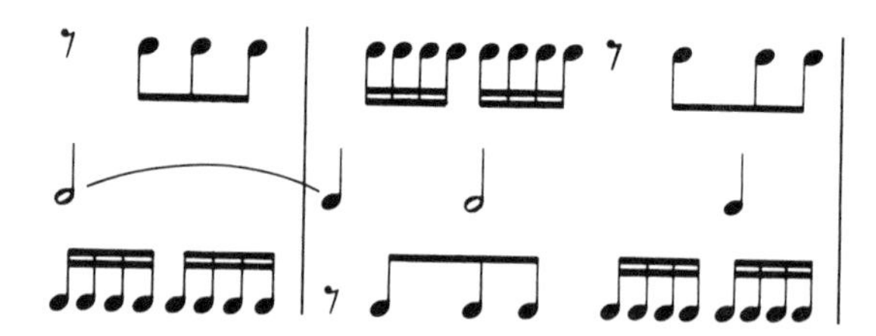

Der unmittelbar darauffolgende Abschnitt verlagert die gleichsam „motivische Arbeit" in der Form eines deutlich archaisierenden „contrapunctus syncopatus" in die Holzbläsergruppe; es folgt sodann die kontrapunktische Aufspaltung in Streicher/Bläser, d.h. Violine 1 bringt die Reperkussionsfigur, die Flöten kontrapunktieren frei.

Ob. 1-2 Fl. 1-2 V. 1

Diese knappen analytischen Bemerkungen müssen an dieser Stelle zur Erläuterung des Bachschen Orchestersatzes mit obligaten Instrumenten und seiner Funktion hinsichtlich der thematisch-motivischen Entwicklung des musikalischen Materials ausreichen. Deutlich erscheint jedenfalls, daß im symphonischen Zugriff Bachs neben dem beständigen Bemühen um Originalität der musikalischen Gedanken und deren ins strukturelle Kalkül einbezogenen Überraschungsmomenten vordringlich ein Interesse an grundsätzlicher Innovation in der Behandlung des Orchesters als wesentliche Komponente der kompositorischen Struktur spürbar wird.

Die Tendenz zur Entwicklung einer genuin orchestralen, insbesondere der Gattung Symphonie zugutekommenden Tonsprache lag in den 1770er Jahren zwar gleichsam in der Luft und erfuhr Impulse von den verschiedensten Seiten, nicht zuletzt von der Oper. Und der sich all diesem gegenüber besonders rezeptiv verhaltende Haydn hat diese Situation ideal auszunutzen verstanden und damit der Gattung Symphonie die entscheidenden Perspektiven zugeführt. Doch Bachs Orchester-Sinfonien mit ihrer programmatischen Propagierung des symphonischen Orchestersatzes mit 12 obligaten Stimmen (bzw. wenigstens potentiell als solche zu behandelnden Stimmen) deuten – bei aller stilistischen und syntaktischen Andersartigkeit – auf eine bis 1775/76 kaum wahrgenommene kompositionstechnische Dimension. Im Rahmen des reinen Orchestersatzes ist es schließlich erst Mozart, der noch vor Haydn (und zwar insbesondere über die Klavierkonzerte der sinfonielosen Zeit von 1784 an) einen über die Vierstimmigkeit hinausgehenden obligaten Orchestersatz mit strukturell selbständig geführten Bläsern entwickelt. Dieser neukonzipierte Orchestersatz bestimmt dann von der *Prager Sinfonie* KV 504 an seine späte Symphonik, die dann wiederum Haydns *Londoner Symphonien* der 1790er Jahre nicht unberührt läßt.

II

Dem Versuch, hier einen unmittelbaren Kausalzusammenhang mit den zwölfstimmigen Sinfonien von C. Ph. E. Bach herstellen zu wollen, würde es bei aller Stimmigkeit des chronologischen Ablaufes – einschließlich der begründeten Annahme, daß diese Sinfonien nach 1780 in Wien erklangen – an letztgültiger Evidenz mangeln. Denn die konkreten musikalischen Berührungspunkte, die sich wenigstens hier und dort zwischen Haydn und Bach als kompositorische wie stilistische Verhaltensweisen finden – etwa in den Klaviersonaten oder allgemein dort, wo es um Witz, launigen Einfall oder das Element des „imprevu“[19] geht – sie fehlen in dieser Weise bei Mozart. Und wenn es schon für Haydn schwer ist, die musikalischen Beziehungen wirklich dingfest zu machen, so sollte man vielleicht das von Griesinger überlieferte Zitat Haydns („daß ich dem Emanuel Bach sehr vieles verdanke, daß ich ihn verstanden und fleißig studirt habe“) eher in seinem abstrakten Gehalt für Haydn gelten lassen, um es so auch auf Mozart übertra-

19 Vgl. Hermann Danuser, „Das ‚imprévu in der Symphonik. Aspekte einer musikalischen Formkategorie in der Zeit von Carl Philipp Emanuel Bach bis Hector Berlioz“, in: *Musiktheorie* I (1986), S. 61–81.

gen zu können. Studieren und Verstehen bezögen sich dann eher auf Kennenlernen, Aneignen und kreatives Umsetzen von neuen musikalischen Ideen und kompositionstechnischen Verfahrensweisen.

Wohl meinte Ernst Fritz Schmid: „Mozarts Wesensart stand der intellektuelle Einschlag in Bachs Werken einerseits fern, andererseits lag ihm dessen frei improvisatorische, affektuöse Art nicht allzu sehr."[20] Ob diese verallgemeinernde Urteil jedoch wenigstens in seinem ersten Teil wirklich zutrifft, erscheint fraglich. Denn der „intellektuelle Einschlag" dürfte Mozart (wie übrigens auch Haydn) eher angezogen als abgestoßen haben. Der Mozart von Rochlitz in den Mund gelegte Ausspruch: „Er [C. Ph. E. Bach] ist der Vater; wir sind die Bub'n"[21] zielt (auch wenn man ihn als ein eher anekdotisches Zitat betrachtet) auf die unbestrittene Anerkennung der Autorität des Hamburger Bach als ein Meister des Komponierens. Diese Erfahrung gründete sich jedoch gewiß nicht auf die jugendliche Erfahrung, 1767 bei der Konzertbearbeitung eines Emanuel Bachschen Stückes gewonnen (KV 40/3), sondern auf die 1782 erfolgte Neubegegnung mit der Musik von Johann Sebastian, Friedemann und Emanuel Bach im Umkreis von van Swieten. Mozarts in diesem zusammenhang geäußertes und belegbares Interesse am Fugensatz deutet jedoch klar darauf hin, daß es ihm weniger auf die Gattung Fuge als solche ankam, sondern vielmehr um die Auseinandersetzung mit handfestem wie attraktivem fremden kompositionstechnischem Stoff, der das eigene Komponieren bereicherte sowie damit zugleich schwieriger machte.

Gerade aber auch kontrapunktisches Denken ließ sich an den zwölfstimmigen Sinfonien und ihrem unkonventionellen, flexiblen Umgang mit obligat geführten Streicher- und Bläserstimmen erfahren, und zwar abstrahiert von Form, Syntax und Ausdruckscharakter der Bachschen Symphonik. Daß speziell im Orchestersatz, d. h. auf dem kompositionstechnischen Gebiet der Behandlung des vielstimmigen Ensembles, das eigentliche Neue der Sinfonien beschlossen liegt, nicht aber in ihrem stilistischen Zuschnitt, wirft ein Schlaglicht auf Emanuel Bachs Verhältnis zu dem sich wandelnden Zeitstil. Wohl wußte er, was vorging – und dies nicht nur in groben Zügen. Ja, er ließ sein Hamburger Publikum an dem, was für ihn musikalisches Gewicht hatte, partizipieren. Im Rahmen der 1786 vom ihm organisierten Konzertserie zugunsten des „medicinischen Armen-Instituts" führte er nicht nur das Credo der h-Moll-Messe seines Vaters auf, sondern mit Glucks *Alceste* und Salieris *Armida* zugleich prominentestes Wiener Repertoire, und der *Hamburgische Correspondent* kommentierte: „Man hatte hiebey Gelegenheit, die

20 A. a. O., S. 65.
21 Zit. nach Ottenberg, a. a. O., S. 259.

verschiedene Manier in den Arbeiten der gedachten berühmten Componisten und die Wirkung des Vortrages ihrer Compositionen zu bewundern."[21a]

Schon die Wortwahl dieses Kommentars („verschiedene Manier") spiegelt Emanuel Bachsche Aesthetik wider. Bach sagte von der Musik seines Vaters: „Seine Melodien waren ... sonderbar; doch immer verschieden, Erfindungsreich, und keinem andern Componisten ähnlich."[22] Und in frühen Jahren hatte er sich bemüht, nicht nur zur Musik des Vaters, sondern – um des Prinzips der Originalität willen – auch zu derjenigen seiner eigenen Generationsgenossen ein Kontrastprogramm zu entwerfen. Die Distanz zu vereinheitlichender Tendenz – wie auch immer gelagert – wird von ihm stets gewahrt. Bezeichnend erscheint in diesem Zusammenhang seine offensichtliche Aversion gegen stilistische Nivellierung, wie Lessing in seinen *Kollektaneen* berichtet: „Bach klagt über den jetzigen Verfall der Musik. Er schreibt ihn der komischen Musik zu, und sagte nur, daß Galuppi selbst, der einer von den ersten komischen Komponisten ist, ... ihm ... selbst versichert habe, der Geschmack an der komischen Musik verdränge sogar die alte gute Musik aus der Kirche in Italien."[23]

Geprägt von einer solchen Grundhaltung vermochte Emanuel Bachs Musik im Wiener Bereich weniger den „Liebhaber" anzusprechen, um so eher – wenn nicht gar ausschließlich – den „Kenner". Dazu gehörten denn auch Männer wie der Hofrat von Braun, über dessen Vorliebe für die Musik Emanuel Bachs Friedrich Nicolai 1781 schrieb und ergänzend bemerkte: „Er hat freylich darin den zahlreichsten Theil des Publikums zu Wien wider sich"[24] – jenes Publikum, das zu einem völlig anders gearteten Traditionsraum gehörte, für dessen kosmopolitisches Gepräge Bachs genau gleichaltriger Zeitgenosse Gluck als der vielleicht typischste Vertreter gelten kann. Nichtsdestoweniger gab es auch Anerkennung in Wien, vor allem offensichtlich auf dem Gebiet der Vokalmusik. Noch vor der Ära van Swieten führte Gluck das Oratorium *Die Israeliten in der Wüste* kurz nach dessen 1775 erschienener Druckausgabe auf und es zeugt von bemerkenswerter humoriger Selbsteinschätzung, wenn Bach dazu sich Forkel gegenüber äußert: „Mich wundert daß mir der H. Gluck über meine altfränkischen Israeliten, welche er in Wien dirigiert, so viele Complimente hat schicken la-

---

21a Zit. nach F. Smend, Krit. Bericht NBA II/1, S. 398. – Wichtige und bislang völlig unbekannte Verbindungen zum Wiener Musikleben dokumentiert das Verzeichnis der Versteigerung von C. Ph. E. Bachs Bibliothek; vgl. U. Leisinger, „Die ‚Bachische Auction' Hamburg 1789", in: Bach-Jb. 1991 (im Druck).

22 *Bach-Dokumente, Bd. 3, Leipzig 1971, S. 187.*

23 *Zit. nach H. Miesner, Philipp Emanuel Bach in Hamburg,* Leipzig 1929, S. 37.

24 Zit. nach Ottenberg, a. a. O., S. 254.

ßen."[25] Ein gutes Jahrzehnt später wurde unter der Regie des „großen Kenners der Tonkunst," van Swieten, und unter Mozarts musikalischer Stabführung dem „großen Componisten" Carl Philipp Emanuel Bach in Wien erneut Beifall gezollt, ja öffentliche Bewunderung zuteil. Es handelt sich um die in Forkels *Musikalischem Almanach*[26] beschriebenen zwei repräsentativen Aufführungen des Oratoriums *Auferstehung und Himmelfahrt Christi* (wiederum unmittelbar nach dessen 1787 erfolgter Drucklegung) im Februar und März 1788 im Palais des Grafen Esterházy. Forkel vermerkt neben der Mitwirkung eines großen Orchesters „von 86 Personen" ausdrücklich: „Die Ausführung war desto vortrefflicher, da zwey Hauptproben vorher gegangen waren."

Hier haben wir in Aufführungen, Proben und der Arienbearbeitung KV 537d den konkreten Beleg für Mozarts Beschäftigung mit einem Großwerk des Vokalkomponisten Bach. Doch zeigen sich etwa Spuren einer Auseinandersetzung in Mozarts eigenem Werk? Gewagt sei hier wenigstens der Hinweis auf ein für Mozart außergewöhnlich extremes Beispiel disparater musikalischer Gedankenfolgen, wie er sich selbst in den späten Opern nicht findet: der Satz „Confutatis" des Requiem KV 626 und hier besonders dessen Schluß.

Dieser Satz der „Dies irae"-Sequenz bringt drei musikalisch deutlich voneinander abgehobene Gedanken, wobei der erste mit seinem im Streicher unisono gebotenen Ostinato-Figur an Emanuel Bachsche Satztechnik gemahnt (vgl. „Confutatis", T. 1 ff.).

Noch wesentlicher erscheint jedoch der Schlußabschnitt mit der „Oro supplex"-Strophe und einer dem Vierzeiler entsprechenden vierstufigen Modulation von a-Moll über as- und g-Moll nach F-Dur (vgl. „Confutatis", T. 25-Schluß).

Bringt man diesen Satzabschnitt mit Emanuel Bach in Verbindung, drängt sich wiederum sogleich auch das Differierende auf, vor allem die Art des italienisch geprägten vokalen Melos oder die ebenmäßige, wenngleich asymmetrische Periodizität – Elemente der um organischen Übergang wie Kontinuität bemühten Eingliederung dessen, das beim Hamburger Bach unvermittelter aufeinanderstoßen würde. Dennoch: die Ausdrucks-Funktion abrupter, manieristisch angehäufter Modulationen wie deren kompositionstechnische Durchführung innerhalb des freien Satzes ließ sich nirgendwo besser als bei Emanuel Bach lernen. Der *Hamburgische Correspondent* hatte in seiner Rezension der *Auferstehung und Himmelfahrt Jesu* nicht zuletzt auf

25 Briefe (Suchalla), S. 251.
26 Zit. nach Ottenberg, a. a. O., S. 261.

Bachs „Gebrauch der vollsten richtigsten Harmonie, der kühnsten Ausweichungen und der contrapunctischen Künste"[27] hingewiesen.

Es erscheint mir für unsere ausbaubedürftige Historiographie des 18. Jahrhunderts wichtig, in der Beobachtung und Beurteilung der Beziehungen Carl Philipp Emanuel Bachs zu Wien neben den ästhetischen und stilistischen Perspektiven, die vor allem die Ebene der Geniediskussion betreffen und eher die relative Isolation des Hamburger Bach aufzeigen, kompositionstechnische Aspekte zu betonen. Diese betrafen seinerzeit zwar weniger - wenn überhaupt - die wechselnde Geschmacksorientierung eines breiteren Publikums, ließen sich auch nicht in eine geschlossene Theorie einbringen, konnten jedoch dem suchenden und vorwärtsdrängenden individuellen Komponisten Orientierung bieten. So spielt in der nicht etwa allgemein für Wien, sondern in der für das letzte Lebensjahrzehnt Mozarts aktuellen kompositionsgeschichtlichen Situation - vereinfachend formuliert - das dynamische Gegenüber und die flexible Synthese von freiem und strengem Satz mit ihren verschiedensten Komponenten eine durchschlagende und weitgehend gattungsunabhängige Rolle. Die Entwicklung ging nicht ohne historische Einbindung vor sich, und hier wäre neben Johann Sebastian Bach - gerade im Blick auf obligate Stimmen, thematisch-motivische Arbeit und Modulation im kontrapunktisch gebundenen freien Satz - eben auch an seinen Hamburger Sohn zu denken.

27 Zit. nach Briefe (Suchalla), S. 535.

Gudrun Busch

Wirkung in die Nähe: Carl Philipp Emanuel Bachs Braunschweiger und Wolfenbütteler Freunde

Die verläßlichen Braunschweiger Freunde standen hoch im Kurs. Lessing trug Johann Arnold Ebert brieflich Grüße an sie auf, noch ehe er 1770 seinen Dienst als Wolfenbütteler Bibliothekar antrat[1], und suchte in seinen letzten Lebensjahren bei ihnen Trost, wenn ihn nach dem tragischen Tod seines neugeborenen Sohnes und seiner Frau inmitten seiner Bücherschätze die Einsamkeit überkam. Auch Carl Philipp Emanuel Bach wußte sie zu schätzen, ließ sie grüßen, empfing ihre angesichts der Nähe zu Hamburg häufigen Besuche und sammelte ihre Portraits.

In seinen Berliner Jahren wurden ihm Wolfenbüttel, Residenz der Herzöge von Braunschweig-Wolfenbüttel bis 1753, und Braunschweig, die neue Residenz und selbstbewußte Handelsstadt im Schnittpunkt nordsüdlicher und westöstlicher Verkehrslinien, schon durch die verwandtschaftlichen Bande der Höfe vertraut: Philippine Charlotte, eine der Schwestern Friedrichs des Großen, war die regierende Braunschweiger Herzogin und als Gast in Potsdam gern gesehen, während ihre Schwägerin Elisabeth Christine, die Schwester des Herzogs, als Gemahlin Friedrichs das weitaus schlechtere Los eines nur formell akzeptierten Schattendaseins gezogen hatte. Die braunschweigische Oper, unter Herzog Carl I. ihrer langen Tradition deutschsprachiger Opernpflege zugunsten des italienischen Geschmacks entfremdet, wurde neben der Dresdner zum Vorbild der Berliner Oper und entsandte die Brüder Graun nach Berlin. Alle braunschweigischen Prinzen und Prinzessinnen erhielten eine gediegene musikalische Ausbildung; keine profitierte mehr davon als Anna Amalia, nachmalige Herzogin von Sachsen-Weimar.

Zwar hatte Carl Philipp Emanuel Bach Braunschweig nur im Jahre 1751 einen kurzen, wahrscheinlich familiär bedingten Besuch abgestattet; aber es genügten seine Berliner Freunde, Musiker, Dichter, Philosophen und Verle-

---

1 Brief Lessings an Ebert vom 28. Dezember 1769. Vgl. G. E. Lessing, *Sämtliche Schriften,* hrg. v. K. Lachmann und F. Muncker, Stuttgart, Leipzig, Berlin 1886–1924, Bd. 17, Nr. 249; auch G. E. Lessing und J. A. Ebert, *Briefwechsel 1768–1780,* hrg. v. P. Raabe, Braunschweig 1970 (Bibliophile Schriften der Literarischen Vereinigung Braunschweig Bd. 17), S. 29.

ger, es genügten der Montagsclub und die musikalischen Assembleen, um ihm Braunschweig und die von Preußen regierten Bistümer nahezubringen: Magdeburg, wo Johann Heinrich Rolle im Zentrum eines regen Musiklebens stand, und Halberstadt, wo Gleim behaglich seiner Dichtung und seinem ausgedehnten Briefwechsel leben konnte.

Daß das regionale Geflecht der Residenzen, freien Reichsstädte und Bischofssitze mit ihrer spezifischen *couleur locale* im 18. Jahrhundert auch den Boden für das unzensierte Gespräch, für die bürgerliche Emanzipation und geistige Vorbereitung der Aufklärung bereitete, daß die Aufklärung sich vom kleinsten bis zum größten Zirkel ausbreitete, macht uns das Studium dieser Epoche so interessant. Zur Emanzipation des Denkens und der Selbstverantwortung gehörte jedoch auch die des Gefühls, und zu dieser Gefühlsemanzipation hatte die Musik in ähnlichen sich überschneidenden und sich ausbreitenden Zirkeln, hatte Carl Philipp Emanuel Bach als einer ihrer Protagonisten schon beigetragen, noch ehe etikettierende Vokabeln wie „Empfindsamkeit" und „Sturm und Drang" geprägt waren. Nach Hamburg übergesiedelt, hätte er von sich wie von seinem Vater in Leipzig sagen können, daß alles, was in der musikalischen und literarischen Welt Mittel- und Norddeutschlands Rang und Namen hatte, zu ihm kam. Hamburg bot ihm nach der Enge des Hoflebens Weite und Wohlhabenheit, bot ihm einen Freundeskreis, der mit benachbarten Kreisen in Kopenhagen, Kiel, Schwerin-Ludwigslust und Braunschweig verknüpft war.

Beschränken wir uns auf Braunschweig, so dürfen wir Göttingen zumindest nicht unerwähnt lassen. Auch das Geflecht der Bildungsinstitutionen setzte regionale musikalische Akzente, Akzente der Aufführungspraxis und der beginnenden wissenschaftlichen Aufarbeitung. Während die alte braunschweigische Landesuniversität Helmstedt längst in den Schatten der neuen hannoverschen Gründung Göttingen geraten war, machten Braunschweig und Hamburg den Versuch, mit universitätspropädeutisch und berufspezifisch ausgerichteten Ausbildungsstätten wie dem Collegium Carolinum und der Handlungsakademie neue Wege zu gehen.

Dichter und Musiker am Collegium Carolinum

J. F. W. Jerusalem, der als Prinzenerzieher und Hofprediger Herzog Carls das Bildungskonzept des 1745 eröffneten „Collegium Carolinum" geschaffen hatte, rechnete die Förderung von Geschmack und Gefühl unter die wichtigsten Bildungsziele und hatte den Mut, drei Jahre später einen Kreis junger Dichter in das Lehrerkollegium zu berufen[2]. Der Erzieher seines

2 J. J. Eschenburg, *Entwurf einer Geschichte des Collegii Carolini in Braunschweig*, Berlin und

Sohnes Karl Wilhelm, Nikolaus Dietrich Giseke, hatte sich der Leipziger Studienfreunde erinnert, die seit 1744 in ihren in Bremen herausgegebenen *Neuen Beyträgen zum Vergnügen des Verstandes und Witzes* einen von Gottsched unabhängigen Weg gesucht hatten, einen Weg, der 1748 mit dem Erscheinen der drei ersten Gesänge von Klopstocks *Messias* gekrönt und beendet wurde. Milton - Klopstock - Hagedorn: zwischen Pathos und anakreontischer Grazie war der jugendliche Protest gegen Gottscheds strengen Klassizismus angesiedelt, der nun am Braunschweiger Collegium Carolinum den Ton angeben sollte. 1768, im Jahre der Übersiedlung Carl Philipp Emanuel Bachs nach Hamburg, hatten sich die Professoren Karl Christian Gärtner, Johann Arnold Ebert und Friedrich Wilhelm Zachariä einen Namen in der literarischen Welt gemacht, ohne die Kontakte zu Klopstock und Johann Andreas Cramer, beide nun in Kopenhagen, abzubrechen.

Obwohl die Musik am Collegium Carolinum im Lehrplan lediglich als instrumentaler Privatunterricht, studentisches Collegium musicum und samstägliches Konzert vertreten war, spielte sie doch für alle gesellschaftlichen Kontakte eine wichtige Rolle, wobei je nach Herkunft und Vorbildung Telemann, Johann Sebastian oder Carl Philipp Emanuel Bach die bis in die Dichtungen spürbaren Leitbilder waren.

Giseke, seit 1753 in verschiedenen geistlichen Ämtern und bereits 1765 verstorben, und Johann Arnold Ebert waren Absolventen des Hamburger Johanneums, hatten also dessen Kantor, Telemann, zumindest bei Aufführungen erlebt. Eberts Name bleibt mit der 1760 veröffentlichten Übersetzung von Youngs *Night Thoughts* verbunden, eines Buches, das schon im englischen Original unter den Berliner Dichtern von Hand zu Hand gegangen war. Der ehemalige Englisch-Lehrer Meta Klopstocks, der mit Young und Richardson im Briefwechsel stand, wurde auch der Lehrer eines jungen, bildungshungrigen Braunschweiger Ratsmusikers, Johann Joachim Christoph Bode, der die Welle der Übersetzungen englischer empfindsamer Literatur fortsetzen sollte.

Ebert hatte jedoch auch für das anakreontische Lied Pate gestanden und für Hagedorn und Görner im zweiten Teil der *Neuen Oden und Lieder* (1744) die Abhandlung des de la Nauze *Von den Liedern der alten Griechen* übersetzt[3]. Das „Lebe, liebe, trinke, lärme ...“ setzte er mit seinen Leipziger

---

Stettin 1812, neu hrg. v. E. Wilberg, Braunschweig 1974 (Beiträge zur Geschichte der Carolo-Wilhelmina II, 1.2.), S. V, S. 3, S. 7.

3 M. Friedländer, *Das deutsche Lied im 18. Jahrhundert. Quellen und Studien.* I, 1–2, II, Berlin 1902 (Repr. Hildesheim 1962), I, 1, S. 97. – F. Hagedorn, *Poetische Werke,* hrg. v. J. J. Eschenburg, Hamburg 1800, Bd. III. – H. Wall, *Die Entwicklung der deutschen Dichtung im 18. Jahrhundert und die Männer des Braunschweiger Kreises,* Phil. Diss. Freiburg/Br. 1925, S. 25 ff.

Kommilitonen singend in die Tat um, wie er am 14. Dezember 1744 an Hagedorn schrieb:

> „Ich singe Ihre Oden sehr oft unter meinen Freunden, die sie auch von mir singend lernen. Dieses kostet mir manchen Rausch, obgleich vom Leipziger Rheinweine. Ich mögte sie freilich lieber in Hamburg an dem Orte singen, wo vermuthlich der Entwurf zu den meisten gemacht ist ..."[4].

Texte Eberts finden sich in vielen zeitgenössischen Liedersammlungen. Die Spannweite reicht von Dichtungen des Primaners in Telemanns *Vier und zwanzig, theils ernthaften, theils scherzenden Oden* (1741) bis zu einem Liedertafel-Quartett Zelters. Den Kontakt zu Hamburg brach Ebert auch in Braunschweig nicht ab, und Besuche bei Klopstock brachten ihn mit Lessing und Carl Philipp Emanuel Bach zusammen.

Allen ehemaligen Leipziger Studenten unter den Braunschweiger Professoren mußte zumindest der Name Johann Sebastian Bachs, wenn nicht auch dessen Musik geläufig sein; Friedrich Wilhelm Zachariä hatte jedoch schon eine gründliche musikalische Ausbildung auf die Universität gebracht, die er dem heimatlichen Kantor verdankte. Das dichterische Lob Johann Sebastians und seiner Söhne sowie Telemanns sang er 1756 in seinen an Thompsons berühmten *Seasons* orientierten *Tageszeiten.* Seine Lieddichtungen trafen dank ihrer Geschmeidigkeit, Sangbarkeit und Empfindsamkeit den Ton der Zeit genau und wurden häufig komponiert: in Braunschweig von Fleischer, Gräfe und Bode, in Berlin von Carl Philipp Emanuel Bachs Freunden. Dieser selbst mag sich allerdings gescheut haben, das modisch-empfindsame Lob des Klaviers, fast zum Kult erhoben, nochmals in Musik zu setzen:

> „Du Echo meiner Klagen,
> Mein treues Saitenspiel,
> Nun kömmt nach trüben Tagen
> Die Nacht, der Sorgen Ziel.
> Gehorcht mir sanfte Saiten,
> Und helft mein Leid bestreiten -
> Doch nein, laßt mir mein Leid,
> Und meine Zärtlichkeit ..."[5]

---

4 F. Hagedorn, *Poetische Werke,* hrg. v. J. J. Eschenburg, Hamburg 1800, Bd. 5, S. 253-256.

5 F. W. Zachariä, *Scherzhafte epische Poesien nebst einigen Oden und Liedern,* Braunschweig und Hildesheim (1754), S. 441. Eschenburg nahm das Lied auch in seine *Beispielsammlung zur Theorie und Literatur der schönen Wissenschaften,* Bd. 5, Berlin und Stettin 1790, S. 92, auf und kommentierte: „Sowohl seine vier Vorsänger, als die größere Menge unsrer neuen Liedersänger übertrafen ihn allerdings an den meisten Erfordernissen dieser Dichtungsart; aber die Popularität, welche mehrere Stücke von ihm durch glückliche Komposition, vornehmlich durch die von *Fleischer,* erhielten, behauptet für sie noch immer eine Stelle in den besten lyrischen Blumenlesen." M. Friedländer, *Das deutsche Lied,* II, S. 48 ff. - Vgl. J. W. Smeed, „An mein Klavier", in: *Music and Letters* LXVI, S. 228-240; ders., *German Song and its Poetry,* London 1987, S. 16 ff. - Zu Zachariäs Verehrung der Musik J. S. Bachs vgl. auch seine *Poetischen Schriften,* Bd. 3, Wien 1765, S. 19.

Dem Komponisten Zachariä, der 1760–61 zwei Teile einer *Sammlung Musicalischer Versuche* veröffentlichte, wies Marpurg wohlwollend den Rang eines begabten Liebhabers zu; selbst der junge Reichardt schloß ihn respektvoll in das positive Bild seines Braunschweiger Besuches ein.

Vor allem widmete sich Zachariä dank seines musikalisch geschulten Sprachgefühls einer literarischen Gattung, die auf die Zeitgenossen einen besonderen Reiz ausübte: dem Oratorientext. Dieser bot offensichtlich den Milton und Klopstock nachstrebenden Dichtern eine Gelegenheit, das von Rationalismus und Anakreontik verschmähte oder ins Komische gezogene epische Pathos wiederzugewinnen. Die poetisch-musikalische Diskussion über diese Art des Librettos beschäftige, wie Christian Gottfried Krauses *Musikalische Poesie* (1752) zeigt, schon den Berliner Kreis und pflanzte sich dann nach Hamburg und Braunschweig fort, wo Eschenburg daran ging, John Brown's 1763 erschienene *Dissertation on the Rise, Union and Power of Poetry and Music* zu übersetzen[6]. Zachariä schrieb 1759 für Telemann *Das befreyte Israel,* 1761 von Rolle komponiert und in dieser Fassung 1779 in Braunschweig aufgeführt. 1761 folgte eine *Auferstehung* für Telemann, 1762 *Die Pilgrime auf Golgatha,* die die Wolfenbütteler Musikgesellschaft am 28. März 1774 mit Musik von Johan Balthasar Kehl und Johann Dietrich Christian Graff aufführte[7].

Eifrig musiziert wurde in Braunschweig, wie Bode und Reichardt berich-

---

6 Eschenburg gab schon 1783 in seinem oft aufgelegten und weit verbreiteten Lehrbuch *Entwurf einer Theorie und Literatur der schönen Wissenschaften,* dessen Bedeutung für die Frühzeit der Musikwissenschaft im 18. Jahrhundert noch nicht gewürdigt wurde, eine knappe Zusammenfassung der poetologischen Problematik in dem Kapitel „Die Kantate" (= III.) und betonte dabei die Rolle der Empfindung (S. 154–160): „3. *Empfindung* und *Handlung,* oder das lyrische und dramatische, der Kantate, müssen einander wechselweise beleben und unterstützen ..." – „5. Sowohl bey dem Entwurf als bey der Ausarbeitung eines Singegedicht hat der Poet auf den Tonkünstler und die Natur des musikalischen Ausdrucks beständige Hinsicht zu nehmen, um seine Poesie dieses Ausdrucks völlig empfänglich zu machen ..." – „13. Ein ausgeführteres Singegedicht geistlichen Inhalts pflegt man ein *Oratorium* zu nennen; und auch dieses gewinnt durch die dramatische Form, wenn sie ihm gleich nicht durchaus nothwendig ist; denn zuweilen ist es durchaus lyrisch. Ausdruck der Religionsempfindungen, und lebhafte Erregung und Verstärkung derselben durch vereinte Kraft der Poesie und Musik, ist dabey der Hauptzweck. Liegt dabey eine Handlung zum Grunde, so wird dieselbe gewöhnlich aus der biblischen, oder spätern Religionsgeschichte hergenommen; doch muß diese Handlung sehr einfach, und die Empfindung immer das vornehmste Augenmerck des Dichters seyn..."

7 Die Herzog August Bibliothek Wolfenbüttel besitzt dazu Textbücher aus den Jahren 1762 und 1774. Das C. Ph. E. Bach zugeschriebene Ms. H. 862 (Bayerische Staatsbibliothek München, Mus. ms. 1568), das E. Helm als unecht bezeichnet, scheint also eher J. B. Kehl zuzugehören. Eine Klärung des von Helm beschriebenen Münchener Telemann-Konvoluts bleibt abzuwarten.

ten[8], nicht nur im Hause Zachariä, sondern auch bei Gräfes und Fleischers. Beginnen wir mit Johann Friedrich Gräfe, dem unermüdlich für das deutsche Lied tätigen Liebhaber, dem es gelungen war, für seine *Halleschen Oden* (1737–43) zuerst den Braunschweiger Freunden Carl Heinrich Graun und Conrad Friedrich Hurlebusch, dann auch anderen Komponisten, darunter Carl Philipp Emanuel Bach, Liedkompositionen zu entlocken, als diese Gattung vielen Zeitgenossen der Beachtung noch kaum wert erschien[9]. Nach Abschluß seiner Studien trat er 1743 in braunschweigische Dienste ein, in denen er nach gebührenden Beförderungen (1766 zum Postrat, 1767 zum Kammerrat) fortfahren konnte, die Musik in seinen Mußestunden zu betreiben. Hatte er schon zu seinen Halleschen Studentenliedern selbst Beiträge geliefert, so konnte er später noch weitere eigene Sammlungen wagen, so daß auch Braunschweig im Kreis regionaler „Liederschulen" einen Platz beanspruchen kann. In seinen *Fünfzig Psalmen, Oden und geistlichen Liedern* von 1760 verfolgte er die Linie von Bachs 1758 erschienenen Gellert-Liedern mit der Variante zusätzlicher Instrumentalbegleitung weiter[10].

Carl Philipp Emanuel war Gräfe zeit seines Lebens freundschaftlich zugetan und nahm die Dienste des Herrn Postrats gern in Anspruch (wie der Briefwechsel mit Breitkopf zeigt, nicht ohne gelegentlichen leichten Spott oder ärgerliches Poltern)[11], wenn es um Spedition oder Anwerbung von Pränumeranten ging. Drei Lieder Gräfes nahm Bach 1770 in sein *Vielerley*

8 Ch. Burney, *Carl Burney's der Music Doctors Tagebuch seiner Musikalischen Reisen,* Dritter Band. Durch Böhmen, Sachsen, Brandenburg, Hamburg und Holland. Übers. und hrg. v. J. J. Ch. Bode, Hamburg 1773. Repr. hrg. von R. Schaal, Kassel 1959, S. 256–261. – J. F. Reichardt, *Briefe eines aufmerksamen Reisenden, die Musik betreffend,* Bd. I, Frankfurt und Leipzig 1774, Repr. Hildesheim 1977, S. 4, S. 8 ff. – Nach E. Rosendahl, „Johann Friedrich Reichardt in Braunschweig", in: *Braunschweigisches Magazin* 1931, Sp. 61–62, soll Reichardt zu Eberts einjährigem Hochzeitstag am 18. Mai 1774 eine Kantate auf einen Text von Eschenburg komponiert haben, die jedoch nicht mehr nachweisbar ist (vgl. E. Helm, „Johann Friedrich Reichardt", in: *The New Grove Dictionary,* Bd. 15, S. 703–707). – Burney hatte Gräfe irrtümlich in Gotha angesiedelt, ein Grund mehr für Bodes korrigierende und erläuternde Fußnoten. Vgl. *Carl Burney's Tagebuch,* Bd. III, S. 256.

9 G. Busch, *C. Ph. E. Bach und seine Lieder,* Regensburg 1957 (Kölner Beiträge zur Musikforschung XII), S. 39 ff.

10 J. F. Gräfe, *Fünfzig Psalmen, geistliche Oden und Lieder zur privat und öffentlichen Andacht in Melodien mit Instrumenten,* Braunschweig 1760. Das in der Braunschweiger Waisenhaus-Buchhandlung gedruckte Werk hatte im selben Jahr im großen Saal des Collegium Carolinum eine öffentliche Aufführung gefunden. Vgl. H. Ch. Wolff, „Die Braunschweiger Konzerte im 18. Jahrhundert, in: *Mitteilungen der niedersächsichen Musikgesellschaft,* Januar-April 1944, S. 5. –Vgl. auch die anerkennenden Worte Reichardts in *Briefe eines aufmerksamen Reisenden,* I, S. 152 ff.

11 E. Suchalla (Hrg.), *Briefe von Carl Philipp Emanuel Bach an Johann Gottlob Immanuel Breitkopf und Johann Nikolaus Forkel,* Tutzing 1985 (Mainzer Studien zur Musikwissenschaft Bd. 19). Vgl. die Briefe Nr. 5 (2. 12. 1772), Nr. 15 (26. 1. 1774), Nr. 17 (7. 4. 1774), Nr. 103 (27. 10. 1780) und Nr. 104 (2. 12. 1780).

auf, darunter eines auf einen seit 1756 schon häufig komponierten, aber immer aktuellen Lessing-Text „Brüder, wenn die Gläser winken ...“.

Friedrich Gottlob Fleischer scheint engere Beziehungen zu Leipzig und Berlin gehabt zu haben, als sich heute nachweisen lassen. Seine Anstellung verdankte er der Herzogin Philippine Charlotte, und Hertel nannte ihn einen Schüler Johann Sebastian Bachs[12]. Dessen Clavierwerke trug der Clavierkomponist und -solist Fleischer zeit seines Lebens gern vor. Seit 1746 oder 1747 lebte er in Braunschweig als Organist an St. Martini und St. Ägidien und war der Clavierlehrer der herzoglichen Kinder, darunter des Erbprinzen Karl Wilhelm Ferdinand, der Prinzessin Caroline, späteren Königin von England, und der Prinzessin Anna Amalia, späteren Herzogin von Sachsen-Weimar, deren Kenntnis des Braunschweiger Liedes sicher nicht ohne Einfluß auf Lieddichtung und -komposition des Weimarer Kreises um Goethe war, wozu sie selbst Kompositionen beitragen konnte.

So mußte sie auch Fleischers zwei Liedersammlungen von 1756 und 1757 kennen, in denen Zachariäs Texte (und eine Komposition von diesem!) im Vordergrund stehen und Namen wie Lessing, Gleim, Uz und Ewald von Kleist auf Berlin weisen. Ganz „unberlinisch“ allerdings ist Fleischers im Sinne Carl Philipp Emanuel Bachs deutlich ausgesprochene Bevorzugung eines ausgefüllteren Claviersatzes, der sich nicht am französischen populären Chanson, sondern am Generalbaß-Accompagnement orientiert. Fleischer blieb der Liedkomposition bis in die achtziger Jahre des 18. Jahrhunderts treu[13] und machte sich ohne viel Aufhebens im lokalen Bereich nütz-

---

12 E. Schenk (Hrg.), *Johann Wilhelm Hertels Autobiographie,* Graz und Köln 1957, S. 46. J. W. Hertel berichtete in seiner Autobiographie von einem Besuch Braunschweigs im Jahre 1756. – Da Fleischer am 14. Januar 1722 in Köthen geboren worden war, liegen familiäre oder mit der dortigen Hofmusik verbundene Beziehungen zu Johann Sebastian Bach nahe.

13 Vgl. F. G. Fleischer, *Oden und Lieder mit Melodien, nebst einer Cantate: Der Podagrist ...,* Th. I, Braunschweig und Hildesheim 1756, sowie *Oden und Lieder mit Melodien, zweiter Theil, nebst einer Cantate: Der Bergmann ...,* Braunschweig und Hildesheim 1757, zwei für den Stil der spezifisch braunschweigischen Liedpflege sehr wichtige Sammlungen, die ebenso wie J. J. Ch. Bodes *Zärtliche und Schertzhaffte Lieder* (I: 1754, II: 1757) (vgl. Friedländer, *Das deutsche Lied,* Nr. 42, 56) neben den Krauseschen und Marpurgschen Anfängen des „Berliner Liedes“ zu selten genannt werden. Auch Johann Christoph Stockhausen, 1747 bis 1752 Dozent an der Helmstedter Universität und Förderer Bodes, gehörte zu den Anregern des deutschen Clavierliedes. – Texte der Braunschweiger Dichter finden sich andererseits häufiger in den Liedern C. Ph. E. Bachs und seiner Berliner Kollegen (vgl. G. Busch, *C. Ph. E. Bach und seine Lieder,* S. 47 ff.). Fleischers Beiträge zu den Göttinger und Vossischen Musenalamanachen bedürfen ebenfalls noch einer Würdigung. Von seiner Musik für die Braunschweiger Bühne ist nur die Operette *Das Orakel* als Klavierauszug erhalten (erschienen in Braunschweig 1771), während weitere Gelegenheitsarbeiten zu Eschenburgs *Comala,* zu einem *Duodrama Paphnutz und Hannchen* (30. Juli 1776) und zu dem Trauerspiel *Tomelius oder Der gerächte Hermann* (1. August 1776) verloren scheinen (vgl. Theaterzettel-Sammlung des Stadtarchivs Braunschweig,

lich, wo es um Oratorien- oder Bühnenmusikaufführungen ging. Hier berührten sich seine Interessen mit denen des 1768 am Collegium Carolinum neu eingestellten Hofmeisters Eschenburg und eines anderen jungen Musikliebhabers, der zur gleichen Zeit nach Braunschweig gekommen war: Johann Philipp Schönfeld, seit 1772 Hofmeister der Söhne des Geheimrats von Münchhausen, dessen Portrait sich neben denen der Braunschweiger Freunde in Carl Philipp Emanuel Bachs Sammlung befand.

Auch Schönfeld lieferte gelegentlich Bühnenmusik, publizierte eigene Liedersammlungen und steuerte ein Lied zum *Vielerley* und zu den Göttinger Musenalmanachen bei, nachdem sich Boie und Voß davon getrennt hatten. Forkel mag die Verbindung geknüpft haben, wissen wir doch aus einem Brief Wilhelm Friedemanns an Forkel, daß Schönfeld gelegentlich Sebastiana zwischen Göttingen und Berlin (und Braunschweig?) vermittelt hatte. In Berlin ließ Schönfeld, nachdem er sich 1777 endgültig für den Musikerberuf und die Rückkehr nach Straßburg entschieden hatte, im Jahre 1778 seine letzte Liedersammlung erscheinen, *Lieder aus der Iris,* die einen gegenüber den Braunschweiger Freunden veränderte literarische Orientierung zeigt. Er wählte nicht nur Lyrik von Johann Georg Jacobi und Lenz, sondern auch zwei Goethe-Gedichte[14].

Von Carl Philipp Emanuel Bach hoch geschätzt, dessen Pränumerant, jedoch im Braunschweiger Freundeskreis sowohl durch seine exponierte Stellung als Hofkapellmeister als auch seinen italienisch orientierten Geschmack und seine angeborene Schüchternheit eher etwas distanziert – so sehen wir Johann Gottfried Schwan(en)berger, dessen Vater 1727 bis 1728 Schüler Johann Sebastian und Taufpate Regine Susannes gewesen war. Schwanbergers Operntätigkeit litt durch die 1768 erfolgte Auflösung der braunschweigischen Hofoper, und seine noch heute wenig bekannten, aber durchaus hörenswerten Instrumentalwerke blieben nur den Kennern be-

---

HX A Nr. 2, fol. 78,79. – H. Ch. Wolff, „‚Das Orakel‘ von Friedrich Gottlob Fleischer“, in: *Mitteilungen der niedersächsischen Musikgesellschaft,* August 1943, S. 17–23).

14 Auch im Falle von Schönfeld wären intensivere Forschungen zu seinen Liedern und seinen Arbeiten für die Braunschweiger Singspielbühne wünschenswert, zumal sie die enge Verknüpfung von Clavier- und Singspiellied belegen. – Vgl. J. Ph. Schönfeld, *Lieder aus der Iris und eine Arie mit Begleitung der Violine ...,* Berlin 1778. Das Lied für Bachs Vielerley nennt nur Friedländer (*Das deutsche Lied*) unter Nr. 151. F. Muller, „Johann Philipp Schönfeld“, in: *Musik in Geschichte und Gegenwart,* Bd. 12, Sp. 30–31: keine Erwähnung. E. Derr, „Johann Philipp Schönfeld“, in: *The New Grove Dictionary,* Bd. 16, S. 729: kursorisch. M. Vogeleis, *Quellen und Bausteine zu einer Geschichte der Musik und des Theaters im Elsaß,* Straßburg 1911, S. 686. K. H. Bitter, *Carl Philipp Emanuel Bach und Wilhelm Friedemann Bach und deren Brüder,* Bd. 2, Berlin 1868 (Repr. Leipzig 1977), S. 374: Brief W. F. Bachs an Forkel vom 5. Februar 1775. – Zu Schönfelds Hilfe bei Eschenburgs deutscher Einrichtung des *Deserteur* von Sedaine/Monsigny für die Ackermannsche Gesellschaft im Jahre 1769 vgl. G. Busch (Publ. in Vorb.).

kannte Manuskripte; auch das gedruckte Lob Bodes und Reichardts änderte nichts daran, ja, es muß Schwanberger später mit Bitterkeit erfüllt haben, daß Reichardt ihm bei der Bewerbung um das Berliner Hofkapellmeisteramt vorgezogen wurde, ohne auch nur vergleichbare Qualifikationen für die italienische Oper zu haben. Friedrich des Großen Verbitterung gegenüber seinem Bruder Heinrich und dem Kronprinzen Friedrich Wilhelm mag dabei eine Rolle gespielt haben, hatte doch Schwanberger gute Verbindungen zu den Kapellen dieser beiden Prinzen; außerdem wollte wohl Herzogin Philippine Charlotte nicht auf ihren Kapellmeister verzichten[15].

Burney war mangels Augenscheins nicht so recht klar geworden, welcher der Söhne Johann Sebastian Bachs zur Zeit seiner Reisen in Braunschweig weilte, verwechselte er doch Wilhelm Friedemann mit Johann Christoph Friedrich. Von Carl Philipp Emanuel erfahren wir über die Braunschweiger Jahre Wilhelm Friedemann Bachs (1770–1774) nichts, doch beherrschte der Hamburger Bach im gegebenen Augenblick auch die Kunst des Verschweigens und mag, so weit die erhaltenen Dokumente überhaupt Aufschluß geben, durch die Braunschweiger Freunde ausreichend informiert gewesen sein, auch im Hintergrund mehr Hilfestellung gegeben haben, wie Kirnberger in einem Brief an Forkel andeutete[16], als wir wissen.

Vakante Organistenstellen in Wolfenbüttel und Braunschweig mögen Wilhelm Friedemann Bach bewogen haben, nach dem kläglichen Ende in Halle hier sein Glück zu suchen. Aber weder sein glänzendes Orgelspiel, das er gelegentlich in Konzerten hören ließ, noch Schwanbergers Empfehlungen beeindruckten die Kirchenbehörden, die anpassungsfähiges und dienstbereit Mittelmaß erwarteten. Wie weit Wilhelm Friedemann Bachs Abneigung gegen das Stundengeben, das Kirnberger erwähnte, schon während seiner Braunschweiger Zeit ausgeprägt war, ist nicht bekannt. Nach dem kurzen Zwischenspiel in Göttingen 1773, als selbst Forkel ihm keine Stelle verschaffen konnte, verließ er auch Braunschweig 1774 überstürzt,

---

15 Vgl. den auch bei H.O. Hiekel, „Johann Gottfried Schwanberger", in: *Musik in Geschichte und Gegenwart,* Bd. 12, Sp. 342–344, erwähnten Brief Georg Ludwig Schwanbergers an seinen Schwiegervater Bähre vom 12. November 1727 (Stadtarchiv Braunschweig, Slg. Sack H V: 191, S. 261 -264). – Reichardt, *Briefe eines aufmerksamen Reisenden* I, S. 12 ff. – In C. Ph. E. Bachs leidenschaftlicher Verteidigung seines Vaters als Orgelkomponist gegenüber der Geringschätzung Burneys, in seinem Brief an Eschenburg vom 21. Januar 1786 (vgl. Anm. 43), heißt es im Nachsatz: „Ich glaube, daß H. Schwanberg auch meiner Meinung ist." Offensichtlich wird hier Schwanbergers Vater als einer der Kronzeugen angerufen. – Vgl. Anm. 41.

16 S. l., s. d. (wahrscheinlich 1779). K. H. Bitter, *Carl Philipp Emanuel Bach und Wilhelm Friedemann Bach,* Bd. II, S. 321 ff. – Ausführlich bei M. Falck, *Wilhelm Friedemann Bach,* Leipzig 1913 (Studien zur Musikgeschichte 1), Repr. Hildesheim 1977, S. 44–49, 52–55. – W. Guericke, *Friedemann Bach in Wolfenbüttel und Braunschweig 1771–1774,* Braunschweig 1929 (Slg. Bartels 11).

und nach den als Pfand für unbeglichene Forderungen zurückgelassenen Sebastiana erkundigte er sich bei Eschenburg erst in einem Brief vom 4. Juli 1778. Einen Teil, darunter das Haußmannsche Bild seines Vaters, hatte wahrscheinlich sein Hauswirt, der Domorganist Müller, in Zahlung genommen. Dessen Neffe, August Eberhard Müller, der einige Jahre bis 1788 im Hause des Onkels lebte, wurde später Leipziger Nikolaiorganist und von 1804 bis 1809 Thomaskantor. Durch ihn gelangte das Portrait Johann Sebastian Bachs in den Besitz der Thomasschule, doch lassen sich keine Autographen oder Abschriften aus seinem Besitz nachweisen; auch der Gedanke, daß Eschenburg Carl Philipp Emanuel Bach um Hilfe und Auslösung der Schulden gebeten haben könnte, bleibt Vermutung[17].

Freunde

„... aber wie glücklich wäre ich, wenn ich Ihr liebes Portrait, gezeichnet, meiner Sammlung beyfügen könnte? Sie sind nicht nur Liebhaber und Kenner unserer Kunst, sondern auch Schriftsteller, dergleichen ich mehrere habe, und NB. einer meiner besten Freunde."[18]

So schrieb Carl Philipp Emanuel am 1. Dezember 1784 an Johann Joachim Eschenburg; nicht oft hatte er ein solches Kompliment gemacht, und es schwingt etwas mehr als formelle oder gar berechnende Höflichkeit mit. Auch der Professor am Collegium Carolinum gab sich in seinem ausgedehnten Briefwechsel selten preis, doch muß er ein guter Zuhörer gewesen sein. Wie sonst hätte der noch verschlossenere Lessing ihn zum Adressaten des aufbegehrenden Schmerzes über den Tod seines neugeborenen Sohnes und wenig später seiner Frau machen können? So mitschwingend, mitempfindend, „empfindsam", wie Eschenburg sein konnte, so erregbar war er auch für neue Strömungen in Literatur, Philosophie, Musik und Theater, kein Originalgenie, aber ein Reagierender und, nach Lessings Vorbild, auch ein streng wissenschaftlich Registrierender: „Empfindsamkeit" und „Aufklärung" gingen in ihm eine re-produktive Verbindung ein[19].

---

17 L. Nohl, *Musikerbriefe,* Leipzig 1867, 2. erw. Aufl. ibid. 1873, S. XLII ff. - Erwartete Wilhelm Friedemann Bach wirklich noch einen Erlös aus der von Eschenburg versprochenen Auktion seiner hinterlassenen Musikalien und Bücher? Man fragt sich außerdem, warum diese Anfrage erst nach Ablauf von vier Jahren geschah. Vgl. M. Falck, *Wilhelm Friedemann Bach,* S. 54-55. - W. Guericke, *Friedemann Bach,* weist S. 6-7 darauf hin, daß Sebastiana aus dem Besitz des Domorganisten Müller, wie z. B. die Autographen des Wohltemperierten Claviers, der Inventionen und Sinfonien an Griepenkerl gelangten, also in Braunschweig geblieben waren. Vgl. *Alte Bach-Ausgabe* 3, Nachtrag; 15, XVIII; 35, XXXIX. - G. Haupt, *August Eberhard Müllers Leben und Klavierwerke,* Phil. Diss., Leipzig 1927. - W. Hanke, *Die Thomaner,* Berlin 1979, S. 113-117.

18 L. Nohl, *Musikerbriefe* 1873, S. XLVI ff.

19 Zu Eschenburg bes. F. Meyen, *Johann Joachim Eschenburg 1743-1820. Professor am Collegium Carolinum zu Braunschweig,* Braunschweig 1957 (Braunschweiger Werkstücke Bd.

Im Herst 1768 kam der Absolvent des Hamburger Johanneums und Akademischen Gymnasiums, der Leipziger und Göttinger Universität durch Vermittlung Karl Wilhelm Jerusalems als Hofmeister an das Collegium Carolinum. Mit vielen der älteren Kollegen verbanden ihn Erinnerungen an Hamburg und Leipzig und das gemeinsame Interesse an deutscher und englischer Literatur und Ästhetik, an den Oratorien Telemanns, deren Aufführung er als Hamburger Schüler erlebt hatte, und an der Suche nach deutschen Opernlibretti, wie sie sein Hamburger Rektor am Johanneum, Johann Samuel Müller, in dessen Jugend für die Braunschweiger und Hamburger Bühne übersetzt hatte. Seine Beschäftigung mit Händel, ebenfalls im Kreise J. S. Müllers durch Mattheson und Telemann vermittelt, erneuerte er an der von Ebert und Lessing unterstützten Übersetzung der oben erwähnten *Dissertation* von John Brown.

So führte er in den folgenden Jahren der deutschen Singspielbühne durch Übersetzungen neue Impulse zu und machte dem deutschen Theater Shakespeare in der ersten deutschen Versübersetzung zugänglich. Den am Collegium Carolinum nach dem Tode Kantor Weinholds eingestellten Samstagskonzerten flößte er (s. o. S. 117) nach Telemannischem Vorbild neues Leben ein, mußte allerdings bereits nach zwei Jahren einsehen, daß das hier schon seit 1746 übliche Subskriptionsverfahren zu Lasten seines schmalen Hofmeisterbeutels ging, wenn er anspruchsvolle Programme geben wollte.

Eschenburg zog es so oft wie möglich nach Hamburg, und mit Hilfe Johann Samuel Müllers und seiner Schul- und Studienfreunde Daniel Schiebeler und Christoph Daniel Ebeling hatte er keine Schwierigkeiten, auch die persönliche Bekanntschaft Carl Philipp Emanuel Bachs zu machen. Es lag nahe für den jungen Hofmeister, sich Bach als Collecteur von Pränumeranten anzubieten, zumal Eschenburg für die dem Collegium Carolinum eng verbundenen Waisenhausbuchhandlung tätig war. Mit der Zunahme seiner erzieherischen und literarischen Tätigkeiten scheinen Eschenburgs Werbungseifer und Interesse an einem Freiexemplar nachgelassen zu haben, so daß Fleischer und Gräfe einspringen mußten. Allerdings beweisen die wenigen erhaltenen Briefe Philipp Emanuel an Eschenburg, daß auch außerhalb der gedruckten Subskribentenlisten noch Exemplare, wahrscheinlich über die Buchhandlung, vertrieben wurden[20]. In diesen Listen begegnet uns der

---

20); M. Pirscher, *Johann Joachim Eschenburg. Ein Beitrag zur Literatur- und Wissenschaftsgeschichte des 18. Jahrhunderts,* Phil. Diss. (ms.), Münster 1959, Druck o. O. 1960.

20 Erhaltene Briefe C. Ph. E. Bachs an Eschenburg: 26. 6. 1771 (L. Nohl, *Musikerbriefe* 1867, S. 67); 2. 10. 1784, Autograph: Herzog August Bibliothek Wolfenbüttel, Slg. Vieweg Nr. 44 (L. Nohl, *Musikerbriefe* 1873, S. XXV); 1. 12. 1784 (a. a. O., S. XLVI); 27. 1. 1785 (a. a. O., S. XLVII); 14. 12. 1785 (a. a. O., S. XLVIII); 21. 1. 1786 (a. a. O., S. XLIX; vgl. Anm. 43). – Zu den Pränumerantenlisten vgl. ausführlich E. Suchalla (Hrg.), *Briefe von*

oben beschriebene Kreis um das Collegium Carolinum, bis am Ende nach Zachariäs Tod und bei Gräfes zunehmender Altersschwäche dessen Tochter, Gattin Eberts und tüchtige Klavierspielerin, und Schwanberger als einzige bis zur vierten Sammlung der *Sonaten für Kenner und Liebhaber* (1783) durchhielten (H. 188, 267, 273–78).

Bei der Kleinheit des um das Collegium Carolinum gescharten musikinteressierten Zirkels und dem Desinteresse des Hofes[21], das nur bei den Sturmschen *Geistlichen Gesängen* I (1780, H. 749) [die Herold, der Hamburger Verleger, Eschenburg gewidmet hatte] eine Ausnahme machte, verwundert die Höchstzahl von sechzehn Pränumeranten nicht, ist das Ende jedoch beschämend. Eschenburg scheint sich wenigstens bemüht zu haben; Bachs Briefe sind ein weiteres Beispiel der Mühen des Selbstverlages für einen immerhin Siebzigjährigen. Am 2. Oktober 1784 schrieb er wegen des *Morgengesanges am Schöpfungsfeste* (H. 779):

„... Mein Morgengesang ist hier. Ich werde die Ehre haben, Ihnen mit einem Exemplar ein schlechtes Geschenk zu machen. Befehlen Sie außerdem für sich gemeldete Liebhaber mehrere, so stehen sie zu Diensten für den Pränumerationspreis, nehmlich 1 Thlr. 16 gr. conventionsmünze fürs Stück."[22]

Von Eschenburg scheint keine Bestellung eingegangen zu sein. Am 1. Dezember 1784 sandte ihm Carl Philipp Emanuel Bach das angekündigte Freiexemplar und sechs Exemplare zum Verkauf mit Rückgaberecht. Am 27. Januar 1785 mußte er melden, daß die „Cantate" (*Auferstehung und Himmelfahrt Jesu,* H. 777) nicht gedruckt werden könne, und warb für die 5. Sammlung der *Sonaten für Kenner und Liebhaber* (H. 268, 279, 281–84), anscheinend mit geringem Erfolg; denn auf der gedruckten Pränumerantenliste erschien Braunschweig nicht mehr, und einen verspäteten, von Eschenburg eingesandten Louisdor konnte er erst am 14. Dezember 1785 bestätigen. Er legte noch drei Exemplare der 5. Sammlung zum freien Verkauf bei und übersandte ein viertes und ein weiteres Exemplar des *Morgengesangs* Eschenburg zum Geschenk, gefolgt von der Bemerkung:

„Mit dieser Commission hätte ich Sie gern verschont. Ich kenne Ihr edles Herz für mich und bitte also sehr, *niemanden das geringste aufzudringen* u. lieber die Exemplare auf ihrer Messe einem hiesigen Kaufmann, den ich dazu erbitte, wieder zu schicken."

Eschenburgs Interesse an einer Zusammenarbeit mit Carl Philipp Emanuel Bach lag naturgemäß stärker auf dem Gebiet des Kantaten- und Ora-

---

Carl Philipp Emanuel Bach. Vgl. auch H. Schwab, „Carl Philipp Emanuel Bach und sein Komponieren ‚fürs Publikum'", in: *Carl Philipp Emanuel Bach. Musik und Literatur in Norddeutschland,* hrg. v. D. Lohmeier. Ausstellung zum 200. Todestag Bachs, Heide/H. 1988 (Schriften der Schleswig-Holsteinischen Landesbibliothek Bd. 4), S. 123–136.

21 Zu fragen wäre, wie weit Carl Philipp Emanuel Bachs ungnädige Entlassung aus den preußischen Diensten ihm Sympathien des Braunschweiger Hofes verscherzt hatte.

22 Vgl. Anm. 20.

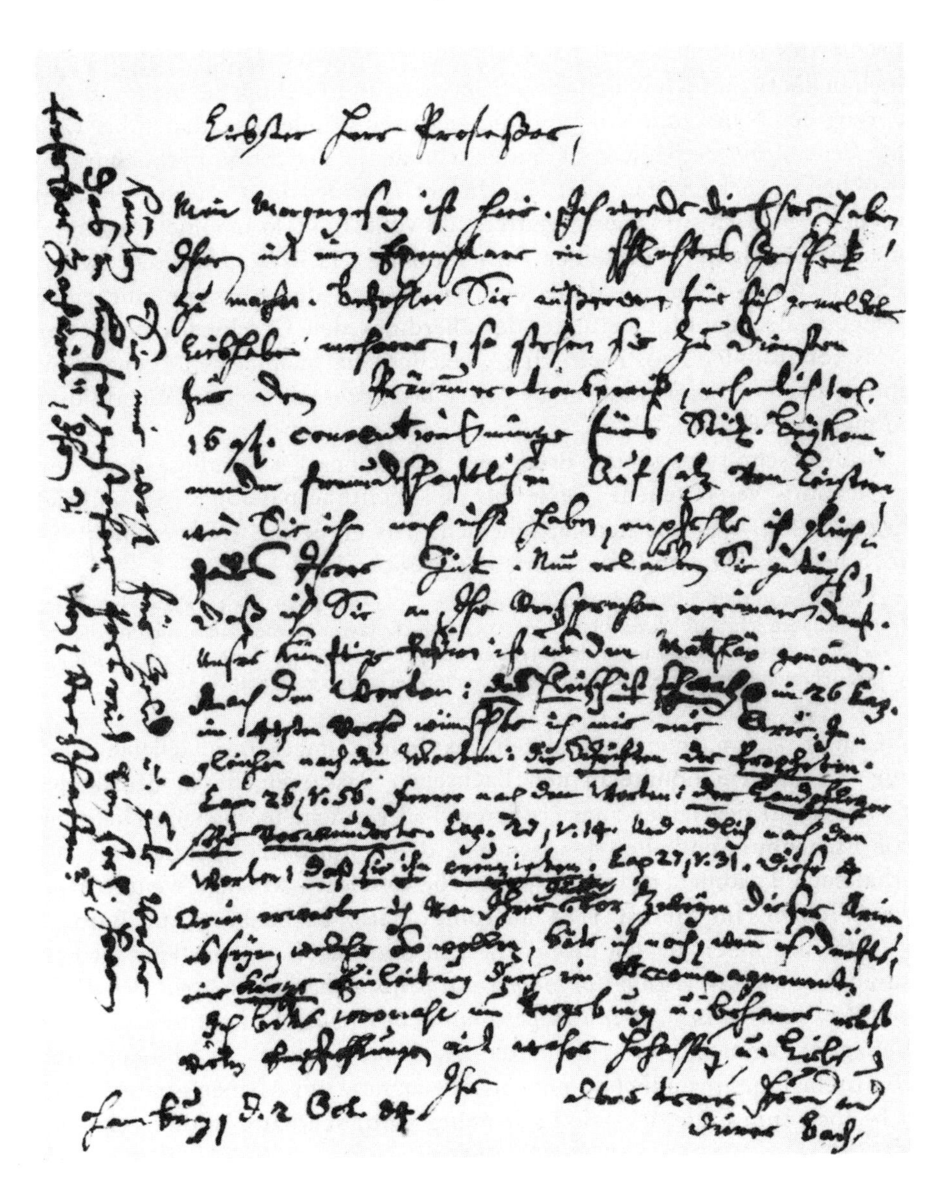

Abb. 1: Autographer Brief Carl Philipp Emanuel Bachs an Johann Joachim Eschenburg vom 2. Oktober 1784. – Herzog August Bibliothek Wolfenbüttel, Sammlung Vieweg Nr. 44. (Abdruck mit freundlicher Genehmigung der Bibliothek.)

torientextes und des Liedes nach dem Beispiel Zachariäs. Hier stand er jedoch in deutlicher Konkurrenz zu Schiebeler und Ebeling, die nicht nur den Vorzug der Nähe zum Komponisten genossen, sondern sich auch bis 1770 der *Unterhaltungen* bedienen konnten, von deren Redaktion Eschenburg inzwischen zurückgetreten war. Schiebelers *Israeliten in der Wüste* (H.775) wurden von Bach sofort aufgegriffen und vollständig komponiert, während er im selben Jahre 1769 seiner *Passionscantate* (H.776) neben den (wahrscheinlich von Ramler redigierten) Dichtungen der Karschin nur einen Arientext Eschenburgs beifügte, der allerdings den Geschmack der schon 1755 von Ramler apostrophierten „weichgeschaffnen Seelen" genau traf und in Bachs Komposition noch Zelter beeindrucken sollte: „Wende dich zu meinem Schmerze"[23].

In dem schon erwähnten Brief vom 2. Oktober 1784 mahnte Bach von Eschenburg versprochene Texte für die Matthäuspassion 1785 an, vier Arien, davon zwei mit Accompagnement. Als er sie am 1. Dezember 1784 noch nicht in Händen hatte, schrieb er höflich:

> „Für Ihren gütigst versprochenen Passionstext danke ich Ihnen gleichfalls verbundenst, nur bedaure ich, daß ich dies Jahr keinen Gebrauch davon machen kann, weil die bevorstehende Passion schon unter den Händen meines Copisten ist. Indessen erbitte ich mir Ihre schönen Gedanken, in so fern etwas davon fertig ist, gelegentlich aus."

Er hatte sich nach einem anderen Textdichter umgesehen, vielleicht Ebeling[24]. Trotzdem könnte in den Bachschen Passionen, deren Musik der Zweite Weltkrieg leider zum größeren Teil vernichtete, manche Dichtung von Eschenburg enthalten gewesen sein, deren stilistische Identität aus den erhaltenen Textbüchern nur schwer zu beweisen ist, so lange weitere Hinweise fehlen. Im Herbst 1784 allerdings hatte Eschenburg auf Burneys Wunsch begonnen, dessen großen Bericht über das Londoner Händel-Fest zu übersetzen: *An Account of the musical performances in Westminster Abbey and the Pantheon in 1784 in commemoration of Handel.* Er konnte Nicolai als Verleger gewinnen, und beide hatten alle Hände voll zu tun, die deutsche, von Eschenburg gründlich kommentierte Fassung zur Michaelismesse 1785, d.h. noch zum Ende des (wie Eschenburg gefunden hatte) wahren Centen-

---

23 Vgl. E. Helm, Thematic Catalogue of the Works of Carl Philipp Emanuel Bach, New Haven/London 1989, zu H. 776 und H. 782. – H. Miesner, *Philipp Emanuel Bach in Hamburg,* Heide/H. 1929 (Phil. Diss., Berlin 1930), Repr. Wiesbaden 1969, S. 62. – S. L. Clark, *The Occasional Choral Works of C. P. E. Bach,* Phil. Diss., Princeton University 1984, S. 42–78, 98, 220–258. – H.-G. Ottenberg, „C. P. E. Bach und Carl Friedrich Zelter", in: *C. P. E. Bach Studies,* hrg. v. S. L. Clark, Oxford 1988, S. 214 f.

24 H. Miesner, *Philipp Emanuel Bach in Hamburg,* S. 64. – E. Helm, a. a. O., zu (790) und (821 c).

niums des Geburtsjahres, herauszubringen. Hier liegt auch einer der Gründe für Eschenburgs Saumseligkeit als Collecteur[25].

Auch als Liederdichter für Carl Philipp Emanuel Bach lief Schiebeler seinem Freund Eschenburg den Rang ab; desto interessanter ist die einzige erhaltene Ausnahme. Als der letztere Beiträge für den Göttinger *Musenalmanach* für 1773 einsandte, sicherte er sich für seine Übersetzung der berühmten Canzonette des Metastasio, „Ecco quel fiero istante“ (die im Original in einer Kompositione Carl Heinrich Grauns 1770 in Bachs *Vielerley* erschienen war), die Vertonung Carl Philipp Emanuels. Boie jedoch hatte, wie er am 21. September 1772 an Eschenburg schrieb[26], keinen Notenstecher und gab auch Kompositionen Fleischers zurück. Darauf setzte Eschenburg seine Fassung, *Die Trennung* überschrieben („Da schlägt des Abschieds Stunde“), 1773 in den *Almanach der deutschen Musen,* und während sie in der Folge von Hiller, Neefe und Fleischer komponiert und veröffentlicht wurde, konnte Bachs Komposition, die in ihrer Ausdruckstiefe das Fassungsvermögen der Zeitgenossen sicher überforderte, erst 1899 von Max Friedländer veröffentlicht werden[27].

Der große Wurf eines Oratorien- oder Kantatenlibrettos, wie er Ramler, Zachariä, Klopstock und Schiebeler gelungen war, war weder Eschenburg noch Ebeling beschieden. Ihr Rückgriff auf die Übersetzung Händelscher Oratorientexte stellte jedoch nicht nur ein weises Bescheiden auf eine erreichbare sprachliche Leistung dar, sondern bewies auch die empfindsame Seite der deutschen Händel-Rezeptionen und das (gerade an Klopstocks Anteil an der Messias-Übersetzung sehr deutliche) Bemühen um eine Musikalisierung der Sprache und eine Neuorientierung am originalen Bibeltext[28].

---

25 Zum Briefwechsel J. J. Eschenburgs mit F. Nicolai:
  a) Briefe von Eschenburg (autograph): Staatsbibliothek Preußischer Kulturbesitz Berlin, Nachlaß Nicolai 19.
  b) Briefe von Nicolai an Eschenburg: Herzog August Bibliothek Wolfenbüttel, Cod. Guelf. 622 Novi.

26 Autographer Brief Boies an Eschenburg, Göttingen, 21. Sept. 1772. Herzog August Bibliothek Wolfenbüttel, Cod. Guelf. 617 Novi., Nr. 104.

27 H. 743. – G. Busch, *C. Ph. E. Bach und seine Lieder,* S. 206 ff. – Stephanie d. J. legte eine Parodie von Eschenburgs Fassung bezeichnenderweise der empfindsamen „Madame Herz“ in seinem Libretto zu Mozarts *Schauspieldirektor* (KV 486, 1786) in den Mund. Den originalen Metastasio-Text hatte Mozart schon 1783 als „Notturno“ (KV 436) gesetzt; eine dritte deutsche Fassung von Klamer Schmidt, 1779 und 1789 im Göttinger Musikalmanach veröffentlicht und gänzlich ohne ironischen Unterton, gab Mozart 1789 als Klavierlied (KV 519) zusammen mit dem Goetheschen „Veilchen“ bei Artaria heraus. – Vgl. M. Friedländer, „Ein ungedrucktes Lied von Phil. Em. Bach“, in: *Jahrbuch Peters* 6, 1899, S. 65 ff., und von dems., *Das deutsche Lied,* I, S. 48, 326; II, S. 349.

28 Das soll Ebelings Bedeutung als Textdichter und Übersetzer keinesfalls mindern. Vgl. M. Marx-Weber, „Hamburger Händel-Pflege im späten 18. Jahrhundert“, in: *Händel in Hamburg,* hrg. von H. J. Marx, Hamburg 1985, S. 133–150; dies., „Der ‚Hamburger Bach‘

Abb. 2: Johann Joachim Eschenburg. Kupferstich. „J(akob) Rieter del. E(berhard Siegfried) Henne sc." - Herzog August Bibliothek Wolfenbüttel. Portr. I/3956 a. (Abdruck mit freundlicher Genehmigung der Bibliothek.)

Sind von Eschenburgs frühen Versuchen einer Teilübersetzung des Händelschen *Messias,* die er am 8. Juli 1795 an Nicolai sandte, auch keine deutlich verfolgbaren Spuren geblieben, so war er mit dem deutschen Text zum *Judas Makkabäus,* den er im Sommer 1772 im Collegium Carolinum aufführen konnte, desto erfolgreicher; seine Fassung hielt sich bis in das 20. Jahrhundert. In Hamburg brachte Carl Philipp Emanuel Bach den *Messias* in der Klopstock-Ebelingschen Textfassung mehrmals zu Gehör, wie zuletzt noch die aus der Tagespresse gewonnene genaue Chronologie der Aufführungen im Programmheft der Hamburger Carl Philipp Emanuel Bach-Tage gezeigt hat[29]. Daß er in der Freimaurerloge auch den *Judas Makkabäus,* von Eschenburg übersetzt, und das *Alexanderfest* dirigiert haben muß, ist lediglich aus Briefen Bodes an Eschenburg und zwei im Verlage Bodes gedruckten Textbüchern zu belegen: *Judas Makkabäus* fiel in den Herbst 1774, das

---

und seine Textdichter", in: *Carl Philipp Emanuel Bach. Musik und Literatur in Norddeutschland,* S. 73–100. Im Vergleich zu Eschenburg und Schiebeler wären außerdem nicht nur Ebelings Arbeiten für C. Ph. E. Bach (H 707, 776, 790, 821 c) und seine zusammen mit Klopstock unternommene deutsche Fassung von Händels Messias zu nennen (vgl. M. Marx-Weber und H. J. Marx, „Der deutsche Text zu Händels ‚Messias' in der Fassung von Klopstock und Ebeling", in: *Beiträge zur Geschichte des Oratoriums seit Händel.* Festschrift Günther Massenkeil, hrg. von G. Cadenbach u. H. Loos, [Bonn 1986], S. 29–56), sondern auch weitere, bei Stephenson („Christoph Daniel Ebeling", in: *Musik in Geschichte und Gegenwart,* Bd. 3, Sp. 1039–1041) und Serwer („Christoph Daniel Ebeling", in: *The New Grove Dictionary,* Bd. 5, S. 809) nur teilweise oder kursorische verzeichnete Texte:

a) der zur Eröffnung des Konzertsaales der Hamburger Handlungsakademie (1778) von Reichardt komponierte Kantatentext *An die Musik* („Schönste Tochter des Himmels", Musik nach Helm, „Johann Friedrich Reichardt", in: *The New Grove Dictionary,* Bd. 15, S. 703–707, verloren. Vgl. auch Ms. Poelchau-Katalog, Deutsche Staatsbibliothek Berlin (Ost), S. 120, Nr. 16);
b) die in Cramers *Magazin der Musik* 2,2 (1786) veröffentlichte Übersetzung eines weiteren von Händel komponierten Oratorienlibrettos, nämlich des *Saul* (S. 1409 ff.), vgl. auch *Saul. Oratorium von G. F. Händel mit untergelegtem Text von C. D. E.,* Klavierauszug von J. F. Naue, Leipzig (um 1840);
c) der 1789 von C. Ph. E. Bachs Nachfolger C. G. F. Schwencke vertonte Text zu der Kantate *Lobgesang auf die Harmonie,* vgl. Poelchau-Katalog, a. a. O., S. 138.

Ebelings deutsche Fassung des Saul war am 31. März 1787 zugunsten des Medicinischen Armeninstitutes in der Handlungsakademie zu hören (vgl. Ch. Gugger, „Chronologische Übersicht über C. Ph. E. Bachs Konzerte", in: *Der Hamburger Bach und die Neue Musik des 18. Jahrhunderts.* Programmbuch, hrg. von H. J. Marx, Hamburg 1988, S. 185), ohne daß Mitwirkende bekannt wurden. Ob Carl Philipp Emanuel Bach nach seiner so dezidierten Absage an die durch Burney-Eschenburgs *Nachricht* (vgl. Anm. 43) auf Kosten der Werke J. S. Bachs stimulierte deutsche Händel-Rezeption den *Saul* selbst dirigiert hat, läßt sich bis jetzt noch nicht sagen.

29 Eschenburg an Nicolai, 8. 7. 1795, SBPrKb Berlin, Nachlaß Nicolai 19, Nr. 248. – Vgl. J. J. Eschenburg, *Judas Makkabäus, ein musikalisches Gedicht. Nach Händelscher Musik ...,* Braunschweig (1772). – Ch. Gugger, „Chronologische Übersicht" (s. Anm. 28).

Alexanderfest in die Winterkonzerte 1776/77[30]. Die traditionelle Abschirmung der freimaurerischen Konzerte von der Öffentlichkeit verbirgt uns manche Einzelheit von Bachs Händelpflege, schützte ihn jedoch angesichts seines Amtes vor Verunglimpfungen durch die kirchliche Obrigkeit à la Goeze[31]. Auf den Mittelsmann und Initiator der Konzerte, den aktiven Freimaurer Bode, lohnt sich jedoch ein näherer Blick, da er aus dem Braunschweigischen stammte und der Stadt lebenslang verbunden blieb.

Johann Joachim Christoph Bode teilte mit Eschenburg die geistige Neugierde, war jedoch als vitale, zupackende, bisweilen derb-humorvolle Persönlichkeit dessen komplementärer Gegensatz: Aufsteiger vom Barumer Hirtenjungen zum bürgerlich eingeheirateten und anerkannten Hamburger Verleger, in Braunschweig ausgebildeter Rats- und Regimentsmusiker und seit seinen Englisch-Studien bei Ebert unermüdlicher Übersetzer. Nicht erst die Logenkonzerte hatten Carl Philipp Emanuel und Bode zusammengebracht, gehörte dieser doch schon lange zum Kreis um Johann Samuel Müller, in dem Eschenburg und Schiebeler schon als Primaner verkehrt und den Theaterprinzipal Koch kennengelernt hatten. Das Theater, für das Bode zu übersetzen begann, führte ihn mit Lessing zusammen und ließ nach dem Zusammenbruch des „Nationaltheaters" in Hamburg den Plan einer gemeinsamen „Buchhandlung der Gelehrten" reifen, der mißlang und zu einer für Lessing bitteren finanziellen Enttäuschung geriet, während Bode auch diesen Wechselfall seines Lebens zu überwinden verstand.

Für Bode redigierten erst Eschenburg und Schiebeler, dann Ebeling die auch musikkritisch wichtigen Hamburger *Unterhaltungen,* in denen Bachs erste Hamburger Lieder, meist auf Texte Schiebelers, erschienen. Mit Eschenburg und dem Braunschweiger Kreis blieb Bode dank gelegentlicher Besuche freundschaftlich verbunden. Als der anfangs von Burney so begeisterte Ebeling die weitere Übersetzung von dessen recht kritischem Reisebericht durch Deutschland und Österreich niederlegte, sprang der Verleger

30 Vgl. die autographen Briefe J. J. Ch. Bodes an Eschenburg in der Herzog August Bibliothek Wolfenbüttel, Cod. Guelf. 617 Novi. Hier 7. 5. 1772 (Nr. 80), s. d. (Anfang 1773, Nr. 81 und 5. 4. 1777 (Nr. 89). – Das 1774 bei Bode gedruckte Hamburger Textbuch (vgl. M. Marx-Weber in *Händel in Hamburg,* S. 144) fehlt bei F. Meyen, *Johann Joachim Eschenburg.* – Das zweite Textbuch ist nur indirekt aus Bodes Brief vom 5. 4. 1777 nachweisbar, worin er an Eschenburg schreibt: „Hier kommen die Stimmen zum Alexanders Feste und 4 Buch Texte dazu; brauchen Sie davon oder alle nach Gefallen." Eventuell käme das Textbuch in der Staats- und Universitätsbibliothek Hamburg Carl von Ossietzky, Musiksammlung M A/64 in Frage: *Alexanderfest oder Die Macht der Tonkunst.* (s. l., s. d.) – Vgl. auch J. Sittard, *Geschichte des Musik- und Concertwesens in Hamburg,* Altona und Leipzig 1890, Repr. Hildesheim 1971, S. 112 ff., und Ch. Gugger, „Chronologische Übersicht", S. 180. Die Aufführung gehörte anscheinend zu den acht Winterkonzerten im Saal der Freimaurer-Loge.

31 G. Busch, *C. Ph. E. Bach und seine Lieder,* S. 181 ff.

Abb. 3: Just Friedrich Wilhelm Zachariae. Kupferstich. „F(riedrich) Kauke sculps. Bero(lini) 1759." - Herzog August Bibliothek Wolfenbüttel. Portr. I/14916 a. (Abdruck mit freundlicher Genehmigung der Bibliothek.)

Bode auch als Übersetzer ein, nicht ohne sich für seine besänftigenden und ergänzenden Fußnoten gelegentlich Rat bei Carl Philipp Emanuel zu holen. Auf diese Weise wurde auch das von Burney umfahrene Braunschweig aufgewertet[32].

Und Gotthold Ephraim Lessing? Anders als für Carl Philipp Emanuel Bach erfüllte Hamburg seine Hoffnungen nicht, doch müssen die beiden gemeinsamen Hamburger Jahre, 1768 bis 1770, für beide Männer eine Bestätigung ihrer in Berlin geschlossenen Freundschaft und ihres Entschlusses, der geistig zu eng gewordenen preußischen Hauptstadt zu entrinnen, gewesen sein. Wie Claudius an Gerstenberg berichtete, waren sie oft gemeinsam anzutreffen, eine Gemeinsamkeit der kritischen Haltung, der Freude an Geselligkeit und Wortwitz und der sächsischen Landsmannschaft. Gegenüber Bachs beruflichem Umkreis blieb Lessing zwar der Gefühlsdistanziertere, aber auch der ästhetisch und historisch Interessierte, ob es nun um die Rolle der Schauspielmusik oder die Frühgeschichte der Hamburger Oper ging, die er anhand der Klefekerschen Libretto-Sammlung studierte[33].

---

32 Der bei G. M. Stewart, „Christoph Daniel Ebeling, Hamburger Pädagoge und Literaturkritiker, und seine Briefe an Charles Burney", in: *Zeitschrift des Vereins für Hamburgische Geschichte* 61 (1975), S. 47–50 wiedergegebene Brief Ebelings an Burney vom 4. 6. 1772 macht deutlich, daß der erstere es bei den Vorschlägen für Burneys Reiseroute an Hinweisen auf Braunschweig nicht hatte mangeln lassen: „His [Grauns] Te Deum and many pieces of Telemann shall attend you, as also the newer operas of Graun, Schwanenberg and others ... *Brunswic.* Schwanberger, Bach (C. P. E. Brother a great Fugist and organist) Fleischer Zachariae a poet and composer – ... Pesch Mr. Eschenburg (my Friend) who shall give you all possible Informations about the music there, the ancient opera etc. Mr. Gräfe *Wolfenbüttel* the Library ..." Burney scheint am Ende des zweiten Bandes der Beschreibung seiner Reisen durch Deutschland Ebelings Brief noch einmal konsultiert zu haben und fühlte sich nun verpflichtet, wenigstens einige Informationen über Braunschweig nachzuliefern (vgl. oben S. 9/123), so über den in Gotha angesiedelten Gräfe, den einige Meilen weiter westlich nach Bückeburg an die Stelle seines Stiefbruders gesetzten Friedemann Bach, Schwanberger, Fleischer und den Konzertmeister beim Erbprinzen Karl Wilhelm Ferdinand, C. A. Pesch. Die Namen der Dichter und der Wolfenbütteler Bibliothek sagten ihm jedoch nichts, und man fragt sich, ob das Zachariä-Zitat auf den Titelblättern beider Bände ihm in Hamburg vorsichtshalber mit auf die Rückreise gegeben worden war:

„Auf Virtuosen sey stolz, Germanien, die zu gezeiget;
In Frankreich und Welschland sind grössere nicht."

33 Vgl. besonders *Gotthold Ephraim Lessings Kollektaneen zur Literatur,* hrg. und weiter ausgeführt von J. J. Eschenburg, 2 Bde., Berlin 1790, und die drei Briefe Claudius' an Gerstenberg von Ende Juli und vom 4. 11. 1768 und von Anfang 1769 (G. E. Lessing, *Gespräche nebst sonstigen Zeugnissen aus seinem Umgang,* hrg. v. F. Frh. von Biedermann, Berlin 1924, Nr. 167, 169, 169 a). – G. Busch, *C. Ph. E. Bach und seine Lieder,* S. 87 ff. – G. Busch, „Lessings Bedeutung für die Entwicklung des deutschen Kunstliedes im 18. Jahrhundert", in: *Humanität und Dialog,* hrg. v. E. P. Harris und L. G. Lyon (Beiheft zum *Lessing Yearbook*), Detroit 1982, S. 353–371. – Reichardt (*Briefe eines aufmerksamen Reisenden* I), wie in vielen Fällen „schnell fertig mit dem Wort", fügte in den Bericht über seinen Braunschweiger Aufenthalt (mit dem er deutlich auf die Versäumnisse Burneys hinwei-

Während seiner ersten Wolfenbütteler Jahre, zwischen Bücherlust und verzweifelten Versuchen um eine ausreichende Existenzsicherung, kehrte Lessing häufig genug nach Hamburg zurück, bis er im Herbst 1776 Eva König heiraten und nach Wolfenbüttel heimführen konnte. In einem Brief an Schönborn vom 17. August 1776 berichtete Klopstock von einem Konzert mit Bachs Orchestersinfonien und einem anschließenden geselligen Abend „bei Büschens und Lessings"[34]. Man mag die geplante Romreise von Carl Philipp Emanuels jüngstem Sohn, Johann Sebastian II. (oder „Johann Samuel", wie er sich mit einer deutlichen Geste der Verehrung gegenüber dem inzwischen verstorbenen Rektor des Johanneums nannte) besprochen haben. Von Wolfenbüttel aus versuchte Lessing im September desselben Jahres, Johann Sebastian II. während seiner Stationen auf der Hinreise nach Rom, in Braunschweig bei Gärtner und in Dresden bei Karl Wilhelm Daßdorf, Briefe zukommen zu lassen – Empfehlungen für Rom? Am 4. Januar 1777 war Lessing jedoch noch ohne Nachricht von dem jungen Maler[35]. Nach dem Tode seines neugeborenen Sohnes und seiner Frau im Dezember bzw. Januar 1777/78 blieben Lessing in Wolfenbüttel nur die Schätze der Bibliotheksrotunde, in denen sich seine Entdeckungen auch auf die Musikgeschichte erstreckten: Mit Johann Gottlob Immanuel Breitkopf korrespondierte er über die Technik der Petrucci-Drucke[36]. Es blieben ihm die Braunschweiger Freunde, in deren Mitte er, wie Leisewitz noch wenige Wochen

---

sen wollte) eine Episode ein, daß Lessing sich anläßlich einer Hausmusik bei Zachariä im Mai oder Juni 1774 geweigert habe, Musik zu hören, was Lessing unter künftigen Musikhistorikern unverdient schlechte Noten einbringen sollte. Wann und warum Lessing, der in Berlin nicht nur C. Ph. E. Bach zu seinen Musiker-Freunden gezählt hatte, von „Liebhabern" der Musik (und in Braunschweig vielleicht auch von dem jugendlichen „Kenner" Reichardt) Distanz suchte, muß an anderer Stelle erörtert werden.

34 H. Miesner, *Philipp Emanuel Bach in Hamburg,* S. 36.

35 Lessing an Eschenburg, 19. 9. 1776; vgl. G. E. Lessing/J. A. Ebert, *Briefwechsel 1768–1780,* Nr. 19. – Lessing an Karl Wilhelm Daßdorf, 26. 11. 1776; vgl. G. E. Lessing, *Sämtliche Schriften,* hrg. von K. Lachmann und F. Muncker (Bd. 1–23, Stuttgart u. a. 1886–1924), Bd. 18, Nr. 511. – Lessing an Lippert, 4. 1. 1777, ibid., Nr. 537. – Carl Philipp Emanuel Bach hatte in einem seiner Briefe an Breitkopf vom 17. 1. 1776 selbst bemerken müssen: „Mein Sohn, der im Schreiben an uns sehr nachläßig ist, …" Nach einem anderen Brief des Vaters (19. 4. 1777) scheint die Krankheit des Sohnes bereits bei der Ankunft in Rom im Januar 1777 ausgebrochen oder gar chronisch gewesen zu sein, da schon während des Leipziger Studienaufenthaltes des jungen Malers in einem Brief C. Ph. E. Bachs an Breitkopf von „Krankengeld" die Rede gewesen war (vgl. E. Suchalla, *Briefe von Carl Philipp Emanuel Bach,* Nr. 8, 33, 49; auch D. J. Ponert, „Johann Sebastian Bach [der Jüngere]. Anmerkungen zu dem früh verstorbenen Zeichner", in: G. Wagner [Hrg.], *Carl Philipp Emanuel Bach,* Ausstellung im Staatl. Institut für Musikforschung Preußischer Kulturbesitz, Berlin 1988, S. 53–57). Im September 1778 starb Johann Sebastian Bach II in Rom.

36 H. Schneider, *Lessing. Zwölf biographische Studien,* Bern/München 1951, S. 16 ff.

vor Lessings Tod berichtete, ein gelegentliches Studentenlied keineswegs verschmähte[37].

Braunschweigs und Wolfenbüttels bürgerliches Konzertwesen und Carl Philipp Emanuel Bachs Oratorien

Der Übergang vom Liebhabermusizieren zum öffentlichen Konzertwesen verlief in Braunschweig und Wolfenbüttel als langsames, aber relativ frühes Zusammenwachsen verschiedenartiger Gruppierungen[38]. Im innerkirchlichen Bereich, in den Passionsmusiken der Hauptkirchen beider Städte, setzte sich mit Grauns *Tod Jesu* (1755) schon seit 1756 der Typ des Passionsoratoriums durch; das Werk blieb in Kirche und Konzertsaal gleichermaßen beliebt. Andere in diesem Rahmen aufgeführte Kompositionen waren z.B. die Rollesche Passion von 1753 (in Braunschweig 1759), Kehls *Pilgrime auf Golgatha* auf den Text von Zachariä (1762, 1768, vgl. Anm.7), Telemanns *Tod Jesu,* ebenfalls auf Ramlers Text (Wolfenbüttel o.J.), in Braunschweig 1779. In diese Entwicklungslinie gehörte 1792 die Aufführung von Carl Philipp Emanuel Bachs *Passions-Cantate* (H. 776) während der Karwoche in St. Andreas und St. Catharinen[39]. Dank der für solche Aufführungen nötigen Konzentration der Kräfte blieben Kirche und Konzertsaal durchaus miteinander verbunden, zumal die Oratorienkonzerte der Liebhabervereinigungen ebenso wie gelegentliche Orgelkonzerte sich der Kirchenräume bedienten.

Die 1746 begonnenen Samstagskonzerte in Collegium Carolinum waren

---

37 Tagebucheintragung vom 18.12.1780, vgl. G.E. Lessing, *Gespräche nebst sonstigen Zeugnissen,* Nr. 300.

38 H.W. Schwab, *Konzert. Öffentliche Musikdarbietung vom 17. bis 19. Jahrhundert,* Leipzig 1971, ²1980. – Zur Braunschweiger Aufführungsgeschichte bes. H.Ch. Wolff, „Die Braunschweiger Konzerte im 18. Jahrhundert", in: *Mitteilungen der niedersächsischen Musikgesellschaft,* Januar–April 1944, S. 4–11, und W. Flechsig/M. Wiswe, *400 Jahre Musikleben im Braunschweiger Lande.* Katalog der Sonderausstellung aus Anlaß des 25jährigen Bestehens der Braunschweiger Musikgesellschaft, Braunschweig 1974. – Zu Eschenburgs Judas Makkabäus-Text und den beiden Braunschweiger Aufführungen vgl. J.J. Eschenburg, *Judas-Makkabäus, ein musikalisches Gedicht.* Nach Händelischer Musik ..., Braunschweig (1772), und dass., Braunschweig (1785). – Wolff (s.o.) hatte bereits die zeitgenössische Braunschweiger Presse ausgewertet; mehr wäre zum Anteil des noch oder nicht mehr vorhandenen Aufführungsmaterials, besonders der datierten Textbücher, zu sagen.

39 Noch ist unklar, ob Fleischer, als Dirigent selten genannt, diese Aufführung leitete, zumal er an St. Aegidien und St. Martini tätig war. In den fünfziger und sechziger Jahren hatte das Martini-Gymnasium noch den Chor und den dirigierenden Präfekten solcher Passionsmusiken gestellt, doch erscheint es fraglich, ob diese aus der Biographie J.S. Bachs sattsam bekannte Methode den musikalischen Anforderungen von Passionsoratorien gewachsen war.

bereits auf Subskriptionsbasis organisiert; sie stellten unter der Leitung von Kantor Weinholz die Arbeitsergebnisse des (in die Stundentafel integrierten) studentischen Collegium musicum vor und gaben anfangs den Werken der Brüder Graun deutlich den Vorzug. Nach dem Tode des Dirigenten im Jahre 1768 ruhten sie, bis Eschenburg (vgl. Anm. 19) tatkräftig an ihre Wiederbelebung ging. In seinen Programmen dominierte, für einen ehemaligen Schüler des Hamburger Johanneums nicht verwunderlich, die Musik Telemanns: *Die Hirten bey der Krippe zu Bethlehem, Donnerode, Wechselgesang der Mirjam und Deborah, Ino.* Zu Grauns *Tod Jesu* gesellte sich Händels *Alexanderfest.* Die 1772 aufgeführten *Pilgrime beym Heiligen Grabe* von Hasse stellen wahrscheinlich eine Eigenübersetzung Eschenburgs dar. Daß die Erstaufführung seiner *Judas Makkabäus*-Übersetzung, am 2. August 1772 „zur unterthänigsten Feyer des Höchsten Geburtsfestes unseres Durchlauchtigsten Herzogs" unternommen, an die Grenzen der vorhandenen musikalischen Mittel stieß, mußte Eschenburg später selbst bekennen. Sie bewirkte auch keineswegs eine finanzielle Unterstützung des Hofes für die Fortführung der regelmäßigen Konzerte am Collegium Carolinum, und so blieb es bei Konzerten in unregelmäßigen Abständen, die 1776 mit C. Ph. E. Bachs *Israeliten in der Wüste* (H 775), wohl durch den Partiturdruck 1775 angeregt, und 1777 mit der Wiederaufnahme der Hasseschen *Pilgrime* fortgesetzt wurden.

Sowohl die wirtschaftliche Stabilisierung nach dem Ende des Siebenjährigen Krieges als auch die nachlassende Aktivität des kränkelnden Weinholz riefen in Wolfenbüttel die Musikliebhaber unter den Bürgern auf den Plan, deren „Musicalische Gesellschaft" 1766 zuerst mit Oratorien-Konzerten an die Öffentlichkeit trat. Dabei ist erstaunlich, daß die 1753 erfolgte Verlegung der Residenz nach Braunschweig das geistige Leben Wolfenbüttels offensichtlich nicht geschmälert hatte. Für größere Aufführungen konnte man sich in beiden Städten allerdings der Hofmusiker versichern, eine Stütze, die 1768 durch die drastische Reduktion der Hofmusik, Folge der Finanzkrise der herzoglichen Verwaltung, beeinträchtigt wurde. Die Braunschweiger Bürger gingen 1766 andere Wege: Die wöchentlichen Subskriptionskonzerte am Mittwoch-, später Dienstagabend bevorzugten Auftritte reisender Virtuosen, während man sich mit der Gründung einer eigenen „Musicalischen Gesellschaft" bis 1777 Zeit ließ. Abgerundet wurde das öffentliche Musikangebot durch die Kaffeehäuser und Wirtshausgärten – so war für jeden Geschmack gesorgt.

Trotz aller Wechselfälle kam es bis zum Beginn der achtziger Jahre zu einer stattlichen Reihe von Aufführungen. Im März 1774 konnte die Wolfenbütteler Musikgesellschaft *Die Pilgrime auf Golgatha,* die Dichtung Zachariäs, mit der durch Chöre von Graff ergänzten Musik Kehls darbieten. Zu der Wertschätzung der Oratorientexte des Carolinum-Professors gesellte sich eine Vorliebe für die Musik Johann Heinrich Rolles, dessen Wirkungsort Magdeburg nicht nur geographisch auf halbem Wege zwischen Braunschweig und Berlin lag, sondern der auch als ehemaliges Mitglied der preußischen Hofkapelle die Brüder Graun und Philipp Emanuel Bach gut gekannt hatte[40]. Von 1777 an erlaubte die Zusammenarbeit der Musikgesellschaften der alten und der neuen Residenz größere Aufführungen: 1779 Rolles *Abraham auf Moira* in Wolfenbüttel und Braunschweig, im selben Jahre dessen *Befreytes Israel* (auf Zachariäs Text), 1780 noch einmal *Abraham auf Moira* in Braunschweig, 1781 Rolles *Lazarus* in Wolfenbüttel.

1777 war Zachariä gestorben, 1780 starb Herzog Carl. Es war wohl nicht die Hoftrauer allein[41], die die Konzerte im Collegium Carolinum ganz zum Erliegen brachte; auch die Braunschweiger „Musicalische Gesellschaft" litt von 1782 bis ca. 1790 an der Auszehrung und organisierte sich erst wieder neu, als die Mitglieder der endlich vergrößerten Hofkapelle die Möglichkeiten des bürgerlichen Konzertsaals zu schätzen lernten. So verwundert der Mangel an Interesse für Carl Philipp Emanuel Bachs *Morgengesang* und *Auferstehung und Himmelfahrt Jesu* nicht. Die drei Braunschweiger Subscribenten auf Bachs *Heilig* (H. 778, Druck 1779), darunter Fleischer, mußten wohl angesichts dieser Situation die Hoffnung auf eine Aufführung aufgeben[42].

Allein Eschenburgs Händel-Begeisterung, gepaart mit seiner ausdrücklich vom Verfasser autorisierten Arbeit an der Übersetzung von Burneys *Account,* gelang 1785 die Wiederaufführung von *Judas-Makkabäus* als eine Art Braunschweiger „Händel-Gedächtnisfeier", die Berlin und Leipzig tatsächlich den Rang ablaufen konnte. An der zunehmenden Popularität von Händels Oratorien, in die durch Eschenburgs Übersetzung von *Dr. Karl Bur-*

40 Eine Verbindung Eschenburgs zu Rolle, eventuell durch C. Ph. E. Bach oder Zachariä hergestellt, bestand durch des ersteren aus John Browns *Dissertation on the Rise, Union and Power of Poetry and Music* (1763) übersetzten Kantatentext *Die Heilung Sauls,* den Rolle in einer Fassung von Patzke 1770 komponierte und 1776 als Klavierauszug drukken ließ. Allerdings fehlt dieses Werk in der Braunschweiger Aufführungschronologie vollständig.

41 Weitere Gründe könnten in dem verminderten Einfluß der nunmehrigen Herzoginwitwe Philippine Charlotte und dem Versuch ihres regierenden Sohnes Karl Wilhelm Ferdinand liegen, mit Hilfe der italienischen Operngesellschaft von Patrassi und Simoni sich wieder eine italienische Hofoper zuzulegen. Zwar war dieser Versuch nur von kurzer Dauer, doch führte diese Gesellschaft 1785 Jomellis *Isacco* auf.

42 E. Suchalla, *Briefe von Carl Philipp Emanuel Bach:* Versandliste 42 a, S. 67, und Strichliste 83 b, S. 110. – Erstaunlicherweise rüttelte jedoch 1789 ein Gastdirigent die Braunschweiger und Wolfenbütteler Kräfte zu mehrchörigen Werken auf (H. Ch. Wolff, „Die Braunschweiger Konzerte", S. 9): In St. Aegidien brachte der Leipziger Musikdirektor Christian Gottfried Thomas Benevolis *Sanctus* und eigene Kompositionen zu Gehör.

ney's Nachricht von Georg Friedrich Händel's Lebensumständen und der ihm zu London im Mai und Jun. 1784 angestellten Gedächtnisfeyer (1785) der zündende Funke fiel, mußten sich Carl Philipp Emanuel Bachs Oratorien außerhalb Hamburgs ebenso messen wie an den jeweiligen lokalen Gegebenheiten und den Kompositionen seiner Zeitgenossen. In jener berühmten, in der Sache engagierten, in der Form immer noch freundlichen Philippika, die Carl Philipp Emanuel nach der Lektüre der Burney'schen *Nachricht* dem Freunde Eschenburg in seinem Brief vom 21. Januar 1786 hielt, ging es jedoch weniger um das Schicksal der eigenen Werke als vielmehr um Burneys Abwertung des Orgelspielers und -komponisten Johann Sebastian Bach, die im Gefolge der Eschenburg-Übersetzung nun in Deutschland die Runde machte[43].

Das am 8. Oktober 1988 in der Hamburger Hauptkirche St. Michaelis aus Anlaß des 200. Todestages nachgestellte Konzert Philipp Emanuel Bachs vom 9. April 1786 erhält aus dem Briefwechsel mit Eschenburg einen besonderen rezeptionsgeschichtlichen Sinn: Er wollte durch die Gestaltung des Programms seinen Zeitgenossen und, am Abend seines Lebens, der Nachwelt beweisen, daß ein Ausgleich zwischen Händelbegeisterung, Würdigung der Werke seines Vaters und Anerkennung der eigenen Leistungen möglich sei; zugleich hat diese Programmgestaltung eine liturgische und eine sehr persönliche Aussage. Mit dem „Credo" der h-moll-Messe seines Vaters verband er eine eigene Einleitung, und sein eigenes *Magnificat* von 1749 (H. 772) war nicht nur eine stilistische Rückbesinnung, sondern auch eine Erinnerung an des Vaters letzte, beschwerliche Lebensjahre. Ganz umsonst zitierte der Arienanfang „Suscepit Israel" den Sterbechoral „Wenn ich einmal soll scheiden" sicher nicht, ganz umsonst war auch das Magnificat nicht Teil der Vesperliturgie. In die Mitte des Programms stellte Carl Philipp Emanuel Bach die populärsten Nummern aus dem in Deutschland populärsten Werk Händels, „Ich weiß, daß mein Erlöser lebt" und „Hallelujah" aus dem *Messias,* und kontrapunktierte diese Erlösungshoffnung mit dem eigenen Chorwerk, dem er die größte Wertschätzung beimaß, dem *Heilig* (H. 778)[44].

---

43 Burney-Eschenburgs *Nachricht* erschien 1785 bei Nicolai. – C. Ph. E. Bach an Eschenburg, 21. 1. 1786, vgl. L. Nohl, *Musikerbriefe* 1873, S. XLIX ff. – H. J. Schulze, *Dokumente zum Nachwirken Johann Sebastian Bachs 1750–1800,* Kassel/Leipzig 1972 (Bach-Dokumente Bd. III, hrg. v. Bach-Archiv Leipzig), S. 418 ff. et alii.

44 M. Hoyer, „Programmnotizen zum Chor- und Orchesterkonzert am 8. Oktober 1988", in: *Der Hamburger Bach und die Neue Musik des 18. Jahrhunderts,* S. 148–159.

Wirkung in die Nähe – Wirkung in der Zeit

So unparteiisch, wie Carl Philipp Emanuel Bach es erhoffte, verhielt sich die Nachwelt jedoch gegenüber seinem Werk nicht. Wenn die Schichten des sich in Eschenburg verkörpernden Historismus, des Vergessens und Verdrängens nun im Zeichen des 200. Todestages intensiver abgetragen werden, so hat auch die Beschäftigung mit dem musikalisch-literarischen Lokalkolorit und dem Freundeskreis einer Carl Philipp Emanuel Bach wirklich „benachbarten" Stadt ihren rezeptionsgeschichtlich paradigmatischen Sinn. Daß Pränumeranten- und Aufführungszahlen nicht die einzigen Indizien sein können, läßt sich an Philipp Emanuels Verbindungen zu Braunschweig zeigen.

Geschmacks- und Gefühlsbildung war eines der von J. F. W. Jerusalem dem Collegium Carolinum vorgegebenen Ziele gewesen. Wie drückte sich Bode am Ende von Burneys *Tagebuch* aus?

> „Im ganzen betrachtet, scheint, daß in den schönen Künsten ein jedes Land, und eine jede Schule, ihre eigenen Fehler und auch ihre eigenen Vollkommenheiten habe. Die Musik betreffend könnte man dieses auch an den verschiedenen Arten von Style in den Kompositionen und dem Vortrage der vornehmsten Städte in Deutschland beweisen. Wien unterscheidet sich durch Feuer und Invention; Mannheim durch eine nette und brillante Execution; Berlin durch Kontrapunkt; und Braunschweig durch Geschmack."[45]

---

45 Der vorstehende Beitrag ist Teil ausgedehnterer Forschungen zur Musik in Lessings Freundeskreis und am Collegium Carolinum in Braunschweig. Für die stetige Förderung dieser Arbeiten bin ich dem Direktor der Herzog August Bibliothek Wolfenbüttel, Herrn Prof. Dr. Dr. h.c. Paul Raabe, und seinen Mitarbeitern zu großem Dank verpflichtet.

Hans-Günter Ottenberg

C. Ph. E. Bach im Spiegel der zeitgenössischen Musikpresse

Wollte man das gestellte Thema in einigen zusammenfassenden Sätzen zu skizzieren versuchen, so wäre folgende Charakteristik denkbar: Nach vereinzelten, sich zunächst auf das Berliner Musikschrifttum der Jahrhundertmitte beschränkenden Aussagen gewann der Name C. Ph. E. Bachs zunehmend und jetzt auch im überregionalen Maßstab an Publizität. Er erreichte in den siebziger und frühen achtziger Jahren insbesondere vor dem Hintergrund der Geniediskussion einen nie dagewesenen Bekanntheitsgrad (Cramers *Magazin der Musik*[1] enthält annähernd achtzig auf diesen Komponisten bezogene Textstellen) und wurde dann rasch und gründlich vergessen. Für Musikzeitschriften des 19. Jahrhunderts beanspruchte der Name des „Hamburger Bachs" nurmehr historisches Interesse. Eine C. Ph. E. Bach-Renaissance hat es nicht gegeben.

C. Ph. E. Bach maß der publizistischen Mitteilung ein besonderes Gewicht bei, half sie doch seinen Ruf als „Originalgenie" festigen. Die zahlreichen anerkennenden Aufsätze und Rezensionen in der Presse kamen aber nicht nur Bachs Reputationsstreben zugute, sondern trugen ebenso zur Intensivierung der Kommunikationsbeziehung Komponist – Hörer bei. Und Bach nutzte dieses Medium, um seine Selbstverlagsunternehmungen zu befördern.

Um 1750 hatte eine Gruppe theoretisch ambitionierter Köpfe in Berlin in Anlehnung an den philosophischen Rationalismus Christian Wolffs und in Befolgung seiner Grundsätze, beispielsweise des Axioms vom ausgeschlossenen Widerspruch, eine breit angelegte Musikdiskussion entfacht[2]. Maßgeblich hieran beteiligt waren die von Friedrich Wilhelm Marpurg herausgegebenen Zeitschriften *Der Critische Musicus an der Spree*[3], die *Historisch-*

---

1 *Magazin der Musik,* hrg. von C. F. Cramer, Hamburg 1783–86, 4 Bde. (Repr. Hildesheim, New York 1971).

2 Vgl. den einleitenden Abschnitt „Aufklärung – auch durch Musik?" in: *Der Critische Musicus an der Spree, Berliner Musikschrifttum von 1748 bis 1799,* hrg. von H.-G. Ottenberg, Leipzig 1984.

3 *Der Critische Musicus an der Spree,* hrg. von F. W. Marpurg, Berlin 1749–50 (Repr. Hildesheim, New York 1970).

Kritischen Beyträge zur Aufnahme der Musik[4] und die *Kritischen Briefe über die Tonkunst*[5]. Wiederholt versicherten sich die Autoren des Urteils von C. Ph. E. Bach zur Bekräftigung ihrer ästhetischen und musiktheoretischen Standpunkte. So war der vierte der *Kritischen Briefe,* der den weitläufigen Disput zwischen Georg Andreas Sorge und Marpurg eröffnete, an Bach adressiert[6]. Dieser griff zeitweise selbst in den mit äußerster polemischer Schärfe geführten Theorienstreit ein, unter dem Pseudonym Caspar Dünckelfeind, wie neuerdings Thomas Christensen glaubhaft machen konnte[7]. Seit dem Erscheinen des ersten Teils des *Versuchs über die wahre Art das Clavier zu spielen* im Jahre 1753 galt Bach als die Autorität auf dem Gebiet der Theorie und Methodik des Klavierspiels. Marpurg berief sich im Zusammenhang mit der Kritik von Weitzlers Lehrsystem[8] mehrfach auf Bachs *Versuch*[9]. Bei der Diskussion von Grundfragen der musikalischen Rezeption, und hier insbesondere der psychologisch untermauerten Forderung nach dem „Erregen“ und „Stillen“ von Affekten, sind folgende Sätze aus dem *Critischen Musicus an der Spree* bemerkenswert: „Unser Herr Bach spielete vor einiger Zeit einem meiner guten Freunde die sechste aus dem zweyten Theil seiner herausgegebenen Sonaten[10] vor. Dieser Freund gestund mir, daß er sonst das Unglück habe meistenstheils zerstreuet zu werden, ehe ein Stück zu Ende käme; bey diesem aber habe er seinen Plan wahrgenommen, und eine Ausführung desselben, die ihn in beständigem Feuer und in unverrückter Aufmercksamkeit erhalten.“[11] Die Art und Weise, wie dieser Rezeptionsvorgang hier beschrieben wird, wirft die Frage auf, ob Bach bereits zum damaligen Zeitpunkt die dann später in den Klaviersonaten Wq 50[12] gleichsam kodifizierte Reprisentechnik angewandt hat.

Solche Bezugnahmen auf C. Ph. E. Bach ordneten sich der generellen Zwecksetzung der noch weitgehend in der Tradition der Gelehrtenzeit-

---

4 *Historisch-Kritische Beyträge zur Aufnahme der Musik,* hrg. von F. W. Marpurg, Berlin 1754–62, 1778, 5 Bde. (Repr. Hildesheim, New York 1968).

5 *Kritische Briefe über die Tonkunst,* hrg. von F. W. Marpurg, Berlin 1759–63, 2 Bde. (Repr. Hildesheim, New York 1974).

6 Ebd., Bd. 1, S. 25 ff.

7 T. Christensen, Nichelmann contra C. P. E. Bach: Harmonic Theory and Musical Politics at the Court of Frederick the Great, vgl. im vorlieg. Band S. 169 ff.

8 „Herrn Weitzlers Anhang zu dem kurzen Entwurf der ersten Anfangsgründe, auf dem Klavier nach Noten zu spielen“, in: *Historisch-Kritische Beyträge zur Aufnahme der Musik,* a. a. O., Bd. 3, S. 97–106.

9 Vgl. Marpurgs Entgegnung „Anmerkungen über den Anhang etc. des Herrn Weitzler“, ebd., S. 107–123.

10 C. Ph. E. Bach, *Sei Sonate per Cembalo* („Württembergische Sonaten“), Wq 49, Nürnberg 1744.

11 *Der Critische Musicus an der Spree,* a. a. O., S. 217.

12 C. Ph. E. Bach, *Sechs Sonaten für Clavier mit veränderten Reprisen,* Wq 50, Berlin 1760.

schriften stehenden Marpurgschen Journale unter, nämlich das Wissensgebiet „Musik“ in seinen mathematisch-naturwissenschaftlichen, ästhetischen, psychologischen, instrumentenspezifischen u. a. Aspekten zu systematisieren.

In dem Maße, wie sich die Musikzeitschriften, die Popularisierungstendenz der moralischen Wochenschriften fortsetzend, mehr und mehr breiten Leserkreisen öffneten und insbesondere den Dialog mit den Musikliebhabern suchten, wandelten sich auch die Inhalte. So bestimmten die Berichterstattung über musikalische Ereignisse und Musiker sowie Besprechungen neu erschienener Musikalien und Musikbücher das Profil von Johann Adam Hillers *Wöchentlichen Nachrichten und Anmerkungen die Musik betreffend*[13]. Der Leser erfuhr von C. Ph. E. Bachs Berufung nach Hamburg[14] und seinem dortigen Amtsantritt[15]; vor allem aber wurden dessen Werke rezensiert. Zyklen wie die *Sechs leichten Claviersonaten,* Wq 53[16], und *Kurze und leichte Klavierstücke mit veränderten Reprisen,* Wq 113[17], erwiesen sich als Hillers didaktischen Absichten förderlich, denn für die in seinen Analysen immer wieder herausgestellten Kategorien des „guten Geschmacks“ und der „guten Spielart“ böten die Bachschen Kompositionen nachahmenswerte Muster[18]. Stilistische Eigenheiten der Bachschen Kompositionsart wie das Fantasieprinzip, die originelle Disposition von Überraschungseffekten u. a. m. blieben freilich in der Diskussion unscharf oder wurden gänzlich ausgespart.

Die Häufung von Bach-Aufsätzen in Hillers Periodikum kam nicht von ungefähr. Die Kenntnis von C. Ph. E. Bachs Improvisationskunst auf dem Clavichord, sein Ruf als bedeutender Klavierkomponist hatten sich längst auch außerhalb der Grenzen Deutschlands verbreitet. Neben den Musikzeitschriften widmeten seit den sechziger Jahren verstärkt Zeitschriften literarischen und kunsttheoretischen Inhalts wie auch die Tagespresse den Bachschen Neuerscheinungen z. T. ausführliche und fast durchweg positive

---

13 *Wöchentliche Nachrichten und Anmerkungen die Musik betreffend,* hrg. von J. A. Hiller, 3 Bde., Leipzig 1766–68 (Repr.: Hildesheim, New York 1970).

14 Ebd., Bd. 2, S. 204.

15 Ebd., Bd. 3, S. 51.

16 Ebd., Bd. 1, S. 132.

17 Ebd., S. 52 f.

18 Im Zusammenhang mit der Besprechung von C. Ph. E. Bachs *Sechs leichten Claviersonaten,* Wq 53, schreibt Hiller: „Jede dieser Sonaten bestehet demnach aus drey Sätzen, die eben so reich an Erfindung, an Melodie, an reiner und künstlicher Harmonie sind, als die übrigen Arbeiten dieses berühmten Verfassers. Und wer weis nicht, wie sorgfältig Herr Bach auf die Verbesserung des Vortrages und der guten Spielart bedacht ist? Wie fleißig und dem guten Geschmacke gemäß er überall die erforderlichen Spielmanieren über die Noten setzt? Wer sie nicht versteht, oder auszudrücken weis, der sehe seinen Versuch über die wahre Art das Clavier zu spielen nach.“ Ebd., S. 132.

Besprechungen. Hier wären zu nennen die *Neue Bibliothek der schönen Wissenschaften und der freyen Künste*[19], die in Hamburg erscheinenden *Unterhaltungen*[20] und die *Allgemeine Literatur-Zeitung*[21]. An der Spitze mit 34 Rezensionen stand die *Allgemeine Deutsche Bibliothek*[22]. Kaum ein anderer Komponist wurde in dieser Zeitschrift so häufig rezensiert wie C.Ph.E. Bach. Dabei spielten sicher auch persönliche Bindungen eine Rolle. Bach war sowohl mit dem Herausgeber Friedrich Nicolai wie mit den Rezensenten des musikalischen Fachs[23], mit Agricola, Reichardt, Türk, Neefe und J.A.P. Schulz näher bekannt, Autoren, durch die in besonderem Maße ästhetische Standpunkte der sog. Berliner Schule vertreten wurden.

Das C.Ph.E.Bach betreffende Themenspektrum in den Tageszeitungen erwies sich als außerordentlich breit: Werkanzeigen, Konzertankündigungen und -kritiken, Pränumerationsaufforderungen und Rezensionen wurden in die Spalten der Berliner und Hamburger, Leipziger, Dresdner und Wiener Presse eingerückt, erschienen selbst in den Gazetten kleinerer deutscher Orte[24] und dokumentierten den hohen Verbreitungsgrad der Musik C.Ph.E.Bachs[25]. Eine Durchsicht z.B. der *Berlinischen Nachrichten von Staats- und Gelehrten Sachen* seit etwa 1760 fördert nicht nur Aufführungsdaten Bachscher Werke zutage[26], auch als Bach die Stadt längst verlassen hatte, sondern vermittelt ebenso Erkenntnisse über das Organisationsge-

---

19 *Neue Bibliothek der schönen Wissenschaften und der freyen Künste,* hrg. von Ch.F.Weisse, Bd. 1–77 nebst Register, Leipzig 1765–1806. Die entsprechenden Hinweise auf Rezensionen Bachscher Werke – auch in den nachfolgend genannten Zeitschriften – finden sich in J.J.H.Westphals *Gesammleten Nachrichten.* Titel unter Anm. 28.

20 *Unterhaltungen,* hrg. von D.Schiebeler, J.J.Eschenburg u.a., Bd. 1–10, Hamburg 1766–70.

21 *Allgemeine Literatur-Zeitung,* hrg. von Ch.G.Schütz, F.J.Bertuch, G.Hufeland, Jena, Leipzig 1785–1803.

22 *Allgemeine Deutsche Bibliothek,* hrg. von F.Nicolai, Bd. 1–118, nebst Anhängen und Register-Bänden, Berlin, Stettin 1765–96.

23 Vgl. die Autorenzuweisungen in: G.Parthey, *Die Mitarbeiter an Friedrich Nicolais „Allgemeiner Deutscher Bibliothek" nach ihren Namen und Zeichen,* Berlin 1842, sowie G.Ost, *Friedrich Nicolais allgemeine deutsche Bibliothek,* Berlin 1928 (= Germanische Studien, Heft 63), S. 56.

24 Vgl. die Ankündigung von Bachs *Versuch über die wahre Art das Clavier zu spielen,* Teil 1, in: *Critische Nachrichten,* hrg. von J.C.Dähnert, Bd. 3, Greifswald 1752. S. 100; auch zitiert in: *Der Critische Musicus an der Spree, Berliner Musikschrifttum von 1748 bis 1799,* a.a.O., S. 22f., ferner die Rezension von Bachs *Orchester-Sinfonien,* Wq 183, in: *Güstrowsches Wochenblatt,* 23. Stück, 1781, S. 179; auch zitiert bei R.Diekow, *Studien über das Musikschaffen Johann Christian und Johann Wilhelm Hertels,* Phil. Diss. Rostock 1980.

25 Es bedarf künftig einer gezielten Auswertung der Presse in ihrer Gesamtheit, um dem C.Ph.E.Bach-Bild des 18. Jahrhunderts in seinen unterschiedlichen lokalen Ausprägungen schärfere Konturen zu verleihen.

26 Z.B. *Berlinische Nachrichten von Staats- und Gelehrten Sachen,* 1778, S. 190, 293, 706.

füge des Berliner Konzertlebens. Zugleich lassen sich Rückschlüsse auf die Beschaffenheit des Subskriptionsmarktes in der preußischen Hauptstadt ziehen, wobei Kirnberger, Hering und Riedt für Bach als Kollekteure tätig waren[27]. Mehr aber noch verdient die *Staats- und Gelehrte Zeitung des Hamburgischen Unpartheyischen Correspondenten* als eine maßgebliche Quelle der C. Ph. E. Bach-Rezeption im letzten Drittel des 18. Jahrhunderts erwähnt zu werden. Johann Jakob Heinrich Westphal profitierte von dieser Bachschen Popularität, als er die Dokumentation *Gesammlete Nachrichten von dem Leben und den Werken des Herrn Carl Philipp Emanuel Bach*[28] zusammenstellte.

Exponenten der Bewegung des Sturm und Drang, wie Schubart, Lavater, Reichardt u. a., haben sich in theoretischen Abhandlungen, autobiographischen und physiognomischen Studien, in zahlreichen Zeitschriftenartikeln eingehend mit der Persönlichkeit C. Ph. E. Bachs beschäftigt[29]. Auf ihn bezogen sie den Begriff des „Originalgenies" resp. „Originalgeistes". Wesentlichen Anteil an der Verifizierung des Geniegedanken an C. Ph. E. Bachs Schaffen hatten Forkels *Musikalisch-kritische Bibliothek*[30]. Reichardts *Musikalisches Kunstmagazin*[31] und Cramers *Magazin der Musik*[32]. Parallelen in der ästhetischen Argumentation sind unübersehbar. Forkel nannte Bach den „Schöpfer eines eigenen Geschmacks, und einer eigenen Behandlung eines

---

27 Vgl. K. Hortschansky, „Der Musiker als Musikalienhändler in der zweiten Hälfte des 18. Jahrhunderts", in: *Der Sozialstatus des Berufsmusikers vom 17. bis 19. Jahrhundert,* hrg. von W. Salmen, Kassel, Basel usw. 1974, S. 88, sowie zahlreiche Hinweise auf Bachs Berliner Kollekteure in: *Briefe von Carl Philipp Emanuel Bach an Johann Gottlob Immanuel Breitkopf und Johann Nikolaus Forkel,* hrg. von E. Suchalla, Tutzing 1985 (= Mainzer Studien zur Musikwissenschaft, Bd. 19), S. 34, 49 f., 56, 65, 67 und häufiger; im folgenden als *Suchalla-Briefe* zitiert.

28 Der vollständige Titel lautet: J. J. H. Westphal, *Gesammlete Nachrichten von dem Leben und den Werken des Herrn Carl Philipp Emanuel Bach, Kapellmeister in Hamburg nebst einer Sammlung verschiedener Recensionen und Beurtheilungen seiner herausgegebenen Werke,* handschriftlich aus: Bibliothèque Royale de Belgique, Brüssel, Fonds Fétis, II 4133.

29 Vgl. den Abschnitt „Geniediskussion" in: H.-G. Ottenberg, *Carl Philipp Emanuel Bach,* Leipzig 1982, S. 185 ff.

30 Vgl. insbesondere Forkels Analyse von C. Ph. E. Bachs *Claviersonaten mit einer Violine und einem Violoncell zur Begleitung,* Wq 90/91, in: J. N. Forkel, *Musikalisch-kritische Bibliothek,* Bd. 2, Gotha 1778 (Repr. Hildesheim 1964), S. 275–300.

31 J. F. Reichardt, *Musikalisches Kunstmagazin,* Teil 1, Berlin 1782, S. 24 f., 84 f., 87; Teil 2, Berlin 1791 (Repr. Hildesheim 1969). S. 18.

32 Vgl. in diesem Zusammenhang die Ankündigung von *Klopstocks Morgengesang am Schöpfungsfeste,* in: *Magazin der Musik,* a. a. O., Bd. 2, S. 1115–1119; die ausführlichen Rezensionen der vierten Sammlung *für Kenner und Liebhaber,* Wq 58, ebd., S. 1238–1255, und der fünften Sammlung *für Kenner und Liebhaber,* Wq 59, ebd., Bd. 4, S. 869–872, sowie den Aufsatz „Phantasie von C. P. E. Bach mit doppelt unterlegtem Text von v. Gerstenberg", ebd., S. 1359–1363.

gewissen musikalischen Instrumentes"[33], Reichardt bemerkte: „Wir haben nur einen Bach, dessen Manier ganz original, und ihm allein eigen ist."[34] Und Cramer fand, daß jede seiner Kompositionen eine „eigene Originalität habe"[35]. Auch die wirkungsästhetischen Begriffe, die zur Verbalisierung der Bachschen Tonsprache herangezogen wurden, waren häufig die gleichen: „bizarr", „eigensinnig", „tiefsinnig" ...[36]. Hier sollten dann auch die Angriffspunkte für Bachs Kritiker liegen. Daß eine so apostrophierte Musik als Exklusivkunst angesehen wurde, die im „ächten Musikkenner"[37] – ein Wort Forkels – ihren adäquaten Hörer und Interpreten findet, daran ließen Autoren wie Burney, Cramer, Schubart, Eschstruth u. v. a. keinen Zweifel[38]. Wich Bach selbst von diesem vorgeprägten Bild ab, dann konnte es durchaus vorkommen, daß die Fachpresse verständnislos oder sogar ablehnend reagierte. Als er, nicht zuletzt „um (seinen) Verkauf zu befördern"[39], Rondos komponierte, stellte Cramer fest, Bach habe sich „zu der Gattung der jezt so beliebten, und bis zum Ekel in allen Claviercompositionen vorkommenden Gattung des Rondos herabgelassen"[40].

In der kontroversen Diskussion um das Rondo, die sich auch an Bachs Werken entzündet hatte[41], spiegelte sich im kleinen die gesellschaftlich be-

33 *Musikalisch-kritische Bibliothek,* a. a. O., Bd. 2, S. 276.

34 J. F. Reichardt, *Über die Deutsche comische Oper,* Hamburg 1774, S. 15.

35 *Magazin der Musik,* a. a. O., Bd. 4, S. 870.

36 Schubart schrieb in seinen *Ideen zu einer Ästhetik der Tonkunst:* „Was man an seinen Stücken tadelt ist eigensinniger Geschmack, oft Bizarrerie, gesuchte Schwierigkeit, eigensinniger Notensatz ... und Unbeugsamkeit gegen den Modegeschmack." C. F. D. Schubart, *Ideen zu einer Ästhetik der Tonkunst,* entstanden um 1784/85, hrg. von L. Schubart, Wien 1806, S. 179. Solche und ähnliche Attribute finden sich auch bei C. Burney, *Tagebuch seiner Musikalischen Reisen,* Bd. 3, aus dem Englischen übersetzt, Hamburg 1773, S. 209; J. F. Reichardt, *Schreiben über die Berlinische Musik,* Hamburg 1775; C. L. Junker, *Zwanzig Componisten, eine Skizze,* Bern 1776, S. 12.

37 Forkel, *Musikalisch-kritische Bibliothek,* a. a. O., Bd. 2, S. 294.

38 Ein Beispiel von vielen: „Ueber gewisse Männer und ihre Werke hat sich nun schon einmal das Urtheil des Publici (mit dem vielseitigen Worte Publicum meint man aber nicht etwa den großen Haufen, unter dem es nur gar zu viele Midasohren giebt, sondern den Kern der Kenner, die natürliches Gefühl mit Kenntniß, Geschmack und Erfahrung verbinden) so sehr fixirt, daß ein Recensent, bey der Erscheinung eines neuen Productes ihres Genius, beynahe nichts weiter zu thun hat, als nur ganz einfältiglich anzuzeigen: daß es da ist; und sein *vos plaudite* an die Zuhörer gern sparen kann. War dieß je bey einem Künstler so; so trift es bey Bachen zu, es sey nun, daß er in der Sphäre der heiligen und Kirchenmusic, in dem er unter seinen Zeitgenossen noch immer dominirt, oder in dem Zirkel der Schöpfungen fürs Clavier, dessen erster Pflegevater er war und immer bleiben wird, auftrete." *Magazin der Musik,* a. a. O., Bd. 2, S. 1238 f.

39 Zitiert nach O. G. Sonneck, „Zwei Briefe C. Ph. Em. Bachs an Alexander Reinagle", in: *Sammelbände der Internationalen Musikgesellschaft* 7, 1906/07, S. 114.

40 *Magazin der Musik,* a. a. O., Bd. 2, S. 1241.

41 Z. B. im Zusammenhang mit Forkels Rezension der Sonaten Wq 90/91, vgl. Anm. 30; vgl.

dingte Aufspaltung der musikalischen Produktion in eine „angepaßte" Liebhabertradition auf der einen und in eine hochspezialisierte Kennermusik auf der anderen Seite wieder[42]. C. Ph. E. Bach hatte diesen Sachverhalt selbst öffentlich reflektiert. In seiner autobiographischen Skizze, die 1773 im dritten Band von Burneys *Tagebuch seiner Musikalischen Reisen* abgedruckt wurde, heißt es: „Weil ich meine meisten Arbeiten für gewisse Personen und fürs Publikum habe machen müssen, so bin ich dadurch allezeit mehr gebunden gewesen, als bey den wenigen Stücken, welche ich bloß für mich verfertigt habe. Ich habe sogar bisweilen lächerlichen Vorschriften folgen müssen; indessen kann es seyn, daß dergleichen nicht eben angenehme Umstände mein Genie zu gewissen Erfindungen aufgefodert haben, worauf ich vielleicht ausserdem nicht würde gefallen seyn."[43] Und weiter unten: „Unter allen meinen neuen Arbeiten, besonders fürs Clavier, sind blos einige Trios, Solos und Concerte, welche ich mit aller Freyheit und zu meinem eignen Gebrauch gemacht habe."[44]

Es hat den Anschein, daß hinter diesen Zeilen auch ein gehöriges Maß an Eigenreklame steckt. Das wäre indes verständlich, denn Bach hatte einen Namen zu verteidigen. Es fehlte in den siebziger Jahren nicht an Vorwürfen, in denen dem Komponisten eine allzugroße Bereitwilligkeit nachgesagt wurde, Konzessionen an den Geschmack breiter Liebhaberkreise zu machen[45]. Bach gesteht dies ein – wie das Zitat belegt –, ist aber zugleich bemüht, der Diskussion um die ihm von vielen Kennern zugesprochene Aura eines „Originalgenies" neuen Zündstoff zu geben; denn der Vermerk „mit aller Freyheit ... gemacht" läßt hohen künstlerischen Anspruch erwarten und affiziert sofort die Frage, welche Trios, Solos und Konzerte Bach gemeint haben könnte.

Wie immer man diese Aussage deuten mag, sie verweist auf einen folgenschweren Dualismus in der Musikentwicklung der zweiten Hälfte des 18. Jahrhunderts: Anpassung und höchste Individualisierung als Extreme kompositorischen Tätigseins. Welche ästhetischen und kompositionstechnischen Konsequenzen hatte diese Polarität für Bachs Schaffen? Inwieweit leistete

---

auch Reichardts Aufsatz „Ueber die musikalische Idylle", in: *Musikalisches Kunstmagazin,* a. a. O., Teil 1, S. 168 f. und *Magazin der Musik,* a. a. O., Bd. 1, S. 35 f.

42 Beide Begriffe werden verwendet nach P. Schleuning, *Die freie Fantasie. Ein Beitrag zur Erforschung der klassischen Klaviermusik,* Göppingen 1973, S. 261 f.

43 C. Ph. E. Bach, Selbstbiographie, in: Burney, *Tagebuch seiner Musikalischen Reisen,* a. a. O., Bd. 3, S. 208.

44 Ebd., S. 209.

45 Ausführlich wird dieser Fragenkomplex in dem Aufsatz „Positionen und Perspektiven der Carl-Philipp-Emanuel-Bach-Forschung" des Verfassers behandelt, abgedruckt in: *Carl-Philipp-Emanuel-Bach-Konzepte,* Heft 2, Frankfurt (Oder) 1985, S. 9–12.

sie einem stilistisch ambivalenten Verhalten des Komponisten Vorschub? Ein Beispiel: Mit Blick auf den Musikliebhaber als potentiellen Käufer seiner Noten hatte Bach die ursprüngliche Werkkonzeption der ersten Sammlung von *Sechs Clavier-Sonaten für Kenner und Liebhaber* geändert[46]. An Breitkopf schrieb er am 9. Oktober 1779: „Unter meine Sonaten habe ich 3 kurze gesteckt."[47] Von welchen „gewissen Erfindungen" ist in Bachs Selbstbiographie die Rede? Sind es Glättungen in der Melodik oder die originelle Abwandlung der Reprisentechnik oder meint Bach - wie in der Ankündigung der sechs *Flügelconcerte,* Wq 43, hervorgehoben - die Zurücknahme bestimmter Züge seiner hochspezialisierten Tonsprache: „Diese Konzerte werden sich bei ihrem gehörigen ... Vortrag von des Verfassers übrigen Concerten hauptsächlich dadurch unterscheiden, daß sie der Natur des Flügels mehr angepaßt, für die Hauptstimme sowohl, als für die Begleitung leichter, in den langsamen Sätzen hinlänglich ausgeziert und mit ausgeschriebenen Kadenzen versehen sind."[48] Solche Fragen wurden von der Forschung noch keineswegs hinreichend untersucht. Im C. Ph. E. Bach-Bild, wie es durch die Musikpresse der siebziger und achtziger Jahre ins öffentliche Bewußtsein getragen wurde, fanden jene beiden kompositorischen Haltungen, die „für sich" und die „fürs Publikum", durchaus ihren Niederschlag, und sie wurden oftmals in ganz pragmatischer Weise publizistisch verwertet[49].

Als Selbstverleger war C. Ph. E. Bach bestrebt, das Musikpublikum in seiner ganzen Breite und heterogenen Schichtung anzusprechen[50]. Er nutzte

---

46 Die Herausgabe dieser Sammlung ist dokumentiert in: *Suchalla-Briefe,* S. 82 ff.

47 Ebd., S. 86 (Nr. 63).

48 Zitiert nach H. Engel, *Das Instrumentalkonzert,* Bd. 1, Wiesbaden 1971, S. 205; vgl. auch Schleuning, Die freie Fantasie, a. a. O., S. 226 ff.

49 Während in den Rezensionen und Werkanalysen die Originalzüge einer Bachschen Komposition herausgestellt werden, betonen die Verkaufsanzeigen und Pränumerationsankündigungen in der Regel die Eignung der Stücke für eine Aufführung besonders in Liebhaberkreisen. Hierfür bietet die Ankündigung von *Klopstocks Morgengesang am Schöpfungsfeste* ein signifikantes Beispiel: „Welcher Musicliebhaber wird nicht die Bekanntmachung eines solchen Meisterstücks mit Ungeduld erwarten, worinn unter so vielen musikalischen Schönheiten dennoch eine edle Simplicität herrscht, und welches leicht besezt und ohne großen Aufwand aufgeführt werden kann, da keine Schwierigkeiten in selbigem vorkommen, und weder Trompeten noch Pauken, noch Hörner, sondern nur Saiteninstrumente und Flöten dabey gebraucht werden. Zu mehrerer Bequemlichkeit verschiedener Musicliebhaber, die nicht gewohnt sind, aus der Partitur zu spielen, wird der Partitur auf jeder Seite ein Clavierauszug beygefügt. Unter diesem Clavierauszug steht durchgehends der Text, so daß eine einzige Person beym Clavier das ganze Stück singen kann, ohne etwas zu verlieren." *Magazin der Musik,* a. a. O., Bd. 2, S. 1116.

50 Mit dieser Problematik beschäftigt sich eine vom Verfasser für den Druck vorbereitete Studie „Die Klaviersonaten Wq 55 ‚im Verlage des Autors' - Zur Praxis des Selbstverlags bei Carl Philipp Emanuel Bach".

die Presse zu großangelegten Werbekampagnen. Von den Musikzeitschriften des 18. Jahrhunderts ist Cramers *Magazin der Musik* in dieser Hinsicht besonders aussagekräftig. Insgesamt 84 Pränumerations- bzw. Subskriptionsankündigungen enthielt der erste Jahrgang dieses Periodikums. Vierundachtzig Mal also unternahmen Komponisten den Versuch, im Selbstverlag erscheinende Musikalien vorteilhaft abzusetzen – ein Risiko in der Regel, Verlust oder Gewinn. Einer, der oft gewonnen hatte, war C. Ph. E. Bach, und dies nicht nur in finanzieller Hinsicht. Die Praxis des Selbstverlages ermöglichte ihm eine unmittelbare Kontrolle der Verteilung seiner Druckerzeugnisse. Dadurch erhielt Bach wiederum genaueren Aufschluß über solche Faktoren wie Bedarf und Nachfrage, denn schon in der Subskriptionsbereitschaft des Publikums vermochte er zu einem Gutteil das tatsächliche Interesse an seiner Musik zu erkennen.

Von der Aufforderung an den Leser, ein im Selbstverlag erscheinendes Werk zu kaufen, über die Mitteilung eventueller Verzögerungen bei der Fertigstellung des Druckes bis zur Ankündigung seiner Auslieferung und der anschließenden Rezension ist der gesamte Vorgang der Pränumeration bzw. Subskription in der Presse dokumentiert. Die Nachrichten stammten häufig von Bach selbst oder vom verantwortlichen Redakteur der Zeitung.

Der Erfolg eines Selbstverlagsprojektes hing ganz entscheidend von der Initiative und Aktivität der jeweiligen Kollekteure ab, die nun ihrerseits über die lokale wie auch überregionale Presse informierten. In der Pränumerationsanzeige der vierten Sammlung von *Clavier-Sonaten und freyen Fantasien nebst einigen Rondos für Kenner und Liebhaber,* abgedruckt in Cramers *Magazin der Musik*[51], werden 29 Sammler genannt. Das zeigt, wie Bach bemüht war, Selbstverlagsunternehmen im großen Maßstab zu realisieren. Anzeigen in dem erwähnten Cramerschen Journal weisen sonst durchschnittlich zwei bis drei sog. „Beförderer" aus[52].

In der Absicht, einen territorial weiträumigen Absatzmarkt zu schaffen, hatte sich Bach zielstrebig ein relativ engmaschiges Netz von Kollekteuren über dem gesamten nord- und mitteldeutschen Raum mit den Zentren Hamburg, Holstein, Berlin, Leipzig und Dresden aufgebaut. Weitere, nicht weniger stabile, von Bachs Kollekteuren betreute Einzugsgebiete lagen auf der geographischen Linie Stettin-Riga-Danzing-Warschau-Königsberg-Petersburg-Moskau. Zuverlässig funktionierte auch der Bachsche Musikalienhandel nach Kopenhagen sowie nach Schlesien und Prag, während nach

51 *Magazin der Musik,* a. a. O., Bd. 1, S. 132–134.

52 Vgl. die Pränumerationsankündigungen ebd., Bd. 1, S. 131 ff., 296 ff., 512 ff. und häufiger.

dem Süden - ausgenommen Wien[53] - meist sporadische Verbindungen bestanden, die zudem geringe Absatzziffern aufwiesen[54].

Wie sehr C. Ph. E. Bach spezifische Möglichkeiten einer Einflußnahme der Presse auf das Musikpublikum zu nutzen suchte, verdeutlicht das folgende Beispiel: Am 15. November 1783 hatte das *Magazin der Musik* zur Pränumeration auf *Klopstocks Morgengesang am Schöpfungsfeste* aufgefordert[55]. Da die erwartete große Nachfrage ausblieb[56], suchte Bach nach Mitteln und Wegen, die Subskriptionsbereitschaft des Publikums zu aktivieren. So beabsichtigte er u. a., eine wohlwollende Rezension dieses Vokalwerks in die Presse zu lancieren. An Breitkopf schrieb er am 31. Dezember 1783: „Hierbey folgt eine Recension[57]. Vielleicht macht die Eindruck, wenn sie bekannt wird. Wollten Sie sie in Ihren Zeitungen, oder sonst abdrucken laßen, so wollte ich die Kosten gerne tragen."[58] C. Ph. E. Bach meinte wohl das von Breitkopf herausgegebene *Magazin des Buch- und Kunst-Handels,* das aber bereits Ende 1782 letztmalig erschienen war[59]. Eine Durchsicht anderer Leipziger Zeitungen und Journale[60] verlief ergebnislos. Immerhin hatte die Messestadt nach Hamburg die größte Zahl von Pränumeranten zu verzeichnen[61].

---

53 Seit der Herausgabe der Klaviersonaten Wq 55 bestanden stabile Beziehungen Bachs zu dem Wiener Verleger Artaria. Diese geschäftlichen Verbindungen sind dokumentiert in *Suchalla-Briefe,* S. 98, 107, 110 und häufiger. Über das Verhältnis Bachs zu Baron van Swieten vgl. R. Bernhardt, „Aus der Umwelt der Wiener Klassiker, Freiherr Gottfried van Swieten", in: *Der Bär,* Jahrbuch von Breitkopf & Härtel, 1929/30, S. 74 ff.

54 Der süddeutsche und österreichische Musikmarkt wurde stärker mit Produkten einheimischer Verlage beliefert, die über spezifische Herstellungs- und Vertriebsformen verfügten. Zum süddeutschen und österreichischen Musikalienhandel vgl. W. Matthäus, *Johann André Musikverlag zu Offenbach am Main,* Tutzing 1973; A. Weimann, *Vollständiges Verlagsverzeichnis Artaria & Comp.,* Wien 1952; H. Reinfurth, *Der Musikverlag Lotter in Augsburg (ca. 1719–1845),* Tutzing 1977; H. Gericke, *Der Wiener Musikalienhandel von 1700 bis 1778,* Graz, Köln 1960.

55 *Magazin der Musik,* a. a. O., Bd. 2, S. 1115–1117.

56 Noch am 28. April 1784 schrieb Bach: „Mit meinen Collekten wills nicht recht fort. Die Samler stellen sich noch nicht recht ein. Ich hatte auf den Nahmen Klopstock gerechnet. Claviersachen gehen beßer und sind auch für Undeutsche." *Suchalla-Briefe,* S. 165 (Nr. 138).

57 Möglicherweise handelt es sich um die in der Beilage zu Nr. 208 der *Kayserlich-privilegirten Hamburgischen Neuen Zeitung* des Jahres 1783 abgedruckte Rezension. Vgl. *Suchalla-Briefe,* S. 477 ff.

58 Ebd., S. 163 (Nr. 134).

59 *Magazin des Buch- und Kunst-Handels, welches zum Besten der Wissenschaften und Künste von den dahin gehörigen Neuigkeiten Nachricht giebt,* Bd. 1–3, Leipzig 1780–82.

60 *Leipziger Zeitungen,* 1784, *Neues Leipziger Allerley der merkwürdigsten Begebenheiten unserer Zeit,* Leipzig 1784, *Leipziger Wochenblätter,* 1784, *Neue Bibliothek der schönen Wissenschaften und der freyen Künste,* Leipzig 1784

61 Die Pränumerantenliste weist achtzehn Abnehmer mit 27 pränumerierten Exemplaren

Mit beträchtlichem publizistischen Aufwand betrieb C. Ph. E. Bach auch die Herausgabe seines Oratoriums *Auferstehung und Himmelfahrt Jesu.* Neben Anzeigen in der Tagespresse[62] brachte das *Magazin der Musik* eine ausführliche Besprechung des Werkes[63], wobei Cramer eine bereits 1778 in Hamburg erfolgte Aufführung des Oratoriums als zusätzliches werbendes Argument erwähnte[64]. Doch konnte die Publikation eines vokalen Großwerkes, zumal einer Partitur, in diesem konkreten Falle kaum mit einem größeren Abnehmerkreis rechnen. Die Pränumeration ging nur schleppend vonstatten[65], was Bach natürlich öffentlich nicht eingestehen wollte. So begründete er seinen Entschluß, das Werk als Klavierauszug zu drucken mit dem Hinweis auf spezielle Publikumsinteresen: „Auf vielfältiges Verlangen meiner Freunde, welche zum gemeinnützigern Gebrauch einen Clavierauszug meiner Ramlerschen Auferstehung und Himmelfahrt wünschen, habe ich den Druck dieser Cantate in Partitur aufgegeben, und werde dieses Verlangen befolgen."[66] Doch auch danach erfüllten sich Bachs Erwartungen nicht. Als das finanzielle Risiko für ihn schließlich zu groß wurde und andere erschwerende Umstände hinzukamen, sah er vom Selbstverlag ab und überließ Breitkopf das alleinige Recht der Herausgabe[67].

Immer blieb C. Ph. E. Bach der genaue Kalkulator. Er mußte es auch sein angesichts einer Überflutung des einheimischen Marktes mit auswärtigen Musikalien. Westphals Musikalienverzeichnis des Jahres 1782[68], dessen Nachträge auszugsweise auch im *Magazin der Musik* abgedruckt sind[69], nennt auf dem Konzertsektor 94 Werke von zwanzig Komponisten des nord- und mitteldeutschen Raumes gegenüber 450 Werken von 94 Autoren, wobei der Hauptzustrom aus England, Süddeutschland/Österreich, Frank-

---

aus. Vgl. *Suchalla-Briefe,* S. 486. Trotzdem dürfte diese Zahl unter Bachs Erwartungen gelegen haben.

62 Vgl. *Suchalla-Briefe,* S. 168 (Nr. 141), 203 (Nr. 163 b), 489.

63 *Magazin der Musik,* a. a. O., Bd. 3, S. 256–261.

64 Ebd., S. 256.

65 Am 23. Dezember 1784 schrieb Bach an Breitkopf: „Indeßen bitte ich Sie sehr, gleich nach Empfang dieses Briefs, nicht eine Note mehr an meiner Cantate setzen zu laßen. Man hat mir hier mehr weisgemacht und versprochen, als gehalten. Sie haben keinen einzigen Pränumeranten u. ich etwa zehen. Alles was nur wahrscheinlich ist, ist, daß ich höchstens 50 Pränumeranten bekommen kann. Bey diesen Umständen kann ich zum Schelm werden." *Suchalla-Briefe,* S. 174 f. (Nr. 148).

66 *Magazin der Musik,* a. a. O., Bd. 3, S. 491.

67 Vgl. Bachs Brief vom 28. Februar 1786 an Breitkopf; *Suchalla-Briefe,* S. 194 f. (Nr. 161).

68 *Verzeichnis derer Musicalien, welche in der Niederlage auf den grossen Bleichen bey Johann Christoph Westphal und Comp. in Hamburg in Commißion zu haben sind,* 1782 (Exemplar in DtStB, Mus. Ab 1412).

69 *Magazin der Musik,* a. a. O., Bd. 1, S. 273 ff.

reich und Italien erfolgte. Die starke Präsenz nicht bodenständiger Produktionen weist auf bestimmte Mode- und Geschmackstendenzen hin. Die *Musikalische Real-Zeitung für das Jahr 1788* gab sicher eine verbreitete Auffassung wieder, wenn sie in bezug auf Koželuch schrieb: „Er gehört unstreitig unter die galanten Schriftsteller im Fach der Tonkunst: sein Geschmak ist der herrschende Geschmak unsers musikalischen Zeitalters. – Von Kozeluch, von Clementi! – dies ist gemeiniglich die Antwort, die uns ein Clavierspieler giebt, wenn man ihn fragt, von welchem Tonsezer das Conzert oder die Sonate gewesen sei, die er uns gespielt hat."[70] In einem solchen stilistischen Umkreis vermochten sich C. Ph. E. Bachs Werke auf die Dauer nicht zu behaupten.

Während bei Autoren wie Reichardt, Forkel, Cramer und Eschstruth, dessen *Musikalische Bibliothek* eine Fülle von Bach betreffenden Hinweisen enthält[71], die Auseinandersetzung mit der Persönlichkeit und dem Werk C. Ph. E. Bachs auch in den achtziger und neunziger Jahren durchaus positive Akzente besaß, machten sich in einigen süddeutschen Periodika schon früh Züge der Entfremdung und kritische Stimmen bemerkbar. Carl Ludwig Junker beanstandete Bachs geringe stilistische Assimilationsfähigkeit als Folge gewisser exzentrischer Neigungen des Komponisten („denn wunderlich genug sind oft seine Empfindungen schattirt"[72]). Diese wiederum hätte der Verbreitung seiner Musik Grenzen gesetzt[73]. Der Begriff „Originalgenie" – von Junker in der Studie „Zwanzig Componisten" allein auf C. Ph. E. Bach bezogen[74] – nimmt hier bereits pejorative Züge an und verliert seine Leitbildfunktion, die er noch bei Forkel und Reichardt hatte.

Noch deutlicher kam die ablehnende Tendenz in dem wahrscheinlich von Georg Joseph Vogler verfaßten Aufsatz „Wie verhalten sich die zwei großen Clavierspieler C. P. E. Bach und Alberti von Rom gegen einander?" zum

---

70 *Musikalische Real-Zeitung für das Jahr 1788,* hrg. von H. P. C. Boßler, Speier (Repr. Hildesheim, New York 1971), S. 2.

71 *Musicalische Bibliothek,* hrg. von H. A. F. v. Eschstruth, Marburg, Giesen 1784–85 (Repr. Hildesheim, New York 1977), S. 15, 26, 28, 37 und häufiger.

72 Junker, *Zwanzig Componisten,* a. a. O., S. 7; auch veröffentlicht unter dem Titel *Portefeuille für Musikliebhaber,* Leipzig 1792, S. 7.

73 Ebd., S. 8 f.

74 Ebd., S. 7, 9 („Emanuel ist, – zuverläßig ist er –Original.") In scharfem Ton wurden auch in der Zeitschrift *Etwas von und über Musik fürs Jahr 1777,* Frankfurt (Main) 1778, Bachs Kompositionen, sein musikalischer Ausdruck und sein Lehrwerk *Versuch über die wahre Art das Clavier zu spielen* kritisiert: „Wir glauben nun, Sie hätten sich durch unerlaubte Hilfsmittel den Namen eines Originalgenies ermaußt." Zitiert nach H. Miesner, *Philipp Emanuel Bach in Hamburg,* Leipzig 1929 (Repr. Wiesbaden 1969), S. 29.

Ausdruck[75]. Der Autor spricht zunächst, ohne einen Namen zu nennen, von den „Verdienste(n) eines im alten Sisteme grau gewordenen würdigen Mannes“[76], und wir wissen, daß C. Ph. E. Bach gemeint ist. Sonst in seiner Kritik keineswegs zurückhaltend, im Falle Kirnbergers regelrecht bissig[77], kleidet Vogler seine Tadel an Bachs Musik in eine fingierte Anfrage eines jungen Künstlers: „Meister, Ihr Geschmack ist unrichtig: Sie lieben Künsteleien, Sie wollen gelehrt sein, und vergessen das einfache; in allen ihren Werken raget die ängstliche Sucht hervor, etwas ganz eigenes, ganz neues, himmelweit von allem anderen verschiedenes zu seyn; Sie entfernen sich dadurch zu weit vom Planmässigen.“[78]

Solche und ähnliche Vorwürfe des nicht mehr zeitgemäßen Komponierens blieben selbst in der süddeutschen Presse nicht unwidersprochen, z. B. in Boßlers *Musikalischer Real-Zeitung für das Jahr 1788*[79], dürften aber auch Züge der Isolation bei Bach verstärkt haben[80].

Die anfänglichen euphorischen Äußerungen Reichardts über C. Ph. E. Bach, unter dem Eindruck der persönlichen Begegnung mit dem Komponisten niedergeschrieben und in seinen frühen Schriften *Schreiben über die Berlinische Musik*[81] und *Briefe eines aufmerksamen Reisenden die Musik betreffend*[82] veröffentlicht, wichen später differenzierten Urteilen. Schon im ersten Teil des *Musikalischen Kunstmagazins* erfolgten Analysen Bachscher Werke im Kontext der zeitgenössischen Gattungsentwicklung[83]. Auch versuchte Reichardt, C. Ph. E. Bachs Anteil an der Herausbildung der Instrumentalmusik im 18. Jahrhundert zu bestimmen[84], und in dem 1796 erschie-

---

75 G. J. Vogler, *Betrachtungen der Mannheimer Tonschule,* Mannheim 1780 (Repr. Hildesheim, New York 1974), Bd. 3, S. 151 ff.

76 Ebd., S. 152.

77 Vgl. Voglers Rezension von Kirnbergers *Kunst des reinen Satzes,* ebd., S. 258 ff.

78 Ebd., S. 153.

79 „Denkt man an die ... Geringschätzung, mit welcher er von den Werken allgemein als groß anerkannter Männer sprach – als z. B. von den Compositionen eines C. P. Em. Bachs, eines Schweizers ... Wer sollte da nicht gestehen, daß er sich derselben mit Recht schuldig gemacht?“ *Musikalische Real-Zeitung für das Jahr 1788,* a. a. O., Sp. 69.

80 Vgl. Bachs Brief vom 21. September 1789 an Breitkopf, in dem er vom stockenden Absatz seiner größeren Vokalwerke schreibt, *Suchalla-Briefe,* S. 221 (Nr. 177); ferner Bachs Angebot an Breitkopf, die 3038 restlichen Exemplare der sechs Sammlungen *für Kenner und Liebhaber* für nur 500 Rt. zu verkaufen, ebd., S. 225 (Nr. 179).

81 J. F. Reichardt, *Schreiben über die Berlinische Musik an den Herrn L. v. Sch. in M.,* Hamburg 1775, insbesondere S. 7 f., 13, 19–22.

82 J. F. Reichardt, *Briefe eines aufmerksamen Reisenden die Musik betreffend,* Teil 1, Frankfurt (Main), Leipzig 1774, 6. Brief, S. 110 ff.; Teil 2, Frankfurt (Main), Breslau 1776, 1. Brief, S. 7 ff.

83 Z. B. Reichardts ausführliche Besprechung von C. Ph. E. Bachs *Heilig,* in: *Musikalisches Kunstmagazin,* a. a. O., Teil 1, S. 84 f.

84 Ebd., S. 24 f.

nenen *Musikalischen Almanach* spürte er – durchaus mit kritischem Akzent – stilistischen Wandlungen innerhalb der einzelnen Schaffensphasen Bachs nach. „[Keine] Instrumentalmusik war bis dahin erschienen, in welcher eine so reiche und doch wohlgeordnete Harmonie mit so edlem Gesange vereinigt, so viel Schönheit und Anordnung bei solcher originellen Laune herrschte, als in den ersten beiden in Nürnberg gestochenen Sonatenwerken[85] und den ersten Koncerten dieses Meisters; denen die folgenden konventionelleren, so schön, so reichhaltig, so original, sie auch immer seyn mögen, nur in einzelnen Sätzen gleich kommen."[86] In Carl Friedrich Zelters Ausarbeitungen über C. Ph. E. Bach finden sich ähnliche Gedankengänge[87].

In seinem Aufsatz „Instrumentalmusik" hatte Reichardt eine Situationscharakteristik der deutschen Musik in der zweiten Hälfte des 18. Jahrhunderts versucht und u. a. behauptet: „Bach und Benda, die ihren Instrumenten lieblichen bedeutenden Gesang gegeben, hielten in Deutschland später den fernher eindringenden Strom auf. Leider aber blieben sie ohne Nachfolger, die ihnen ganz glichen ..."[88]. Als Reichardt den Aufsatz neuen Jahre später im *Geist des musikalischen Kunstmagazins* erneut abdrucken ließ[89], fehlten diese Sätze. Es bleibt müßig zu spekulieren, ob diese Auslassung dem sich in den achtziger Jahren merklich abkühlenden Verhältnis Reichardts zu seinem einstigen Leitbild geschuldet war[90], oder ob er sich im nachherein vielleicht von dem zu sehr generalisierenden Zuschnitt seiner Aussage distanzieren wollte; eines steht fest: der Name C. Ph. E. Bachs begegnete dem Leser zu diesem Zeitpunkt nur noch selten in den Musikzeitschriften, eine Tendenz, die sich im 19. Jahrhundert dann stetig fortsetzte. Weder die *Caecilia* noch die *Iris im Gebiete der Tonkunst* noch die *Neue Zeitschrift für Musik,* die periodisch über Konzertaufführungen und Neuerscheinungen auf dem Musikmarkt informierten, widmeten dem Komponisten längere Textpassagen[91]. Selbst in der historisch aufgeschlosseneren *Allgemeinen Musikalischen Zeitung,* die noch 1799 seine Werke als „Muster

---

85 gemeint sind C. Ph. E. Bachs sog. *Preußische Sonaten,* Wq 48, und *Württembergische Sonaten,* Wq 49.

86 *Musikalischer Almanach,* hrg. von J. F. Reichardt, Berlin 1796 darin der Abschnitt „Charakteristik der merkwürdigsten Komponisten, Virtuosen, musikalischen Dichter, Schriftsteller und Instrumentenmacher, der letzten Jahrhunderte. In alphabetischer Ordnung." (S. 138).

87 Vgl. H.-G. Ottenberg, „C. P. E. Bach and Carl Friedrich Zelter", in: *C. P. E. Bach Studies,* hrg. von S. L. Clark, Oxford 1988, S. 209 f.

88 J. F. Reichardt, *Musikalisches Kunstmagazin,* a. a. O., Teil 1, S. 24.

89 J. F. Reichardt, *Geist der musikalischen Kunstmagazins,* Berlin 1791, S. 60 ff.

90 Vgl. Miesner, *Philipp Emanuel Bach in Hamburg,* a. a. O., S. 26 ff.; vgl. auch *Suchalla-Briefe,* S. 361 f.

91 Ausführlicher bei Ottenberg, *C. Ph. E. Bach,* a. a. O., S. 268 ff.

und Proben von Ausdruck hoher Empfindungen" bezeichnete[92], fand C. Ph. E. Bach mit fortschreitenden Jahrgängen immer weniger Erwähnung. Kurz, in der musikalischen Öffentlichkeit begann das Werk C. Ph. E. Bachs in Vergessenheit zu geraten; verlorengegangen war auch „die wahre Art", seine Musik zu spielen – und zu hören, weil ihr einstiger kommunikativer Sinn nicht mehr verstanden wurde.

92 E. L. Gerber, „Etwas über den sogenannten musikalischen Styl", in: *Allgemeine Musikalische Zeitung* 1, 1798/99, Sp. 305.

Rachel W. Wade

Carl Philipp Emanuel Bach, the Restless Composer

As a composer Carl Philipp Emanuel Bach was restless in the sense that he frequently revised his works. His revisions run the gamut from changing one note to recasting entire movements or substituting one aria for another within a large-scale vocal work. He frequently prepared arrangements or alternate versions, yet another expression of restlessness, and often in the process he altered the musical content of the work as originally conceived. These changes often date from several years after he had finished the work. For example, his monumental Passion Cantata underwent changes of all sorts over nearly twenty years.

Why was Bach so restless? There is no single answer. When it is even possible to guess his motivation, a variety of reasons spring to mind. While for the most part Bach revised on musical grounds, he was also swayed by practical considerations, such as the performing talent at hand, or outside influences that become apparent from studying his biography.

When Bach did revise on musical grounds, he of course occasionally did so because what he had written contained an obvious mistake, but in general he revised out of consideration for the overall structure of a work. It is no accident that time after time his revisions occur at crucial junctures in the form of a piece: in concertos, immediately before the re-entrance of the tutti; in songs, at ends of lines; or in any vocal music, at important dramatic moments as defined by the text. These critical points seemed to remain in his subconscious, and whenever a better solution occurred to him, he did not hesitate to pluck out the score and enter the change. The autograph scores therefore can preserve many layers of revision. The manuscript copies made by his copyists from time to time are very valuable in that they freeze the work as it existed at a given time.

Bach's concern with the large-scale structure of a work is reflected in his treatment of Christian Fürchtegott Gellert's poem "Bitten". For this text he wrote both a solo song and an arrangement for soprano, alto, tenor, bass, and continuo[1]. For his solo song Bach followed the usual procedure of set-

---

1 E. E. Helm, *Thematic Catalogue of the Works of Carl Philipp Emanuel Bach,* New Haven: 1989, in H. 686/9 and 826/3; A. Wotquenne, *Catalogue thématique des œuvres de Charles*

ting the melody once, with all verses to be sung to the same melody (Example 1)[2].

For his four-part arrangement, however, he experimented with a more elaborate through-composed setting in which the structure of the whole is closer to that of a theme and variations (Example 2)[3].

If one thinks of Bach's four-part arrangement of "Bitten" as a theme and variations, then the first verse is like the initial straightforward presentation of the theme. The melody is in the top voice and it is harmonized by the three lower voices. Beginning with the second verse the melody shifts from voice to voice, or even momentarily disappears as the variation principle takes over. As might be expected for a theme and variations, the harmonic pattern provides the underlying stability. This gives the listener the basic connection back to the original theme, with only momentary deviations from the basic pattern.

In many cases it remains unclear which version of a work Bach wrote first. For "Bitten" he undoubtedly composed the solo setting first, since it was published in 1758 while Bach was still in Berlin, and the four-part arrangement originated in Hamburg, according to the catalogue of Bach's estate[4]. Even if this chronology of the versions were not known, one might also guess that the solo song had come first purely on musical grounds. Bach originally conceived of "Bitten" in a three-part texture. For the four-voice arrangement he had to add a voice, which was not easy for "Bitten". Its many diminished or augmented chords had to be resolved without creating parallel fifths and octaves. Bach frequently had to double the third of a chord or adopt other tactics he normally avoided in order to have proper part-writing. Thus his many shifts to three-part texture in the choral arrangement of "Bitten" seem entirely natural.

Bach underscored the ends of each verse within his through-composed choral arrangement by assigning the last four bars of each verse to the four vocal parts, *a capella.* This combination of the four voices without continuo accompaniment only occurs at these important points in the structure of the work. In this way Bach settled on a theme-and-variations structure punctu-

---

Philippe Emmanuel Bach, Leipzig 1905; reprinted as *Thematisches Verzeichnis der Werke von Carl Philipp Emanuel Bach,* Wiesbaden 1972, W. 1949 und 208/3. Hereafter the abbreviations "H." and "W." stand for these thematic catalogues.

2 As published in *Herrn Professor Gellerts Geistliche Oden und Lieder mit Melodien von Carl Philipp Emanuel Bach,* Berlin 1764.

3 The autograph score is in the Staatsbibliothek Preussischer Kulturbesitz, Berlin, Mus. ms. Bach P 349.

4 *Verzeichnis des musikalischen Nachlasses des verstorbenen Capellmeisters Carl Philipp Emanuel Bach,* Hamburg 1790; facs. ed. annotated by R. W. Wade, *The Catalog of Carl Philipp Emanuel Bach's Estate,* New York 1981, p. 64, item 1.

ated by *a capella* sections. Now he had to write three different four-part harmonizations for the end of each verse, and this task was not any easier considering that "Bitten" was originally conceived in three parts. It is not surprising, then, that by the time he came to the third verse, he crossed out his original idea and wrote a new one on the staff below.

What displeased Bach in the original version was probably the chord progression in bars 81 and 82. The seventh chord across the barline could not be resolved in the usual way and still lead to the cadential 6–4 chord in bar 83. To avoid this problem Bach threw out all four bars and switched to a higher pitch for the soprano melody. The higher soprano part allowed a graceful and more conventional descent in four-part texture to the cadence.

This change shows Bach's habit of revision at crucial points in the structure of a work, such as the imminent return of the primary theme. The revised passage occurs immediately before the last verse, which Bach made into a sort of recapitulation by making it nearly identical to the first verse. When Bach's original plan of unusual chromaticism for this important juncture proved unworkable, he settled for a more conventional transition, but still managed to bring in the striking chromaticism in a dramatic coda of six bars at the very end.

The concern Bach showed for part-writing in setting "Bitten" is typical of his approach. He often quietly tidied up his scores by changing a pitch here and there, in order to follow the conventional rules. A good example of such a change occurs in his oratorio *Die Israeliten in der Wüste,* H. 775 (W. 238). Bach submitted his manuscript of this oratorio to his publisher in February 1775, expecting it to come out in June, as is clear from his letters to the publisher Breitkopf[5]. By July, when it had still not appeared, he was able to lament jokingly, "Meine Israeliten bleiben lange auf dem Marsch aus der Wüsten."[6] This long march was fortunate for him, though, for it allowed him to correct a passage near the beginning of the work before its publication. Bach described this change to Breitkopf in a somewhat labored way:

> "So, wie es jetzt gedruckt ist, kan der Satz sehr gut defendirt werden, u. ist nicht falsch: aber blos wegen einer naseweisen Critik, denn selten verstehen die H. Critiker etwas gründliches, und um angehenden Componisten nicht zu viel Gelegenheit zu geben, allzugrosse Freyheiten zu brauchen, wünsche ich: dass pag. 2, Systm. 13, tact 1, die erste note in der Bratsche, statt g lieber d seyn möge."[7]

Here Bach implied that the correctness of this passage was a matter of

5 Letter of 24 February 1775, fully transcribed by E. Suchalla, *Briefe von Carl Philipp Emanuel Bach an Johann Gottlob Immanuel Breitkopf und Johann Nikolaus Forkel,* Tutzing 1985, pp. 42–5.
6 Ibid., p. 47.
7 Ibid.

opinion, but in fact probably few composers of the time wanted to see parallel fifths under their name in print. The parallel fifths are in the order diminished to perfect and occur across the barline between bars 18 and 19, between the second violin and viola parts, and also the alto and tenor parts, which were in unison with the respective string parts. There still exists an early galley proof for the print of *Die Israeliten,* in a private American collection. In these proofs corrections have been entered in the margins, and the parallel fifths are present. The print as finally issued corrects the offending fifths. Not surprisingly, it also bears the telltale signs of alteration in the places Bach requested, for the engraver had to change the pitch, and in the process he also damaged the staff lines. Ernst Suchalla explained these fifths in the commentary to his edition of Bach's letters and rightly observed, "Wenn Bach nur einiger Noten wegen so wortreich schreibt, muß man hellhörig werden."[8]

The autograph of Bach's drinking song "Ein Leben, wie im Paradies" shows clearly Bach's restless nature (Example 3)[9].

In this song Bach so heavily revised both treble and bass lines that he had to clarify many notes of the final version by writing the pitch names above the staff. Bach altered the last two bars for each line of the text so that both top and bottom parts would procede in unison. With this revision Bach highlighted the end of each line and at the same time avoided some awkward voice-leading near the cadences. He also found a way of using a common texture - that of the unison - to unify his setting of this text.

The drinking song is interesting both for the degree of change involved, and also since the revisions actually result in a different harmonic pattern for the ends of the first and third lines. Far more commonly, Bach's revisions affect the melody, the texture, or, less frequently, the length of a passage, while the basic chord progression remains the same. This principle is illustrated in the aria "Wenn sich Einbildungen thürmen," H. 796 (Example 4)[10].

Although this aria is not to be found in Wotquenne's catalogue, it can be judged authentic since there exists an autograph manuscript with signs of the composer at work. This source is marked "Aria für H. Illert" by Bach. Illert was a singer in Bach's choir who was paid for his services, according to the Rechnungsbuch now preserved in the Hamburg Staatsarchiv. The

8 Ibid., p. 323.

9 Autograph score in the Staatsbibliothek Preussischer Kulturbesitz, Berlin, Mus. ms. Bach P 349; the revised version was the one published in *Neue Lieder Melodien nebst einer Kantate zum Singen beym Klavier,* Lübeck 1789, p. 24.

10 Autograph score in the Staatsbibliothek Preußischer Kulturbesitz, Berlin, Mus. ms. Bach P 340, p. 65.

name Illert appears from 1763 to 1792, that is, before, during, and after Bach's time as music director in Hamburg[11].

The compositional revision is readily apparent in the first violin part, where Bach crossed out one and a half measures beginning in bar 2, and then again with the repetition of the melody after the singer's entrance. Bach wrote the new violin part on the staff for the second violin. This staff had been left blank since the second violin part doubles the first violin here. At first glance it is not clear why Bach made the change. He did not alter the rhythm, phrase structure, harmony, or harmonic rhythm. Only the pitches differ, with the descending scalar runs in the first version being replaced by an outlining of the triads of the underlying harmony in the second version. The reason for this simple change probably lies in another revision Bach obviously made in this aria sometime after its completion. The score clearly shows that in the original version Herr Illert was accompanied by oboes, violins, viola, and basso continuo. Later Bach added horn parts by drawing staves in blank areas on the page, both above and below the music. Bach probably judged that the new triadic outlining would be more in keeping with the stark and simple horn parts. But even more important were the changes in melodic direction that created contrary motion between these parts. The original version of the string parts brought parallel movement in unison between the second horn part and the violins in bars 3 and 7. One simple change here eliminated some minor dissonance between the horns and violins and also made the passage grammatically correct. Bach's revision of this area may be called a "chain reaction", the term used by Robert Marshall in his study of Johann Sebastian Bach's compositional process[12].

When a revision deviates from Bach's normal type, that is, when the harmonic progression has been changed, one should suspect that the revision is due to practical considerations or outside influences, rather than Bach's innate restelessness. Such a revision is found in *Die Auferstehung und Himmelfahrt Jesu* at the end of the recitative before the bass aria "Willkommen, Heiland!"[13]. Bach's revision was entered in abbreviated form with both vocal part and continuo on a single staff. With this addition Bach redirected the cadence to E-flat, leading to an aria in A-flat. Transposition down a whole step for an aria immediately calls to mind the needs of the singer at hand. We know Bach wrote this aria with Herr Hofmann in mind, for he wrote Herr Hofmann's name at the beginning of the music. Perhaps Bach

11 Hamburg, Staatsarchiv, Ms. 462, "Rechnungsbuch der Kirchenmusiken," pp. 5, 9, 25, 29, 49, 53, 69, 75, 78–9, 82–3, 125, 132–3, 151–2, 158, 185–6.

12 R. Marshall, *The Compositional Process of J. S. Bach,* Princeton 1972, I, 34–5.

13 Berlin, Staatsbibliothek Preussischer Kulturbesitz, Mus. ms. Bach P 336.

had second thoughts about requiring Herr Hofmann to sing this rather high part in the key of B-flat, or maybe it was Herr Hofmann who had the second thoughts. Some confirmation of this hypothesis comes from Andreas Holschneider's analysis of the performance parts used by Mozart in Vienna in 1788[14]. Various parts used for this aria were originally copied in A-flat, the key of the revised version in the autograph score. Later, sections of these parts were removed and replaced by the aria in G major. The singer for the Vienna performance, a "Mons. Saal," must have preferred the aria even lower than Herr Hofmann did.

Performers are not the only ones who affect a composers' decisions. In Bach's case the poet of the text also played an important and collaborative role. This is evident in Bach's revision of the end of the tenor recitative "Die frommen Töchter Sions" from *Die Auferstehung*[15]. This alteration is unusual in that Bach inserted one measure in addition to revising the measure following it. In the autograph score half a measure has been crossed out. A symbol above this passage links the old with the new, which is written on the very bottom staff, a staff normally blank. Here each instrumental part appears successively.

In this case the key to understanding the revision lies in the text. The narration concerns the important moment when Mary Magdalene and the others returned to the sepulchre and found the stone rolled away from the door, with a messenger from God announcing that Christ had risen. In the new version a line of text is added, namely, "Es ist erfüllt, was Er zuvor gesagt." Since Bach was not the author of the text, either he merely overlooked one line while setting the poetry, or the line was added later by the poet, Karl Wilhelm Ramler. The correspondence between Ramler and Bach makes it clear that the latter was the case. Sometime after Bach finished the cantata, Ramler revised the text, causing Bach to rethink a work that already pleased him[16]. In fact, the revision was not easy, as Bach observed to Ramler in a letter of 5 May 1778: "Ihre Veränderungen haben Grund. Vielleicht kan ich davon einen Gebrauch machen. So leicht aber, wie Sie, liebster Freund, glauben, wird es nicht angehen."[17] Concerning Bach's partnership with Ramler Stephen Clark observed, "The process of revision was clearly a collaborative one, but it may have been Ramler's interest in tinker-

---

14 A. Holschneider, "C. Ph. E. Bachs Kantate ‚Auferstehung und Himmelfahrt Jesu' und Mozarts Aufführung des Jahres 1788," in: *Mozart-Jahrbuch* 1968/70, pp. 264–80, especially 167–8.

15 Staatsbibliothek Preussischer Kulturbesitz, Berlin, Mus. ms. Bach P 336.

16 S. L. Clark, "The Letters from Bach to K. W. Ramler," in: *C. P. E. Bach Studies,* ed. S. L. Clark, Oxford 1988, p. 34.

17 Ibid.

ing with the text as much as Bach's desire for musical improvements that was the source of some changes."[18]

Bach, the restless mind, now had another restless mind as a collaborator, so it comes as no surprise that Bach in turn pressed Ramler for a different text for the aria following this altered recitative. In his letter to Ramler about the new aria text Bach argued tactfully, "So schön Ihre eingesandte Aria ist, so wünschte ich doch, dass sie im ersten Theile gleich mit einem *Zärtlichen* Adagio anfinge, bey dem ich mich, wie bey allen ersten Theilen einer Aria, ausdehnen könnte." Bach then explained exactly what else he desired of the text and concluded, "Von dieser Art Arie haben wir in der ganzen Cantate noch keine: hingegen sind 4 Arien in diesem Stücke, wovon der erste Theil munter, und der 2te Theil langsamer ist."[19] Here again from Bach's comments about varying the types of arias within the cantata we see his concern for large-scale structure. The cantata should not be a loosely-woven amalgam of beautiful arias, recitatives, and choruses, but rather it should hang together as a musical entity, each part contributing something to the whole. Ramler agreed, and the aria "Wie bang" replaced the earlier one, "Sey gegrüsset." Bach did not reject "Sey gegrüsset" for any inherent musical flaws, since he used it later in his 1784 Easter Cantata, H. 807 (W. 243)[20] Rather, he rejected using this aria when its structure was unsuited to the work as a whole.

Of the revisions Bach made due to outside influences or practical considerations, one of the most interesting is found in the sources of his *Sechs Sonaten fürs Clavier mit veränderten Reprisen.* Howard Serwer has recently established that Bach revised this set out of his anger with a publisher who planned to reprint the edition when Bach still had copies of it to sell[21]. This publisher, Johann Carl Friedrich Rellstab, had bought the business of Bach's original publisher, Georg Ludwig Winter, and he claimed that automatically the right to reprint Bach's sonatas was also his. Bach disagreed, but as he had few legal means to enforce his will, he turned to musical means and revised several movements in order to make Rellstab's publication obsolete. Bach then convinced Breitkopf to reissue the sonatas nearly at the same time as Rellstab's. Breitkopf, however, did not include Bach's revisions in his new edition. Serwer concluded, "That Bach's machinations had their effect is evident from the fact that Rellstab had to sell an edition that was

18 Ibid.
19 Ibid.
20 S. Clark, *The Occasional Choral Works of C. P. E. Bach,* Ph. D. diss., Princeton University 1984, pp. 168–72.
21 H. Serwer, "C. P. E. Bach, J. C. F. Rellstab, and the Sonatas with Varied Reprises," in: *C. P. E. Bach Studies,* ed. S. Clark, Oxford 1988, pp. 233–44.

more costly to produce than Breitkopf's for a price twenty-five per cent lower than the norm."[22]

When fully traced back to their origins, Bach's revisions reveal much about the nature of his restlessness. As a musician, he wanted to be modern but still strove to obey the laws of partwriting. He also pondered how to improve the most important junctures of a work, that like the arches of a bridge support its structure. As a pratical performer, he bore in mind the needs of performers. As a man, he could become so overcome by anger or other emotions that he abandoned his practicality. All in all, however, these wild episodes must have been fleeting, when one considers his neatly numbered library of scores, the records he obviously kept of when various works were written, and his planning for the income of his wife and unmarried daughter after he died. On the whole Bach was restless because he was a perfectionist, and that is clear from the scores he left behind.

22 Serwer, p. 243.

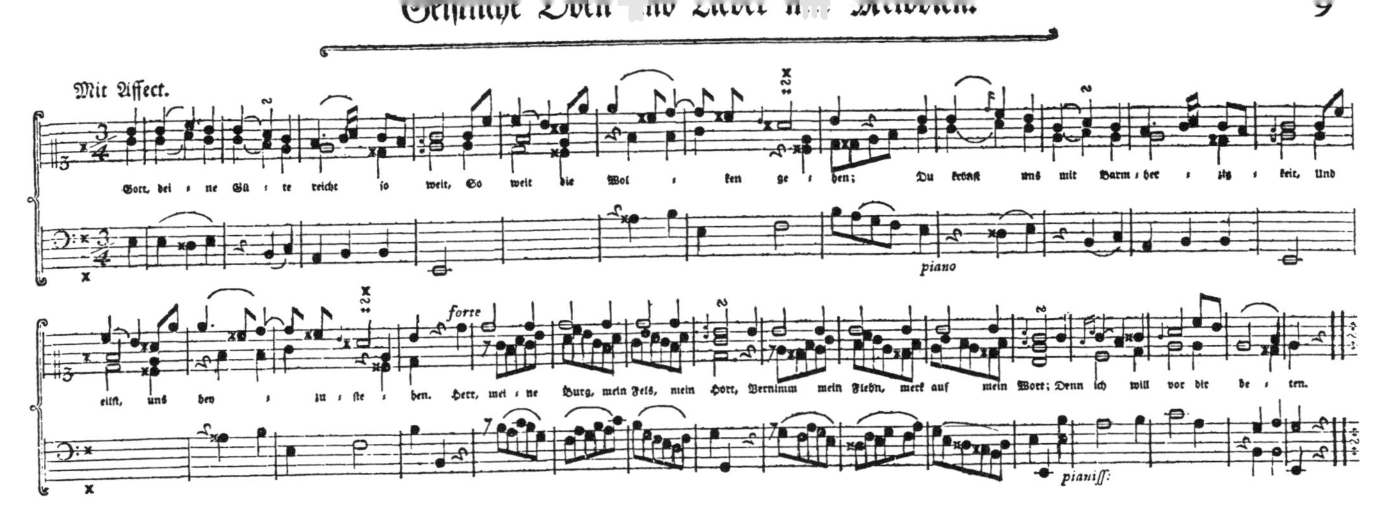

Bitten.

Gott, deine Güte reicht so weit,
So weit die Wolken gehen;
Du krönst uns mit Barmherzigkeit,
Und eilst, uns beyzustehen.
Herr, meine Burg, mein Fels, mein Hort,
Vernimm mein Flehn, merk auf mein Wort;
Denn ich will vor dir beten!

Ich bitte nicht um Ueberfluß
Und Schätze dieser Erden.
Laß mir, so viel ich haben muß,
Nach deiner Gnade werden.
Gieb mir nur Weisheit und Verstand,
Dich, Gott, und den, den du gesandt,
Und mich selbst zu erkennen.

Ich bitte nicht um Ehr und Ruhm,
So sehr sie Menschen rühren;
Des guten Namens Eigenthum
Laß mich nur nicht verlieren.
Mein wahrer Ruhm sey meine Pflicht,
Der Ruhm vor deinem Angesicht,
Und frommer Freunde Liebe.

So bitt ich dich, Herr Zebaoth,
Auch nicht um langes Leben.
Im Glücke Demuth, Muth in Noth,
Das wollest du mir geben.
In deiner Hand steht meine Zeit;
Laß du mich nur Barmherzigkeit
Vor dir im Tode finden.

Example 1. “Bitten”, H. 686/9 (W. 194/9)

Example 2. "Bitten", H. 826/3 (W. 208/3).

Aria
Violino 1.
Violino 2
Viola
Basso cont:
Ex

Example 3. *Trinklied,* H. 740 (W. 200/13).

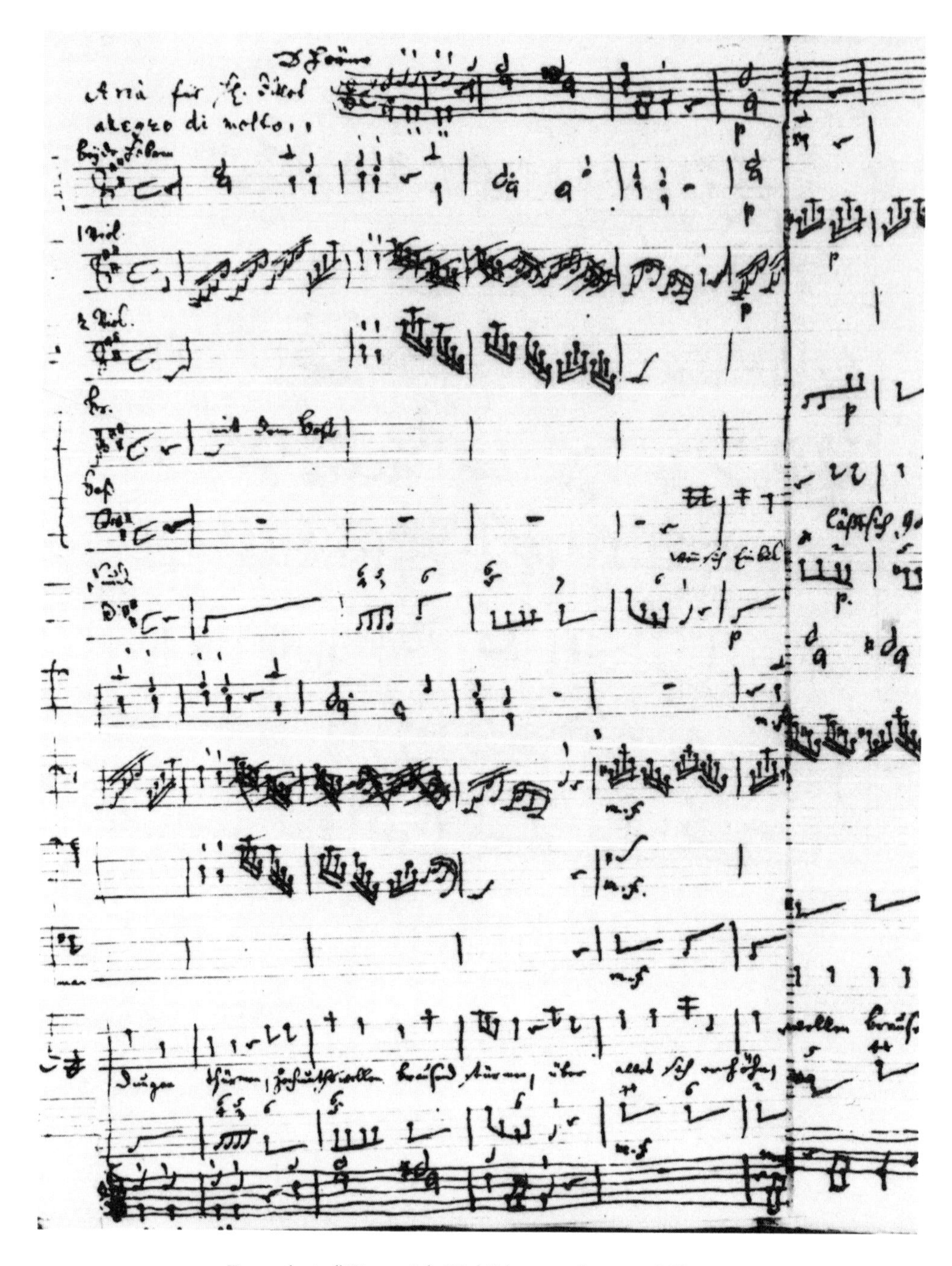

Example 4. "Wenn sich Einbildungen thürmen," H. 796.

Thomas Christensen

Nichelmann contra C. Ph. E. Bach: Harmonic Theory and Musical Politics at the Court of Frederick the Great

If musical life at the court of Frederick the Great was constrained by the Monarch's notoriously conservative tastes, the same cannot be said for the music literature of the time. Perhaps it was as an outlet for their creative energies that so many composers in Berlin turned to the writing about music. Whatever the motivation was, the 1750s saw an unprecedented outpouring of journals, encyclopedic treatises, didactic essays, polemical pamphlets, and prolix introductions and prefaces. In Berlin, as Charles Burney noted with a mixture of bemusement and bewilderment, everyone seemed to have something to say on music[1]. These Berlin writings ranged widely over all questions of *Schreibarten,* national styles, aesthetics, performance, theory and pedagogy, and provide telling documentation of the many competing musical forces pulling at German musicians at mid-century. To the well-known works of Quantz, C. Ph. E. Bach, Agricola, Marpurg, Kirnberger, and Sulzer, which Burney noted were "regarded throughout Germany as classical"[2], we may add those by musical writers only slightly less celebrated such as Riedt, Baron, Adolph Friedrich Wolff, Ramler, Krause, Euler, and Reichardt[3].

One author whose voice has been largely lost amidst this literary cacophony is Christoph Nichelmann (1717–1762), who in 1755 published a lengthy treatise entitled *Die Melodie nach ihrem Wesen sowohl als nach ihren Eigenschaften.* Nichelmann is a relatively obscure musical figure today, remembered largely as the second harpsichordist behind Carl Philipp Emanuel Bach in Frederick's band, and a composer of modest talents and conservative tastes who made some contributions to the development of the

---

1 Ch. Burney, *The Present State of Music in Germany, the Netherlands, and United Provinces,* London 1775, Repr. Oxford 1959, p. 205.

2 Ibid., p. 159.

3 A fine anthology of writings by many of these Berlin music critics has recently been compiled by Hans-Günter Ottenberg, along with useful commentary (*Der Critische Musicus an der Spree: Berliner Musikschrifttum von 1748 bis 1799,* Leipzig 1984).

keyboard concerto[4]. But Nichelmann was in fact an important music theorist of his day. With great clarity and forcefulness, Nichelmann staked out a singular position on a number of controversial theoretical and aesthetic issues. To an extent not hitherto realized by musicologists, Nichelmann's ideas resounded through much of the Berlin literature for the next quarter of a century; not the least important consequence of his essay was a bitter polemic it sparked with Carl Philipp Emanuel Bach. No less important, perhaps, was the role it played in disseminating the theories of Rameau and the music of Johann Sebastian Bach. When placed in historical context, then, Nichelmann's treatise emerges as an important missing piece in the colorful mosaic that constituted musical life of the Berlin *Musikkreise* in the third quarter of the 18th century.

In his preface to his treatise, Nichelmann tells us that his work was occasioned by a recent dispute between a "musikverständiger Freund" and another musical writer. We learn in his autobiography that the two combatants were Friedrich Wilhelm Marpurg and Johann Friedrich Agricola. The dispute between Marpurg and Agricola, according to Hans-Günter Ottenberg "led off the round of music journalism in Berlin like a drum roll and would set a tone of polemical intensity scarcely surpassed thereafter"[5]. The issue of contention was that old chestnut of musical aesthetics: the relative values of French and Italian music[6]. For Marpurg, an unabashed enthusiast for French culture, the harmonic richness and graceful melodies of French music were clearly superior to Italian music, with all its vocal extravagances

---

4 The biography of Christoph Nichelmann – gleaned from his own autobiographical essay contributed to one of Marpurg's journals – can be briefly summarized (Fr. W. Marpurg, *Historisch-kritische Beiträge zur Aufnahme der Musik,* I, Berlin 1755, pp. 431–439). He was born in 1717 in Brandenburg. Showing unusual musical promise as a boy, his parents sent him at the age of 13 to the Thomasschule in Leipzig where he studied keyboard with Wilhelm Friedemann Bach and sang under the direction of Johann Sebastian Bach. We do not know whether Nichelmann had only closer contact with the elder Bach, although it is possible given that a number of important Bach manuscripts have come down to us in Nichelmann's hand (see H.-J. Schulze, *Studien zur Bach-Überlieferung im 18. Jahrhundert,* Leipzig 1984, p. 135–145). The great esteem with which Nichelmann held Bach's music will certainly become evident later in this article. In any case, by 1738, Nichelmann left Leipzig and travelled to Hamburg in order – so he tells us – to learn the latest "theatrical styles" under Keiser, Telemann, and Mattheson. A year later he moved to Berlin to study with Quantz and Graun. (Although just how formal or extensive these "studies" were we do not know.) Evidentally, the contacts he made helped Nichelmann to secure in 1745 an appointment to Frederick's band as co-harpsichordist along with Carl Philipp Emanuel Bach, a position he retained until 1756.

5 Ottenberg, *Der Critische Musicus,* p. 8.

6 The polemic occupied several early issues of Marpurg's first journal, *Der Critische Musicus an der Spree* (Berlin 1749–1750). The most important excerpts of their exchange are transcribed in Ottenberg, *Der Critische Musicus,* pp. 83–111.

and harmonic shallowness. Likewise, the precise articulation of the French language was more suited for clear theatrical declamation than was Italian. If Germans were ever to cultivate successfully their own vocal art forms, Marpurg advised, than they must abandon their irrational infatuation with the Italian Opera and study the best French models.

Agricola, being far more obeisant to Frederick's preference for the Italian opera seria, took it upon himself to defend Italian music from Marpurg's attacks. For Agricola, French music was "constrained" while the French language was unsonorous. Most importantly, though, French melodies were "boring and dry." Turning Marpurg's prescription on its head, Agricola held Italian music as the true model for German composers to emulate[7]. Echoing a refrain sung by generations of German musicians before him, Agricola considered that the Italians above all other nations had beautifully combined music and language with "natural ease" leading to a "noble simplicity of melody" ("edle Einfalt der Melodie").

Agricola's favorable assessment of Italian music was one calculated to elicit the sympathy of most Berlin composers. If not all of them shared equally Frederick's enthusiasm for the opera seria, they nonetheless found the Italian *cantabile* vocal art congenial to the reigning galant and emerging *empfindsam* tastes. For both Quantz and C. Ph. E. Bach, the graceful articulation and judicious embellishment of a melodic line was arguably the most essential requirement in their programs for effective composition and performance. Quantz, in advocating a "mixed style" for German composers that combined the best of both Italian and French music, singled out the Italians favorably for their expressive *Singart*[8]. Bach recommended that performers imitate the most skilled singers and strive above all to attain a "Singendes Denken"[9]. In the galant aesthetics, neither excessive ornamentation in the melody nor ponderous and busy harmonic accompaniments could be countenanced, less they detract from the desired "noble simplicity" of melody.

---

7 One of the German composers Agricola mentions whom he believed to have followed his advice was apparently Nichelmann! After listing those Italian composers whose music he held in highest regard, Agricola added happily: "Only recently has a German published some melodious harpsichord pieces in the newest and purest Italian taste" (Ottenberg 1984, p. 88). According to Ottenberg, Agricola is possibly referring to the *Sei brevi Sonate da Cembalo massime all'uso delle Dame* written by Nichelmann and published in 1745 (Ottenberg, *Der Critische Musicus,* p. 367, n. 8). Agricola's identification of Nichelmann's "sangbaren Sätzen" with the "allerneusten und reinesten italiänischen Gusto" may well have been one of the provocations leading Nichelmann to compose his treatise.

8 J. J. Quantz, *Versuch einer Anweisung die Flöte traversiere zu spielen,* Berlin 1752, p. 323.

9 C. Ph. E. Bach, *Versuch über die wahre Art das Clavier zu spielen,* Part I, Berlin 1753, p. 122.

As a fulfillment of these ideals, the pedantic aesthetician, Christian Gottfried Krause, along with the poet Karl Wilhelm Ramler, prescribed a genre of strophic *Oden mit Melodien* that possessed an "artful, refined, and naive" melody supported by the simplest homophonic - and ideally optional - accompaniment[10]. The first collection of such odes were published in 1753, inaugurating the so-called "Berlin Lied School" with contributions by Franz Benda, Quantz, both Grauns, C. Ph. E. Bach, Agricola, Telemann, and Nichelmann.

It was as a critique of his compatriots's musical prescriptions, then, that Nichelmann wrote his treatise. He did not so much take exception to their desire to enhance musical expressiveness. Nor did he contest the beauty and advantages of a vocally-conceived melody. What concerned Nichelmann was the best means of achieving these goals. In his view, the many disputations over *Schreibarten,* national styles, and melodic embellishment and articulation missed the essential point. For Nichelmann, true musical expression could only be achieved in one way: through harmony. Despite its title, it was harmony - not melody - that will be the subject of his treatise.

Nichelmann thus resurrected one of the oldest controversies in musical literature - the respective values of harmony and melody. (It was also an issue, it will be recalled, being hotly debated at the same time in Paris by Rameau and Rousseau.) As far as Nichelmann was concerned, there was no question as to which side one should take. Harmony, he was convinced, was an indispensible and universal component in every kind of music, from every nation, style and time. The composer who wished to write the most expressive and beautiful melody, then, must first learn how to write harmony, for it is only in harmony that is found the "essence as well as properties" of true melody, as it is expressed in the book's title.

Nichelmann's emphasis upon harmony brings immediately to mind, of course, Rameau's theory. And indeed, Nichelmann acknowledged Rameau as the source for many of his ideas. It is likely, though, that Nichelmann first learned of Rameau through Marpurg who was himself in the process of propagandizing the Frenchman's thought in his journals. (As we will soon see, Marpurg became one of the few defenders of Nichelmann's treatise in Berlin.) But much of Nichelmann's preoccupation with harmony might also be attributed to his generally conservative musical tastes formed through his studies with - and admiration of - Johann Sebastian Bach.

In any case, the opening of Nichelmann's text is explicitly drawn from Rameau's acoustical theories. "Music is the science of sound," we are informed at the very opening of chapter 1. And in chapter 3 we learn that

---

10 C. W. Ramler/Ch. G. Krause (eds.), *Oden mit Melodien,* Part I, Berlin 1753, preface.

"every musical sound [*Klang*] is already harmony," as every tone naturally contains a harmonic series of upper partials. This is a fact attested to by the "newest musical authors"[11]. This naturally generated *Klang,* then, becomes the progenitor of all harmony.

> "All possible music or mixing and combinations of different tones is derived from changes in the organically-rooted agreement of the *Klang.* Thus all and every kind of music is nothing else but altered - or artistically produced - harmonic diversity."[12]

The acoustical origin of every chord could be revealed through the fundamental bass (*Grund-ton*). Because harmony was generated by nature, it had clear etymological primacy over melody. More importantly, it demonstrated that harmony was the key to successful composition, no matter what the *Schreibarten* be. This will be the essential thesis of Nichelmann's treatise.

> "I will try to elucidate [in this work] through reason as well as through examples the following statement: A composer fulfills his duty only in so far as he arranges what is necessary in a composition - whether in general or in unusual circumstances - in such a manner that everything appropriate for his needs is a consequence of the previous impressions of richly perceived harmonies or agreements [that is, those harmonies derived from the natural *Klang*], and that they flow from them as from a spring."[13]

Nichelmann elaborated upon this thesis - sometimes with mind-numbing repetition - throughout his treatise, utilizing fundamental bass analyses to reveal the harmonic structure of dozens of musical excerpts. Nichelmann

---

11 Ch. Nichelmann, *Die Melodie nach ihrem Wesen sowohl, als nach ihren Eigenschaften,* Hamburg 1755, p., 1, 2, 3. - Exactly how much Nichelmann did read of Rameau is not really known; the only two works of Rameau cited in his text are the *Traité de l'harmonie* of 1722 and the *Démonstration du principe de l'harmonie* of 1750. Nichelmann's library, which upon his death passed into the hands of Marpurg, and then to Fétis, contained works by theorists such as Neidhardt, Printz, and Mattheson - all with Nichelmann's own annotations - but none, strangely enough, by Rameau (see Fr.-J. Fétis, *Biographie universelle des musiciens,* 2nd edition, Paris 1873-1875, vol. VI, p. 312). This would support the supposition that Nichelmann learned his Rameau through Marpurg's redactions - except for the fact that his application of the fundamental bass, as we will see, differed so greatly from Marpurg's.

12 "Alle nur mögliche Musik, oder Mischung und Verbindung unterschiedlicher Töne, beruhet auf dieser Veränderbarkeit des Klanges, und der ihr zum Grunde liegenden ursprünglichen Zusammenstimmung; daher ist alle und jede Musik nichts anders, als eine veränderte, oder eine durch Kunst hervorgebrachte mannigfaltige Harmonie." - Nichelmann, *Die Melodie,* p. 4.

13 "Ich will mich bemühen, sowohl durch Gründe, als durch Beyspiele den Satz in sein gehöriges Licht zu setzen: *Daß ein Componist seiner Pflicht nur in so weit Genüge thut, als er das, was sowohl den Haupt- als den absonderlichen Umständen nach, in den Zusammensetzungen nothwendig ist, dergestalt veranstaltet, daß alles nur eine folge des vorhergegangenen Eindrucks solcher vielfalch empfundenen Harmonien oder Zusammenstimmungen ist, die sich vor sein Vorhaben schicken, und aus den selben, wie aus ihrer Quelle, fließen.*" - Nichelmann, *Die Melodie,* p. 14.

must thus be counted as one of the first and most important of Rameau's advocates in Germany, Marpurg notwithstanding[14]. His comprehensive analytic application of Rameau's fundamental bass was the first of its kind in Germany, preceding by some 20 years that of Kirnberger. Indeed, in respect to the sheer quantity and variety of his analyses, Nichelmann's work stands alone in the entire 18th century.

Although Nichelmann wholeheartedly adopted Rameau's fundamental bass and its aesthetic corollaries, he by no means utilized all of Rameau's theory. Most notably, Nichelmann skipped over Rameau's (and Marpurg's) laborious and extensive mathematical and philosophical arguments establishing the minor triad, mode, and dissonance. (He did, however, include a lengthy justification for octave equivalence using many of the same numerical and acoustical arguments Rameau employed in his *Démonstration du principe de l'harmonie*). Nor did Nichelmann feel compelled to systematize harmonic theory within a rigorously deductive and axiomatic hierarchy as did Rameau. His justification for the fundamental bass was more empirical and heuristic than was Rameau's. On the other hand, Nichelmann applied the fundamental bass in a far more rigid manner than Rameau ever had, allowing only root motion by a fifth or occasionally a third, and accommodating the motion of a second or tritone by extravagant use of an interpolated fundamental bass[15].

Finally, to his partial adoption and unorthodox interpretation of Rameau's theory, Nichelmann brought his own aesthetic ideas heavily influenced by the metaphysics of Christian Wolff and German Neo-Platonism.

---

14 The reception of Rameau's theory among German theorists in the 18th century is problematic. Marpurg is typically considered the first disciple of Rameau, although there were earlier theoreticians who seemed to have been partly influenced by the Frenchmann's ideas (e.g. Sorge and Hartung). In any case, Marpurg seriously misunderstood – or perhaps deliberately rejected – a number of important elements of Rameau's theory in his early vulgarizations. (One of the most glaring examples being, perhaps, his inflexible invocation of "unterschobne" fundamentals.) Fortunately, not all of Marpurg's misinterpretations contaminated Nichelmann's treatise. While Nichelmann may have been introduced to Rameau's theory by Marpurg, he interpreted and applied it in far different ways.

15 William Caplin has pointed out to me that Nichelmann's interpolated bass differs from Rameau's not only in quantity, but in procedure. Whereas Rameau might (although not invariably) interpolate a descending third between two adjacent ascending scale degrees (e.g. the roots C and D would be mediated by an interpolated A), Nichelmann would interpolate an ascending fifth (C–(G)–D). Rameau's fundamental bass suggests less a temporal root progression that is repressed than a substituted fundamental *par supposition.* Nichelmann obviously took very seriously the idealized proscription against root motion by any interval other than a perfect fifth, and hence he added freely whatever roots were necessary to achieve such connections. His extravagant application of the interpolated bass would not be seen again until a century later in the analyses of Simon Sechter.

Nichelmann believed that all humans are born with an innate understanding of music:

> "We each carry the seeds of harmony and melody within ourselves through our preordained love of order and good proportion. And as soon as we are aroused and stirred by a musical sound, these begin to sprout and grow."[16]

Nichelmann accepted fully the Baroque doctrine of the *Affektenlehre* - the power of music to depict and arouse specific passions in the listener, a doctrine intensified in the *empfindsam* aesthetics of Carl Philipp Emanuel Bach. But for Nichelmann, the means by which such passions may be aroused - and here is his fundamental point - is through harmonic diversity, what he called "Mannigfaltigkeit der Harmonie."

> "The cause of the delight that music affords us is due above all to the satisfaction and fulfillment of our innate desire for varied and diverse harmony. ... Thus, the first and foremost responsibility of the composer is this: that he try to satisfy and fulfill the natural hunger of our soul for the diverse harmony we crave. Every composition or musical setting must be judged from this perspective. ..."[17]

This becomes the explicit thesis of chapter 43: "Music Utilizes the Variety of Harmony so that Specific Desires and Feelings may be Depicted and Aroused"[18]. Thus, it was clearly not the ideals of *empfindsam* aesthetics with which Nichelmann stood in disagreement, rather, the means to realize them. Let us now turn to Nichelmann's treatise and examine his arguments in closer detail.

Nichelmann's fundamental point is that there are really only two kinds of music, differentiated by the degree to which harmony is taken into consideration by the composer. Utilizing terminology which he borrowed from Wolfgang Caspar Printz, Nichelmann calls these two respective types "monodisch" and "polyodisch"[19]. Despite their suggestive names, the distinction has nothing to do with the number of voices of a composition, rather, it is based upon the role of harmony.

---

16 "Demnach tragen wir den Saamen der Harmonie, und der Melodie, schon in uns, in der uns anerschaffenen Liebe zu der Ordnung und zu guten Proportionen, und dieser fängt an zu keimen und aufzugehen, so bald wir von einem Klange gerühret und getroffen werden." - Nichelmann, *Die Melodie,* p. 50.

17 "Der Grund desjenigen Ergötzens, daß uns die Musik gewähret, liegt also vornehmlich in der Sättigung und in der Befriedigung des uns angebohrnen Verlangens nach einer veränderten, oder nach einer mannigfaltigen Harmonie. ... Die erste, und die vornehmste Pflicht eines musikalischen Setzers, ist demnach diese, daß er die natürliche Bedürfniß der Seele, nach welcher wir nach einer mannigfaltigen Harmonie begierig sind, zu sättigen und zufrieden zu stellen suche. So ist auch eine jede Composition oder Zusammensetzung, aus diesem Gesichts-Punct betrachtet. ..." - Ibid., p. 5.

18 Ibid., p. 101.

19 W. C. Printz, *Phrynis Mitylenaeus oder Satyrischer Componist,* Quedlinburg 1676-1677, pp. 3, 76; 131.

In *monodisch* music, Nichelmann tells us, the composer writes a "succession of individual notes or simple harmonies one after another, without attention paid to their coherence"[20]. Because the composer is not sensitive to the logic of tonality, though, the chord succession is either stagnant or arbitrary, while the melody wanders aimlessly. The result is a music which is lifeless; it cannot animate us or satisfy our innate desire for harmonic diversity. We are rather bored by it. The composer may strive to rescue his music with increased ornamentation and passage-work, superfluous rhythmic activity, thickened accompanimental texture, or any number of other compositional devices. But to no avail.

> "The monodist then sacrifices not only the all important property of harmonic diversity, but the gracefulness of the individual voices. He also disappoints the ear desirous of harmony by inappropriately adding together too many notes through his excessive love of harmonic embellishment. The fundamental progression of essential authentic harmonies is thereby either impeded and deferred, or what is the same thing, its nature is contradicted and distorted. [The music] is thus not only incapable of achieving the desired result, but results in cacophony."[21]

The *polyodisch* composer, on the other hand, is fully sensitive to the crucial role of harmony, Nichelmann tells us. In *polyodisch* music, harmony is the dominant factor to which the composer devotes himself. Above all, he strives for a rich and diverse progression of harmony, animated by a lively and changing harmonic rhythm.

> "A *polyodisch* composer utilizes a succession of multifarious harmonies. He tries above all to arrange a progression of different sonorities that are suited to his general as well as specific needs. The cohesion of the individual notes that are based upon these [harmonies] correspond with absolute certainty to the effects desired by the composer through the power of harmony, whether that [harmony] be simple or complex. The melody of such a composer is drawn from these multifarious harmonies, and is fully dependant upon them."[22]

---

20 Nichelmann, *Die Melodie,* p. 15.

21 "Der Monodist opfert also den Zierlichkeiten des einzelnen Gesanges, nicht nur die allerwesentlichste Eigenschaft, die Mannigfaltigkeit der Harmonie auf, sondern er teuschet auch das harmonie-begierige Ohr, durch unrichtige Zusammenfügung mehrerer Töne zugleich, indem er aus übermäßiger Liebe zu den harmonischen Zierathen, den nothwendigen Fortgang der eigentlichen Harmonie entweder gar hemmet, und aufschiebet, oder dennoch denselben, seiner Natur zu wider, verändert, und mithin eben dadurch nicht nur zu der gesuchten Absicht unzulängliche, sondern auch gar falsche Zusammenklänge hören läßt." – Ibid., p. 99.

22 "Ein polyodischer Setzer bedienet sich der Fortschreitung der vielfachen Harmonie, und sucht zuförderst eine solche Folge verschiedener Zusammenklänge zu veranstalten, die sowohl der allgemeinen, als auch seiner vorhabenden besonderen Absicht gemäß ist; und wie er aus dieser die Verbindung einzelner Töne heraus ziehet: so thut diese letztere auch, in Kraft des Zusammenklanges, diejenige Wirkung, so sie der Absicht des Setzers nach thun soll, und thut sie allemal gewiß, sie mag einfach oder vielfach wirken. Der Gesang eines solchen Componisten ist der vielfachen Harmonie unterworfen, und hängt von derselben ab." – Ibid., pp. 20–21.

This last remark is the key to Nichelmann's text - good melody is absolutely rooted in harmony. No melody can be effective that does not cleave naturally to its harmonic origin, but seeks to function independently and compensate for its lack of harmonic support through the addition of passage work, embellishment, rhythmic agition and the like. Nichelmann used a variety of metaphors to describe the melody that fails to relate correctly to a logical harmonic underpinning: It is like a river becoming ever more polluted the further it runs from its source; it is like a boat in water without a mast and sail; it is like hearing the noise of words without understanding their meaning[23]. The title of chapter 47 concisely encapsulates Nichelmann's concerns: "Melody is so much more Beautiful the closer it follows the Progression of Fundamental Harmonies that are appropriate for a given Situation"[24]. Thus, Nichelmann concludes in Chapter 51 ("The Properties of a True Melody"), a melody is expressive only when "in a word, one hears not only a melody of and for itself (that is, essentially alone), but more importantly, as part of the different harmonies from which it originates and of which it is a dependent part ..."[25].

Now, it is important for us to keep in mind that Nichelmann's twofold classification is not based upon any of the traditional *Schreibarten* of 18th-century music. That is to say, Nichelmann does not mean to equate his *monodisch* style with either the galant or theatrical styles, while *polyodisch* music is an implicitly more conservative style - a kind of prima and secunda prattica of the 18th century, if you will. While it is true that a good deal of galant and Italian music did indeed come under Nichelmann's censure as *monodisch,* his categories really transcend any usual division of style or genre.

> "I am not concerned here with any specific style or genre of composition in respect to a prescribed form or desired function. My intention is to present the different ways and means or the different material that the composer may use no matter what the composition is, what the style or genre is, or what its aim be."[26]

We can find both *polyodisch* and *monodisch* compositions in every kind of music, Nichelmann tells us: German, French, or Italian, instrumental or vocal, homophonic of polyphonic, church, chamber or theatrical.

---

23 Ibid., pp. 129, 147, 151.

24 Ibid., p. 111.

25 Ibid., p. 149.

26 "Ich habe es allhier mit keiner Art oder Gattung der Composition in Ansehung einer vorgeschriebenen Form, oder in Ansehung eines dadurch zu erlangenden besondern Entzwecks, ins besondere zu thun. Mein Vorhaben ist, *die unterschiedliche Art und Weise, oder die unterschiedlichen Mittel darzustellen, welche die Componisten überhaupt anwenden, um demjenigen, was bey einer jeglichen Composition, sie sey welcher Art oder Gattung sie wolle, ihre Pflicht ist, ein Gnüge thun.*" - Ibid., p. 11.

The distinction he draws is based rather upon a more subtle but ultimately more significant harmonic element of musical structure which can only be uncovered through musical analysis. It is this aspect of Nichelmann's work that strikes me as the most original and historically significant. Through a ground-breaking application of harmonic analysis, Nichelmann searches for and claims to discover characteristics that cut across traditional categories of genre, national origin, and style. Let us now examine a few of Nichelmann's musical analyses to see how his theory works in practice.

After a lengthy and largely abstract discussion of his twofold distinction for the first 31 chapters of his text, Nichelmann proceeds to offer some musical examples illustrating the *polyodisch* and *monodisch* approaches, respectively. It is telling that the very first example he chooses here is by Johann Sebastian Bach – the Sarabande to the *French Suite in E major,* BWV 817[27] [see example 1 a]. Nichelmann proceeds to praise Bach's use of harmony in the first eight measures of the piece, finding it satisfyingly rich:

> "Within the space and limit of precisely eight measures this setting contains not only a sufficient quantity and variety of chords so that the natural activity of the soul may be sustained through sufficient diversity of harmony, thereby fulfilling the primary and most universal function of music, but the differing harmonies are also suited to the specific plan [of the music] and appropriate for this [purpose]."[28]

Nichelmann refers with particular approval to the expressive use of the mediant harmony and the well directed harmonic and rhythmic motion to the half cadence. Implicit here – as in the rest of his text – is a clear preference for a fast harmonic rhythm with frequent modulations. To clarify his discussion, Nichelmann then provides a kind of harmonic reduction of these eight bars, which is in essence a realized fundamental bass [see example 1 b]. This is incidentally a good instance of Nichelmann's unorthodox use of an interpolated fundamental bass. Note for example in measure 2 the addition of an E in the bass so as to mediate the motion from A major to B major.

---

27 Nichelmann will quote and analyze a number of other Bach compositions in his treatise, including two cantata arias and the Kyrie to the Mass in B minor. (The relevant passages and analyses are reprinted in: H.-J. Schulze, ed., *Dokumente zum Nachwirken Johann Sebastian Bachs* 1750–1800, Leipzig 1972, pp. 96–103.) These analyses are not only the first of their kind, they constitute the first published citation of this music anywhere. Nichelmann's important contribution to the Bach-reception in Berlin in the 18th century has recently been explored in Schulze, *Studien zur Bach-Überlieferung,* pp. 135–145.

28 "Denn es hat diese Zusammensetzung, in dem Raume und dem Umfange einer abgemessenen Zeit von acht Tacten, nicht nur der Anzahl nach genugsam verschiedene Accorde, um die natürliche Activität der Seele, durch genugsam-mannigfaltige Uebereinstimmungen, zu unterhalten, und mithin den Haupt- und allgemeinen Zweck der Musik dadurch zu befördern; sondern die verschiedenen Zusammenstimmungen sind auch dem besonderen Vorhaben gemäß, und schicken sich für dasselbe." – Nichelmann, *Die Melodie,* p. 59.

After citing the Bach example, Nichelmann goes on to provide additional excerpts of *polyodisch* music, including a *Sinfonia* by Carl Heinrich Graun (N. 34), two *Air de cour* by Michel Lambert and Lully (Nos. 19 and 86, respectively), an *Ode* by Telemann (No. 80), an opera seria aria by Hasse (No. 83), and the opening *Kyrie* from Sebastian Bach's *Mass in B minor* (No. 95). Later in the text, he adds some additional works by Handel and Hasse to the list of *polyodisch* music that he feels are deserving of emulation[29]. The diversity of there examples underscore how Nichelmann does not necessarily equate *polyodisch* music with a specific style or nationality. Many of his approved excerpts represent unequivocally the most progressive musical tastes of the galant and theatrical styles, yet still satisfy his demands for sufficient harmonic diversity.

On the other side of Nichelmann's harmonic coin, we are offered a number of illustrations of *monodisch* music. Again this has nothing to do with the country of origin, genre, or *Schreibart. Monodisch* music can be found anywhere and anytime, indeed, even by *polyodisch* composers when they become lazy, indulgent, or inattentive to the demands of harmony. To demonstrate his distinction, Nichelmann selects numerous examples of *monodisch* music that he subjects to close and critical scrutiny. He will then take it upon himself to rewrite the given excerpt in a *polyodisch* setting – retaining the same basic harmonic and melodic plan as much as possible. Nowhere does he identify the composers for any of his *monodisch* excerpts, and apparently a number of them were of his own creation. Yet of those examples that I have been able to identify in Nichelmann's text, well over half of them are the work of musicians associated with Frederick's court[30]. It seems that Nichelmann was able to find all the *monodisch* music he needed for his critique right in own backyard. With a bull-headedness stemming from a brazen ego or just simple evangelic zeal, Nichelmann quotes and then pro-

---

29 Ibid., p. 168.

30 Of the 40-odd works Nichelmann cites, I have been able to identify about half. Of these, Johann Sebastian Bach, Carl Philipp Emanuel Bach, and Carl Heinrich Graun are cited four times each, while Micheal Lambert, Lampugnani, Argicola, Telemann, Hasse, Lully, and Nichelmann himself are cited once each. The specific citations are as follows (using Nichelmann's own example numberings:) J. S. Bach # 14 (15), # 21 (23–25), # 84 (85), and # 95; C. Ph. E. Bach # 29 (30–33), # 38 (39–40), #47 (48, 77), and # 72 (73–74); Graun # 34 (35), # 93 (94), # 96 (97), #99 (100); Lambert # 19; Lampugnani # 52 (53, 67); Agricola # 58 (59, 70–71); Telemann # 80; Hasse # 83, Lully # 86; and Nichelmann # 111 (112–117). (The first example number in each citation refers to the original composition given in Nichelmann's text, while the numbers in parentheses refer to his analyses or recompositions of the same work.) The remainder of the unidentified excerpts are almost all from Italian opera serias, and may well be by either Graun or Hasse – the two operatic composers whose music Nichelmann was undoubtedly most familiar with in Berlin.

ceeds to castigate excerpts from Carl Philipp Emanuel Bach, Carl Heinrich Graun, Hasse, and Agricola, and then rewrite them. Obviously our theorist was not the most diplomatically astute of men.

One of the first such excerpts is given in example 2a. This virtuosic passagework is typical of many Galant concertos, and could have easily been written by someone like Quantz. Indeed, in a writing that we will soon examine in detail, Carl Philipp Emanuel Bach claimed that the work was in fact a Flute Concerto by Quantz, although Nichelmann insisted that he made it up himself. Whatever its origin, Nichelmann finds the passage repetitive and "superfluous"[31]. Nichelmann's complaints are not so much directed at the specific harmonies used - which he analyzes in example 2b - rather in how they are deployed. The incessant repeated notes of the accompanying voices - the so-called "trommelbass" - are rhythmically monotonous and do not relate at all to the melody which is itself just an empty exercise in arpeggios and scales. Nichelmann then rewrites this excerpt using the same harmonic progression given in example 2b, but transposing it into a four-part counterpoint in *gearbeiteter Stil* seen in example 2c. (The bottom line is not a sounding part, but the fundamental bass.) Nichelmann finds his revision more *polyodisch* since he feels the harmony is better projected by voices that are more rhythmically and melodically animated.

Nichelmann continues in this fashion for the rest of his treatise, that is to say, for another 100 pages and another 40 *monodisch* excerpts, each of which he will quote, criticize, and then rewrite. Nichelmann's criticisms cannot easily be generalized here, nor can his prescriptions for *polyodisch* writing. Depending upon the music, he will substitute the specific harmonies used, accelerate the harmonic rhythm, add some modulations, vary the phrasing and text setting, simplify the melodic embellishments, or add counterpoint to the accompaniment. In most cases, Nichelmann attempts to stay within the composer's intended *Schreibart.* (The transmutation of style in example 2 is somewhat of an anomaly.) The following selected examples from Nichelmann's text will illustrate the wide variety of his concerns and solutions.

In example 3a, it is the slow harmonic rhythm that bothers Nichelmann. The harmony is totally "enervated" as made clear by the drawn-out fundamental bass given in the bottom line[32]. Worse, the elaborate diminution in the descant results in a "quantity of excessive figures and ornamentation." Nichelmann's solution in example 3b solves the problem by radically con-

---

31 Nichelmann, *Die Melodie,* p. 39.
32 Ibid., p. 36.

tracting the harmonic rhythm, eliminating the diminution in the descant, and transforming the basso continuo into a more contrapuntally-independent line.

Example 4 a gives the opening theme of the *Concerto in D major* by C. Ph. E. Bach (H 414; W 11). It is difficult to imagine that Nichelmann could find so much wrong in just these two seemingly innocuous measures. Yet he finds the harmony too stagnant and rhythmically repetitive, leading to an effect both "unpleasant and loathsome"[33]. The revised version seen in example 4 b corrects this through the simple use of alternating dominant and tonic harmonies.

A more substantial example considered by Nichelmann is seen in example 5 a. Here we have a typical example of the "aria di bravura" so favored in the opera seria. It is unambiguously in the most elaborate Italianate theatrical style, one typical of the Venetian school represented by composers like Galuppi. But this is not why Nichelmann criticizes the setting. Rather, it is that the melody is too jagged; it jumps around in "inappropriate trumpet-like progressions." Moreover, it is awkwardly phrased without any clear direction or shape. All this is because the underlying harmony is so badly worked out. The opening harmony stagnates on the tonic over the monotonous *trommelbass.* Thereafter, we find only a constant repetition of the tonic and dominant that soon becomes "unnatural and unpleasant"[34]. Nichelmann's resetting of the text attempts to preserve the flavor of the original version but with a more varied and better directed harmonic plan, a more independent accompaniment, and finally a smoother and more regularly shaped melodic line. This is seen in example 5 b.

A frequent complaint by Nichelmann concerns inappropriate text setting. In the numerous opera seria arias and odes he cites, he claims the music evinces little relation to the affections depicted in the text. In the *Aria Cantabile* in example 6 a, for instance, Nichelmann concedes that the music is "not unpleasant. ... How often haven't we been amazed by the performance of [this aria] by a formerly well-known singer through the variety of inflections and arpeggiations of her pleasing voice and dexterous tongue?"[35] But, he adds, this has little to do with the subject of the text which concerns pain and remorse. This is because the harmony never modulates and consists only of a tonic and its two dominants. In no way can such a simple harmonic setting convey the idea of "remorse and sorrow." Nichelmann's solution, as we see, is to introduce some poignant chromatics on the word "per-

33 Ibid., p. 75.
34 Ibid., p. 94.
35 Ibid., p. 114.

dona" – the expressivity derived, of course, from the new harmonic changes underlying these chromatics [see example 6 b].

In example 7 a, Nichelmann criticizes the deemphasis of the crucial word "sento" by virtue of its placement at the bottom of a descending leap in measure 2[36]. Further, the literal repetition of the last phrase which creates the typical ABB thematic structure so common to opera seria arias of the 1740 s[37] deprives the melodic line of any clear direction and weakens the sense of climax. Finally, the gay accompaniment and *trommelbass* employing the cliche ascending bass line leading to a cadential 6/4 contradicts the text subject of anger and revenge. Example 7 b is Nichelmann's correction of these perceived faults, including a fundamental bass analysis of the new harmonies.

Nichelmann makes much the same criticism concerning example 8 a – from Graun's opera *Ezio* (1754) – as he did with example 7 a. The *trommelbass,* jagged melody, and stilted phrasing all must go, he tells us[38]. Nor apparently should the crucial word "tradimento" be repeated, rather it should be saved for the end of the line. We might question, through, whether Nichelmann's lyrical reworking of the music in example 8 b expresses any more effectively the notion of "fury" and "betrayal"!

Lest we think that it was only Metastasian texts which can be mis-set, Nichelmann offers a correction of a cantata aria by J. S. Bach, "Ich bin vergnügt," BWV 84 [Example 9 a]. In words reminiscent of Scheibe's well-known critique, Nichelmann reprimands his revered teacher for putting too much art and effort into his setting – "alzugrosse Kunst" he calls it[39].

Bach's over-elaboration in the melody, Nichelmann complains, is unnecessary and detracts from the expressivity of the underlying harmony. In example 9 b, Nichelmann simplifies the melody, creating a line more "noble, simple and natural." He concludes from all this that even the greatest of composers can succumb to *monodisch* tendencies.

It is worth repeating here that Nichelmann is not recommending any one style or genre as better-suited for *polyodisch* music, rather, that in whatever style one writes in, the harmony is appropriately utilized, and the melody and accompanying voices conform to this harmonic underpinning correctly. Certain kinds of harmony, accompaniment, and melodic embellishment are appropriate in an opera aria but not in a church cantata.

As a final example, I would like to consider an *Ode mit Melodie* written by C. Ph. E. Bach for Krause's 1753 collection and subjected to especially

---

36 Ibid., p. 106.
37 E. Weimar, *Opera Seria and the Rise of the Classical Style,* Ann Arbor 1982, p. 33.
38 Nichelmann, *Die Melodie,* p. 141.
39 Ibid., p. 129.

detailed criticism by Nichelmann. In his text, Nichelmann cited and harshly condemned a number of the songs contained in this collection – to which it should be recalled he himself also contributed. Among the composers receiving his censure besides Bach were Agricola and Carl Heinrich Graun[40]. As usual, Nichelmann would first quote an excerpt from the respective setting, analyze why it was unsatisfactory, and then offer his own improvement. For reasons which were probably as much political as artistic, Nichelmann found Bach's odes particularly distasteful. And here a historical digression is in order.

It is crucial for us to keep in mind that throughout his tenure, Nichelmann was in constant competition with Carl Philipp Emanuel Bach. Contrary to most histories that describe Nichelmann as "second harpsichordist" behind Bach, the American musicologist Douglas Lee has shown that Nichelmann was not at all subordinate in his position to Bach; they were in fact co-equals[41]. Indeed, according to account books, Nichelmann actually received a higher salary than did Bach – a point of no small irritation for the latter. In the confined and competitive atmosphere of Sanssouci, it was inevitable that a high degree of tension would thus exist between the two harpsichordists attempting to curry the favor of the King. It seems quite plausible, then, that Bach's well-documented dissatisfaction with his position in Berlin was in no small part due to his rivalry with Nichelmann. The animosity that must have existed between the two became apparent in the lengthy and invective attacks Nichelmann made upon one particular ode of Bach's with a text by Nikolaus Giseke: "Die Küsse" (H 673; W 199/4). It is one of the longest and most intricate of the collection, atypically through-composed with an unusually elaborate accompaniment.

This ode will be the centerpiece of Nichelmann's critique, and to which he will return repeatedly in his book. Indeed, no other work of music receives such detailed analysis and categorical condemnation. Nichelmann corrects the faults he perceives in the song by completely resetting the poem. The resulting recomposition is by far the longest of Nichelmann's examples, taking up three full plates.

As it is not feasible here to consider all of Nichelmann's criticisms in detail, I shall only point out the highlights of his discussion. To begin with, Nichelmann lodges his by-now familiar complaint that the music lacks suf-

---

40 The songs cited by Nichelmann were "Amint," "Die Küsse," and "Trinklied" by Bach (H 673–5; W 199/4–5, 11), "Ja Liebster Damon" by Graun, and "Willst du diesen Raub nicht strafen" by Agricola.

41 D. Lee, *The Instrumental Works of Christoph Nichelmann,* Ph. D. diss., University of Michigan 1968, p. 31.

ficient "Mannigfaltigkeit der Harmonie"[42]. This is evident already in the very first three measures where Bach is content to repeat the tonic [see example 10a]. Asks Nichelmann, "Who does not sense here the complete absence of a progression of harmony or fundamental bass and the resulting monotony?"[43]. A simple change to the subdominant in measure 3 as in example 10b, Nichelmann suggests, would improve the setting vastly. (As before, the bottom line is not a sounding part, but the fundamental bass analysis.) He then proceeds to castigate Bach for his negligent setting:

> "What was the reason that the composer burdened us with this awful and boring monotony instead of lively, contrasting harmony? Could it be that he believed he had discharged his duty with this setting through a specific succession of single notes by themselves in a single voice without any attention paid to the harmony or thought to satisfying our hunger for diverse and multifarious harmony?"[44]

Nichelmann also condemns Bach's setting of the words "Die Alten, lehrt er mich" in mm. 16–18 shown in example 11a. Bach's three bar phrase, claims Nichelmann, is awkward and stifles the natural coupling of the text with the next phrase, "die pflegten auch zu küssen." There is no need for the awkward pause in measure 18, which both interrupts the harmonic flow as well as unnaturally emphasizes the word "mich". The result is that the text meaning is "obscured" while the harmonic progession lacks "life and movement"[45]. It would be better, as Nichelmann illustrates in example 11b, to contract the first phrase into two measures, thus allowing the music to continue uninterrupted.

Similar problems of text setting are pointed out and corrected throughout the piece. Indeed, there is hardly a measure kept intact by Nichelmann. He criticizes virtually every aspect of Bach's music: the unnatural breaking-up of phrases, poor metric placement of words, a jagged melodic line, a badly conceived accompaniment, and always a lack of attention paid to the harmony. After one particularly egregious passage Nichelmann remarks: "It is thus certain that the necessary balance between the differing parts within the whole is disrupted; the measured movement of harmony is uneven and

42 Nichelmann, *Die Melodie,* p. 116.

43 Ibid., p. 85.

44 "Was war aber die Ursache, daß der Setzer, statt der uns erquickenden verschiedenen Harmonie, uns mit dem aus der Monotonie entstehenden Ekel und Ueberdruß belästiget? Etwa was anders, als weil er glaubte, sich der, bey dieser Zusammensetzung ihm obliegenden Pflicht, durch eine für sich selbst, und ohne Absicht auf Harmonie, bestimmete Folge einzelner Töne, in einer .einzelnen Stimme zu entledigen, ohne darauf bedacht zu seyn, unsern Hunger nach einer mannigfaltigen vielfachen Harmonie zu stillen?" – Ibid., p. 85.

45 Ibid., p. 118.

jagged ["hockerigt"], thus [making the] entire piece difficult to sing and even more difficult to listen to"[46].

Another aspect of Bach's song that offends Nichelmann is the illogical tonal disposition. Nichelmann divides the music into five phrases consisting of, respectively, 15, 27, 28, 22, and 13 measures. In all but the last phrase, the cadence is on a non-tonic triad. This is tonally disproportionate, complains Nichelmann, as the tonic is prevented from being clearly established. The final cadence upon Bb is a surprise to the listener and unsatisfying as a close. To remedy this, Nichelman chooses to recapitulate the opening tonic theme again, thus creating a kind of Rondeau form. He admits this causes problems in terms of the text. (He had to extend and repeat the last stanza of the text superimposed upon the music from the opening.) But his primary concern, he lamely explains, is with the harmonic structure and melody[47].

Now, it is not hard to imagine that Bach would have been less than pleased by Nichelmann's treatise. Not only did the upstart harpsichordist insolently condemn a wide spectrum of Bach's compositional output, he had the audaciousness to rewrite it! Further, Nichelmann presumptuously cited Johann Sebastian Bach as corroboration for his ideas. But surely if anyone was to appeal to Johann Sebastian's practice with any authority, it would be his son! Bach's indignation can be well-imagined.

Of course, Carl Philipp Emanuel was not the only one whose toes were stepped upon. Nichelmann's captious essay was guaranteed to stir up a hornet's nest. Among the many musicians who critically responded in one way or another to issues raised in Nichelmann's treatise may be mentioned Ernst Gottlieb Baron[48], Friedrich Riedt[49], Johann Adam Hiller[50], Johann Friedrich

---

46 Ibid., p. 119.

47 Ibid., p. 122. – We must keep in mind that it was not the genre of the ode itself that Nichelmann was contesting – he did, after all, contribute to the same collection in which Bach's appeared. Yet there was an undeniable discrepancy between Nichelmann's aesthetics and Krause's prescription of a proper ode that deemphasized harmony in favor of a singable – and optionally *a cappella* – melody. A comparison of Nichelmann's four settings contributed to the Krause collection show that, indeed, he did use comparatively a faster harmonic rhythm and more adventurous chromaticism that the other settings in the publication, including Bach's. Also, his accompaniments were more intricate and independent that was recommended by Krause.

48 *Abriss einer Abhandlung von der Melodie: eine Materie der Zeit,* Berlin 1756.

49 "Betrachtungen über die willkürlichen Veränderungen musikalischer Gedanken bey Ausführung einer Melodie", in: *Historisch-kritische Beyträge zur Aufnahme der Musik,* II, 1756, pp. 95–118.

50 *Wöchentliche Nachrichten und Anmerkungen,* II, Leipzig 1767, p. 65.

Agricola[51], and Abbé Vogler[52]. Even writers outside of Germany such as the Swiss theorist Jean-Adam Serre took disparaging note of Nichelmann's treatise[53].

But undoubtedly the most direct and vehement rebuttal to Nichelmann's treatise was found in a small 16-page pamphlet dated July 1, 1755, and entitled *Gedanken eines Liebhabers der Tonkunst über Herrn Nichelmanns Tractat von der Melodie,* written under the pseudonym of "Caspar Dünkelfeind." Now, the identity of this "enemy of conceit" has never been established for certain. Some scholars such as Wade[54], and Lee[55] have suggested that Carl Philipp Emanuel Bach himself might have penned the pamphlet, while Eitner ascribes the work to a Georg August Leopold[56]. Given a fresh rereading of this pamphlet in light of the musical examples which I have been able to identify in Nichelmann's treatise, I think there is now a preponderance of evidence establishing that Bach was indeed „Caspar Dünkelfeind". The vituperative anecdotes and direct personal criticisms made by Dünkelfeind reveal him to have had first hand knowledge of Nichelmann. And certainly as we have seen, Bach had more reason than anybody else to be offended at Nichelmann's criticisms, the most acerbic of which seemed to have been directed at his music. The indignation and passion with which Dünkelfeind defends Bach's music from Nichelmann's charges suggests unequivocally that we are dealing with the wounded and aroused ego of the composer. Nichelmann, himself, as we will see, had no doubt that Bach was indeed Herr Dünkelfeind. This short pamphlet, then, is really a new and important document clarifying Bach's professional and aesthetic position in the mid-1750s, and suggests the impetus for certain ideas which would be elaborated in Part 2 of his *Versuch* in 1762.

---

51 "Beleuchtung von der Frage nach dem Vorzuge der Melodie vor der Harmonie" (1771), in: *Magazin der Musik* II, 1786, pp. 809–815.

52 *Betrachtung der Mannheimer Tonschule,* vol. I, Mannheim 1778, p. 1.

53 J.-A. Serre, *Observations sur les Principes de l'Harmonie,* Geneva 1763, pp. 63–64.

54 R. Wade, *The Keyboard Concertos of Carl Philipp Emanuel Bach,* Ann Arbor 1981, p. 2.

55 D. Lee, *The Instrumental Works of Christoph Nichelmann,* p. 46.

56 R. Eitner, *Biographisch-Bibliographisches Quellen-Lexikon,* 2nd edition, Graz 1959, vol. VI, p. 142. – The attribution to Leopold is hardly likely given that Leopold – according to Gerber – was born on October 17, 1755. On the other hand, Eitner's suggestion that Leopold – and hence probably Dünkelfeind – was in fact a penname for the organist and theoretician, Christoph Gottlieb Schröter (1699–1782) is plausible, given that Schröter spent most of his working life in Nordhausen, the place of publication for Dünkelfeind's pamphlet (Schröter's lengthy figured bass treatise was finished in Nordhausen in 1754, according to the Preface, although not published until 1772). But it would seem out of character for Schröter to take issue with Nichelmann's thesis, given that he was himself an outspoken proponent of Rameau's thesis, and in his *Deutliche Anweisung* argued passionately for the primacy of harmony in a manner identical to Nichelmann.

In his assessment of Nichelmann's treatise, Bach does not mince words. Throughout these 16 pages, Bach heaps unrelenting sarcastic and abusive criticism upon both the treatise and its author, and racks his vocabulary to come up with enough derisive adjectives with which to describe them. The treatise is labeled variously as "obscure", "pretentious", "scholastic", "wretched", "dry", and "boring". Nichelmann is described as "pedantic", "vain", "unscrupulous", "a barrel-organ composer", a "hypochondriac", a "visionary", a "charlatan", and a "plagiarizer". Complained Bach, "He only took what others found beautiful and made it worse ... There is an envy and hatred in his writings towards the richness of other men's ideas; he would rather that everyone think dryly and simple-mindedly ... He reveals an aversion to the great refinement in today's musical taste"[57]. Didn't Nichelmann have anything better to do, asks Bach, then to criticize and presumptuously try to "improve" the works of composers more talented than he? Bach suggests that Nichelmann would have done better to look at some of his own keyboard sonatas and spend as much effort improving those as he did with the examples in his book[58].

Cutting even deeper, Bach goes on to accuse Nichelmann of pilfering and "shady-dealing" ("Schleifhandel"). Some of Nichelmann's compositions, he darkly suggests, are actually the work of others. But this is not surprising, he continues. Testifying to a personal animosity in their relationship that must have long predated this polemic, Bach writes: "To be sure, we are used to this writer and his works of musical plagiarism. One must endure him with patience, as neither the most polite nor the sternest of admonishments have helped."[59] Bach goes on to claim that Nichelmann's unscrupulousness runs so deep that he did not even trust his own copyist to leave his home with his manuscripts lest Nichelmann find and steal them for himself![60]

---

57 [Caspar Dünkelfeind], "Gedanken eines Liebhabers der Tonkunst", p. 3.

58 In point of fact, Nichelmann did precisely that. In one section near the end of the treatise, Nichelmann took the opening of his own harpsichord sonata in G minor (# 1 from the first collection of 6 published in 1745) and criticized its lack of harmonic motion (p. 170). He then offered several revisions of the opening, employing a faster harmonic rhythm and his favored technique of invertible counterpoint.

59 "Gedanken eines Liebhabers der Tonkunst", pp. 2–3.

60 Bach's wrath here may have something to do with Nichelmann having copied and made numerous annotations and corrections some time in the early 1750s to the performing parts of Johann Sebastian Bach's Harpsichord Concerto in D minor (BWV 1052) based upon holograph copies by Agricola and C. Ph. E. Bach (see H.-J. Schulze, ed., Johann Sebastian Bach: *Konzert für Cembalo und Streichorchester* BWV 1052, Leipzig 1975, pp. vi–vii). Schulze (*Studien zur Bach-Überlieferung,* p. 143) suggests this would indicate that a cordial relation existed between Nichelmann and Bach, at least initially. But it is equally plausible that Nichelmann's transcription was undertaken without the knowledge or approval of Carl Philipp Emanuel, a possibility eluded to in this passage.

Bach next launches into a vigorous defense of his ode "Die Küsse" and an equally scathing attack upon Nichelmann's resetting. Bach begins by taking issue with Nichelmann's injunction against repeated notes and points out that such a procedure is a legitimate and well-tested compositional device. He notes further that Nichelmann himself used repeated notes in his melody. Asks Bach sarcastically, "Does the composer forget his own rules or does he believe that he alone possesses the sight to defy them?"[61]. Bach is also happy to correct several voice-leading mistakes in Nichelmann's setting including a number of hidden parallel fifths. Bach sarcastically assures the reader that this must be a printing error, as no competent musician could overlook so obvious a mistake in such a simple two-part aria, and especially one meant to correct the errors of others[62].

The major complaint Bach voices concerning Nichelmann's treatise is that it does not fulfill its promise of instructing the reader how to write and judge a good melody. Bach analyzes the opening of the text chapter by chapter and finds it all superfluous. What, for instance, do acoustics and metaphysics have to do with melody, Bach demands to know?[63] Music is not a sciene of vibrations and mathematics – it deals with notes put together by a composer. And here Bach propounds a radical empiricist position:

> "The musician looks at [music] from a totally different perspective; he experiments and formulates rules on how different tones must be combined in order to please the ear. This has as little to do with mathematics as it does with physics. The rules of composition are drawn neither from physical laws nor mathematical calculations, rather they are determined by the judgement of the ear."[64]

Bach clearly shows he understood the acoustical premises of Rameau's theory, for he acknowledges the existence of harmonic overtones in most (although not all!) vibrating bodies[65]. But he rejects that this has anything

61 "Gedanken eines Liebhabers der Tonkunst", p. 3.

62 Ibid., p. 13.

63 Ibid., p. 5.

64 "Der Musikus siehet sie von einer ganz andern Seite an, er untersuchet, und bestimmet durch Regeln, wie verschiedene Töne zusammen gesetzt werden müssen, wenn sie dem Gehöre gefallen sollen. Mit der mathematischen Untersuchung hat er eben so wenig zu thun, als mit der physikalischen, und die Regeln der Setzkunst sind weder aus physikalischen Grundsätzen noch aus mathematischen Rechnungen hergeleitet; sondern die Grundsätze, daraus sie hergeleitet werden, sind die Empfindung des Gehörs." – Ibid., p. 6.

65 Bach's critique here resembles those articulated by two contemporaneous scientists whose work he may well haven known: Leonhard Euler and Daniel Bernoulli. Euler was the premier member of the Berlin Royal Academy of Sciences at this time, while Bernoulli was a frequent contributor to the Journal it published. Both Euler and Bernoulli had recently pointed out in both published and private writings that not all vibrating systems contained a uniform family of harmonic upper partials; many such overtones were non-harmonic. They concluded that Rameau should not use such an acoustically

to do with the practice of music. How can such a phenomenon tell the musician, for instance, how to resolve a seventh chord?[66]

As for Nichelmann's distinction between *monodisch* and *polyodisch* music, Bach is a bit more charitable. He acknowledges that composers have always tended to employ differing degrees of melody or harmony in their music. But, he continues, no composer uses exclusively the one at the expense of the other – or at least no good composer would. Invoking the metaphor of a painting, Bach reminds his reader that a picture has both light and shadow, and the best painters use both effectively[67]. Likewise, then, a good composer uses both harmony and melody. It is ridiculous to think that anyone would simply write a succession of chords or notes one after the other arbitrarily, as Nichelmann accuses[68]. On the other hand, Nichelmann's total subordination of melody to the harmonic structure of a piece is pedantic and pernicious, complains Bach. Harmony by itself without the animation of melody lacks any "fire, spirit, and life"[69].

This was a theme, it should be mentioned, to which Bach returned in Part 2 of his *Versuch* published in 1762. There, he repeatedly pointed out the necessity of conceiving both the melody and harmony simultaneously. Neither could be separated, as they together constituted the musical piece[70]. Nonetheless, the ideal composition and performance in Bach's view still needed to be conceived vocally, for without the "singendes Denken" he prescribed, all music would be lifeless. As if to illustrate the fallacy of Nichelmann's harmonic emphasis, Bach ended the *Versuch* with a discussion of the Fantasy. A series of chord progressions were provided in figured bass. He then showed how a skilled composer could improvise over the progression – that is, give it different "melodies" – and produce totally new and contrasting effects. A similar aesthetic may well have impelled the publication in 1760 of his 6 keyboard sonatas *mit veränderten Reprisen* (H 136–9, 126, 140; W 50). (Although to be fair, it should be pointed out that elsewhere Bach took the opposite approach; that is, he harmonized a single chorale phrase in nearly 100 different ways [H 871; W 204].) Furthermore, Bach's advice to the would-be accompanist in Part 2 is coupled with amusing but cutting caricatures of a harpsichordist who commits unpardonable gaffes in voice-

---

heterogeneous phenomenon as his principle of harmony (see Th. Christensen, "Eighteenth-Century Science and the *Corps Sonore*: the Scientific Background to Rameau's Principle of Harmony", in: *Journal of Music Theory* 31/1, 1987, pp. 23–50, esp. pp. 34–38).

66 "Gedanken eines Liebhabers der Tonkunst", p. 6.

67 Ibid., p. 14.

68 ibid., p. 15.

69 Ibid., p. 14.

70 C. Ph. E. Bach, *Versuch einer Anleitung ...*, Part II, Berlin 1762, pp. 212, 243.

leading, indulgent interpretations, improper decorum, and general poor taste in performance. These are so vividly described that one wonders whether he had a particular villain in mind – perhaps his rival accompanist Nichelmann?[71]

Bach, then, saw little of redeeming value in Nichelmann's treatise. He consoled himself with the thought that it was so badly written that at least no one would bother reading it all the way through, let alone understand any of it[72]. Its appearance was nonetheless lamentable as it would surely bring shame to all musical authors and the everlasting suspicion of book publishers. Bach ended his comments with this stinging slap in the face:

> "This should be sufficient to convey the ideas to be found in this book. The author expends much unnecessary energy in criticizing with much finickiness, obscurity, and confusion the mistakes of inexperienced beginners, any one of which could be recognized by a competent teacher and corrected through experience. ... We would above all like to offer this friendly advice to the author: Instead of writing books which will prove to be as unsuccessful as his compositions, it would be better [for him] to play pretty barrel-organ trifles that do not require so much dexterity. ... We heartfully regret that his effort was insufficient to raise himself as high as his smug self-complacency."[73]

The pamphlet then concludes with this satiric couplet:

> "Sey nie dem klugen Rath Verstandiger zuwider;
> Doch suche *nimmermehr* ein Lob für deine Lieder."
> [Never spurn the sound advice of the wise;
> But nevermore seek praise for your songs.]

To answer Bach's charges, Nichelmann issued – as was the custom of the day – a counter-pamphlet entitled "Die Vortreflichkeit der Gedancken des Herrn Caspar Dünckelfeindes über die Abhandlung von der Melodie ins Licht gesetzet von einem Musick Freunde". He was quite clearly stung by Bach's sharp rebuke, although it seems naive of him to have expected anything less. He begins his pamphlet by expressing surprise and dismay at the invectiveness of Dünkelfeind's diatribe. What, he wonders out loud, did he do to so arouse the ire of this author? Nichelmann then confesses that several friends had tried to persuade him that Bach was in fact the author of

---

71 Ibid., pp. 268 ff.

72 "Gedanken eines Liebhabers der Tonkunst", p. 16.

73 "Dieses mag vor diesesmal genug seyn, einen Begriff von einem Buche zu geben, worinnen der Herr V. sich viele unnöthige Mühe giebet, mit vieler Aengstlichkeit, Undeutlichkeit und Verwirrung einen Fehler ungeübter Anfänger zu tadeln, der schon einem jeden von seinem Lehrmeister gezeigt wird, und sich durch mehrere Uebung verliehret. ... Wir wollen bey dem allen dem Herrn V. wohlmeinend rathen, anstatt des Bücherschreibens, womit es doch so wenig als mit seinem Componiren fort will, sich lieber mit der Abspielung eines sanfte leyernden Stückgens, wozu nicht viele Geschwindigkeit erfordert wird, abzugeben. ... Wir bedauern herzlich, daß ihm seine Kräfte nicht vergönnen, sich so hoch zu erheben, als seine Selbstgefälligkeit es ihm eingiebt." – Ibid., p. 16.

this pamphlet. Barely concealing his sarcasm, Nichelmann claims that he finds this difficult to believe, as his critique was not made out of ill-will or spitefulness, and Bach should certainly know this.

> "But so great is my respect for the merit of this man, that I wish to allay any suspicion of partisanship when one honours me by having the true and authentic meaning of my words understood, without having them - as it often happened - be grossly misinterpreted."[74]

The first issue Nichelmann wishes to clear up is Bach's charge of plagiarism. This is a "shameful lie", Nichelmann indignantly replies[75]. He points out later in the pamphlet that two of the examples quoted in his treatise that Bach attributes to Quantz were in fact his own compositions[76]. Nichelmann does admit, though, to using the harmonic progessions of other composers. But, he quickly adds, that hardly constitutes plagiarism. It depends more on how the given progression is elaborated[77].

In the rest of the pamphlet, Nichelmann refutes Bach's many charges, although his arguments for the most part are a mere repetition of ideas already stated in his treatise. He repeatedly protests that Bach misunderstood or misrepresented his intentions. Nowhere, for instance, did he ever claim he would provide a prescription for the writing of a beautiful melody[78]. Nor did he ever deny the importance or beauty of melody. Bach, Nichelmann complains, clearly did not see the distinction he was drawing between *monodisch* and *polyodisch* music. As to the specific criticisms Bach made concerning parallel fifths in Nichelmann's resetting of "Die Küsse", Nichelmann claims that a "certain skilled Capellmeister" believes that such ascending false fifths are permissable at times[79].

As if to throw some sand back into Bach's eyes, Nichelmann selects some new compositions of Bach for criticism - this time the 18 *Probestücke* in 6 Sonates published as a supplement to Part One of Bach's *Versuch* in 1753 (H 70–75; W 63). It seems as if Nichelmann couldn't resist taking yet a few more swipes at his rival's music. He points out how Bach uses the same cadential figurations and motives over and over throughout these pieces,

---

74 "So groß aber auch meine Hochachtung gegen die Verdienste dieses Mannes ist, so gewiß hoffe ich dennoch den Verdacht einer Partheylichkeit zu entgehen, wann man mir die Ehre erweiset, meine Worte nach ihrer wahren und eigentlichen Bedeutung zu nehmen, ohne ihnen, wie es öfters zu geschehen pfleget, einen falschen Sinn anzudichten." - Nichelmann, "Die Vortrefflichkeit" (n. p., n. d.), pp. 1–2.

75 Ibid., p. 3.

76 Ibid., p. 7.

77 Ibid., p. 5.

78 Ibid., p. 8.

79 Ibid., p. 14.

resulting in "boring", "impoverished", and "empty" music[80]. Nor can Nichelmann resist mentioning the striking similarity between the third movement of the last sonata - the so - called *Hamlet-Fantasy* - and a "well-known Prelude by a Thuringian Country Schoolmaster"[81].

We can see that there was clearly no love lost between the two harpsichordists. The results of this polemic are not surprising. Although there was probably always a good deal of tension between the two harpsichordists, it must have risen to unprecedented levels after their war of words erupted into the open. Furthermore, Nichelmann could hardly have endeared himself to the other members of Frederick's band with his impertinent criticisms and corrections. Virtually the only contemporary of Nichelmann who had anything positive to say about his treatise was - not surprisingly - his fellow Rameau enthusiast, Marpurg[82]. Thus he must have found himself in a lonely and unbearable position. In late 1755, Nichelmann petitioned for and was granted his release from Sanssouci. Whether this action was taken on his own volition or he was pressured into doing so we do not know for certain. But clearly Nichelmann realized it would be impossible to continue to stay on. After his departure, he wrote no more theoretical tracts and did not publish any more music; he was for all practical purposes ostracized by the Berlin *Musikkreise.* His remaining days were spent desperately seeking some kind of employment to sustain himself, ultimately without success[83]. He died bitter and impoverished in 1762.

But the feud between Bach and Nichelmann did not end with the latter's death. As I have already pointed out, parts of Bach's *Versuch* published in 1762 can be read as a continuation of his polemic with Nichelmann. There is another consequence of their feud, I think, which is perhaps not as obvi-

---

80 Ibid., p. 4.

81 Ibid., p. 4.

82 F. W. Marpurg, *Historisch-kritische Beiträge,* I, pp. 438–439; II, p. 268.

83 We have two poignant letters from Nichelmann written in early 1756 to his former teacher in Hamburg, Telemann, and an organist named Johann Conrad Schwalbe from Weißenfels, informing both of his recent release form Sanssouci. In his letter to Schwalbe, Nichelmann speaks cryptically of "compelling reasons" for leaving his post, while to Telemann, he wrote that although we would not bore him wih a "lengthy explanation" concerning the reasons for his departure, such a decision he assures would obviously not have been undertaken "without pressing reasons." He pleads for help from both men in finding a new job, "all the better," he tells Schwalbe, "if I could be so lucky as to find employment *out of town*" [my emphasis]. Obviously, nothing came of Nichelmann's supplications. Presumably the on-set of the Seven-Years War was not an auspicious time for musical job-seeking in Prussia. (Letter to Telemann dated Feb. 2, 1756, and transcribed in: H. Grosse/H. R. Jung, eds., *Georg Philipp Telemann: Briefwechsel,* Leipzig 1972, no. 49; Letter to Schwalbe dated March 31, 1756, and transcribed in "Christoph Nichelmann - ein anderer verschollener Thomasschüler", in: *Signale für die Musikalische Welt* 38 [1866], p. 634.)

ous, but nonetheless is important for historians of theory. And that is Bach's well-known repudiation of Rameau's music theory. Until Nichelmann's treatise came along, it does not seem that Bach knew very much concerning Rameau's theory. For that matter, it is not clear that he ever did master any of it. (His only comment concerning Rameau in his pamphlet was one rejecting the Frenchman's definition of melody[84].) Yet Nichelmann's aggressive promotion of Rameau was apparently enough to turn Bach into an ardent opponent of the Frenchman's theory.

Thus, in later years, when Bach was called upon to resolve a dispute between Kirnberger and Marpurg over the value of Rameau's theory and its relevance to Johann Sebastian Bach's teachings, Carl Philipp Emanuel replied that neither he nor his father subscribed to Rameau's views, indeed, they were entirely "anti-Rameau"[85]. But there is no evidence to suggest that J. S. Bach was aware of Rameau's theory. More importantly, though, there is no unbridgeable theoretical chasm separating Bach's counterpoint and Rameau's theory, as Kirnberger's own fundamental bass analyses of Bach's fugues would ironically show[86]. The polarity Carl Philipp Emanuel sets up, I suspect, was motivated more on political than theoretical grounds.

Fortunately, as time passed and the dust settled after these polemics, German theorists began to recognize that the question of the priority of melody or harmony and its numerous theoretical spin-offs was moot. Even Agricola, the defender of Italian music and translator of Tosi's famous vocal treatise, could admit by 1771 that melody was neither superior to nor independent of harmony "since from the perspective of the composer, melody and harmony are of equal value"[87].

Nichelmann was obviously a conservative voice in a time of musical change. From his point of view, the lack of harmonic activity in the galant style, and the mannerisms of the musical *Empfindsamkeit* contradicted natural and eternal requirements of musical composition, ones ideally realized in the music of the High Baroque. Yet Nichelmann was not simply a stubborn reactionary in the mold of Buttstett, Fux, or Spieß. He recognized that styles were irreversably changing; he, himself, contributed to this develop-

84 "Gedanken eines Liebhabers der Tonkunst", p. 15.

85 J. Ph. Kirnberger, *Die Kunst des reinen Satzes in der Musik,* vol. IV, Berlin 1779, p. 188.

86 That Kirnberger could consider himself as the opponent to Rameau's theory in his polemic with Marpurg when in fact he was much closer to it than was Marpurg is telling evidence that the understanding and dissemination of Rameau's theory in Germany in the later 18th century was almost hopelessly clouded by nationalistic and political factors. As long as Rameau was only known to Germans through contentious - and in important ways, ill - formed interpreters such as Marpurg and Nichelmann, there was little likelihood that his ideas would receive a widespread or favorable audience.

87 J. F. Agricola, "Beleuchtung von der Frage ...", p. 811.

ment, after all. Nichelmann's singularly important insight, I think, was the realization that harmonic richness and logic need not be incompatible with the goals of galant melodiousness or *empfindsam* expressiveness. It is true that he was not always able to reconcile these elements in his own music and recompositions of his colleagues'; for all their logic and undeniable harmonic clarity, they were a bit too predictable and square; they lacked both the grace and the *elan* which were such essential components to the galant and *empfindsam* styles. Yet neither Bach nor Nichelmann could have suspected that their positions were not as far apart as their polemic suggested, and that their respective ideals of "Mannigfaltigkeit der Harmonie" and a "Singendes Denken" would find a brilliant balance in the not too distant future in the music of the Viennese classicists.

Acknowledgements

An early draft of this article was read on October 15, 1987, at the annual meeting of the American Musicological Society held in New Orleans. The initial research was undertaken at the *Institut für Musikforschung* in West-Berlin during the Spring of 1986 and was supported by a generous post-Doctoral research grant from the *Deutscher Akademischer Austauschdienst.* For their help and advice, I am also grateful to Douglas Lee, William Caplin, Reinhard Strohm, Rachel Wade, and Anne-Katrin Krätschmer.

Musical Examples

Example 1 a

J. S. Bach BWV 817

Example 1 b

Example 2 a

Example 2 b

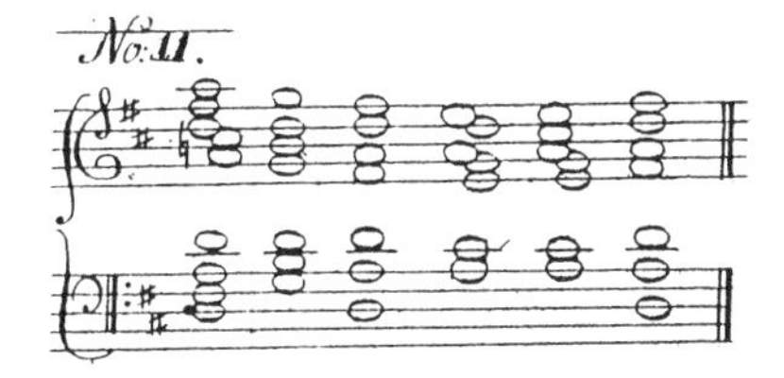

Example 2 c

Example 3 a

Example 3 b

Example 4 a

Example 4 b

C. P. E. Bach H 414; W 11

Example 5 a

Example 5 b

Example 6 a

Example 6 b

Example 7 a

Example 7 b

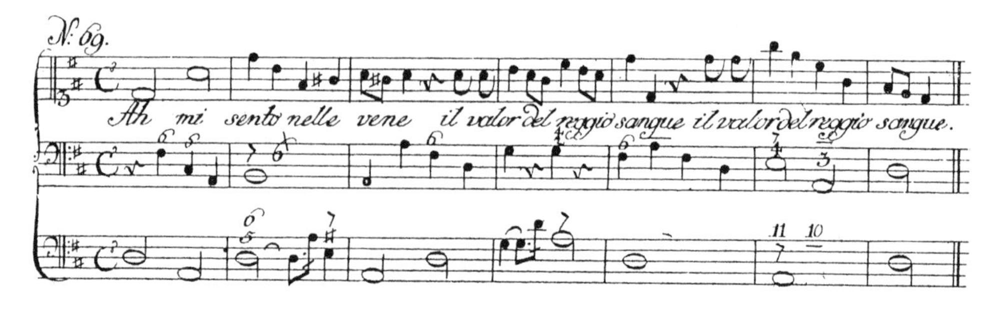

Example 8 a

Graun *Ezio*

Example 8 b

Example 9 a

Example 9 b

C. Ph. E. Bach H 673; W 199/4

Example 10 a

Example 10 b

Example 11 a

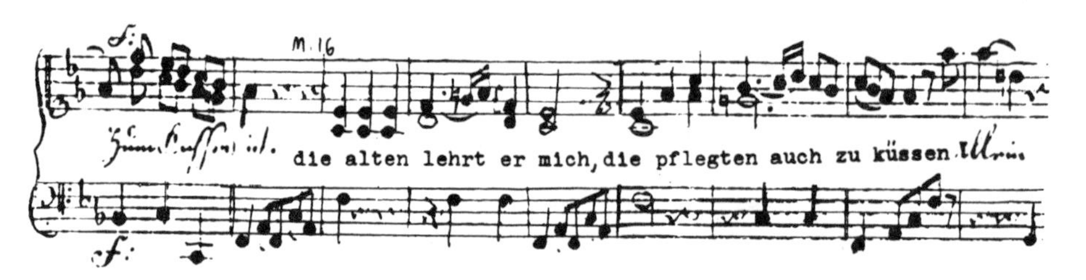

Example 11 b

III.

Gattung und Stil im Instrumentalwerk Bachs

E. Eugene Helm

C. Ph. E. Bach and the Great Chain of Variation

Readers of the new catalogue of the works of Carl Philipp Emanuel Bach[1] will note that, to a remarkable and perhaps unique degree among major composers of the 18th century, his music was chained together from beginning to end by the theory and practice of variation, both in the narrow sense of thematic elaboration and the broad sense of wholesale borrowing and modification. He sought in thematic elaboration a distinctive expression of the newly discovered principle of fully functional tonality. He was born at about the same time. Johann Kaspar Ferdinand Fischer's *Ariadne musica* appeared; he was eight years old in 1722, when the codification of the new tonality was, in effect, formally announced by the appearance of Rameau's first treatise and the first book of *Das wohltemperierte Klavier.* If Johann Sebastian Bach enunciated the new principle by means of a balance between harmony and counterpoint at a level that only he could attain, if Haydn and Mozart found in the new principle a newly enabling concomitant of musical form, Carl Philipp Emanuel Bach chose to use that principle as a foundation so strong that it could support extravagant structures on a harmony daring in microcosm and having a melodic surface of perpetual variation.

"Variation" is a broad term and an ancient concept, and Carl Philipp Emanuel Bach defined it broadly indeed: not only as the basis of his innermost creative impulse but, in a much humbler way, as the logistical framework according to which he would present his thoughts efficiently to the world in as many variations as the world would be willing to swallow. This workaday definition of variation is what I believe will first strike readers of the new catalogue. There are about 769 separately titled authentic works in Bach's *œuvre*; of these, no less than some 468, or 61%, are connected as variations of each other or were varied by the composer at some time and in some manner after their original date of composition. I use "variation" here in the generic sense to cover the following specific types, with the disclaimer that the types are not always clearly separable.

---

1 E.E. Helm, *Thematic Catalogue of the Works of Carl Philipp Emanuel Bach,* New Haven: 1989 ("H.")

1. Variation Cycle

Bach wrote only twelve independent variation cycles, dating from 1735 to 1781[2]. Those dates bridge the period of transition among 18th-century composers from the old thoroughbass variation to the melodic variation with fixed harmony, and Bach exemplifies the transition, although he always favored melodic variations when the theme was a particularly singable tune. After the middle of the century there is more contrast of character and more concern about overall form among his variations.

It is perhaps not surprising that Bach's variation cycles *per se* escaped nearly all the various kinds of second thoughts that so characterize the rest of his music. One might say that there is no point in varying a set of variations. Yet in one set of variations that is exactly what happened. The first of the *Sechs leichte Clavier-Stückgen* composed in 1775[3], a single movement in C major, provided the theme two years later for a set of variations in which each variation is repeated[4]. This set of variations became in turn the basis of a third work composed in 1777 or later and entitled "Variationes mit veränderten Reprisen"[5], in which the repetitions of each variation are varied in the manner of Bach's more familiar *Reprisensonaten.* A manuscript of good provenance in the Brussels Conservatory library[6] contains these repeats *only* in their varied forms – that is, every other variation of the "Variationes mit veränderten Reprisen," and none of the variations in the original set.

2. Revision

By "revision" I mean a work or movement in the same medium of performance as its model, representing Bach's correction of the musical text, implying a rejection of his original idea, and thus consisting of more than just a few different notes here and there. The earliest solo keyboard works are examples of the most direct kind of revision, merely composed in the 1730s and "erneuert" in 1743 and 1744[7]. A different kind of revision is shown in an A-major "Orgel-Sonata" of 1758, which exists also in an authentic version with written-out varied repeats and in a third version

---

2 H. 14, 44, 54, 65, 69, 155, 226, 259, 263, 275, 534, 535. The standard study of C. Ph. E. Bach's variation cycles remains that of K. von Fischer, "C. Ph. E. Bachs Variationswerke," in: *Revue belge de Musicologie,* IV (1952), pp. 190–218.

3 H. 249–54.

4 H. 534.

5 H. 259.

6 Ms. 5896.

7 H. 2–13, 15–19.

designated for cembalo[8]. Among choral works, one of the most important revisions is an alternate "Et misericordia" in the *Magnificat*[9], a substitution indicated in no uncertain terms by the composer in the manuscript sources. The substitution was included by Georg Pölchau in his 1829 edition (though unfortunately only as an appendix and without explanation)[10], and omitted in a G. Schirmer edition of 1950[11].

3. *Variant*

I use the term "variant" to mean a work in the same medium of performance, containing at least one different passage rather than merely a few different notes. A variant differs from a revision in that we may or may not know whether it was written after the work it resembles, whether it is the version the composer preferred, or even, in some cases, whether it was composed by Bach. When we discover that an apparent variant is both a later version and the composer's preferred version, it is of course reclassified as a revision. On the other hand, a later variant may continue to be called a variant if Bach liked both versions equally, as was often the case.

As part of the music Bach left us that consists not of complete pieces but only of isolated variant sections, three manuscripts announce with particular effectiveness the singular importance of variants in his world: one manuscript is in the Brussels Conservatory in the hand of Michel, Bach's chief Hamburg copyist, entitled "Veränderungen und Auszierungen uber einige gedruckten Sonaten für Scholaren, nebst der dazu gehörigen Nachricht"[12]; the second one, in the hands of Michel and Bach, is in the Deutsche Staatsbibliothek with a similar title and having nearly the same content[13]; and the third is an autograph in the Musikbibliothek Leipzig[14]. Thirteen keyboard sonatas, dating from 1744 to 1762, are affected by these three manuscripts[15]. Some of the alterations shown in these manuscripts are to be found also in the sources of these works in their complete forms, even including autograph marginal notations in some exemplars of prints[16]. All this has given recent scholars much to work on, in both articles and editions[17]. These

8 H. 133.
9 H. 772.
10 Bonn: Simrock.
11 New York, ed. by C. Deis.
12 Ms. 5885.
13 P 1135.
14 Ms. R 12.
15 H. 36, 62, 116, 127, 128, 136–38, 141, 151, 158, 162, 163.
16 E. g., an exemplar of the *Reprisen-Sonaten* in the British Library, K. 10. a. 28.
17 E. g., D. Berg, "C. P. E. Bach's 'Variations' and 'Embellishments' for His Keyboard Sona-

"Veränderungen und Auszierungen" of Bach and their manner of presentation leave little doubt that they are essentially variants and not revisions. They are written not only for the delectation of performers but are also "für Scholaren". They do not replace earlier versions, they offer alternatives. And, as is well known, since some of these optional alterations apply to sonatas already containing varied reprises, they, like that variation cycle I mentioned a few minutes ago, constitute variations of variations.

The choral composition perhaps more affected by variants than any other is the *Passions-Cantate,* composed in 1769[18]. In the approximately two dozen sources of this work, individual movements are varied within the same performance media, movements are added and subtracted, and even the overall title of the cantata varies from source to source. No autograph exists, but one manuscript score in the Stiftung Preussischer Kulturbesitz is carefully marked throughout in the composer's hand[19]. Editors struggling with the *Passions-Cantate* are grateful not only for this particular score but, even more so, for the note on the cover in Bach's hand: "N. B. This score is not in the handwriting of the author; no original copy exists of this cantata in this version, because the author has altered a great deal. It is, however, as correct as possible, and much more correct than all other copies, since the owner, namely, the author, has looked through it very often."

Surely one of the most peculiar approaches to variation and variants ever created by any composer is a choral work that Bach composed in 1785, entitled *Zwey Litaneyen aus dem Schleswig-Holsteinischen Gesangbuche*[20]. The title goes on to say that this composition for antiphonal choruses is "zum nutzen und vergnügen Lehrbegieriger in der Harmonie bearbeitet." (That is, it is another essay "für Scholaren".) The work certainly fulfills the requirement that litanies be repetitious. It consists of nearly a hundred different harmonizations of a single short motive that resembles a reciting tone, different according to the expression of the text, all represented by the composer as an exercise in variation of harmony – with "NB" inserted here and there at particularly instructive places.

---

tas", in: *Journal of Musicology,* II (1983), pp. 151–173, also in *Bach-Jahrbuch,* 1988, as "Carl Philipp Emanuel Bachs Umarbeitungen seiner Claviersonaten", S. 123–161; E. Darbellay, ed., C. Ph. E. Bach's *Sechs Sonaten mit veränderten Reprisen für Klavier,* Winterthur 1976; E. Hashimoto, ed., C. Ph. E. Bach's *Sechs Sonaten mit veränderten Reprisen,* Tokyo 1984; idem, ed., C. Ph. E. Bach's *Fortsetzung von Sechs Sonaten fürs Clavier,* Tokyo 1984; idem, ed., C. Ph. E. Bach's *Zweyte Fortsetzung von Sechs Sonaten fürs Clavier,* Tokyo 1984.

18 H. 776.

19 P 337.

20 H. 780.

4. *Arrangement and Alternate Version*

The cardinal features of an arrangement as I use the term here are that it is in a medium of performance different from that of its counterpart, that it was certifiably written by Bach, and that its date is later than that of its counterpart. The third of these criteria causes the most difficulty, because without a firm date we must classify a piece that is in a different medium of performance not as an arrangement, but as something else, something I call an alternate version.

At present we are not able to list many arrangements. Five symphonies[21], for example, exist in authentic versions for unaccompanied keyboard[22], but only three of these keyboard versions[23] can be shown to postdate the full instrumentations. And those three famous concertos that exist in three versions each, for keyboard, flute, and cello, still have to be called alternate versions and not arrangements, as far as I know[24]. The sonatinas for keyboard and orchestra, belonging to a genre in which Bach experimented between 1762 and 1765, possibly in imitation of the Viennese divertimento, do contain examples of arrangement that are not only plain but also blatant. In two sonatinas of 1763, in E and D, not a single note is newly composed[25]. Arrangement rises to a much higher level in Bach's reworkings of solo songs for choral performance in the church. The choral arrangements that he made from his Gellert-Liedern[26], Cramer-Psalmen[27], Sturm-Gesängen[28], and a few individual solo songs are, in general, not surpassed by any of his contemporaries in their elevated and non-doctrinaire expressions of devotion and hope.

21 H. 648, 650, 652, 655, 656.
22 H. 45, 104, 115, 191, 227.
23 H. 45, 191, 227.
24 H. 430–431–432; 434–435–436; 437–438–439.
25 H. 455, 456.
26 H. 686, *Herrn Professor Gellerts geistliche Oden und Lieder mit Melodien von Carl Philipp Emanuel Bach,* Berlin 1758; H. 696, *Zwölf geistliche Oden und Lieder als ein Anhang zu Gellerts geistlichen Oden und Liedern mit Melodien von Carl Philipp Emanuel Bach,* Berlin 1764.
27 H. 733, *Herrn Doctor Cramers übersetzte Psalmen mit Melodien zum Singen bey dem Claviere von Carl Philipp Emanuel Bach,* Leipzig 1774.
28 H. 749, *Herrn Christoph Christian Sturms ... geistliche Gesänge mit Melodien zum Singen bey dem Claviere vom Herrn Carl Philipp Emanuel Bach ...,* Hamburg 1780; H. 752, ibid., *Zweyte Sammlung,* Hamburg 1781.

5. *Interchange*

One might call this category "musical chairs". It is the substitution of an already existing movement, section, or entire work originally composed by Bach for part of a new and differently entitled work. It applies above all to church music for special occasions, the part of Bach's choral music that was never used outside his own immediate circle. Because of the enormous number of performances of such music expected of Bach during his Hamburg years, he often found it necessary to reuse his old church compositions, with and without changes dictated by changing circumstances. When one adds to this broad type of variation Bach's frequent employment of the music of other composers along with his own, it can be said that in recycling and borrowing he is not approached by any other 18th-century composer I know of, not even Handel or J. S. Bach.

An instance of interchange, one that involves only original music composed by C. P. E. Bach, is the *Musik am Dankfeste wegen des fertigen Michaelis-Thurms*[29], originally performed in 1786. According to Heinrich Miesner, this work, now lost, was borrowed from other works partly lost and partly still with us, namely Bach's own two-choir *Heilig* of 1776[30], his *Dank-Hymne der Freundschaft* of 1785[31], and his *Oratorium zur Feyer des Ehrenmahls der Herrn Bürger-Capitains* of 1780[32]. To these borrowings Bach added a fair number of newly composed movements, including an accompanied recitative depicting thunder and lightning, which Miesner fortunately quotes in full in his book on Bach's career in Hamburg. But, if anyone is interested in pursuing such matters, the *Dank-Hymne der Freundschaft* also borrowed from the two-choir *Heilig* as well as from the *Bürger-Capitains* oratorio. And when we look more closely at the *Heilig,* we find it used also in an Easter cantata of 1780[33] and a Michaelmas cantata of 1785[34]. Yet the family connections do not stop there: the abovementioned Easter cantata borrows partly from an Easter Cantata of 1778[35] as well as from a chorus, "Wer ist so würdig als du," which is Bach's 1774 arrangement of a song[36], one of his Cramer-Psalmen[37], and the abovementioned Michaelmas

---

29 H. 823.
30 H. 778.
31 H. 824 e.
32 H. 822 a.
33 H. 805.
34 H. 814.
35 H. 804.
36 H. 831.
37 H. 733.

cantata borrows heavily from the inauguration cantata for Pastor Schäffer, which dates from 1785[38]. This is not a particularly extreme example.

Interchange affects instrumental works too, and in important ways, although with not quite so much complication. My favorite example, which raises interchange to the level of permutation, is a group of six "sonatinas" for solo keyboard, composed in 1734 and revised in 1744[39]. The first and sixth of these sonatinas each exist in two versions. Version 1 of Sonatina 1 shares a second movement with version 2 of Sonatina 6. Version 2 of Sonatina 1 shares a second movement with version 1 of Sonatina 6. Sonatina 2 shares a second movement with sonatina 4. Sonatina 3 shares a second movement with a variant version of Sonatina 5. Obviously any survey of arch form in the music of Monteverdi, J. S. Bach, Bartók and others will have to include this intriguing example by C. Ph. E. Bach.

Permutation of another sort, but which reveals the same characteristic way of thinking about variation, is illustrated in a trifle entitled "Einfall, einen doppelten Contrapunct in der Octave von 6 Tacten zu machen, ohne die Regeln davon zu wissen." This little parlor game, which appeared in Marpurg's *Historisch-kritische Beyträge* in 1757[40], is a permutational scheme for producing literally billions of six-bar duets on a single harmonic scheme. That outdoes even the *Zwei Litaneyen.*

* * *

Far less visible and far more important than any of the examples of variation I have discussed here, looming above them all as an all-governing procedure of variation, is the central position of thematic elaboration in the music of C. Ph. E. Bach. But that is a topic for another study. Such a study ought to begin with Arthur O. Lovejoy's magisterial work of a half-century ago, *The Great Chain of Being*[41]. It would show that nearly all major figures of the 18th-century Enlightenment, not excluding Rameau, J. S. and C. Ph. E. Bach, Haydn, and Mozart, shared consciously or unconsiously in the perception of an immanent principle of creation, and in the age-old view of music as an expression of that principle. In the highly literate and philosophical world of C. Ph. E. Bach, music's cardinal principle of creation was fully functional tonality. As I said at the start of this essay, he chose thematic elaboration as his own primary way of employing the new tonality. But, because of the very ubiquity of the new tonal system, he was able to

38 H. 821 m.
39 H. 7–12.
40 H. 869.
41 Cambridge, Massachusetts: Harvard University Press, 1942.

employ that system also in simpler, reassuring, reinforcing ways through the exhaustive use of types of variation that appealed to his own mind, to the mind of the *Aufklärung,* that left no logistical possibility unexplored. "In all the visible world," wrote John Locke, "we see no chasms or gaps. All quite down from us, the descent is by easy steps, and a continued series that in each remove differ very little one from the other."[42]

It remained for figures like Haydn to choose among Carl Philipp Emanuel Bach's ways with variation. What Haydn chose was not Bach's easy way of retailoring an already existing piece, but, particularly from Haydn's Op. 33 onward, Bach's difficult mode of thematic elboration. In listening to that elaboration during the various performances at this conference, however, I think it will be obvious to us that he could not have given us such a higher kind of variation without framing it in the down-to-earth forms I have described.

42 Quoted by Lovejoy in *The Great Chain of Being,* p. 184, from Locke's *Essay concerning Human Understanding,* III, Chapter VI, Paragraph 12.

Günther Wagner

Die Entwicklung der Klaviersonate bei C. Ph. E. Bach

Sonatenform und Sonatenhauptsatzform, beide formalen Modelle, stellen kein brauchbares Kriterium für eine Darstellung der mehr als fünfundfünfzigjährigen Geschichte der Klaviersonate im Schaffen Carl Philipp Emanuel Bachs dar. Dies gilt im Falle der Sonatenhauptsatzform unabhängig davon, ob man motivisch-thematische Gesichtspunkte in den Mittelpunkt rückt, so wie dies in der älteren deutschsprachigen Literatur üblich war, oder ob die tonartliche Anlage die zentrale Kategorie der Analyse darstellt - eine Vorgehensweise, die im angelsächsischen Schrifttum verbreitet war und erst nach dem Zweiten Weltkrieg auch gelegentlich in Deutschland zum Gegenstand der Erörterung wurde.

Bachs Klaviersonaten sind dreisätzig: schnell - langsam - schnell. Ausnahmen von dieser Regel sind im späteren Schaffen eher häufiger als im früheren. Das Menuett als Ergänzung zur Viersätzigkeit ist bedeutungslos. Im Hinblick auf die Form des ersten Satzes (Sonatenhauptsatzform) stand die Ausprägung des zweiten Themas und der Reprise im Zentrum der Aufmerksamkeit. Eine deutlich ausgeprägte, kontrastierende zweite Motivgruppe und eine Reprise, die in ihrer Wirkung auf den Hörer bewußt und planvoll angelegt ist, gibt es schon im Frühwerk des Bachschen Sonatenschaffens und andererseits können diese Merkmale im Spätwerk auch fehlen. Hinsichtlich des Tonartenverlaufs sind Anfangs- und Schlußteil (Exposition und Reprise in gängiger Terminologie) sehr einfach und von Nuancen abgesehen identisch. Der Mittelteil läßt Unterschiede erkennen, die aber, soweit ich sehen kann, eine historische Entwicklung nicht belegen können. Kurz gesagt: der großformale Aspekt ist kein geeignetes Mittel, die historische Entwicklung der Klaviersonate zwischen 1731 und 1788 deutlich zu machen. Die Sonatenhauptsatzform ist vielmehr die Konstante, wenn man so will das Gerüst, das beibehalten wird[1].

Ganz anders verhält es sich, wenn man den kleinformalen Bereich, die Motivanordnung, die Motivstruktur betrachtet. Hierbei hat sich die Auf-

---

1 W. Horn, *Carl Philipp Emanuel Bach. Frühe Klaviersonaten. Eine Studie zur „Form" der ersten Sätze nebst einer kritischen Untersuchung der Quellen,* Hamburg 1988.

merksamkeit auf den Anfang des Satzes zu richten, auf das, was man als Anfangsmotivgruppe bezeichnen könnte; in den Begriffen der zeitgenössischen Musiktheorie - etwa bei Heinrich Christoph Koch[2] - der „Saz", „Hauptsaz" oder das „Thema", wobei wir uns vergegenwärtigen sollten, daß unser Themenbegriff primär vom 19. Jahrhundert sich herleitet, daß wir also, mit anderen Worten den Begriff Thema in diesem Zusammenhang, ohne Einschränkung oder ohne nähere Bestimmung, nicht benutzen sollten, auch wenn er in der zeitgenössischen Musiktheorie so Verwendung findet. Unabhängig von dieser terminologischen Vorsichtsmaßnhame kommt aber der Anfangsmotivgruppe, ähnlich wie dem Thema bei Haydn, Mozart und Beethoven, thematische Qualität zu. Und dies wiederum bedeutet, daß die Erscheinungsform der Anfangsmotivgruppe, Gesetzmäßigkeit und Art und Weise ihrer Motivstruktur, auf den restlichen Satz ausstrahlt. Wenn im folgenden also Gesetzmäßigkeiten im Aufbau der Anfangsmotivgruppe diskutiert werden, so muß dies in der Bedeutung für das Satzganze gesehen und bewertet werden.

Bei einer Analyse der Anfangsmotivgruppe der frühen Sonaten bis hin zu den *Preußischen* und *Württembergischen Sonaten* stoßen wir auf eine Motivanordnung, die mit der Motivstruktur des klassischen Themas nicht vergleichbar ist und folgendermaßen beschrieben werden kann: Eröffnungsmotiv, Hauptmotiv, wiederholtes (oder variiert wiederholtes) Hauptmotiv, Fortspinnungsmotiv und Schlußmotiv (E, H, H', F, S). Dieses Modell, das in den seltensten Fällen in reiner Gestalt angetroffen wird, ist als idealtypische Bildung zu begreifen. Vielmehr ist das Modell zu rechtfertigen auf der Basis einer Vielzahl von konkreten Fällen, die in ihrer Summe den zugrunde gelegten Idealtypus sinnvoll erscheinen lassen.

Auch bei einer kurzen und eher oberflächlichen Erörterung dieses Modells ist zumindest auf zwei Dinge aufmerksam zu machen: 1. Die Motivverknüpfung beim frühen Carl Philipp Emanuel Bach ist, wohl noch unter dem Einfluß des barocken Einheitsablaufes, sehr eng, die Einzelmotive sind häufig ineinander verzahnt, so daß die Analyse von Einzelmotiven, vor allem auf dem Hintergrund der Erfahrungen mit der musikalischen Klassik, manchmal gewagt oder erzwungen wirkt. Und 2.: Die beschriebene Motivstruktur ist formal auf verschiedenen Ebenen wirksam. Es ist also durchaus möglich, daß mit dieser Motivstruktur größere Räume gestaltet werden. Entsprechend können die Einzelmotive unterschiedlich umfangreich sein.

2 H. Chr. Koch, *Versuch einer Anleitung zur Composition,* 3 Bde, Rudolstadt 1782, Leipzig 1787 und 1793.

NB 1

Sonate

NB 2

Cembalo solo

Sonata 1

NB 3

Sonata 2

NB 4

Wq. 48,2

Sonata 3

NB 5

Wq. 48,3

Sonata 4

NB 6

Wq. 48,4

Allegro

Sonata 5

Wq. 48,5

Sonata 6

NB 8 Wq. 48,6

Allegro

Wenn wir nun die hier flüchtig skizzierte Form der Anfangsmotivgruppe dem Erscheinungsbild gegenüberstellen, wie wir es spätestens ab 1760 antreffen können, also etwa bei den *Sonaten mit veränderten Reprisen,* dann zeichnen sich in der Motivstruktur erhebliche Unterschiede ab.

Auffällige Unterscheidungsmerkmale sind: deutlichere Motivabgrenzung (vor allem im Vergleich zu den ganz frühen Beispielen Wq. 65,1 und Wq. 65,2); symmetrische Bildungen: 2 + 2 + 4 Takte beispielsweise; Achttaktigkeit, die durch metrische und harmonische Korrespondenztechnik ein hohes Maß an Geschlossenheit erreicht. Es ist ganz offensichtlich, daß die idealtypische Gestalt der Anfangsmotivgruppe der frühen Sonaten sich an fortspinnungshaften Techniken orientiert, während im Falle der späteren

Sonaten ein mehr liedhaftes, zu symmetrischen Bildungen tendierendes Korrespondenzprinzip mit harmonischer Verklammerungstechnik zum tragen kommt[3].

Ich möchte mich nun einem weiteren Betrachtungsgegenstand zuwenden, nämlich dem musikalischen Satz bzw. den Stimmen im Satz. Erich Beurmann hat zu Recht im Zusammenhang mit der ganz frühen *B-Dur-Sonate*

---

3 W. Fischer, *Zur Entwicklungsgeschichte des Wiener klassischen Stils,* in: *Studien zur Musikwissenschaft,* 3. Heft, Leipzig Wien 1915, S. 24–84.

(Wq. 62, 1; Notenbeispiel 11) vom Typ der Inventionssonate gesprochen[4]: eine Formulierung, die die Nähe zu den Inventionen Johann Sebastian Bachs deutlich macht. Dem entspricht auf Seiten des musikalischen Materials die konsequente Stimmigkeit, will heißen Zweistimmigkeit. Dieser Sachverhalt ist aber auch noch später, etwa im 1. Satz der *1. Preußischen Sonate* (Wq. 48, 1), anzutreffen. Eine inventionsartige Stimmführung und Satzanlage spielt bei zahlreichen Schlußsätzen in C. Ph. E. Bachs Sonaten eine Rolle. Nun zeigt sich aber, daß der musikalische Satz bei den *Preußischen* und *Württembergischen Sonaten* sehr gegensätzlich ausgeprägt sein kann. Dieses Phänomen sei zunächst am Beispiel der Eröffnungssätze einer Betrachtung unterzogen.

Schon in den frühen Sonaten der 30er Jahre läßt sich teilweise ein deutlicher Unterschied zwischen der Anfangsmotivgruppe und den folgenden Takten feststellen. Der Unterschied zwischen beiden Teilen besteht darin, daß der Anfangsmotivgruppe motivisch thematisches Gewicht zukommt, weil sie motivisch charakteristisch geformt ist, während der folgende Teil eher locker, spielerisch-virtuos, in Skalen und Arpeggien sich bewegend, tonrepetierend oder sequenzierend ausfällt. Man ist geneigt, den Vergleich zu den kontrapunktischen Gattungen früherer Zeit zu ziehen, bei denen zwischen Thema und den darauf folgenden Takten oder zwischen Themenexposition und freien Zwischenspielen ähnliche Unterschiede bestehen. Man vergleiche in diesem Zusammenhang die Takte 1–6 mit den ab Takt 7 folgenden Takten (Wq. 65, 5; Notenbeispiel 12). Was hier nur in einem Gegensatz motivisch – konzis versus virtuos – locker anklingt, wird in den *Preußischen* und *Württembergischen Sonaten* zu einem Gegensatz des Satzes und, weitreichender noch, zu einem Ausdruckskontrast geweitet. Die ersten zehn Takte der *3. Württembergischen Sonate* sollen hierfür als Beleg angeführt werden. Aber Carl Philipp Emanuel Bach begnügt sich mit der einfachen Kontrastbildung nicht, sondern erweitert die Gegensatzbildung zu einer Vielzahl verschiedener Satztypen, die er auf engem Raum wechselnd dem musikalischen Ausdruck dienstbar macht. (Als Beispiel hierfür möge die *6. Preußische Sonate* dienen; vgl. Notenbeispiel 8). Wir sehen hier ein Verfahren Beethovenscher Sonatenkunst, nämlich unterschiedliche Satztypen – Streichquartettsatz, Orchestersatz, solistischer Satz – künstlerisch gestaltend einzusetzen, bei Bach in ähnlicher Weise vorweggenommen. Daß dieses Verfahren ein wichtiger Ansatz zur Auflösung des strengstimmigen polyphonen Satzes und des barocken Einheitsablaufes ist, sei nebenbei erwähnt.

---

4 E. Beurmann, *Die Klaviersonate Carl Philipp Emanuel Bachs,* Diss. (masch.) Göttingen 1952. Vgl. insbesondere die Seiten 36 und 40.

NB 11

Wq. 62,1
(P 790)

NB 12

Wq. 65,5
(P 772)

Wenn wir uns auf die Suche nach den Wurzeln dieses zweifellos wichtigen kompositorischen Verfahrens begeben, so müssen wir meines Erachtens eine doppelte Spur verfolgen:

1. Ganz sicher sind die langsamen Sätze der Ort, wo im Klaviersonatenschaffen Carl Philipp Emanuel Bachs musikalische Ausdruckskontraste und damit auch die entsprechenden satztechnischen Voraussetzungen schon früh erkennbar sind. In den 1734 komponierten *6 Sonatinen* (Wq. 64, 1–6) treten gegensätzliche Ausdruckswerte, basierend auf dynamischer und satztechnischer Kontrastbildung, sehr deutlich hervor, so etwa in den Schlußtakten des langsamen Satzes der *F-Dur-Sonatine* (Wq. 64, 1). Im langsamen Satz der *1. Preußischen Sonate* haben wir mit der Form des instrumentalen Rezitativs ein weiteres Modell vorliegen, das den auf unterschiedlichen Satztypen sich gründenden Ausdruckskontrast pflegt.

2. Eine genaue Analyse der *Württembergischen Sonaten,* insbesondere der Anfangssätze, macht deutlich, daß der Einfluß der Fantasie zumindest in einigen Fällen offenkundig zu Tage tritt. Der abrupte Wechsel von virtuos aufbereitetem Skalenwerk, mächtigen Akkordblöcken, polyphoner – oder scheinpolyphoner – Partien, liedhafter Sätze und einem oberstimmenbetonten zweitstimmigen Satz mag als Beleg für diese These gelten. Als Beispiel hierfür seien genannt: die *2., 3., 4.* und *6. Preußische Sonate* (Wq. 48, 2; Wq. 48, 3; Wq. 48, 4 und Wq. 48, 6) und die *3. Württembergische Sonate* (Wq. 49, 3).

Bach überwindet aber auch bisweilen das bloße abrupte Nebeneinanderstellen kontrastierender Teile und gelangt bei allen gegensätzlichen Satztechniken und Ausdruckswerten zu einer einheitlichen Sprache. Hierfür wären als Beispiel insbesondere die *1.* und die *6. Württembergische Sonate* (Wq. 49, 1 und Wq. 49, 6) zu nennen.

Dem Einfluß der Fantasie auf die Gattung Klaviersonate bei Carl Philipp Emanuel Bach sollte aber noch ein Stück weiter nachgegangen werden, weil dieser Einfluß neben der Gestalt der Anfangsmotivgruppe und neben dem musikalischen Satz für den historischen Gattungsverlauf der Sonate bei Bach von Bedeutung ist. Daß Bach um diesen Einfluß selbst gewußt hat, ergibt sich aus seinem Brief an Johann Nikolaus Forkel vom 10. Februar 1775. Die fragliche Stelle lautet: „Die 2 Sonaten [gemeint sind zwei *Württembergische Sonaten*], welche Ihren Beyfall vorzüglich haben und etwas gleiches von einer freyen Fantasie haben ...“[5]. Die „freye Fantasie“ war in der Einschätzung Carl Philipp Emanuels eine anspruchsvolle Gattung, die rezep-

5 Zit. nach: E. Suchalla, *Briefe von Carl Philipp Emanuel Bach an Johann Gottlieb Breitkopf und Johann Nikolaus Forkel,* Tutzing 1985 (= Mainzer Studien zur Musikwissenschaft. Bd. 19), S. 241.

tionsmäßig primär dem musikalischen Kenner vorbehalten war. Jedenfalls äußert sich Bach in dieser Weise in dem eben zitierten Brief an Forkel. Auch bei den späten Klaviersonaten können wir immer wieder feststellen, daß Bach ganz deutlich Elemente der freien Fantasie aufgenommen hat. Der langsame Satz etwa der *G-Dur-Sonate* aus der ersten Sammlung für Kenner und Liebhaber hat eine typisch fantasieartige Einleitung.

Die Nähe oder der Zusammenhang zwischen beiden Gattungen, Sonate und Fantasie, in der klassischen und romantischen Klaviermusik, also bei Mozart, Beethoven, Schubert und Schumann ist immer wieder erwähnt worden. Erst in jüngerer Zeit hat Peter Benary hierauf Bezug genommen. Resümierend stellte er am Ende seines Aufsatzes „Sonata quasi una fantasia" fest: „Keineswegs schließen Sonate und Fantasie, als Formprinzip verstanden, einander aus"[6]. Merkwürdigerweise ist aber auf den Einfluß, den die Fantasie auf die Entwicklung der noch jungen Sonate bei Carl Philipp Emanuel Bach ausgeübt hat, soweit ich zu sehen vermag, nicht hingewiesen worden. Wenn im folgenden nun der Versuch unternommen wird, einen skizzenhaften Überblick über die Entwicklung der Klaviersonate bei Carl Philipp Emanuel zu geben, soll dieser Aspekt Berücksichtigung finden.

Der großformale Rahmen der Sonate (Sonatenform und Sonatenhauptsatzform) liegt bei Carl Philipp Emanuel Bach von Anfang an fest. Die aus der Zweiteiligkeit (forma bipartita) durch Reprisenbildung zur Dreiteiligkeit erweiterte Formanlage, die als zentrale Verlaufsform verschiedene Gattungen charakterisiert, stand Bach von Anfang an zur Verfügung. In der ganz frühen *B-Dur-Sonate* (Wq. 62, 1) knüpft er unverkennbar an den zweitstimmigen Satzstil der väterlichen Inventionen an. Es folgt eine Entwicklung, die den barocken Einheitsablauf in kleine Einzelmotive auflöst. In der Folge ist dann ein zunehmendes Streben nach motivischer Einheit feststellbar. Die eher mechanische und einförmige Variantenbildung der barocken Fugentechnik – Spiegelung, Krebs, gespiegelter Krebs, Augmentation und Diminution – werden durch freiere und vielfältigere Verfahren abgelöst. Weitreichende Motivvarianten bieten hierfür eine Handhabe, wobei eine rhythmische Konstanz in vielen Fällen die Wiedererkennung – und damit die motivische Bindung – garantiert. Diese frühe Phase scheint mir in der Beschreibung vom „barocken Einheitsablauf", über den „gegliedert-kontrastiven Typ", zum „gegliedert-einheitlichen Typ", wie sie Wolfgang Horn in seiner bereits zitierten Monographie vorgenommen hat, richtig erkannt und angemessen formuliert[7]. Eine Bedeutung am Rande spielen dabei

6 P. Benary, „Sonata quasi una fantasia. Zu Beethovens opus 27", in: *Musiktheorie,* 2 (1987), S. 136.

7 W. Horn, *Frühe Klaviersonaten,* a. a. O., S. 25–78.

Elemente der Suite und des Klangflächenpräludiums, letzteres ein Terminus, der auf die Dissertation von Siegfried Hermelink zurückgeht[8].

Die frühen Sonaten der 30er Jahre tragen deutlich experimentelle Züge. Am ausgeprägtesten trifft dies wohl für die sechs *Sonatinen* (Wq. 64) zu. Mit den *Preußischen* und den *Württembergischen Sonaten* gelingt Bach der große Wurf. Die kompositorische Entwicklung der 30er Jahre scheint in diesen beiden Werkgruppen in gelungener Synthese der Einzelelemente aufgehoben zu sein. Äußere Umstände mögen zusätzlich mitgespielt haben. Im direkten Vergleich stellen die *Württembergischen Sonaten* gegenüber den *Preußischen* nochmals eine Steigerung dar[9]. Entscheidend für diese etwa zehnjährige Entwicklung ist einmal Bachs Kunst der motivischen Vereinheitlichung, wenn man so will: der Ausprägung und überzeugenden Gestaltung motivischer Arbeit. Und zum zweiten ist die Bereitstellung unterschiedlicher Satztypen, wie beschrieben, für Bachs musikalische Ausdrucksfähigkeit von erheblicher Relevanz. Beide kompositorischen Verfahren sind aus der experimentierenden Phase der 30er Jahre entstanden.

Wenn man sich die handwerkliche Perfektion und die musikalische Ausdruckskraft, wie sie in diesen beiden Sonatensammlungen anzutreffen sind, vor Augen führt, so erscheint Bachs weiterer Weg, den er im Rahmen dieser Gattung beschritten hat, nur schwer verständlich, jedenfalls bereitet er einer einigermaßen überzeugenden und befriedigenden historischen Darstellung erhebliche Schwierigkeiten. Kurz gesagt: Bach setzt seinen eingeschlagenen Weg in Richtung auf eine große, ausdrucksvolle und klaviertechnisch anspruchsvolle Sonate nicht mehr konsequent fort. Im folgenden seien äußere und innere Gründe genannt, diese überraschende und schwer zu begreifende Wendung wenigstens einigermaßen verständlich zu machen. Zunächst die äußeren Gründe:

1. Die den *Württembergischen Sonaten* folgende Sammlung wird für den 1753 erschienenen ersten Teil des *Versuchs* als *Probestücke* komponiert und publiziert. Bach räumt dem pädagogischen Aspekt absolute Priorität ein.
2. Bach entfaltet in den 50er und 60er Jahren zunehmend eine verlegerische Aktivität, die er als zusätzliche Verdienstmöglichkeit nutzt. Für eine in gewissen Grenzen erfolgte Rücksichtnahme auf den Publikumsgeschmack gibt es mehrfache Zeugnisse aus Bachs eigener Feder (ein Faktum, das zu unserer Vorstellung vom Originalgenie nicht so richtig passen will). Eine Bewertung dieses äußeren Einflusses auf Bachs Komponieren auf der Basis zeitgenössischer Äußerungen, die in größerer Zahl vorliegen, führt meines

---

8 S. Hermelink, *Das Präludium in Bachs Klaviermusik,* Diss. Heidelberg 1945, im Druck erschienen in: *Jahrbuch des Staatlichen Instituts für Musikforschung Preußischer Kulturbesitz* 1976, Berlin 1977, S. 7–80.

9 Vgl. hierzu: W. Horn, *Frühe Klaviersonaten,* a. a. O., S. 113.

Erachtens zu folgender Alternative: Bach hat mit seinem Zug zum Einfachen die künstlerische Überzeugung des Originalgenies verraten, oder aber: Bach gelang es gerade mit seiner Wendung zum Einfachen und Kleinformatigen, das Publikum an hohe Kunst heranzuführen, ohne sich selbst als Original aufzugeben.

Eine Betrachtung der inneren Gründe ist aufwendiger, führt uns aber wieder zum eigentlichen Thema zurück. Wenn man die *Sechs Sonaten mit veränderten Reprisen* (1760) mit den *Preußischen* und *Württembergischen Sonaten* vergleicht, so ist, wie schon erwähnt, erkennbar, daß in der Motivstruktur der Anfangsmotivgruppe ein Wandel sich vollzogen hat. Grob gesprochen: Die Anfangsmotivgruppe ist zum klassischen Thema geworden. Wenn man nun aber die späteren Sonatensammlungen *(für Kenner und Liebhaber)* zum Vergleich heranzieht, so muß man feststellen, daß das achttaktige Thema nur eine Möglichkeit neben anderen ist; daneben taucht die frühere Form der Anfangsmotivgruppe immer wieder auf. Es wird in diesem Falle bei Carl Philipp Emanuel Bach eine Einstellung bzw. ein Verfahren erkennbar, das uns vom Vater her schon vertraut ist: eine personalstilistische Entwicklung, wie etwa bei Haydn, Mozart und Beethoven, ist nämlich zumindest in dem Sinne nicht nachweisbar, daß mit dem Erreichen einer späteren Entwicklungsstufe frühere Formen restlos aufgehoben wären. Vielmehr ist eine Tendenz erkennbar, sich ein gewisses Arsenal von kompositorischen Verfahren und Mustern verfügbar zu halten. Genau diese Haltung scheint aber Carl Philipp Emanuel Bachs künstlerischer Entwicklung auf die Dauer abträglich gewesen zu sein, wie ein weiterer Aspekt verdeutlichen mag.

Carl Philipp Emanuels Stil ist ganz zweifellos instrumental geprägt. Der rasch verklingende Ton der besaiteten Tasteninstrumente seiner Zeit (Clavichord, Cembalo und der noch wenig entwickelte Hammerflügel) trug sicherlich zu seinem unruhigen, nervösen, in vielen kleinen Notenwerten sich ausprägenden Stil bei. Nun ist der Einfluß einer ruhigen und weit strömenden Kantilene, eines „singenden Allegro“ auch bei ihm nachweisbar, aber eben nicht in dem Sinne, daß sein Stil sich dadurch dauerhaft gewandelt hätte. Neben einer großflächigen Anlage, harmonisch breit und ruhig geführt, macht sich in den späten Sonatensammlungen *(für Kenner und Liebhaber)* das Kurzatmige, das Kleinziselierte, der unruhige lombardische Rhythmus wieder bemerkbar. Ein weiteres Beispiel mag die disparate Grundhaltung, die Bachs spätes Sonatenschaffen bestimmte, belegen. Die frühen Sonaten der 30er Jahre waren im Umfang bescheiden. Mit den *Preußischen* und *Württembergischen Sonaten* weitet sich die Form. Der große und virtuos-pianistische Zugriff wird auch rein quantitativ ablesbar. Offensichtlich hat Bach diese Entwicklung jedoch keinesfalls als irreversibel begriffen. Die beiden Sonaten aus der letzten Sammlung *für Kenner und Liebhaber* (1787) tendieren wieder zum Miniaturhaften. Die Tendenz zum Großen, zum ruhig Kantablen, zur binären, symmetrischen Motivstruktur, zum Erhabenen (um in der Sprache der Zeit zu sprechen) läßt sich bei Carl Philipp Emanuel Bach nur zeitweise - oder teilweise - nachweisen. Die *Preußischen Sonaten,* die *Württembergischen Sonaten,* auch die *Sonaten mit veränderten Reprisen* sind hierfür repräsentativ. Danach gewinnt das Überraschende, das Bizarre, das Mannigfaltige, aber auch das Nervös-Kurzatmige und das melodisch Zerklüftete wieder die Oberhand.

In diesem Zusammenhang soll abschließend nochmals auf das Wechselverhältnis Sonate - Fantasie kurz eingegangen werden. Anders als später bei Beethoven, Schubert und Schumann wirkt bei Carl Philipp Emanuel Bach die Fantasie nicht eigentlich befruchtend auf die Sonate, zumindest nicht durchgängig. Stilelemente der Fantasie, die virtuos-pianistischen Passagen etwa, finden sehr wohl Eingang, aber das Große, Kühne und Weiträumige, gepaart mit dem Phantastischen, wächst der Gattung Sonate bei Bach nicht zu. Die beiden Gattungen - streng formal gebunden die eine, formlos frei und schweifend die andere - bestehen, zumindest in den 50er, 60er und 70er Jahren, nebeneinander her. Den befruchtenden Ausgleich zwischen beiden Prinzipien hat Bach in den *Württembergischen Sonaten* vollzogen. Er war sich dessen bewußt. Ein Brief an Forkel belegt dies, wobei freilich das Datum 10. Februar 1775 zu beachten ist: „Die 2 Sonaten, welche Ihren Beyfall vorzüglich haben und etwas gleiches von einer freyen Fantasie haben, sind die einzigen von dieser Art, die ich je gemacht habe. Sie gehören zu der, aus dem H moll, die ich Ihnen mitschickte, zu der, aus dem B, die Sie nun auch haben und zu den 2en aus der Hafner-Würtembergischen Sammlung, und sind alle 6, anno 1743, im Töpziger Bade von mir, der ich damahls sehr gichtbrüchig war, auf einem Clavicord mit der kurzen Oktav verfertiget." Vielleicht waren für diese Entwicklung aber auch äußere Gründe ausschlaggebend. Zumindest legt dies die eben wiedergegebene Briefstelle nahe, denn Bach fährt fort: „Nachher habe ich meist fürs Publicum arbeiten müßen ..." Vielleicht hätte ein spendabler, adliger Auftraggeber, ein feudaler Mäzen, ähnlich wie im Falle der Gattung Sinfonie, der künstlerischen Qualität und der gattungsgeschichtlichen Entwicklung mehr gedient als das bürgerliche Publikum, auf dessen Geschmack das Originalgenie Bach beim Verkauf seiner Sonatensammlungen Rücksicht nehmen mußte.

Friedhelm Krummacher

Kontinuität im Experiment: Die späten Quartette von Carl Philipp Emanuel Bach

„Das Vornehmste, nehml. das analysiren fehlt". So schrieb Carl Philipp Emanuel Bach am 15. Oktober 1777 in seiner Stellungnahme zu Johann Nikolaus Forkels Einladungsschrift *Über die Theorie der Musik* (Göttingen 1777)[1]. Gemeint war damit zunächst, Theorie allein genüge nicht, „um Liebhaber zu bilden". Der Eindruck jedoch, Analyse als „das Vornehmste" sei notwendig, kann sich auch in der Auseinandersetzung mit Bachs eigener Musik aufdrängen. Unter Spezialisten ein spezielles Thema zu erörtern, nötigt freilich zur Zurückhaltung. Und zu rechtfertigen ist ein solcher Versuch nur in der Hoffnung, daß Beobachtungen aus anderer Perspektive nicht nutzlos sein müssen. Erschwert werden sie allerdings noch immer durch die mangelhafte Erschließung der Quellen durch Editionen. Und wo eigene Quellenarbeit nicht möglich ist, wird die exemplarische Konzentration auf zugängliche Belege unumgänglich.

Der Zwiespalt der eigenen Situation war dem Komponisten nur zu bewußt, der sich der „Größe dieses meines Vaters in der Komposition" so wenig verschloß wie der Einsicht, daß seither „eine neue Periode sich gleichsam anfing"[2]. Die prekäre Konsequenz jedoch, daß das Ansehen des Sohnes in dem Maß geschmälert wurde, wie das Werk des Vaters erneut lebendig wurde, appellierte schon früh an den Gerechtigkeitssinn der Historiker. Um Carl Philipp Emanuel Bach vor dem Verdacht zu retten, nur Epigone oder Sohn des Vaters zu sein, bürgerte sich das Bild vom Brückenbauer zwischen den Epochen oder vom Wegbereiter der Klassik ein. Gerade im Verhältnis zur klassischen Instrumentalmusik kam dann der Kammermusik zentrale

---

1 *Briefe von Carl Philipp Emanuel Bach an Johann Gottlob Immanuel Breitkopf und Johann Nikolaus Forkel,* hrg. von E. Suchalla, Tutzing 1985, S. 250; vgl. auch C. H. Bitter, *Carl Philipp Emanuel und Wilhelm Friedemann Bach und deren Brüder,* Bd. I, Berlin 1868, S. 348.

2 Vgl. dazu die autobiographischen Mitteilungen bei Ch. Burney, *Tagebuch einer musikalischen Reise durch Frankreich und Italien* ..., übersetzt von C. D. Ebeling, Hamburg 1772, Neuausgabe hrg. von E. Klemm, Leipzig 1968, S. 453.

Bedeutung zu. An ihr ließ sich – verkürzt gesagt – der Weg vom Barock zur Klassik demonstrieren, und zumal das Spätwerk erschien dann als Vorschein klassischer Kunst[3]. Offen ist aber nicht nur, wie sich ein solches Spätwerk von früheren Werken in ihrem Verhältnis zur Tradition abgrenzen ließe. Vielmehr wäre auch zu fragen, wieweit solche Musik als Vermittlung zwischen den Epochen aufzufassen ist. Sofern sie nicht allein in der Funktion einer historischen Brücke aufgeht, läßt sie sich erst in ihrem eigenen Rang erfassen. Zu leisten ist das aber nur durch „das Vornehmste", die analytische Interpretation.

I

Schon im Gedenkjahr 1938 war es für Arnold Schering „sinnlos", „dem großen Sohn Sebastians ... noch einen besonderen Ruhmeskranz" zu flechten. Denn längst sei seine „Schlüsselstellung zwischen Barock und Klassik" ebenso anerkannt wie „das Zukunftsträchtige seiner Schöpfungen"[4]. Daß „die Rolle eines großen Vermittlers" seine „Wertung als Klassiker" verbot, lag nach Schering auch an der langen Dauer seines Lebens, die im Spätwerk zu „merkwürdiger Unausgeglichenheit" geführt habe. Wenn aber seine Musik „noch immer mit Rätseln umgeben" sei, so gründe dies in ihrer Erklärung „als bloßes musikalisches Phänomen". Wo Schering dagegen das „redende Prinzip" im Verhältnis zur Affekten- und Figurenlehre als Maßstab demonstrieren wollte, bezog er sich primär auf die Claviermusik Bachs. Mit der späten *Phantasie fis-moll* für Clavier und Violine (*C. P. E. Bachs Empfindungen,* 1787) und dem weit früheren „Dialogtrio" (*Sanguineus und Melancholicus,* 1749) stützte er sich auf zwei Kammermusikwerke, die gleichwohl einen besonderen Status haben[5]. Bezeichnend ist die Wahl solcher Ausnahmen, die das „Ausdrucksprinzip" belegen sollen, während die übrige Kammermusik kaum zur Sprache kommt[6]. Dabei war der Werkbestand seit

3 Dazu s. E. F. Schmid, „Carl Philipp Emanuel Bach", in: MGG I (1949–1951), bes. Sp. 935–938; E. Helm, „Carl Philipp Emanuel Bach", in: *The New Grove Dictionary* I (1980), S. 853.

4 A. Schering, „Carl Philipp Emanuel Bach und das ‚redende Prinzip' in der Musik", in: *Jahrbuch Peters* 45 (1938), S. 13–29, bes. S. 13f.

5 Schering, a. a. O., S. 18 und 25; das Dialogtrio, das vielfach als Paradigma zitiert wurde, erschien erst neuerdings in einer Edition, hrg. von K. Hofmann, Neuhausen-Stuttgart 1980 (Hänssler).

6 H. Mersmann, „Ein Programmtrio Karl Philipp Emanuel Bachs", in: *Bach-Jahrbuch* 1917, S. 137–170; vgl. ferner H. H. Eggebrecht, „Das Ausdrucks-Prinzip im musikalischen Sturm und Drang", in: *Deutsche Vierteljahresschrift für Literaturwissenschaft und Geistesgeschichte* 29 (1955), S. 323–349, auch in: H. H. Eggebrecht, *Musikalisches Denken. Aufsätze zur Theorie und Ästhetik der Musik,* Wilhelmshaven 1977 (Taschenbücher zur Musikwissenschaft, 46), S. 69–111.

Wotquenne zwar übersichtlich verzeichnet, auch wenn er bis heute sehr lükkenweise ediert wurde. Wotquennes Katalog freilich entwarf eine Gruppierung nach Gattungen, der die weitere Forschung bis hin zum Verzeichnis von Eugene Helm gefolgt ist[7].

Die chronologische Abfolge, die Wotquenne intendierte, suchte Helm zwar zu präzisieren, beibehalten blieb aber die Trennung in drei Hauptgruppen: Werke mit obligatem Cembalo, Solosonaten mit Generalbaß sowie Triosonaten für zwei Melodieinstrumente mit Generalbaß. Unberücksichtigt sind dabei die Differenzen der Besetzung mit Flöte, Violine oder Gambe, denen wechselnd spezifisch instrumentale Voraussetzungen entsprechen. Zu den Werken mit obligatem Cembalo gehören vielmehr neben der Mehrzahl der Sonaten mit einem Melodieinstrument auch solche in Trio- oder Quartettbesetzung; zu den Solosonaten, die in der Regel Generalbaß fordern, rechnet als Ausnahme auch die Sonate für Flöte allein. Auf Schwierigkeiten der Abgrenzung verwies Helm, indem er für Werke mit obligatem Cembalo auch Versionen für zwei Melodieinstrumente und Generalbaß oder umgekehrt nannte. Doch nicht nur Probleme der Gattungen und Abgrenzung, der Quellen und Editionen trugen dazu bei, daß die Kammermusik auch in der neueren Forschung kaum im Zentrum stand. Gerade für sie mochte das Eingeständnis des Komponisten gelten, er habe die „meisten Arbeiten für gewisse Personen und fürs Publikum" machen müsen, während er „bloß einige Trios, Solos und Konzerte ... mit aller Freiheit" komponiert habe[8]. Zum anderen aber rückte gerade die Kammermusik – mehr jedenfalls als Konzerte, Sinfonien oder Sonaten – in den Schatten jener neuen Musik, aus der die Klassik hervorging. Das gilt nicht nur für die Mehrzahl derjenigen Werke, die immer noch mit Generalbaß rechnen, sondern auch für die Sonaten mit obligatem Cembalo, dessen Part weniger freistimmig als in obligat getrennten Stimmen angelegt ist. Und entsprechen die frühen Werke seit 1731 prinzipiell noch dem Formenkanon ihrer Zeit, so können selbst reife oder späte Werke nach 1770 neben Haydn oder Mozart zunächst fast befremdlich wirken. Schließlich aber lag mit der umfassenden Arbeit von Ernst Fritz Schmid seit 1931 gerade für die Kammermusik eine der bedeutendsten Leistungen der Forschung vor[9]. Lange schien sie weitere Untersuchungen fast überflüssig zu machen, und noch David Schulenbergs

---

7 A. Wotquenne, *Catalogue thématique des Œuvres de Charles Philippe Emmanuel Bach*, Leipzig – Bruxelles etc. 1905, S. 26 ff.; E. Helm (s. o. Anm. 3), S. 858 (solange das Werkverzeichnis von Helm nicht vorliegt, werden im weiteren die Wq-Nummern genannt).

8 Burney (s. o. Anm. 2), S. 455.

9 E. Fr. Schmid, *Carl Philipp Emanuel Bach und seine Kammermusik*, Kassel 1931.

Studien zum Instrumentalwerk zogen 1984 die Kammermusik nur teilweise hinzu[10].

Gewiß erklärt es sich aus dem Stand der Methodik, wenn sich Schmid damals einerseits auf den Nachweis einer kompositorischen Entwicklung konzentrierte, um sich andererseits primär an formalen Kriterien zu orientieren. Nach der ertragreichen Übersicht über Bachs Verhältnis zur Musikästhetik der Zeit untersuchte er zwar gesondert die „Soli“ und „Triosonaten“, an denen er die zunehmende Distanzierung von barocken Modellen und vom väterlichen Vorbild zeigen wollte. Die „Werke der Spätzeit“ faßte er jedoch unabhängig von Gattungen und Besetzungen zusammen, je für sich skizzierte er Formen der Kopf-, Mittel- und Finalsätze, und in dieser „Krönung seines Schaffens“ wurde Bach nicht nur zur „Brücke zwischen zwei Welten“ seines Vaters und Beethovens, sondern zur Vorahnung für „das Morgenrot der romantischen Epoche“[11]. Anders verfuhr Schulenberg, wenn er nach einer knappen Skizze des deutschen theoretischen Schrifttums getrennt „Texture and Material“, „Rhythm, Phrasing and Articulation“ und schließlich „Forms“ untersuchte. Dabei verfolgte er systematische Aspekte unabhängig von der Chronologie und Besetzung der Werke und Gattungen, indem er Belege für skalare Baßgänge, Dreiklangsbrechungen, Kadenzmodelle, Motivtypen oder Kontrastbildungen sammelte[12]. Zwar distanzierten sich seine Formstudien von der Fixierung auf Fortschritte der Schemata, um dafür Kriterien der tonalen und zyklischen Anordnung zu akzentuieren. Die Rede von „Variants of Sonata Form“ gegenüber „other Forms“ setzt aber schon immer die Definition solcher Modelle voraus[13]. Unberücksichtigt blieb gegenüber Schmid nicht nur der Werdegang Bachs im Verhältnis zum Komponieren seiner Zeit. Bei der Fülle isolierter Belege blieb vorab die Relation zwischen formalen Möglichkeiten und satztechnischen Verfahren außer Betracht.

Offen scheint demnach zu sein, wie sich die thematische Substanz, die formale Disposition und die satztechnische Struktur in Bachs Kammermusik zueinander verhalten. Die Frage läßt sich in einer Skizze gewiß nicht umfassend beantworten, schon gar nicht ist der Fülle der Gattungen, den Stadien der Entwicklung oder der Beziehung zum kompositionsgeschichtlichen Kontext gerecht zu werden. Nur an exemplarischen Werken läßt sich – abgehoben von anderen Zusammenhängen – der Versuch machen, dem internen Zusammenhang der Werke nachzugehen.

---

10 D. Schulenberg, *The Instrumental Music of Carl Philipp Emanuel Bach,* Ann Arbor 1984 (Studies in Musicology, No. 77).

11 Schmid, a. a. O., S. 135–150 und 155 f.

12 Schulenberg, a. a. O., S. 31 ff. und 57 ff.

13 Schulenberg, a. a. O., S. 99 ff. und 121 ff.

Die genetisch und typologisch angelegte Darstellung von Schmid hat immerhin drei scheinbar äußere Sachverhalte eindringlich bestätigt. Während zum einen die Reihe der Triosonaten schon 1756 zu Ende geht, finden zum anderen die Solosonaten mit Generalbaß nach 1747 nur in einer Flötensonate eine Ergänzung (Wq 133, 1788). Allein die Werke mit obligatem Cembalo erfahren seither eine Fortsetzung, die in den gänzlich isolierten Quartetten von 1788 kulminiert (Wq 93–95). Daß gerade sie „in die Zukunft weisen", hob nicht nur Schmid hervor[14]. Schulenberg zwar überging sie, jedoch sah Helm in ihnen nicht nur „a clear turn to the Classical style", sondern er meinte gar, hier sei „the Beethovenian piano quartet ... adumbrated"[15]. Daß sich die Besetzung mit Flöte, Viola und Cembalo von Normen der Klassik ebenso unterscheidet wie von denen des Barock, bedarf keines Beweises. Ebenso deutlich ist aber auch die Differenz zu allen früheren Kammermusikwerken von Bach, und diese Isolation mag den Versuch rechtfertigen, die Werke für sich und nicht nur im Verhältnis zu früheren oder gleichzeitigen zu erfassen. Da sie nicht gedruckt wurden, verbieten sich Spekulationen über ihren Einfluß auf die Musik der Wiener Klassik. Selbst wenn Haydn eine Kopie des Quartetts G-dur Wq 95 frühestens 1795 erhielt, kann für seine Kammermusik dies Werk nicht mehr maßgeblich gewesen sein. Die von Schmid 1929 entdeckten Primärquellen dieser Werke bezeichnen sie ebenso wie die wenigen Kopien als „Quartetten für Fortepiano, Flöte und Bratsche"[16]. Der Widerspruch zwischen der Zahl der Stimmen und der Instrumente, der schon 1791 den Schüler Johann Heinrich Westphal zu einer Rückfrage bei der Tochter des Komponisten veranlaßte, war für Schmid dann Grund genug, in seiner Ausgabe eine gesonderte Stimme für Violoncello zu ergänzen[17]. Dabei stützte er sich darauf, daß die Autographe von zwei Werken „unter dem Klavierpart zahlreiche, mit Bleistift eingezeichnete Klammern" als Andeutung eines Celloparts enthielten. Von den Quellen, die mit dem Bestand der Berliner Singakademie vernichtet wurden, sind offenbar keine Faksimiles zugänglich. Schulenberg hielt die Ergänzung der Baßstimme zwar für plausibel, doch sah er auch, daß die Bezeichnung als Quartett ein viertes Instrument nicht zwingend fordere[18]. Glaubhaft ist in der Tat, daß die Angabe „Quartett" auf die Zahl obligater Stimmen und nicht auf die der mitwirkenden Instrumente zielt. Das ist

14 Schmid, a.a.O., S. 135 sowie *MGG* I, Sp. 937.
15 Helm (s.o. Anm. 3), S. 853.
16 Schmid (wie Anm. 9), S. 139 sowie die Vorworte der von Schmid besorgten Ausgaben der Quartette a-Moll, D-Dur und G-Dur (Wq 93–95) in Nagels Musik-Archiv 222–224 (1952).
17 Schmid, a.a.O., S. 139, Anm. 3 sowie in den in Anm. 16 genannten Ausgaben.
18 Schulenberg, a.a.O., S. 166f., Note 11.

keine Äußerlichkeit, sondern verweist auf die Distanz zum Quartett der Zeit. Rechnet das Streichquartett seit Haydn mit vier Stimmen, realisiert durch vier Instrumente gleicher Art, so zielt das Quartett des späten Bach – so isoliert es in seinem Werk ist – einerseits nur auf drei Spieler, andererseits aber auf maximalen Kontrast der Lage, Färbung und Artikulation der Stimmen. Die gespaltene Stimmigkeit des Satzes wird zur Voraussetzung der Satzstruktur.

Formal zwar unterscheiden sich diese Werke als Zyklen kaum von tradierten Normen. Daß sie nur drei Sätze ohne Menuett aufweisen, wird man nicht länger als historisches oder qualitatives Kriterium bewerten mögen. Gemeinsam ist ihnen, daß die Kopfsätze mit relativ mäßigem Tempo rechnen (von Andantino bis Allegretto), während den langsamen Binnensätzen sehr rasche Finali folgen. Nur scheinbar jedoch lassen sich den Tempobezeichnungen formale Bestimmungen zuordnen, deren Definition dem Analytiker vielmehr schon Schwierigkeiten bereitet. Der komplexen Faktur werden kaum Verweise auf vage Analogien zu Sonaten- oder Rondoformen gerecht. Und sucht man isolierte Belege für „thematische Arbeit" oder „durchbrochenen Satz", so bleibt ihre formale Integration im Kontext dennoch offen. Doch genügt es auch kaum, mit Reinhard Gerlach die „Entwicklung eines vergeistigten Spätstils von großer Subtilität" zu postulieren, um andererseits den Werken „einen an das Herz rührenden Appell" zu attestieren[19]. Je mehr derart der Ausdruck dieser Musik beschworen wird, desto unklarer bleibt nicht nur, wie ein solches „Ausdrucksprinzip" zu fassen ist. Zu fragen ist vielmehr, welche kompositorische Struktur es ist, die zum Träger der expressiven Charakteristik wird.

II

Das *D-Dur-Quartett* Wq 94 beginnt mit einem Allegretto, dem Schmid „voll ausgereifte Sonatenform" bescheinigte[20]. Dem eröffnenden Hauptthema gegenüber, in dem die kantable Linie der Flöte von punktierter Rhythmik abgefangen wird (T. 2–3), beanspruchte er die Takte 9–10 als „Seitenthema"[21]. In der Tat erscheint diese Taktgruppe zunächst in dominantischer Position, um später (T. 57 ff.) in der Tonika wiederzukehren, wie es regulär einem Seitensatz zukäme. Dazwischen aber begegnet sie nur einmal (T. 31 ff.) im Mittelteil des Satzes, dessen Abgrenzung sich nicht von selbst ver-

19 R. Gerlach, Begleittext zur Aufnahme der drei Quartette (audite FSM 53 192/3, 1976).
20 Schmid, a. a. O., S. 140, dazu Notenanhang S. 53 f., NB 120–122.
21 Ebd., S. 140, dazu NB 120.

steht. Es fehlen nämlich Wiederholungszeichen, und so müßte man bereits mit einem Sonatensatz ohne wiederholte Exposition rechnen, wie es kaum dem Usus entspräche. Deutlich wird immerhin, daß nach dem exponierenden ersten Teil ab T. 25 ein verarbeitender Mittelteil beginnt, der die „Durchführung" verträte, während eine „Reprise" ab T. 53 anzusetzen wäre. Offen ist aber nicht nur, ob als Seitensatz eine zweitaktige Bildung zu beanspruchen ist, die zudem nur dreimal erscheint. Mehr noch fragt sich dann, ob von einer Form „mit kontrastierendem zweiten Thema" gesprochen werden kann. Denn bereits am Ende des Zweitakters begegnet im Klavierpart jene punktierte Rhythmik, die schon im dritten Takt des Hauptthemas auffiel, und bei näherem Zusehen erweist sich, daß ein thematischer Kontrast so schwer zu bestimmen ist wie die thematische Funktion der fraglichen Taktgruppen überhaupt (Bsp. 1 a–b).

Die erste Viertaktgruppe – neutral formuliert – enthält gleichsam Takt für Takt neue Impulse. Der akkordische Beginn in vollstimmigen Satz (T. 1) basiert auf der Tonika und wird melodisch nur durch Terzfall, rhythmisch durch die punktierte Achtel mit Doppelschlag profiliert. Auftaktig schließt die kantable Sechzehntelfigur der Flöte an (T. 2), und der Kontrast wird im zweistimmigen Satz der Oberstimmen mit stützender Funktion der Viola vorangetrieben. Unvermittelt setzt die verschärfte Punktierung im Tutti an (T. 3), deren Gestik durch die unvermutete Zwischendominante H-Dur markiert wird. Gerade dieser Takt aber bietet in sequenzierenden Baßschritten die erste kadenzierende Progression, die auf die Tonika zum letzten Viertel zielt. Schon im nächsten Takt setzt der Tuttisatz auf der Doppeldominante nach einem Achtel aus, es verbleibt nur im Clavier die skalare Figuration in Zweiunddreißigsteln, die auf dem letzten Viertel wieder von punktierter Rhythmik, diesmal im Unisono, abgefangen wird. Vergegenwärtigt man sich derart die Fülle konträrer Ereignisse auf so knappem Raum, so fällt es schwer, noch von einem geschlossenen Hauptsatz zu sprechen. Auch die anschließenden vier Takte bilden keinen Nachsatz, sondern wieder eine andere Zusammenstellung früherer Elemente: Ornamentale Figuration der Flöte, gestützt von der Viola, wird erneut durch rasche Figuration im Klavier und schließlich durch die punktierte Geste abgelöst. Beide Viertakter verhalten sich kaum wie Vorder- und Nachsatz zueinander, und demgemäß folgen sie im weiteren nicht noch einmal aufeinander. Zu Beginn des Mittelteils wie der Rekapitulation (T. 25–28, 53–56) erscheinen nur die ersten vier Takte, und am Schluß des Satzes (T. 73–75) entfällt auch noch der vierte Takt mit Figuration im Clavierpart. Von zentralem Rang sind also die ersten vier Takte mit ihren kontrastierenden Impulsen, die durch Rhythmik, Melodik, Besetzung und Satzart gleichermaßen geprägt werden.

NB 1a Quartett D-Dur Wq 94, 1. Satz

15
NB 1 b „Durchführung“
30
35

Wie sehr sich dieser Ansatz von früheren Werken unterscheidet, mag als fast zufällig gewähltes Beispiel der Beginn der *Gambensonate D-Dur* Wq 137 (1746) andeuten[22]. Der weiträumige melodische Impetus setzt zwar in T. 2 aus, und ihm folgt eine vier- und dann eine sechstaktige Gruppe. Der Generalbaß jedoch verläuft in gleichmäßiger Achtelbewegung, deren Pausen nicht mit denen der Melodiestimme zusammenfallen. Zudem beginnen nach dem Initium die weiteren melodischen Ansätze gleichermaßen auftaktig, um nur jeweils anders in ihrer Kantabilität fortgesponnen zu werden. Daraus resultiert der stete Strom der Bewegung, der als Muster für die Kontinuität einer Generalbaßsonate erscheint. Daß dieser Sachverhalt nicht nur für ein Frühwerk bezeichnend ist, mag der Beginn der *Flötensonate G-Dur* Wq 133 (1786) belegen, die vierzig Jahre später entstand. Nicht nur bewahren noch immer Melodieinstrument und Generalbaß ihre gesonderte Position, vielmehr begegnen noch in der Solostimme dieses späten Werks keineswegs Kontraste auf so engem Raum wie dann kurz danach in den Quartetten. Zugleich wird einsichtig, wie maßgeblich neben dem obligaten Klavierpart für die Quartette die konträre Individualität von Flöte und Viola ist.

Geht man von den Beobachtungen an den ersten Takten des *D-Dur-Quartetts* aus, so erweist sich der konstitutive Rang der exponierten Kontraste. Nicht nur der anschließende Viertakter, sondern auch der vermeintliche Seitensatz bilden neue Zusammenstellungen der konträren Impulse des Anfangs. Dem entspricht es, daß dem scheinbar neuen Ansatz der kantablen Flötenstimme mit begleitender Viola (T. 9–10) wiederum punktierte Rhythmik folgt (T. 11–12), abgelöst von virtuoser Figuration im Clavier (T. 13–14). Danach verdichtet sich die Punktierung zu einer Kette mit Trillern (T. 15–19), während den Schluß der scheinbar sonatengemäßen „Exposition" figurative Akkordbrechungen im Clavier bilden (T. 20–23). Bedeutsam für den Verlauf ist also weniger ein Thema insgesamt als die Vielfalt der in ihm angelegten Kontraste, die nicht so sehr melodisch als vielmehr rhythmisch definiert sind. Dies gilt weiter auch für den Mittelteil, der kaum als Durchführung eines Sonatensatzes zu begreifen ist. Was Schmid nach dem eröffnenden Themenzitat auf der Dominante (T. 25–28) als „durchbrochene Arbeit ... mit dem zerkleinerten Motivmaterial" des Seitensatzes ansah[23], ist keineswegs als Verarbeitung einer melodisch wie rhythmisch bestimmten Substanz verständlich. Vielmehr liegen neue Kontraktionen der kantablen Ansätze des Anfangs vor, gefolgt von punktierten Einwürfen, auch wenn die konkrete melodische Formulierung variabel bleibt. Im weite-

---

22 Hrg. von P. Klengel, Leipzig 1930 (Breitkopf & Härtel).
23 Schmid, a. a. O., S. 140, dazu NB 121.

ren Verlauf ließe sich verfolgen, wie die skalare Figuration in Zweiunddreißigsteln auch in die Melodiestimmen im Dialog mit dem Clavier eindringt, während sich danach die punktierte Rhythmik, ergänzt jeweils durch Zweiunddreißigstel, bis zum Schluß des Mittelteils behauptet. Demnach mag es kein Zufall sein, wenn sich nach der verkürzten Rekapitulation nochmals der Rückgriff auf die Eröffnung durchsetzt, wobei nun die abschließende skalare Figuration ausfällt. Stattdessen tritt überraschend der Übergang zum Adagio ein, in dem nach gemeinsamer Pause alle Stimmen über dem Quintsextakkord von Fis-Dur mit Vorhalt nach h-Moll (statt zum erwarteten D-Dur) kadenzieren. Trotz des Vermerks „das Adagio fällt gleich ein" beginnt der nächste Satz in G-Dur. Solche Überraschungen indes bedeuten zugleich eine Quintessenz, falls man als Zentrum des Kopfsatzes das variable und immer neue Spiel mit den anfangs exponierten Kontrasten erfaßt hat.

Dem Komponisten zufolge hätte eine Analyse zu zeigen, „in wie fern einer vom Ordinairen abgeht und etwas wagen könne"[24]. Nicht als Vorgriff auf die künftige Sonatenform oder als die Ausfüllung eines Formschemas lassen sich die Werke erschließen, ihre Eigenart geben sie erst dann zu erkennen, wenn man die Konsequenzen der gesetzten Vorgaben verfolgt. Ein Satz, der so maßvoll wie verbindlich anhebt, erweist sich dann als kalkuliertes Experiment, wenn man als seinen Ausgangspunkt die Bündelung konträrer Impulse begreift, die auf die ebenso individuelle wie souveräne Verfügung über den Zeitprozeß der Musik hinweist.

Anders verhält es sich mit dem Andantino aus dem *a-Moll-Quartett* Wq 93, das zudem formal noch komplexer anmutet. Schmid betrachtete den Satz als „ausgeprägtes Rondo", und demgemäß suchte sein Formschema sieben Refrains und sechs Couplets zu unterscheiden[25]. Eine Orientierung am Modell des Sonatensatzes verbietet sich tatsächlich, wenn der Satz nach einer Modulationsstrecke in T. 30 eindeutig auf der Tonikaparallele kadenziert, danach jedoch erneut mit dem Themenkopf des Anfangs wiederum in der Molltonika ansetzt. Geht man jedoch vom Rondoschema aus, so wäre der Refrain - mit Schmid - auf die ersten acht Takte einzugrenzen, während mit den Triolenfiguren im Clavier ab T. 9 schon das erste Couplet ansetzen würde. In der Tat unterscheiden sich die ersten acht Takte im Tuttisatz mit weitgehend paralleler Stimmführung markant von der aufgebrochenen Struktur der folgenden Taktgruppen. Schon nach vier Takten werden die Triolenfiguren jedoch vom punktierten Rhythmus des Hauptthemas durchsetzt (T. 13-14), der wiederum zwei Takte später eine geschlos-

---

24 Vgl. den in Anm. 1 genannten Brief an Forkel.
25 Schmid, a. a. O., S. 142 f. sowie Notenanhang S. 57-60, NB 127-132.

sene Viertaktgruppe bestimmt (T. 17–20). Das Wechselspiel zwischen Triolenfiguren und punktierten Kadenzen bestimmt den Verlauf derart, daß von einem klaren Kontrastverhältnis zwischen Refrain und Couplet kaum die Rede sein kann. Erst nach dem variierten Refrainzitat in der Tonika setzt ab T. 39 eine viertaktige Kontrastgruppe ein, die im Clavier allein beginnt und durch synkopierte Rhythmik sowie stufenweise Sequenz bestimmt wird. Nach nur zwei vermittelnden Takten aber ist wiederum der Kopf des Hauptthemas, nun in e-Moll, erreicht, der durch analoge Kadenzierung wie zuvor beschlossen wird. Und so wird es fragwürdig, das auf sechs Takte verkürzte Themenzitat, das nach einer Phase triolischer Clavierfiguren ab T. 60 folgt, als einen dritten Refrain zu bezeichnen. So deutlich einerseits der Wechsel zwischen kontrastierenden Satzgruppen ist, so einsichtig wird zugleich die Vermittlung zwischen ihnen, die dem herkömmlichen Rondoschema widerspricht (Bsp. 2 a–b).

NB 2 a Quartett a-Moll Wq 93, 1. Satz

NB 2b

Zwar ließe sich der Mittelteil als „Durchführung mit Refrainteilen" betrachten, doch wäre es voreilig, für diesen Satz schon einen Vorgriff auf das Sonatenrondo zu postulieren, wie es weit später erst von A. B. Marx definiert wurde[26]. So intrikat das rhythmische Spiel mit dem Themenkopf ist, der auch mit der triolischen Figuration simultan gepaart wird, so wenig liegt dennoch ein planmäßiger Prozeß thematischer Verarbeitung zugrunde. Bestimmend ist für die Anlage vielmehr eine harmonische Disposition, die vom eröffnenden Themenzitat in der Tonikavariante A-Dur ausgeht, in Quintschritten von fis- über h-Moll zu e- und a-Moll hinführt und den Zielpunkt durch Einschaltung des Neapolitaners vor der Dominante E-Dur markiert. Gewiß kann man den Satz als eines der „stimmungsvollsten Werke des Meisters" bewundern, ohne in ihm gleich die „schwärmerische Melancholie der späteren Romantiker" zu suchen[27]. Dennoch läßt er sich nicht auf das Formschema von Rondo, Sonate oder Sonatenrondo reduzieren. Was seinen expressiven Charakter ausprägt, ist die Flexibilität zumal der rhythmischen Struktur, die aus der Durchdringung des schreitenden Kopfmotivs, der energisch punktierten Kadenzgruppen und der spielerischen Triolenfiguren entsteht. Und wenn die Stimmen anfangs gleichsam synchron gekoppelt sind, werden sie im Verlauf des Satzes aufgefächert, um am Ende im Unisono gekoppelt zu werden.

Formal konventioneller nimmt sich der Kopfsatz des *Quartetts G-Dur* (Wq 95) aus, der nicht zuletzt deshalb auch in der Literatur übergangen wurde. Die hälftige Anlage mit zwei wiederholten Teilen verweist deutlich auf die Abkunft vom Suitensatz, was in früheren Jahrzehnten eher selbstverständlich als für die Zeit um 1790 sein mag. Gewiß bietet die Phase nach dem Doppelstrich eine durchführungsmäßige Ausweitung (T. 40–63), während nach einer Überleitung dann eine reprisenhafte Rekapitulation in der Tonika beginnt (T. 68 ff.). So subtil diese Wiederholung eingeführt und abgewandelt wird, so wenig geht auch dieser Satz im scheinbar konventionellen Schema auf, wie allein ein Blick auf den Anfang beweist.

Spielerisch wohl und wenig profiliert mag die Kette absteigender skalarer Figuren mit steten Trillern in den vier ersten Takten wirken, zumal sie sich als bloße Ausfaltung des Tonikaraums ohne kadenzierende oder gar modulierende Bewegung darstellt. Wichtiger als die Aufteilung in quasi imitierende Stimmpaare (Clavier und Viola T. 1–2, Baß und Flöte T. 3–4) ist gerade das Verhältnis zwischen der tonalen und auch rhythmischen Stabilität auf der einen und der rhythmischen Bewegung mit ihrer ornamentalen Dif-

26 Ebd., S. 143; vgl. A. B. Marx, *Die Lehre von der musikalischen Komposition, Dritter Theil,* Leipzig ²1848, S. 307 ff.
27 Schmid, a. a. O., S. 142.

ferenzierung auf der anderen Seite. Wo in T. 4 die Kadenz erreicht wird, bricht der Tuttisatz ab, über dem repetierten Grundton der Subdominante setzt im Clavier ganz neu die Sechzehntellinie an, die dann von der Flöte aufgegriffen wird, bis die Stimmen gemeinsam zum Halbschluß in T. 8 führen. Bereits die folgenden Takte deuten an, was der Komponist aus diesen Formeln gewinnt. Die auftaktigen Gesten verbinden sich abwechselnd mit Rückgriffen auf die durch Triller charakterisierten Kopfmotive, dazwischen schieben sich Taktgruppen mit den kantablen Sechzehntelfiguren, und schon in den Takten 18 und 20 kommt es zu dichter Überlagerung beider Bildungen, die sich dann in virtuoser Figuration des Claviers zu Haltetönen der Gegenstimmen entlädt, bevor das Zitat der Themengruppe auf der Dominante vorerst abschließt.

So wechselnd die Konstellationen motivischer Impulse in jedem der drei Sätze sind, so unterschiedlich verhalten sich die Kopfsätze dieser Quartette auch zueinander. Gemeinsam ist ihnen jedoch, den Klangkontrast der Stimmen immer neu und individuell auszunutzen. Was sie damit „vom Ordinairen" trennt, bestimmt auch in weiterer Modifikation die folgenden Sätze.

III

Weniger noch als die Kopfsätze lassen die Finali ihre Besonderheit erkennen, wenn man sie nur nach ihrer Form oder Thematik analysiert. Denn dem Charakter nach wirken sie zunächst nur wie ein rascher Kehraus, die thematische Substanz erscheint eher formelhaft, und die Formen entsprechen dem geläufigen Schema eines Sonatensatzes, dessen zwei wiederholte Teile auf den Suitensatz zurückweisen. Was auch in diesen Sätzen neu und individuell ist, zeigt sich erst im wechselseitigen Verhältnis von Form, Thematik und Charakter.

Als Gegenstück zur Kontrastfülle des Kopfsatzes gibt sich das Finale im *G-Dur-Quartett.* Während die Reprise gegenüber den 60 Takten der Exposition um acht Takte gestrafft ist, erweitert sich die Durchführung auf vierundsiebzig Takte. Gerade dieser Satz erscheint aber als ein Perpetuum mobile, das keinen anderen Gegensatz zuläßt als den kargen zweitaktigen Ansatz eines scheinbaren Seitenthemas auf der Dominante, das gleich wieder von huschenden Sechzehnteln abgelöst wird[28]. Als thematischer Kontrast ist der Satz also so wenig zu definieren wie als Sonatenform, und schon dieser Begriff erscheint als Überforderung der Substanz. Desto wichtiger sind andere, eher verdeckte Details. Der Eindruck eines Fugatos, der sich dem Hö-

28 Ebd., S. 143 ff. bleibt dieser unschematische Satz unberücksichtigt.

rer durch den sukzessiven Einsatz der Stimmen ergeben muß, wird nicht nur durch die stete Kette von Sechzehnteln widerlegt, die keine reguläre Polyphonie erlauben. Vielmehr sind die Einsätze in einer Sequenzkette miteinander verkettet, statt selbständige Stimmen zu bilden. Hörbar aber wird dieses ambivalente Spiel nur durch den Spaltklang der Besetzung. Nach dem Einsetzen der Oberstimmen dominiert durchweg der Clavierpart, der die thematische Figur in Terzschritten abwärts sequenziert, während die Oberstimmen in Synkopen und weitschrittigen Achteln ausfüllen. Wo die Dominante erreicht wird, setzt das scheinbare Gegenthema der beiden Oberstimmen in Synkopen ein, doch wird es nicht nur durch die vorherige Stimmführung vorbereitet, sondern stößt zugleich erneut auf Sechzehntelgruppen. Sie aber werden nun stets durch eine Sechzehntelpause eröffnet, so daß sie gleichsam auftaktige Funktion gewinnen. Das Wechselspiel zwischen diesen Varianten des figurativen Materials gibt dem Satz seine Spannung, die bis hin zur Auflösung in schrittweise verkürzte Gruppen anhält (T. 49–60). Und die wechselnde Kombination solcher Formeln läßt sich in der Durchführung weiter verfolgen (Bsp. 3a–c).

Auch das Finale des *a-Moll-Quartetts* bildet keine Sonatenform, sofern die Gestalt, die Schmid als Seitensatz beanspruchte (T. 9ff.), nur eine Variante des Kopfmotivs aus dem Hauptsatz bildet und auch in der Reprise ausfällt[29]. Dafür wird sie am Ende des durchführenden Mittelteils benutzt, um in der Affinität zum Hauptthema dessen Eintritt in der Rekapitulation vorzubereiten. Falls ein Sonatensatz vorläge, wäre er als monothematisch mit freier Fortspinnung und raffendem Epilog zu bestimmen. Was daran widersprüchlich klingt, deutet nur auf die Freiheit, die der Komponist wahrt. Er nutzt jenen Freiraum, der dem Historiker als Status zwischen den Zeiten erscheint, um seine eigene Form zwischen Strenge und Spiel, Konzentration und Lockerung, Planung und Reihung zu erreichen. – Als Satz von „vollkommen haydnschen Charakter" erschien schon Schmid das Finale des *D-Dur-Quartetts,* das sogar „eine Anregung des Meisters durch Haydn" vermuten ließ[30]. Doch bildet auch hier nicht nur das vermeintliche Seitenthema eine Floskel von zwei Takten ohne Funktion für den Satzverlauf. Vielmehr ist auch das Kopfmotiv – sehr anders als bei Haydn – nicht die eigentliche Substanz des Satzes, sondern nur sein Ausgangspunkt, und es begegnet denn auch nur zu Anfang der drei Hauptteile. So bildet es eher den Auslöser eines Spiels mit konträren Elementen, die kaum für sich Gewicht haben, sondern ihre Bedeutung erst im Verhältnis der Satzgruppen erlangen.

---

29 Ebd., S. 146f., dazu Notenanhang S. 65f., NB 141–143.
30 Ebd., S. 147 sowie Notenanhang S. 66ff. mit NB 144–147.

NB 3a Quartett G-Dur Wq 95, 3. Satz

Im Zentrum der Quartette stehen gewiß die langsamen Sätze, deren expressive und experimentelle Qualität nicht leicht zu bestimmen ist. Desto näher mag es deshalb liegen, in ihnen nach Belegen für formalen Fortschritt oder kühnen Ausdruck zu suchen. Es erleichtert auch kaum das Verständnis, wenn man „eine Vorstufe Beethovens", die Vorwegnahme einer „romantischen Gesamthaltung" oder schon „Ausdruck und Kolorit späterer lyrischer Charakterstücke" erwartet[31]. Damit nämlich werden die vielfach formelhaften Gebilde übermäßig belastet, ohne daß die Struktur des Satzverlaufs besser verständlich würde. Denn sie erschließt sich wieder nur aus der wechselnden Relation der Teilmonate zueinander.

Das Adagio in g-Moll aus Wq 95 mißt nur 27 Takte, die eröffnende Satzgruppe kehrt keinmal unverändert wieder, doch beginnt ab T. 14 ein zweiter Durchgang von der Tonika aus. Konstitutiv sind anfangs die zweimal ansetzenden auftaktigen Seufzermotive in den Melodieinstrumenten, akkordisch ergänzt vom nachschlagenden Claviersatz. Sie erfahren eine weitere Ausspinnung in den Takten 2–5, wobei sich Flöte und Viola komplementär ablösen, und erreichen gleichsam regulierte Gestalt ab T. 6, wenn die Melodiestimmen schrittweise erstmals terzparallel, nun aber ohne die seufzerhafte Kadenzgeste geführt werden. Zwischen diese Phasen wird konstrastierend die Clavierfiguration eingeschoben, die zuerst in T. 2 den weiten Klangraum ausmißt, um sich dann ab T. 6 im dialogischen Wechsel mit den Oberstimmen durchzusetzen. Wie sich die Verhältnisse im Verlauf verschieben, zeigt der Vergleich mit dem Satzende. Stetig lösen sich die Clavierfiguration in Zweiunddreißigsteln und die terzparallelen Oberstimmen in Sechzehnteln ab, und die seufzerhaften Vorhalte des Satzanfangs sind nunmehr in die Klavierfiguration selbst eingezogen. Daß sie einen motivischen Kern darstellen, erweist erst der Schluß, wenn sich Oberstimmen und Clavierpart mit solchen Wendungen ablösen. Vorbereitet wird diese Verlagerung in der modulatorischen Phase nach Wiedereintritt des Themas, wenn sich in T. 17–19 innerhalb des Claviersatzes die figurativen und kadenzierenden Momente paaren. Übrigens läßt sich auch diese Phase nicht als Beleg für eine an Mozart gemahnende „Enharmonik" anführen, vielmehr wird die „neapolitanische" Kadenz (As^6-D-g) durch die Variante as-Moll mitsamt es-Moll erweitert[32].

Der G-Dur-Satz aus Wq 94 trägt die Bezeichnung „sehr langsam und ausgehalten". Die Angabe zielt zunächst – wie es scheint – auf den Charakter des thematischen Materials, das im Verlauf des Satzes zunehmende Differenzierung erfährt. Um aber diesen schrittweisen Vorgang verfolgen zu

31 Ebd., S. 143; H.-G. Ottenberg, *Carl Philipp Emanuel Bach,* Leipzig 1982, S. 250.
32 Schmid, a. a. O., S. 143.

können, ist der „ausgehaltene" Vortrag erforderlich. So relativ homogen das Thema zunächst anmutet, so deutlich werden seine Glieder voneinander getrennt. Den ersten beiden Takten, die auf dem Sextakkord der Tonika enden, folgt die nächste Gruppe überraschend, sofern sie in F-Dur ansetzt und durch melodische Synkopierung bestimmt wird. Dagegen befestigt der zweite Viertakter die Subdominantparallele a-Moll im Clavierpart zum Halteton der Flöte, während im Halbschluß T. 8 der Melodieton c' auf den Baßton cis als Terz der Doppeldominante trifft. Unmittelbar danach setzt die Erweiterung auf der Tonikavariante g-Moll an, und erst der chromatische Aufstieg der parallelen Außenstimmen erreicht die Öffnung zur Dominante D-Dur. Der scheinbare „Nachsatz" T. 17 ff. läßt die Viola hervortreten[33], doch erst die homorhythmisch erweiterte Kadenz T. 21–24 hat signifikante Bedeutung. Sie wird denn auch analog am Schluß des zweiten Formteils und schließlich am Ende des Satzes wiederholt. Zwischen diesen Kadenzgruppen aber, die sich als einzig stabile Phasen erweisen, vollzieht sich eine Auffächerung der Struktur, die am wechselnden Verhältnis der Stimmen abzulesen ist. Ihren Ausgang nimmt sie von der Ornamentik des Kopfmotivs eher als von seiner Melodik, weiter aber von der Synkopierung der Fortführung und schließlich von der fließenden Achtelbewegung der zweiten Themenhälfte. Wo dann die Stimmen in der Kadenzgruppe wieder zusammentreffen, greifen sie nicht das melodische Incipit, sondern die akkordische Struktur des Anfangs auf. Und wiederum erweist sich, daß thematische Prägungen das Verfahren des Komponisten weniger bestimmen als wechselnde Beziehungen der Satzstruktur (Bsp. 4 a–b).

Bemerkenswert ist daher die rhythmische Geschlossenheit, die der thematische Achttakter im C-Dur-Satz aus Wq 93 erreicht. Zudem werden die Taktgruppen an den Nahtstellen harmonisch verkettet durch Dissonanzauflösung (T. 2–3), Überbindung (T. 4–5) und Leittonwirkung (T. 6–7). Durch diese Maßnahmen wird zugleich die quadratische Periodik überspielt, die dem Satz zugrunde liegt. Wieder aber bildet eher diese Struktur als ein melodisches Thema den Ansatz der weiteren Entwicklung. Über gleichmäßig komplementären Vierteln im Clavierpart lösen sich zunächst neue rhythmische Impulse der Oberstimmen ab, die aber ähnlich wie zuvor durch Synkopen verkettet werden. Die wachsende Individualität der Stimmen wird dann weiter vorangetrieben, wenn in einer dritten Phase sequenzierende Achtelketten des Klavierparts erst in der Kadenz durch die Oberstimmen aufgefüllt werden. Nur einmal noch kehrt der thematische Beginn wieder (T. 33 ff.), doch wird er verkürzt und nach G-Dur transponiert, während danach neue Zusammenstellungen früherer Gestalten den Satzverlauf bestrei-

33 Ebd., S. 143, dazu Notenanhang NB 135.

NB 4a Quartett G-Dur Wq 52, 2. Satz

ten. Wie kalkuliert das Wechselspiel zwischen akkordischer Thematik und figurativer Auflösung ist, zeigt die Konfrontation in den letzten Takten. Nach einer skalaren Achtelkette der Oberstimmen, die auf den Claviersatz des Anfangs zurückgreift, folgt eine stufenreiche akkordische Raffung, die von Pausen durchsetzt wird. Sie aber wird durch ornamentierte Kadenzen mit seufzerhaften Vorhalten beendet, die nur gestisch an den Satzbeginn erinnern.

*

Daß die Analyse „das Schöne, das Gewagte, das Neue“ der „Wahrhaften Meisterstücke“ zu zeigen habe, war die Forderung Carl Philipp Emanuel Bachs. Zu demonstrieren wäre zugleich, „wenn dieses alles nicht wäre, wie unbedeutend das Stück sein würde“[34]. Zur Verallgemeinerung statt zur Individualisierung tendieren dagegen alle Versuche, den vermeintlichen Gehalt der Werke immer neu metaphorisch zu umschreiben oder historische Vorgriffe der Formanlage oder Verarbeitung aufzuweisen. Zu früheren Versuchen, außermusikalische Vorlagen in Instrumentalmusik einzufassen,

34 Brief an Forkel, s.o. Anm. 1.

verhielt sich Bach später eher reserviert. Und die Suche nach Vorgriffen auf klassische Formen kann nicht nur anachronistisch wirken, sondern ebenso den eigenen Ansatz der Musik verdecken. So unbestritten die Orientierung an Formgrundlagen ist, die in der späteren Theorie des Rondos und des Sonatensatzes fixiert wurden, so wenig erschöpfen sich die Werke Bachs in der Ausfüllung von Formverläufen, die für ihn selbst noch flexibel zur Disposition standen. Gerade die späten Quartette machen es fraglich, in welchem Maß schon von thematischer Konfiguration als Voraussetzung solcher Formpläne zu sprechen ist.

Ein Stück der inneren Kontinuität im Œuvre Bachs liegt aber gerade in seiner experimentellen Haltung. Anders gesagt: Die wechselnde Individualität der Werke erscheint als Bestandteil der inneren Konstanz des Lebenswerks. Was für das Œuvre insgesamt gilt, betrifft aber auch die komplexe Struktur der Sätze und die Problematik ihres Verständnisses. Je unterschiedlicher die Bausteine sind, desto heikler wird ihre Bindung zu einem geschlossenen Verlauf. Mit anderen Worten: Die Kontraste akzentuieren die Details, die für sich genommen eher spielerisch, konventionell oder formelhaft wirken mögen, um dafür erst im Kontext bedeutsam zu werden. Es ist der kontrollierte Wechsel konträrer Impulse, der es dem Komponisten erlaubt, mit prinzipiell formelhaftem Material immer andere Verläufe so wechselvoll wie konzentriert zu entwerfen. Sind sie mit der Umschreibung des Ausdrucks so wenig zu fassen wie mit der Schematisierung der Formen, so läßt sich ihre eigene Individualität im Verhältnis der Parameter zueinander nüchtern beschreiben.

Kein größerer Gegensatz ist denkbar als der zum lyrischen Charakterstück der Romantik, falls der Epochenbegriff mehr meint als die Umschreibung von genereller Expressivität. Ist für das romantische Charakterstück die Einheit einer poetischen Situation bestimmend, die kompositorisch durch die Konstanz von Material und Struktur gewährleistet wird, so gilt das genaue Gegenteil für das Spätwerk des Hamburger Bach. Es unterscheidet sich damit zugleich von all den früheren Werken, in denen die Kontinuität der Tradition barocker Kammermusik nachwirkt. Und man kann darüber streiten, ob nicht die früheren Werke in der sicheren Beherrschung der Tradition dichter, geschlossener und zugleich eindringlicher ausfallen als die späten Experimente. Faszinierend ist zugleich aber der Mut zum Risiko, aus den Anstößen jüngerer Zeitgenossen Konsequenzen für das eigene Werk zu ziehen. Aus dem Phänomen des diskontinuierlichen Satzes der Klassik, das Georgiades eindringlich beschrieb[35], zog C. Ph. E. Bach seine

35 Th. Georgiades, „Zur Musiksprache der Wiener Klassiker“, in: *Mozart-Jb.* 1951, Salzburg 1953, S. 50–59.

Konsequenzen, ohne zugleich das eigene Idiom prinzipiell zu verändern. Daraus entsteht jene kontrastreiche Wechselhaftigkeit seiner Musik, die das ingeniöse Verfügen über den Zeitverlauf beweist. Dagegen läßt sich fragen, wieweit im einzelnen die Substanz genügt, um zugleich die wechselvollen Ereignisse konsequent zu bündeln. Musik wie diese könnte es gewesen sein, die Kants gespaltene Reaktion begründete, der Musik ein Maximum an momentaner Überredungskraft zuzugestehen, zugleich aber Zweifel am dauerhaften Kunstrang einer so transitorischen Kunst zu artikulieren[36]. Daß aber eine Diskussion sowohl über die historische Position wie über den ästhetischen Rang der Werke möglich ist, dürfte nicht nur der Intention des Komponisten entsprechen, sondern zugleich auch die Aktualität seines Werkes beweisen, das seine Modernität in einem Status zwischen den Zeiten bewahrt, der sich jeder raschen Fixierung verwehrt. Und so hätte am Werk Carl Phlipp Emanuel Bachs die Musikwissenschaft der Forderung zu genügen, „das Analysiren" als die wichtigste Aufgabe zu bewähren.

---

36 Kant, *Kritik der Urteilskraft,* 1790, § 53, A 218 f.; G. Schubert, „Zur Musikästhetik in Kants ‚Kritik der Urteilskraft'", in: *AfMw* 32 (1975), S. 12–25.

Ernst Suchalla

Carl Philipp Emanuel Bach, Wegbereiter der Musik seiner Zeit

Eine stilkritische Untersuchung seiner Sinfonien

Als ich im Jahre 1968 meine Dissertation über die Orchestersinfonien C. Ph. E. Bachs[1] veröffentlichte, mußte ich darin mit Bedauern feststellen, daß in der sonst umfangreichen Literatur über diesen Komponisten die Sinfonien fast ausgespart oder gänzlich vernachlässigt waren. Das hat sich auch nach zwei Jahrzehnten noch nicht grundlegend geändert: sie sind Stiefkinder der musikwissenschaftlichen Betrachtungen geblieben. Anders mag es erst werden, wenn alle Sinfonien in der Gesamtausgabe, die Professor Helm im College Park (USA) vorbereitet, jedermann zugänglich werden. Dennoch hat sich in den letzten Jahren ein Wandel angebahnt. Er geht aber merkwürdigerweise nicht so sehr von der Forschung aus, sondern von dem Werturteil unserer musikalischen Zeitgenossen und der Schallplattenindustrie, die ein Fingerspitzengefühl dafür entwickelt hat, was von Musikinteressenten verlangt und gekauft wird. Und offensichtlich scheint die Musik C. Ph. E. Bachs und damit auch die Wiedergabe seiner Sinfonien den Geschmack der heutigen Zuhörerschaft zu treffen. Vor zwanzig Jahren bot der Bielefelder Katalog[2] fünf Sinfonien an (Wq 182,1 und 2 und Wq 183,1–3), heute dagegen sind es fünfzehn[3] von seinen insgesamt 18 Werken dieser Gattung. Eine sogenannte 19. Sinfonie[4], chronologisch gesehen die zweite, ist ein Gelegenheitswerk, das er gemäß dem Nachlaßverzeichnis aus dem Jahre 1790 „mit dem Fürsten Lobkowitz, aus dem Steg-

---

1 E. Suchalla, *Die Orchestersinfonien Carl Philipp Emanuel Bachs nebst einem thematischen Verzeichnis seiner Orchesterwerke,* Augsburg 1968.

2 *Bielefelder Katalog,* Katalog der Schallplatten klassischer Musik, hrg. v. der Bielefelder Verlagsanstalt KG, Nr. 1, 15. Jahrgang, Bielefeld 1967, S. 11. – Dass., hrg. v. den Vereinigten Motor-Verlagen, Nr. 1, 36. Jahrgang, Stuttgart 1988, S. 20.

3 Es fehlen lediglich noch die Sinfonien Wq 173 (die erste), Wq 176 und Wq 180; Wq 176 liegt dem Verfasser – auch wenn der Bielefelder Katalog sie nicht aufführt – in der Aufzeichnung von "The Academy of Ancient Music" unter Christopher Hogwood vor.

4 Vgl. Suchalla, *Orchestersinfonien,* a. a. O., S. 127–134.

reife, einen Takt um den andern componirt"[5] hatte und das deshalb in dieser Betrachtung ohne Bedenken übergangen werden kann.

Eine Ursache, weshalb Interpreten und ein breiter Hörerkreis heutzutage Bachs Sinfonien zu schätzen beginnen, beruht wohl auf der Ähnlichkeit der Zeitumstände. Wie damals ist auch heute eine musikalische Epoche zu Ende gegangen, damals das Barockzeitalter, heute die Romantik. Wie damals empfindet man auch jetzt, daß die bisherige Musikauffassung nicht mehr der augenblicklichen entspricht. Komponist und Hörer suchen nach einer neuen Kunst, die ihr Innerstes mitschwingen läßt und das ausdrückt, was sie empfinden. Wie damals ist die Fülle des Angebots groß, aber es hatte sich zu Bachs Zeit und es hat sich heute noch keine Musik als endgültiges, neues Ideal herauskristallisieren können. So liegt in der Aufgeschlossenheit für die erhoffte Lösung und der Sehnsucht nach einer noch zu realisierenden neuen Musik, die den hochgesteckten Zielen der individuellen Erwartung des einzelnen gerecht werden kann, die menschliche Gemeinsamkeit und Verwandtschaft in beiden Zeitabschnitten über die Spanne von rund 200 Jahren hinweg.

Einen anderen Beweggrund löst die gegenwärtige Musik selbst aus. Die Unpersönlichkeit und mathematische Nüchternheit der elektronisch gestalteten oder von der Dodekaphonie beeinflußten Kompositionen mögen vielleicht den nur-rationalen Hörer ansprechen, den emotional gearteten jedoch stoßen sie rigoros ab. Hinzu kommt, daß elektronische Klänge zumeist nur vorgeprägt von Medien abrufbar sind, nicht aber praktisch musiziert werden können. Auf der Suche nach der ihm adäquaten Musik verweilt der von der modernen Tonkunst Enttäuschte nur zu gern auch bei der Ausdruckskunst eines C. Ph. E. Bach, der durch Empfindsamkeit und das „redende Prinzip", wie Arnold Schering[6] es formuliert hat, diesen Hörertyp auch heute wieder in seinen Bann zieht.

Arnold Schering selbst hält allerdings nicht viel von den Bachschen Sinfonien, von denen er anscheinend nur einen kleinen Teil gekannt hat. Er schreibt im Jahre 1939 über C. Ph. E. Bach die Worte: „Die Bühne kam für ihn nicht in Frage, nur das Klavier, daneben vielleicht noch die Orchestersymphonie."[7] Zu diesem Satz merkt er noch an: „Die, bis auf eine, jetzt vollständig aufgefundenen berühmten Symphonien für van Swieten aus dem Jahre 1773 enttäuschen. Sie sind ohne Zweifel reine Programm-Musik und enthalten der Kühnheiten genug. Ihr völlig altmodischer, unwirksamer Or-

---

5 *Verzeichniß des musikalischen Nachlasses des verstorbenen Capellmeisters Carl Philipp Emanuel Bach,* Hamburg 1790, S. 65.

6 A. Schering, „Carl Philipp Emanuel Bach und das redende Prinzip in der Musik", in: *Jahrbuch der Musikbibliothek Peters* 45, Leipzig (1939), S. 13–29.

7 Ders., a. a. O., S. 28.

chestersatz aber und das Auseinanderfallen in unverbunden nebeneinanderstehende Einzelgedanken lassen einen Vergleich mit den Klavierwerken nicht aufkommen."[8] Mit dieser vernichtenden Äußerung einer so hoch angesehenen Persönlichkeit auf dem Gebiet der Musikwissenschaft, wie Arnold Schering es war, ist bis zur Gegenwart das Urteil über diese Gattung Bachscher Musik landläufig vorgeprägt und wird in schillernden Varianten von Mal zu Mal erneut dargeboten. Dabei muß es befremden, daß abfällige Beurteilungen häufig nur pauschal oder auf einem einzigen aus dem Ganzen herausgelösten Aspekt basierend abgegeben werden. Doch auch in Publikationen, die sich etwas intensiver mit diesen Werken auseinandersetzen, findet man ähnlich abwertende Feststellungen. So liest man im „Musikwerk" unter dem Titel „Die Sinfonie" von Lothar Hoffmann-Erbrecht, dessen Vorwort aus dem Jahre 1964 stammt, unter anderem: „Die Thematik der 19 überlieferten Sinfonien C. Ph. E. Bachs ist meist bewegt und leidenschaftlich. In ihr äußert sich das Zeitalter des Sturm und Drangs. Auch in den weitausgreifenden Modulationen, den lebhaften Kontrasten und in der häufig wechselnden Instrumentation zeigt sich das ‚Geniewesen' jener Jahrzehnte. Dennoch sind C. Ph. E. Bachs Sinfonien keine vollgültigen Meisterwerke. Selten gelang es ihm, alle musikalischen Faktoren im klassischen Sinne zu koordinieren. Seine altertümelnde Breite, der häufig wenig differenzierte Rhythmus und die reiche Kontrapunktik stehen im seltsamen Kontrast zu der expressiven harmonischen und dynamischen Farbigkeit. Erstaunlich bleibt jedoch Bachs schier unerschöpflicher Formenreichtum."[9]

Was man dem Sinfonie-Komponisten Bach vorwirft – und diese beiden Literaturbeispiele stehen nur stellvertretend für viele andere kritische Bemerkungen –, sind im Grunde, summarisch gefaßt, zwei wesentliche Umstände: einmal das Altmodische, Bach selbst würde vom Altväterischen[10] gesprochen haben, gemeint ist damit der Barockgeist, der vor allem von der Generalbaßbesetzung seiner Sinfonien ablesbar scheint; zum anderen der fehlende Zusammenschluß einzelner bzw. sämtlicher musikalischer Faktoren zu einer einheitlichen Linie im klassischen Sinn. Diese Erkenntnis erlaubt es sogar, beide Vorwürfe zu einem einzigen zusammenzufassen: es ist die scheinbare Stillosigkeit oder – anders ausgedrückt – die Schwierigkeit, Bach stilistisch einzuordnen. Einerseits leuchten unübersehbar barocke Züge durch, dennoch läßt sich C. Ph. E. Bach nicht als Barockkomponist einstufen. Andererseits, so muß man ihm allenthalben zubilligen, sprüht als

---

8 Ders., a. a. O., S. 28, Anmerkung 1.

9 L. Hoffmann-Erbrecht, *Die Sinfonie* (Das Musikwerk, Heft 29), Köln 1967, S. 10.

10 Vgl. E. Suchalla, *Briefe von Carl Philipp Emanuel Bach an Johann Gottlob Immanuel Breitkopf und Johann Nikolaus Forkel* (Mainzer Studien zur Musikwissenschaft, Bd. 19, hrg. v. H. Federhofer), Tutzing 1985, S. 224.

Zeichen seines wachen Geistes und seiner hohen musikalischen Veranlagung in fast nicht vorstellbarer Fülle das eigene musikalische Gedankengut hervor, das allerdings nicht im klassischen Sinne verarbeitet ist. Folglich ist er selbstverständlich kein Klassiker. Summa summarum: ist er kein Meister des musikalischen Barock und hat er auch nicht die fixierten Qualitäten eines Schöpfers klassischer Werke, so ist er eben, da es dazwischen keine bedeutende Möglichkeit der Zuordnung mehr gibt, weder das eine noch das andere, also stilistisch ein Nichtskönner. Es mutet fast wie die lapidare Feststellung an: auf der einen Seite liegt der eurasische Kontinent, auf der anderen der amerikanische, getrennt durch den Ozean; was aber haben dazwischen Inseln zu suchen? Überflüssig zu betonen, daß damit ein Problem offengelassen, nicht genügend diskutiert und schon gar nicht zu Ende gedacht wurde. Wer aber so argumentiert, darf selbst natürlich den Beweis für seine Behauptungen nicht schuldig bleiben. Er muß daher das sinfonische Werk Carl Philipp Emanuel Bachs als Ausgangs- und Urteilsbasis heranziehen. Dies kann allerdings in einem verhältnismäßig kurzen Referat nicht in der gesamten Breite und für jede Sinfonie einzeln, sondern nur im Überblick geschehen.

Bachs Sinfonien lassen sich in drei Stadien aufteilen. Die ersten acht (Wq 173–181) sind mit Ausnahme seines Anfangswerkes, das er vierzehn Jahre vor dem nächsten im Jahre 1741 komponiert hat, innerhalb einer Zeitspanne von sieben Jahren zwischen 1755 und 1762 in Berlin entstanden. Sie unterscheiden sich unverkennbar von den elf Jahre später nachfolgenden sechs *Hamburger Sinfonien* (Wq 182), die Bach 1773 auf Bestellung des Barons Gottfried van Swieten geschrieben hatte. Zur letzten Gruppe sind schließlich die vier Hamburger *Orchestersinfonien mit zwölf obligaten Stimmen* aus dem Jahre 1776 zu zählen (Wq 183). Zu Bachs Lebzeiten sind nur fünf seiner Sinfonien im Druck erschienen. Die Berliner *e-Moll-Sinfonie* (Wq 177) aus dem Jahre 1756 ist ohne die später ergänzte Bläserbesetzung 1759 im Verlag Balthasar Schmid in Nürnberg gedruckt worden. Im Jahre 1780 hat der Schwickertsche Verlag in Leipzig die vier *Hamburger Orchestersinfonien* (Wq 183) veröffentlicht.

Daß Bach nie geleugnet hat, von seinem Vater[11] das Rüstzeug für sein musikalisches Wirken übernommen zu haben, ist allgemein bekannt. Deshalb erstaunt es nicht, daß ganz besonders in seinen Berliner Sinfonien barocke Schreibart auf Schritt und Tritt zu finden ist. Die Form der Sinfonie

11 C. Ph. E. Bach äußert sich darüber in seiner Selbstbiographie: „In der Komposition und im Klavierspielen habe ich nie einen andern Lehrmeister gehabt als meinen Vater." Zitiert nach: Charles Burney, *Tagebuch einer musikalischen Reise,* Hamburg 1772; Nachdruck, hrg. v. Eberhardt Klemm (Taschenbücher zur Musikwissenschaft, Bd. 65, hrg. v. R. Schaal), Wilhelmshaven 1985, S. 452.

allerdings ist neu und stand bei Bach in ihren Grundzügen von Anfang an fest. Die Dreisätzigkeit mit der Satzfolge schnell-langsam-schnell ohne das Menuett ist ein Stilmerkmal der Berliner Schule. Auch die Form des Eröffnungssatzes, der in allen achtzehn Werken der wichtigste ist, liegt von Beginn an vor. Man kann deshalb nicht von einer Form sprechen, die C. Ph. E. Bach erfunden hat. Sie bildet von ihrer Konzeption her jedoch einen sehr brauchbaren Rahmen für die neue Gedankenwelt der nachbarocken Komponistengeneration. Denn sie läßt nicht nur kontrastreiche Gedanken auf engstem Raum zu, sondern fordert sie sogar dem Komponisten ab. Wie die Gesamtanlage, so ist auch der erste Satz dreiteilig in Exposition, Mittelteil und Reprise gegliedert. Eine Einleitung, wie sie von Sinfonien anderer und späterer Meister bekannt ist, findet man bei Bach nicht, wohl aber eine satzabschließende Coda oder gar eine in den ersten schnellen Satz eingebundene Überleitung zum zweiten. Am Anfang seiner Expositionen steht immer das Thema selbst. Doch spätestens jetzt muß man die Begriffe sorgfältig überdenken, die aus dem Barock oder der Wiener Klassik mit anderen Gehalten verbunden sind. Denn die Themen dieser Epochen sind in ihrer Anlage nicht identisch und nicht generell mit den Bachschen gleichzusetzen. Darum trifft dafür die Bezeichnung „Hauptsatz“ und dessen Definition von Carl Ludwig Junker viel besser zu; er schreibt: „Der Hauptsatz ist in einem Tonstück eine Periode, welche den Ausdruck und das ganze Wesen der Melodie in sich begreift und nicht nur gleich anfangs vorkommt, sondern durch das ganze Tonstück öfters, in verschiedenen Tönen und mit verschiedenen Veränderungen wiederholt wird. Der Hauptsatz wird insgemein das Thema genannt, und Mattheson vergleicht ihn nicht ganz zu unrecht mit dem Text einer Predigt, der in wenigen Worten das enthalten muß, was in der Abhandlung ausführlicher entwickelt wird.“[12]

Auch ist es besser, „Seitensatz“ oder „zweites Thema“ durch den Begriff „Nebensatz“ wiederzugeben, da er nicht mit dem klassischen kantablen und in sich abgerundeten Thema verwechselt werden sollte, das bei Bach noch kaum zu finden ist. Daher läßt sich der Aufbau der Exposition folgendermaßen viergliedrig aufteilen:

Hauptsatz – Fortspinnung I – Nebensatz – Fortspinnung II

Der Anfang des Mittelteils aller Berliner Sinfonien ist markiert durch die wörtliche oder variierte Wiederholung eines Hauptsatzes auf der Dominante. Für die Folge danach läßt sich kein generelles Schema ablesen, da der Komponist formal ungebunden und auf das thematische Material der betreffenden Sinfonie speziell eingehend arbeitet. Erst das Ende dieses Abschnittes bereitet den Einsatz der Reprise mit dem Hauptsatz vor. In ihr

---

12 C. L. Junker, *Tonkunst,* Bern 1777, S. 2.

wiederholt sich im Grunde der Aufbau der Exposition von der Tonika aus, lediglich bei der *e-Moll-Sinfonie* Wq 177/78 von der Moll-Dominante her. Im einzelnen jedoch unterscheidet sich das Geschehen in der Reprise von dem der Exposition durch Erweiterungen, Verkürzungen, Auslassungen, melodische Veränderungen und variierte harmonische Gestaltungen. In fünf der acht Berliner Sinfonien rundet Bach den ersten Satz durch eine Coda ab oder hält ihn durch eine Überleitung für den Beginn des langsamen Satzes offen.

Wichtiger als diese äußere Gestalt ist der Gehalt, die musikalische Ausfüllung der vorgeprägten Struktur. In den Eröffnungssätzen dieser Berliner Sinfonien wird Bachs Bemühen offenkundig, trotz des beibehaltenen Generalbasses die menschliche Gefühlsskala in seine Musik einzubinden. Kontrapunktik im Sinne der barocken Fuge einer objektiven Verarbeitung des thematischen Materials sucht man in ihnen vergeblich. Für Bach steht die eigene Forderung obenan, dem Hörer durch seine Musik Ausdruck und Empfinden[13] zu vermitteln. Das kann sie jedoch nur, wenn man der „empfindlichen Seele eines Zuhörers“[14] zu tun gibt, ohne dabei „den Verstand zu betäuben“[15]. Dieses rasch wechselnde Empfinden, die plötzlichen Gefühlswallungen und die unterschiedlichen Gemütsbewegungen darzustellen ist Bachs erklärtes Ziel gewesen. Obwohl in den frühen Sinfonien ein Experimentieren und Suchen nach den passendsten Mitteln nicht zu übersehen ist, zeigt er in der Erfindung immer neuer Möglichkeiten und in ihrer Anwendung seine hervorragende Qualität als Komponist. So wird manches, was man ihm aus Unverständnis vorwirft, aus dieser Sicht begreiflich. Es wird deutlich, daß Bach begründetermaßen stilistisch anders arbeitet als die späteren Wiener Klassiker. Seine Kleingliedrigkeit in diesen Orchesterwerken fällt z. B. sehr auf. Einige Eröffnungssätze bestehen aus nur etwas mehr als 60 Takten. Im Gesamtdurchschnitt liegt die Anzahl der Takte bei 127, in den Berliner Sinfonien bei 113 Takten. Kaum mehr als drei oder vier Minuten dauern diese Sätze in der Aufführung. Gefühle sind eben kurzlebig.

Von daher wird auch die reiche Kontrastbildung auf engstem Raum verständlich. Große dynamische Gegensätze, gesteigert in der Wirkung durch kleinere oder größere Besetzung bei der Instrumentation, manchmal durch Gliederungs- oder Spannungspausen abgemildert bzw. verstärkt, unterstreichen die Absicht, subjektive Empfindungen darzustellen. Das bezieht sich auch auf die konträre Melodik von Haupt- und Nebensätzen, wobei ganz

---

13 C. Ph. E. Bach, *Versuch über die wahre Art das Clavier zu spielen,* 1. und 2. Teil, Faksimile-Nachdruck der 1. Auflage, Berlin 1753 und 1762, hrg. v. L. Hoffmann-Erbrecht, Leipzig 1957, 1. Teil, 3. Hauptstück, § 1, S. 115 f. und §§ 13 f., S. 122 f.

14 Ebd., § 1, S. 115.

15 Ebd.

besonders letztere in den meisten Fällen keine in sich abgeschlossenen thematischen Gebilde sind, sondern lediglich kurze melodische Gedanken umreißen. Die Kontrastbildung dringt selbst bis in den Hauptsatz vor, der dann nicht wie in den ersten beiden Sinfonien symmetrisch in 4 + 4 Takte aufgeteilt, sondern asymmetrisch gegliedert ist, z. B. in 6 + 2 Takte[16].

Der allzu starken Kleingliedrigkeit sucht Bach dadurch zu begegnen, daß er die einzelnen Abschnitte durch melodische Sequenzen oder kleinere Imitationen zwischen verschiedenen Stimmen dehnt. Für Überraschungen sorgt er, wenn schon die Anordnung der Exposition das Grundschema durchkreuzt. So fehlen z. B. in der vierten Sinfonie (Wq 176) die erste Fortspinnung und in der sechsten und siebten (Wq 179 und 180) die zweiten Fortspinnungen.

Wenn diese Tendenz, vom Schematischen abzurücken, in der Form nur gelegentlich deutlich wird, so zeigt Bach seine Neigung zum Verändern bei einem der wesentlichen Elemente, der Melodik, in ganz besonderer Weise. Kaum einmal, daß er den Hauptsatz oder andere melodische Gebilde, die im Mittelteil bzw. in der Reprise erneut auftauchen, notengetreu wiederholt. Mit großer Liebe zur Veränderung im Detail arbeitet er nach wörtlich beginnendem Zitat die Fortsetzung variiert aus, indem er verkürzt, erweitert, rhythmisch verändert, den melodischen Lauf in die Gegenrichtung ablenkt, in ein anderes Register nach oben oder unten führt, fast unmerklich einzelne Intervalle abwandelt und damit gleichzeitig die Harmonie wechselt. So könnte man den Mittelteil und des öfteren auch die Reprise als Schauplatz der Veränderlichkeiten und der Kontrastdarstellung bezeichnen. Diese Mannigfaltigkeit und verwirrende Fülle, gepaart mit häufigem Gebrauch von Pausen, mögen mit dazu beigetragen haben, daß man Bach „Zerrissenheit“ bzw. „Auseinanderfallen in unverbunden nebeneinanderstehende Einzelgedanken“[17] als Mangel seiner sinfonischen Werke angekreidet hat. Nur zu gern übersieht man dabei, wie Bach bestrebt ist, das Ganze durch ein umschlingendes, einheitliches Band aus einem gemeinsamen Kern, oft ist es der Hauptsatz, zu einer Einheit zusammenzufassen. Eine Steigerung erfährt die bindende Kraft durch die Verwendung von Motiven, die er aus den benutzten melodischen Gedanken entwickelt, in den Berliner Sinfonien allerdings erst als starre, sich in die Umgebung noch nicht geschmeidig einfügende Gebilde verwendet.

Die sechs *Hamburger Sinfonien,* auf Bestellung van Swietens komponiert, der Kürze wegen hier immer *Swieten-Sinfonien* genannt, weisen dagegen eine vorwärtsschreitende Entwicklung auf, basierend auf den Erfahrungen

16 Vgl. Sinfonie Nr. 3 (Wq 175).
17 Vgl. A. Schering, a. a. O., S. 28.

aus den Werken, die Bach mehr als ein Jahrzehnt früher geschrieben hatte. Noch im darauffolgenden Jahrhundert, im Jahre 1814, berichtet Johann Friedrich Reichardt in der Leipziger *Allgemeinen Musikalischen Zeitung* über die erste Aufführung dieser sechs Werke im Hause des Professors Büsch vor Bachs engstem Freundeskreis: „Bach componirte damals eben für den Baron van Swieten in Wien sechs große Orchester-Symphonien, in welchen er sich, nach Swietens Wunsch, ganz gehen ließ, ohne auf die Schwierigkeiten Rücksicht zu nehmen, die daraus für die Ausübung nothwendig entstehen mußten ... Im Hause des Profeßors Büsch wurde von Ebeling (dem Übersetzer von Burneys ‚Tagebuch') eine große Musik veranstaltet, um von jenen Symphonien, ehe sie abgeschickt wurden, eine vollständige Probe zu machen. Reichardt führte sie mit seiner Violine dem besorgten Componisten zu Dank an. Wenn sie auch nicht ganz deutlich wurden, so hörte man doch mit Entzücken den originellen, kühnen Gang der Ideen, und die große Mannigfaltigkeit und Neuheit in den Formen und Ausweichungen. Schwerlich ist je eine musikalische Composition von höherm, kekkerm, humoristischerm Charakter einer genialen Seele entströmt."[18] C.Ph. E.Bach hatte also freie Hand, was die aufführungstechnischen Probleme anging, dennoch scheint es, als habe van Swieten Wünsche zur Besetzung geäußert. Denn es verwundert, daß dies die einzigen Sinfonien Bachs sind, die ohne Bläserbeteiligung auskommen. Zwar muß man dabei von der ersten Sinfonie aus dem Jahre 1741 absehen, doch alle übrigen verwenden in unterschiedlicher Auswahl Flöten, Oboen, Hörner, Fagotte; sei es, daß sie gleich dazukomponiert waren oder erst später ergänzt wurden. In der Berliner Zeit bildeten sie nur eine klangliche Bereicherung, da sie entweder harmoniestützend oder melodie- bzw. baßverstärkend, nie aber als selbständig geführte Stimmen eingesetzt wurden.

Was jedoch war an diesen Werken für Orchester, nicht für Streichquartett[19], wie Hugo Riemann irrtümlich annahm, so originell, kühn und neu? Rein äußerlich hat sich die Form gegenüber den Berliner Sinfonien nicht verändert, auch sind die ersten Sätze mit einer Länge von 104 Takten im Durchschnitt vergleichsweise noch kürzer. Der Gehalt aber zeigt Entwicklung und Fortschritt. An der Absicht, seine Musik von dem menschlichen Empfinden her zu gestalten und Mitempfinden beim Hörer zu bewirken, hält Bach fest, nur werden die angewandten Mittel dazu feiner und präziser auf diese Intention abgestimmt. Es stehen zwar auch jetzt noch Abschnitte im schärfsten dynamischen Kontrast nebeneinander, um Ausdruck zu er-

---

18 *Allgemeine Musikalische Zeitung,* Leipzig 1814, XVI. Jg., Nr. 2, Sp. 28 f.

19 C. Ph. E. Bach, Sinfonien in G- und A-Dur (Wq 182, Nr. 1 und 4), hrg. v. H. Riemann als *Zwei Streichquartette,* Langensalza (1897).

zeugen. Dazwischen mehren sich jedoch die Anweisungen „cresc." und „decresc.", oder sie sind stufenweise vom Piano zum Forte auf kleinstem Raum ausgeschrieben; überhaupt vergrößert sich auffallend die Anzahl der dynamischen Zeichen, und das besonders in den langsamen Sätzen. Der Schritt von der barocken Terrassendynamik zur Übergangsdynamik ist in diesen Sinfonien zugunsten von nuancenreicheren Ausdrucksmöglichkeiten vollzogen. Daneben werden die einzelnen Stimmen selbständiger gesetzt und instrumentiert, so daß nicht mehr wie vorher die 1. Violine grundsätzlich das Wort führt und alle übrigen Instrumente sich dem unterzuordnen haben. Das trifft insbesondere auf die 2. Violine und Bratsche zu. Eine Klangerweiterung ergibt sich außerdem aus der häufig weiteren Lage, dem größeren Abstand, den die Stimmen zueinander einnehmen.

Und tatsächlich findet man in den *Swieten-Sinfonien* die angeprangerte Anwendung des barocken Stilmittels „Kontrapunktik", vor allem in der 2., 4. und 5. Sinfonie, in dieser sogar recht häufig. Doch damit wird C. Ph. E. Bach keineswegs zum Imitator seines Vaters; denn die Art der Verwendung ist eigenständig und neu. Als Fugato oder im dialogisierenden Stimmverlauf setzt Bach diese Technik in verhältnismäßig kleinen Dimensionen als ein weiteres Mittel zur Kontrastbildung ein. Ähnlich wie er auch das Unisono zur Hervorhebung bestimmter Stellen einfügt, sind kontrapunktische Passagen, episodenhaft eingestreut, Mittel zum Zweck der Darstellung von Empfindung und Ausdruck.

Spricht man zu Bachs Zeiten vom „kühnen Gang der Ideen" – und dabei darf man zum Vergleich die weniger „kühnen" Berliner Sinfonien vor Augen haben –, dann ist damit immer das harmonische Gefüge gemeint. Neben dem ausgiebigeren Gebrauch der Chromatik und der Dissonanzen, aus denen besonders die verminderte Oktave hervorsticht, heben sich die *Swieten-Sinfonien* durch Bachs Vorliebe für Septimen- und Nonenakkorde, durch die Bevorzugung von Sextakkorden und reichlich vorkommenden Ausweichungen und Modulationen, die auch entlegene Tonarten miteinander verknüpfen, von den Schöpfungen seiner Zeitgenossen in sehr positiver Weise ab. Rudolf Steglich formuliert: „Gerade weil aber die meisten seiner Zeitgenossen unter dem Drucke der Aufklärung in ihrer Harmonik verarmen, ist Emanuels Schaffen geschichtlich so bedeutsam."[20]

Stärker wird in den *Swieten-Sinfonien* auch der Einfluß des Konzertes spürbar, wenn die Vortragsart – vgl. z. B. die vierte Sinfonie! – streckenweise in Tutti und Concertino aufgeteilt ist. Als viel wichtiger allerdings muß man festhalten, daß Bach die melodischen Grundlagen von Haupt- und Nebensatz ständig mehr zur motivischen Gestaltung des gesamten Sat-

20 R. Steglich, Bach-Jahrbuch XII, Leipzig 1915, S. 69.

zes benutzt. Die in den Berliner Sinfonien verwendeten Motive zeichneten sich meist nur durch die rhythmische Komponente aus. Auch wenn sie intervallmäßig divergierten, hinterließen sie doch den Eindruck des Formelhaften, des Melodisch-Wertneutralen, da sie sogar in mehreren Sinfonien in annähernd gleicher Prägung auftreten konnten. Nun kommt dem Komponisten aber der scheinbare Mangel der Vielschichtigkeit seiner Themen entgegen, wenn er im Mittelteil drei oder mehr kontrastreiche Motive aus dem Hauptsatz in verschiedenen Stimmen gleichzeitig zu neuen thematischen Gebilden verarbeitet und damit, wenn auch noch sehr sporadisch zu entdekken, über das sich seiner Umgebung geschmeidig einfügende Motiv den Weg zur thematisch-motivischen Arbeit gefunden hat. In ihr ruht der Keim für die dualistisch ausgerichtete Durchführung in der Sonatenhauptsatzform der klassischen Meister.

Eine letzte Steigerung erfährt das sinfonische Schaffen C. Ph. E. Bachs in seinen vier Hamburger *Orchestersinfonien* (Wq 183), die er dem Prinzen von Preußen Friedrich Wilhelm, dem späteren König von Preußen, gewidmet hatte. Am 30. November 1778 teilt Bach seinem Leipziger Verleger Johann Gottlob Immanuel Breitkopf mit: „Herr Schwickert will von meiner Arbeit etwas in seinen Verlag haben. Ich habe vorm Jahre 4 große Orchester Sinfonien von 12 obligaten Stimmen gemacht. Es ist das größte in der Art, was ich gemacht habe. Weiter etwas davon zu sagen, leidet meine Bescheidenheit nicht."[21] In der zeitgenössischen Presse liest man: „Wer Sinn dafür hat, ... der findet volle Seelenweide an diesen herrlichen, in ihrer Art ganz eigenen Sinfonien ... Solche Werke sind Geschenke, die uns Bach nur allein geben kann ..."[22]

Lediglich in einer der früheren Sinfonien war eine ähnlich starke Besetzung vorgeschrieben, es war in der Berliner *D-Dur-Sinfonie* (Wq 176) aus dem Jahre 1755. Doch welch ein Unterschied zu diesen Sinfonien mit 12 obligaten Stimmen! Anders als sonst, da die tiefen Streicher und die Bläser unselbständig blieben, nehmen sie jetzt an dem melodischen Geschehen in großen Abschnitten des Satzes eigenständig teil. Die Farbigkeit des Orchesterklanges wächst erheblich an, wird aber noch durch weitere Komponenten verstärkt. Zusammen mit dem konzertierenden Prinzip entsteht eine feiner abgestufte und abwechslungsreiche Instrumentation, die unterschiedliche Gruppenbildungen dem Tuttiklang gegenüberstellt. Durchbrochene Arbeit taucht zum ersten Mal auf und läßt bei einem Motiv von nur vier Tönen, das durch alle Streichinstrumente wandert, den visionären Eindruck

21 Suchalla, *Briefe,* a. a. O., Brief Nr. 66, S. 90.

22 „Allgemeine Deutsche Bibliothek", Bd. 45, 1. Stück, S. 102, in: Suchalla, *Briefe,* a. a. O., S. 379.

aufkommen, als sei diese mosaikartig zusammengesetzte Melodie durch ein einziges Orchesterinstrument mit dem Stimmumfang von der 1. Violine bis hinunter zum Violoncello wiedergegeben worden. Haupt- und Nebensatz erhalten eine neue, gegensätzliche Qualität, zum einen instrumental angelegt und von den Streichern vorgetragen, zum anderen lyrisch anmutend und zumeist von den Bläsern gespielt; eine Wesensart, die man bei Beethoven gern als „männlich" und „weiblich" bezeichnet, ist hier also vorgeprägt. Die Wirkung solcher Mittel vergrößert sich noch dadurch, daß diese vier Kompositionen großflächiger angelegt sind – 163 Takte enthalten diese Eröffnungssätze im Durchschnitt – und der Klangreichtum somit dem Hörer deutlicher bewußt wird; denn das Formschema läßt Bach in seinen Grundzügen unangetastet. Außer den neuen Klangfarben wendet er zusätzlich die Dynamik in Verbindung mit Besetzung, Spannungspausen und Synkopierungen gezielt zur Ausdruckssteigerung an.

Motivische Arbeit existiert in allen vier Sinfonien, thematisch-motivische Arbeit lediglich in der ersten und letzten, der *G-Dur-Sinfonie.* Dafür aber zeigt C. Ph. E. Bach in dieser seiner letzten Komposition eines Orchesterwerkes durch die Zusammenführung aller gestalterischen Mittel den Höhepunkt seiner Ausdruckskunst in dieser sinfonischen Gattung an: Verknüpfung von Haupt- und Nebensatz durch motivische Arbeit; eine feinsinnige Instrumentierung, die sich in den konzertierenden Partien licht und durchsichtig, in den Tuttistellen fest und kraftvoll präsentiert; mehrere verschiedenartige Motive aus Haupt- und Nebensatz formen im Mittelteil durch gleichzeitiges Vorhandensein in verschiedenen Stimmen neue melodische Grundlagen, wodurch eine Verdichtung der motivischen Arbeit und eine Verzahnung und Vereinheitlichung des gesamten Satzes zustande kommt. Mustergültig stützt sich diese Satzkunst auf homophone *und* polyphone Elemente, die hier trotz der im Vordergrund stehenden Kontraste eine Annäherung beider Möglichkeiten eben durch die Wandlungsfähigkeit des neuartigen Motivs bewirken. Von den knappen Dimensionen solcher Abschnitte abgesehen, könnte man, ohne Konzessionen einräumen zu müssen, von einer Durchführung im klassischen Sinne sprechen.

Es ist richtig, daß die Mittel- und Schlußsätze sich an Bedeutung mit den Anfangssätzen nicht messen können, ja sie sind von einer aufzeigbaren geradlinig verlaufenden stilistischen Entwicklung praktisch ausgeschlossen. Während die Schlußsätze die Sinfonie im heiter-fröhlichen Tanzcharakter unproblematisch ausklingen lassen, überraschen viele der langsamen Mittelsätze jedoch durch Innigkeit und melodische Schönheit trotz ihrer relativen Kürze von durchschnittlich 53 Takten. Unter dem Einfluß der Arienmelodik dominiert in den besten Sätzen der verinnerlichte Gesang der melodieführenden Instrumentalstimmen, so daß die Worte Fritz Tutenbergs zutreffen, wenn er schreibt: „In der Geschichte der Sinfonie wird er [C. Ph. E. Bach] aber immer als der gelten, der den Anfangs- und Mittelsatz seelisch vertieft hat."[23]

Als schönstes Beispiel könnte man wohl den zweiten Satz der ersten *Hamburger Orchestersinfonie* (Wq 183,1) anführen, der einen lyrisch gehaltenen, gemütvollen Abschnitt zum Verweilen zwischen den beiden Ecksätzen darbietet und den Hörer zum „Mit-Empfinden"[24] im Sinne Bachs einlädt. Eine Überleitung am Ende des ersten D-Dur-Satzes und eine chromatische Rückung, die nach Es-Dur führt, kündigen den Beginn und Charakter des langsamen Satzes an. Die Form A B A' wird durch eine bisher nicht dagewesene Instrumentation ausgefüllt. Die Solo-Bratsche trägt die Melodie vor, ein Solo-Cello spielt die zweite Stimme, der Kontrabaß, sonst fast immer im Schlepptau des Violoncellos, ist in weiter Lage dazu nun mit einer eigenen Baßstimme bedacht. Zwei Oktaven höher verdoppeln die beiden Solo-Flöten die Viola- und Violoncellostimme. Der Generalbaß entfällt während des gesamten Satzes, und die bis dahin melodietragenden Violinen begnügen sich mit Pizzikato-Einwürfen, die unison Pausen zwischen zwei Melodie-Abschnitten überbrücken. Ausgehend von einer viertaktig gegliederten, symmetrisch angelegten Periodik und einer volksliedhaften Melodie mit sehr abwechslungsreichem Rhythmus, gepaart mit Chromatik und vielen Vorhalten, stellt diese Kleinform in Verbindung mit der neuen Art der Klangerweiterung das Gefühlshafte so nachhaltig in den Vordergrund, daß romantische Züge unüberhörbar werden. Und das gilt nicht nur für den langsamen Satz dieser Sinfonie, sondern auch für die Mittelsätze von mehreren anderen.

Faßt man nach diesem Werküberblick die Erkenntnisse zusammen, so läßt sich folgendes festhalten: Carl Philipp Emanuel Bach hat auf sinfonischem Gebiet von seiner Berliner Zeit bis hin zu den letzten Hamburger Kompositionen eine außerordentliche Entwicklung deutlich werden lassen. In seinem Bemühen, Ausdruck und menschliches Empfinden in und mit seiner Kunst wiederzugeben, hat er besonders mit den *Hamburger Sinfonien* die Musik seiner Zeit zu einem Höhepunkt geführt, mit dem er, unerreicht von all seinen norddeutschen Zeitgenossen, allein dastand. Seine subjektive Ausdruckskraft, die wegen des breitgefächerten Gefühlsspektrums nach immer neuen Aussagemitteln suchte – und sie bei ihm fand! –, hob seine Werke zu einer neuen Ebene empor. Damalige Musikkritiker nannten ihn in Einschätzung seiner hohen Erfindungsgabe und seiner eigenständigen, in die Zukunft gerichteten Perspektiven, die gleichzeitig seiner Umwelt Be-

---

23 F. Tutenberg, *Die Sinfonik Johann Christian Bachs,* Diss., Kiel 1928, S. 101.
24 C. Ph. E. Bach, *Versuch,* a. a. O., 1. Teil, 3. Hauptstück, § 13, S. 85.

wunderung und Hochachtung abverlangten, ein „Originalgenie". Anders als die Wiener Klassiker erreichte er sein Ziel durch das Prinzip des Kontrastes. Gedanken, Empfindungen, Gefühle entfalten keine Permanenz, ihre Charakteristika sind Kurzlebigkeit, Divergenz und Vielfalt; gleichermaßen mußte auch die Konzeption seiner Musik gestaltet sein, nur auf diese Weise konnte sie seine Intentionen befriedigen. Wenn diese Wesensart der Kontrastdarstellung zusammen mit der thematisch-motivischen Arbeit in die gleiche Richtung zielt wie die klassische Durchführung mit dem dualistischen Themenpaar, so mögen die Auswirkungen in bestimmten Aspekten einander begegnen, ihre Triebkraft aber entsprang einer völlig unterschiedlichen Disposition. Daher trifft die von Johann Friedrich Doles übermittelte, angeblich von Mozart stammende Äußerung über Bach „Mit dem, was er macht, kommen wir jetzt schwerlich aus, aber wie er's macht – da steht ihm keiner gleich"[25] wirklich zu. Bach ging unbeirrt seinen eigenen Weg, denn das, was er machen wollte, unterschied sich systematisch von dem Vorhaben der Klassiker, darum hätten diese ihre Werke auch nicht nach den seinen ausrichten können. Aber die Methode, mit welcher Bach seine Konzeption verwirklichte, eröffnete den Wiener Klassikern eine so breite Basis von brauchbaren Errungenschaften für die Realisierung eben ihrer musikalischen Vorstellungen, daß sich Haydn, Mozart und Beethoven bekanntlich mit großer Achtung und Anerkennung über C. Ph. E. Bach ausgesprochen haben.

Die zu Beginn zitierten Kritiken von Arnold Schering und Lothar Hoffman-Erbrecht können aus verschiedenen Gründen nicht zutreffen. Schering offenbart, daß ihm nur ein kleiner Teil der Werke Bachs bekannt war. Lediglich fünf der *Swieten-Sinfonien,* die anderen wohl nicht und kaum etwas von Bachs vokalem Schaffen hat Schering wirklich gekannt. Seine Fehleinschätzung, die *Swieten-Sinfonien* seien der Programm-Musik zuzurechnen, resultiert ebenfalls daraus. Recht hat er allerdings mit der Feststellung, daß Bach in der Entwicklung seiner Sonaten noch über die in den Sinfonien hinausgegangen ist. Verständlich, denn die Sonaten führte er selbst als einer der besten Klavierspieler seiner Zeit auf und brauchte dabei kaum vor technischen Schwierigkeiten zurückzuscheuen. Diese Voraussetzungen waren bei den meisten damaligen Orchestern jedoch nicht gegeben.

Auch Hoffmann-Erbrecht scheint nicht alle Sinfonien gekannt zu haben, sonst hätte er schwerlich die sogenannte *19. Sinfonie* in seine Betrachtungen einbezogen und ebenfalls nicht generell von reicher Kontrapunktik geredet. Seine Folgerung, daß Bachs Sinfonien einschließlich der in Hamburg kom-

---

25 C. H. Bitter, *Die Söhne Sebastian Bachs,* hrg. v. P. Graf Waldersee (Sammlung Musikalischer Vorträge, Nr. 49), Leipzig 1883, S. 23.

ponierten keine Meisterwerke seien, läßt sich kaum widerspruchslos hinnehmen; denn Bachs Sinfonien dürfte man wohl nicht mit der Elle der Klassik messen und ihm, der weder Klassiker war noch deren Ziele verfolgte, vorwerfen, er habe es nicht verstanden, alle musikalischen Faktoren im klassischen Sinne zu koordinieren. Der Vergleich liegt auf derselben Ebene, als wollte man den ersten Phonographen Edisons einem Studio-Schallplattengerät gegenüberstellen, um zu zeigen, welche schlechte Arbeit Edison zustande gebracht habe.

Bachs Leistung muß man jedoch aus seiner Zeit heraus beurteilen, und um sie würdigen zu können, muß man von seinen sinfonischen Werken selbst ausgehen, muß man sein unermüdliches Ringen um die beste Möglichkeit, die feinen Regungen des menschlichen Empfindens durch seine Musik auszudrücken, in Betracht ziehen und seine Arbeiten mit denen seiner Zeitgenossen vergleichen. Dann ergibt sich, daß seine Hamburger Sinfonien doch Werke eines Meisters sind. Sie entstanden nicht als Zwitter zweier großer Musikepochen, sie stellen auch keine Vorstufe – weil es zur Hauptstufe noch nicht gereicht hätte! – zur Wiener Klassik dar, weshalb es nicht angebracht ist, sie „vorklassisch" zu nennen; seine Werke sind so individuell, so typisch bachisch, daß man sie nicht in eine bestehende Rubrik einordnen kann. Darum sollte man sich entschließen zu sagen, sie sind im „Stile Carl Philipp Emanuel Bachs" geschrieben. Und gerade weil Bach eine so eigenständige Größe gewesen ist, konnte er der nachfolgenden Generation eine Fülle von Anregungen überantworten, wodurch er sich nicht zum Vorläufer degradierte, sondern sich durch seine Achtung gebietende Kapazität als Vordenker und Wegbereiter einer noch besseren musikalischen Zukunft empfahl.

Wolfgang Gersthofer

„Große Mannigfaltigkeit und Neuheit in den Formen und Ausweichungen"

Zu den Eröffnungssätzen von Carl Philipp Emanuel Bachs sechs Streichersinfonien Wq 182 (H 657–662)

Die Entstehungsumstände der 1773 von Carl Philipp Emanuel Bach komponierten sechs Streichersinfonien[1] (Wq 182) sind gut dokumentiert. Johann Friedrich Reichardt, zu jener Zeit in Hamburg weilend, erinnerte sich später:

> „Bach componirte damals eben für den Baron van Swieten in Wien sechs grosse Orchester-Symphonien, in welchen er sich, nach Swietens Wunsch, ganz gehen liess, ohne auf die Schwierigkeiten Rücksichten zu nehmen, die daraus für die Ausübung nothwendig entstehen mussten. ... Im Hause des Professors Büsch wurde von Ebeling eine grosse Musik veranstaltet, um von jenen Symphonien, ehe sie abgeschickt wurden, eine vollständige Probe zu machen. Reichardt führte sie mit seiner Violine dem besorgten Componisten zu Dank an. Wenn sie auch nicht ganz deutlich wurden, so hörte man doch mit Entzücken den originellen, kühnen Gang der Ideen, und die grosse Mannigfaltigkeit und Neuheit in den Formen und Ausweichungen. Schwerlich ist je eine musikalische Composition von höherm, keckerm, humoristischerm Charakter einer genialen Seele enströmt"[2].

Bach war also an keinerlei Konventionen gebunden, als er diese Werke schrieb. Man wird die Lizenzen, die van Swieten, der „Kenner", dem Hamburger Bach gab, als nicht nur auf die spieltechnische, sondern auch kompositorische und ästhetische Seite der Sinfonien gerichtet interpretieren können. So sind die Streichersinfonien in besonderem Maße Zeugnisse eines quasi unverstellten Stils, eines freien Gestaltungswillens, was sich in Reichardts Enthusiasmus für ihre Originalität spiegelt. Auf zwei Punkte verweist Reichardt explizit, auf die Handhabung der „Formen" und der „Ausweichungen". Letzteres bezieht sich – nach dem Sprachgebrauch der Zeit – auf Merkmale der harmonischen, modulatorischen Faktur. Wenn auch nicht klar ist, was genau Reichardt unter „Formen" verstand, ob man ihm also schon unser Formverständnis unterstellen kann, so ist es doch sehr loh-

---

1 Neuausgabe durch T. Fedtke, Frankfurt 1975/76. Bis auf Nr. 6 sind die Streichersinfonien auch in älteren Ausgaben erschienen.

2 J. F. Reichardt, „Noch ein Bruchstück aus J. Fr. Reichardt's Autobiographie. Sein erster Aufenthalt in Hamburg", in: *Allgemeine musikalische Zeitung* XVI (1814), Sp. 21–34, Zitat Sp. 28/29.

nend, sich bei der analytischen Beschäftigung mit den Streichersinfonien[3] auch ausführlich – mit stetem Seitenblick zur Harmonik – der formalen Gestaltung der Eröffnungssätze, die in der Sinfonik der Zeit meist die formal anspruchsvollsten Sätze sind, anzunehmen.

I

Betrachtet man die Form des 114 Takte umfassenden ersten Satzes der die Werkgruppe eröffnenden G-Dur-Sinfonie Wq 182/1 (H 657) unvoreingenommen, so läßt sich das fünfmalige Auftreten des heterogenen Anfangsmotivs (bzw. -motivgruppe) feststellen: T. 1 ff. in G-Dur, T. 33 ff. in D-Dur, T. 59 ff. in C-Dur, T. 89 ff. in G-Dur sowie T. 107 ff. in G-Dur. Dabei kann der letzte, relativ kleine Abschnitt, der auf die ersten vier Takte des Satzanfangs zurückgreift, als codale Bildung, die tonal zum in E-Dur stehenden langsamen Satz vermittelt, begriffen werden. Vier größere Abschnitte, die mindestens in den jeweils ersten sechs Takten genau (abgesehen natürlich von den Transpositionen) übereinstimmen, konstituieren also den eigentlichen formalen Aufbau des Satzes. Suchalla unterwirft auch diesen Satz seinem Schema des dreiteiligen Eröffnungssatzes, indem er den zweiten und dritten Abschnitt zum „Mittelteil“[4] zusammenfaßt, ersten und vierten Abschnitt als „Exposition“ bzw. „Reprise“ bezeichnet. Die Rückführung auf das Sonatensatzmodell aber ist gerade in diesem Satz mehr als problematisch. Nicht nur scheinen die Proportionen des dreiteiligen Konzepts (32–56–18 Takte + 8 Coda/Überleitung) gegenüber den Abmessungen einer „normalen“ Sonatenform verzerrt, auch die innere (harmonische und

3 Die Literatur zu den Sinfonien muß – im Vergleich zum recht umfangreichen Schrifttum über die Klaviersonaten – als ziemlich schmal bezeichnet werden. Die einzige größere Arbeit ist E. Suchalla, *Die Orchestersinfonien Carl Philipp Emanuel Bachs nebst einem thematischen Verzeichnis seiner Orchesterwerke,* Augsburg 1968. D. Schulenberg, *The Instrumental Music of Carl Philipp Emanuel Bach,* Ann Arbor/Mich. 1984 zieht nur gelegentlich Beispiele aus Sinfonien heran. Vgl. weiters B. Zuber, „Witz und Genialität. Ein Versuch über Carl Philipp Emanuel Bachs Sinfonien“, in: *Neue Zeitschrift für Musik* 148 (1987), Heft 3, S. 4–9, ein Aufsatz, der auch Ideengeschichtliches behandelt, sowie die entsprechenden Kapitel bei H.-G. Ottenberg, *Carl Philipp Emanuel Bach,* 2., durchgesehene Auflage, Leipzig 1987. Ein guter und relativ ausführlicher Überblick in E. Wellesz und F. W. Sternfeld, „The Early Symphony“, in: *The Age of Enlightenment.* Hrg. von E. Wellesz und F. Sternfeld (= New Oxford History of Music Vol. VII), London 1973, S. 366–433; siehe auch Vorwort zu *Carl Philipp Emanuel Bach. Six Symphonies.* Hrg. von C. C. Gallagher und E. E. Helm (= The Symphony 1720–1740. Hrg. von B. S. Brook, Serie C, Vol. VIII) New York und London 1982.

4 Suchalla wählt vorab die neutrale Bezeichnung, um auch die Erscheinungen in den frühen Sinfonien mit einbeziehen zu können, sieht aber eine Entwicklung des „Mittelteils“ hin zur „Durchführung“, die zum Teil in den Streichersinfonien schon, vollends dann in den vier großen Orchestersinfonien von 1775/76 vollzogen sei, sie Suchalla, S. 16, 53, 59, und 137/38.

motivische) Beschaffenheit der drei Teile sperrt sich gängigen Vorstellungen.

Im ersten Abschnitt[5] (T. 1–32) leitet der Forte-Aufschwung des sechsten Taktes in eine Figurationspartie (T. 7–14), die, indem die motivische Kontur zu einer großen bewegten Fläche aufgelöst ist, völlig in harmonischer Entwicklung aufgeht. Nach dem „harmlosen“ T D^7_3 T-Wechsel (T. 7/8), der genau die Harmoniefolge aus T. 4–6 gleichsam beschleunigt wiedergibt bzw. auf die überhaupt nur zwischen Tonika- und Dominantseptharmonien wechselnde Harmonik der ersten sechs Takte zurückweist, kommt es zu einem jener harmonischen „Schocks“, die als typisch für Carl Philipp Emanuel Bach gelten können: zu einem unvermittelt hereinbrechenden verminderten Septakkord (über dis), der einen verminderten Quartsprung in der Baßstimme verursacht. Funktional ist er Zwischendominate zur Tp e-moll, von der aus sich ähnliches wie vordem ereignet: Bestätigung der Tp durch ihre D^7_3, ein weiterer verminderter Septakkord (T. 10) drängt nun nach a-moll (als Sextakkord).

Dieser Klang (T. 11 erste Hälfte) wird als S^6 aufgefaßt, nun doppeldominantischer Durchgang zur Dominante, der auf dem letzten Viertel von T. 12 die Sept zugefügt wird; T. 13 Molltrugschluß (tG Es-Dur als Trugschluß der Molltonika), der – ein beliebter Kunstgriff bei solchen Trugschlußinterpolationen – in der zweiten Takthälfte zu einem doppeldominantischen verminderten Septakkord mutiert. Nach der solcherart in T. 14 harmonisch auskomponierten Dominante begrenzt eine Zäsur die Partie. Die harmonisch entscheidenden – nicht einem logischen Harmonieverlauf entspringenden – Klänge, jene „frei einsetzenden“ verminderten Septakkorde in T. 8 und 10 sind satztechnisch und dynamisch herausgehoben: durch eine andere, aggressiveres Zupacken ermöglichende Figuration, durch das Stocken des Viertelpulses in Baß und Bratsche sowie durch die ff-Vorschrift inmitten des sonst geltenden forte. Und auch der dritte harmonische „Schock“, der Trugschluß von T. 13, ist durch die beiden letztgenannten Charakteristika ausgezeichnet. Zwar kann man, den gesamten harmonischen Verlauf der Figurationspartie im nachhinein überblickend, eine Großkadenz mit den Stationen T, Tp (T. 9), Sp_3 bzw. S^6 (T. 11), D und Molltrugschluß (T. 12/13) konstatieren, wobei die zweite und dritte Station durch ihre Zwischendominanten in Form verminderter Septakkorde auskomponiert sind, die ostentative Präsentation ebendieser Zwischendominanten aber (ihrer eigentlichen Aufgabe gemäß fügen sich Zwischendominanten glatt – möglichst in Durchgängen – einer harmonischen Progression ein, wie dies etwa

5 Zu Beschreibung und Interpretation dieses Abschnittes siehe v. a. B. Zuber, Witz und Genialität, a. a. O., S. 8; ferner Suchalla, S. 29/30.

in der zweiten Hälfte von T. 11 zu sehen ist) unterminiert quasi diese Interpretationsmöglichkeit während des augenblicklichen Hörvorgangs. Die T. 7 analoge Gestaltung des neunten Taktes tut ein übriges, um zunächst eher den Eindruck einer sequenzierend-dahintreibenden Entwicklung aufkommen zu lassen.

Die etwas lang geratene harmonische Charakterisierung des Achttakters sollte verdeutlichen, was hier Carl Philipp Emanuel Bachs Devise war: nicht zielgerichteter Verlauf, sondern Darstellung harmonischer Überraschungswirkungen, wie das im scharfen Trugschluß (die leitereigene sechste Stufe e-moll wäre weit weniger einschneidend gewesen) nochmals gegen Ende der Partie veranschaulicht wird. Lediglich von einer Passage, die von der Tonika zur Dominante leite[6], zu sprechen, trifft den Sachverhalt nur unzureichend.

Und mit harmonischen Überraschungen geht es weiter: Weder G-Dur noch D-Dur, was man erwarten würde, folgt auf die Zäsur in Takt 14, sondern ein vereinzeltes gis' (übermäßige Quarte vom d' vor der Zäsur aus), das sich als Leitton zu a-moll entpuppt. Die hörpsychologischen Implikationen dieser Manipulation und der motivischen Qualität der nächsten Takte (Rückgriff auf T. 2 ff.) hat Barbara Zuber ebenso wie den komplexen Bezug der Takte 15–20 auf die sechs Eröffnungstakte (Umkehrung der Zerlegungsfigur, Vertauschung von Forte- und Piano-Teil) treffend beschrieben[7]. Der a-moll-Bereich erstreckt sich bis T. 20 und wird durch eine förmliche Kadenz beschlossen, darauf schließt sich der harmonische Kreis, all die turbulenten harmonischen Ereignisse laufen letztlich in ihren Ausgangspunkt zurück: mit T. 24 ist die Grundtonart G-Dur etabliert. Von dieser wiedergefestigten Grundtonika aus macht Carl Philipp Emanuel Bach nun das, was beim ersten Anlauf (T. 7 ff.) (gewollt) „mißlang": eine ganz normale, gar nicht extravagante Überleitung in die Dominanttonart. Einer knappen, zielstrebigen Modulation werden breit ausgeführte Halbschlußartikulationen, die zur motivischen Füllung der T- und D-Harmonien den aus der „rhythmischen Keimzelle" des Satzes ♩ ♫ ♩ unmittelbar abgeleiteten Rhythmus ♩ ♫ ♫ verwenden, angehängt. Spätestens hier wird deutlich, daß zwischen der expansiven Harmonik der Figurationspartie (T. 7–14) und der Abweichung nach a-moll eine gewisse Beziehung besteht: Die nicht mit letzter tonaler Stringenz ausformulierte harmonische Bewegung schließt die Möglichkeit einer Abweichung von der angedeuteten Richtung schon mit ein bzw. – von der anderen Seite her gesehen – sie ist der Abweichung Be-

6 So Suchalla, S. 30.
7 Zuber, S. 8 und „Graphik" S. 7.

dingung. Jetzt aber, T. 28 ff., wird der Halbschluß so nachdrücklich stabilisiert, quasi zementiert, daß nichts mehr „schiefgehen" kann (und nach der Zäsur in T. 32 beginnt der zweite Abschnitt ja auch in D-Dur).

Wir müssen festhalten: Der erste Abschnitt des Satzes endet harmonisch keineswegs wie eine Exposition, deren Ende den schon länger herrschenden Dominantbereich, falls es ein Dur-Satz ist, durch (u. U. mehrfache) Kadenzierung abschließt, sondern wie eine Überleitung zum Seitensatz, die eine neue tonale Region erst eröffnet.

Wird also der zweite größere Abschnitt[8] (T. 33–58) wie ein Seitenthema durch eine sich aufbauende Erwartungshaltung vorbereitet, so läge vorerst die Idee nahe, bei dem T. 33 einsetzenden nach D-Dur transponierten Anfangsmotiv (wobei die wieder originale „rhythmische Keimzelle" eine reizvolle Korrespondenz - auch hier, wie im Harmonischen, ein Sich-Schließen - zu den vorausgegangenen Takten herstellt) handle es sich um die öfters von Haydn angewandte monothematische Technik, Haupt- und Seitensatz mit dem selben thematischen Material zu besetzen. Jedoch nicht lange mehr hält sich der zweite Abschnitt in der Dominanttonart auf (was man von einer dem Seitensatz angefügten, abkadenzierenden Schlußgruppe aber fordern müßte), der größere zweite Teil desselben steht in der Subdominanttonart C-Dur. Den Übergang dorthin vollzieht nach dem tongetreu transponierten Anfangsmotiv (T. 33–38) die Figurationspartie, welche grundsätzlich wie die des ersten Abschnittes - nur kürzer - ausgeführt ist, im Detail aber, d. h. im harmonischen Verlauf, andere Wege geht.

Schon zu Beginn der Passage wird nicht mehr der Ausgangsklang dominantisch bestätigt, sondern er verwandelt sich selbst in einen Dominantseptklang, der sich folgerichtig in die Unterdominant G-Dur (T. 40) auflöst. Und auch der verminderte Septakkord prägt ein neues Spannungsverhältnis zu seiner Umgebung aus, er bringt die Wendung nach a-moll (also einen Sekundschritt aufwärts bzw. vom Ausgangsklang D-Dur aus in die Molldominante). Der zweite herausgehobene Akkord (zweite Hälfte T. 42) ist diesmal kein verminderter Septakkord, ein Dominantquintsextakkord reißt das Geschehen - wieder ist die Ausweichung weder vorhersehbar noch durch Analogie zur entsprechenden Stelle der ersten Figurationspartie erschließbar - in einen F-Dur-Klang, der des weiteren (wie der in T. 11 erreichte Klang) als subdominantisch sich erweist. Das durch Kadenz (beachte den aus der Halbschlußpartie bekannten Rhythmus der Unterstimmen in T. 46) befestigte C-Dur ist die Basis eines zweitaktigen Piano-Motivs und seiner

8 S. Suchalla, S. 50/51, dort auch der dritte Abschnitt besprochen, da beide Abschnitte zum „Mittelteil" zusammengezogen sind.

echoartigen freien Wiederholung (oder soll man sie Variante nennen) in Triobesetzung. Wenn irgendetwas im ersten Satz der G-Dur-Sinfonie einen seitenthemenähnlichen Charakter hat, dann dieser Viertakter, nur steht er eben nicht mehr in der Seitensatztonart. Er ist überhaupt die einzige motivische Bildung des Satzes, der man eine halbwegs geschlossene melodische Kontur – schon von thematischer Qualität zu sprechen, wäre eine Übertreibung – attestieren kann. Das zeigt sich besonders im Kontrast zu den folgenden, sehr kleinteiligen, durchbrochenen Takten, die derart in Vereinzelung versinken, daß es in der zweiten Hälfte von T. 57 eines energischen Tuttiansatzes, der übrigens ganz ähnlich in vergleichbarer Situation bereits in T. 22/23 auftrat, bedarf, um den Satz weiter- bzw. in den dritten Abschnitt hineinzuführen.

Der dritte Abschnitt (T. 59–88) zitiert das Anfangsmotiv in der beibehaltenen Subdominanttonart C-Dur. Wiederum andersartige harmonische Fortschreitungen beinhaltet die Figurationspartie, welche ihre ursprüngliche, achttaktige Ausdehnung zurückerhält und gar in die gleiche D-Dur-Zerlegung plus Zäsur ausläuft wie im ersten Abschnitt. Die Maxime ist klar: Starke harmonische Reize sind nicht einfach transponierbar, ohne an aktueller Intensität einzubüßen. Mit stets neuen Überraschungswirkungen wartet daher Philipp Emanuel Bach in diesen „Überraschungspartien“, wie sie auch heißen könnten, auf. Eine weitere, motivisch-satztechnische Überraschung hat er hier im dritten Abschnitt noch parat: Baß und Viola brechen in T. 70/71 aus der harmoniegebundenen Viertelmarkierung aus, gewinnen Eigenleben, in die Wogen der weiterfigurierenden Violinen werfen sie ein Motiv, das die Takte 18/19 paraphrasiert, welche ihrerseits zum Rhythmus des Eröffnungstaktes in Beziehung stehen. Der – in T. 18/19 vorgezeichnete – rhythmische Ruck in T. 71, vom nun schon auf die zweite (statt dritte in T. 70) Zählzeit zielenden Sechzehntelpaar hervorgerufen, wird durch die dynamische Stufung besonders plastisch hervorgekehrt. Nach der Zäsur T. 72 orientiert sich der motivische Ablauf weiterhin am ersten Abschnitt, die harmonischen Verhältnisse liegen allerdings anders, das langgezogene cis” in der 1. Violine entpuppt sich nun als doppeldominantischer Leitton in g-moll. Der Forte-Kontrast des ersten Abschnittes (T. 18/19) kann jetzt entfallen, da jenes Motiv modifiziert innerhalb der Figurationspartie antizipiert wurde, statt dessen wird die Piano-Motivik fortgesponnen, dynamisch und schließlich – nach c-moll gleitend – motivisch reduziert, bis sie sich in einem c-moll-Trugschluß, einem As-Dur-Akkord also, verliert. Nach halbtaktiger Generalpause ereignet sich die wohl schärfste harmonische Konfrontation des Satzes (auch dynamisch treffen die Extreme pp und ff – wie sonst nur noch im kurzen Überleitungsabschnitt zum zweiten Satz – unmittelbar zusammen):

Notenbeispiel 1, Wq 182/1, 1. Satz

Der A^7-Klang, mit dem in T. 81 das Tutti hereinbricht, hat doppeldominantische Funktion bei der Wiedereinsetzung der Grundtonika G-Dur (Tonika zum ersten Mal T. 83), auf den vorausgegangenen As-Dur-Klang läßt er sich funktional nicht beziehen. Die beiden Klänge gehören verschiedenen Bezugssystemen an; dabei ist bemerkenswert und aufschlußreich, daß sie untereinander in denkbar starker Spannung treten sowie jeweils in ihren Systemen starke Spannungszustände repräsentieren. Einerseits bleibt der Trugschluß einfach stehen (so kann man in c-moll nicht aufhören), andererseits wird mitten in einen ausgreifenden Kadenzierungsprozeß hineingesprungen (so kann man in G-Dur nicht anfangen). Diese grandiose Stelle ist eben nicht „beispielhaft für viele andere Modulationen des Satzes“[9], vielmehr ein klassisches Extrembeispiel von Nicht-Modulation: zwei tonale Bereiche prallen hier aufeinander. Und dieses Aufeinanderprallen hat Emanuel Bach so drastisch wie nur irgend wünschenswert auskomponiert. Formdynamisch, d.h. in Position und Aufgabe innerhalb des Abschnittes, entspricht der Tuttieinfall T. 81 dem von T. 22 Mitte, beide münden in die harmonisch vorbereitende Halbschlußpassage (T. 84 ff. lehnt sich wieder – natürlich in G-Dur – ziemlich wörtlich an T. 28 ff. an). Sie sind auch insofern dialektisch verbunden, daß sie die zwei verschiedenen Figurierungsarten der Figurationspartie jeweils gesondert zur Anwendung bringen.

Im vierten Abschnitt[10] (T. 89–106) ist es keine schlechte Überraschung, daß die „Überraschungspartie“ völlig fehlt. Der energische Terzenaufschwung in T. 94 geht nun „ins Leere“: subito piano tritt jenes motivische Gebilde ein, dem bei seinem ersten Erscheinen im zweiten Abschnitt seitensatzähnlicher Charakter zugesprochen wurde. Auch die restlichen acht Takte des vierten Abschnittes transponieren genau die weitere motivische Entwicklung des zweiten. Das hatte Suchalla natürlich ebenfalls bemerkt, aber er zog keine Konsequenzen daraus. Hier hätte er spätestens den Begriff der „Reprise“ für diesen speziellen Satz überdenken und problematisieren müssen. Kann man einen Formteil, dessen motivisches Material nur zu einem Drittel (in den ersten 6 von 18 Takten) auf die postulierte „Exposition“ zurückgreift, noch als „Reprise“ bezeichnen?

Die Frage führt uns zur Interpretation des im Verlauf der Analyse Dargelegten in bezug auf die Großform des Satzes. Ich glaube, alle Versuche, die vier größeren Abschnitte (der letzte, kurze Abschnitt kann seiner eindeutigen Überleitungsfunktion wegen bei den formalen Erörterungen außer Betracht bleiben) auf die dreiteilige Sonatenform[11], die – das muß zur histori-

9 Suchalla, S. 51.
10 Siehe Suchalla, S. 66.
11 Ich bin mir hier der unreflektierten Verwendung des Begriffes durchaus bewußt, *die* So-

schen Situation der Form gesagt werden - in Joseph Haydns Sinfonien der frühen 1770er Jahre schon deutlich „in herkömmlichem Sinne" ausgeprägt ist, zu projizieren, müssen scheitern. Zwei Abschnitte zu einem Formteil zusammenzufassen, ist nicht möglich, ohne jeweils Probleme aufzuwerfen. Ist der erste Abschnitt keine Exposition, da er in der Dominanttonart nicht schon abkadenziert, sondern sie gegen Ende erst herbeiführt, so sind erster und zweiter Abschnitt zusammen keine Exposition mehr, da mitten im zweiten Abschnitt die Dominanttonart wieder verlassen wird (eine schlußfähige Kadenz in der Dominanttonart gibt es überhaupt nirgends!). Der dritte Abschnitt wäre motivisch eine Reprise (des ersten Abschnittes), ist es aber nicht harmonisch; und der vierte Abschnitt ist dann harmonisch eine Reprise (er steht ganz in der Grundtonart G-Dur), motivisch aber keine bzw. eine des zweiten Abschnittes. Und die Zusammenfassung von zweitem und drittem Abschnitt suggeriert eine Symmetrie der rahmenden Außenteile, verdeckt gerade den Parallelismus zwischen erstem und drittem sowie zweitem und viertem Abschnitt. Die Schwierigkeiten, denen wir uns hier ausgesetzt sehen, werden - und das ist entscheidend - nicht geringer, wenn wir die Formkriterien der zeitgenössischen Theorie[12] heranziehen, die im wesentlichen harmonisch-tonaler Natur waren. Der erste Großteil bewegt sich von der Tonika zur Dominante, worinnen er kadenziert, der zweite Großteil - die Theorie betonte noch lange, weil die harmonische Sichtweise für essentieller als die motivische gehalten wurde, die Zweiteiligkeit des Satzes, wie sie auch häufig in zwei Repetitionsteilen zum Ausdruck kommt, räumte aber durchaus die Möglichkeit einer motivisch fundierten Dreiteiligkeit ein - moduliert, es können größere Umwege beschritten werden (modern gesprochen: Durchführung), zur Tonika zurück, in der zumindest[13] die zweite Hälfte des ersten Teils (Dominantbereich) transponiert wiederkehrt. Es läßt sich mit diesem Modell nicht in Einklang bringen, daß in Bachs Satz der erste neue, motivisch akzentuierte tonale Bereich a-moll ist. Gegen Ende des Satzes (T. 95 ff.) wird zwar eine längere frühere Passage in die Grundtonart transponiert, aber sie stand ursprünglich, im zweiten Abschnitt, in der Subdominanttonart! Alle Divergenzen zum Modell der Sonatenform, die sich bei „herkömmlicher" wie zeitgenössischer Betrach-

---

natenform gibt es, gerade im 18. Jahrhundert, nicht. Mit der Auffassung der Sonatenform als Bündel von einigen Gestaltungsprinzipien, das um 1770 bereits eine gewisse Konsistenz erreicht hat, läßt sich jedoch arbeiten.

12 Dazu umfassend F. Ritzel, *Die Entwicklung der „Sonatenform" im musiktheoretischen Schrifttum des 18. und 19. Jahrhunderts,* Wiesbaden 1968; ferner L. G. Ratner, „Harmonic aspects of classic form", in: *Journal of the American Musicological Society* II (1949), S. 159-168.

13 Ob es sich um eine verkürzte oder vollständige Reprise in der Grundtonart handelte, war - wenigstens in den Augen der Theorie - sekundär.

tungsart dieses Satzes ergeben, als bewußte Abweichungen und gewollte Ambivalenzen[14], als reflektierenden Umgang mit dem Formmodell aufzufassen – ein bei Beethoven angemessener Interpretationsansatz –, kann nicht angehen. Denn Divergenzen und Ausnahmen sind nur solange als Abweichungen interpretierbar, solange die Umrisse des Bezugsmodells erkennbar bleiben. Gerade das aber ist hier nicht mehr der Fall. Ein Vergleichsbeispiel, in dem der Rahmen nicht überschritten wird, soll der Verdeutlichung des Gemeinten dienen. Johann Christoph Friedrich Bachs 2. Sinfonie, B-Dur[15] (Wohlfarth I/2, die einzig erhaltene Quelle, eine Abschrift, trägt die Jahreszahl 1768) bringt zu Beginn des Durchführungsteils des ersten Satzes einen neuen, sehr kantablen periodisch geschlossenen achttaktigen Gedanken, der in der Reprise dann als Seitenthema fungiert (die Exposition hatte nur ein kurzes, weniger ausgeprägtes Seitensatzmotiv)[16].

Diese Integration eines Gedankens in einen schon bestehenden Formzusammenhang, die Schlußpartie der Exposition folgt auch auf den neu eingefügten Gedanken in der Reprise, ist ohne weiteres auf dem Hintergrund der Sonatenform als spezifische formale Idee rezipierbar, die Großdisposition der Satzteile wird von ihr nicht gefährdet. Auf den ersten flüchtigen Blick scheint in der ersten Streichersinfonie Carl Philipp Emanuel Bachs, wenn man an der dreiteiligen sonatenmäßigen Gliederung[17] Suchallas festhält, etwas ähnliches vorzuliegen: In der „Reprise" (vierter Abschnitt) tritt ein in der „Exposition" (erster Abschnitt) nicht vorhandenes, aus dem „Mittelteil" (zweiter und dritter Abschnitt) stammendes Piano-Motiv, das zudem noch – in Relation zu den anderen Gebilden des Satzes – seitenthemenähnlichen Charakter hat, wieder auf. In Wirklichkeit aber wird hier nichts in einen präexistenten Zusammenhang eingefügt, sondern etwas ausgelassen: Der vierte Abschnitt wiederholt den ganzen motivischen Zusammenhang des zweiten Abschnittes unter Wegfall der Figurationspartie!

Kurzes Fazit der Überlegungen: Ich sehe keine Möglichkeit, die Begriffe „Exposition", „Durchführung" (oder „Mittelteil") und „Reprise" in diesem speziellen Sinfoniesatz Carl Philipp Emanuel Bachs sinnvoll anzuwenden. Es handelt sich vielmehr um eine genuin vierteilige Struktur mit übergeord-

---

14 Etwa in der Art: der Beginn des zweiten Abschnittes schwebe unentschieden zwischen Haydnschem monothematischen Seitensatz (s. o., S. 291) und der gängigen Durchführungseröffnung mit dem in die Dominante transponierten Hauptthema.

15 Neudruck in: *Johann Christoph Friedrich Bach. Four Early Sinfonias.* Hrg. von E. V. Nolte (= Recent Researches in the Music of the Classical Era Vol. XV), Madison/Wisc. 1982.

16 Siehe H. Wohlfarth, *Johann Christoph Friedrich Bach. Ein Komponist im Vorfeld der Klassik,* Bern und München 1971, S. 108–110.

17 Auch B. Zuber verwendet für den ersten Satz der ersten Streichersinfonie die Begriffe „Exposition" und „Durchführung".

neter Zweiteiligkeit[18]: A B A’ B’ (Coda). Der motivische Parallelismus zwischen erstem und drittem sowie zweitem und viertem Abschnitt ist formkonstitutiv und nicht eine Unregelmäßigkeit. Dabei stimmen alle Abschnitte motivisch in ihrem ersten Teil überein, schematisch dargestellt: αβ α’γ α”β’ α”’γ. Die Konstruktion der α-Teile - damit gehen wir noch eine Gliederungsebene tiefer - unterliegt dem Prinzip, eine im Satzverlauf konstante Partie (die sechs ersten Takte jedes Abschnittes) mit einer variablen (Figurationspartie) zu verbinden, wenn man das völlige Verschwinden eines Formelements als radikale Möglichkeit der Variabilität gelten lassen will. Auch β und γ zweizuteilen, mutet durchaus nicht gewaltsam an, wenn es auch nicht absolut zwingend ist. Ein letztes Mal sei Zuflucht zu einem Buchstabenschema genommen, um die Strukturierungsmerkmale und Beziehungen der einzelnen Elemente untereinander in eine (notwendigerweise vergröbernde) Überschau zusammenzuzwingen: abāc ab’de ab”ā’c’ ade (Coda). Die Bezeichnung ā berücksichtigt die komplexe Ableitung dieses Elements aus dem Anfangsmotiv, die eben weit mehr als nur Variante, wofür ’ steht, ist.

Die Ergebnisse der obigen Analyse sind also stets im Schema mitzudenken. Die Technik, jeden Abschnitt mit dem selben Motivzusammenhang, der in Mittelabschnitten nur auf andere Stufen transponiert ist, zu eröffnen, läßt an die Ritornellform[19] des Konzertsatzes - eine Formtradition, die Carl Philipp Emanuel Bach sicher nahestand - denken. In der Behandlung aber dieser Tradition wird der Abstand zu ihr sichtbar, die ersten sechs Takte (das konstante Formelement a) sind alles andere als ein in sich geschlossenes Tuttiritornell. Das berührt nun die innere Gestaltung der Abschnitte, die - dies wurde in der Analyse mehrfach gestreift - durch eine überaus kontrastreiche Harmonik, Dynamik und Motivik gekennzeichnet sind.

Die einzelnen Abschnitte sind - ein wesentlicher Unterschied zur Sonatenform - grundsätzlich gleich gebaut, nicht was die konkrete Motivfolge, sondern die Bauprinzipien an sich, die harmonische und motivisch-syntaktische Disposition angeht. Etwa kann man kaum entscheiden, in welcher Figurationspartie die harmonischen Fortschreitungen „stärkere“ Ausweichungen (im Sinne einer Durchführungsharmonik) bilden, in allen drei Partien sind sie verschiedene, aber gleichwertige, nicht graduell abgestufte Überra-

---

18 Dies ist natürlich nicht - es sei betont, um Mißverständnisse gleich zu vermeiden - die Zweiteiligkeit des zeitgenössisch-theoretischen Sonatenkonzepts, wie schon ein Blick auf die harmonischen Gegebenheiten allein zeigt: B vollzieht den Übergang von der Dominant- zur Subdominanttonart, kadenziert also nicht in der Dominanttonart ab.

19 Vgl. auch die allgemein gehaltene Feststellung J. LaRues: „... er [C. Ph. E. Bach] kann den 1. Satz einer Symphonie in barock-modulierender Ritornellform schreiben oder ...“, in: *MGG,* Artikel „Symphonie“, Band 12, Kassel usw. 1965, Spalte 1830.

schungswirkungen. Ebensowenig besteht in diesem Satz jene motivische Polarität der Formteile, die für den Sonatensatz von Bedeutung ist und in die grobe, jedoch zur Klärung des Sachverhaltes hier erlaubte Formel Aufstellung - Verarbeitung gebracht werden kann. Der Satz bezieht seine Spannung primär aus den Ereignissen in den Abschnitten, nicht aus denen zwischen ihnen: der lokale Kontrast ist allemal größer als der globale. Angesichts der turbulenten harmonischen Geschehnisse z. B. des ersten Abschnittes verliert die „großharmonische" Bewegung von der Grundtonart zur Dominanttonart zwischen erstem und zweitem Abschnitt an Signifikanz. Lediglich der vierte Abschnitt ist in harmonischer (nicht dynamischer und motivischer) Hinsicht etwas moderater, das Fehlen der Figurationspartie als Ort harmonischer Anspannung macht sich bemerkbar. Vielleicht sollen die krassen harmonischen und dynamischen Umschnitte im kurzen Überleitungsabschnitt (T. 107 ff.) dies „kompensieren" (die modulatorische Überleitungsaufgabe könnte auch weniger schroff gelöst werden). Die Großform, d. h. die Gliederung in Abschnitte gibt hier gewissermaßen den festen Rahmen, in dem das reich bewegte Innenleben der Abschnitte sich abspielen kann[20]. Dennoch ist der großformale Aufbau des Eröffnungssatzes der ersten Streichersinfonie Wq 182/1 von Carl Philipp Emanuel Bach mit seinen speziellen Querbezügen ein interessantes und vor allem - „Neuheit in den Formen" - individuelles Gebilde. In seiner Unvereinbarkeit mit dem Modell der Sonatenform[21], die sowohl durch tonal-formale Merkmale als auch - wie eben angedeutet - durch Merkmale der inneren Bauweise der Abschnitte sich kundtut, steht der Satz in der europäischen Sinfonik um 1770 ziemlich einzig da. Denn als Grundidee liegt die Sonatenform fast allen ersten Sinfoniesätzen der ungeheuren damaligen Produktion zugrunde. Dabei erlaubt der große, von einigen verbindlichen Zügen abgesteckte Spielraum recht verschiedene Ausführungstypen dieser Grundidee, ernstlich verlassen wird er indessen kaum. Auch die avanciertesten Kopfsätze Joseph Haydnscher Sinfonien jener Jahre (etwa in den Sinfonien Nr. 45-47) lassen sich bei aller Originalität ohne große Schwierigkeiten auf die (weit gefaßten) Normen der Sonatenform zurückführen, die als Bezugsmuster immer durchscheint.

---

20 Vgl. Schulenbergs sich wohl vor allem auf die regelmäßig-dreiteiligen Sätze der Sonaten beziehende Äußerung: „Despite an intense drama within the individual section, the overall conception of the form is more schematic or symmetrical than dramatic." (Schulenberg, a. a. O., S. 99)

21 Vgl. auch Wellesz/Sternfelds Bemerkungen (S. 389/90) zum 1. Satz der e-moll-Sinfonie Wq 177 (H 652, Berlin 1756), die Begriffe wie „development" und „recapitulation" relativieren und in Frage stellen.

II

Gewiß, der erste Satz der ersten Streichersinfonie ist formal ein Extremfall. Aber es ist sicherlich kein Zufall, daß ein solcher sich im Eröffnungswerk der Sechsergruppe manifestiert. Er markiert eine extreme Ausprägung einer umfassenderen Formkonzeption, deren Konkretion andererseits auch der dreiteilige Sonatenform ähnlich sein kann. Diese Konzeption beinhaltet die Gliederung des Satzes in Abschnitte, die jeweils mit dem gleichen Motiv oder Motivkomplex beginnen, ein Verfahren, das seine Wurzel wohl in der Ritornellpraxis hat. Für das Formdenken bezeichnend ist, daß Bach immerhin noch 1773 konsequent daran festhält, an den Anfang des zweiten Abschnittes, der also der Durchführung entsprechen kann, die Transposition des Satzbeginns in die Dominanttonart (bzw. Paralleltonart bei Mollgrundtonart) zu stellen, 1773, als diese Technik, die in der Frühzeit der Sinfonie das Normale war, nurmehr eine unter mehreren für den Durchführungsbeginn ist. In Haydns Sinfonien der frühen 70er Jahre wird sie kaum noch verwendet, Motive des Hauptthemas werden sofort verarbeitet, nicht zitiert (z. B. Sinfonie Nr. 46 und 47, beide 1772), umgebildet und abgespalten (Sinfonie Nr. 43, 1771) etc. Eine direkte motivische Anknüpfung an den Expositionsschluß, wie sie in der Sinfonie Nr. 51 (ca. 1771/73) verbunden mit einer mediantischen Rückung zutage tritt, zeugt schließlich von einer anderen Formauffassung Haydns; Bachs Kühnheiten liegen woanders.

Die Eröffnungssätze der sechs Streichersinfonien haben keine Wiederholungszeichen (das gilt für alle ersten Sätze Carl Philipp Emanuel Bachscher Sinfonien), es gibt auch keine tonal entspannten Teilschlüsse, die Abschnitte sind miteinander verschränkt oder, wenn zwischen ihnen Zäsuren auftreten, durch Halbschlußspannung – wie es anhand der ersten Streichersinfonie erläutert wurde – harmonisch verbunden.

Die Tendenz setzt sich in bezug auf das Satzganze fort: Nur der erste Satz der zweiten Streichersinfonie schließt in sich, in den übrigen Sinfonien leitet er – in welcher Art auch immer – in den langsamen Satz über. Die sechs Eröffnungssätze der Streichersinfonien stellen verschiedene Möglichkeiten der Formkonzeption in Abschnitten dar, was das motivische und harmonische Verhältnis der Abschnitte zueinander betrifft. Keine Abschnittskonstellation wiederholt sich, die Bandbreite der Formlösungen – vielleicht die Reichardtsche „Mannigfaltigkeit in den Formen" – wird beim Blick auf die formal konventionellen Finalsätze (bei den z. T. stark erhitzten Tonfällen und den atonikalen Satzanfängen[22] – in den Sinfonien Nr. 2, 4, 5 und 6 – liegen die Dinge anders) evident.

---

22 Zum Beginn des Finales in der zweiten Streichersinfonie siehe H. Danuser, „Das imprévu in der Symphonik. Aspekte einer musikalischen Formkategorie in der Zeit von

Der erste Satz der zweiten Streichersinfonie (109 Takte) bringt das Anfangsmotiv (die Termini „Hauptthema“ oder „Hauptsatz“ sind bisher bewußt vermieden worden) ebenfalls fünfmal, auch auf den gleichen Sufen (T–D–S–T–T) wie in der ersten Sinfonie (T. 1 ff. B-Dur, T. 34 ff. F-Dur, T. 61 ff. Es-Dur, T. 70 ff. B-Dur und T. 103 ff. B-Dur). Die Takte 103–109 sind wieder als Coda, diesmal ohne direkte Überleitungsfunktion, anzusprechen. An den Taktzahlen kann man jedoch ablesen, daß die Proportionen sich von denen des Eröffnungssatzes der ersten Sinfonie deutlich unterscheiden: das vierte Anfangsmotiv folgt relativ dicht auf das dritte. Und in der Tat ist es aus mehreren Gründen hier sinnvoll, zweites und drittes Auftreten des Motivs zu einem Formteil zusammenzufassen, so daß in T. 70 mit dem vierten Anfangsmotiv der dritte Abschnitt beginnt. Erstens wäre, wie gesagt, ein dritter Abschnitt von T. 61 bis T. 69 unverhältnismäßig kurz. Zweitens – und das ist der wichtigste Grund – ist der zweite Abschnitt motivisch im wesentlichen ein modifizierter Ablauf des ersten. Die Takte 46–48 differieren gegenüber den positionell entsprechenden des ersten Abschnittes (T. 14–16), ihr Anschlußtakt (T. 49) aber ist eine Terztransposition des Taktes 17. Der Viertakter gibt sich im zweiten Abschnitt (T. 46–49) sogleich als massives, motivisch homogeneres – die rasche Skalenbewegung aus T. 17 wird schon anfangs maßgeblich – Tutti, während er im ersten Abschnitt (T. 14 A[23]–17) imitatorisch-durchbrochen anhob. Bis T. 60 dann wird das Material aus dem ersten Abschnitt weiterhin um eine kleine Terz abwärts transponiert. Somit substituiert der Einsatz des Anfangsmotivs in T. 61 tektonisch und dynamisch den Tuttieinsatz von T. 29, das Anfangsmotiv wird hier also durch das Vorausgegangene – gerade die spannungsgeladene Zäsur verbindet, in T. 28 wie in T. 60 – zur Schlußpassage eines Abschnittes. Gleichwohl ist die Überraschung eine doppelte. Der starke Kontrast T. 28/29 (die Situation erinnert auffallend an die ausführlich analysierte in T. 80/81 der ersten Streichersinfonie) war – obwohl (oder weil?) völlig unvorhersehbar – derart einprägsam, daß jetzt das Erscheinen des Trugschlusses in T. 60 eine analoge Weiterführung gleichsam evoziert. Statt dessen nimmt der Satz motivisch wie harmonisch eine ganz andere Wendung. Das in T. 60 labil erreichte Es-Dur (als Trugschluß in g-moll) wird T. 61 als stabiler Tonikaklang (das Anfangsmotiv ist tonal in sich gefestigt) aufgegriffen, eine Maßnahme von bestechender Irritation! Und in der harmonischen Disposition liegt ein dritter Grund, den motivischen Einsatz T. 61 nicht als Neuansatz

---

Carl Philipp Emanuel Bach bis Hector Berlioz“, in: *Musiktheorie* 1 (1986), S. 61–81, hier S. 64–67.

23 Die Schreibweise „T. 14 A“ bezeichne T. 14 mit seinem Auftakt.

eines Abschnittes zu werten. Denn die formbildenden Abschnitte werden stets harmonisch vorbereitet, treten harmonisch spannungslösend ein, T. 60/61 aber zeigt typische Binnenharmonik. Die Einkomponierung des Anfangsmotivs T. 61 ff. in den zweiten Abschnitt vermittelt auf geistreiche Weise zwischen der vierteiligen Struktur der ersten und der dreiteiligen der – das sei schon vorweggenommen – übrigen Streichersinfonien (es sind natürlich nur die ersten Sätze gemeint). In der B-Dur-Sinfonie wird der dritte Abschnitt (T. 70 ff.) nicht nur harmonisch, sondern auch motivisch vorbereitet: Die Sechzehntelskala des Anfangsmotivs, in durchbrochener Faktur kombiniert mit anderen Motivpartikeln[24], setzt ab T. 66 viermal unter taktweisem Quintfall[25] der Harmonien an, schließlich das Anfangsmotiv in originaler Textur und Tonart herbeiführend. So erhält der Beginn des dritten Abschnittes den Charakter eines ereignishaften Repriseneinsatzes. Auch der weitere Fortgang des Abschnittes orientiert sich ziemlich genau, erster und dritter Abschnitt sind jeweils 33 Takte lang, am ersten Abschnitt (ab T. 84 getreue Quinttransposition), so daß man mit einem gewissen Recht von einer Reprise sprechen kann. Die einzige nennenswerte Abweichung hängt mit der von der ersten Sinfonie bekannten Konstruktion der Abschnittseröffnung aus konstant beibehaltenem und variablem Element zusammen. T. 1–7 bleibt in allen Abschnitten in sich unverändert (man beachte allerdings zu Beginn des zweiten Abschnittes die Unterdrückung des zweiten Taktes!), die Sequenzgruppe T. 8–13 wird melodischen, dynamischen und vor allem harmonischen Änderungen ausgesetzt, – hier sei nur auf den überraschenden b-moll-Einsatz T. 77 (in Quartsextstellung), der einen gewissen Destabilisierungseffekt im Anfangsbereich des dritten Abschnittes verursacht, hingewiesen.

Der großformale Aufbau des dreiteiligen Satzes (mit Coda) läßt sich rein äußerlich mit der dreiteiligen Sonatenform durchaus in Verbindung bringen: der Reprisencharakter des dritten Abschnittes kam schon zur Sprache, und der zweite Abschnitt als stärker modifizierter Ablauf des ersten trägt manche Durchführungsmomente in sich. Dennoch sollte man sich nicht darüber hinwegtäuschen, daß die interne Organisation des ersten Abschnittes sich von der einer „normalen" Exposition einigermaßen unterscheidet: weder ist ein geschlossenes Seitenmotiv erkennbar (T. 25 ff. ist allzu labil und steht auch keineswegs in F-Dur) noch kristallisiert sich, da die Harmonik in ständiger Fluktuation begriffen ist, ein Dominantbereich heraus, die erste F-Dur-Kadenz zielt bereits auf den Einsatz des zweiten Abschnittes.

---

24 S. Suchalla, S. 52/53.

25 Der Quintfall eines Motivs ist schon – halbtaktig – in T. 14 A f. vorgezeichnet, dort ebenfalls von d beginnend; bezeichnenderweise sind diese Takte im zweiten Abschnitt ersetzt (T. 46 ff., s. o.) – in Hinblick auf den Quintfall T. 66 ff.?

Vielleicht ist es Aufgabe des ersten Satzes der ersten Streichersinfonie – die Interpretation sei gewagt – dies, d.h. die Diskrepanz zur Sonatenform von innen heraus, von Beginn der Werkgruppe an klarzustellen, indem dieser Satz durch seine Vierteiligkeit auch großformal das Sonatenschema durchkreuzt.

Der Eröffnungssatz[26] der dritten Streichersinfonie (128 Takte; Anfangsmotiv T. 1 ff. C-Dur, T. 51 ff. G-Dur, T. 69 ff. F-Dur, T. 124 ff. C-Dur) zeitigt wiederum neue Strukturen. Nurmehr viermal tritt das Anfangsmotiv (in originaler Faktur) auf, der letzte Eintritt leitet wie im Falle der ersten Sinfonie direkt zum zweiten Satz hinüber, die drei Abschnitte des eigentlichen Satzkorpus stehen untereinander in neuen proportionalen und harmonischen Verhältnissen: der Mittelabschnitt umfaßt nur ca. ein Drittel der Länge der übrigen Abschnitte (18 Takte gegen 50 bzw. 55 Takte), der dritte Abschnitt, welcher motivisch eine Reprise des ersten ist, beginnt in der Subdominanttonart. Was im zweiten Abschnitt dem mit dem sechsten Takt – also genau an jener „kritischen" Stelle, da zu Beginn das leiterfremde as eintrat – abbrechenden Anfangsmotiv folgt, orientiert sich nicht mehr am Verlauf des ersten Abschnittes, ist reine Verarbeitungspassage: unter den synkopisch fallenden Terzen der Violinen führen die Bratschen, nach vier Takten verstärkt durch die Bässe, ein aus dem Anfangstakt der Sinfonie gewonnenes sechstöniges Motiv[27] durch. Im letzten Takt des zweiten Abschnittes (T. 68) überbrücken Bratsche und Bässe mit dem Vorzitat des originalen Motivkopfes in der Dominante des angestrebten F-Dur die Vorhaltshalbschlußzäsur der Violinen; gleichsam Abbreviatur jener Rückleitungstechnik zur „Reprise" mittels mehrfachem motivisch-harmonischen Quintfall, die in der zweiten Streichersinfonie ausführlich zur Anwendung kommt. Die „falsche" Tonart, mit der der dritte Abschnitt anhebt, stellt einen Rückbezug zur ersten Sinfonie her: auch dort ist der dritte Abschnitt motivisch weitgehend dem ersten analog und beginnt in der Subdominanttonart. Hier in der dritten Streichersinfonie gibt es aber keinen die Grundtonika befestigenden vierten Abschnitt mehr, die Bindung des dritten Abschnittes an den ersten ist dementsprechend enger und läßt vor allem harmonisch weniger Freiraum als in der ersten Sinfonie.

Im Eröffnungssatz der dritten Streichersinfonie fällt die im Vergleich zu den vorausgegangenen Sinfonien ausgesprochen großflächige Dynamik auf. Die viertaktige Piano-Passage des ersten Abschnittes (T. 24–27), die harmonisch wie dynamisch die Stelle des Seitensatzes markiert, dabei jedoch ein schönes Beispiel eines Emanuel Bachschen „Un-Motivs" abgibt,

---

26 Eine schöne Analyse des Satzbeginns (bis gegen T. 30) bei Ottenberg, a. a. O., S. 179/180.
27 S. Suchalla, S. 53/54.

trennt zwei riesige Forte-Blöcke[28] voneinander. Auch ist ein größerer Dominantbereich deutlich auszumachen. Trotzdem ist der erste Abschnitt alles anders als gewöhnliche Exposition, schon zu Beginn wird gleich zweimal – wie Hans-Günter Ottenberg gezeigt hat – „konventionelles, prädeterminiertes Hören ad absurdum geführt"[29].

Den drei Forte-Anfängen in den Sinfonien Nr. 1–3 stehen die drei Piano-Anfänge der Sinfonien Nr. 4–6 gegenüber. Und der Schluß der ersten Sätze unterscheidet sich in der zweiten Dreiergruppe ebenfalls von der ersten, ab der vierten Sinfonie fehlt das Auftreten des Anfangsmotivs in codaler Funktion, nur dreimal taucht das Anfangsmotiv in originaler Faktur jeweils auf.

Der Eröffnungssatz der vierten Streichersinfonie (112 Takte; T. 1 ff. A-Dur, T. 30 ff. E-Dur, T. 69 ff. A-Dur) bietet eine klare dreiteilige Struktur mit den harmonischen Ausgangsstationen T D T. Zweiter und dritter Abschnitt bringen (cum grano salis) den motivischen Ablauf des ersten, auf den ersten Blick scheint die bei Bach häufige regelmäßig-dreiteilige Form[30] vorzuliegen, wie sie etwa im ersten Satz der F-Dur-Sinfonie Wq 175 (H 650, Berlin 1755)[31] zu studieren ist. Der formale Sachverhalt gestaltet sich in Wq 182/4 jedoch komplexer. Sicher verbleibt der zweite Abschnitt ungewöhnlich lange reine Quinttransposition des ersten (bis T. 48, der T. 19 entspricht), und auch die Modifikationen in T. 49–52 (die motivische Variante T. 49/50 – man beachte die Sequenz des zweiten Taktes – vertritt zunächst T. 20/21, T. 51/52 ist dann die genaue Transposition der Takte 20/21 von E-Dur nach fis-moll) sind nicht schwerwiegend, mit T. 53 aber passiert Entscheidendes. Unter den die motivische Kontinuität wahrenden Violinen schlagen Bratschen und Bässe das Forte-Motiv der Anfangsgruppe (T. 4 f.) an[32], welches diastematisch verändert ist: Anfangs- und Endton prägen die harmonische Quintspannung t D (in fis-moll) aus. Die Bedeutung und Dramatik dieser Stelle spiegelt sich in der motivischen Beschleunigung der Violinen (Trillermotiv in T. 53 halbtaktig). Nach der Wiederholung des zweitaktigen Geschehens ergreift in T. 57 die Abspaltung aus dem Baßmotiv das ganze Orchester, der Oktavsprung wird zur kleinen Septime verengt, der zu einer verminderten Septime weiter zugespitzte Motivrest im Folgetakt einen Ganzton höher sequenziert. Techniken motivisch-thematischer Arbeit: Motivkombination, Abspaltung, Intervallverminderung, Sequenz sind im

28 Vgl. dagegen die 14 dynamischen Angaben im ersten Abschnitt der G-Dur-Sinfonie!

29 Ottenberg, S. 180.

30 Zur Dreiteiligkeit bei Carl Philipp Emanuel Bach siehe auch G. Wagner, *Traditionsbezug im Musikhistorischen Prozeß zwischen 1720 und 1740 am Beispiel von Johann Sebastian und Carl Philipp Emanuel Bach,* Neuhausen-Stuttgart 1985, S. 43 ff.

31 Hrg. von Gallagher/Helm, a. a. O.

32 Satztechnisch erinnert der Vorgang stark an T. 70/71 in der ersten Streichersinfonie.

Schlußteil des zweiten Abschnittes explizit zur Anwendung gebracht, insofern kann man ihn zumindest partiell als echten Durchführungsabschnitt betrachten. Jedoch ist nicht der zweite Abschnitt allein durch diese Techniken ausgezeichnet, im dritten Abschnitt kommen sie in mindestens ebensolchem Ausmaß zum Tragen. Von einer Reprise, die im Sinne der Sonatenform in der Regel den motivischen Entwicklungsgrad der Durchführung wieder zurücknimmt, kann bezüglich des dritten Abschnittes also nicht die Rede sein. Die mit harmonischer Rückung verbundene Forte-Abspaltung in T. 77 A – ein gewisses Durchführungsmoment – mag dafür schon Zeichen sein. Abgesehen von diesem Eingriff ist der dritte Abschnitt bis T. 89 (entspricht wiederum T. 19; der zweite Abschnitt war bis genau zu diesem Punkt reine Transposition) mit dem ersten identisch. T. 90–93 lehnt sich motivisch und strukturell an die Modifikation des zweiten Abschnittes (T. 49–52) an, einmal Erreichtes wird nicht wieder zurückgenommen. Doch zunächst geht es mit dem im zweiten Abschnitt fortgelassenen Gedanken T. 22 ff. weiter und zwar – das ist in doppelter Hinsicht beachtenswert – in originaler Tonhöhe[33] und Tonart: die Takte 94–98 sind mit T. 22–26 identisch. Zum einen ist die für den zweiten Teil einer Reprise charakteristische Quintversetzung des entsprechenden Expositionsmaterials im dritten Abschnitt des ersten Satzes der vierten Streichersinfonie nicht anzutreffen, zum andern wirft die Nichttransposition ein bezeichnendes Licht auf die Takte 90–93. Keine modulatorische Notwendigkeit verlangt die Modifikation des ursprünglichen Zwischenstücks T. 20/21, ihr – fast könnte man sagen programmatischer – Sinn liegt vielmehr im Rückverweis auf den zweiten Abschnitt. Folgerichtig bringt T. 99 die motivische Kombination aus T. 53. Die Dreistimmigkeit der vorausgegangenen Takte wird noch beibehalten, denn T. 99 ist nur quasi rückerinnernde Vorstufe; erst die Takte 100–111 entsprechen satztechnisch und in der Taktgruppenstruktur den Takten 53–64, es ist jedoch die motivische Durcharbeitung weiterentwikkelt. Die Violinen steuern in T. 100–103 die Dreiklangsbrechungen der Satzeröffnung bei, so daß nun das, was zu Satzbeginn sukzessiv ablief, simultan zusammengeführt ist. Das Baßmotiv erscheint in originaler Diastematik, es wird nicht mehr – wie im zweiten Abschnitt – nach zwei Takten wiederholt, der ganze viertaktige Motivzusammenhang aus T. 4 ff. entfaltet sich jetzt, wobei die akkordischen Violinfiguren das ursprünglich unisone Motiv (T. 4 ff.) harmonisch vollständig ausdeuten. Sinnfällig rundet sich so der Bogen des Satzes. Der dritte Abschnitt knüpft unmißverständlich an den zweiten an, er zitiert seine Durchführungstechnik, füllt sie aber neu

33 Vgl. auch T. 93–104 in der dritten Streichersinfonie, die – völlig identisch mit T. 24–35 – ebenfalls die Dominanttonart (!) ausprägen.

aus. Die im zweiten Abschnitt gewonnene und erprobte Kombinationstechnik dient nun der stringenten motivischen Zusammenbindung als Kulmination des Satzes. Diese Dynamisierung der Form teilt sich auch in der kontinuierlich zunehmenden Längenausdehnung der Abschnitte mit (29–39–44 Takte). Der dritte Abschnitt synthetisiert sozusagen ersten und zweiten Abschnitt, alles Material aus ihnen geht in die Substanz des dritten Abschnittes ein. Die Kennzeichnungen „Durchführung“ und „Reprise“ für zweiten und dritten Abschnitt gehen an der spezifischen Formidee des Satzes vorbei. Nachzutragen bliebe noch die Art der harmonischen und motivischen Vorbereitung des – wohlgemerkt – zweiten Abschnittes, die der des dritten, also des „Reprisen“-Abschnittes in der zweiten Sinfonie sehr ähnelt. Die Handhabung des Quintfallprinzips in T. 28/29 (Cis$^{7}_{3}$–fis–H$^{7}_{3}$–E) unterscheidet sich wesentlich in zwei Punkten, die beide das Hineinfließen in den nächsten Abschnitt etwas abschwächen, von derjenigen in der zweiten Sinfonie: die harmonische Zielebene E ist schon einen halben Takt vor dem Abschnittsbeginn erreicht, der dynamische Bruch betont den Neusatz in T. 30.

In den großformalen Umrissen des ersten Satzes der fünften Streichersinfonie (62 Takte; Anfangsmotiv T. 1 h-moll, T. 18 D-Dur, T. 35 e-moll) überlagern sich Züge aus der dritten und vierten Sinfonie. Die tonale Disposition folgt der dritten Sinfonie (Subdominantbeginn des dritten Abschnittes, in einem Mollsatz nimmt die Parallele die Stelle der Dominante ein), die motivische eher der vierten. Die Tendenz zur motivischen Verdichtung in zweitem und drittem Abschnitt mittels Motivkombination ist – wenn auch auf andere Weise – hier ebenfalls wirksam. Sie wird verquickt mit einem Expandierungsprozeß, der dem Gedanken T. 11 ff. widerfährt[34]. Das Verhältnis der Abschnitte zueinander ist weit komplexer als in der vierten Sinfonie. Schon der zweite Takt im zweiten Abschnitt ist kein wörtliches Zitat des Anfangsmotivs mehr, sondern freie Fortspinnung. Erst nach drei Takten kommt es zum Forte-Einsatz, als Ausgleich sind die Takte 3 und 4 des Beginns in einen Takt (T. 21) zusammengezogen. Die Baßbegleitung zu den (leicht abgewandelten) Zweiunddreißigstelskalen in T. 22/23 ist in ihrem durchgängigen Achtelpuls eher der von T. 14/15 oder T. 16/17 nachgebildet denn der in den positionell analogen Takten 5/6. Die motivische Substanz von T. 7–10 wird im zweiten Abschnitt gänzlich ausgelassen. Von Anbeginn also gibt es im Mittelabschnitt Umbildungen, die ff-Interjektionen in T. 27/28 generieren jedoch eine neue Qualität der Umbildung: aus einer ursprünglich dreitaktigen Passage (T. 11–13) wird eine siebentaktige

34 Siehe dazu Schulenbergs feine Beobachtungen, S. 106–108, in bezug auf diesen Prozeß und die harmonische Ausweichung, die mit dem Gedanken T. 11 ff. einhergeht, vermerkt er: „The disgression itself can be subject to interruption.“ (S. 106).

(T. 24–30). T. 31 korrigiert gewissermaßen T. 22, indem die originale Oktavsprungbegleitung aus T. 5 zu dem Zweiunddreißigstelmotiv hinzutritt und indem die diastematischen Modifikationen aus T. 22 wieder – zugunsten der Gestalt aus T. 5 – aufgegeben werden. Daß dieses Skalenmotiv aus T. 5 überhaupt hier (T. 31) der Synkopenpassage folgt, ist eine Freiheit gegenüber dem ersten Abschnitt, die durch die motivische und dynamische Ähnlichkeit mit dem Motiv von T. 14 (das eigentlich folgen müßte) erleichtert wird: der Charakter des kontrastierenden Anschlusses bleibt gewährleistet. Zwei Takte später, in T. 33, passiert ähnliches wie auch gegen Ende des zweiten Abschnittes in der vierten Sinfonie. In Bratschen und Bässen wird das Anfangsmotiv zusammen mit einer punktierten Dreiklangsfigur der 1. Violinen in den Ablauf eingepaßt, durch die beibehaltenen Zweiunddreißigstelskalen der 2. Violinen auf zweitem und viertem Viertel wird die Kontinuität der Passage gewahrt (das Anfangsmotiv substituiert das Oktavsprungmotiv). Genau wie in der zweiten Sinfonie bereitet der viermalige Motivkopf in T. 33/34 den dritten Abschnitt motivisch vor, wiederum aber wird die Technik nicht genau kopiert, die Harmonien fallen nicht, sondern steigen im Quintenzirkel (C–G–d–a). Diese harmonisch unkonventionelle – gleichwohl zielstrebige – Art, das e-moll des dritten Abschnittes herbeizuführen, schließt die ganze Passage T. 31–34 rund. Die Harmoniefolge verläuft spiegelbildlich, in den ersten zwei Takten halbtaktiger Quintfall von a-moll bis C-Dur, ab T. 33 dann aufwärts von C-Dur bis a-moll (lediglich die Station auf d wechselt ihren Modus). Der dritte Abschnitte hält sich zunächst wieder enger an den ersten, bis T. 45 ändert sich außer der kleinen modulatorischen Maßnahme in T. 41 (um nach h-moll zu gelangen) nichts. Die Synkopenpassage ist dynamisch gleich anfangs (ab T. 46) aufgebrochen durch schlagartigen p-f-Wechsel, was als Reaktion auf die ff-Einschübe im zweiten Abschnitt gedeutet werden kann. Die große Erweiterung der Passage geschieht nun mit der Technik, die in den letzten zwei Takten des Mittelabschnittes den Formverlauf intensivierte: der Integration des Anfangsmotivs in einen präexistenten Zusammenhang (die Kontinuität wird von den Synkopen der 1. Violinen in T. 49/50 verbürgt). Die beiden entscheidenden formalen Momente des zweiten Abschnittes (T. 27 und T. 33) sind hier (T. 49) ineins gefügt, quasi in einem formalen Brennpunkt konzentriert. Daher bezieht die Ausweitung ihre Kraft; das Anfangsmotiv setzt dezent im klanglichen Mittelgrund, eingehüllt von den Außenstimmen, an, treibt an die Oberfläche und bemächtigt sich schließlich in immer dichterer Folge des musikalischen Satzes. Die ganze organisch wachsende Entwicklung ab T. 45 umfaßt jetzt immerhin 13 Takte (das sind über dreiviertel der Länge des ersten Abschnittes), ehe mit T. 58, eigentlich erst mit T. 59 (entspricht wirklich T. 14) der Faden des ersten Abschnittes wieder aufgenommen wird. T. 58 ist melodisch eine Übersteigerung von T. 22, der seinerseits schon T. 5 übersteigerte: die Skalenfigur beginnt jeweils ein Zweiunddreißigstel später zu fallen. Durch dieses unscheinbare, jedoch wohl kaum zufällige Detail wird – so ließe sich die Vorschaltung des Taktes 58 motivieren – nochmals auf die Grundidee der Prozessualität in der Abfolge der Abschnitte, welche in der fünften Streichersinfonie ebenso vielschichtig-komplex sich kundgibt, wie sie in der vierten Sinfonie geradlinig-logisch zum Ausdruck kommt, verwiesen.

Der Eröffnungssatz der sechsten Streichersinfonie (100 Takte; Anfangsmotiv T. 1 ff. E-Dur, T. 37 ff. H-Dur, T. 53 ff. A-Dur) ist ganz deutlich auf denjenigen der dritten Sinfonie bezogen, so diametral auch sich gerade diese beiden Satzanfänge im Charakter gegenüberstehen. Der großformale und -tonale Aufbau ist der gleiche, der zweite Abschnitt ist in beiden Fällen wesentlich kürzer – in der sechsten Sinfonie folgt dem Anfangsmotiv des zweiten Abschnittes freilich keine Verarbeitungspassage, sondern eine modifizierte und verlängerte Version der von T. 5 her bekannten Figurationspartie[35] –, und der dritte Abschnitt beginnt jeweils in der Subdominanttonart. Keine zwei Eröffnungssätze sonst sind sich in längenproportionalem *und* tonalem Verhältnis der Abschnitte derart nahe. Nur in der dritten und sechsten Sinfonie stehen die ersten Sätze im $\frac{3}{4}$-Takt (in den übrigen Werken C-Takt). Damit sind die Bezugspunkte noch keineswegs erschöpft. Die Verbindungen der Abschnitte erfolgen in beiden Sätzen auf sehr ähnliche Weise. Der letzte Takt des zweiten Abschnittes in der sechsten Sinfonie (T. 52) bringt ebenfalls – wie T. 68 in der dritten Sinfonie – den halbschlüssigen Quartsextvorhalt in den Violinen, ebenfalls wird die Zäsur der Oberstimme durch eine, zwar nicht thematische, sondern ganz konventionelle, Überleitungsfigur überbrückt. Mit nahezu der gleichen Unisonokadenz (T. 36 in der sechsten, vgl. Notenbeispiel 2, T. 50 in der dritten Sinfonie) bereitet Bach den zweiten Abschnitt vor. Wenn diese energische Unisonokadenz am Schluß des dritten Abschnittes der sechsten Sinfonie (T. 99, vgl. Notenbeispiel 3) wieder auftaucht, ist alles auf den spannungslösenden Wiedereintritt des Anfangsmotivs in der Grundtonart (als Coda) angelegt. Und der „Knalleffekt" des Satzes – Generalpause statt Tonika in T. 100 – wird ganz erst verständlich, erhält seinen besonderen Reiz erst auf der Folie des ersten Satzes der – nun erweist sich die enge Bezugnahme als schlüssig – dritten Sinfonie, dort nämlich erfüllt sich genau jene Erwartung:

---

35 Mit Absicht wurde der gleiche Begriff wie in der ersten Streichersinfonie gewählt, auch hier in der sechsten Sinfonie steht die harmonische Bewegung im Vordergrund der betreffenden Passage, auch hier die Koppelung von harmonisch ruhigem (T-Orgelpunkt), im Satzverlauf gleichbleibendem und harmonisch bewegtem, im Satzverlauf variablem Element (Figurationspartie).

Notenbeispiel 2, Wq 182/6, 1. Satz, Übergang erster/zweiter Abschnitt

Notenbeispiel 3, Wq 182/6, 1. Satz, Ende dritter Abschnitt

Aber auch von der vierten und fünften Sinfonie her läuft eine Linie zur letzten Streichersinfonie; die relativ freie Gestaltung des dritten Abschnittes (im Verhältnis zum ersten) erfolgt hier in der sechsten Sinfonie nicht durch Motivkombination und motivische Arbeit – dazu fehlt die Dynamik des zweiten Abschnittes –, sondern durch bisher aufgesparte Mittel der Modifizierung: durch Einführung eines gänzlich neuen Gedankens (T. 69 ff.) und durch Vertauschung von Gliedern des ersten Abschnittes (die Triller aus T. 13/14 erscheinen erst in T. 86/87, während T. 77–85 schon das – im ersten Abschnitt spätere – Material von T. 24–32 brachte, welches partiell ein zweites Mal, ab T. 90, infolge der Vertauschungsmaßnahme auftritt).

Werfen wir nochmals einen Blick auf das extravagante Satzende. Das nach dem Schock der Generalpause anhebende *Poco Andante* löst die Spannung der offenen Kadenz von T. 99 nicht; quasi ohne Rücksicht auf das Vorausgegangene zu nehmen, setzt eine Unisono-Kadenz in fis-moll an. Sie beginnt mit dem Leitton, statt des erwarteten e folgt auf die Zäsur (T. 100) dessen chromatische Alteration eis, die selbst noch Leittonspannung in sich trägt – ein denkbar starker Bruch! Es ist dies – reduziert auf die Einstimmigkeit – die gleiche Technik, die im dritten Abschnitt der ersten Sinfonie (T. 80/81) erläutert wurde: zwei Spannungszustände verschiedener Tonartbereiche treffen nicht vermittelt aufeinander. Wenn diese Technik hier den Anschluß des zweiten Satzes regelt, wird ganz deutlich, daß Carl Philipp Emanuel Bach rein äußerlich eine aus der neapolitanischen Opernsinfonie herrührende Formkonvention[36], das Sich-Öffnen bzw. Überleiten zum nächsten Satz, übernimmt, Sinn und Funktion dieser Konvention, organische oder bruchlose Verknüpfung[37] der Sätze, aber ins Gegenteil verkehrt. Auch in den übrigen Sinfonien ist das zu beobachten: die Verbindung der Sätze, d.h. das Vermeiden eines klaren Schlußpunktes im ersten Satz, ist durch einen irgendwie gearteten (bewußten) Bruch erkauft. Dabei sind die Einzellösungen des Satzübergangs immer verschieden, eine konkrete harmonische Manipulation etwa wiederholt sich nicht. In den Sinfonien Nr. 3–5 liegt der Moment des Bruches zu Beginn des langsamen Satzes, direkt nach dem Doppelstrich, in der ersten Sinfonie ist am Ende des ersten Satzes zwar der „richtige" Halbschluß erreicht, die harmonische Kontinuität wurde zuvor durch den ff-Einfall T. 111 (und ein zweites Mal T. 113) gestört. Und auch die Ausnahme in der zweiten Sinfonie, den scheinbar in sich geschlossenen ersten Satz, kann man in die Konzeption von Verbindung und Bruch (oder gar Verbindung durch Bruch) einfügen: Gerade der abrupte Abbruch der Skalenläufe – metrisch wie melodisch würde man noch eine Skala erwarten, um auf der Takteins und dem Grundton in den Violinen zu landen –, die labile Terzlage des Schlusses vermittelt latent (die Terz d wird als Grundton neu gesetzt) zum D-Dur-Beginn des zweiten Satzes.

Mannigfache Verbindungslinien zwischen den Eröffnungssätzen der sechs Streichersinfonien konnten aufgezeigt werden, sie stiften jenes Beziehungsnetz, das die Anordnung der Werke der Beliebigkeit entreißt und die gewählte Anordnung als wohlkalkulierte verbürgt, kurz: jenes Beziehungsnetz, das sechs Werke in sechs verschiedenen Tonarten zu einem wirklichen Opus macht.

---

36 Siehe Wohlfarth, a.a.O., S. 103 und vor allem H. Hell, *Die neapolitanische Opernsinfonie in der ersten Hälfte des 18. Jahrhunderts,* Tutzing 1971, S. 100, 105/6 (zur Herkunft), 208 (besonders Anm. 2), 309.

37 Vgl. wie noch der junge Mozart in der G-Dur-Sinfonie KV 74 (um 1770/71) in diesem Sinne ersten und zweiten Satz verbindet, siehe auch die D-Dur-Sinfonie KV 181 (1773).

IV

Gattung und Stil im Vokalwerk Bachs

Ludwig Finscher

Bemerkungen zu den Oratorien Carl Philipp Emanuel Bachs

Die drei großen oratorischen Werke des Hamburger Bach – „Die Israeliten in der Wüste", die „Passionskantate" und „Auferstehung und Himmelfahrt Jesu" – sind in ihrer Zeit Erfolgsstücke gewesen, wenn auch auf ganz unterschiedliche Weise: die „Israeliten" als ein Werk, das als biblisches Oratorium von der im Gefolge der Händelrezeption wachsenden Popularität biblischer Oratorienstoffe profitierte und das weit ins 19. Jahrhundert hinein zum Repertoire der Oratorienvereine und Musikfeste gehörte, auch wenn es nach 1800 nicht mehr im Vordergrund des Interesses stand; „Auferstehung und Himmelfahrt Jesu" als das Werk, das als Vermächtnis des Oratorienkomponisten angesehen und als „opus artificiosum et divinum" gefeiert wurde (was sich noch in der schroff gegensätzlichen Bewertung der beiden Werke in Scherings *Geschichte des Oratoriums* niederschlug); die „Passionskantate" schließlich als ein Werk, das sich – wenigstens in Hamburg – einer ganz ungewöhnlichen und langlebigen Popularität erfreute und geradezu zu einer Institution des lokalen kirchlichen Musiklebens wurde, während Aufführungen außerhalb der Hansestadt weitgehend auf den Kreis der Anhänger Bachs begrenzt blieben und bald nach dem Tode des Komponisten so gut wie verschwanden – wozu sicherlich auch beitrug, daß das Werk erst posthum und nur im Klavierauszug gedruckt wurde.

Es ist bemerkenswert, daß es zu diesen drei Werken – immerhin großangelegten Oratorien eines der bedeutendsten Komponisten der Epoche – nur sehr wenige gründliche und weiterführende Untersuchungen gibt: über die „Passionskantate" in ihrem Verhältnis zur Matthäuspassion von 1769 die Untersuchung von Stephen L. Clark[1], die sich aber im wesentlichen auf philologische Fragen konzentriert; über „Auferstehung und Himmelfahrt Jesu" die vorzügliche Interpretation in Howard E. Smithers Geschichte des Oratoriums[2]. Was aber weitgehend fehlt, ist – um Friedhelm Krummacher zu

1 St. L. Clark, *The Occasional Choral Works of C. Ph. E. Bach,* Diss. Princeton University 1984.

2 H. E. Smither, *A History of the Oratorio.* Vol. 3: *The Oratorio in the Classical Era,* Oxford 1987, S. 434–463.

zitieren[3] – „die Hauptsache“: die vergleichende und individualisierende Stilanalyse der drei Werke. Was ebenso fehlt, sind Untersuchungen über die Beziehungen der Werke zu den oratorischen Werken Telemanns und Untersuchungen über die Beziehungen der drei Oratoriendichtungen Karl Wilhelm Ramlers – „Die Hirten bey der Krippe zu Bethlehem“, der „Tod Jesu“[4], Auferstehung und Himmelfahrt Jesu“ –, obwohl die drei Texte eine Trilogie bilden und zu den populärsten und meistvertonten deutschen Oratorien der Epoche gehören. Was fehlt, sind schließlich Darstellungen der drei Werke in der Gattungsgeschichte oder den Gattungsgeschichten der großen oratorischen Formen der Zeit und Untersuchungen über den Platz der Werke im Schaffen des Komponisten.

Angesichts dieser Forschungslage können im folgenden nur einige durchaus unsystematische und skizzenhafte Bemerkungen zur Entstehungsgeschichte, zum Stil und zur frühen Rezeption der drei Werke gegeben werden. Als These liegt ihnen zugrunde, daß Bachs Beschäftigung mit dem großen Oratorium, die sich auf die relativ kurze Zeitspanne von 1769 bis (wahrscheinlich) 1781 konzentriert, als ein dreifacher Ansatz auf der Suche nach dem „modernen“ Konzertoratorium verstanden werden kann: Verwandlung der liturgiegebundenen oratorischen Passion zum Passionsoratorium für die Kirche; Verwandlung des alttestamentlichen Oratoriums in einen Typus, der einerseits – in seiner typologischen Deutung der biblischen Geschichte – strikt protestantisch und gottesdienstlich zumindest brauchbar, andererseits programmatisch überkonfessionell gedacht ist; schließlich Verwirklichung des monumentalen, primär außerhalb der Kirche angesiedelten Konzertoratoriums, wenn auch unter partieller Zurücknahme der stilistischen Positionen der beiden älteren Werke. Der dreifache Ansatz, der zugleich die Problematik der drei Werke enthüllt, spiegelt sich wenigstens partiell auch in ihrer Rezeption.

Bachs erstes großes Hamburger Werk war die Matthäus-Passion für die Passionszeit 1769[5], deren Komposition vielleicht schon 1768 und vielleicht schon in Berlin begonnen wurde[6]. Die Gestalt des verlorenen Werkes läßt sich aus dem Textbuch[7] und den in die Passionskantate übernommenen Sät-

---

3 In diesem Band S. 245 ff.

4 I. König, *Studien zum Libretto des „Tod Jesu“ von Karl Wilhelm Ramler und Karl Heinrich Graun,* München 1972 (= Schriften zur Musik 21).

5 Vgl. jetzt die sorgfältige und überaus nützliche Zeittafel von Christoph Gugger, „Chronologische Übersicht über C. Ph. E. Bachs Konzerte“, in: *Der Hamburger Bach und die Neue Musik des 18. Jahrhunderts.* Programmbuch, hrg. von H. J. Marx, Hamburg 1988, S. 176–185, und im vorliegenden Band den Beitrag von H.-J. Schulze, S. 333 ff.

6 Clark, a. a. O., S. 30 und passim.

7 Zu den Quellen zusammenfassend E. E. Helm, *Thematic Catalogue of the Works of Carl Philipp Emanuel Bach,* New Haven 1989, S. 187 ff.

zen recht genau rekonstruieren: Bach vertonte wahrscheinlich den Passionsbericht aus dem Evangelium (Rezitative), mit Sicherheit die madrigalischen Texte (Accompagnati, Ariosi, Arien und Chöre); die Choräle und Turbae übernahm er aus Werken seines Vaters (vor allem der Matthäuspassion) und aus Telemanns Matthäuspassion von 1746; den Chorsatz „Fürwahr, er trug unsere Krankheit" (Jesaja 53,4–6) gewann er durch Parodie aus dem „Et misericordia" seines Magnificat von 1749. Für die Markuspassion des folgenden Jahres war die Hauptquelle dann wahrscheinlich Telemann, und von nun an bis zum letzten Werk, der Matthäuspassion von 1789, blieb das Schema im wesentlichen gleich: für die Matthäuspassionen wurden Rezitative, madrigalische Texte und zum Teil die Choräle neu komponiert, der Rest im wesentlichen aus der Matthäuspassion des Vaters übernommen; für die Passionen nach den drei anderen Evangelisten wurden Choräle und madrigalische Texte neu komponiert (bzw. aus eigenen älteren Werken übernommen), der Rest – also auch die Rezitative – aus Passionen Telemanns übernommen[8]. Die Gründe für diese merkwürdige „Arbeitsteilung", vor allem die unterschiedliche Behandlung (und damit ja: Bewertung) der Passionsrezitative Johann Sebastian Bachs und Telemanns brauchen uns hier nicht zu beschäftigen.

Wichtig in unserem Zusammenhang ist aber, daß der Anteil der madrigalischen Texte an der Matthäuspassion von 1769 sehr groß und daß Bachs Komposition dieser Texte überaus anspruchsvoll und differenziert ist – man kann durchaus den Eindruck gewinnen, daß der Komponist sich in die von Telemann geprägte[9] Hamburger Passions-Tradition sehr nachdrücklich einschalten und ein möglichst eindrucksvolles Debut geben wollte. Dem entspricht die Qualität der madrigalischen Texte, die sich durchaus nicht nur im Stil, sondern auch auf der Höhe der oratorischen Dichtungen Ramlers halten. Nach den Quellen der Passionskantate stammen sie fast alle von Anna Luise Karsch, die gemeinhin als Schülerin Ramlers gilt[10], und von da-

8 H. Miesner, *Philipp Emanuel Bach in Hamburg. Beiträge zu seiner Biographie und Musikgeschichte seiner Zeit,* Leipzig 1929, Reprint Wiesbaden 1969; Clark, a. a. O., passim.

9 H. Hörner, *Georg Philipp Telemanns Passionsmusiken,* Borna-Leipzig 1933; St. A. Malinowski Jr., *The Baroque Oratorio Passion,* Diss. Cornell University 1978.

10 Die Literatur über „die Karschin", wie sie selbst sich nannte, ist so spärlich wie die Überschätzung der Dichterin zu Lebzeiten gewaltig war; das Ausführlichste ist immer noch der Nachruf in Friedrich Schlichtegrolls *Nekrolog der Deutschen* (12. Oktober 1791). Bemerkenswert im Hinblick auf Bachs Beziehungen zu Daniel Schiebeler, dem Dichter der „Israeliten in der Wüste", ist die Tatsache, daß die Karschin mit Schiebeler schon während dessen Studienzeit in Göttingen in brieflicher Verbindung stand: Bach kann also auf Schiebeler durch die Karschin und deren Kreis schon in Berlin aufmerksam geworden sein. Vgl. P. Kluckhohn, „Beiträge zur deutschen Literaturgeschichte des 18. Jahrhunderts. Aus handschriftlichen Quellen", in: *Archiv für Literaturgeschichte* 11 (1882), S. 484–506.

her gewinnt die Vermutung, daß die Arbeit an der Passion schon in Berlin begonnen wurde, weiter an Plausibilität; das einzige nicht von der Karschin stammende Stück madrigalischer Dichtung, die Arie „Wende dich zu meinen Schmerzen", die Johann Joachim Eschenburg wahrscheinlich 1764 für Telemanns Lukaspassion geschrieben hatte[11], könnte dann entweder von Telemanns Enkel im Verfolg seines Briefwechsels mit Bach nach Berlin geschickt oder nachträglich in Hamburg eingefügt worden sein.

Mit dem relativ großen Aufwand, den Bach – trotz aller Anleihen – bei der Komposition seiner ersten Passion trieb, läßt sich auf den ersten Blick kaum in Einklang bringen, daß er das Werk offenbar schon bald – wie bald, wird sogleich zu erörtern sein – zur Passionskantate umarbeitete[12]. Zur Erklärung kann vielleicht die Beobachtung beitragen, daß Bach in allen seinen Passionen offenbar nur eine einzige Textgattung so wichtig war, daß er sie stets selbst vertonte: die madrigalischen Texte. Die schildernde, argumentierende und emotionalisierende Passions- und Oratorien-Dichtung, so wie Ramler und die Karschin sie schrieben, scheint der Kern des Bachschen Passions- und Oratorienverständnisses gewesen zu sein – nicht das Bibelwort. Die Umwandlung der oratorischen Passion in das Passionsoratorium war die Konsequenz: der Paradigmenwechsel von der ungeliebten Amtspflicht zur „eigentlichen" Kirchenmusik. Und vielleicht stand der Plan zu diesem Paradigmenwechsel schon hinter dem Aufwand, den Bach mit der Komposition der Matthäuspassion trieb. Daß der Komponist mit der Umarbeitung den Geschmack seines Hamburger Publikums traf (oder sich auf dessen Geschmack einstellte?), zeigt der Erfolg der Passionskantate und ihre Institutionalisierung als „Spinnhauspassion". Daß er darüber hinaus auf lange Sicht auch den Ideen der Hamburger kirchlichen Obrigkeit entgegen kam, zeigt die bekannte Denkschrift der Pastoren Johan Jacob Rambach und Georg Heinrich Berkhan vom 20. Februar 1789, in der die direkte Rede „ehrwürdiger", das heißt biblischer Personen, besonders Jesu, als unschicklich abgelehnt wird und in der „Musiken nach Art der berühmten Compositionen von Graun, Homilius, Wolf, u. a." gefordert werden[13].

Eine ganz andere Frage ist es, wann die Umarbeitung der Passion in die Passionskantate stattfand: das scheinbar gesicherte früheste Datum ist die Jahreszahl 1769 auf Bachs autographer Notiz zur Partiturkopie P 337 der Staatsbibliothek Preußischer Kulturbesitz Berlin[14]; der erste Aufführungs-

11 Clark, a. a. O., S. 44.

12 Zum folgenden vgl. den Beitrag von Hans-Joachim Schulze in diesem Band. Die Priorität an den Überlegungen zum Paradigmenwechsel gebührt Hans-Joachim Schulze.

13 Abgedruckt u. a. bei Clark, a. a. O., S. 341–346.

14 So auch als Kompositionsdatum bei Helm, Catalogue.

bericht stammt erst von 1772. Der Widerspruch läßt sich auflösen, wenn auch ohne endgültige Klärung der Entstehungszeit.

Bachs oft, aber meist nicht vollständig zitierte Notiz, die der Berliner Kopie vorgebunden ist, lautet[15]:

„Passions-Cantate, / von mir, / C. P. E. Bach, / Anno 1769 / in / Hamburg / in Musik gesetzt.
NB. Diese Partitur ist zwar nicht von der / Handschrift des Autors, (denn von dieser / Cantate in dieser Einrichtung existirt kein Ori- / ginal, weil der Autor hernach vieles geändert / hat) sie ist aber so correct, wie möglich und ganz / gewiß correcter, als alle übrigen Exemplars, / weil sie der Besitzer, nehmlich der Autor / sehr oft durchgesehen hat."

Das, was Bach hier unter NB. schreibt, kann nur bedeuten, daß er das Werk in beiden „Einrichtungen" Cantate nennt[16], deshalb sagen kann, daß er es (als Matthäuspassion) 1769 komponiert hat, und daß „von dieser Cantate in dieser Einrichtung" (das heißt der Fassung als Passionskantate) kein Original existiert (weil die aus der Passion übernommenen Nummern aus deren Autograph, das jetzt verloren ist, kopiert wurden). Für die Datierung der jüngeren „Einrichtung" gibt die Jahreszahl 1769 also nichts her. Wann aber ist die Passionskantate „eingerichtet" worden? Das Nachlaßverzeichnis[17] nennt 1770, aber seinen Angaben ist, wie wir noch sehen werden, nicht immer zu trauen. Die erste sichere Nachricht stammt von 1772: Charles Burneys Bericht über das Privatkonzert, das Christoph Daniel Ebeling ihm zu Ehren gab und bei dem auch etwas aus der Passionskantate aufgeführt wurde; in der Übersetzung von Bode:

„Herr Bach hat ein deutsches Passionsoratorium in Musik gesetzt, und aus dieser vortreflichen Komposition wurden heute Abend einige Stellen gemacht. Besonders ward ich von einem Chor entzückt, welches in Ansehung der Modulation, der Ausarbeitung und der Wirkung, es wenigstens dem besten Chore in Händels unsterblichen Messias gleich that. Eine Adagioarie, da Petrus innig weint, als ihn der Hahn zur Reue weckt, war so innig rührend, daß fast alle Zuhörer den Jünger mit ihren Thränen begleiteten."[18]

Am 26. Februar 1773 erscheint dann im *Hamburgischen Correspondenten* die bekannte Notiz „Einiger Freunde der Kirchen-Musik in Hamburg", in der die Vorsteher des Spinnhauses aufgefordert werden, Bachs Passions-

15 Faksimile in der Partiturausgabe von H.-J. Irmen, Prisca-Verlag Vaduz 1982, und im *Programmbuch* (wie Anm. 5), S. 172.

16 So wir er umgekehrt Grauns Tod Jesu „die Graunsche Paßion" nennt; vgl. E. Suchalla (Hrg.), *Briefe von Carl Philipp Emanuel Bach an Johann Gottlob Immanuel Breitkopf und Johann Nikolaus Forkel,* Tutzing 1985 (= Mainzer Studien zur Musikwissenschaft 19), Nr. 22 und 23.

17 R. W. Wade (Hrg.), *The Catalog of Carl Philipp Emanuel Bach's Estate,* New York–London 1981.

18 Ch. Burney, *Tagebuch seiner Musikalischen Reisen.* Dritter Band ..., Hamburg 1773, „S. Burney traf in Hamburg am 9. Oktober 1772 ein und reiste um den 18. Oktober nach Amsterdam weiter, wo er am 20. eintraf. Vgl. R. Lonsdale, *Dr. Charles Burney. A Literary Biography,* Oxford 1965, S. 118.

kantate als ständiges Erbauungsstück in der neuen Spinnhauskirche zu etablieren[19]. Ausdrücklich – und in Übereinstimmung mit unserer Interpretation der Notiz Bachs zur Partiturkopie P 337 – wird darin gesagt, daß der Komponist seine „vortreffliche Passions-Musick ... im Jahr 1769 für die Hamburgischen Kirchen componierte, und in denselben aufführte" (das heißt: die Passion, die in den Hauptkirchen als offizielle Gottesdienstmusik aufgeführt wurde) und daß diese Musik „nachmals (nachdem ein verdienter hiesiger Gelehrter Recitative dazu verfertigt) zu verschiedenenmalen in Privat-Concerten immer mit gleichem Beyfall wiederholt ward" (das heißt: die Passionskantate, für die wahrscheinlich Ebeling die Rezitative dichtete, und die als Passionskantate nur in den Nebenkirchen oder eben in Privatkonzerten aufgeführt werden konnte). Ausdrücklich wird auch gesagt, daß eine solche Institutionalisierung der Passionskantate „zur fortwährenden Erbauung dienen" soll, und ausdrücklich wird eine Parallele zu Telemanns Passionskantate „Seliges Erwägen" hergestellt, also der pièce de resistance der Hamburger oratorischen Erbauungsmusik, die das Publikum „zu wiederholtenmalen in verschiedenen Kirchen jährlich ... hören" könne, der also durch die Verbindung von Bachs Werk mit der neuen Spinnhauskirche kein Abbruch geschehen könne. Eine Aufführung scheint tatsächlich schon 1773 geplant worden zu sein; der Antrag des Spinnhaus-Provisors Johann Peter Stoppel vom 26. Januar 1774 auf jährliche Aufführung der Passionskantate spricht davon, daß „in dem vorigen Jahre, wegen kürtze der Zeit und andern Nicht ab zu ändern gewesenen Hindernissen zur Aufführung der Passions Musicq in der hießigen Spinnhaus Kirche, daß ansuchen des damaligen Provisoris keinen Platz finden können"[20]. Nun war es endlich so weit: dem Antrag wurde durch Veröffentlichung im *Hamburger Correspondenten* am 4. Februar 1774 stattgegeben; am 5. und 8. März wurde die Aufführung der „so sehr gewünschte(n), von unserm Kapellmeister, Herrn Bach, componierte(n) Passions-Cantate" angekündigt; am 17. März (Gründonnerstag) fand sie statt. Bis 1785 sind die jährlichen Aufführungen (unter Bachs Leitung) in der Spinnhauskirche lückenlos dokumentiert, 1786 ist eine Lücke, 1788 und 1789 folgten Aufführungen in der Waisenhauskirche. 1777 gab es

---

19 Dieses Dokument und die folgenden am vollständigsten bei Clark, a. a. O., S. 45–50 und 340.

20 Tatsächlich scheint das Werk schon 1773 aufgeführt worden zu sein, außerhalb Hamburgs: das Textbuch einer auf dem 4. März 1773 datierten Aufführung in Köln ist erhalten (vgl. den Nachweis bei Clark, S. 54). Über die Möglichkeit einer Berliner Aufführung ebenfalls schon 1773 vgl. Clark, S. 59; die von Winter und Bergemann verlegten Textbücher (Staatsbibliothek Preußischer Kulturbesitz, Mus. Tb 92, 92/1, 808 sind bibliotheksintern auf 1774 datiert worden). Ein Textbuch aus Halberstadt 1774 bei Clark, S. 53; diese Aufführung wird also etwa zeitgleich mit der Hamburger Aufführung stattgefunden haben, vielleicht am selben Tag.

außerdem eine Aufführung im Konzertsaal auf dem Kamp, ebenfalls unter Bachs Leitung[21]. Kein anderes Werk Bachs kann eine solche Aufführungsserie vorweisen.

Die Chronologie der Zeugnisse spricht also recht deutlich, wenn auch nicht mit letzter Sicherheit, gegen die vom Nachlaßverzeichnis suggerierte Entstehung 1770 und für eine Entstehung im Lauf des Jahres (und wohl eher in der zweiten Jahreshälfte) 1772. Natürlich ist das Werk in den Teilen, die auf die Matthäuspassion von 1779 (begonnen 1778?) zurückgehen – also in den musikalisch gewichtigsten Teilen – älter als die „Israeliten in der Wüste", deren Entstehungsgeschichte glücklicherweise einfacher ist.

Die „Israeliten in der Wüste"[22] sind, wohl im Auftrag des Magistrats, für die Einweihung der neuen Kirche des Armenhauses vor den Stadtmauern (der sogenannten Lazareth-Kirche) komponiert worden, die am 1. November 1769 stattfand und die sehr gut dokumentiert ist. Am 28. und 31. Oktober wurde das Ereignis *im Hamburgischen Correspondenten* angekündigt; der Textbuchdruck und die Gottesdienstordnung für den 1. November sind erhalten[23], und Bachs eigenhändige „Specification der Kosten wegen der Einführungs Music der neuen Lazareth Kirche" vom 6. November ist ebenfalls überliefert[24]. Aus der Gottesdienstordnung geht hervor, daß – entsprechend der allgemeinen lutherischen Tradition – zwischen den beiden Teilen des Oratoriums die Predigt stand – angesichts der Tatsache, daß der zweite Teil des Werkes die ausführliche typologische „Nutzanwendung" des biblischen Berichtes bietet, die normalerweise Aufgabe der Predigt war, wüßte man gern, wie sich der Prediger aus der Affäre gezogen hat. Die Kosten-Spezifikation zeigt Bach, zum ersten Mal in seiner Hamburger Laufbahn, als guten Geschäftsmann, der bei der Festsetzung seines Honorars nicht zimperlich ist (150 Mark Hamburger Courant, fast die Hälfte der Gesamtkosten)[25].

Der Name des Textdichters taucht weder im Textbuch noch in einem anderen der Aufführungsdokumente auf – ihn zu nennen, war vielleicht über-

---

21 Gugger, a. a. O.

22 Die beste Darstellung der Entstehungsgeschichte und zusammenfassende Werkinterpretation jetzt bei U. Konrad, *Programmheft* für Magnificat und „Die Israeliten in der Wüste, Göttinger Händelfestspiele 1988.

23 *Ausstellungskatalog Carl Philipp Emanuel Bach. Musik und Literatur in Norddeutschland,* hrg. von D. Lohmeier, Heide in Holstein 1988 (= Schriften der Schleswig-Holsteinischen Landesbibliothek 4), Nr. 98 (Gottesdienstordnung); *Programmbuch* (wie Anm. 5), S. 142 (Titelblatt des Textbuchdruckes).

24 Faksimile im *Programmbuch,* S. 147.

25 Konrads Angabe, die sarkastische Fußnote „ward mit Mühe bezahlt" stamme „von einem unbekannten Schreiber" (a. a. O., 68) ist zweifelhaft: es kann sich auch um die Hand des Komponisten handeln.

flüssig, denn es handelte sich um den hochgeachteten Hamburger Bürger Daniel Schiebeler, der seit März 1768 Kanonikus am Domkapitel war[26]; außerdem wurde der Text schon bald nach der Aufführung, (Anfang?) 1770, in der Sammlung *Musikalische Gedichte von S**** veröffentlicht, deren Widmungsvorrede von Schiebeler auf den 11. August 1769 datiert ist[27]. Die Erstveröffentlichung des Textes lag allerdings weiter zurück: Schiebeler hatte ihn schon 1767 in Leipzig drucken lassen. Beide Drucke, dazu auch der in der Sammlung *Daniel Schiebelers ... Auserlesene Gedichte,* die Eschenburg 1773 herausgab, um den 1771 mit nur 30 Jahren gestorbenen Dichter zu ehren, bringen allerdings – und hierauf hat Konrad zum ersten Mal hingewiesen – einen kürzeren Text als das Oratorium, in dem die drei letzten Nummern – Choral, Rezitativ und Schlußchor – hinzugefügt sind. Bedenkt man, welche besondere Rolle der Choral spielt (wozu sogleich etwas zu sagen sein wird) und wie hartnäckig die Hamburger Drucke, die den Text als Dichtung wiedergeben, diese Erweiterungen ignorieren, dann liegt die Vermutung nahe, daß die drei Nummern zumindest auf Veranlassung Bachs, wenn nicht von ihm selbst hinzugefügt worden sind.

Bachs Wahl des Textes und Textdichters war in mehrfacher Hinsicht geschickt (wenn sie nicht vom Magistrat oder dem Kapitel der Lazareth-Kirche vorgegeben war). Die Geschichte von der Errettung des jüdischen Volkes aus der Todesgefahr und ihre typologische Wendung als Vorschein der Erlösungstat Christi war für die Kirche eines Armen- und Siechenhauses gewiß passend. Sie war außerdem die Fortsetzung jener biblischen Geschichte, die Friedrich Wilhelm Zachariä und Telemann in ihrem „musikalischen Gedicht“ „Das befreite Israel“ erzählt hatten[28], das zuerst 1759 aufgeführt worden war. In Telemanns Bemühungen, Kirchenkantate und Konzert-Oratorien ganz auf zeitgenössische madrigalische Texte – ohne Bibelwort – zu konzentrieren[29], bildete es eine wichtige Etappe; die Werkwahl des Konzerts vom 29. März 1759 im Drillhaus wirkt wie ein Programm zur Überwindung der Unterschiede zwischen den Gattungen und, letztlich, zur Überwindung der Kirchenkantate durch die konzerthafte Andachtsmusik:

---

26 Zu Schiebeler vgl. vor allem die im Faktischen noch immer unüberholte Dissertation von G. Schmidtmann, *Daniel Schiebeler,* Göttingen 1909; ferner H. Schröder, *Lexikon der hamburgischen Schriftsteller bis zur Gegenwart,* Band 6, 1873, Nr. 3429; als jüngste Würdigung F. Kopitzsch, *Grundzüge einer Sozialgeschichte der Aufklärung in Hamburg und Altona,* Hamburg 1982, Teil I, S. 384–385. Eine ausführlichere Darstellung Schiebelers und seiner Rolle in der Musikgeschichte bereitet Gudrun Busch im Rahmen ihrer Arbeiten über Johann Joachim Eschenburg vor.

27 *Ausstellungskatalog,* Nr. 101.

28 Hrg. von W. Hobohm in Georg Philipp Telemann, *Musikalische Werke,* Bd. XXII, Kassel usw. 1971.

29 Vgl. den Überblick bei Hobohm, S. VIII.

als neukomponierte Stücke erklangen „Das befreite Israel" und der 1. und 10. Gesang aus Klopstocks „Messias", als drittes Stück eine Bearbeitung der „Donnerode", die 1756 als Kirchenkantate aufgeführt worden war. Andererseits ist „Das befreite Israel" schon durch seine Kürze kein Oratorium, sondern eine einteilige Kantate; dem Text fehlt jeder Ansatz einer typologischen Wendung, und die Musik ist betont einfach, klar und schlagkräftig – eins der herausragenden Beispiele für den „modernen", das heißt direkt auf die Wiener Klassik vorausweisenden Spätstil Telemanns.

Vor diesem Hintergrund läßt sich Bachs Werk auch als Reaktion auf Telemanns Werk und auf die Tendenzen, für die es stand, verstehen – Reaktion in Anknüpfung und Gegensatz[30]. Die große Form macht aus der – in Telemanns Spätwerk durchaus dominierenden – Kantate das „Oratorium" – so der Titel im Textbuch der Uraufführung und im Erstdruck der Musik 1775 (während es bei Schiebeler „Ein geistliches Singgedicht" heißt)[31]; in diesem Zusammenhang ist die erwähnte Erweiterung des Textes bezeichnend. Die typologische Wendung macht aus dem Andachts- und Erbauungsstück ein belehrendes Stück, fast eine poetisch-musikalische Predigt; die Zweiteiligkeit, die durch diese Wendung vorgegeben ist, empfiehlt das Werk für den Gottesdienst. In diesem Zusammenhang ist bezeichnend, daß die Hamburger Texterweiterung die typologische Deutung der alttestamentlichen Geschichte nicht nur verstärkt, sondern in eine neue Perspektive stellt[32]. Bis zum Chor „Verheißner Gottes, welcher Adams Schuld vertilgen soll" sind die Personen der Handlung die des Alten Testaments – Moses, erste und zweite Israelitin, Chor der Israeliten, und die typologische Weissagung wird durch Moses verkündet, der sich selbst als Vorläufer Christi deutet. Der neue, Hamburger Text beginnt mit einem Choral – dem ersten und einzigen im ganzen Werk – also der stilisierten Stimme der Gemeinde, die in schlichtem Kantionalsatz die Grundüberzeugung des typologischen Denkens ausspricht: „Was der alten Väter Schar Höchster Wunsch und Sehnen war, Und was sie geprophezeit, Ist erfüllt nach Herrlichkeit"[33]. Das fol-

30 Strukturelle Ähnlichkeiten auf der Ebene der Komposition sind erkennbar, aber doch zu spärlich, als daß man eine Absicht Bachs hinter ihnen vermuten könnte: vor allem handelt es sich um die symbolische Verwendung einer französischen Ouverture (zweiter Teil von Nr. 4 bei Telemann, Nr. 9 bei Bach), daneben um (weniger konkrete) Beziehungen von Ort, Funktion und Ton der Sopranarie Nr. 11 bei Telemann und der großen Gleichnisarie Nr. 20 bei Bach.

31 Auch in Bachs erster Anfrage an Breitkopf heißt das Werk „ein teutsches Oratorium"; vgl. Suchalla, a. a. O., Nr. 9.

32 Vgl. auch hierzu Konrad, a. a. O.

33 Zweite Strophe von „Gott sei Dank durch alle Welt", hier (wie üblich) auf die Melodie „Nun komm der Heiden Heiland", wobei die Symbolik dieser traditionellen Text-Melodie-Beziehung die typologische Haltung des Oratorienschlusses natürlich verstärkt.

gende Rezitativ ist einem Tenor zugeteilt (im ersten Teil: Aaron); die Schlußworte singt der Chor, nicht mehr Chor der Israeliten. Das typologische Denken wird so nicht nur in dem deutlich, was der Text sagt, sondern auch darin, wer es sagt.

Die besondere Bedeutung der typologischen Wendung und ihre Steigerung in der Hamburger Textfassung lenken den Blick noch einmal zurück auf den Textdichter, der keineswegs – wie es in der Sekundärliteratur meist scheint – eine Hamburger Lokalgröße, sondern ein trotz seiner kurzen Schaffenszeit berühmter und vor allem experimentierfreudiger Poet und ein spekulativer Kopf war. Schiebeler studierte, ohne Neigung, die Rechte, zuerst in Göttingen, dann 1765–1768 in Leipzig, wo er sich mit Eschenburg anfreundete. In Leipzig entstanden und erschienen auch seine Werke für das Theater und der Großteil der komischen Romanzen – sämtlich Werke, die ein ausgeprägtes Interesse an Gattungspoetik und am Experimentieren mit Gattungen zeigen; die entschiedene typologische Wendung des alttestamentarischen Oratoriums in den „Israeliten" (auch ohne die Hamburger Textzusätze) fügt sich zwanglos in diesen Zusammenhang ein. Jede der von Schiebeler erprobten theatralischen und oratorischen Gattungen ist mit je einem Exemplar vertreten: 1766 erschienen „Tirreno e Fille", ein „Componimento pastorale", das Metastasio gewidmet ist; „Basilio und Quiteria", ein „Singgedicht für das Theater" (schon 1761 von Telemann als „Don Quichotte auf der Hochzeit des Comacho" vertont)[34] und, als wichtigstes Werk, „Lisuart und Dariolette" (eine Frühfassung Göttingen 1764 ist erschließbar), eine „romanisch-komische Oper", die von Hiller vertont und in ihrer Zeit als erstes „ernsthaftes" deutsches Singspiel lebhaft diskutiert wurde[35]. 1767 folgten „Die Großmuth des Scipio", ein „dramatisches Singgedicht" (genauer: eine sehr metastasianische opera seria in deutscher Sprache) und schließlich „Die Israeliten in der Wüste", ein „geistliches Singgedicht". Die entschiedene typologische Wendung des alttestamentarischen Oratoriums in diesem Text fügt sich also zwanglos in eine Werkgruppe ein, mit der ganz offenbar Gattungs-Modelle geschaffen werden sollten[36]. Daß

---

34 Vgl. die vorzügliche, alle ältere Literatur obsolet machende Darstellung bei B. Baselt, „Georg Philipp Telemann und die Opernlibrettistik seiner Zeit", in: *Telemann und seine Dichter.* Konferenzbericht der 6. Magdeburger Telemann-Festtage 1977, Magdeburg 1978, Teil I, S. 31–51, besonders S. 42 ff.

35 Vgl. Th. Bauman, *North German Opera in the Age of Goethe,* Cambridge University Press 1985, passim. Die auch bei Baumann weitergeführte Diskussion über Schiebelers „Erfindung" des terminus „romantisch-komische" Oper ist gegenstandslos, da bei Schiebeler das „t" fehlt; vgl. seine eigene Gattungstheorie: Anmerkung zu „Lisuart und Dariolette, von dem Verfasser desselben", in: (Hillers) *Wöchentliche Nachrichten und Anmerkungen die Musik betreffend,* II, 1767/68, S. 135–139 (18. Stück, 2. November 1767).

36 Gerade für ein Gattungs-Modell des (nennen wir es einmal so) „typologischen Orato-

dies dem Dichter nicht nur mit „Lisuart und Dariolette“, sondern auch bis zu einem gewissen Grade mit den „Israeliten“ gelang, zeigt sich darin, daß Forkel noch 1783 den Text als Muster eines „handelnden“ Oratoriums rühmt, auch wenn ihm die „cantatenmäßige Einrichtung und ganz lyrische Behandlung unserer Singstücke, ohne handelnde Personen ... allemahl am natürlichsten“ und als „weit vorzuziehen“ erscheint[37] (eine Gegenüberstellung, die wie die Beschreibung des Perspektivenwechsels durch die von Bach vertonten Textzusätze erscheint – Zusätze, die Forkel natürlich aus Bachs Werk kannte)[38].

Eine andere Ebene, auf der „Die Israeliten in der Wüste“ als Auseinandersetzung mit den von Telemann geprägten Traditionen verstanden werden kann, ist die der Komposition. Der großen Form des Textes korrespondiert – nicht selbstverständlich und in deutlichem Gegensatz zu den Tendenzen in Telemanns Spätstil – die Neigung zu großen, ja ausladenden Dimensionen der musikalischen Nummern, am deutlichsten in den riesigen da capo- und dal segno-Arien[39]. Dieser Neigung wiederum entspricht der orchestrale Aufwand, der in den Chören getrieben wird – doppelt auffällig, da der Chorsatz ganz ähnlich wie meist bei Telemann homophon ist –, ihr entspricht die experimentelle Weiterentwicklung traditioneller Formen und ihre Steigerung zu ostentativen Prunkstücken, am drastischsten in dem Accompagnato für Baß (Moses) und Chor (Nr. 14), und ihr entspricht schließlich und vor allem die ins Extrem getriebene Detaildarstellung, über die der anonyme Hamburger Rezensent der gedruckten Partitur so begeistert war[40]. Bach stellt sich dem Publikum – sehr viel entschiedener als in der Matthäus-Passion – als ein dezidiert moderner Komponist vor, aber seine Modernität ist eine andere als die des späten Telemann. Es ist die Modernität, die gemeinhin als „Empfindsamkeit“ bezeichnet wird. Allerdings übersteigt sie das gewöhnliche Maß „empfindsamer“ Textdarstellung bei weitem und, bezeichnenderweise, in zwei entgegengesetzten Richtungen: die extrem reiche und extrem zugespitzte Darstellung des – für diesen Zweck oft gera-

---

riums“ bot sich die Geschichte von den Israeliten in der Wüste an, weil sie durch Paulus zu einem zentralen Beispiel typologischen Denkens geworden war (1. Korinther 10,1–13).

37 J. N. Forkel, *Musikalischer Almanach für Deutschland auf das Jahr 1783,* Leipzig (Vorrede dat. 1782) XIII: „Ueber die Beschaffenheit der musikalischen Oratorien, nebst Vorschlägen zur veränderten Einrichtung derselben“, S. 166–206, Zitat S. 200.

38 Forkel war in Göttingen bei der Subskription auf den Druck des Werkes behilflich und subskribierte selbst, vgl. die Briefe von Bach an ihn vom 15. September 1774, 20. September 1775 und 22. Dezember 1775; Suchalla, a. a. O., passim.

39 Smither, a. a. O., S. 374

40 *Staats- und Gelehrte Zeitung des Hamburgischen unpartheyischen Correspondenten* vom 19. 12. 1775, veröff. u. A. im *Ausstellungskatalog* 1988 unter Nr. 100 und bei Suchalla, a. a. O., S. 329–330.

dezu isolierten – Textdetails einerseits und die konstruktive Verfestigung der Rezitative und Ariosi. Die erste Tendenz zeigt sich drastisch in den geschlossenen Nummern, wenn die Textform aufgebrochen wird und einzelne, affektgeladene Worte so isoliert herausgearbeitet werden, daß sie über die Absicht des Textes hinaus, ja sogar am Sinn des Textes vorbei affektiv aufgeladen werden. Dazu gehört die Behandlung des – im Zusammenhang des Textes eher konventionellen – „ach!" am Ende des Mittelteils der Arie „Will er, daß sein Volk verderbe?" oder, auf einer anderen Darstellungsebene, das geradezu stammelnde Auseinanderlegen, Neuverknüpfen und Hin- und Herwenden der drei formal und inhaltlich sehr schlichten Textzeilen des Hauptteils der Arie „O bringet uns zu jenen Mauren"[41].

Die zweite Tendenz zeigt sich in der motivischen Vereinheitlichung der rezitativischen Teile – um mit Bach selbst zu sprechen: „Recitative, wobey der Baß, oder die übrigen darzu gesetzten Instrumente entweder ein gewisses Subject, oder eine solche Bewegung in Noten haben, welche beständig fortdauret, ohne sich an die Absätze der Singstimme zu kehren"[42]. Beispiele dafür bietet schon das erste Rezitativ, dessen Generalbaß-Oktavengang (T. 7 und 11) einerseits die formale und inhaltliche Funktion hat, den Mittelteil des Rezitativs gegen die affektiv kontrastierenden Rahmenteile abzugrenzen und seinen Grundaffekt festzulegen, andererseits als eine quasi-Antwort auf die jeweils voraussprechenden Textworte („zu verlassen?", „weinen") diesen Grundaffekt nuanciert und konkretisiert. Im Prinzip ähnlich, nur ungleich differenzierter ist das Verfahren im großen Accompagnato Mosis (Nr. 21), mit dem die typologische Wendung eingeleitet wird. Das Doppelmotiv der Violinen, das T. 6 eingeführt wird, dient zunächst als Interpunktion, birgt aber in seinem Gegensatz von fließender Achtel- und Sechzehntelbewegung und punktierter Rhythmik auch schon einen Affekt-Gegensatz; außerdem folgt es in der harmonischen Bewegung dem Text, vor allem im Gegensatz der ersten Formulierung (As-dur) zur zweiten nach „seh' ich die Zukunft aufgehellt": G-dur. Ein tieferer Sinn des Motivs ent-

41 Die Besprechung in der *Allgemeinen Deutschen Bibliothek* 1775 kritisiert eben diese Tendenz: „Sollten wir es wagen, etwas an diesem vortrefflichen Werke auszusetzen, so beträfe es die Vernachläßigung des grammatikalischen Akzents; nicht nur in der Arie ... Und ferner die gar zu häufige und oft unbedeutende Umkehrung und Verwerfung der Worte ... an seiner rechten Stelle ist es ein sehr kräftiges Mittel, den Zuhörer von allen Seiten anzugreifen, ihm die Worte näher ans Herz zu legen, sie ihm tiefer einzuprägen. Geschieht es aber zu oft, in allen Arien, blos um die Worte so vielfältig umzukehren und zu verkürzen, als sie es nur leiden, ohne nonsensikalisch zu werden ... alsdann thut das bloße Spiel mit den Worten entweder keine oder wohl gar eine widrige Wirkung, und selbst die zweckmäßigsten Umkehrungen und Verkürzungen der Worte verlieren dadurch ihre Kraft". Abdruck der ganzen Rezension bei Suchalla, a. a. O., S. 331–332.

42 *Versuch über die wahre Art das Clavier zu spielen,* 2. Teil, Berlin 1762, Kap. 38 § 2.

hüllt sich aber erst am Ende des Accompagnato, wenn der punktierte Rhythmus zum Grundmotiv des Allegro-Einschubs wird („Dies ist der Held") und die anschließende Rückkehr zur ursprünglichen Formulierung den Friedensbringer Jesus feiert („und bringt den Frieden mit – und Heil und Segen ist sein Name"). Die Art und Weise, wie hier – noch dazu in einer nicht-geschlossenen Form – motivische Vereinheitlichung, Motivsprache als Affektsprache und motivische Entwicklung als symbolische Darstellung des Textsinns verbunden sind, ist der Tonsprache des Vaters Bach – etwa der Darstellung von Altem und Neuem Bund im „Actus tragicus" BWV 106 – erstaunlich nahe. Schließlich korrespondiert der hier deutlich werdenden symbolischen Verwendung von Prozeß und Form großräumig, daß – pointiert gesagt – Form und Satztechnik der geschlossenen Nummern immer einfacher (wenn auch nicht kürzer) werden, je positiver der Text wird[43].

Aus der Perspektive der „Israeliten in der Wüste" werden nun auch einige Eigentümlichkeiten der Passionskantate deutlich, die bei isolierter Betrachtung des Werkes kaum auffallen würden. Natürlich überwiegen die Gemeinsamkeiten, vor allem in der exzessiven Detailarbeit derjenigen Stücke, die aus der Matthäuspassion übernommen sind – also derjenigen, die vor den „Israeliten" komponiert wurden. Andererseits fällt auf, daß die Tendenz zum bloß deskriptiven Komponieren am Textdetail entlang ausgeprägter ist als dort und daß die beiden einzigen Stücke, in denen eine ähnliche motivische Vereinheitlichung wie in den „Israeliten" deutlich wird, neu, also nach den „Israeliten" komponierte Stücke sind (das Rezitativ „Nehmt mich, ich bins" und der erste Teil des Accompagnato „O du, der Gott mit uns versöhnt"). Es fällt weiter auf, daß die drei nach 1769 neukomponierten geschlossenen Nummern so extrem gegensätzlich angelegt sind, daß der Verdacht, ihre Form und Gattungszugehörigkeit könne ähnlich wie in den „Israeliten" auch symbolisch gemeint sein, naheliegt: die erste, „Lasset uns aufsehen auf Jesum Christum"[44] eine Motette in der Form von (Choral-) Präludium und (Doppel-)Fuge; die zweite, „Heiliger Schöpfer, Gott!"[45] ein

---

43 Vielleicht ist dies ein Grund für die sonst schwer verständliche Betonung der Einfachheit und Faßlichkeit des Werkes bei Reichardt: „Ich erstaunte selbst darüber, wie sich dieser grosse Mann so sehr von seiner gewöhnlichen Höhe – die ihm so natürlich ist, wie dem Adler der Flug nahe bey der Sonne – hatte herablassen, und einen leichten uns armen Erdensöhnen so faßlichen Gesang singen können". *Briefe eines aufmerksamen Reisenden die Musik betreffend,* 2. Teil, Frankfurt-Breslau 1776, 14 (dat. Hamburg, 12. Juli 1774; Bach und Reichardt nahmen das Werk „gestern", also am 11. Juli durch).

44 Nr. 18 der Passionskantate, vgl. auch Helm, *Catalogue,* S. 181. Der Text ist eine Kompilation aus Brief an die Hebräer 12,2 und 1. Petrusbrief 2,24 (frdl. Hinweis von Renate Steiger, Heidelberg).

45 Nr. 24 der Passionskantate. Der Text ist eine Variante des Refrains der drei Strophen

einfacher protestantischer Kantionalsatz; die dritte, der Schlußchor „Preiset ihn, erlöste Sünder" in Rondoform mit drei solistischen Episoden (die erste und dritte in Moll) – also eigentlich ein Vaudeville[46]. Und es fällt schließlich auf, daß die secco-Rezitative in der Passionskantate weit weniger auf das Textdetail eingehen als diejenigen der „Israeliten in der Wüste". Es scheint also, als habe sich Bachs kompositorische Haltung zwischen der Komposition der Matthäuspassion und der Komposition der neuen Stücke für die Umgestaltung zur Passionskantate nicht grundsätzlich, aber doch merkbar verändert und als seien die Erfahrungen bei der Komposition der „Israeliten in der Wüste" in diese neuen Stücke eingegangen. Der scheinbare Widerspruch, daß die secco-Rezitative in der Passionskantate einfacher sind als in den „Israeliten", läßt sich erklären: in den „Israeliten" handelt es sich um die direkte Rede handelnder und quasi-individualisierter Personen, in der Passionskantate um den – wenngleich sehr affektstarken – Bericht des traditionellen testo[47]. Immer noch merkwürdig bleibt dann aber die im Kontext der Rezitative geradezu extrem zurückhaltende Behandlung der paraphrasierten Jesusworte – selbst dort, wo sie als Arioso gefaßt sind, und am deutlichsten in der fast beiläufigen Behandlung des „Es ist vollbracht". Es liegt nahe, hier an eine gemeinsame Strategie Ebelings und Bachs zu denken, durch die der Akzent auf der emotionalen und emotionalisierenden

---

von Luthers „Mitten wir im Leben sind"; die Liedmelodie liegt im Sopran. Für die Erklärung dieses merkwürdigen Gebrauchs eines Strophen-Teils gibt es zwei Möglichkeiten. Der Refrain wurde und wird noch heute in der Liturgie der Brüdergemeinde als selbständiges Lied verwendet, und zwar in der Ostermorgen-Litanei und (als Orgelstrophe nach dem gemeinsamen Genuß des Brotes) beim Abendmahl (Mitteilung von Wolfgang Herbst an Renate Steiger, Heidelberg). Die zweite, vielleicht näherliegende Ableitung wäre die aus dem Predigt-usus des 17. und frühen 18. Jahrhunderte, mit solchen Lied-Ausschnitten in exegetischer Absicht zu arbeiten (frdl. Hinweis von Renate Steiger, Heidelberg; vgl. dazu von derselben, „Amen, amen! Komm, du schöne Freudenkrone" – Zum Schlußsatz von BWV 61, in: Musik und Kirche 59 (1989), S. 246–251).

46 Die Anregung zur Übertragung einer für opéra comique und Singspiel typischen Form in den Bereich ernster Musik kann von Schiebeler gekommen sein, dessen Lisuart und Dariolette der Schlußbildung besondere Aufmerksamkeit widmet (Chor mit Arie und Chor da capo, danach Vaudeville), eher aber wohl von Glucks „Orfeo ed Euridice", ein Werk, das Bach mit ziemlicher Sicherheit kannte und das schon 1763 in Hamburg konzertant aufgeführt worden war (J. Sittard, *Geschichte des Musik- und Concertwesens in Hamburg vom 14. Jahrhundert bis auf die Gegenwart,* Altona-Leipzig 1890, S. 97, ohne Nachweis).

47 Zur theoretischen Diskussion über das Rezitativ ist eine solche Differenzierung allerdings kaum in Beziehung zu setzen – am ehesten vielleicht als eine Verbindung und sehr persönliche Umsetzung der allgemeinen Forderung nach einem ernsteren (und auch zurückhaltenderen, behutsameren) Rezitativ in geistlichen Werken und der speziellen Unterscheidung von Rezitation und Deklamation bei Johann Adolph Scheibe („Abhandlung über das Recitativ", in: *Bibliothek der schönen Wissenschaften und freyen Künste* XI, 1764 und XII, 1765; speziell XI, S. 213–214, XII, S. 38–40, XII, S. 239–242).

Vermittlung, nicht unmittelbaren Darstellung des biblischen Geschehens verstärkt werden sollte.

Während der Unterschied zwischen den chronologischen Schichten der Passionskantate und den „Israeliten" jedenfalls nur ein gradueller ist, reicht der Unterschied zwischen diesen beiden Werken und Bachs letztem Oratorium, „Auferstehung und Himmfelfahrt Jesu", ins Grundsätzliche. Schon die Entstehungsgeschichte kann darauf hindeuten, daß hier noch nachdrücklicher als in den frühen Werken und auf andere Weise etwas Besonderes geplant war, denn sie ist ungewöhnlich lang, wenn auch nicht eigentlich kompliziert. Bach scheint eine erste Fassung schon 1774 komponiert zu haben – es besteht kein Anlaß, an den Mitteilungen in dem bekannten Brief von Johann Heinrich Voß an Ernst Theodor Johann Brückner vom 2. und 3. April 1774 zu zweifeln; dort heißt es[48]:

„Heute Nachmittag läßt er Ramlers Auferstehung, neu componirt, aufführen"

(Ostersamstag, 2. April), und später

„Gestern nachmittag nahm mich Bach mit aufs Chor, wo er seine neue Auferstehung aufführte. Er hat sie herlich componirt. Nachher ging die ganze Gesellschaft nach der Rabe, einem Lustort vor Hamburg, wo wir Kaffe tranken und Kegel spielten. Bach erzählte vieles von Berlin und seinem Vater Sebastian".

Die hier geschilderten Umstände machen deutlich, daß es sich um eine Privataufführung handelte, woraus sich erklärt, daß keine anderen Zeugnisse für sie existieren; die Tatsache, daß die erste öffentliche Aufführung erst vier Jahre später stattfand, legt die Vermutung nahe, daß Bach mit dem Werk 1774 nicht zufrieden war und an ihm weiterarbeitete. Auch die Fassung, die am 18. März 1778 im Konzertsaal auf dem Kamp – also von vornherein nicht mehr in einer Kirche – aufgeführt und am 6. April daselbst, am 29. März 1779 im Kramer-Amtshaus (also wieder nicht in einer Kirche) wiederholt wurde[49], war aber ebenfalls noch nicht die endgültige[50]. An Stelle der Arie „Wie bang hat dich mein Lied beweint" stand ursprünglich, entsprechend dem ersten Textdruck[51], eine Arie, „ Sey gegrüßet, Fürst des Lebens", die nach den (nicht mehr nachprüfbaren) Angaben von Miesner aus einer Trauungskantate von 1763, also aus der Berliner Zeit stammte (dort mit dem Text „Amen") und die Bach, nachdem er sie aus dem Oratorium ausgeschieden hatte, in die Osterkantate von 1784 aufnahm. Warum Bach diese Änderung und dazu einige Änderungen an den Rezitativen vornahm, geht aus dem Briefwechsel mit Ramler hervor, aus dem leider nur Briefe

48 Mehrfach veröffentlicht, u.a. *Ausstellungskatalog,* S. 146. Die Datierung des Werkes im *Nachlaßverzeichnis* S. 55, „1777 und 1778", ist also jedenfalls falsch.

49 Daten nach Gugger, a.a.O.

50 Zum Folgenden vgl. auch Clark, a.a.O., S. 168–173.

51 *Karl Wilhelm Ramlers lyrische Gedichte,* Berlin 1772.

Bachs erhalten sind[52]. Bach schreibt am 5. Mai 1778, also eineinhalb Monate nach der ersten öffentlichen Aufführung:

> Liebster Herr Professor, und alter Freund,
> Die Composition Ihrer sehr schönen Cantate hat mir viel Vergnügen gemacht. Sie hat das Glück gehabt zu gefallen. Ob sie es verdient, lasse ich dahin gestellt seyn. Ihre Veränderungen haben Grund. Vielleicht kan ich davon einen Gebrauch machen. So leicht aber, wie Sie, liebster Freund, glauben, wird es nicht angehen. Vielleicht denke ich vorher, ehe ich schreibe, mehr, als gewöhnlich. Indessen bin ich Ihnen dafür, besonders für das geneigte Andenken meiner Person sehr verbunden ...".

Die einfachste Erklärung dieses Briefes ist, daß Ramler von der Komposition und Aufführung des Werkes – durch Bach selbst oder auf anderem Wege – erfuhr und daß er daraufhin dem Komponisten einige Textänderungen schickte. Welche es waren, wissen wir nicht, und wir wissen ebensowenig, ob Bach sie nach dieser ersten, eher zögernden Reaktion doch noch eingearbeitet hat. So bleibt das Bemerkenswerteste an dem Brief der Satz „Vielleicht denke ich vorher, ehe ich schreibe, mehr, als gewöhnlich".

Ergiebiger ist der zweite Brief vom 20. November 1780:

> „Bester Freund
> So schön Ihre eingesandte Arie ist, so wünschte ich doch, dass sie im ersten Theile gleich mit einem zärtlichen Adagio anfinge, bey dem ich mich, wie bey allen ersten Theilen einer Arie, ausdehnen könnte. Der andere und kürzere Theil kan aus den 3 letzten Zeilen bestehen, und damit wird die Arie, ohne da capo geschlossen. Wenn ich Ihr fiat! bekommen kan, so bin ich sehr zufrieden; z. B. wenn die Arie mit den Worten: Wie bang – bis Lied geweint den ersten Theil ausmacht, und die 3 letzten Zeilen mit den Worten: Heil mir! bis Gram sich auf, die Arie ohne da capo schließen. Von dieser Art Arie haben wir in der ganzen Cantate noch keine; hingegen sind 4 Arien in diesem Stücke, wovon der erste Theil munter, und der 2te Theil langsamer ist. Die Änderungen im Recitativo sind bereits geschehen und ich erwarte von Ihrer Güte ein baldiges fiat! oder was dem ähnlich ist ...".

Da zwischen den beiden Briefen zweieinhalb Jahre liegen, ist es wenig wahrscheinlich, daß es sich hier um dieselben Änderungen wie im ersten Brief handelt. Vielmehr scheint Ramler – wieder aus eigenem Antrieb? – Änderungen für das Rezitativ geschickt zu haben, die Bach gleich einarbeitete, und – offenbar auf Bachs Wunsch[53] – die neue Arie, die dem Komponi-

---

52 Veröffentlicht zuerst durch F. Wilhelm, „Briefe an Ramler", in: *Vierteljahresschrift für Litteraturgeschichte* 4, (1891), S. 254 und S. 256–257; jüngst auch bei Clark.

53 In der Ankündigung der Uraufführung im *Hamburgischen Correspondenten* vom 17. 3. 1778 hieß es: „Die Discant Arie: Sey gegrüßet, etc. hat einen fließenden vortrefflichen Gesang. Sie müßte von einer Mara gesungen werden." In der erweiterten Fassung dieses Textes, die 1784 als Pränumerations-Aufruf veröffentlicht wurde (*Hamburgischer Correspondent* vom 9. 7. 1784, C. Fr. Cramer, *Magazin der Musik*, zweyter Jahrgang, Hamburg 1784, S. 256–261) steht dagegen: „Statt der Arie: Sey gegrüßet etc. die in dem ersten Abdruck befindlich war, hat Herr Professor Ramler, auf Ersuchen des Herrn Capellmeisters, eine andere Arie gemacht, welche als ein Adagio componirt worden, da in dem ganzen Stücke keine Arie vorhanden war, auf welche dieses langsame Tempo paßte." Da

sten aber Schwierigkeiten machte. Die Form dieses Arientextes läßt sich aus dem Brief ungefähr erschließen: es war eine da capo-Arie, die drei letzten Zeilen waren mit denen der endgültigen Fassung identisch, und der Text war insgesamt wohl länger. Bachs Änderungsvorschläge entsprechen der opernästhetischen Grundforderung nach Abwechslung, also musikalischen Gesichtspunkten. Ramler ging auf sie ein[54]. Die erste Aufführung dieser endgültigen Fassung des Werkes scheint die in der Hamburger Waisenhauskirche vom 30. April 1783 gewesen zu sein. Schon 1781[55] hatte Bach damit begonnen, das Werk zum Druck zu bringen, der dann aber erst 1787 zustande kam. Die Promptheit, mit der Bach sich an diese Arbeit machte, und seine Zähigkeit bei den mühsamen Verhandlungen mit Breitkopf[56] stehen wiederum in bemerkenswertem Gegensatz zu seiner Haltung gegenüber den beiden älteren Werken: der Tatsache, daß Klopstock und sein Kreis den Komponisten zum (in dieser Zeit allerdings riskanten) Partiturdruck der „Israeliten" überreden mußte[57], und dem gänzlichen Desinteresse am Druck der Passionskantate[58].

„Auferstehung und Himmelfahrt Jesu"[59] ist schon von der Textstruktur her – konsequenter als der „Tod Jesu", dessen Fortsetzung es inhaltlich ja ist – ein Oratorium für den Konzertsaal eher als für die Kirche; zugleich ist

---

dieser Pränumerations-Aufruf zweifellos von Bach inspiriert wurde, gibt es keinen Grund, an der Richtigkeit der Darstellung zu zweifeln. Abdruck der Texte aus dem *Hamburgischen Correspondenten* bei Suchalla, a. a. O., Nr. 163b und S. 489; der Text bei Cramer ist identisch mit dem des HC vom 9. 7. 1784; es fehlt nur der letzte Satz, in dem auf das bevorstehende Erscheinen des Klopstockschen Morgengesanges hingewiesen wird.

54 Die posthume Ausgabe *Karl Wilhelm Ramlers poetische Werke,* Berlin 1801 (reprint Bern 1979) bringt die neue Textfassung als Haupttext, aber in den „Lesearten der Ausgabe vom Jahre 1772" auch die ursprüngliche Fassung – eine Maßnahme, die als frühes Beispiel philologischer Gewissenhaftigkeit wie als Verbeugung vor dem großen Dichter gleich bemerkenswert ist.

55 Brief vom 31. 1. [1781] an Breitkopf (Suchalla, a. a. O., Nr. 105): „Man will meine Ramlersche Auferstehungs- und Himmelfahrtskantate durchaus gedruckt sehen. Was dünckt Ihnen hiebey? Soll ichs wagen? Bey den Israeliten bin ich gut gefahren."; ferner der unveröffentlichte Brief vom 5. 12. 1781 an Ramler, vgl. Clark, a. a. O., S. 171–172 Anm. 184.

56 Die Briefe hierzu jetzt vollständig bei Suchalla, a. a. O., passim.

57 Bachs Subskriptionsaufruf im *Hamburgischen Correspondenten* vom 14. September 1774 sowie der Brief an Johann Nikolaus Forkel vom 15. September 1775; mehrfach veröffentlicht; übersichtliche Darstellung bei H.-G. Ottenberg, *Carl Philipp Emanuel Bach,* Leipzig 1987, 167.

58 Zur möglichen Begründung dieses Desinteresses aus Bachs mehrfachen Änderungen am Werk (die aber nicht größer sind als diejenigen in der „Auferstehung und Himmelfahrt Jesu") vgl. Clark, a. a. O., S. 57, unter Berufung auf die Beobachtungen zu Bachs genereller Neigung zum Umarbeiten bei R. W. Wade, *The Keyboard Concertos of Carl Philipp Emanuel Bach,* Ann Arbor 1981.

59 Vgl. zum Folgenden die aufführliche Analyse des Werkes bei Smither, a. a. O., von der ich nur in einigen Akzentuierungen und Details abweiche.

der Text sehr viel klarer und einfacher organisiert und inhaltlich genauer wie auch vielschichtiger auf Altes und Neues Testament bezogen. Unter Ramlers oratorischen Dichtungen ist er zweifellos der bedeutendste. Choräle fehlen ganz; keine Gemeinde wird angesprochen, sondern ein empfindsames Publikum. Die beiden Teile des Textes sind annähernd gleich lang und fast gleich aufgebaut. An den formalen und inhaltlichen „Schaltstellen" stehen Paraphrasen oder Kompilationen alt- und neutestamentlicher Texte: am Anfang des ersten Teils „Gott, du wirst seine Seele nicht in der Hölle lassen und nicht zugeben, daß dein Heiliger die Verwesung sehe" (nach Ps 16,10 bzw. Apostelgeschichte 2,27) und am Schluß des ersten Teils „Tod, wo ist dein Stachel, dein Sieg, o Hölle, wo ist er? Unser ist der Sieg, Dank sei Gott und Jesus ist Sieger" (Paraphrase nach 1. Korinther, 55 und 57); am Anfang des zweiten Teils ein Rezitativ, das mehr als doppelt so lang wie die übrigen Rezitative des Textes ist und in dem in eine Paraphrase von Lukas 24,13–31 eine ausführliche Rekapitulation der Passion eingebaut ist; am Ende des zweiten Teils schließlich eine Kompilation von Psalmversen, beginnend mit „Gott fähret auf mit Jauchzen und der Herr mit heller Posaune. Lobsinget Gott unserm Könige" (Psalm 47,6–7) und endend mit „Alles was Odem hat lobe den Herrn. Halleluja!", dem letzten Vers des letzten Psalms. Beide Teile sind in Abschnitte gegliedert, denen die Folge Rezitativ-Arie und (im zweiten Teil konsequent) Rezitativ-Arie-Chor zugrundeliegt. Alle Rezitative – Paraphrasen nach den Evangelien – beginnen mit einem Bericht und gehen dann über in (vom Rezitativ-Erzähler zitierte, nicht von den Personen selbst gesprochene) direkte Rede; die einzige Ausnahme ist das große Rezitativ nach dem Eröffnungschor, in dem die Auffahrt aus dem Grab geschildert wird.

Bach hat die klare und einfache Form der Dichtung nicht nur nachgezeichnet, sondern in wesentlichen Details noch verdeutlicht, und er hat Klarheit und Einfachheit der Anlage zur Monumentalität gesteigert. Die beiden ebenso kurzen wie konzentrierten instrumentalen Einleitungen unterstreichen die Parallelität der beiden Werkteile und überformen zugleich die konventionelle Abstufung von Werkanfang (Chor) und Anfang des zweiten Teils (Rezitativ), die schon in der Dichtung durch die zentrale Bedeutung des Rezitativs am Anfang des zweiten Teils modifiziert war. Die Rezitative – außer dem deskriptiven „Judäa zittert" und, seltsamerweise, dem vorletzten, „Elf auserwählte Jünger" – unterstreichen die Textstruktur: secco für den Handlungsbericht, Streicher-accompagnato für die berichtete direkte Rede; diese Anlage trägt wesentlich zur Verdeutlichung der Form als einer Folge in sich geschlossener und formal grundsätzlich identischer Abschnitte bei, die sich zur Arie bzw. zum Chor hin steigern. Die Arien sind deutlich kürzer als in den beiden älteren Werken und einfacher, das heißt weniger detailversessen in der Textbehandlung; nur noch eine („Ich folge dir, verklärter Held") hat konventionelle da capo-Form, während die meisten ein ausgeschriebenes und modifiziertes da capo haben. Die Chöre – von denen der „Triumph!"-Chor, wie in der Dichtung vorgegeben, als eine Art inhaltlicher wie formaler Refrain wirkt – sind homophon, mit zwei bezeichnenden Ausnahmen: der Schlußchor des ersten Teils ist als Präludium und Fuge, der Schlußchor des zweiten Teils als rondoartige Motette und Fuge komponiert. Das ist eine klare Schlußakzentuierung, allerdings auch – im Gegensatz zu den Schlüssen der beiden älteren Werke – eine konventionelle: die Fuge, die (als Doppelfuge) in der Passionskantate inhaltliche Bedeutung hatte, wird zum Mittel der Formbildung gleichsam neutralisiert. Schließlich sind die tonalen Verhältnisse, wiederum die Formbildung aus deutlich getrennten prinzipiell gleich aufgebauten Abschnitten unterstreichend, einfach, sehr viel einfacher als in der extrem kleingliedrigen und formal diffusen Passionskantate, einfacher auch als in den „Israeliten in der Wüste"; Zentral- und Zieltonart ist Es-dur[60] mit B-dur und (einmal) As-dur; Gegentonart der Bereich G-dur/D-dur, dazu kommen die Moll-Parallelen. Jeder Formabschnitt ist in den einfachsten tonalen Verhältnissen gehalten – ein Rahmen, in dem die Rezitative ein sehr breites modulatorisches Spektrum entfalten können. Ausnahmen sind die ersten Abschnitte des ersten und zweiten Teils, die also auch auf diese Weise akzentuiert werden: am Anfang des ersten Teils wird mit der Bewegung vom d-moll der Einleitung über D-dur (Chor „Gott, du wirst seine Seele nicht in der Hölle lassen"), B-dur/G-dur (Accompagnato „Judäa zittert") und c-moll (Mittelteil b-moll/Es-dur) (Arie „Mein Geist voll Furcht und Freuden bebet") bis zur Zentral- und Zieltonart Es-dur (Chor „Triumph!", der dann später durch seine zweimalige Wiederholung als Refrain wirkt) die ganze inhaltliche und tonale Bewegung des Werkes in nuce vorgestellt[61]; am Anfang des zweiten Teils führt die e-moll-Einleitung zum inhaltlich zentralen Rezitativ, das in

60 Auf die ungewöhnliche Verwendung von Es-dur als Tonart der Freude und des Triumphs hat Smither mit Recht hingewiesen (a. a. O., S. 438). Es-dur ist ebenfalls zentral in Grauns „Tod Jesu", hier aber als empfindsam-weiche Tonart, und in den „Israeliten in der Wüste", und zwar (konventioneller) als Tonart des Numinosen (wenngleich nicht ausschließlich).

61 Die Ankündigung im *Hamburgischen Correspondenten* vom 17. 3. 1778 bietet ergänzend, sehr präzise, eine inhaltliche Interpretation der Tonartenbewegung: „Das Chor: Gott! du wirst seine Seele nicht in der Hölle lassen etc. ist aus D dur, in dem dem Inhalte angemessenen gemäßigten Ausdruck. In dem folgenden Recitativ: Judäa zittert etc. geht die neue Scene Auferstehung an. Der Componist fängt selbiges also auch aus einer von der Tonart des Chors verschiedenen Tonart – aus B an. ... Der erste Teil [der Baßarie] schließt in G-moll und der zweyte: rang Jesu etc. geht aus B moll, da der Inhalt desselben von dem Inhalt des ersten Theils verschieden ist." Der Triumphchor wird „eins der prächtigsten Chöre, die man je hören kann" genannt.

e-moll beginnt, aber zu den Worten „Die Jünger kennen seinen Dank, der Nebel fällt, sie seh'n ihn, Er verschwindet“[62] in einer Es-dur-Kadenz endet.

Nach den „Israeliten in der Wüste“, die offenbar der Versuch waren, einen neuen Typus des alttestamentarisch-typologischen Oratoriums zu schaffen und die Bach vielleicht deshalb als überkonfessionell und überkirchlich bezeichnen konnte[63], nach der Passionskantate, die ein Kompromiß war und blieb und an deren Druck Bach vielleicht deshalb nicht gelegen war, ist die „Auferstehung und Himmfelfahrt Jesu“ das Werk, mit dem die christliche Botschaft exemplarisch in den Konzertsaal überführt wird, das Werk, dessen Verbindung von Empfindsamkeit und Monumentalität einen wesentlichen Ton der frühen deutschen Händel-, vor allem „Messias“-Rezeption anschlägt, die ja unter der Mitwirkung Bachs von Hamburg ausging[64]. Er ist ein Werk, das zurück zu Händel und voraus auf das Oratorium der Wiener Klassik blickt – aber es ist auch ein Werk, das sich glatter in den Hauptstrom der Gattungsentwicklung einfügt als seine Schwester-

62 Der Schluß dieses Rezitativs bietet ein schönes Beispiel für ein rhetorisches Mittel, das den beiden älteren Werken fehlt und das hier mit außerordentlicher Wirkung eingesetzt wird: die sprechende Pause („sie seh'n ihn – Er verschwindet“). Ähnlich und ebenso schön am Anfang des Rezitativs „Wer ist die Sionitin“. Der Gegensatz zur oft so überladenen und überdeutlichen musikalischen Sprache auch der Rezitative in den älteren Werken wird an kaum einem Detail so deutlich wie hier.

63 Subskriptionsaufruf im *Hamburgischen Correspondenten* vom 14. September 1774 und im *Neuen gelehrten Altonaischen Mercur* (Suchalla, a. a. O., S. 327–328): „Es ist dieses Oratorium in der Anwendung so eingerichtet worden, daß es nicht just bey einer Art von Feierlichkeit, sondern zu allen Zeiten, in und außer der Kirche, bloß zum Lobe Gottes, und zwar ohne Anstoß von allen christlichen Religionsverwandtschaften aufgeführt werden kann“. Tatsächlich sind Exemplare des Druckes aus katholischem Milieu und katholischem Umkreis erhalten: Wien Gesellschaft der Musikfreunde (ebenda) und Sammlung Raphael Georg Kiesewetter (Wien Nationalbibliothek), Schloßbibliothek Klásterec na Ohrí (Klösterle an der Eger, Prag Narodní Muzeum), Hofbibliothek Dresden (ebenda, Landesbibliothek), Pariser Musikalienhandel (J. Avinée rue Notre Dame des Victoires, Exemplar später im Besitz von Julius Stockhausen, jetzt Washington Library of Congress). Eine handschriftliche Stimmenkopie, signiert und datiert von Bach 1787, in der verschollenen Musiksammlung der Fürsten Fugger von Babenhausen (Kataloge bayerischer Musiksammlungen, Bd. 13, München 1988). Eine Partiturkopie unter dem Titel „Moses“ im Benediktinerstift Einsiedeln. – 1777 wurde das Werk durch Gluck in Wien aufgeführt, vgl. Bachs Brief vom 3. 1. 1778 an Forkel (Suchalla, a. a. O., Nr. 201): „Mich wundert daß mir der H. Gluck über meine altfränkischen Israeliten, welche er in Wien dirigiert hat, so viele Complimente hat machen laßen. Doch, sie sind zwar drammatisch, aber geistlich.“ Wahrscheinlich gehören zu dieser Aufführung das 1777 bei Trattner in Wien gedruckte Textbuch (Universitätsbibliothek Gießen) und der Stimmendruck (?) Trattners (Sibiu/Hermannsburg, Muzeul Brukenthal; aus der Familie Soterius von Sachsenheim).

64 Die Beziehung zum „Messias“ wird, wenigstens an einer Stelle, schon in der Ankündigung im *Hamburgischen Correspondenten* vom 17. 3. 1778 hergestellt, wo es über die Schlußfuge des ersten Teils heißt, sie sei eine Fuge, „dergleichen man nur in Händels Meßias zu hören bekömmt.“

werke und das deren Schroffheiten und Experimente zurücknimmt. Der Preis für das Meisterwerk, das als Meisterwerk und als Vermächtnis des Komponisten rezipiert wurde[65], war die Anpassung, die Bachs eigenste Entscheidung war – während am ästhetischen Rang des Werkes der Text keinen geringen Anteil hat[66].

Anhang: Bemerkungen zur Überlieferung und Rezeption[67]

Die Israeliten in der Wüste

62 Exemplare des Druckes von 1775 lassen sich nachweisen, dazu ein Exemplar des Wiener Druckes von Trattner 1777, ein Exemplar des Klavierauszugs von Choron (um 1830/40) und mindestens 20 handschriftliche Kopien – meist Partituren, aber auch Stimmensätze und Teilkopien. Die „Israeliten" sind damit das am weitesten verbreitete der Oratorien; Bachs Ansicht, es sei besonders vielseitig zu verwenden, scheint sich bewahrheitet zu haben (zur Überlieferung im katholischen Raum vgl. oben Anm. 63). Aus der Sammlung Poelchau und aus der Amalienbibliothek ist je ein Exemplar des Druckes erhalten (beide Staatsbibliothek Berlin-Ost); aus dem Domstift Brandenburg an der Havel der Druck und handschriftliche Auszüge für Cembalo allein und mit italienischem Titel. Besonders reich ist die Überlieferung bei den Herrnhutern: ein Exemplar des Druckes, Partitur und Stimmen handschriftlich aus der Brüdergemeinde Ebersdorf bei Lobenstein, unvollständige Stimmen aus dem Pädagogium der Brüder-Unität Niesky (sämtlich im Archiv der Brüder-Unität Herrnhut); in der Moravian Music Foundation in Winston-Salem der Druck, eine Partiturkopie und, vor allem, ein Stimmensatz von Johann Friedrich Peter, in Rechnung gestellt am 31. 12. 1795 und vielleicht das Material der Erstaufführung des Oratoriums

---

65 Vgl. vor allem die Wiener Aufführungen 1788 unter Mozarts Leitung, deren zweite durch den Baron von Swieten zu einer Bachfeier umfunktioniert wurde. Vgl. A. Holschneider, „C. Ph. E. Bachs Kantate ‚Auferstehung und Himmelfahrt Jesu' und Mozarts Aufführung des Jahres 1788", in: *Mozart-Jahrbuch* 1968/70, S. 264–280.

66 Wie sehr die Rezeption auch über die vertonten Dichtungen lief, zeigen die Drucktitel der beiden erfolgreichsten großen Vokalwerke Bachs: „Carl Wilhelm Rammlers (sic) Auferstehung und Himmelfahrt Jesu, in Musik gesetzt von Carl Philipp Emanuel Bach"; und „Klopstocks Morgengesang am Schöpfungstage, in Musik gesetzt von Carl Philipp Emanuel Bach".

67 Die folgenden Provenienz-Angaben stützen sich auf das Werkverzeichnis von Helm, auf RISM und freundliche weiterführende Auskünfte der RISM-Redaktionen Frankfurt und München sowie auf eine Bibliotheksumfrage, die von fast allen Bibliotheken auf das Zuvorkommendste beantwortet wurde.

in Nazareth/Pennsylvania am 2.11.1797[68]. Wie sehr das Werk zum Bildungsgut unter Musikern, aber auch im gebildeten Bürgertum des 19. Jahrhunderts gehörte, zeigen schließlich einige private Provenienzen des Drukkes: Andreas Heusler (Universitätsbibliothek Basel), Johann Theodor Mosewius (Staatsbibliothek München), Carl Ferdinand Becker (Städtische Musikbibliothek Leipzig, ursprünglich vielleicht aus dem Besitz von Johann Gottfried Schicht), Charles Malherbe (Bibliothèque Nationale, Fonds Conservatoire, Paris), Johan Christian Tellefsen (1774–1857), Domorganist in Drontheim (Universitätsbibliothek Oslo), der Reverend Thomas Twining (1735–1804), Rector in Colchester, der die Partitur an Dr. William Crotch in Oxford auslieh (King's College Cambridge), Mary Schetky, wahrscheinlich die älteste Tochter des 1737 in Darmstadt geborenen Komponisten Johann Georg Christoph Schetky, der seit 1772 in Edinburgh lebte (Reid Music Library of the University Library Edinburgh), Johann Baptist Cramer (Euing Music Library of the University Library Glasgow; das Exemplar später im Besitz von W. H. Havergal, Honorary Canon in Winchester), Johann Gottfried Schicht (Toonkunst-Bibliotheek Amsterdam), der schwedische Kaufmann und Amateurkomponist Martin de Ron (Musikaliska Akademiens Bibliotek Stockholm, zusammengebunden mit Klopstocks „Morgengesang"). Von besonderem Interesse ist schließlich das Druckexemplar aus dem Besitz von Bachs Schüler Hardenack Otto Conrad Zinck[69], der die Aufführung des Werkes am 19.2.1776 im Konzertsaal auf dem Kamp leitete (Staatsbibliothek Århus).

Passionskantate

Der posthum gedruckte Klavierauszug der Passionskantate ist nur spärlich überliefert, was der kleinen und regional begrenzten Subskribentenliste[70] entspricht. Neun Exemplare sind nachweisbar, davon nur drei mit – allerdings interessanten – Provenienzen: das erste aus dem Besitz von Charles Malherbe (Bibliothèque Nationale, Fonds Conservatoire, Paris), der auch die „Israeliten" besaß; das zweite aus dem Besitz Friedrich von Raumers, der in seiner Göttinger Studienzeit Musikunterricht bei Forkel hatte[71] (Stadtbibliothek Aachen). Das dritte ist das Dedikationsexemplar des Verle-

68 Frdl. Auskünfte von James Bates, Moravian Music Foundation Winston-Salem, mit Brief vom 6.9.1988.

69 Vgl. G. Hahne, Artikel „Zinck", in: *Schleswig-Holsteinisches Biographisches Lexikon,* Bd. 5, Neumünster 1979. Die Entzifferung des Besitzer-Schriftzuges von Zinck auf dem Druck verdanke ich Henrik Glahn, Kopenhagen.

70 In krassem Gegensatz zur sehr großen und fast den ganzen deutschen Sprachbereich umfassenden Subskribentenliste zu Klopstocks „Morgengesang" – für die allerdings noch Bach selbst verantwortlich war (abgedruckt bei Suchalla, a. a. O., S. 483–489.

71 Frdl. Auskünfte von Frau R. Friedrich, Stadtbibliothek Aachen, mit Brief vom 24.8.1988.

gers für die Herzogin-Witwe Louise Friedrike von Mecklenburg-Schwerin in Rostock mit einem Brief des Verlegers vom 6.11.1789 (Universitätsbibliothek Rostock).

Reicher ist die handschriftliche Überlieferung mit 28 Quellen, meist Partiturkopien und von diesen wiederum die meisten Abschriften nach einem gemeinsamen Archetypus, der vielleicht die schon erwähnte von Bach beglaubigte Kopie P 337 ist[72]; dies entspricht Bachs Brief vom 20. April 1774 an Forkel, in dem er klagt, daß sein Exemplar „durch das viele Herumschikken sehr zerlumpt" sei[73]. Der ausführlichen Darstellung der meisten Quellen, vor allem der Partiturkopien aus dem Umkreis Bachs bei Clark ist wenig hinzuzufügen. Zur Hamburger Quellengruppe gehören in Kopenhagen (Det Kongelige Bibliothek) außer MU 6309. 1235 auch MU 6309. 1631 und 1632; alle drei Partituren waren im Besitz Christoph Ernst Friedrich Weyses. Zur selben Gruppe gehört ferner die Partiturkopie in Kiel (Landesbibliothek). Im Archiv der Brüder-Unität Herrnhut und im Domstift Brandenburg an der Havel finden sich Aufführungsmaterialien; in Leipzig (Städtische Musikbibliothek) schließlich finden sich eine Partiturkopie und ein handgeschriebenes (!) Textbuch, datiert 1788, von der Hand des späteren Leipziger Juraprofessors Karl Heinrich Ludwig Pölitz, der Schüler von Christian Gotthilf Tag war[74].

Auferstehung und Himmelfahrt Jesu

Die Überlieferung des dritten Oratoriums ist wesentlich reicher als die der Passionskantate und konzentriert sich auf den Druck, den Bach so sorgfältig vorbereitete und um dessen Verbreitung er so besorgt war: mindestens 44 Exemplare des Druckes lassen sich nachweisen, dagegen nur 10 handschriftliche Quellen, abgesehen vom Autograph. Von den Druckexemplaren haben die wenigsten eine Provenienz: aus der Sammlung des Erzherzogs Rudolf (Gesellschaft der Musikfreunde Wien), der Sammlung Pölchau (Zentrale Bibliothek der Hochschule der Künste Berlin), der Sammlung Carl Ferdinand Becker (Musikbibliothek der Stadt Leipzig), der Domschule Güstrow (Landesbibliothek Schwerin), der Sammlung des schwedischen Kammerherrn und Musikliebhabers Graf Gustav Göran Gabriel Oxenstierna (1793–1860) (Musikaliska Akademiens Bibliothek Stockholm), aus der Bibliothek Franz Commers (Public Library Boston), aus der Bibliothek Arrey von Dommers (Newberry Library Chicago) und aus der Bibliothek

72 Vgl. auch die Quellendiskussion bei Clark, a.a.O., S. 50–65.

73 Clark, a.a.O., S. 55 Anm. 111; Suchalla, a.a.O., Nr. 184.

74 Vgl. ADB und P. Krause, „Von der privaten Musiksammlung zur Fachbibliothek. Zur Vorgeschichte der Musikbibliothek der Stadt Leipzig", in: *Studien zum Buch- und Bibliothekswesen* 2, Leipzig 1982, S. 45–57.

von Alexandre Etienne Choron (Bibliothèque Nationale Fonds Conservatoire Paris). Von besonderem Interesse sind aber zwei Exemplare, die sehr bald nach dem Erscheinen nach Paris gekommen sein müssen. Das eine (Bibliothèque Nationale, Fonds Conservatoire, L 12 523) stammt aus der Bibliothèque des Menus Plaisirs du Roi, war also offenbar für das Concert Spirituel bestimmt, in dessen Annalen es aber keinen Aufführungsbeleg gibt[75]. Das andere – später in der Sammlung von Bottée de Toulmon – trägt mehrere Zollstempel des Departements Moselle mit dem bourbonischen Lilienwappen, die nur bis 1789 verwendet wurden (Library of Congress Washington). Unter den handschriftlichen Quellen sind einerseits Parallelen zur Überlieferung der beiden älteren Werke bemerkenswert, so Partitur und Stimmen aus der Musikpflege des Herrnhuter (Archiv der Brüder-Unität Herrnhut) und eine 1790 datierte Partiturkopie aus der Sammlung Pölitz (Städtische Musikbibliothek Leipzig), andererseits die gottesdienstliche Verwendung eines Einzelsatzes: des Chores „Gott, du wirst seine Seele nicht in der Hölle lassen“, „Feriis Paschatos“, in Olbernhau im Erzgebirge (Pfarrarchiv Olbernhau).

75 C. Pierre, *Histoire du Concert spirituel,* 1725–1790, Paris 1975, hat keinen Nachweis einer Aufführung.

Hans-Joachim Schulze

Carl Philipp Emanuel Bachs Hamburger Passionsmusiken und ihr gattungsgeschichtlicher Kontext

Hamburger und Leipziger Traditionen begegnen sich um die Jahreswende 1767/68 in jenem Briefwechsel zwischen Carl Philipp Emanuel Bach und Georg Michael Telemann, mit dem der zweitälteste Sohn des Thomaskantors von Berlin aus den Eintritt in sein neues Amt vorbereitet[1]. Insbesondere betrifft dies die Frage nach den Hamburger Gepflogenheiten hinsichtlich der vorösterlichen Kirchenmusik: Carl Philipp Emanuel Bach will wissen, ob die Fastenzeit wie in Leipzig *tempus clausum* ist, ob sich, wie dort üblich, die Musiktexte auf Evangelium bzw. Epistel beziehen müssen, ob sie zuallererst der Zensur zu unterwerfen sind, schließlich und endlich: „Wird alle Jahre eine Paßion aufgeführt, und wenn? ist solche nach [Einschub: historischer u.] alter Art mit den Evangelisten u. anderen Personen vorgestellt oder wird sie nach Art eines Oratorii mit Betrachtungen, wie z. E. die Ramlerische, eingericht?“[2] Diese Fragen kommen nicht von ungefähr: Mit dem „Ramlerischen“ Passionsoratorium ist der *Tod Jesu* gemeint, bei dessen Berliner Uraufführung am 26. März 1755 Carl Philipp Emanuel Bach als Accompagnist mitgewirkt hatte[3], und die „historische und alte Art“ dürfte auf die Aufführungen des Leipziger Thomaskantors zielen.

Als Zwölf- bis Zwanzigjähriger hatte Carl Philipp Emanuel Bach in Leipzig mit wachsender Bewußtheit die folgenden hierhergehörigen Werke seines Vaters kennenlernen können: die *Johannes-Passion* in drei Fassungen (1724, 1725, 1732), die *Matthäus-Passion* bei deren ersten beiden Aufführungen (1727, 1729), die *Markus-Passion* (1731), dazu als fremde Werke Reinhard Keisers *Markus-Passion* (1726) und die *Lukas-Passion* eines noch nicht ermittelten Komponisten (1730)[4]. Ab 1750 befanden sich die Originalhandschriften der beiden erstgenannten Werke in seinem Anteil an der musikali-

1 Hrg. von F. Chrysander in: *Allgemeine Musikalische Zeitung* 4, 1869, S. 177–181, 185–187.

2 Ebd., S. 177. Das Orignal des Briefes jetzt in der Pierpont Morgan Library New York (Cary Collection).

3 Vgl. *Bach-Jahrbuch* 1983, S. 121 und die dort nachgewiesene Literatur.

4 Zu Einzelheiten vgl. *Bach Compendium.* Analytisch-bibliographisches Repertorium der Werke Johann Sebastian Bachs, von H.-J. Schulze und C. Wolff, Bd. I. 3, Leipzig 1988, Werkgruppe D (Passionen und Oratorien).

schen Hinterlassenschaft des Vaters, und die *Lukas-Passion* könnte schon dadurch einen gewissen Eindruck hinterlassen haben, daß Carl Philipp Emanuel Bach 1730 den größten Teil der Partiturabschrift herzustellen hatte. Die *Markus-Passion* von 1731 ist zwar verschollen, doch dürfte sie, nach allem, was sich heute noch erkennen läßt, dem Gesamtbild keine entscheidend neuen Züge hinzufügen können. Eine Betrachtung des „Ramlerischen" Modells erübrigt sich an dieser Stelle; doch auch ein tieferes Eingehen auf die Spezifika der genannten Passionen „nach historischer und alter Art" kann hier nicht stattfinden. Lediglich einige Konturen seien angedeutet.

Nach einer vor kurzem von Christoph Wolff formulierten Beobachtung[5] ist Johann Sebastian Bachs *Johannes-Passion* primär vom Evangelientext her komponiert; dieser gibt für sich genommen ein musikalisch sinnvolles Ganzes, so daß die betrachtenden, kommentierenden, auch retardierenden Elemente ersatzlos entfallen könnten. Demgegenüber ist – ebenfalls nach Wolff – die *Matthäus-Passion* eindeutig von der dichterischen Vorlage her gestaltet, deren kompositorische Umsetzung unverkennbar auch den Passionsbericht mitprägt. Nimmt man hinzu – hier greife ich auf eine noch ungedruckte eigene Arbeit[6] zurück –, daß die madrigalischen Texte der *Johannes-Passion* eine Auswahl des Besten darstellen, das die Zeit zu bieten hatte, qualitativ hochwertig, aber eben doch ein Florilegium, so ergibt sich für diese erste Leipziger Passion des Thomaskantors eine Verbindung zum Passions-Pasticcio einerseits, zur vieljährigen Tradition der Choralpassion mit fakultativen Einlagen andererseits. Die *Matthäus-Passion* hingegen mit dem sehr einheitlichen Bild ihrer madrigalischen Bestandteile, insbesondere hinsichtlich der erst in neuerer Zeit erkannten Rückgriffe auf einschlägige Texte des Rostocker Theologen Heinrich Müller aus dem letzten Drittel des 17. Jahrhunderts[7], erweist sich als planvoll und vorsätzlich angestrebtes Kunstwerk, auch als solches nicht ohne Vorbilder, aber doch in seiner Prononciertheit ein regelrechter Gegenentwurf zu den maßgeblichen Kunsterzeugnissen der Zeit: der Passionsdichtung Brockes', Telemanns *Seligem Erwägen,* vielleicht auch früher Versuche der Graun-Generation. Eine dritte Möglichkeit repräsentiert die anonyme *Lukas-Passion:* der vielleicht auf ein

---

5 Vgl. *Internationale Bachakademie Stuttgart.* Schriftenreihe, hrg. von U. Prinz, Bd. II (im Druck).

6 „Bemerkungen zum zeit- und gattungsgeschichtlichen Kontext von Johann Sebastian Bachs Passionen" (Referat anläßlich des Kolloquiums „Johann Sebastian Bachs historischer Ort", veranstaltet von der Karl-Marx-Universität Leipzig, Juli 1987); Veröffentlichung vorgesehen für: *Bach-Studien,* Bd. 10.

7 E. Axmacher, „Ein Quellenfund zum Text der Matthäus-Passion", in: *Bach-Jahrbuch* 1978, S. 181–191.

Pasticcio deutenden Mesalliance zwischen der etwas altväterischen Evangelienvertonung und den weit moderner anmutenden Arien[8] steht eine Unzahl von Choralsätzen gegenüber, die das Werkganze und vor allem den Bibeltext zu überwuchern drohen. Die Überbetonung dieses betrachtenden und kommentierenden Elements kann ebenfalls ein Seitenstück in der Geschichte der Choralpassion im 17. Jahrhundert vorweisen[9].

Neben diesen drei Varianten der oratorischen Passion mit originalem Bibeltext hatte Carl Philipp Emanuel Bach in Leipzig offenbar auch frühzeitig dem Passionsoratorium begegnen können. Wenn die hierhergehörigen Annahmen Andreas Glöckners[10] zutreffen, wären in der Leipziger Neuen Kirche von 1717 an vorwiegend Werke dieses Genres aufgeführt worden: Telemanns *Brockes-Passion,* Picanders *Erbauliche Gedancken* (vielleicht komponiert von Georg Balthasar Schott), eine weitere *Brockes-Passion,* 1729 aufgeführt von Christoph Gottlieb Fröber, Telemanns *Seliges Erwägen.* Versuche seines Vaters auf diesem Terrain sind im wesentlichen erst nach 1740 nachweisbar[11] und konnten Carl Philipp Emanuel Bach wohl bestenfalls bei gelegentlichen Besuchen in Leipzig bekannt werden.

Insgesamt handelte es sich um Verhältnisse, innerhalb derer die Passionsaufführung einen, wenn nicht den musikalischen Höhepunkt des Jahres darstellte. Übertroffen werden konnte dergleichen allenfalls durch die repräsentativen Huldigungsmusiken mit Fackelzug und klingendem Spiel, die die Studentenschaft dem sächsischen Kurfürsten bei dessen Anwesenheit in Leipzig darbrachte. Zwischen 1723 und 1750 sind allerdings nur drei derartige Veranstaltungen mit Beteiligung Johann Sebastian Bachs bezeugt[12]. In die geschilderte Tradition hätte Carl Philipp Emanuel Bach sich einzuordnen gehabt, wäre ihm 1750 bzw. 1755 der angestrebte Wechsel von Berlin in das Leipziger Thomaskantorat gelungen[13].

Dazu kam es nicht, und die Fortsetzung folgte auf ganz andere Art in Hamburg. An deren Beginn steht, wie schon gesagt, der Briefwechsel mit Georg Michael Telemann. Dessen Antwort ist leider nicht erhalten, doch für Carl Philipp Emanuel Bach muß die Auskunft unbefriedigend oder so-

---

8 Vgl. A. Glöckner, „Johann Sebastian Bachs Aufführungen zeitgenössischer Passionsmusiken", in: *Bach-Jahrbuch* 1977, S. 75–119 (S. 108).

9 W. Braun, *Die mitteldeutsche Choralpassion im achtzehnten Jahrhundert,* Berlin 1960, S. 193.

10 *Die Musikpflege an der Leipziger Neukirche von 1699 bis 1761,* Dissertation (masch.), Halle/S. 1988, S. 72, 134.

11 *Bach-Jahrbuch* 1977, S. 99 ff. (A. Glöckner).

12 *Bach-Dokumente,* hrg. vom Bach-Archiv Leipzig, Bd. II, Kassel etc. und Leipzig 1969, Nr. 219–220, 351–353, 424–425.

13 Ebd., Nr. 614; H. Banning, *Johann Friedrich Doles. Leben und Werke,* Leipzig 1939, S. 50 f.

gar niederschmetternd gewesen sein. Hinkünftig hatte er sich in eine in über hundert Jahren erhärtete Tradition einzufügen – vergleichbar allenfalls der ruhmvollen Geschichte der Lübecker „Abendmusiken" –, nach der in fester Abfolge im Vierjahresturnus die Passion nach den vier Evangelisten darzubieten war, und zwar „nach historischer und alter Art mit den Evangelisten und anderen Personen vorgestellt". Hierbei hatte er sich auf wenigstens zehn Aufführungen pro Jahr einzurichten, da die fünf Haupt- sowie mehrere Nebenkirchen gleichermaßen Anspruch auf die musikalische Darbietung der Passion erheben durften[14].

Hierin unterschied Hamburg sich prinzipiell von Leipzig. Denn dort bot ab 1721 nur die eine der beiden Hauptkirchen eine musizierte Passion (Kuhnau), erst ab 1724 alternierten Thomas- und Nikolaikirche, und dies wurde für Johann Sebastian Bach sogleich zum Stolperstein[15]. Die Aufführung der umfangreichen Passionen fand im Vespergottesdienst des Karfreitags statt, bzw. umgekehrt war ein spezieller Vespergottesdienst mit besonderer liturgischer Ausstattung entwickelt worden, um der musikalischen Darbietung eine angemessene Heimstatt zu bieten[16]. Im Unterschied zu der in Leipzig intendierten liturgischen Einordnung näherten sich die Aufführungen in Hamburg schon aus terminlichen Gründen mehr dem Kirchenkonzert. Die verschiedentlich zitierte Notiz aus dem Hamburger Passionstextbuch von 1788, daß Mariä Verkündigung (25. März) in diesem Jahre 1788 in die Osterwoche falle, deshalb am Sonntag Palmarum begangen werde und aus diesem Grunde die Passionsaufführungen eine Woche früher als üblich anfingen[17], bedeutet *in Praxi,* daß in den fünf Hauptkirchen St. Petri, St. Nikolai, St. Katharinen, St. Jacobi und St. Michaelis die Aufführungen am 3., 10. und 17. Februar sowie am 2. und 9. März stattfanden; Karfreitag war erst am 21. März.

Für den Hamburger Musikdirektor ergab sich die Notwendigkeit zu rechtzeitiger Vorbereitung der Aufführungen, sicherlich weit früher beginnend als in Leipzig, wo der Thomaskantor in der Fastenzeit sogar verreisen konnte[18]. Dieser zeitige Beginn spiegelt sich noch in der Tatsache, daß im Nachlaßverzeichnis von Carl Philipp Emanuel Bach (1790) den Passionsmusiken jeweils zwei Jahreszahlen (Vorbereitungs- und Aufführungsjahr)

14 Vgl. Anm. 24.

15 *Bach-Dokumente* (vgl. Anm. 12), Nr. 179; *Bach-Dokumente,* Bd. I, Kassel etc. und Leipzig 1963, Nr. 179.

16 *Komponisten, auf Werk und Leben befragt.* Ein Kolloquium, hrg. von H. Goldschmidt, G. Knepler und K. Niemann, Leipzig 1985, S. 28 (H.-J. Schulze).

17 Vgl. das Faksimile bei S. L. Clark, *The Occasional Choral Works of C. P. E. Bach,* Dissertation (masch.), Princeton/N. J. 1984, nach S. 112, sowie Miesner (s. Anm. 21), S. 21.

18 *Bach-Dokumente,* I, Nr. 20 (1729); II, Nr. 477 (1740).

zugeordnet sind[19], des weiteren darin, daß Carl Philipp Emanuel Bach Ende 1788 vor seinem Tode schon die Passion für 1789 vorbereitet und mit der eigenhändigen Jahreszahl versehen hatte[20]. Und überdies könnte man in dieser zeitlichen Beanspruchung eine Erklärung dafür finden, daß Carl Philipp Emanuel Bach nicht (wie er am 6. Dezember 1767 an Georg Michael Telemann schrieb) im nächsten Monat (Januar 1768) nach Hamburg kam, sondern – wie Hauptpastor Johann Melchior Goeze alsbald rügen mußte – ohne ersichtlichen Grund die Herren Hamburger fünf Monate auf seine Ankunft warten ließ. Als er sich endlich sehen ließ, war die Fastenzeit mit der Darbietung einer alten Passion Telemanns überbrückt worden[21].

Ein signifikanter Unterschied zwischen der Hamburger Gepflogenheit und anderen Verfahrensweisen ist nicht nur dem Vergleich mit Leipzig zu entnehmen. Einen völlig anderen *modus procedendi* gab es beispielsweise in Gotha und anderwärts im Thüringischen, wo bereits im 17. Jahrhundert die liturgischen Voraussetzungen für die zyklische Aufführung sogenannter Passionskantaten geschaffen worden waren und derartige Darbietungen bis weit in die zweite Hälfte des 18. Jahrhunderts nachzuweisen sind[22].

Auf die schon von Telemann und Mattheson kritisierten Besetzungsprobleme in Hamburg kann hier nicht eingegangen werden[23]. Zu erwähnen ist jedoch die Klage aus Kreisen der Geistlichkeit (Schreiben vom 20. Februar 1789), daß die „Passionsmusiken ... so schlecht vertheilt waren, daß vom Sonntage Judica bis zum Charfreytage, d. i. in 13 Tagen, 10 Passionsmusiken aufgeführet wurden. Natürlicher Weise mußte das für die Instrumentalisten und für die Sänger üble Folgen haben. Jene wurden des vielen Musizierens überdrüssig: und diese wurden von dem vielen Singen matt, heiser, oder sogar krank."[24]

Eine Betrachtung der Passionsmusiken von Carl Philipp Emanuel Bach hat sich mit der Tatsache abzufinden, daß das musikalische Quellenmaterial großenteils nicht greifbar ist. Von einigen erhaltenen, weil abgesplitterten, vor allem autographen Teilen abgesehen, befand es sich ehedem in der Bi-

---

19 *Verzeichniß des musikalischen Nachlasses des verstorbenen Capellmeisters Carl Philipp Emanuel Bach,* Hamburg 1790, S. 59–61.

20 Clark, a. a. O., S. 97 ff.

21 H. Miesner, *Philipp Emanuel Bach in Hamburg. Beiträge zu seiner Biographie und zur Musikgeschichte seiner Zeit,* Leipzig 1929, S. 10, 118 f., 134.

22 W. Blankenburg, „Die Aufführungen von Passionen und Passionskantaten in der Schloßkirche auf dem Friedenstein zu Gotha zwischen 1699 und 1770", in: *Festschrift Friedrich Blume zum 70. Geburtstag,* Kassel etc. 1963, S. 50–59.

23 J. Mattheson, *Der Musicalische Patriot,* Hamburg 1728, S. 64; G. Ph. Telemann, *Briefwechsel,* hrg. von H. Große und H. R. Jung, Leipzig 1972, S. 31 f.

24 J. Sittard, *Geschichte des Musik- und Concertwesens in Hamburg vom 14. Jahrhundert bis auf die Gegenwart,* Altona und Leipzig 1890, S. 47 f.; Clark, a. a. O., S. 341.

bliothek der Singakademie zu Berlin und muß mit deren größerem Teil derzeit als verschollen gelten (nach allerdings unsicherer Kunde sollen die Bestände ausgelagert gewesen sein und nach 1945 noch existiert haben). In welchem Ausmaß sich wenigstens Abschriften auftreiben lassen, ist derzeit nicht leicht zu sagen. Daß eine vom Hamburger Sänger Michel geschriebene Kopie der *Matthäus-Passion* für 1789 in die sogenannte Kaiser-Sammlung gelangte und mittlerweile sich in der Obhut der Bibliothek der Gesellschaft der Musikfreunde in Wien befindet, kann wohl eher als Ausnahme gelten[25]. Symptomatisch für die Verbreitung bzw. genaugenommen Nichtverbreitung dieser Werke scheint die Äußerung Ernst Ludwig Gerbers in dessen *Neuem Tonkünstler-Lexikon* von 1812 zu sein: er nennt von Carl Philipp Emanuel Bach „XXII Passions-Musiken, theils Kantaten und theils nach den Evangelisten, welche ohne Zweifel die ganze Stärke des Verfassers in der Harmonie in sich fassen“[26].

Carl Philipp Emanuel Bach selbst verfügte offenbar zumeist nur über ein gerade noch brauch- bzw. überschaubares Aufführungsmaterial. Dies würde erklären, warum Heinrich Miesner, der vor 1930 als vielleicht einziger diese Materialien eingesehen hat, sich zuweilen kaum zurechtfand und nicht immer zu präzisen Aussagen gelangen konnte[27]. Besser steht es mit den Textbüchern; diese sind vollständig vorhanden und von Stephen L. Clark in seiner Dissertation *C. P. E. Bachs Occasional Choral Works* (Princeton 1984) erstmals systematisch ausgewertet worden. Aus den Texten sowie den Mitteilungen Miesners ist abzuleiten, daß Carl Philipp Emanuel Bach einen selten oder nie veränderten Rahmen – die Vertonung des Evangeliums – verwendete, jedoch regelmäßig Arien und Chöre sowie öfter auch die Choräle bzw. Strophen austauschte[28].

Die in der *Johannes-Passion* Johann Sebastian Bachs latent vorhandene Tendenz zum Pasticcio ist bei Carl Philipp Emanuel Bach sozusagen bis zum Exzeß gesteigert. Wenn der Thomaskantor gelegentlich unwirsch behauptete, von der Passionsaufführung hätte er nichts, sie wäre nur ein „onus“[29], so zeigt die Praxis des Sohnes, daß jener nicht gewillt war, in ein solches „onus“ mehr Kraft als unbedingt erforderlich zu investieren. War im Leipzig Johann Sebastian Bachs die Passionsmusik aus inneren Gründen das musikalische Hauptereignis des Jahres, so war sie dies in Hamburg allenfalls in quantitativer Hinsicht. Oder positiv ausgedrückt: Durch sein

---

25 Miesner, a. a. O., S. 25; Clark, a. a. O., S. 97 ff.

26 E. L.-Gerber, *Neues historisch-biographisches Lexikon der Tonkünstler,* Teil I, Leipzig 1812, Sp. 199.

27 Miesner, a. a. O., S. 58 ff.

28 Miesner, a. a. O.; Clark, a. a. O., S. 219 ff.

29 *Bach-Dokumente,* Bd. II, Nr. 439

Pasticcio-Verfahren öffnete sich Carl Philipp Emanuel Bach eine Hintertür, die ihm einen Ausweg aus der eisernen Hamburger Tradition ließ. In den interpolierten Arien und Chorsätzen konnte er eine Aktualisierung erreichen und zusätzlich ein wenig seinem Streben nach Exhibition des Gefühls[30] freien Lauf lassen. Doch eine zentrale Aufgabe war Derartiges für ihn nicht.

Daß er für die Lösung dieser Aufgabe auch fremde Werke heranzog, ist hinreichend bekannt. Auf die Anleihen aus der *Matthäus-Passion* des Vaters hat Miesner hingewiesen[31]; weder Textbücher noch musikalische Quellen verraten ihrerseits etwas über dergleichen Autorschaftsfragen – hier kann nur die Ermittlung von Konkordanzen weiterhelfen. Als Beispiel genannt sei der letzte im Textbuch der Hamburger *Matthäus-Passion* von 1769 aufgeführte Satz: „Choral. (Wird von der Gemeine nicht mitgesungen.) Christe! Du Lamm Gottes, der Du trägst etc."[32]

Inwieweit die Bemerkung über das Stillschweigen der Gemeinde dahingehend zu deuten ist, daß diese alle übrigen Choralsätze, zumindest aber den Schlußchoral mitsingen konnte, mag hier offenbleiben; bei dem Schlußsatz der Passion von 1769 dürfte es sich jedenfalls um eine kunstvolle Choralbearbeitung gehandelt haben, die zur Darbietung bestimmt war und ein Mitsingen ausschloß. Eine solche kunstvolle Bearbeitung liegt in jenem Satz vor, den Johann Sebastian Bach 1723 seiner zunächst nur dreisätzigen Kantate *Du wahrer Gott und Davids Sohn* (BWV 23) angliederte und der 1725 zusätzlich als Schlußsatz der Zweitfassung seiner *Johannes-Passion* fungierte[33]. Von diesem Choralchorsatz liegt eine von Carl Philipp Emanuel Bach eigenhändig geschriebene Partitur vor, die nach den Schriftmerkmalen ohne weiteres 1769 entstanden sein könnte und deren Paginierung mit derjenigen der ehedem in der Bibliothek der Berliner Singakademie vorliegenden fragmentarischen Partitur zu Carl Philipp Emanuel Bachs *Matthäus-Passion* von 1769 zusammenzustimmen scheint[34]. Demnach wäre dieser Choralsatz Johann Sebastian Bachs 1769 – und nur in diesem Jahr – als Bestandteil von Carl Philipp Emanuel Bachs *Matthäus-Passion* in Hamburg erklungen.

---

30 Vgl. C. Dahlhaus, „Si vis me flere ...", in: *Mf* 25, 1972, S. 51 f.

31 A. a. O., S. 62 f.

32 Clark, a. a. O., S. 238.

33 *Bach Compendium,* a. a. O., A 47 und D 2b.

34 Die Partitur zu *Christe, du Lamm Gottes* (Berlin-West, Staatsbibliothek Preußischer Kulturbesitz, Mus. ms. Bach P 70) weist eine Paginierung von 151 bis 159 auf, die Seitenzählung der von Miesner (a. a. O., S. 60) erwähnten Partitur der *Matthäus-Passion* reichte bis mindestens 136.

In gleicher Weise lohnt ein Blick auf die erste in Hamburg entstandene *Johannes-Passion* von Carl Philipp Emanuel Bach aus dem Jahre 1772 sowie ein Vergleich dieses Werkes mit zwei anderen Passionsmusiken nach Johannes, die eine aus der Feder Johann Sebastian Bachs, die andere Johann Friedrich Doles – einem Altersgefährten von Carl Philipp Emanuel Bach – zugeschrieben und von ihm nachweislich 1755 in Freiberg/Sa. aufgeführt, jedoch in Wirklichkeit von einem in Thüringen wirkenden Komponisten geschaffen und von Doles nur überarbeitet[35].

Den offenbar ältesten Typ repräsentiert die *„Doles"-Passion,* deren Aufbau vielleicht nicht ohne Grund dem der ehedem Johann Sebastian Bach zugeschriebenen *Lukas-Passion* ähnelt. Sie umfaßt 76 Abschnitte: 37 Evangelientexte, 21 Choräle, 15 Arien, Duette, Terzette, 3 Chöre. Auffällig ist die große Zahl der Choräle und deren zuweilen gehäuftes Auftreten. Allein das 18. Kapitel des Johannes-Evangeliums wird mit 6 Arien und 14 Chorälen kommentiert. Bei Johann Sebastian Bach finden sich nur 40 Abschnitte: 17 Evangelientexte, 11 Choräle, 10 Arien und Ariosi, 2 Chöre. Unabhängig vom Austausch einzelner Sätze in den Neufassungen der Passion von 1725 und 1732 erweist sich der Rahmen der Evangelienvertonung doch als stabil und praktisch nicht veränderbar.

Noch weniger Abschnitte – nur 23 – weist die *Johannes-Passion* von Carl Philipp Emanuel Bach aus dem Jahre 1772 auf: 11 Evangelientexte, 5 Choräle, 5 Arien, 2 Chöre. Demnach sind die Dimensionen kleiner, der Aufwand geringer, die Ambitionen begrenzt. Aus dem Vergleich mit den Textbüchern von 1776, 1780, 1784 und 1788 ergibt sich, daß der Passionsbericht des Johannes an insgesamt 20 Stellen unterbrochen werden kann, um kontemplative Arien und Choräle einzufügen. Im Unterschied zu Johann Sebastian Bach und wohl auch zu der *„Doles"-Passion* ist bei Carl Philipp Emanuel Bach auch der Rahmen disponibel[36].

Von den 1772 dargebotenen Arien und Chören auf frei gedichtete Texte ist am bekanntesten der Schlußchor „Ruht wohl" – in gleicher Funktion in der *Johannes-Passion* von Johann Sebastian Bach zu finden. Während Arthur Mendel in den 1970er Jahren einräumte, daß die von Carl Philipp Emanuel Bach eingetragene Neutextierung dieses Chorsatzes mit einer Leipziger Aufführung zu Lebzeiten Johann Sebastian Bachs zusammenhängen könnte (eine Ansicht, die Alfred Dürr noch in seinem soeben erschienenen Buch über die *Johannes-Passion* Johann Sebastian Bachs aufrechtzuer-

35 Näheres in einem Aufsatz des Verfassers in: *Beiträge zur Bach-Forschung.*
36 Clark, a.a.O., S. 314 ff.

halten sucht)[37], konnte ich vor einigen Jahren durch einen Vergleich der Textschrift von Carl Philipp Emanuel Bach zeigen[38], daß diese im vorliegenden Falle in die Hamburger Zeit gehört, nicht in die Berliner Jahre und schon gar nicht in die Zeit vor 1750. Fast zur gleichen Zeit hat Stephen Clark anhand der Textbücher ermittelt, daß dieser Chor 1772 (und nur in diesem Jahr) erklungen ist – nach der Hamburger Gepflogenheit etwa zehnmal.

Von den insgesamt sieben Einlagesätzen der Passion von 1772 konnte Clark nur diesen einen Chor (Nr. 7) nachweisen. Doch es sind vier weitere Sätze erhalten, und zwar als Umarbeitungen fremder Vorlagen:

- Arie (Nr. 1) „Liebste Hand, ich küsse dich", für Alt, 2 „Grand Oboi", 2 Violini, Basso continuo, F-Dur
- Arie (Nr. 3) „Unbeflecktes Gotteslamm", für Tenor („Herrn Michel"), 2 Violini concert., Violino pizzicato, Basso continuo, e-Moll
- Chor (Nr. 5) „O ein großer Todesfall" für 4 Singstimmen, Streicher, Basso continuo, e-Moll
- Arie (Duett) (Nr. 6) „Gottversöhner, sanft im Schlummer", für Alt, Tenor („Mr. Hoffmann, Mr. Hartmann"), „Grand Oboi, statt deren 2 Flöten, welche a part geschrieben sind", Violini unisoni, Basso continuo, a-Moll.

Alle diese Sätze finden sich in der schon 1847 von Winterfeld[39], dann 1872 von Bitter[40] und nochmals 1977 von Andreas Glöckner[41] beschriebenen Passionskantatenreihe *Sechs geistliche Betrachtungen des leidenden und sterbenden Jesus aus der Leidensgeschichte der heiligen Evangelisten gezogen* von Gottfried Heinrich Stölzel. Die aus dem Besitz von Carl Philipp Emanuel Bach stammende Partitur[42] trägt von fremder Hand den Vermerk „Vom seel. Hrn. Capellmeister Stölzel letztere und neueste von ihm". In der Tat ist die früheste Gothaer Aufführung dieses Werkes für 1749 zu belegen[43].

Trifft Miesners Angabe zu, daß der Evangelienbericht in den von Carl Philipp Emanuel Bach dargebotenen Passionsmusiken nach Johannes von

37 *Neue Bach-Ausgabe,* Bd. II/4 Krit. Bericht, Kassel etc. und Leipzig 1974, S. 57 f., 171 (A. Mendel); A. Dürr, *Die Johannes-Passion von Johann Sebastian Bach. Entstehung, Überlieferung, Werkeinführung,* Kassel etc. und München 1988, S. 23, 64 sowie Textbeilage S. 23. Vgl. auch Anm. 46.

38 *Bach-Jahrbuch* 1983, S. 118 f.

39 C. von Winterfeld, *Der evangelische Kirchengesang,* Bd. III, Leipzig 1847, S. 244 f.

40 C. H. Bitter, *Beiträge zur Geschichte des Oratoriums,* Berlin 1872, S. 224 ff.

41 *Bach-Jahrbuch* 1977, S. 99.

42 Berlin-West, Staatsbibliothek Preußischer Kulturbesitz, Mus. ms. 21401.

43 Blankenburg, a. a. O., S. 56 f.; F. Hennenberg, *Das Kantatenschaffen von Gottfried Heinrich Stölzel,* Leipzig 1976, S. 17, 54, 126 f., 187, 200.

Telemann übernommen wurde[44], so hätten wir in der Passion von 1772 ein Pasticcio vor uns, bei dem der „Rahmen" von Telemann stammt, und zwar aus dessen *Johannes-Passion* von 1745[45], die Einlagesätze Nr. 1, 3, 5 und 6 von Stölzel sowie Nr. 7 von Johann Sebastian Bach – alle fünf ersichtlich von Carl Philipp Emanuel Bach für den neuen Zweck eingerichtet[46]. Am Rande sei vermerkt, daß Carl Philipp Emanuel Bach die Stölzel-Passion nicht erst 1772 für seine Zwecke ausbeutete. Vier weitere Arien hat er bereits 1771 in seine *Lukas-Passion* einbezogen[47].

Angesichts solcher Verfahrensweisen[48] erscheint es erklärlich, daß Carl Philipp Emanuel Bachs Hamburger Passionsmusiken als Fortsetzung einer nur hier und da noch willig weitergeführten Tradition keine große Ausstrahlung hatten. Die problematische Quellenlage – ungeachtet des Angebots aller Passionen im Nachlaßverzeichnis von 1790 – spiegelt insoweit adäquat die musikgeschichtliche Situation – ganz im Gegensatz etwa zur Verbreitung der *Passionskantate* von 1769[49], auch im Unterschied zu Zeitgenossen wie Homilius. Passionsaufführungen „nach historischer und alter Art" gab es in Hamburg, Danzig, Riga und anderwärts vielleicht noch nach 1800, doch änderte dies nichts am Siegeszug des Passionsoratoriums. Die – *mutatis mutandis* – liturgisch gemeinte oratorische Passion erlitt im späteren 18. Jahrhundert das gleiche Schicksal wie die traditionsreiche Choralpassion: sie wurde als theatralisch und damit unschicklich qualifiziert sowie als veraltet angesehen und deshalb baldmöglichst abgeschafft. 1829, in einer Zeit der Alleinherrschaft des erbaulichen Passionsoratoriums, ist die *Matthäus-Passion* Johann Sebastian Bachs durch Zelter, Mendelssohn und die Berliner Singakademie als religiöses Kunstwerk in den Konzertsaal verpflanzt

---

44 Miesner, a. a. O., S. 66 f.

45 H. Hörner, *Georg Philipp Telemanns Passionsmusiken. Ein Beitrag zur Geschichte der Passionsmusik in Hamburg,* Diss., Kiel 1933, S. 60 f., 135, 150 f. sowie Anhang, S. 40 ff.

46 Der Verfasser der Parodietexte ist nicht bekannt. Entgegen Mendel und Dürr (vgl. Anm. 37) ist anzunehmen, daß auch der neue Text für den Chorsatz „Ruht wohl" erst in Hamburg entstanden ist und vom selben (unbekannten) Verfasser stammt.

47 Mus. ms. 21401 (vgl. Anm. 42), Bl. 6v ff., 32r ff., 28v ff., 45v ff. Die Arien sind als No. III bis No. VI gezählt. Die zugehörigen Texte bei Clark, a. a. O., S. 295 f., Nr. 5, 6, 8 und 12.

48 „In 20 Passions-Musiken des 20jährigen hiesigen Aufenthalts, die hier nicht cantatenmässig, sondern mit den Evangelisten aufgeführt werden, und wo alle 4 Jahre derselbe Evangelist vorkommt, ist noch verschiedenes [sc. Ungedruckte von C. P. E. Bach], doch ist auch vieles von anderen aufgenommen" (Johanna Maria Bach, Hamburg, 5. September 1789, an Sara Levy geb. Itzig in Berlin; vgl. C. H. Bitter, *Carl Philipp Emanuel Bach und Wilhelm Friedemann Bach und deren Brüder,* Berlin 1868, Bd. II, S. 311. Das Original des Briefes tauchte bei der Versteigerung Liepmannssohn/Stargardt vom 23.–25. November 1908 – Sammlung Zeune-Spitta – auf und befindet sich jetzt im Bach-Haus Eisenach).

49 Vgl. Clark, S. 50 ff., sowie den Beitrag von L. Finscher im vorliegenden Bericht.

worden - weit entfernt von ihrem Ursprung, doch in richtiger Erahnung einer ihrer geschichtlichen Komponenten.

Mit den Passionen von Carl Philipp Emanuel Bach ist derartiges bis heute nicht versucht worden. Eine Ausnahme gab es vor wenigen Jahren - aber diese Passion war nicht von ihm[50].

50 *Die betrübte und wieder getröstete Sulamith* (Markus-Passion; Textbeginn: „Gehet heraus und schauet, ihr Töchter Zion"), aufgeführt am 8. August 1986 in Stuttgart aufgrund einer aus Erfurt stammenden Partiturabschrift des späten 18. Jahrhunderts. Das Libretto ist bereits 1750 für Zerbst belegt (vgl. R. Steiger, in: *Musik und Kirche* 58, 1988, S. 72-76), als Komponist kommt hier J. G. Röllig in Frage. Die Vermittlung von Text (und Komposition?) nach Erfurt dürfte durch Georg Peter Weimar (1734-1800) erfolgt sein. Die verzweigte Problematik der Überlieferung, der angeblichen Widerentdeckung sowie der im 19. Jahrhundert erfolgten Zuschreibung jener *Markus-Passion* an Carl Philipp Emanuel Bach erfordert eine ausführliche Darstellung, die die Grenzen des vorliegenden Beitrages überschreiten würde.

Howard E. Smither

Arienstruktur und Arienstil in den Oratorien und Kantaten Bachs

Bislang hat die Musikwissenschaft den instrumentalen Werken von Carl Philipp Emanuel Bach viel mehr Beachtung geschenkt als den Vokalkompositionen. Einen klaren Beweis für diese Tendenz bietet die unlängst erschienene umfassende Bibliographie der Sekundärliteratur zu Bach von Stephen L. Clark: nur 15 der 379 erwähnten Schriften haben Bachs Vokalmusik zum Thema[1]. Natürlich kommt diese stiefmütterliche Behandlung nicht von ungefähr. Bach selbst legte großes Gewicht auf seine Instrumentalwerke, und sowohl von ihrer Anzahl als auch ihrem Einfluß her überragten sie das Vokalwerk. Trotzdem ist dieses nicht unbedeutend, weder quantiativ noch qualitativ, und wesentlich für unser Verständnis der kompositorischen Leistung Bachs. Die bisherige Literatur zu seiner Vokalmusik schließt einige ausgezeichnete Quellenstudien ein sowie einige Arbeiten über Stil und Struktur von Einzelwerken oder Werktypen, aber bisher ist wenig über Bachs Arien geschrieben worden.

Diese Arbeit soll eine kurze Einführung zu den Arien in den uns erhaltenen Kantaten und Oratorien bieten, insbesondere hinsichtlich ihrer musikalischen Struktur und gewisser Stilmerkmale. Dabei wird das Verhältnis der Arien zum galanten oder frühklassischen Stil, zum Spätbarock und einem speziellen Aspekt von Bachs Instrumentalmusik erörtert werden.

Meine Studie beruht auf der Untersuchung von zweiundfünfzig Einzelarien, das heißt von Arien, die als geschlossene Einheiten auftreten im Gegensatz zu jenen, die, mit Chören und Rezitativen verbunden, größere Komplexe bilden. Das untersuchte Notenmaterial umfaßt alle Einzelarien bis auf zwei, für welche mir keine Quellen zugänglich waren[2]. Die meisten Arien sind unveröffentlicht und wurden entweder im Autograph oder in als zuverlässig geltenden Abschriften eingesehen[3].

---

1 S. L. Clark, „C. P. E. Bach in Literature: A Bibliography“, in: *C. P. E. Bach Studies,* ed. S. L. Clark, Oxford 1988, S. 315–35.

2 Die beiden fehlenden Arien sind diejenigen in der Kantate für Sonntag nach Trinitatis (H. 818/NV 66).

3 Ich möchte hier Eugene Helm danken dafür, daß er mir Einsicht in das Manuskript sei-

Im Anhang sind die Arien nach Strukturkriterien in vier Kategorien aufgeführt: I) Da-Capo-Arien und Dal-Segno-Arien; II) zweiteilige Arien; III) umgestaltete Da-Capo-Arien; IV) andere Arten. Die Da-Capo- und Dal-Segno-Arien, dreißig an der Zahl, machen den größten Teil aus. Es ist interessant, daß die meisten von ihnen vor 1774 datiert sind, also vor der Entstehung der ersten Fassung der *Auferstehung und Himmelfahrt Jesu,* Bachs letztem und wohl bedeutendsten Oratorium[4], in dem sich nur noch eine Arie dieses Typs findet. Die Häufung der Da-Capo- und Dal-Segno-Arien in Bachs frühen Vokalkompositionen kann nicht erstaunen, da dieser Typ in den 1770er und 1780er Jahren mehr und mehr aus der Mode kam. Bach verwendet das *segno* in seinen Dal-Segno-Arien immer, wie es im Barock Brauch war, zwecks Aufhebung oder Kürzung des Eingangsritornells. Er verkürzt nie den Stimmpart des ersten Arienteils, wodurch eine sogenannte halbe Da-Capo-Arie entsteht, wie sie aus Werken seiner Zeitgenossen bekannt ist.

Zehn der im Anhang aufgeführten Arien sind zweiteilig, das heißt, daß die Tonalität im ersten Teil von der Tonika zu einer verwandten Tonart wechselt und im zweiten wieder zur Tonika zurückkehrt und normalerweise beide Teile verwandtes Melodiematerial aufweisen. Alle zweiteiligen Arien sind in den Jahren zwischen 1775 und 1785 entstanden, als dieser Typ in Oratorium und Oper allgemein an Bedeutung gewann. Natürlich beeinflußte auch die Länge und die Struktur seiner Arientexte Bachs Kompositionen stark. Für eine Arie mit einer relativ kurzen Einzelstrophe wählte er die konventionelle zweiteilige Struktur, die dem ersten großen Teil einer Da-Capo-Arie entspricht. Die ersten vier zweiteiligen Arien auf unserer Liste gehören zu diesem Typ. Für Arien mit einer einzigen längeren Strophe oder zwei bis drei Strophen verwendete er weniger konventionell eine zweiteilige harmonische Struktur und eine mehr oder weniger durchkomponierte Vertonung des Textes. Alle restlichen zweiteiligen Arien auf unserer Liste fallen unter diese Kategorie, wobei die Anlage der beiden letzten, aus der *Schäfer-Einführungsmusik,* nicht eindeutig bestimmbar ist und nur teilweise dem zweiteiligen Tonalitätsschema entspricht.

Neun Arien meiner Liste sind als umgestaltete Da-Capo-Arien klassifiziert. Mit diesem Ausdruck bezeichne ich eine Arie, die vom Text her für

---

nes *Thematic Catalogue of the Works of Carl Philipp Emanuel Bach* gegeben hat. Mittlerweile ist das Werk im Druck. Zu Dank verpflichtet bin ich auch Rachel W. Wade von der C. Ph. E. Bach-Ausgabe an der University of Maryland. Sie hat mir sonst unzugängliche Quellen erschlossen.

4 Zur Datierung dieser Fassung und über die folgenden Überarbeitungen der *Auferstehung* vgl. R. Kramer, „The New Modulation of the 1770s: C. P. E. Bach in Theory, Criticism, and Practice", in: *Journal of the American Musicological Society* 38, 1985, S. 580–81.

eine Da-Capo-Vertonung angelegt zu sein scheint, die der Komponist aber am Ende der ersten großen Abteilung nicht, wie es sich für eine Da-Capo-Arie gehört, in der Tonika schließt, sondern in einer verwandten Tonart. Damit ist der erste Teil tonal nicht abgeschlossen wie bei einer dreiteiligen Form, sondern tonal offen, wie bei einer zweiteiligen. Der Mittelteil der Arie entspricht dem Mittelteil einer Da-Capo-Arie, der dritte Teil ist nicht ein *da capo,* sondern eine Reprise des ersten Teils (ähnlich der in einer Sonatenform), in den meisten Fällen in der Haupttonart der Arie. Dabei muß aber gesagt werden, daß Bach in diesen Arien seine Reprisen viel stärker variiert als die meisten zeitgenössischen Komponisten. Es gibt in der musikwissenschaftlichen Literatur für den eben beschriebenen Arientyp keinen allgemein akzeptierten Terminus. Er wird gelegentlich als „Sonatenform" bezeichnet, an andern Stellen als „modifiziertes da capo". Mir ist der Ausdruck „umgestaltete Da-Capo-Form" am liebsten, denn darum handelt es sich hier: um die Umgestaltung einer Da-Capo-Form mittels einer Synthese der dreiteiligen Struktur mit einem zweiteiligen Tonalitätsprozeß[5]. Dies war zu Bachs Zeit die modernste Arienform. Zwar kann man auch schon bei Johann Sebastian Bach und sogar bei einigen früheren Komponisten hin und wieder vergleichbare Formen beobachten[6], aber erst nach 1770 begann dieser Typ wirklich sowohl im Oratorium als auch in der Oper vorzuherrschen. Bis auf eine findet man alle diese Formen in Bachs Werken aus den Jahren zwischen 1774 und 1785. Die drei Arien, die in der Liste als „andere Typen" aufgeführt sind, sind Abwandlungen der damals geläufigen Formen. Die erste davon, das Rondo, ist im wesentlichen eine erweiterte dreiteilige Arie, die zweite eine Aneinanderreihung zweier zweiteiliger Arien[7], die dritte ist eine A B A'-Arie mit drei Textstrophen, in der Teil A' einen neuen Text musikalisch sehr ähnlich wie Teil A behandelt.

---

5 Mehr über diese Form in: H. E. Smither, *A History of the Oratorio,* Band 3: *The Oratorio in the Classical Era,* Chapel Hill/London 1987, S. 78–82. Dieser Arientyp wird durchwegs als „sonata form"-Arie bezeichnet in M. Hunter, *Haydn's Aria Forms: A study of the Arias in the Italian Operas Written at Eszterháza, 1766–1783* Phil. Diss., Cornell University, 1982; in Charles Rosen, *Sonata Forms,* New York 1980, S. 56, wird der Ausdruck „sonata form with central trio section" verwendet; in E. O. D. Downes, *The Operas of Johann Christian Bach as a Reflection of the Dominant Trends in Opera Seria 1750–1780* Phil. Diss., Harvard University 1958, finden wir „modified da capo", ebenso in M. Boyd, *Bach,* Master Musicians Series, London 1983, S. 131–33; in L. G. Ratner, *Classic Music: Expression, Form, and Style,* New York 1980, S. 276–79, wird dagegen der Terminus „compressed da capo" gebraucht.

6 Vgl. Boyd, *Bach,* S. 131–33.

7 Über die ungewöhnliche Form dieser Arie hat Bach mit dem Textautor, K. W. Ramler, korrespondiert. Siehe S. L. Clark, "The letters from C. P. E. Bach to K. W. Ramler", in: *C. P. E. Bach Studies,* S. 36–37.

Dieser Überblick über Bachs Arienstrukturen legt den Schluß nahe, daß er die aus der Vergangenheit überlieferten Formprinzipien übernahm, aber auch die neuen Zeitströmungen integrierte. Obwohl sich einige unklare Formen finden, kann man doch kaum etwas als neuartig, unvorhergesehen oder unorthodox bezeichnen. Dieser Eindruck ändert sich radikal, wenn wir uns dem Stil der Arien zuwenden.

Wer sich mit dem musikalischen Stil Bachs befaßt, sieht sich konfrontiert mit den höchst eigenwilligen Elementen seiner musikalischen Ausdrucksweise, für die seine Instrumentalkompositionen so berühmt sind: überraschende Gegenüberstellungen von scheinbar widersprüchlichem Material, unregelmäßige Phrasen, unsangbare Melodielinien, plötzliche Wechsel in Dynamik, Rhythmus, Tempo, Stimmgewebe und Stimmlage. Im Englischen pflegen wir diesen Stil mit dem Adjektiv ‚quirky' zu beschreiben, was man im Deutschen ungefähr mit ‚kapriziös' oder ‚eigenwillig' wiedergeben kann. Dieser ständig wechselnde, kaleidoskopische Stil in Bachs Instrumentalwerk wurde schon öfters studiert, zuletzt ausführlich von Pamela Fox, die dafür den Ausdruck „Nonconstancy" gewählt hat[8]. Susan Wollenberg hat in einer anderen jüngst erschienenen Arbeit in einigen dieser Überraschungselemente den Ausdruck von Bachs „sense of humour" gesehen[9]. Bach verwendet dieses Stilmerkmal nicht nur in seinem Instrumentalwerk, sondern macht eindeutig auch bei Vokalkompositionen Gebrauch davon. Dabei drängen sich uns sofort neue Fragestellungen auf. Wie verträgt sich das Prinzip ständigen Wechsels mit der Textvertonung? Wie weit hat Bach diesem Stil bewußt rhetorische Funktionen gegeben?

Im folgenden werde ich Stil als Funktion rhetorischer Absichten hervorheben und nachzuweisen suchen, daß unvermuteter Wechsel in Bachs Arien oft um des rhetorischen Effektes willen und im wesentlichen in spätbarokker Manier eingesetzt wird. In andern Beispielen findet sich aber auch der regelmäßigere, einfache galante Stil als rhetorisches Mittel. Ich werde mich dabei im besonderen mit acht Musikbeispielen befassen, möchte aber noch einige allgemeine Bemerkungen vorausschicken.

Im ganzen gesehen sind die Melodielinien in Bachs Arien einfacher gehalten als diejenigen in den instrumentalen Werken. Der Hauptgrund dafür ist natürlich der, daß eine Arie gesungen werden muß. Außerdem mag Bach bei der Gestaltung seiner Kantaten und Oratorien auch die Zuhörerschaft

---

8 P. Fox, „The Stylistic Anomalies of C. P. E. Bach's Nonconstancy", in: Clark, *C. P. E. Bach Studies,* S. 114–15; siehe auch Fox, *Melodic Nonconstancy in the Keyboard Sonatas of C. P. E. Bach* Phil. Diss., University of Cincinnati, 1983, S. 7–8.

9 S. Wollenberg, „A New Look at Bach's Musical Jokes", in: Clark, *C. P. E. Bach Studies,* S. 295–314.

im Auge gehabt haben: ein großes und uneinheitliches Publikum, das bei weitem nicht nur aus Kennern und Liebhabern bestand.

Den erwähnten strukturellen Ähnlichkeiten zwischen Arien Bachs und denen einiger seiner galanten Zeitgenossen entsprechen auch Ähnlichkeiten im Stil. Zeitweilig verwendet Bach homophones Stimmgewebe, ebenmäßige Phrasen, schlichte Harmonik und langsamen harmonischen Rhythmus, aber selten braucht er alle diese Elemente zugleich und über größere Strecken. Statt dessen neigt er dazu, Kontrastwirkungen einzuführen, die im wesentlichen dem galanten Stil fremd sind. Nur selten schreibt er eine Arie, die man auch einem für die Periode typischen italienischen Komponisten – sagen wir Baldassare Galuppi – oder einem Wiener oder Süddeutschen wie Ignaz Holzbauer als ganzes zutrauen könnte. Meist sind es nur einige Stellen in jeder Arie, die eine solche Vermutung zulassen würden.

Beispiel 1. Aus der Arie „Ruhe sanft verklärter Lehrer“ (*Einführungs-Musik* [für Pastor Friderici], H. 821 g/W. 251. D-brd-B, P 347).

6
dei- ner küh- len Gruft, in dei- ner küh- len Gruft, dein Ge-
8
dächt- nis bleibt im Se- gen in den Her-zen dei- ner Hö-rer, bis dein
10
Gott uns zu dir ruft, ver- klär- ter Leh- rer, ver-
12
klär- ter Leh- rer, ru-he

Die ersten beiden Musikbeispiele sollen solche Ähnlichkeiten mit dem galanten Stil in Bachs Arien illustrieren. Beispiel 1, vom Anfang der *Einführungsmusik für Pastor Friderici* von 1775, bringt den ersten Teil der relativ kurzen zweiteiligen Arie. Das einfache, homophone Stimmgewebe setzt sich durch die ganze Arie fort. Die Akkorde wechseln in der Regel nur zweimal pro Takt, und die harmonische Fortschreitung ist unauffällig: am Anfang, in den Takten 1–7 hält sie sich meist in der Dominante und Tonika von a-moll; in Takt 8 beginnt eine Modulation nach C-Dur, ohne Überraschung. Dagegen ist die Phrasenstruktur schon interessanter. Die Arie erweckt am Anfang den Eindruck, als ob sie in zweiteiligen Einheiten fortschreiten würde – die Takte 1 und 2 und dann 3 und 4 gehören eindeutig zueinander. Danach aber findet sich der Hörer in seiner Erwartung getäuscht, denn nun folgen Ausweitungen und Doppeldeutigkeiten. Die Takte 5 bis 7 bilden eine Dreiereinheit und bringen neues Motivmaterial; die Takte 8 und 9 lassen sich zuerst wieder wie eine Zweiergruppe an, doch wird dann die Struktur noch auf Takt 10 ausgedehnt, und in den folgenden Takten werden Rhythmus und Struktur zusehends komplexer, während auch die Melodielinie nun stärker verziert wird. Trotz der erwähnten Raffinements in Phrasierung und Rhythmus ist doch diese Arie für Bach ungewöhnlich nahe am galanten Stil. Warum entschloß er sich zur Verwendung ihm sonst so wesensfremder Ausdrucksmittel? Der Grund dafür ist eindeutig im Rhetorischen zu suchen: der Text behandelt Christi Tod als Ausruhen. Für dieses Bild wäre Bachs typischer, ruheloser Stil zweifellos unpassend gewesen. So auferlegt er seiner eigentlichen Art Schranken. Hier ist es Beständigkeit, nicht Wechsel, die dem rhetorischen Zweck dient.

Beispiel 2a bringt den Anfang des ersten Gesangsabschnittes in der Da-Capo-Arie „Treuer Gott" aus der *Michaelis-Musik* von ca. 1772. Wahrscheinlich wegen der im Text ausgedrückten gehobenen Stimmung („Treuer Gott, nur deine Güte reicht so weit der Himmel geht") verwendet Bach ein reiche Instrumentation mit Paaren von konzertanten Geigen und Bratschen, die ein langes Einführungsritornell spielen - ich habe es hier weggelassen - und dann die Singstimme begleiten. Unser musikalisches Beispiel beginnt in Takt 22 bis 25 mit einfachen zweitaktigen Phrasen. Auch die Takte 26 und 27 könnten als solche aufgefaßt werden, nur daß auf Takt 27 unmittelbar eine neue rhythmisch komplexe Phrase folgt, die sich wie eine Ausdehnung der vorangegangenen Einheit anhört. Hier wird, wie schon im ersten Beispiel, die Erwartung einer Symmetrie erzeugt und dann nicht erfüllt. Eine besonders überraschende und scheinbar mutwillige Geste findet sich in Takt 30, wo alle Geigen und Bratschen in punktierten Rhythmen sich zu einem hohen D hinaufarbeiten und es beim letzten Achtel des Taktes erreichen - eine melodische Idee, die hier zum ersten und letzten Mal im Stück auftaucht. Doch werden wir unser Urteil über diese „Caprice" revidieren, wenn wir uns dem Text zuwenden. Es handelt sich bei der aufsteigenden Linie einfach um die Tonmalerei zum Ausdruck der Himmelsweiten und Gottes Güte „so weit der Himmel geht".

Dem galanten Stil viel näher ist unser Beispiel 2b, der Anfang des Mittelteils derselben Arie. Diesen Teil hat Bach sparsamer instrumentiert, nur mit Generalbaß und Ripieno-Violinen. Dem entspricht auch die einfachere Behandlung von Stimmgewebe und Phrasierung. Die Takte 100 bis 103 bilden zwei zweitaktige Einheiten, ähnlich auch die Takte 104 bis 107, abgesehen von einer zweitaktigen Erweiterung in 108–109, also wieder einer getäuschten Symmetrieerwartung. Der Rest unseres Beispiels, das heißt auch der Rest des Mittelteils der Arie, ist in ausgewogenen Phrasen mit einigen Wiederholungen rhythmischer und melodischer Motive angelegt. Der Grund, weshalb Bach hier zu einem einfacheren Stil überwechselte, ist wiederum im Rhetorischen zu finden. Der Text an dieser Stelle lautet: „Unser kindliches Gemüthe", und die Idee kindlicher Unschuld verlangt Schlichtheit des musikalischen Ausdrucks. Die Beispiele 1 und 2b bilden in ihrer Annäherung

Beispiel 2a. Aus der Arie „Treuer Gott, nur deine Güte" (*Michaelis-Musik,* H. 810/W. 245. B-Bc 727)
a) Takt 22–31.
b) Takt 100–117.

Beispiel 2b

an den galanten Stil keine isolierten Fälle unter Bachs Arien[10], aber auch keineswegs die Norm.

Die beiden nächsten Beispiele, die Nummern 3 und 4, sind viel typischer. Hier sind überraschende Umschwünge auffällig und haben rhetorische

10 Andere Beispiel sind die Arien „Ach, ruft mich einst zu seinen Freuden" aus der *Oster-Music* (H. 805/W. 241); „Wende dich zu meinem Schmerze" aus der *Passions-Cantate* (H. 776/W. 233) und „Vor des Mittags heißen Strahlen" aus *Die Israeliten in der Wüste* (H. 775/W. 238).

Beispiel 3. Aus der Arie „Wenn einst vor deinem Schelten" (*Herrn Pastors Schäffer Einführungsmusik,* H. 821 m/W. 253. D-brd-B, P 347).

Funktion. Beispiel 3 ist der Anfang des ersten Gesangsabschnittes in der Arie „Wenn einst vor deinem Schelten" aus der *Einführungsmusik für Pastor Schäffer* von 1785. Obwohl die viertaktigen Phrasen und die Notenwiederholungen im Baß auf den ersten Blick wie galanter Stil wirken mögen, so sind doch die unzusammenhängende, seltsame Vokallinie und die unerwarteten harmonischen Fortschreitungen störende Elemente. Nach dem A-Dur-Tonikaakkord in Takt 9 beginnt Bach chromatische Modulationen und bewegt sich durch mehrere tonale Bereiche: in den Takten 10 und 11 von Dominante zu Tonika in e-moll; in 12 und 13 von Dominante zu Tonika in d-moll; in 14 bis 16 erscheint die Dominante von A-Dur, der Leitton des verminderten Septakkords von E-Dur, und dann wieder die Dominante von A-Dur, die aber nicht wie erwartet sich in einen A-Dur-Dreiklang auflöst, sondern in den Takten 17 und 18 sich zur Dominante und Tonika von h-moll weiterbewegt. Die ganze Stelle erzeugt vor allem durch das anhaltende Auf und Ab von Sechzehntel-Arpeggien in den Geigen eine fremdartige und erregte Dramatik, was zum apokalyptischen Gehalt des Textes natürlich paßt und das Bild vom „Feuer-Meer der Welten" überzeugend in Tönen malt.

Unser viertes Beispiel, der Anfang der Arie „Dir sing ich froh" aus der *Osterkantate* von 1756, zeigt eine andere Text-Motivation für eine Reihe musikalischer Überraschungen. Hier ist die Rede vom Jubel über den auferstandenen „Fürsten des Lebens". Die beiden ersten Takte bringen lebhafte rhythmische Bewegung in allen Instrumenten, *piano* gehalten, während die Singstimme das erste Motiv vorträgt. Dann kommt mit dem dritten Takt ein plötzlicher Ruck: zwei Viertelnoten, *fortissimo* von allen Instrumenten

Beispiel 4. Aus der Arie „Dir sing ich froh“ (*Oster-Cantate,* H. 803/W. 244. B–Bc, 724).

gespielt, unterstreichen die Emphase der Singstimme auf dem Wort „erstandner". Danach setzt sich die kräftige rhythmische Bewegung des Anfangs in den Takten 4 bis 6 fort. In den Takten 7 bis 9 drückt ein unerwartet lyrisches Motiv die zwei Wiederholungen der Worte „dir sing ich" aus, aber in der zweiten Hälfte von Takt 10 wird es jäh abgeschnitten von einer Tutti-Heraushebung des Wortes „dir", und danach nimmt die rhythmische Bewegung nochmals an Lebhaftigkeit zu. So sehen wir also auch hier, wie Bach das Phänomen der häufigen Umschwünge, die schroffen Brüche in der stilistischen Kontinuität in den Dienst des rhetorischen Ausdrucks stellt.

Die nächsten beiden Beispiele zeigen mehr als die bisher besprochenen Bach als Erben des Spätbarock und illustrieren gleichzeitig seinen eigenwilligen, kaleidoskopischen Stil. Beispiel 5 besteht aus dem ganzen Mittelteil der Da-capo-Arie „Bis hieher hat er euch gebracht" aus *Die Israeliten in der Wüste* von 1769. Hier können wir beobachten, wie Bach eine Reihe überraschender Wechsel in Stimmgewebe und rhythmisch-melodischer Bewegung zum Ausdruck wechselnder Gedanken im Text verwendet. Nach dem Übergang von d-moll zu B-Dur im Orchesterpart der Takte 110–111 folgt zum Text „Es mag der Sonne Glanz erbleichen" eine auffällig simple, harmonisch statische Passage, für die Streicher mit *pianissimo* bezeichnet. Dann kommt ein drastischer Umschwung in Dynamik, rhythmischem Stil und Harmonik zur Darstellung der Worte „die Erd aus ihren Banden weichen". Den nächsten Satz im Text, „fest bleibt in allen Ewigkeiten", übernimmt die Singstimme zuerst allein und bleibt fest auf einem Ton, während neue Formeln in der Begleitung eingeführt werden und die Harmonik sich wieder vereinfacht. Die letzte Phrase, „was Gott den Sterblichen verspricht", hat im Wesentlichen den Charakter einer Kadenz.

Als sechstes Beispiel habe ich den Mittelteil der Da-Capo-Arie „Verstockte Sünder" aus der *Passionskantate* von 1769 gewählt. Hier verwendet Bach innerhalb von neun Takten vier verschiedene musikalische Gedanken, um dem Textsinn gerecht zu werden. Takt 52 leitet rhythmisch vom Ende des großen ersten Arienteils über zum Anfang des Mittelteils. In Takt 53 spielen die Violinen weiter Sechzehnteltriolen, die Bratschen mit dem Continuo haben wiederholte Achtel, während die Singstimme mit „Am Ende wacht ihr auf" einsetzt und das „auf" mit einem Quintensprung nach oben illustriert. Unvermutet folgt in Takt 54 ein Wechsel zu langen Noten, *fortepiano*-Dynamik und einer harmonischen Auflösung nach F-Dur am Taktende als Respons auf die Textstelle „zu spät". Die darauffolgenden Worte „voll Schrecken" finden ihre musikalische Gestaltung durch Tripelgriffe in den Geigen und Punktierungen in der ganzen Streichersektion auf einem verminderten Septakkord. Schließlich malen eine fallende Linie in der Singstimme und absteigende Gruppen von Zweiunddreißigsteln in den Vio-

Beispiel 5. Aus der Arie „Bis hieher hat er euch gebracht“ (*Die Israeliten in der Wüste*, H. 775/W. 238. Hamburg, Im Verlag des Autors, 1775).

Beispiel 6. Aus der Arie „Verstockte Sünder" (*Passions-Cantate,* H.776/W.233. D-brd-B, P 337).

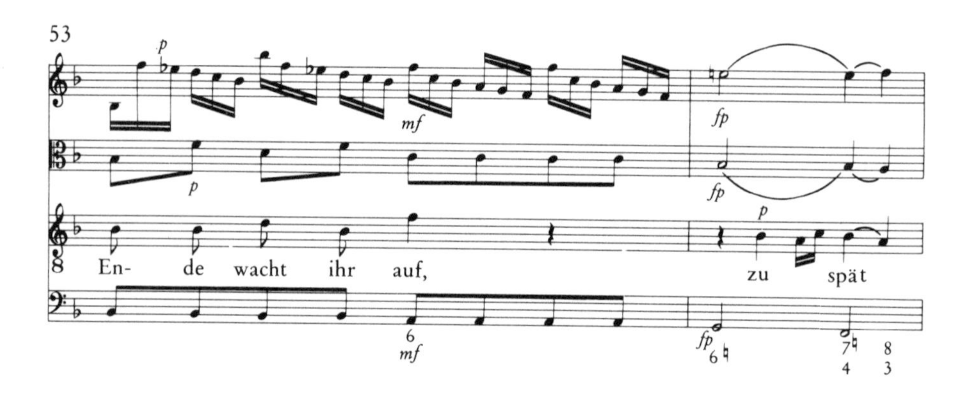

linen den Text „stürzet ihr hinunter zum Abgrund, den ihr offen seht“ aus. Die musikalischen Mittel, die Bach in den Beispielen 5 und 6 zum Ausdruck der Textinhalte und als Tonmalerei einsetzt, sind durchaus typisch für einen Komponisten des Spätbarock, zugleich aber auch für Bachs persönlichen, von Unbeständigkeit gekennzeichneten Stil.

Bachs Vorliebe für dramatische Pausen, Fermaten und plötzliche Tempowechsel in seiner instrumentalen Musik ist wohlbekannt. Wie uns die beiden folgenden Beispiele zeigen werden, prägt sie auch seine Vokalwerke[11]. *Beispiel 7* ist der Anfang des ersten Stimmeinsatzes in der Arie „Ihr Thore Gottes, öffnet euch!" aus dem Oratorium *Auferstehung und Himmelfahrt Jesu.* Die Arie gehört in den Teil, der von der Himmelfahrt handelt, und der Text spricht davon, daß Christus, dem König, die Himmelstore geöffnet werden sollen. Bach folgt durchaus der musikalischen Tradition, wenn er die königliche Majestät durch den Einsatz von Trompeten andeutet und Dreiklangsfanfaren für Singstimme und Orchester wählt. Nachdem er im Eingangsritornell und bei den ersten Gesangstakten einen starken rhythmischen Impetus aufgebaut hat, bricht er ihn in Takt 12 jäh mit einer dramatischen Generalpause, die nicht nur den Befehl zur Öffnung der Tore darstellt, sondern auch das Öffnen selbst. Nach dieser Stille und dem darauffolgenden *fortissimo*-Dominantseptakkord des Orchesters schwingt sich die Singstimme, zuerst unbegleitet, eine Septime empor. Dies ist die erste melodische Septime in der Arie, und sie bringt die harmonische Bewegung in Fluß; beides dient der Vertonung der Worte „Der König ziehet in sein Reich".

Beispiel 7. Aus der Arie „Ihr Thore Gottes" (*Carl Wilhelm Rammlers Auferstehung und Himmelfahrt Jesu,* H. 777/W. 240. Leipzig, Im Breitkopfischen Verlage, 1787).

11 Andere Arien, in denen Bach diese Techniken verwendet, sind „Hallelujah, Hallelujah! welch ein Bund!" aus *Herrn Pastors Haeseler Einführungsmusik* (H. 821 d), „Mein Herr, mein Gott" aus der *Auferstehung und Himmelfahrt Jesu* (H. 777/W. 240) und „Noch steht sie zu des Mittlers" aus der *Michaelis-Musik* (H. 812/W. 212, 247).

Das achte Beispiel ist wieder dem Oratorium *Die Israeliten in der Wüste* entnommen. Es ist die Arie „O! bringet uns zu jenen Mauren“, und handelt vom Murren des Volkes Israel auf seinem entbehrungsreichen Weg durch die Wüste. Am Anfang dieser Da-Capo-Arie, in den Takten 1–4 unseres Ausschnitts, erinnert sich die Zweite Israelitin wehmütig an die Zeit in Ägypten, wo es allen so viel besser ging als in der Wüste. Diesem Affekt entsprechend ist die Stelle durchweg im Larghetto gehalten. In Takt 38 jedoch, wo der Text mit der rhetorischen Frage „Sind wir zum Leiden denn geboren?“ den Mittelteil einleitet, verleiht Bach der Stelle die volle Intensität, die man von einem solchen Ausbruch erwarten würde. Er beschleunigt das Tempo zum Allegro, wechselt zum 3/8-Takt, stellt die Frage zweimal (einmal in B-Dur und dann in C-Dur) und läßt beide Stellen mit einer Generalpause enden. Unmittelbar danach, in Takt 46, macht er Tempo- und Taktwechsel rückgängig und endet die Arie, wie er sie begonnen hat. Die plötzli-

Beispiel 8. Aus der Arie „O! bringet uns zu jenen Mauren“ (*Die Israeliten in der Wüste,* H. 775/W. 238. Hamburg, Im Verlag des Autors, 1775).

che Temposteigerung und die dramatischen Pausen sind nicht weniger überraschend als die Kürze des schnellen Abschnittes, und ihre rhetorische Funktion ist unüberhörbar.

Lassen Sie mich zum Schluß die wichtigsten Punkte noch einmal festhalten: Wir haben gesehen, daß Bach, was die Form seiner Arien anbelangt, entweder den spätbarocken Konventionen folgt oder die neueren Tendenzen aufnimmt und daß in seiner Verwendung der Formtypen kaum etwas Persönliches liegt. Stilistisch dagegen fällt in den Arien die starke Vorliebe für häufigen und überraschenden Wechsel auf, die auch seine Instrumentalmusik charakterisiert und ihn als höchst einfallsreichen Komponisten auszeichnet. Die acht Beispiele, die wir besprochen haben, können nur eine schwache Ahnung der ungeheueren stilistischen Vielfalt dieser Arien geben, aber wenigstens belegen sie Bachs Interesse an der rhetorischen Vertonung seiner Texte. Die Untersuchung seiner leider so wenig beachteten Vokalmusik und speziell seiner Textbehandlung kann unser Verständnis für seine musikalische Sprache vertiefen. In seinen Instrumentalwerken erscheint sein kaleidoskopischer Stil oft befremdend, kapriziös, sogar bizarr, weil es dem Hörer schwerfällt, die Gründe für die ständig wechselnden musikalischen Gesten zu durchschauen. In den Arien dagegen dient ein ähnlicher Stil gewöhnlich rhetorischen Zwecken, und hier verschafft der Text uns Einblick in die Absicht des Komponisten. Vielleicht kann uns die Auseinandersetzung mit Bachs Vokalwerk zu einem besseren Verständnis des „redenden Prinzips" in seinem Werk überhaupt führen, einem Aspekt, den Arnold Schering vor fünfzig Jahren anläßlich eines früheren Jubiläums des Komponisten hervorgehoben hat[12].

Anhang

Liste der Arien von C. Ph. E. Bach (nach Typen geordnet)

Anmerkung: Mit einigen wenigen Ausnahmen sind alle Arien aus den Kantaten und Oratorien von C. Ph. E. Bach hier einbezogen. Die Ausnahmen sind: 1) Arien, die keine geschlossene Einheit bilden, sondern zusammen mit Chören und Rezitativen Teile größerer Komplexe sind; 2) die beiden Arien aus der Kantate *Am 16. Sonntage nach Trinitatis* (H. 818/NV 66) aus dem Jahre 1774, für die ich keine Quellen finden konnte. Innerhalb eines jeden Strukturtyps sind die Arien einigermaßen chronologisch angeordnet. Die Datierung beruht auf Helm (siehe die untenstehende Erklärung der Abkürzungen). Die Quelle oder Quellen zu den einzelnen Werken sind nach Bibliothekssigel und Signatur nach der ersten Erwähnung eines Werkes angegeben.

---

12 A. Schering, „Carl Philipp Emanuel Bach und das ‚redende Princip' in der Musik", in: *Jahrbuch der Musikbibliothek Peters für 1938* (1939), S. 13–29.

Abkürzungen

Die Bibliothekssigla sind diejenigen des *Répertoire international des sources musicales*, herausgegeben von der Internationalen Gesellschaft für Musikwissenschaft und der Internationalen Vereinigung der Musikbibliotheken, Musikarchive und Musikdokumentationszentren, Bd. A/I/1, Kassel 1971, und Bd. B/II, München-Duisburg 1964.

Andere Abkürzungen

D.C. Da capo
D.S. Dal segno
H. E.E. Helm, *Thematic Catalogue of the Works of Carl Philipp Emanuel Bach,* im Druck.
W. A. Wotquenne, *Catalogue thématique des œuvres de Charles Philippe Emmanuel Bach (1714–1788),* Leipzig 1905. Neudruck als *Thematisches Verzeichnis der Werke von Carl Philipp Emanuel Bach (1714–1788),* Wiesbaden 1964; Repr. 1972.

I. Da capo- und dal segno-Arien

1756. *Oster-Cantate* (H. 803/W. 244). B-Bc, 724 (Westphal)
No. 3. „Dir sing ich froh". D.C.
No. 6. „Wie freudig seh' ich dir entgegen". D.C.

1769. *Die Israeliten in der Wüste* (H. 775/W. 238). Hamburg, Im Verlag des Autors (gedruckt in Leipzig von J. G. I. Breitkopf), 1775. G. Darvas, Hrg., London (Eulenburg) 1976.
No. 3. „Will er, daß sein Volk verderbe?" D.C.
No. 5. „Bis hieher hat er euch gebracht". D.C.
No. 7. „O! bringet uns zu jenen Mauren". D.C.
No. 20. „Vor des Mittags heissen Strahlen". D.S.
No. 23. „O selig, o selig, wem der Herr". D.S.

1769. *Passions-Cantate* (H. 776/W. 233). D-brd-B, P 337 (teils Michel?).
No. 4. „Wie ruhig, wie ruhig bleibt sein Angesicht". D.C.
No. 10. „Wende dich zu meinem Schmerze". D.S.
No. 12. „Verstockte Sünder". D.C.

1771. *Bey Einführung Herrn Past. Schuchmachers vor der Predigt* (H. 821 c). D-brd-B, P 348 (nur erster Teil)
No. 4. „Religion du Glück der Welt". D.S.
No. 8. „Groß ist die Pflicht". D.S.

1772. *Herrn Pastors Haeseler Einführungsmusik* (H. 821 d). D-brd-B, P 346 (Autograph, unvollständig).
No. 3. „Hallelujah, Hallelujah! welch ein Bund!". D.S.

c. 1772. *Michaelis-Musik* (H. 810/W. 245). B-Bc 727 (Michel).
No. 2. „Es pries vom ersten Punct". D.S.
No. 5. „Treuer Gott, nur deine Güte". D.C.

1773. *Einführungs Musik* [für Pastor Winkler] (H. 821 f./W. 252). D-brd-B, P 340 (Autograph, unvollständig)
No. 6. „Hoch wie Gottes Wunder". D.S.
No. 11. „Keine Reue soll den Vorsatz". D.S.
No. 14. „Der Geist des Herrn". D.C.
No. 16. „Gott krönt das Ende". D.C.

1774–80. *Carl Wilhelm Rammlers Auferstehung und Himmelfahrt Jesu* (H. 777/W. 240). Leipzig, Im Breitkopfischen Verlage, 1787. G. Darvas, Hrsg., Budapest (Editio Musica) 1974.
No. 11. „Ich volge dir". D. C.

c. 1775. *Michaelis-Musik* (H. 812/W. 212, 247). B-Bc, 728 (Michel).
No. 6. „Sing ihm, voll Rührung, o Zion". D. C.

1775. *Einführungs-Musik* [für Pastor Friderici] (H. 821 g/W. 251). D-brd-B, P 347 (Michel).
No. 3. „Erhebe dich in lauter Jubel Chören". D. S.
No. 18. „Nun so tritt mit heiterm Sinn". D. S.

1778. *Oster Musik* (H. 804/W. 242). B-Bc, 723 (Michel).
No. 3. „So weiß der Herr". D. S.

1780. *Oratorium zur Feyer des Ehrenmahls der Herrn Bürger-Capitains* (H. 822 a/NV 56). A-Wgm, H 23559 (III 8678).
No. 7. „Wir sollten kalt und hoch". D. S. (eigentlich D. C.).

1780. *Serenata zu demselben Endzweck* [i. e., zur Feyer des Ehrenmahls der Herrn Bürger-Capitains] (H. 822 b/NV 56). A-Wgm, H 27769 (III 29337).
No. 7. „Mein Rasen war wie einer Sündflut". D. S. (effektiver D. C.).

1780. *Oster Music* (H. 805/W. 241). B-Bc, 722 (Michel).
No. 5. „Ach, ruft mich einst zu seinen Freunden". D. C.

1785. *Zur Einführung des H. P. Gasie* (H. 821 l/W. 250). D-brd-B, P 346 (Autograph).
No. 3. „Wenn Menschen dein vergaßen". D. C.

1785. *Herrn Pastors Schäffer Einführungsmusik* (H. 821 m/W. 253). D-brd-B, P 347.
No. 3. „Unwandelbar, welch ein Gedanke". D. C.
No. 14. „Seht, Gottes Klarheit". D. C.

II. Zweiteilige Arien

c. 1775. *Michaelis-Musik* (H. 812/W. 212, 247). (Anmerkung: H. 812 wurde c. 1775 geschrieben, diese Arie laut H. jedoch 1772. Siehe Anmerkung unter H. 812.)
No. 4. „Noch steht sie zu des Mittlers".

1775. *Einführungs-Musik* [für Pastor Friderici] (H. 821 g/W. 251).
No. 5. „Umsonst empören sich die Spötter"
No. 7. „Ruhe sanft verklährter Lehrer"
No. 13. „Dein Wort, o Herr"
No. 15. „Das Wort des höchsten"

1778. *Oster Musik* (H. 804/W. 242).
No. 5. „Nun freu' ich mich". (Zweiteilige Arie, aber dal segno für die Wiederholung des ersten Ritornells.)

1784. *Osterquartal-Musik* (H. 807/W. 243). D-ddr-Bds, P 339 (Autograph, nur erster Teil).
No. 4. „Ach! ach! als in siebenfält'ge Nacht"

1785. *Zur Einführung des H. P. Gasie* (H. 821 l/W. 250)
No. 7. „Abgehärmter Wangen Thränen"

1785. *Herrn Pastors Schäffer Einführungsmusik* (H. 821 m/W. 253).
No. 7. „Wenn einst vor deinem Schelten"
No. 16 „Zeige dich der Heerde"

III. Umgestaltete Da-Capo-Arien

1769. *Die Israeliten in der Wüste* (H.775/W.238).
No. 15. „Gott, Gott, Gott, sieh dein Volk"

1774–80. *Carl Wilhelm Rammlers Auferstehung und Himmelfahrt Jesu* (H.777/W.240).
No. 4. „Mein Geist, voll Furcht"
No. 15. „Willkommen, Heiland!"
No. 18. „Mein Herr, mein Gott"
No. 21. „Ihr Thore Gottes"

1780. *Oratorium zur Feyer des Ehrenmahls der Herrn Bürger-Capitains* (H. 822 a/NV 56).
No. 3. „Du Schöpfer meiner Freunden"
No. 5. „Entfleuch, entfleuch in deines Abgrunds"

1784. *Osterquartal-Musik* (H. 807/W. 243)
No. 6. „Sey gegrüßet, Fürst des Lebens!" (Parodie zu H. 824 a/NV 56, 1763, offenbar verloren; als No. 7 in der Originalversion von Auferstehung und Himmelfahrt, H. 777, erhalten. Siehe H., Anmerkungen zu H. 777, 807 und 824.)

1785. *Zur Einführung des H. P. Gasie* (H. 821 l/W. 250).
No. 5. „O seht, wie so harmlos"

IV. Andere Arien-Typen

1769. *Passions-Cantate* (H. 776/W. 233).
No. 14. „Donnere nur ein Wort". Rondo: A B A' B' A"

1780. *Carl Wilhelm Rammlers Auferstehung und Himmelfahrt Jesu* (H. 777/W. 240).
No. 7. „Wie bang hat dich mein Lied beweint!" Arie mit AB-Form; jeder Teil ist zweiteilig und schließt auf der Tonika. (Zur Datierung dieser Arie vgl. S. L. Clark, „The Letters from C. P. E. Bach to K. W. Ramler", in: *C. P. E. Bach Studies,* S. 34–36).

1785. *Michaelis-Music* (H. 814/W. 246). B-Bc, 726 (Michel; nur erster Teil).
No. 3. „Schön hör ich die Posaune". (Form: Musik ABA'; Text ABC. Diese Arie wird auch als No. 10 in *Herrn Pastors Schäffer Einführungsmusik* [H. 821 m/W. 253], ebenfalls 1785, verwendet.)

Heinrich W. Schwab

Carl Philipp Emanuel Bach und das geistliche „Lied im Volkston“

Von Carl Philipp Emanuel Bach sind etwa 300 Lieder überliefert. Nur 81 davon lassen sich als „weltliche“ bezeichnen, die anderen sind Kirchenlieder und sogenannte „geistliche Klavierlieder“; von den letzteren hatte Gudrun Busch 1957 insgesamt 184 gezählt[1].

Um das Fazit aus der im Vortragstitel angezeigten Gegenüberstellung gleich vorwegzunehmen: Als Liederkomponist hat Bach - von einigen Ausnahmen abgesehen - nicht danach gestrebt, jenes Liedideal zu realisieren, das durch Begriffe wie „Sangbarkeit“ und „Popularität“ gekennzeichnet war[2]. Dies gilt sowohl für seine weltlichen als auch geistlichen Lieder. Nicht zuletzt der „Harmoniker“ Bach sah sich außerstande, solchen Forderungen zu folgen, die zur Schaffung eines „Liedes im Volkston“ unentbehrlich schienen. In dem Maße freilich, wie sich Bach von den Simplifizierungstendenzen seiner Zeit bewußt distanzierte, schuf er für sich selbst die Voraussetzung, auch in seinem Liedschaffen den Weg zu einer „Kennermusik“ einzuschlagen und damit in einer Gattung „Originalität“ anzustreben, in der man dies noch längst nicht erwartete.

I

Zunächst einige zeittypische Fakten und gattungsgeschichtliche Details, bei denen der Name Bachs allerdings kaum begegnet:

Im Jahre 1780 schrieb Johann Abraham Peter Schulz in einem Brief an den befreundeten Dichter Johann Heinrich Voss, daß sein Ehrgeiz darauf

---

1 G. Busch, *C. Ph. E. Bach und seine Lieder* (= Kölner Beiträge zur Musikforschung, Bd. XII), Regensburg 1957, 2 Bde.

2 H. W. Schwab, *Sangbarkeit, Popularität und Kunstlied. Studie zu Lied und Liedästhetik der mittleren Goethezeit 1770–1814* (= Studien zur Musikgeschichte des 19. Jhs., Bd. 3), Regensburg 1965.

gerichtet sei, „einst Liedermann des Volks genennet zu werden“[3]. Wenn man bedenkt, daß diese Worte nicht von einem subalternen Musicus stammen, sondern von einem Künstler, der im gleichen Atemzug erwähnt, daß er es „bis jetzt noch nicht weiter“, aber eben doch „bis zum Capellmeister Sr. Kön.[iglichen] Hoh.[eit] des Prinzen Heinrichs von Preußen“ gebracht habe, dann wird zugleich auch die aktuelle Bedeutung erkennbar, die gegen Ende des 18. Jahrhunderts der Liedkomposition eingeräumt wurde. Und daß diese Briefstelle keine leere Bekundung enthält, sollten die folgenden Jahre zeigen. 1787 war Schulz als Hofkapellmeister an den dänischen Hof nach Kopenhagen berufen worden und damit in ein Musikeramt, das zu den höchsten und begehrtesten der damaligen Zeit zählte[4]. 1789 unterrichtete er Voss von einer Denkschrift, die er gerade ausgearbeitet hatte. „Ich habe“, so Schulz, „dem Cronprinzen einen Plan zu einem Musik-Seminario übergeben, dessen Ausführung auf die Glückseligkeit der Nation Einfluß haben könnte. Das klingt pompös, aber es ist bey dem allen wahr; und wenn der Plan durchgehen sollte, so sollte es sich schon zeigen. Dann, Voß, wollten wir erst recht Lieder machen … Volkslieder über alle Gegenstände, die ein Volk intereßieren“[5]. Für Schulz hatte diese selbstgewählte Aufgabe offenkundig Vorrang gegenüber jener, zu der ein Hofkapellmeister in der Regel *ex officio* verpflichtet war. Seine Briefmitteilung schloß er mit dem Stöhnen: „Bis dahin liegt mir das leidige, ekelhafte Theater auf dem Halse, und läßt mir nicht viel Gescheutes unternehmen“. – Aus einem Volk ein „singendes Volk“ zu machen, betrachtete Schulz nicht zuletzt deshalb als vordringliche Aufgabe, weil „Aufklärung des Verstandes allein … oft nur langsam, oft nur schwach, oft gar nicht“ die Menschenbildung beförderе[6]. Entscheidend ging es Schulz um die Anhebung oder Verfeinerung der Gefühlskultur des Menschen.

„Für das Volk“ zu dichten oder zu komponieren, war in den vorrevolutionären Jahrzehnten eine vielfach erhobene Forderung, und dieser fraglos neuen Schaffensdevise sind auch nicht wenige Dichter und Komponisten gefolgt. Als erster veröffentlichte 1772 Johann Wilhelm Ludwig Gleim eine

---

3 H. Gottwaldt und G. Hahne (Hrg.), *Briefwechsel zwischen Johann Abraham Peter Schulz und Johann Heinrich Voss* (= Schriften des Landesinstituts für Musikforschung Kiel, Bd. 9), Kassel 1960, S. 14.

4 O. Kongsted, „Dokumente zur Berufung J. A. P. Schulz' nach Kopenhagen“, in: *Beiträge zur Musikgeschichte Nordeuropas,* hrg. von U. Haensel (= Festschrift für K. Gudewill), Wolfenbüttel 1978, S. 159 ff.

5 H. Gottwaldt und G. Hahne (Hrg.), *Briefwechsel,* S. 69.

6 G. Hahne, „Johann Abraham Peter Schulz' Gedanken über den Einfluß der Musik auf die Bildung eines Volkes“, in: C. Dahlhaus und W. Wiora (Hrg.), *Musikerziehung in Schleswig-Holstein* (= Kieler Schriften zur Musikwissenschaft, Bd. 17), Kassel 1965, S. 58.

Gedichtsammlung, die den Titel *Lieder für das Volk* trug[7]. 1781 erschien in Halle eine Sammlung gleichen Titels; sie wurde von August Hermann Niemeyer besorgt und war eine nicht autorisierte Ausgabe von Gedichten des „Matthias Claudius genannt Asmus“[8]. Zwei Jahre zuvor hatte Johann Gottfried Herder seine *Volkslieder* herausgegeben - eine Sammlung, in die er gleichfalls Claudius' *Abendlied* eingereiht hatte, um „einen Wink zu geben, welchen Inhalts die besten Volkslieder sein und bleiben werden. Das Gesangbuch ist die Bibel des Volks, sein Trost und seine beste Erholung“[9].

Von keinem freilich ist damals derart lautstark eine Kunst proklamiert worden, die „unter den Menschenkindern, sowohl in Palästen als Hütten, ein- und ausgehen und gleich verständlich, gleich unterhaltend für das Menschengeschlecht im Ganzen“ sein möchte, als von Gottfried August Bürger[10]. Das „non plus ultra der Kunst“ erblickte er - nachzulesen in Bürgers Abhandlung *Ein Herzensausguß über Volkspoesie* vom Jahre 1776 - in den „alten Volksliedern“, die er auch seinen Dichterkollegen als richtungweisendes Modell anpries: „Unter unseren Bauern, Hirten, Jägern, Bergleuten, Handwerksburschen ... kursieret wirklich eine erstaunliche Menge von Liedern, worunter nicht leicht eins sein wird, woraus der Dichter fürs Volk nicht wenigstens etwas lernen könnte“[11]. Von Bürger stammt gleichfalls die Devise: „Alle Poesie soll volksmäßig sein, denn das ist das Siegel ihrer Vollkommenheit“[12]. Oder anders ausgedrückt: „Popularität eines poetischen Werkes ist das Siegel seiner Vollkommenheit“[13]. -Daß sich Bach solche Ansichten nicht zu eigen machen konnte, liegt auf der Hand. Er sah seine künstlerische Aufgabe vorab darin, das Volk zu Höherem zu bilden, und nicht dessen poetisch-musikalischen Geschmack zum Maßstab eigenen Schaffens zu machen[14]. So gesehen steht er eher auf seiten von Friedrich Schiller, der das Bürgersche Konzept strikt abgelehnt hat[15].

---

7 Vgl. hierzu und zum Folgenden H.W. Schwab, *Sangbarkeit,* S. 87 ff.

8 Diesen Hinweis verdanke ich einem Rundfunk-Manuskript von R. Görisch zur „Wirkungsgeschichte des ‚Abendliedes‘ von M. Claudius“. Vgl. ferner R. Görisch, „Das Abendlied von Matthias Claudius im Kirchengesangbuch. Skizze einer zwiespältigen Karriere“, in: *Jahrbuch der Deutschen Schillergesellschaft* XXVI/1982, S. 125 ff.

9 Ebd., S. 128 f.

10 W. von Wurzbach (Hrg.), *G. A. Bürger. Werke,* Leipzig 1902, Bd. III, S. 7.

11 Ebd., S. 12.

12 Ebd., S. 20.

13 Ebd., S. 160.

14 Vgl. hierzu H.W. Schwab, „C. Ph. E. Bach und sein Komponieren fürs Publikum“, in: *Carl Philipp Emanuel Bach. Musik und Literatur in Norddeutschland.* Ausstellung zum 200. Todestag Bachs (= Schriften der Schleswig-Holsteinischen Landesbibliothek, Bd. 4, hrg. von D. Lohmeier), Heide i. H. 1988, S. 123 ff.

15 H.W. Schwab, *Sangbarkeit,* S. 128 ff.

II

Als Bürger 1789 eine weitere Abhandlung mit dem Titel *Von der Popularität der Poesie* niederschrieb, war jenes Stichwort jedoch längst schon in die Kunstdiskussionen der Zeit eingeflossen und hatte nicht nur im Bereich der lyrischen Dichtung Spuren hinterlassen. Selbst die Kirchenmusik blieb davon nicht unberührt. Wenn die Leipziger *Allgemeine Musikalische Zeitung* 1804 in einer kurzen Betrachtung über „Orgelspiel, Choralgesang und Kirchenmusik" konstatierte, daß in der Kirche „Popularität - eine der Fassungskraft der Zuhörer [sich] anpassende Musik ... meistens vermißt" werde[16], dann wäre darauf hinzuweisen, daß bereits seit 1758 der damalige Leipziger Thomaskantor Johann Friedrich Doles zahlreiche Schritte in diese Richtung unternommen hatte. Deutlich hatte er etwa in der Vorrede zu den *Melodien für Gellert's Oden und Lieder* erklärt, daß er damit „leichte, ungekünstelte Choralmelodien verfertigen" wollte, um demgemäß „für private und öffentliche Aufführungen, für den gemeinsten, wie den vollkommensten Hörer [zu] schreiben"[17]. Und als 1784 der Herausgeber des *Magazin[s] für Musik* - der Kieler Theologieprofessor Carl Friedrich Cramer - die „in dem ersten Theile der Gedichte meines Vaters enthaltenen Oden und Lieder", die der Lübecker Friedrich Ludwig Aemilius Kunzen vertont hatte, in Druck gab, nutzte Cramer die Möglichkeit, die ihm ein einführendes Vorwort an die Hand gab. „Popularität des Gesanges oder der Melodie", so erklärte er, „ist, deucht mich, eins der ersten Ziele, nach denen der Musiker streben muß. Man verstehe mich aber wohl. Ich meyne unter dieser guten Popularität nichts weniger, als das Gemeine, das Volksmäßige, nach welchem jetzt in Dichtkunst und Musik so gehascht wird; sondern dasjenige Unbeschreibbare, dieß je ne sais quoi, wodurch bey dem größten Theile der unbefangenen, für kein System, keine individuelle Gattung eingenommenen Kenner, eine Melodie sogleich gefällt, sogleich willigen Eingang in Ohr und Herz findet; wodurch sie sogleich behalten, auswendig gelernt wird, von Clavier zu Clavier, von Kehle zu Kehle wandert"[18].

So wie in dieser Vorrede werden gelegentlich auch in späteren Rezensionen jene unterschiedlichen Verfahrensweisen des näheren beschrieben[19], die

---

16 *Allgemeine Musikalische Zeitung* (= AMZ) 6, 1804, Sp. 437.

17 J.F. Doles, *Melodien zu des Herrn Prof. C.F. Gellerts Geistlichen Oden und Liedern,* Leipzig 1758, Vorrede.

18 C.F. Cramer (Hrg.), *Compositionen ... von F.L.Ae. Kunzen,* Leipzig 1784, S. IV.

19 Vgl. hierzu H.W. Schwab, *Sangbarkeit,* S. 106 ff. - Offensichtlich sind solche Popularisierungsabsichten und -realisationen im Kirchenlied bzw. im geistlichen Lied dennoch erst im 19. Jahrhundert voll zur Wirkung und ins Bewußtsein gelangt. Dies ist Rezensionen zu entnehmen, die noch um 1830 in der *AMZ* zu finden sind: Im Blick auf eine mit dem Titel *Orgeltöne* versehene geistliche Liedersammlung hieß es beispielsweise: „Text

zur Bach-Zeit das Zustandekommen „populärer" Lieder garantieren sollten: Neben der Kontrafaktur zum einen, dem Zitat- und Exzerptionsverfahren zum anderen, ist des weiteren das „Komponieren im Volkston" zu nennen, das entscheidend auf Johann Abraham Peter Schulz zurückgeht. Er hat 1782 vermutlich auch als erster von „Volkston" gesprochen, diesen Terminus jedenfalls seit 1782 im Titel einer dreibändigen Liedersammlung allgemein publik gemacht. Und wie zeitgenössische Wörterbücher lehren, werden „Popularität" und „Volkston" auch synonym verwendet[20]. Während Carl Friedrich Cramer im Zusammenhang der „Popularität des Gesanges oder einer Melodie" vom „je ne sais quoi" sprach, einer Eigenschaft, „durch die sich Schulz vielleicht vor den mehresten deutschen Componisten auszeichnet"[21], hat Schulz selbst sein Kompositionsverfahren nicht verschwiegen, sondern „Volkston" näher zu erklären versucht. 1785 – im Vorwort zur 2. Auflage des ersten Teils seiner *Lieder im Volkston* – sprach er dabei vom „Schein des Ungesuchten, des Kunstlosen, des Bekannten". Ausgehend von dem von Gottfried August Bürger modellhaft gepriesenen Volkslied beabsichtigte Schulz hier „mehr volksmäßig als kunstmäßig zu singen, nemlich so, daß auch ungeübte Liebhaber des Gesanges, so bald es ihnen nicht ganz und gar an Stimme fehlt, solche leicht nachsingen und auswendig behalten können". – „Zu dem Ende", so heißt es ferner in der besagten Vorrede, „habe ich nur solche Texte aus unsern besten Liederdichtern gewählt, die mir zu diesem Volksgesange gemacht zu seyn schienen, und mich in den Melodien selbst der höchsten Simplizität und Faßlichkeit beflissen, ja auf alle Weise den Schein des Bekannten darinzubringen gesucht, weil ich aus Erfahrung weiß, wie sehr dieser Schein dem Volksliede zu seiner schnellen Empfehlung dienlich, ja nothwendig ist". Denn „in diesem Schein des Bekannten liegt das ganze Geheimniß des Volkstons; nur muß man ihn mit dem Bekannten selbst nicht verwechseln".

---

und Ton ist durchaus für das Volk berechnet. Die Melodien und ihre Begleitung sind im höchsten Grade einfach, nicht choralmäßig, sondern liedartig, deren Gänge von der Gesangsweise des gewöhnlichen Volkstones sich nur selten entfernen und nur zuweilen einen kirchlichen Aufschwung nehmen" (*AMZ* 33, 1831, Sp. 400). In ähnlicher Weise wurde 1830 die Sammlung *Melodieen aller deutscher Kirchenlieder, welche in der Haupt- und Metropolitankirche zu St. Stephan das ganze Jahr hindurch von dem Volke gesungen werden* beurteilt: „Die Lieder sind im Melodischen und Harmonischen in der allergrössten Einfachheit, bestehen grösstentheils aus Bruchstücken sehr wohl bekannter Volksmelodieen, von denen ein nicht geringer Theil auch uns an ganz andere als geistliche Texte erinnert, und die übrigen sind doch so sehr nach bekannten Volksweisen eingerichtet, dass sich fast immer ganze Zeilen finden, die geradezu dem Volksmunde entnommen und durch die schlichtesten Wendungen mit einander verbunden worden sind" (*AMZ* 32, 1830, Sp. 418).

20 C. F. T. V.[oigt], *Deutsches Handwörterbuch,* Leipzig 1807, Bd. II, 1, S. 298.

21 C. F. Cramer, *Vorrede,* S. IV.

Schulzens Lieder „im Volkston" sollten sich also von gleichgerichteten Versuchen, populäre Lieder zu schaffen, darin unterscheiden, daß sie rasche Eingängigkeit nicht zu erreichen trachteten mittels der bloßen Kontrafazierung bereits allgemein populärer Melodien, auch nicht durch den reichlichen Gebrauch von Zitat oder Reminiszenz bekannter Singweisen. Was Schulz meint, ist - verkürzt gesagt - das Rekurrieren auf prägnante, tief und längst eingeprägte Melodiemodelle und -typen.

In einer Synopse (*Melodietafel I*) sind - mit einer Ausnahme - die Anfänge verschiedener zeitgenössischer Lieder zusammengestellt, die auf eine solche primäre Melodieform zurückzuführen sind, ohne daß man zwingend einen genetischen Zusammenhang anzunehmen hätte. Der hier vorherrschende Bewegungsgestus einer „Pastorale" - das Beispiel i) spricht dieses Faktum an - verdeutlicht dabei noch die rhythmischen Ähnlichkeiten. Die *Melodietafel II* zeigt im Blick auf Schulzens *Lieder im Volkston,* wie der nämliche Melodietypus in seinem Grundverlauf auch hier präsent ist. Das jeweils Strukturgebende ist in beiden Synopsen in dem Sprung von der Quinte in die obere Oktave zu sehen und in dem Zurückgleiten Ton für Ton zur unteren Oktave oder doch wenigstens bis zur Quinte. Wesentlich ist bei diesen „Liedern im Volkston" das Durchscheinen der gleichen Grundgestalt als auch die jeweilige Abwechslung und Umgestaltung. Die Melodien von Schulz zehren - im Blick auf den vorgestellten Ausschnitt, aber auch ganz allgemein - von einer Elementarform. Nirgends treffen wir auf ein vollständig notengetreues Zitat; alles bleibt eben nur - wie im Vorwort hervorgehoben - „Schein des Bekannten".

Um das „Komponieren im Volkston" analytisch des weiteren an einem Einzellied zu illustrieren, liegt es nahe, dafür das weltweit populär gewordene und bis heute volksliedhaft gesungene *Abendlied* nach Worten von Matthias Claudius zu wählen[22]. Lars Ulrich Abraham und Carl Dahlhaus haben dies getan, als sie dieses mustergültige Lied in ihre *Melodielehre* einbezogen[23]. - Schon dem Gedicht von Claudius haftet in Strophenmaß und Thematik der „Schein des Bekannten" an. Auf die enge Verbindung zu dem von Paul Gerhardt stammenden Kirchenlied *Nun ruhen alle Wälder* wurde 1780 bei einem Wiederabdruck des Claudius-Gedichtes eigens hingewiesen, als der Herausgeber es zu dieser Melodie zu singen empfahl[24]. Und an dieser vertrauten, weil seit Jahrhunderten eingebürgerten Melodie hat sich ohne Zweifel auch Johann Abraham Peter Schulz orientiert[25].

---

22 Vgl. hierzu H. W. Schwab, *Sangbarkeit,* S. 113 ff.
23 L. U. Abraham und C. Dahlhaus, *Melodielehre,* Köln ²/1982, S. 80 ff.
24 Vgl. oben Fußnote 8.
25 L. U. Abraham und C. Dahlhaus, *Melodielehre,* S. 81 ff.

MELODIETAFEL I

Der „Pastorella-Typ"

MELODIETAFEL II

J. A. P. Schulz: „Lieder im Volkston“

Sämtliche Lieder sind im Original im Sopranschlüssel notiert.

Folgt man den Forschungsergebnissen von Reinhard Görisch, dann darf das „Abendlied“ zugleich als Prototyp des „geistlichen“ Liedes im Volkston angesehen werden. Bereits 1785 wurde das Gedicht in die Kirchengesangbücher aufgenommen, damals also noch ohne die erst 1790 erfolgte Vertonung durch Johann Abraham Peter Schulz. Heute – mit der Schulzschen Melodie – hat dieses Lied sogar Eingang gefunden in den Stammteil des *Evangelischen Kirchengesangbuchs.* Nur in dem katholischen, 1975 für alle deutschen Bistümer eingeführten *Gotteslob* ist es nach wie vor nicht vertreten[26].

III

Noch 1780 pries Johann Abraham Peter Schulz den Hamburger Bach als „das non plus ultra in der Musick“[27]. Liedgeschichtlich gesehen haben sich beide jedoch zu Antipoden entwickelt, und daß der jüngere Schulz in der Gunst zeitgenössischer Dichter Bach immer häufiger den Rang ablief, ist belegt[28]. Carl Philipp Emanuel Bach hat – um nun endlich zu dem angezeigten Hauptthema zu kommen – das volksliednahe Gedicht von Claudius nicht vertont, obgleich er den Text gekannt haben muß. Dies scheint zum einen bezeichnend zu sein; selbst den älteren Choral *Nun ruhen alle Wälder* hat er nicht harmonisiert, wie dies noch sein Vater getan hatte. Carl Philipp Emanuel Bach hat sich zum anderen auch nicht den Typus des damals modernen „Liedes im Volkston“ zu eigen gemacht, von dem während der 1780er Jahre das Relief der Liedlandschaft entscheidend geprägt war. Gleichwohl – darauf hat bereits Gudrun Busch hingewiesen – läßt sich beobachten, daß 1787 der damals schon über siebzigjährige Bach bei seinen „Neuen Melodien“ für das *Neue Hamburgische Gesangbuch* einen veränderten Ton anschlug; diese Melodien hat Bach „quasi ‚für das Volk‘ gemacht, mit ‚leichten Melodien‘ [ausgestattet] und ‚leicht gesetzt‘“[29].

Als Beispiel hatte Gudrun Busch dafür das Lied Nr. 13 („Bald oder spät des Todes Raub, wall ich noch hier auf Erden“) gewählt (s. nächste Seite).

Ohne Frage läßt es mehrere jener Charakteristika erkennen, die Schulz als wesentlich für sein „Lied im Volkston“ reklamiert hatte: etwa die Vermeidung schwieriger Sprünge oder die Beschränkung des Melodieverlaufs auf einen engen Stimmumfang. So hatte Schulz gefordert, daß sich die Melodie „in sehr sangbaren Intervallen [und] in einem allen Stimmen ange-

26 R. Görisch, *Abendlied,* S. 126.
27 H. Gottwaldt und G. Hahne (Hrg.), *Briefwechsel,* S. 15.
28 G. Busch, *Bach,* S. 135, 400.
29 Ebd., S. 299.

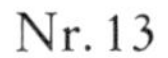
Nr. 13

Bald o—der spät des To—des Raub, wall ich noch hier auf
Er——den, ich Sterb——li——cher! doch die—–ser Staub soll
einst un——sterb——lich wer—— den. Und dann, dann ist mein

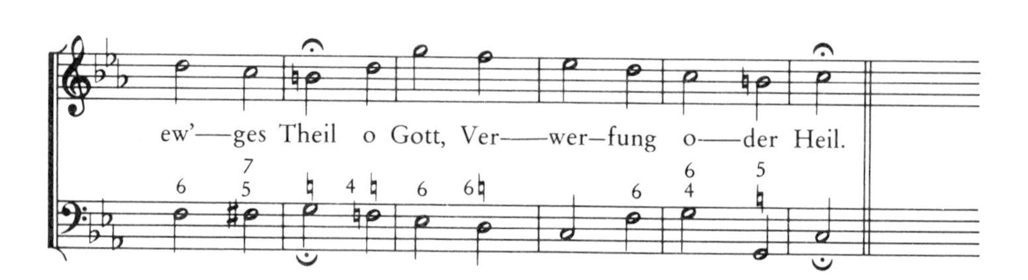
ew'—ges Theil o Gott, Ver——wer–fung o——der Heil.

meßnen Umfang"[30] bewegen müsse. Bach reduziert die Sprünge auf die leicht singbaren Intervalle von kleiner und großer Terz, kleiner Sexte und Quarte. Insgesamt wird der Ambitus der Quinte mit unterem Leitton nicht überschritten.

---

30 Vgl. hierzu und zum Folgenden die Vorrede zu den *Liedern im Volkston,* Berlin ²1785.

Wenn Schulz ferner forderte, daß sich die Melodie „der Declamation und dem Metro der Worte anschmiegt“, und zwar „wie ein Kleid dem Körper“, so wird auch dem von Bach Rechnung getragen. Jedoch ist bei diesem Lied kaum eine Differenzierung zu erkennen, da Bach lediglich halbe Noten verwendete und Hebung und Senkung dementsprechend nur durch die Stellung im Takt markiert werden können. Dabei bleibt ohnehin unentschieden, ob die sechs Gedichtzeilen nicht eigentlich eine wechselnde Deklamation nötig machen. Ungleich angemessener würde dazu der allerdings bei Kirchenliedmodellen verpönte Tripeltakt gewesen sein.

Volkstonnah ist bei diesem Bachschen Lied gewiß auch die durchgehende Viertaktigkeit, in der die sechs Textzeilen metrisch vorgetragen werden. Daß Bachs Vertonung dennoch wenig mit dem „Lied im Volkston“ zu tun hat, verhindert entscheidend die vorgenommene Harmonisierung; sie ist nicht lied-, sondern choralmäßig, ändert sich also von einem Melodieton zum anderen und ist überdies zu aufwendig für ein schlichtes Volkslied. Während Schulz verlangt hatte, daß eine Volkstonmelodie „in den allerleichtesten Modulationen“ fortfließen sollte und zuweilen sogar die Ansicht bestand[31], daß eine echte Popularmelodie „für sich, ohn' alle Begleitung“ bestehen müßte, ging es Bach offensichtlich darum, die Tradition seines Vaters fortzusetzen und in der Harmonisierung das kunstvoll besondere Gestaltungsmittel zu erblicken. Gegenüber dem Volkstonideal befand sich denn auch der „Harmoniker Bach“ in schärfstem Gegensatz. 1790 hatte Johann Abraham Peter Schulz nicht ohne Grund in seiner Denkschrift moniert: „... die größten Harmoniker aus der Bachschen Schule [haben] bey der Bearbeitung des simplen Chorals mehr einen Prunk von Gelehrsamkeit in unerwarteten und aufeinander gehäuften dissonirenden Fortschreitungen, die oft die Melodie ganz unkenntlich machen, zu zeigen gesucht, als auf die Simplicität Rücksicht genommen, die in dieser Gattung für die Faßlichkeit des gemeinen Mannes so notwendig ist“[32].

Carl Philipp Emanuel Bach war zwar nicht mit einer Liedmelodie in der zuerst gezeigten Synopse (*Melodietafel I*) vertreten, obgleich sich hierzu – siehe die von Gudrun Busch im Anhang ihrer Dissertation mitgeteilte Zusammenstellung[33] – Beispiele aus den Gellert-Liedern bis zu den „Neuen Melodien“ von 1787 anbieten würden (s. nächste Seite).

Dennoch, eine nähere Betrachtung der Harmonisierung würde gleichfalls bestätigen, daß Bach einen anderen Weg gegangen ist, insofern als er seine Kirchenliedmelodien choral- und nicht liedmäßig harmonisierte.

---

31 Vgl. hierzu H.W. Schwab, *Sangbarkeit,* S. 170.
32 Zit. nach dem Abdruck in G. Hahne, *J. A. P. Schulz' Gedanken,* S. 62.
33 G. Busch, *Bach,* Anhang S. 81.

Generell bleibt festzuhalten: Die differenzierte harmonische Gestaltung hatte bei Bach absoluten Vorrang gegenüber der melodischen. Oft scheinen Melodien erfunden oder gesetzt, um aparte harmonische Wendungen zu ermöglichen. Der Däne Nils Schiørring sprach nicht ohne Grund von Bach als „dem größten der jezt lebenden Harmoniker"[34]. Folgt man einer Äuße-

34 C. F. Cramer (Hrg.), *Magazin der Musik,* Hamburg 1784, Bd. II, 1, S. 123.

rung Bachs anläßlich der Publikation von Forkels *Allgemeiner Geschichte der Musik,* dann erblickte er – in bewußter Konfrontation zu jener von Rousseau inspirierten Volkstonbewegung – gerade in der harmonischen Färbung und Individualisierung einer Oberstimme deren eigentliche Aussagekraft in einem Lied. Denn eigentlich erlaubt erst die Harmonik „1) ... die Vermehrung, 2) ... die genauere Bestimmtheit der musikalischen Ausdrücke“, um die es Bach so sehr ging. Und entsprechend pointiert wendete er sich hier auch gegen die Behauptung, daß eine differenzierte Harmonik „bei weitem nicht die gothische und barbarische Erfindung der neueren Zeiten ist, für welche sie von Philosophen ohne Kunstkenntnis, hauptsächlich aber von dem berühmten J. J. Rousseau so laut erklärt worden ist“[35].

IV

Bislang war in der Hauptsache von Bachs Kirchenliedmelodien die Rede. Noch eigenwilliger, „origineller“ – und dies vornehmlich in harmonischer Absicht – ist Bach bei seinen „geistlichen Klavierliedern“ verfahren. Im Folgenden soll dieser Typus anhand der Vertonung des von dem Hamburger Pastor Christoph Christian Sturm stammenden Gedichtes „Nacht und Schatten decken des Mittlers Angesicht“ kurz näher beleuchtet werden[36]:

Über die Finsternis kurz vor dem Tode Jesu

35 *Hamburgischer Unpartheyischer Correspondent* Nr. 6 vom 9. 1. 1788, zit. nach C. H. Bitter, *C. Ph. E. Bach und W. F. Bach und deren Brüder,* Berlin 1868, Bd. II, S. 110.

36 Der Notentext ist der Ausgabe von H. Roth entnommen: *30 Geistliche Lieder für eine Singstimme und Klavier* (Leipzig: C. F. Peters 10293, Nr. 28).

10
sicht; und des Richters Schrecken erträgt die Seele nicht! Ach, wie ist ihm ban - ge um
15
Freudigkeit und Licht! Va - - ter, —— ach wie lange ver - zeucht dein Ange–sicht!
20
Herr, Herr, er - bar - me dich! Herr, Herr, er - bar - me
25
dich! Gott, er - bar - me dich!

Zum wenigsten sind es fünf Besonderheiten, die dieses Lied auszeichnen und die dergestalt auch jenen Typus „Geistliches Lied" charakterisieren, den Bach repäsentiert. Im einzelnen zu beachten ist

1. die Bedeutung des melodischen Kontrastes, hier zum einen von dem lang ausgehaltenen Ton gebildet, der zu Beginn zu hören ist und zum Ausklang des Liedes, sowie zum anderen von der unliedmäßig-rezitativischen Deklamation (Takt 6/7). Dieser Kontrast wird durch Lautstärkeunterschiede (pp–f) noch gesondert pointiert. Charakteristisch sind dabei zugleich:
2. Partien mit fraglos volkstonhaft anmutender Melodik – einer Melodik, die sich aufgrund der aufwendigen Harmonik jedoch kaum als solche entfalten kann. Zu dem Reichtum der harmonischen Gestaltung gehören chromatische Baßgänge (in beabsichtigter Korrespondenz in den Takten 17 und 21), verminderte und übermäßige Dreiklänge oder Akkordbildungen mit doppelter Leittonfunktion. Auch bei dieser Vertonung läßt sich beobachten, daß und wie die Liedmelodik letztlich eine zwingende Folge der aparten harmonischen Textausdeutung ist; ab Takt 14 entsteht die Melodie gleichsam durch Brechung oder Ausfaltung des übermäßigen Dreiklangs.
3. Ungewöhnlich ist bei diesem Lied gewiß die Tatsache, daß es in G-Dur notiert ist und daß die Grundtonart selbst im ersten Takt nur kurz anklingt, um dann eher als Dominanteingang eines Liedes zu funktionieren, das in C-Dur eine erste merkliche Tonartenstation erreicht. Verstärkt wird dieser Zug durch den vertrauten Ciaccona-Baß des Eingangs. Vollends verunsichert der Ausklang des Liedes in D-Dur gegenüber der herrschenden Norm, daß ein Lied eben doch in der Tonart schließen müsse, in der es notiert ist. Die Tonart G-Dur bekommt indes besonderes Gewicht nach Takt 16, insofern nach dieser Kadenzierung auf der Dominate D-Dur die eigentliche Liedaussage erklingt. Mit anderen Worten: die Grundtonart wird aufgespart für die zentrale Liedpartie, für die Takte 17–24 mit ihrem melodischen Zitat.
4. Um bei seinen „geistlichen Liedern" nicht – wie es im Vorwort zu den Gellert-Liedern heißt – in einen „frechen Ausdruck (zu) verfallen", achtete Bach darauf, daß die Melodien bevorzugt in „mäßige(r) Geschwindigkeit" gesungen werden sollten[37]. In manchen Liedern vermochte er solchen „geistlichen Ton" unmittelbar kompositorisch dadurch abzusichern, daß er zitierend auf liturgische Formeln und Gesänge zurückgriff.

37 C. Ph. E. Bach, *Herrn Professor Gellerts Geistliche Oden und Lieder mit Melodien,* Berlin 1758, Vorrede.

Ueber die Finsterniß kurz vor dem Tode Jesu.
[C. Ph. E. Bach]
Langsam.
Ueber die Finsterniß kurz vor dem Tode Jesu.
Nacht und Schatten decken
Des Mittlers Angesicht:
Und des Richters Schrecken
Erträgt die Seele nicht!
Ach, wie ist ihm bange
Um Freudigkeit und Licht!
Vater, ach wie lange
Verzeucht dein Angesicht!
Herr, Herr, erbarme dich!
Herr, Herr, erbarme dich!
Gott, erbarme dich!
Nacht und Schatten decken
Das Mördervolle Land:
Und bewebet mit Schrecken
Ist, Rächer, deine Hand.
Selbst die Frevler zagen:
Nun ruht ihr frecher Spott:
Wehgeschrey und Klagen
Ertönen auf zu Gott.
Herr, Herr, erbarme dich!
Herr, Herr, erbarme dich!
Gott, erbarme dich!
Ach nun fühlt der Spötter,
Der Gottes Sohn entehrt,
Daß der Gott der Götter
Ihn vor der Welt verklärt.
An des Abgrunds Stufen,
Dem er sich frech genaht,
Möcht er itzt noch rufen
Zu ihm, der für ihn bat.
Herr, Herr, erbarme dich!
Herr, Herr, erbarme dich!
Gott, erbarme dich!

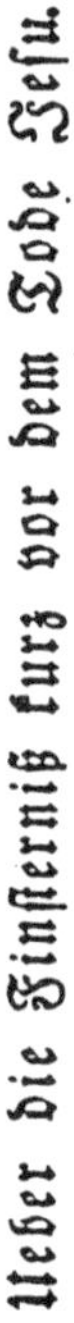
Sturms geistl. Gesänge. [I 1780, Nr. 29]

Was bei dem vorliegenden Lied bei Takt 17 anhebt, ist nicht als leicht faßliche, volkstonähnliche Melodik anzusprechen, sosehr diese Faktur auch solchen Kriterien genügt. Bach intoniert zu den Worten „Herr, erbarme dich!“ vielmehr jene Melodie, die seit Luther für das „Kyrie“ und das „Agnus Dei“ der deutschen Messe festgelegt ist; letztere wird in dieser Form noch heute im *Evangelischen Kirchengesangbuch* tradiert. Daß dieser in den drei Textstrophen wiederkehrende, dergestalt also wie ein Liedrefrain wirkende Abschnitt nicht im Grundton verklingt, mag mit dem zitierten liturgischen Gesang zu erklären sein, der selbst auf dem 2. Ton schließt. – Diese Zitierpraxis, die zugunsten einer gesteigerten künstlerischen Aussage auf das eigene melodische Setzen verzichtet und bei der Wiedergabe der Worte Jesu auf die sakrosankte Intonation der Messliturgie zurückgreift, ist innerhalb der Gattung Lied eine Novität. In der nachfolgenden Liedgeschichte muß man schon bis zum Jahre 1828, bis zu Schuberts Lied „Das Wirtshaus“ aus der *Winterreise*[38] oder bis zu Peter Cornelius' *Vater unser*-Zyklus (1854/55) warten, ehe ähnliche Ideen kompositorische Wirklichkeit werden.

5. Formal betrachtet weist Bachs Lied keinerlei melodische Korrespondenz auf. Auffällig ist eine motettische Anlage, als handle es sich um die Vertonung eines Prosatextes. Zudem legt die von Herman Roth besorgte Ausgabe den Eindruck nahe, als sei hier ein Text „durchkomponiert“. Die Ausgabe von 1780 teilt insgesamt drei Textstrophen mit (*Faksimile*). Bachs Vertonung ist als *Strophenlied* also ein echtes geistliches „Lied“ und erfüllt damit eine liedästhetische Hauptforderung jener Zeit.

V

Ein Fazit habe ich gleich zu Beginn gezogen: Es betraf die Stellung des Liederkomponisten Carl Philipp Emanuel Bach hinsichtlich der Popularisierungs- und Simplifizierungstendenzen seiner Zeit; letztlich galt es der singulären, auf kompositorische Tradition bedachten Position Bachs. Bach ist jener modischen Volkstonbewegung weder gefolgt noch hat er ihr Impulse gegeben. Bach war – wie es scheint – in jenen Jahrzehnten der einzige, der einen anderen Weg verfolgte, da er an jenem bewährten Liedtypus festhielt, den er 1757/58 mit seinen Gellert-Vertonungen geschaffen hatte. Und einige Zeitgenossen Bachs haben dies gewiß auch zu würdigen gewußt.

---

38 Th. G. Georgiades, „‚Das Wirtshaus‘ von Schubert und das Kyrie aus dem gregorianischen Requiem“, in: *Gegenwart im Geiste* (= Festschrift für R. Benz), Hamburg 1954; Ders., *Schubert. Musik und Lyrik,* Göttingen 1967, S. 377 ff.

Als 1789 in Lübeck – posthum erschienen unter dem Titel *Neue Lieder-Melodien ... von Carl Philipp Emanuel Bach* – eine Ausgabe auf den Markt gelangte, die zu Lebzeiten Bachs wohl kaum von ihm autorisiert worden wäre, rügte einige Jahre später der Rezensent der *Allgemeinen deutschen Bibliothek,* daß sich diese Lieder „weder durch die sonst gewöhnliche Bachische Originalität, noch durch Neuheit und vorzüglich reitzenden Gesang auszeichnen" würden; der Verfasser, so heißt es hier des weiteren, „hat sich augenscheinlich bestrebt, sehr leicht zu schreiben, und dies ist ihm auch gelungen. Allein vielleicht eben durch dieses Bestreben und durch Fesseln, welche Bachs Genie nicht gewohnt war, sind die vor uns liegenden Lieder größtentheils ziemlich unbedeutend geworden, so daß wir sie den von ihm komponierten vortrefflichen Oden von Gellert auf keinen Fall an die Seite setzen können"[39]. Zeilen später schloß sich eine generelle Kritik an, die deshalb von besonderer Bedeutung ist, als hier erstmals wohl der „Singkomponist" Bach gegen den „Clavierkomponisten" ausgespielt wurde: „... wer von ausschließender Vorliebe für des Verf. Arbeiten frey ist, der weiß ohnedies schon, daß Bach bey weitem nicht immer ein klassischer Singkomponist war, und in sofern einem Händel, Hasse, Graun, Schulz, Naumann G.[eorg] Benda, Reichardt, Hiller, Homilius, Rolle u. a. m. keineswegs an die Seite zu setzen ist". Der Rezensent kritisiert Bachs „unstreitig harten und steifen Styl", moniert sogar „seine Fehler in Absicht der Aesthetik u. s. w." und gelangt schließlich zu dem Urteil: „[Wir können] den übrigens so sehr verdienten Verf. nicht für einen der besten Singkomponisten des gegenwärtigen Jahrhunderts anerkennen; ob wir ihn gleich aus völliger Ueberzeugung, besonders in seinen mittleren Jahren, für den größten Clavierkomponisten seiner Zeit halten". – Bedenkenswert bleibt in diesem Zusammenhang die These, daß Bachs Vertonungen stets eine vom Komponisten intendierte Doppelfunktion besaßen, nämlich als Lieder sowohl wie auch als Clavierstücke zu dienen. Bereits im Vorwort der 1758 erschienenen *Gellert-Lieder* hatte der „Harmoniker" Bach davon gesprochen: „Ich habe meinen Melodien die nöthige Harmonie und Manieren beygefügt. Auf diese Art habe ich sie der Willkür eines steifen General-Baß-Spielers nicht überlaßen dürfen, und man kann sie also zugleich als Handstücke brauchen"[40]. Bachs Klavierspiel jedenfalls hat in nicht geringem Maße auch seine Clavierlieder mitgeprägt.

Ein zweites Fazit wäre jenem ersten noch anzuschließen: Bachs Schaffen während der 80er Jahre war vor allem der seit 1779 erfolgten Herausgabe seiner *Sonaten für Kenner und Liebhaber* gewidmet. Kritiker, die Bach gut

39 *Allgemeine deutsche Bibliothek von 1792,* zit. nach G. Busch, *Bach,* S. 203 f.
40 C. Ph. E. Bach, *Gellerts Geistliche Oden und Lieder,* Vorrede.

zu kennen glaubten, hat es zunächst verwirrt, daß dieser auf Artifizialität versessene Komponist sich hier – seit 1780 demonstrativ sogar auf dem Titelblatt angezeigt – einer Modegattung zuwandte[41]. So schrieb 1783 Carl Friedrich Cramer, daß sich Bach „zu der Gattung der jetzt so beliebten, und bis zum Ekel in allen Claviercompositionen vorkommenden Gattung des Rondos herabgelassen“ habe, um wenig später – nach Entdeckung der Bachschen Variationskunst etwa in dem G-Dur-Rondo aus der 5. Sammlung von 1785 – bekennen zu müssen, „daß man den Erfinderischen Geist des Componisten und seine große[n] harmonische[n] Kenntnisse nicht genugsam bewundern kann“[42]. Und Johann Nikolaus Forkel fand es ähnlich bewundernswert, daß „ein Mann von den vorzüglichsten Talenten sich auch einmal zu einer Modegattung der Kunst herunterläßt, und nicht nur den Liebhabern zeigt, wie ein solches Stück eigentlich beschaffen seyn müßte, sondern auch dadurch zugleich einen Beweis giebt, daß jede Musikgattung, sie sey von welcher Art sie wolle, unter den Händen eines Meisters das Gepräge von wahrer und ächter Kunst und Schönheit annehmen, und der Aufmerksamkeit denkender Musikfreunde würdig werden kann“[43].

Diese Sätze bezeichnen sehr treffend das Bachsche Komponieren überhaupt. Bei näherer Analyse der Rondos ist nicht zu übersehen, daß Bach diese „Liebhabergattung“ künstlerisch so handhabte und mit originellen Ideen beschwerte, daß am Ende daraus anspruchsvolle Werke für den „Kenner“ entstehen mußten. Ganz ähnlich hat Bach – folgte man dem, was Analysen offenlegen – bei der Liebhabergattung Lied gesonderten Wert darauf gelegt, durch seine vor allem harmonisch aparten Vertonungen gesteigerte Ansprüche zu stellen, um so in einem verwickelten Prozeß letztlich den Musikliebhaber zu einem Kenner zu erziehen. Andererseits sollte derjenige, der längst ein Kenner war und demgemäß einen gehobenen „musikalischen Kunstverstand“ besaß, auch bei Bachs Liedern zum Aufhorchen gebracht werden. Dafür liefert die Vertonung des 148. Psalms einen untrüglichen Beleg[44]. Jeder, der Ohren hat zu hören, sollte und konnte wahrnehmen, daß und wie Bach hier das B-A-C-H-Motiv eingewoben hat (s. nächste Seite).

Für Lieder solcher Faktur forderte Bach zweifelsohne den nämlichen „Kenner“-Rezipienten wie für seine Potsdamer *Sinfonie C-Dur* (Wq 174/H 649); hier ließ Bach gleich in allen drei Sätzen das Namenssymbol anklingen.

---

41 Vgl. hierzu H. W. Schwab, *Bach und sein Komponieren „fürs Publikum“*, 130 ff.

42 C. F. Cramer, *Magazin*, II/2, S. 869 f.

43 J. N. Forkel, *Musikalisch-kritische Bibliothek*, Gotha 1778, Bd. II, S. 282.

44 Der Notentext ist der Ausgabe von H. Roth entnommen (Nr. 22).

Allabreve
1. Preis sei dem Got-te Ze - ba - oth! Ihr Him - mel lobt den Herrn!
5. Er bil-det euch durch sei - ne Kraft, ge-beut nur, und ihr seid.
16. Das Volk, das er er-wäh - let, sei ihm hei - lig, preis ihn gern!
lobt in den Hö-hen un - sern Gott, wer prei - set ihn nicht gern, wer preiset ihn nicht gern?
Er-hebt den Herrn, den, wenn er schafft, nie, was er schafft, ge-reut, nie, was er schafft ge-reut.
Es blei-be sei-nem Bun - de treu, er-hebt, er-hebt den Herrn, er-hebt, er-hebt den Herrn!

Ada Kadelbach

Die Kirchenliedkompositionen C. Ph. E. Bachs in Choralbüchern seiner Zeit

Carl Philipp Emanuel Bachs Instrumentalkompositionen, seine großen Chorwerke und – in jüngster Zeit – sogar seine weltlichen und geistlichen Sololieder sind nicht nur Gegenstand immer neuer musikologischer Untersuchungen, sondern erfreuen sich auch zunehmender öffentlicher Beliebtheit.

Wenig beachtet von der Musikwissenschaft und der Hymnologie, erst recht nicht bemerkt von der Öffentlichkeit, blieb dagegen Bachs Beitrag zum kirchlichen Gemeindegesang seiner Zeit. Die Beurteilung wurde lange Zeit dadurch erschwert, daß nur wenige Kirchenliedmelodien bzw. -sätze C. Ph. E. Bach mit Sicherheit zugeschrieben werden konnten. Nach den verdienstvollen Untersuchungen von Gudrun Busch (1957) sind es vor allem die Entdeckungen von Ea Dal (1975–78) und E. Eugene Helm (1988), die den gesicherten Bestand der Melodieschöpfungen Bachs für den kirchlichen Gebrauch auf 45 haben ansteigen lassen. Sie stehen nun der C. Ph. E. Bach-Forschung, besonders aber auch der Hymnologie, für Stiluntersuchungen und vergleichende Studien zur Verfügung. Vor allem gerät die bisher vertretene These, daß sich Bach für den Gemeindegesang wenig oder gar nicht interessiert hätte, ins Wanken. Sinn der folgenden Darstellung ist es, die Ergebnisse der oben genannten Untersuchungen zusammenzufassen, zu vertiefen und für weiterführende Studien systematisch aufzubereiten.

Während Bachs Vertonungen der Lieder Gellerts (1758), Cramers (1774) und Sturms (1780/81) wohl weitgehend auf sein eigenes kompositorisches und verlegerisches Interesse zurückzuführen sind, scheint er zum Verfassen von harmonisierten Kirchenliedmelodien aufgefordert, vielleicht sogar gedrängt worden zu sein. Es sind vor allem drei Choralbücher, an deren Inhalt C. Ph. E. Bach mehr oder weniger intensiv mitgewirkt hat. Bevor diese Choralbücher und Bachs Beteiligung daran vorgestellt werden, seien einige grundsätzliche Bemerkungen vorangeschickt.

Obwohl in der Hymnologie unter „Choral" im engeren Sinne der einstimmige Gesang der römischen Kirche verstanden wird, findet der Begriff nach wie vor Anwendung für die Kirchenliedmelodie der evangelischen Kirche, im vierstimmigen Satz vor allem vertraut als „Bachchoral". Seit dem Ende des 17. Jahrhunderts gab es neben einstimmigen Melodienbüchern die mit Generalbaßstimme versehene bzw. vierstimmig ausgesetzten „Choralbücher". Diese waren nötig geworden, nachdem die Gesangbücher im 17. und 18. Jahrhundert einen solchen Umfang angenommen hatten – 1000 Lieder galten bereits als Einschränkung –, daß das Drucken von Noten zu raum- und kostenaufwendig wurde. Dem Organisten wurde deshalb ein Choralbuch an die Hand gegeben, das einerseits der lokalen Variantenbildung und andererseits dem Melodienschwund – Dutzende von Liedern wurden z. B. auf „Wer nur den lieben Gott läßt walten" gesungen – entgegenwirken sollte. So wie jedes Hoheitsgebiet in der deutschen Kleinstaaterei ein eigenes Gesangbuch besaß, erhielt es bald das dazugehörige Choralbuch, das neben der gottesdienstlichen auch eine pädagogische Funktion erfüllte – als Clavier- und Orgelschule sowie als Harmonielehrbuch[1].

1. Das Choralbuch der Grafen zu Stolberg-Wernigerode, Halle 1767

Im Jahre 1767, dem letzten Jahre Bachs am Potsdamer Hofe, erschien ein Choralbuch mit 348 Melodien und bezifferten Bässen – einige auskomponiert als „Handstücke" für Clavier – unter dem Titel *Melodeien zu der Wernigerödischen Neuen Sammlung geistlicher Lieder. Halle in [!] Verlag des Waisenhauses. 1767.* Dem Vorbericht zufolge sind es „die im Jahr 1752 versprochene[n] Melodeyen, zum Gebrauch der Wernigerödischen Neuen Sammlung geistlicher Lieder", einer von den Grafen Stolberg-Wernigerode 1752 herausgegebenen Sammlung 818 „theils ungedruckter, theils in einzelnen Blättern und kleinen piecen abgedruckter neuer Lieder". Die Grafen unterhielten enge Beziehungen zu den Dichtern ihrer Zeit, besonders zu Gleim, Klopstock und der Karschin, und sie dichteten auch selbst. Vor allem die pietistisch geprägten Lieder des Grafen Heinrich Ernst (reg. 1771–1778) gingen in die Wernigerödische Sammlung ein.

Daß Bach an dem in strenger Anonymität herausgegebenen Choralbuch musikalisch beteiligt war, ist bekannt[2]. Drei originale Klaviersätze aus *Gellerts Geistliche Oden und Lieder* (1758)) nebst Anhang (1764) wurden unverändert mit nachträglicher Bezifferung des Basses in das Wernigerödische Choralbuch übernommen, zwei davon zusätzlich in vereinfachter Fassung unter Weglassung zahlreicher Verzierungen, Durchgänge und Vorhalte (s.

1 Ausführlicher dargestellt in: A. Kadelbach, „Carl Philipp Emanuel Bach und das Kirchenlied", in: D. Lohmeier (Hrg.), *Carl Philipp Emanuel Bach. Musik und Literatur in Norddeutschland. Ausstellung zum 200. Todestag Bachs* (Schriften der Schleswig-Holsteinischen Landesbibliothek, Bd. 4), Heide/Holstein 1988, S. 101–122.

2 Vgl. G. Busch, *C. Ph. E. Bach und seine Lieder,* 2 Bde. (Kölner Beiträge zur Musikforschung, Bd. 12), Regensburg 1957, S. 78–85.

Tab. Nr. 22, 35, 43). Wir wissen jedoch aus dem Brief der Witwe Bachs an Sara Levy, geb. Itzig, in Berlin vom 5. September 1789 und aus dem Nachlaßverzeichnis von 1790, daß darüber hinaus noch „Choral-Melodien zu Liedern, die der Graf v. Wernigerode gemacht hat“[3] existieren mußten. Dies veranlaßte Bitter 1868 zu der Äußerung: „Der Melodien zu den Stolberg'schen Liedern, gleichfalls Bach's Berliner Zeit angehörig, hat der Verfasser zu seinem großen Bedauern nicht habhaft werden können.“[4] Und auch Wortquenne merkt unter der Rubrik „Choräle“ lediglich an: „Der Katalog Westphal nennt an dieser Stelle kurz die folgenden ungedruckten Werke, die mir sonst nicht vorgekommen sind: 10 Choräle zu Liedern des Grafen von Wernigerode ...“[5] Auch wenn Gudrun Busch z.T. erfolgreich versuchte, anhand von Stilkriterien aus der Fülle der Wernigerödischen Melodien die Bachschen herauszufinden, war ein sicherer Nachweis bisher nicht zu erbringen.

Die Entdeckung eines Autographs mit zehn vierstimmigen Choralsätzen von Carl Philipp Emanuel Bachs Hand durch E. Eugene Helm in der Breslauer Universitätsbibliothek (Va 1 bb) hat das Identifizierungsproblem endgültig gelöst. Da Helm vor Drucklegung seines Katalogs kein Exemplar des gedruckten Choralbuchs von 1767 zur Verfügung stand[6], wurden in der tabellarischen Übersicht am Schluß dieses Beitrags den lfd. Nummern Helms (H 842, 1–10) die entsprechenden Seitenzahlen in den *Melodeien* [sic!] *zu der Wernigerödischen Neuen Samlung geistlicher Lieder* zugeordnet (s. Tab. Nr. 4, 7, 8, 9, 12, 13, 15, 17, 20, 23). Melodien und Bässe stimmen – bis auf wenige geringfügige Abweichungen – im Druck mit der Bachschen Handschrift überein. Der Hauptunterschied besteht im ausgesetzten Claviersatz des Autographs und der zweistimmigen Generalbaßfassung des Drucks. Zwischen die beiden Systeme – Melodie und Mittelstimmen in der rechten Hand, unbezifferter Baß in der linken – schrieb Bach den vollständigen Text der jeweils ersten Strophe der zehn Stolberg-Lieder, während in der Druckfassung nur noch das Incipit des Textes über den aus Melodie und reich bezifferter Generalbaßstimme bestehenden Sätzen steht.

Die Melodien sind noch ganz in der ariosen Hallischen Manier verfaßt,

3 C. H. Bitter, *Carl Philipp Emanuel und Friedemann Bach und deren Brüder,* 2 Bde., Berlin 1868 (Repr. Leipzig 1973), Bd. 2, S. 307, zit. nach Busch, *C. Ph. E. Bach,* S. 78.

4 Bitter, Bd. 1, S. 153, zit. nach Busch, ebd.

5 A. Wotquenne, *Thematisches Verzeichnis der Werke von Carl Philipp Emanuel Bach (1714–1788),* Leipzig usw. 1905, Repr. Wiesbaden 1980, S. 96, Anm. 1.

6 Fundstellen in: K. Ameln u. a. (Hrg.), *Das deutsche Kirchenlied (DKL). Kritische Gesamtausgabe der Melodien.* Bd. I/1: Verzeichnis der Drucke von den Anfängen bis 1800 (RISM. Internationales Quellenlexikon der Musik, B/VIII/1), Kassel/Basel usw. 1975, unter 1767[24], darunter Basel, Brüssel, Berlin (West), Berlin (DDR), Halle, Kassel, Lüdenscheid (seit 1989 Universitätsbibliothek Augsburg), München, Pittsburg, Pa.

schlicht, gut sangbar, mit sparsamen Verzierungen, aber sehr kunstvoll harmonisiert. Die Bässe wirken in ihren chromatischen Gängen, Oktavsprüngen und Achtelpassagen ausgesprochen instrumental. Zwei Lieder sind im 3/4-Takt notiert, so daß die Elemente, die in den Choralbüchern der zweiten Jahrhunderthälfte als unschicklich verworfen werden, alle in diesen „Berliner" Choralsätzen C. Ph. E. Bachs zu finden sind: Tripeltakt, „Opernbässe", Rhythmisierungen, vor allem Punktierungen, Achtel- und Sechzehnteldurchgänge, Vorhalte, Ornamente.

Zwei Jahrzehnte später verfaßt Bach auftrags- und bedarfsgemäß „aus leichten Intervallen gesetzte Melodien mit ... leichten Harmonien" für die Hamburger Gemeinden im Choralbuchstil des ausgehenden 18. Jahrhunderts. Die Entdeckung der Breslauer Handschrift ist deshalb von so großer Bedeutung, weil durch sie der Nachweis erbracht ist, daß Bach in der Berliner Zeit für das Wernigerödische Choralbuch Tonsätze schuf, die noch ganz vom Geiste des Hallischen Pietismus geprägt sind, dem Stil, der ihm und seinem Vater von den Gesangbüchern Freylinghausens und Schemellis her vertraut war. Der jetzt möglich gewordene Stilvergleich der zehn Choräle mit den übrigen 338 „Melodeien" und ihren Harmonisierungen wird weitere Aufschlüsse über die Mitarbeit C. Ph. E. Bachs an dem Choralbuch der Grafen von Stolberg-Wernigerode geben können.

2. Die Choralbücher von Schiörring (Kopenhagen 1780–83) und Zinck (Schleswig 1785) zu Gesangbüchern im dänischen Gesamtstaat

Es ist dem „Schleswig-Holsteinischen Choralbuchstreit", der sich zwischen dem Erscheinen des neuen Gesangbuchs für die Herzogtümer, dem sog. Cramerschen Gesangbuch (Altona 1780), und der Herausgabe des dazugehörigen Choralbuchs *Vollständige Sammlung der Melodien zu den Gesängen des neuen allgemeinen Schleswig-Holsteinischen Gesangbuchs. Im Verlag der mit dem Gesangbuchs-Privilegio begnadigten Piorum Corporum Leipzig, gedruckt bey Johann Gottlob Immanuel Breitkopf. 1785.* abspielte, zu verdanken, daß über Carl Philipp Emanuel Bachs Mitwirkung an diesem offiziellen Choralbuch und seinen verschiedenen Vorläufern und Entwürfen aufschlußreiche Archivalien in Kopenhagen und Schleswig überliefert sind[7]. Die Auseinandersetzung zwischen dem Kgl. dänischen Kammermusikus Niels Schiörring (1743–1798) und der Deutschen Kanzlei in Kopenhagen einerseits sowie dem Schleswiger Domorganisten Bendix Friedrich Zinck (1715–1799) und dem Gottorfer Oberkonsistorium andererseits wurde be-

7 Kopenhagen, Rigsarkivet, Tyske Kancelli: Vorstellungen Januar–Juni 1782 und Januar–Juni 1786; Schleswig-Holsteinisches Landesarchiv Abt. 65. 2, Nr. 421.

reits ausführlich dargestellt[8]. Als Ergebnis ist festzuhalten, daß Schiörring, der 1770 in Hamburg Bachs Schüler war und dessen Werke in Kopenhagen aufführte, in diesem Streit unterlag, obwohl er immer wieder auf die intensive Mitarbeit seines Lehrers an dem Choralbuchentwurf hingewiesen hatte. Kein Geringerer als der Herausgeber des neuen schleswig-holsteinischen Gesangbuchs, Professor Johann Andreas Cramer, seit 1778 Prokanzler, seit 1784 Kanzler der Universität Kiel, hatte Schiörring 1781 für die Herausgabe des Choralbuchs empfohlen, „sofern Bach sie durchsehen wolle, besonders auch die neuen Melodien“[9].

Am Erscheinen von Schiörrings Choralbuch bestanden wohl nicht die geringsten Zweifel, denn der Sohn des Fürsprechers, Carl Friedrich Cramer, zeigte es bereits 1784 in seinem *Magazin der Musik* an: „Eine Sammlung mit solchem Fleiße zusammengelesener Choralmelodien, von einem von Bachs ächtesten und liebsten Schülern (denn das ist Herr Schiörring) und Bach, dem größten der jetzt lebenden Harmoniker, mit neuen Geschenken für die Bedürfnisse der Zeit bereichert, und eine so zweckmäßige Vollständigkeit dabey beobachtet!“[10]

„Es erschien indeß ein schlecht bearbeitetes Schleswich-holsteinisches Choralbuch, daß den Hrn. Schiörring an der Herausgabe des Seinigen verhinderte.“[11] So das zeitgenössische Urteil Johann Friedrich Reichardts über die im Auftrage des Schleswiger Oberkonsistoriums von Zinck völlig überarbeitete Fassung, in der die Spuren von Bachs Mitwirkung weitgehend verwischt wurden. Zinck bekennt in seiner Erwiderung auf Schiörrings Protest, daß er „nicht gewußt habe, daß in Herrn Schiörrings Choralbuch Melodien von dem Herrn Capellmeister Bach wären, oder er sonst mit an dem Buche gearbeitet hätte“[12].

Drei Originalmelodien und zwei Bearbeitungen Bachs führt Schiörring beispielhaft an für „die unglaublich gemißhandelten Bach'schen Lieder“[13]. Wieviel intensiver Bachs Mitarbeit an Schiörrings Entwürfen zum Schleswig-Holsteinischen Choralbuch darüber hinaus gewesen ist, hat Ea Dal bereits 1975–78 in einem viel zu wenig beachteten Aufsatz im dänischen kirchenmusikalischen Jahrbuch und im Vorwort zum Nachdruck von Schiör-

---

8 Vgl. G. Busch, *C. Ph. E. Bach,* S. 145–176; E. Dal, *Niels Schiørrings Kirke-Melodierne 1781 og Choral-Bog 1783.* Udgivet i facsimile af Samfundet Dansk Kirkesang med historisk indledning og melodifortegnelse (mit deutscher Zusammenfassung), 2 Bde., Kopenhagen 1978; A. Kadelbach, „C. Ph. E. Bach“, S. 106–110, 116–122 (neu übersetzt v. D. Lohmeier).

9 D. Lohmeier (Hrg.), *Carl Philipp Emanuel Bach,* S. 119, Kat.-Nr. 168.

10 Zit. nach G. Busch, *C. Ph. E. Bach,* S. 146.

11 Zit. nach ders., S. 150, Anm. 153.

12 Zit. nach ders., S. 170.

13 Zit. nach ders., S. 149.

rings Choralbuch zum dänischen Gesangbuch ausführlich und überzeugend dargelegt.

In einem Brief an Carl Friedrich Cramer vom 17. Februar 1784 schrieb Schiörring, in seinem Werk seien die „neuern, z. E. die Hallischen und Quanzischen [Melodien] zu Gellerts Gesängen, ... hin und wieder von dem Herrn Capellmeister C. P. E. Bach verändert worden, sowie auch alle darinn vorkommenden neuen Melodien von seiner Composition sind“[14]. Fünfzehn „Quanzische“ sind mit Hilfe der Gellertvertonungen des Potsdamer Hofkomponisten (DKL 1760[07]) leicht zu identifizieren, die „Hallische“ Quelle (Freylinghausen/Francke?) gilt es noch zu erschließen. Aber alle Erstveröffentlichungen stammen laut Schiörring ausnahmslos von seinem Lehrer C. Ph. E. Bach.

Ein wesentlicher Beleg zum Nachweis der von Zinck übernommenen, angeblich stark veränderten Choralsätze Bachs im Schleswig-Holsteinischen Choralbuch ist ein handschriftliches Choralbuch, das Schiörring für das Gesangbuch der deutschen Gemeinden im Königreich Dänemark, vor allem der St. Petrigemeinde in Kopenhagen, herausgebracht hat. Gedruckt sind nur Titel, Vorrede und Register: *Choral-Buch, in welchem alle Melodien des Allgemeinen Gesangbuchs der Deutschen in Kopenhagen enthalten sind. Auf Königlich allergnädigsten Befehl verfertiget durch N. Schiörring. Kopenhagen, 1783.* Parallel dazu erschien eine einstimmige Fassung, ebenfalls handschriftlich mit je 2 bedruckten Blättern am Anfang (Titel und Vorrede) und am Schluß (Register) des Buches: *Kirchen-Melodien, des Allgemeinen Gesangbuchs der Deutschen in Kopenhagen in Uebereinstimmung mit dem Choralbuche; den Canto allein, mit untergelegten Texte, von N. Schiörring. Kopenhagen, 1783.*

Herausgeber des *Allgemeinen Gesangbuchs ... zum öffentlichen und häuslichen Gebrauche der Deutschen in Kopenhagen* war 1782 der langjährige einflußreiche Pastor an St. Petri, Dr. Balthasar Münter (1735–1793), in dessen Hause die gebildeten Kreise Kopenhagens verkehrten. Er übernahm den größten Teil der Lieder aus Cramers Gesangbuch von 1780 und ergänzte es um weitere geistliche Lieder aus dem Kopenhagener Dichterkreis, in dem er selbst eine führende Stellung einnahm. Seine eigenen Texte wurden von namhaften Komponisten seiner Zeit vertont[15] (DKL 1773[09], 1774[10]).

---

14 E. Dal, „Omkring Niels Schiørrings tyske koralbog“, in: *Dansk Kirkesangs årsskrift* 1975/76, S. 43–74 (S. 54).

15 In den biographischen Aufzeichnungen seiner Tochter Friederike lesen wir: „Um diese Zeit wurden meines Vaters geistliche Lieder, von den besten deutschen Tonkünstlern in Musik gesetzt. Er hatte sich eine recht schöne Orgel verfertigen lassen, auf welcher er selbst spielte, und sich mit seiner schönen kräftigen Baßstimme begleitete. Da ertönten seine herzvollen Lieder mit den tiefeingreifenden Melodien und Chorälen, von Emanuel

Sechzehn Tonsätze in Schiörrings Choralbuchmanuskript zu Münters Gesangbuch schreibt Ea Dal C. Ph. E. Bach zu. Einer ist die vereinfachte Fassung des aus dem Anhang zu den Gellertliedern (1764) in das Wernigerödische Choralbuch übernommenen Clavierliedes „Mein Heiland nimmt die Sünder an" (s. Tab. Nr. 35). Die übrigen fünfzehn auf Texte von Münter (5), Cramer (4), Klopstock (3), Gleim (1) und Sturm (1) sowie auf den Text eines unbekannten Dichters scheinen von Bach im Auftrage Schiörrings direkt für das Choralbuch komponiert zu sein. Dies erscheint auch deshalb plausibel, weil nur drei der fünfzehn Texte auf vorhandene Kirchenliedmelodien gesungen werden konnten. Für die neuen Metren der anderen Lieder mußten eigene Melodien geschaffen werden. Daß Schiörring Bach darum bat, der ihm ohnehin bei der Harmonisierungen half, liegt nahe. Ein weiteres Indiz für Bachs Autorschaft ist Schiörrings Erklärung, Bach für seine Mitarbeit entlohnt zu haben. Wieviel er ihm von den 200 Reichstalern auszahlte, die er selbst am 5. Juni 1782 vom dänischen König für seine Choralbuchentwürfe bekommen hatte, ist allerdings nicht überliefert[16].

Die fünf Lieder Münters und der anonyme Text entstammen nicht dem Cramerschen Gesangbuch, sondern wurden von Münter neu in seine Kopenhagener Ausgabe von 1782 aufgenommen. Folglich fehlen ihre Vertonungen auch im Schleswig-Holsteinischen Choralbuch. Aber auch von den übrigen neun Tonsätzen Bachs wurden nur vier von Zinck in Druck gegeben: „Anbetung, Jubel und Gesang" (Cramer), „Lobsingt dem Herrn, dem gnädigen" (Cramer), „Ich bin ein Christ! Mein Herz ist ruhig" (Sturm) und „Des Ewigen und der Sterblichen Sohn" (Klopstock). Alle vier Sätze sind bis auf unerhebliche melodische und harmonische Varianten von Zinck unverändert übernommen worden. Schiörrings oben zitierte Empörung über die Zinckschen „Verschlimmbesserungen" ist daher sachlich an den vier überprüfbaren Beispielen nicht nachzuvollziehen, aus dem Ärger über seine Zurücksetzung aber sehr wohl zu verstehen. So verschweigt er, daß die Bachsche Vertonung des Klopstockliedes bis auf drei Noten im Baß unverändert als Fassung a erscheint und kritisiert nur heftig die vereinfachte Fassung b mit einer zusätzlichen Variante, in der die Taktstriche weggelassen wurden, um den unerwünschten – aber aus dem daktylischen Metrum hergeleiteten – Tripeltakt einzuebnen, „zwei Zutaten, die man lieber dort nicht sähe"[17].

Bach, Wolf, Benda, Rolle, Hiller, und den prächtigen Melodien des Bückeburger Bachs." – F. Brun, geb. Münter, *Wahrheit aus Morgenträumen und Idas ästhetische Entwickelung*, Aarau 1824, S. 74.

16 s. G. Busch, *C. Ph. E. Bach*, S. 163 f.

17 D. Lohmeier (Hrg.), *Carl Philipp Emanuel Bach*, S. 120, Kat.-Nr. 171 a.

Über die Veränderungen an zwei weiteren Bachschen Tonsätzen, deren Originale zum Vergleich nicht herangezogen werden können, weil sie in den Kopenhagener Choralbuchmanuskripten nicht vorkommen und Schiörrings Vorlage zum Zinckschen Choralbuch verschollen ist, äußert sich der Bachschüler ebenso verärgert: „*Erheb, erheb, o meine Seele.* Eine vortreffliche Melodie von Bach, die mit unverzeihlicher Besserwisserei in der Harmonie wie in der Melodie verschlimmbessert worden ist, und das Schicksal haben sie fast alle erlitten. ... *Von gantzem Herzen rühmen wir.* Original von Bach, das auch verschlimmbessert ist ... daß es sowohl Gelächter als auch Mitleid erregen kann."[18]

Noch größer ist die Empörung über Zincks Veränderungen an zwei von Bach bearbeiteten Liedern: „ *Wie schnell ist doch ein Jahr.* Diese Melodie bat ich Bach zu verbessern, da sie nur wenig bekannt ist und eine Verbesserung vertragen konnte. Hier ist sie noch einmal verbessert worden, so daß sie jetzt schlechter geworden ist, als sie vorher war ... *Die Himmel rühmen.* Eine sehr gute Melodie von Quantz mit Bachs Verbesserungen. An ihrer Stelle gibt es ein schäbiges Flickwerk, das eher einem Tanz-Menuett als einer Kirchenmelodie ähnlich sieht."[19]

Aus den kritischen Anmerkungen wird deutlich, daß der Däne Schiörring sich qualifiziert und autorisiert fühlte, die Choralbücher zum Cramerschen und zum Münterschen Gesangbuch für die deutschen Gemeinden in den schleswig-holsteinischen Herzogtümern und im Königreich Dänemark in Druck zu geben. Mit unzeitgemäßer Gewissenhaftigkeit betrieb er Quellenstudien und benutzte dafür sogar reformatorische Gesangbücher und Abhandlungen.

Schiörring hatte bereits zu dem neuen dänischen Gesangbuch von 1778, *Guldbergs salmebog,* ein Choralbuch in mehreren Ausgaben in Druck gegeben: *Kirke-Melodierne til den 1778 udgangne Psalmebog. For Claveer med udsatte Middelstemmer samlede og udgivne af N. Schiørring. Med Kongelig allernaadigst Privilegium. Kiøbenhavn, 1781.*

Den 100 vierstimmigen Claviersätzen zu Weisen überwiegend lutherisch-deutscher Tradition folgten 1783 die Generalbaßausgabe *Choral-Bog,* die Chorausgabe in vier Stimmheften *Firestemmige Choralsange for Fire Syngestemmer* und das einstimmige Liederbuch mit vollständigen Texten *Sang-Bog.* Für das Lied „Naglet til et Kors paa Jorden" („Ans Kreuz geschlagen auf Erden") des dänischen Kirchenliederdichters Benjamin Georg Sporon (1741–1796) sind zwei Melodien abgedruckt, laut Vorrede „beide von Herrn Kapellmeister Bach; die erste neue dazu auf meine Bitte gesetzt, die

18 Ebd.
19 Ebd.

andere zuvor schon benutzt“ (1774 zum 86. Psalm Cramers „Herr, erhöre meine Klagen“). Ebenso weist Schiörring in der Vorrede auf Bachs „bedeutenden“ Einfluß auf die Qualität der Tonsätze hin und daß er „die Güte [hatte], auf mein Begehren das Ganze durchzugehen“[20].

Wie Bachs Korrekturarbeit im einzelnen aussah, zeigt anschaulich ein in der Königl. Bibliothek zu Kopenhagen aufbewahrtes Manuskript des Choralbuchs mit 102 fortlaufend in alphabetischer Folge der dänischen Liedanfänge geschriebenen Melodien einschließlich des Te Deums und der Litanei. Die Sätze sind untereinander in drei Fassungen notiert: vierstimmiger Chorsatz auf vier Systemen, vierstimmiger Klaviersatz auf zwei Systemen, zweistimmige Generalbaßfassung. Das von Bach vertonte Lied „Naglet til et Kors paa Jorden“ trägt zu Zusatz „B: orig:“ (original Bach); bei zehn Liedern hat Schiörring am Rande „B: cor:“ (von Bach korrigiert) vermerkt. Unter sieben Tonsätzen befinden sich eigenhändige Anmerkungen von C. Ph. E. Bach, teilweise als Antworten auf Schiörrings handschriftliche Fragen. In zwei Fällen (Nr. 71 und 74) holt der Herausgeber lediglich das Placet seines Lehrers zur Transkription um einen Ganzton höher bzw. tiefer ein. In einem anderen Fall (Nr. 10) fragt der Schüler, ob er die Dur-Terz im Schlußakkord des Moll-Liedes nicht in eine kleine Terz verwandeln dürfe. Alle drei Fragen beantwortet Bach mit einem eindeutigen „Ja!“. Nicht ganz so einleuchtend ist Bachs Antwort „Freylich. Ich habe gefehlt“ auf die Frage: „ist e nicht besser als g, in Alt-Stimme?“ Damit wird in Takt 378 der Litaney die im Baß liegende Terz des Quintsextakkordes im Alt verdoppelt und die Quinte geopfert.

Ungefragt kommentiert Bach in dieser wohl letzten Fassung vor Drucklegung des Choralbuchs, in dem die Korrekturen alle ausgeführt sind, lediglich die „Manieren“. Bei Luthers Weise „Aus tiefer Not“ (Nr. 4) bemerkt Bach exemplarisch, daß bei Chorälen der Triller dem prallenden Doppelschlag vorzuziehen sei: „Die Manier ~ ˜ füllt bey der langsamen Ausführung der Noten in Chorälen nicht genung aus, folglich ist ein allezeit besser u. allein hinlänglich. Ob ich nun gleich die Manier ~ ˜ blos im Anfange der Choräle bis auf diese Seite ausgestrichen habe, so muß sie weiter hin durchs gantze Buch ausgestrichen werden.“ Bei zwei Melodien des dänischen Komponisten Thomas Kingo schränkte er diese generelle Anweisung bezogen auf kleinere Notenwerte (Viertel nach Punktierung) und schnelleres Tempo (Tripeltakt) wieder ein: „bei 4tel noten kan ˜ stehen bleiben, aber bey halben Tackten nicht“ (Nr. 12, „Lyksalig Dag!“, 1674) und: „hier in diesem Tripeltakte kan ˜ stehen bleiben“ (Nr. 21, „Frisk op, min sjael, forsage ej“, 1699).

20 Ebd. S. 118, Kat.-Nr. 167 a/b.

So lassen Bachs Anmerkungen nicht nur Rückschlüsse auf die Verzierungspraxis bei Choralspiel und -gesang zu, sondern auch auf das Aufführungstempo. Die „Manieren", überwiegend Triller auf der Penultima jeder Choralzeile, sind in allen drei Fassungen notiert und auch von Bachs Hand korrigiert; sie sind also nicht nur vom Tastenspieler, sondern auch von der Solostimme und von den Chorsängern auszuführen. Alle Ornamente stehen im Sopran des Kantionalsatzes, häufig vom Alt, seltener vom Tenor, nie vom Baß gedoppelt.

Die eigenhändigen Anmerkungen Carl Philipp Emanuel Bachs im Manuskript des dänischen Choralbuchs sind nicht nur eine Bereicherung für die musikologische und die hymnologische Forschung; sie dürfen auch als Bestätigung des Wahrheitsgehalts der zahlreichen Beteuerungen Schiörrings über die Mitarbeit des Hamburger Musikdirektors an den dänischen und deutschen Choralbüchern des Kopenhagener Hofmusikers gewertet werden.

3. *Das Choralbuch zum Hamburgischen Gesangbuch (1787)*

Noch vor Einführung des „*Neuen Hamburgischen Gesangbuchs zum öffentlichen Gottesdienste und zur häuslichen Andacht ausgefertiget von dem Hamburgischen Ministerio … Hamburg, 1787* erschien ein dünnes Notenheft in Queroktav mit dem Titel *Neue Melodien zu einigen Liedern des neuen Hamburgischen Gesangbuchs, nebst einigen Berichtigungen von Carl Philipp Emanuel Bach, des Hamburgischen Musick-Chors Director. Im Verlag der Heroldschen Buchhandlung, und gedruckt bey Gottlieb Friedrich Schniebes, 1787.* Es enthält vierzehn von Bach herausgegebene Kirchenliedmelodien und Bässe zu zehn Texten von Gellert, je einem von Klopstock, Funk, Cramer und Freylinghausen. Für die Melodien der beiden letzteren griff Bach auf ältere Vorlagen zurück. Für das Gellertlied „Besitz ich nur ein ruhiges Gewissen" bearbeitete er den Tonsatz von Quantz (DKL 1760[07]). Die übrigen neun Gellerttexte und das berühmte Klopstocklied „Auferstehn, ja auferstehn" vertonte Bach aber neu.

Im Gegensatz zu seinen berühmten Gellertvertonungen von 1758, die für den solistischen und instrumentalen Vortrag beim häuslichen Musizieren gedacht waren und die Quantz als zu schwer und Schmidlin (DKL 1761[21]) als „nicht bequem" bezeichnete, bemühte sich Bach jetzt ganz im Sinne der Aufklärung um schlichte, leicht faßliche und für den Gemeindegesang geeignete Kirchenliedmelodien. Das Notenbild des „steifen" Chorals täuscht. Die in halben Noten überwiegend in Tonschritten und Terzen auf- und abwärts geführten Weisen wirken natürlich, durch die reiche, kunstvolle Harmonisierung aber keineswegs langweilig, sondern ruhig, empfindsam, innig, fromm.

Den Zielen der Aufklärung entspricht auch Bachs kurze didaktische Vorbemerkung: „Damit die Gemeinen die neuen Melodien leicht und bald mitsingen lernen, werden die Herrn Organisten wohl thun, wenn sie im Anfange diese aus leichten Intervallen gesetzte Melodien mit der vorgeschriebenen und untergelegten leichten Harmonie *stark* und *ungekünstelt* mitspielen. Hamburg, den 30sten Julius, 1787. C. P. E. Bach." Offensichtlich sollte der Name des „großen Bach" auch verkaufsfördernd für das bereits im Februar 1787 privilegierte, aber erst am 1. Januar 1788 eingeführte, in 50 000 Exemplaren gedruckte Gesangbuch wirken.

Es gelang den Behörden aber nicht, den im vorletzten Lebensjahr stehenden Kapellmeister, der mit der Herausgabe der Choräle seines Vaters und vor allem seiner eigenen großen Klavierwerke beschäftigt war, für die Edition des vollständigen *Choral-Buchs für das neue Hamburgische Gesangbuch* (DKL 1787⁰¹) zu gewinnen. Diese wurde von Diederich Christian Aumann, Hilfsorganist an der heiligen Dreyeinigkeitskirche in St. Georg, besorgt, der alle vierzehn Sätze Bachs – z. T. tiefer transponiert und an den Zeilenschlüssen mit Pausen versehen – aus den *Neuen Melodien* übernahm. Da das Choralbuch gleichzeitig mit dem Gesangbuch erschien, konnten die im Bachschen Vorabdruck vollständig aufgeführten Texte bis auf die Incipits entfallen.

Im Gegensatz zu den Choralschöpfungen Bachs für die Choralbücher der Grafen Stolberg-Wernigerode und Schiörrings fanden seine Hamburger Melodien z. T. große Verbreitung im deutschen Sprachgebiet bis in unser Jahrhundert hinein. Die *Neuen Melodien* fanden als nächstes – vierstimmig ausgesetzt – Eingang in den zweiten Teil des Berliner Choralbuchs von Johann Christoph Kühnau (DKL 1790¹⁰), zwei Melodien konnten sich bis 1885 in neun weiteren Auflagen behaupten. Auch der Sohn von Bachs Nachfolger in seinen Hamburger Ämtern, Johann Friedrich Schwencke, nahm die Melodien in sein Choralbuch (Hamburg 1832) auf, das das Aumannsche offiziell ablöste. Häufig setzte er der Bachschen Harmonisierung alternativ eine eigene hinzu. In einer späteren Auflage von 1844 setzte er alle Melodien neu und versah sie mit zeittypischen Zeilenzwischenspielen.

Einige der beliebtesten Bachschen Melodien gingen in über 30 Gesang- und Choralbücher ein, z. B. die zu Klopstocks Auferstehungslied, das der von seinen Zeitgenossen hochverehrte Dichter auf den Tod seiner ersten Frau Meta verfaßt hatte und das zu seiner eigenen Beisetzung 1803 auf dem Ottensener Friedhof im heutigen Altona angeblich von Tausenden – mit größter Wahrscheinlichkeit zur Melodie C. Ph. E. Bachs – gesungen wurde. Fast ebenso beliebt waren die Hamburger Melodien zu den Gellertliedern „Gott ist mein Lied" und „Wie groß ist des Allmächtigen Güte". Letzteres wurde 1928 noch mit der Melodie von C. Ph. E. Bach in das Gesangbuch für

C. Ph. E. Bachs Kirchenliedkompositionen im Überblick

Lfd. Nr.	Incipit	Textdichter	1758 Seite	1764 Seite
1	Anbetung, Jubel und Gesang	J. A. Cramer		
2	Auferstehn, ja auferstehn	J. G. Klopstock		
3	Bald oder spät des Todes Raub	G. B. Funk		
4	Befreyt von Schuld und Sorgen	Graf Stolberg		
5	Betet an, ihr Kinder der Erde	B. Münter		
6	Das ist mein Leib! so sagte der	J. G. Klopstock		
7	Dem ewig wahren Glücke	Graf Stolberg		
8	Dennoch bleib ich stets an dir	Graf Stolberg		
9	Der du alle Creutzes-Plagen	Graf Stolberg		
10	Der mir den Weg zum Heile weist	B. Münter		
11a	Des Ewigen und der Sterblichen Sohn	J. G. Klopstock		
b*				
12	Des Glaubens Geist steht unbeweget	Graf Stolberg		
13	Die Allmacht siegt	Graf Stolberg		
14	Die Himmel rühmen des Ewigen Ehre	Ch. F. Gellert		
15	Die Liebe, die Gott zu uns trägt	Graf Stolberg		
16	Diesen Saamen segne Gott	J. W. L. Gleim		
17	Die Zeit geht hin	Graf Stolberg		
18	Dort hängt durch viele Leiden	J. A. Cramer		
19	Du klagst und fühlest die Beschwerden	Ch. F. Gellert		
20	Du weißt was ich bedarf	Graf Stolberg		
	Ein veste Burg (siehe Nr. 43)	M. Luther		
21	Erheb, erheb, o meine Seele	J. A. Cramer		
22a	Er ruft der Sonn und schafft den Mond	Ch. F. Gellert	49	
b*				
23	Es ist vollbracht! was denn?	Graf Stolberg		
24	Es jauchze Gott und preise	J. A. Cramer		
25	Gedanke, der uns Leben gibt	Ch. F. Gellert		
26	Gott ist mein Hort	Ch. F. Gellert	4	
27	Gott ist mein Lied	Ch. F. Gellert		
28	Herr, erhöre meine Klagen	J. A. Cramer		
29	Ich bin ein Christ! mein Herz ist ruhig	Ch. Ch. Sturm		
30	Ich bins voll Zuversicht	J. G. Klopstock		
31	In deinem ganzen Weltgebiete	?		
32	Jauchzt, ihr Erlösten des Herrn	Ch. F. Gellert		
33	Leite mich nach deinem Willen	B. Münter		
34	Lobsingt dem Herrn, dem gnädigen	J. A. Cramer		
35	Mein Heiland nimmt die Sünder an	L. F. F. Lehr		4
	Mein Herzens-Jesu, meine Lust (siehe Nr. 22)	J. Ch. Lange		
36	Naglet til et Kors paa Jorden	B. G. Sporon		
	(Ans Kreuz geschlagen auf Erden (siehe Nr. 28)			
37	Preist ihn! dankt ihm! er erhält	B. Münter		
38	So jemand spricht, ich liebe Gott	Ch. F. Gellert	20	
39	Von dem Staub, den ich bewohne	B. Münter		
40	Von ganzem Herzen rühmen wir	?		
41	Was ist mein Stand, mein Glück	Ch. F. Gellert		
42	Was sorgst du ängstlich für dein Leben	Ch. F. Gellert		
43a	Wenn Christus seine Kirche schützt	Ch. F. Gellert	12	
b*				
44	Wie groß ist des Allmächtgen Güte	Ch. F. Gellert		
45	Wohl dem, der beßre Schätze liebt	Ch. F. Gellert		

* rhythmisch und melodisch vereinfachte Fassung

1767 Seite	1774 Seite	1781 Nr.	1783 Nr.	1785 Nr.	1787 Seite	1799 Nr.	Zahn Nr.	Wq Nr.	Busch Nr.	Helm Nr.
			8	58			2680			
					14		1991	203/12	268	781/12
					15		2427	203/13	269	781/13
15							5563			842/1
			15							
			26							
18										842/7
19							4150		92?	842/2
20							6857		93?	842/10
			27							
			28	76a			64		(243)	844/2
				76b*						
27										842/8
29							4149		95?	842/3
					4		1550	203/2	260	781/2
30									96?	842/4
			30							
34 f.							8554		97?	842/5
			33							
					12		760?	203/10	266?	781/10
50 f.									98?	842/9
				52			7833		(242)	844/1
95 [1]							8766	194/44	59	686/45
94*[1]							Anm.			
68										842/6
			45							
					5		718	203/3	261	781/3
						107*	2070*	194/4	19	686/4
					8		86	203/6	263	781/6
	8	71b[2]						196/19	146	733/19
			79	126			1639			
			72							
			84							
					6		4070	203/4	262	781/4
			90							
			93	74			1063			
88 f.			96*				7778	195/4	79	696/4
		71a							211	843
			119							
						111*	2421	194/19	34	686/19
			129							
				113					(244)	844/3
					9		1080	203/7	264	781/7
					13		3028?	203/11	267?	781/11
54 f.[3]							7379	194/12	27	686/12
53*[3]							7378*			
					3		6025	203/1	259	781/1
					11		2424	203/9	265	781/9

[1]) Incipit: Mein Herzens-Jesu, meine Lust
[2]) Incipit: Naglet til et Kors paa Jorden
[3]) Incipit: Ein veste Burg ist unser Gott

die Evangelisch-Lutherischen Kirchen in Bayern aufgenommen. Für das derzeit gültige Evangelische Kirchengesangbuch (EKG) wurde eine ältere Melodie aus dem Freylinghausenschen Gesangbuch vorgezogen. Andere Gellertlieder setzten sich stärker in Vertonungen von Doles, Quantz und Hiller durch, in der Schweiz bis zum heutigen Tage in Sätzen von Schmidlin, Egli und Nägeli. Keines der in den gegenwärtigen Kirchengesangbüchern der evangelischen Kirche in Deutschland und der evangelisch-reformierten Kirchen der deutschsprachigen Schweiz enthaltenen Gellertlieder wird auf eine Melodie Bachs gesungen.

Die Untersuchung hat ergeben, daß Carl Philipp Emanuel Bach nach dem gegenwärtigen Stand der Forschung für den kirchlichen Gebrauch 39 Choralsätze schuf und sechs seiner geistlichen Sololieder für den Gemeindegesang bearbeitet wurden. Unsere Generation und die folgenden haben darüber zu entscheiden, ob die Kirchenmelodien eines der größten Musiker seiner Zeit wieder Eingang in unsere Gesangbücher finden sollen.

Quellennachweis

1758: Herrn Professor Gellerts Geistliche Oden und Lieder mit Melodien von Carl Philipp Emanuel Bach. Berlin 1758. (DKL 1758[14], Wq 194, H 686)

1764: Zwölf geistliche Oden und Lieder als ein Anhang zu Gellerts geistlichen Oden und Liedern mit Melodien von Carl Philipp Emanuel Bach. Berlin 1764. (DKL 1764[01], Wq 195, H 696)

1767: Melodeien zu der Wernigerödischen Neuen Samlung geistlicher Lieder. Halle 1767. (DKL 1767[24], Wq deest, H 842)

1774: Herrn Doctor Cramers übersetzte Psalmen mit Melodien zum Singen bey dem Claviere von Carl Philipp Emanuel Bach. Leipzig 1774. (DKL 1774[01], Wq 196, H 733)

1781: Kirke-Melodierne til den 1778 udgangne Psalmebog. For Claveer med udsatte Middelstemmer samlede og udgivne af N. Schiørring. Kopenhagen 1781. (Repr. Kopenhagen 1978). (Wq deest, H 843)

1783: Choral-Buch, in welchem alle Melodien des Allgemeinen Gesangbuchs der Deutschen in Kopenhagen enthalten sind, ... verfertiget durch N. Schiörring. Kopenhagen 1783 (Handschrift Königliche Bibliothek Kopenhagen). (DKL 1783[07], Wq deest, H deest)

1785: [Zinck, Bendix Friedrich:] Vollständige Sammlung der Melodien zu den Gesängen des neuen allgemeinen Schleswig-Holsteinischen Gesangbuchs. Leipzig 1785. (DKL 1785[18], Wq deest, H 844)

1787: Neue Melodien zu einigen Liedern des neuen Hamburgischen Gesangbuchs, nebst einigen Berichtigungen von Carl Philipp Emanuel Bach ... Hamburg 1787. (DKL 1787[17], Wq 203, H 781)

1799: Vollständige Sammlung theils ganz neu componirter, theils verbesserter, vierstimmiger Choralmelodien für das neue Wirtembergische Landgesangbuch. Zum Orgelspielen und Vorsingen in allen vaterländischen Kirchen und Schulen ... Herausgegeben von Christmann und Knecht. Stuttgart 1799. (DKL 1799[14])

Zahn: J. Zahn, Die Melodien der deutschen evangelischen Kirchenlieder, 6 Bde., Gütersloh 1883–1893. [Z]

V

Aspekte der Aufführungspraxis bei Bach

Dieter Krickeberg

Clavichord und Fortepiano bei Carl Philipp Emanuel Bach – Ästhetische Aspekte

Im Zentrum des musikalischen Denkens von Carl Philipp Emanuel Bach stand zumindest zeitweise eine Musik, die sich besonders gut auf dem Clavichord wiedergeben läßt. Nach den Forschungen von John Henry van der Meer schrieb er diese Werke vor allem in der Zeit zwischen 1750 und 1780[1]. Eines der auffälligsten Spezifika des Clavichords ist bekanntlich die Möglichkeit, nach dem Anschlag den Ton dadurch zu beleben, daß man durch wechselnden Druck auf die Taste die Tonhöhe ein wenig schwanken läßt. Es handelt sich um die sogenannte *Bebung.* Zumindest innerhalb eines Kompositionsstils, der sich weitgehend an der Vokalmusik orientiert, darf man diese Belebung des ausgehaltenen Tones als Nachahmung einer Gesangstechnik interpretieren.

Hierzu findet sich allerdings keine direkte Aussage Carl Philipp Emanuel Bachs. Doch dürften Äußerungen wie die in der Selbstbiographie von 1773 zu einer derartigen Deutung ausreichen: „Mein Hauptstudium ist besonders in den letzten Jahren dahin gerichtet gewesen, auf dem Clavier ... so viel möglich sangbar zu spielen und dafür zu setzen“[2]. Die Bebung steht dem langsamen Triller der Singstimme nahe, über den Johann Friedrich Agricola, mit dem Carl Philipp Emanuel Bach ja gut bekannt war, in seiner Übersetzung der Gesangslehre von Pier Francesco Tosi 1757 schreibt: „In langsamen und traurigen Stücken, thut ein etwas langsamerer Triller ... gute Wirkung“[3].

Carl Philipp Emanuel Bach empfiehlt, die Bebung bei langen und „affecktuösen“ Noten anzuwenden[4]. Das Wort „affecktuös“ bezeichnet nicht die Affekte schlechthin, sondern spezielle wie die Traurigkeit oder die Vorstel-

---

1 J.H. van der Meer, *Die klangfarbliche Identität der Klavierwerke Carl Philipp Emanuel Bachs.* Amsterdam 1978, S. 43.

2 In: *Carl Burney's ... Tagebuch seiner Musikalischen Reisen aus dem Englischen übersetzt.* Bd. 3, Hamburg 1773, S. 209.

3 J.F. Agricola, *Anleitung zur Singekunst,* Berlin 1757 (Übersetzung und Bearbeitung von: P.F. Tosi, *Opinioni de' cantori antichi,* Bologna 1723).

4 *Versuch über die wahre Art das Clavier zu spielen,* Berlin 1753, 3. Hauptstück, § 20.

lung eines ethischen Wertes wie der Unschuld[5]. Die innere Erschütterung, so muß man wohl interpretieren, führt beim Sänger oder auch beim Sprecher zu einem Beben der Stimme, das auf dem Clavichord nachgeahmt wird.

Nicht unwichtig ist die Tatsache, daß die Nachahmung des Gesangstrillers vom Original recht weit entfernt ist. Das liegt vor allem daran, daß das Clavichord den Ton nicht aushalten kann. Carl Philipp Emanuel Bach sagt dazu: „Wegen Mangel des langen Tonhaltens ... ist es keine geringe Aufgabe, auf unserem Instrumente ein Adagio singend zu spielen, ohne durch zu wenig Ausfüllungen zu viel Zeitraum und Einfalt blicken zu lassen, oder durch zu viele bunte Noten undeutlich und lächerlich zu werden"[6]. Die Ausfüllungen, die das Verklingen eines Tones verhindern sollen, sind verschiedene Verzierungen, z. B. Triller und Mordente, sowie harmonische Brechungen. Wenn auf diese Weise der Mangel an ausgehaltenen Tönen „hinlänglich ersetzet wird, ... so kan man mit gutem Erfolge Proben ablegen, womit man zufrieden seyn kan, man müßte denn besonders wieder das Clavier eingenommen seyn"[7].

Diese Formulierung klingt ein wenig nach einer Notlösung. Weiter unten deutet Carl Philipp Emanuel Bach jedoch einen anderen Aspekt an: „Es müssen aber alle diese Manieren [nämlich zur Überbrückung des verklingenden Tones] rund und dergestalt vorgetragen werden, daß man glauben sollte, man höre bloße simple Noten"[8]. Es heißt nicht: „daß man glaubt", sondern: „daß man glauben sollte". Selbstverständlich kann man den Hörer nicht vollständig täuschen; die Spannung, die zwischen Vorstellung und realer Wahrnehmung besteht, dürfte Carl Philipp Emanuel Bach jedoch nicht nur als Mangel, sondern auch als positive ästhetische Qualität bewertet haben. Im *Versuch* sagt er weiterhin, daß man gerade bei affektuösen Stellen – die sich auch für die Bebung eignen – mit der Verlängerung des Nachklingens durch Triller „besonders rathsam" umgehen solle[9]. „Gesetzt, die Zeit-Maaß wäre zu langsam und das Instrument zum gehörigen Nachklingen zu schlecht; so ist es doch allezeit schlimmer, einen Gedancken, der gezogen und matt vorgetragen werden soll, durch Triller zu verstellen, als etwas weniges an dem deutlichen Nachklange einer Note zu verliehren, welches man durch den guten Vortrag wieder gewinnet. Es kommen überhaupt bey der Musick viele Dinge vor, welche man sich einbilden muß, ohne daß

5 *Versuch* 1753, 2. Hauptstück, 1. Abteilung, § 8, ferner 3. Abteilung, § 2.
6 *Versuch* 1753, 3. Abteilung, § 7.
7 Ebd.
8 Ebd.
9 *Versuch* 1753, 3. Abteilung, § 2.

man sie würklich höret ... Verständige Zuhörer ersetzen diesen Verlust durch ihre Vorstellungs-Kraft. Diese Zuhörer sind es, denen wir hauptsächlich zu gefallen suchen müssen"[10].

Ich komme zu einem weiteren Spezifikum des Clavichords, das ebenfalls die unmittelbare Nachahmung einer Gesangstechnik darstellt: Es handelt sich um das von Carl Philipp Emanuel Bach so genannte „Tragen" der Töne, bei dem wahrscheinlich ein Portamento zum nächsthöheren (oder auch tieferen?) Ton gemeint ist[11]. Ein Druck auf die Taste läßt ja beim Clavichord die Tonhöhe ein wenig ansteigen. Das Portamento ahmt wie die Bebung eine bestimmte Tongebung der menschlichen Stimme nach. Es sind in ihm zwei Elemente vorhanden, die den Affekt in kreatürlicher Weise hervortreten lassen:

1. Das Gleiten von Tonhöhe zu Tonhöhe stellt die Herrschaft der an feste Töne gebundenen funktionalen Harmonik, die eher ein logisches, rationales Moment darstellt, für einen kleinen Augenblick in Frage.
2. Das Portamento ist ein Element leidenschaftlichen Sprechens.

Ich möchte eine dritte Möglichkeit des Clavichords erwähnen. Es scheint mir, als ob über Bebung und Portamento hinaus der Druck auf die Taste nach dem Anschlag das Clavichord singen ließ. Ich meine eine Art Gestaltung des Einschwingvorganges, wie sie heute oft bei guten Musikern zu hören ist. Hierzu gibt es keine eindeutige Aussage bei Carl Philipp Emanuel Bach; doch kann der Spieler kaum umhin, mit dem Druck unmittelbar nach dem Anschlag etwas nachzugeben, so daß der Ton durch ein kleines Schwanken der Tonhöhe „beseelt" wird.

Eine vierte Besonderheit des Clavichords ist sein leiser Ton. Bach schreibt, daß man „die Raserey, den Zorn oder andere gewaltigen Affeckte ... nicht durch eine übertriebne Gewalt des Anschlages, sondern vielmehr durch harmonische und melodische Figuren" vorstellen solle[12]. Dennoch verlangt er dynamische Grade vom Pianissimo bis zum Fortissimo. Das Ohr paßt sich an die durchschnittliche Lautstärke des Clavichords an, so daß der Hörer auch ohne „übertriebne Gewalt des Anschlages" ein Fortissimo empfinden kann. Zugleich bleibt jedoch bewußt, daß das Clavichord ein leises Instrument ist. Wieder entsteht der Reiz der Spannung zwischen Vorstellung und Realität.

Keine Eigenart des Clavichords, aber doch entscheidend für den Vortrag auf diesem Instrument ist die Möglichkeit, die Lautstärke von Ton zu Ton abzustufen. Diese Abstufung hat mehrere Funktionen:

---

10 *Versuch* 1753, 2. Hauptstück, 3. Abteilung, § 20.
11 *Versuch* 1753, Einleitung, § 11, ferner 3. Abteilung, § 19.
12 *Versuch* 1753, 3. Abteilung, § 4.

1. Markierung des Taktes mit seinen Hebungen und Senkungen. Es handelt sich um ein Stück Artikulation, das mit den Elementen des Sprechens in Bachs Musik zu tun hat.
2. Das Clavichord erlaubt selbstverständlich auch dynamische Synkopierung, gewissermaßen ein Aufbegehren gegen den normalen Takt. Hiermit sind Akzente auf den schwachen Taktteil gemeint.
3. Carl Philipp Emanuel Bach empfiehlt analog und speziell für die Fantasie, im Bereich der Harmonik das Ohr gelegentlich zu täuschen, d.h. gegen die Erwartung des Hörers fortzuschreiten; das ist sicher im Sinn der Erregung von Affekten gedacht. Er komponierte auch dynamische Trugschlüsse, d.h. zum Beispiel eine im Forte aufsteigende Bewegung, die auf dem Taktakzent plötzlich im Piano endet.
4. Sowohl in den Partien, die eher kantabel sind, als auch in denen, die eher der Rede nahestehen, ist auf Clavichord und Fortepiano eine flexible Dynamik möglich, die nur teilweise notiert ist bzw. sich aus speziellen, von Carl Philipp Emanuel Bach im *Versuch* niedergeschriebenen Regeln ergibt. Sie ahmt nicht zuletzt - z.B. dort, wo sie der Tonhöhe folgt - die Redeweise nach.

Die genannten Mittel tragen dazu bei, den Affekt als differenzierten, ständig beweglichen Prozeß zu verwirklichen, und zwar - und das ist wichtig - auf einer Ebene, die stärker als die von der Harmonik abhängige Melodik dem Kreatürlichen nahesteht.

Ich komme zum Fortepiano, das seit etwa 1780 eine vergleichbar wichtige Rolle im Schaffen Carl Philipp Emanuel Bachs spielt wie vorher das Clavichord. Gegenüber dem letzteren Instrument verleiht das Fortepiano den erregten Affekten durch seinen kräftigeren Ton mehr Realität, mehr Präsenz. Ferner ist folgende Aussage Carl Philipp Emanuel Bachs zu beachten: „Das ungedämpfte Register des Fortepiano ist das angenehmste, und, wenn man die nöthige Behutsamkeit wegen des Nachklingens anzuwenden weiß, das reizendeste zum Fantasiren"[13]. Als Hofpianist Friedrichs des Großen in Berlin spielte Bach seit etwa 1745 Hammerflügel von Gottfried Silbermann. Sara Levi (geborene Itzig) in Berlin, die mit Carl Philipp Emanuel befreundet war, und aus deren Besitz das Autograph zweier von dessen späten Quartetten mit Fortepiano stammt, bestellte noch 1769 (und zwar nicht zum ersten Mal) einen der gleichartigen Hammerflügel von Johann Heinrich Silbermann. In seiner Hamburger Zeit besaß Carl Philipp Emanuel Bach ein Tafelklavier von Friederici. Bei allen diesen Instrumenten wurde die Dämpfung von Hand aufgehoben, d.h. sie konnte erst während einer Pause wieder eingeschaltet werden. Es erhebt sich nun die Frage, für welche

13 *Versuch über die wahre Art das Clavier zu spielen,* 2. Teil, Berlin 1762, 41. Kapitel, § 4.

Stellen in Carl Philipp Emanuel Bachs Musik dieses Ineinanderklingen so vieler angeschlagener Töne in Frage kommt. Man könnte unterscheiden die eher melodisch gestalteten Partien, ob sie nun mehr der Kantabilität oder dem Rezitativ zuneigen, ferner virtuose Tonleitern, schließlich schnelle Akkordbrechungen. Van der Meer schreibt: „Es versteht sich, daß die Dämpferhebung in diesem Sinn [nämlich die ununterbrochene Aufhebung] bei einem thematischen Gebilde ausgeschlossen ist. Angebracht erscheint sie dagegen an Stellen mit gebrochenen Akkorden, eventuell mit Wechselnoten untermischt“[14]. Mir dagegen scheint, daß zumindest auf den relativ dunkel klingenden Flügeln der Cristofori-Silbermann-Tradition auch melodische Partien wie der Anfang der Fantasie F-Dur aus der 5. Sammlung für Kenner und Liebhaber ohne Dämpfung gespielt werden können.

Wenn man prinzipiell akzeptiert, daß eine oder mehrere Setzarten mit dem „ungedämpften Register“ gespielt werden können, stößt man im Einzelfall immer wieder auf das Problem, daß Staccati verlangt werden, die ja sofortige Abdämpfung des Tones erfordern. Hierzu noch ein Hinweis auf die Eigenart der Hammerflügel von Silbermann: Die Dämpfung wird durch einen Hebel rechts und einen weiteren links von der Klaviatur aufgehoben; jeder Hebel kann mehr oder weniger tief hinuntergedrückt werden; mit dem rechten Hebel hebt man die Dämpfung in der rechten Klaviaturhälfte ganz oder teilweise auf, ja die Wirkung erstreckt sich sogar auf die höchsten Töne der linken Klaviaturhälfte. Für den linken Hebel gilt sinngemäß das gleiche. Man kann also den gedämpften und den ungedämpften Klaviaturbereich bis zu einem gewissen Grad wählen und auf diese Weise Staccati und Nachhall miteinander verbinden (was übrigens begrenzt auch durch das Liegenlassen von Arpeggio-Tönen mit den Fingern möglich ist). Vielleicht hat Carl Philipp Emanuel Bach auch hieran gedacht, wenn er sagt, man müsse „die nöthige Behutsamkeit wegen des Nachklingens“ anwenden. In jedem Fall ist bisher von einem Export süddeutscher Hammerflügel – die über Kniehebel verfügten – nach Norddeutschland zur Zeit Carl Philipp Emanuel Bachs nichts bekannt.

Ich fasse zusammen. Carl Philipp Emanuel Bach ging es nicht mehr – anders als vielen Meistern des Barock – um distanzierte Schilderung von Affekten, sondern um deren unmittelbare Übertragung vom Musiker zum Hörer. Im Zusammenhang damit wurden neben spezifisch musikalischen Mitteln wie der Harmonik solche wichtig, die man eher als „kreatürlich“ bezeichnen könnte. Rousseau sah gegenüber der Harmonik die Melodie im Vordergrund, die eine überhöhte Nachahmung des gefühlsbedingten Ver-

---

14 Wie Anm. 1, S. 42.

laufs der Sprachmelodie darstelle[15]. Hand in Hand mit der Tendenz zur emotionalen Unmittelbarkeit ging die zu raschem Wechsel der Affekte bzw. die zum Affekt als Prozeß statt als Zustand. Die spezifischen Eigenschaften von Clavichord und Fortepiano spielen daher innerhalb des Stiles von Carl Philipp Emanuel Bach eine nicht unwichtige Rolle. Die flexible Dynamik, die Beeinflussung des Tones nach dem Anschlag lassen die Melodie sprechend singen, ja verleihen ihr leidenschaftliche Intonation; dynamische Trugschlüsse lassen den Affekt umschlagen, das ungedämpfte Register des Fortepianos befördert die emotionale Affizierbarkeit.

Die Nachahmung des Gesanges, der menschlichen Stimme durch die besaiteten Tasteninstrumente ist allerdings in spezifischer Weise unvollkommen: Der Ton verklingt rasch, leidenschaftliche Ausbrüche widersprechen dem zarten Klang des Clavichordes. Doch ist die stilisierte Imitation der Nachahmungsästhetik bekannt; und auch die doppelte Brechung, die gegeben ist durch die verwandelnde Nachahmung der leidenschaftlichen Rede durch den Gesang, der seinerseits vom Clavichord oder Fortepiano imitiert wird, stellt eine positive ästhetische Qualität und damit ein Stück Emanzipation der Instrumentalmusik dar. Das gilt umso mehr, als Carl Philipp Emanuel Bach darüber hinaus „das überraschende und feurige, welches die Instrumente vor der Singe-Stimme voraus haben", mit dem Kantablen auf engem Raum vermischt; und resümierend meint er, man solle unbekümmert sein, ob das, was man spielt, auch gesungen werden könne[16]. Das Bizarre, das Carl Philipp Emanuel Bach im Bereich der Klaviermusik für legitim hält (im Gegensatz zur Musik für Gesang und Instrumente mit durchklingenden Tönen)[17], ist sowohl Ausgleich für die emotionale Kraft der Singstimme als auch etwas Eigenständiges und Neues.

---

15 J.-J. Rousseau, *Essai sur l'origine des langues,* um 1760.
16 *Versuch* 1753, 2. Hauptstück, 1. Abteilung, § 8.
17 *Versuch* 1753, 3. Hauptstück, § 7.

Susanne Staral

Aufführungspraktische Aspekte im Clavierwerk C. Ph. E. Bachs

Für welchen Instrumententyp sind die Württembergischen Sonaten (Wq 49/H 30–34, 36, Nürnberg 1744) und die 6. Sammlung seiner Sonaten, freien Fantasien und Rondos für Kenner und Liebhaber (Wq 61/H 286–291, Leipzig 1787) komponiert?

Anhand dieser zwei Sammlungen Carl Philipp Emanuel Bachs, die Eckpunkte seines reichen Clavierschaffens markieren, will ich versuchen, einige Aspekte der Aufführungspraxis zu verdeutlichen.

Die 6 *Württembergischen Sonaten* komponierte Bach in den Jahren 1742–1744, sie wurden 1744 von Johann Wilhelm Windter (Windtner)[1] und Johann Ulrich Haffner in Nürnberg gedruckt. Bach widmete sie seinem Schüler Herzog Carl Eugen von Württemberg. Der künstlerische Rang dieser Sammlung ist unbestritten. Bach veröffentlichte den Zyklus als „Sei Sonate per Cembalo". So gibt uns Bach einerseits einen klaren Hinweis auf den Instrumententyp, andererseits aber wissen wir, daß er dem Clavichord besonders zugetan war. So schreibt er im ersten Teil seines *Versuchs über die wahre Art das Clavier zu spielen:* „Jeder Clavierist soll von Rechtswegen einen guten Flügel und auch ein gutes Clavicord haben, damit er auf beyden allerley Sachen abwechselnd spielen könne. Wer mit einer guten Art auf dem Clavicorde spielen kan, wird solches auch auf dem Flügel zuwege bringen können, aber nicht umgekehrt. Man muß also das Clavicord zur Erlernung des guten Vortrags und den Flügel, um die gehörige Kraft in die Finger zu kriegen, brauchen. ... Spielt man beständig auf dem Flügel, so gewöhnt man sich an in einer Farbe zu spielen, und der unterschiedene Anschlag, welchen bloß ein guter Clavicord=Spieler auf dem Flügel herausbringen kan, bleibt verborgen, so wunderbahr es auch scheint, indem man glauben solte, alle Finger müsten auf einerley Flügel einerley Ton herausbringen"[2].

1 L. Hoffmann-Erbrecht, „Der Nürnberger Musikverleger Johann Ulrich Haffner", in: *Acta Musicologica,* Vol. 26 (1954), S. 116 und Vol. 27 (1955), S. 141–142 (Nachträge).

2 C. Ph. E. Bach, *Versuch über die wahre Art das Clavier zu spielen,* 1. und 2. Teil, Berlin 1753 und 1762, Faksimile-Nachdruck, hrg. von L. Hoffmann-Erbrecht, Leipzig 1957, 1. Teil, S. 10–11.

Rudolf Steglich, der die Sonaten 1928 in Nagels Musik-Archiv herausgab, äußerte sich zur Instrumentenfrage. Er ist der Ansicht, daß die Sonaten für Cembalisten geschrieben sind, die auch gute Clavichord-Spieler sind, da diese Sonaten den eben zitierten „unterschiedenen Anschlag, welchen bloß ein guter Clavicord=Spieler auf dem Flügel herausbringen kan" erfordern. Die langsamen Sätze aber und auch der erste Satz der letzten Sonate sind seiner Meinung nach „... mehr in dem intensiven und biegsamen Klang des Clavichords empfunden, des Lieblingsinstruments Philipp Emanuels, als in dem starreren des Cembalos"[3].

Aufgrund des Notenmaterials und der Aussagen von Carl Philipp Emanuel Bach wird der Interpret, sofern er eine Wiedergabe auf alten Instrumenten beabsichtigt, seine Auswahl zwischen Cembalo und Clavichord zu treffen haben. So führt auch John Henry van der Meer in seiner Arbeit *Die klangfarbliche Identität der Klavierwerke Carl Philipp Emanuel Bachs* für diese Sonaten neben dem Cembalo auch das Clavichord an. Besonders der erste Satz der letzten Sonate erreiche die Grenzen der cembalistischen Möglichkeiten, nicht nur die Dynamik, sondern auch die Agogik seien voll ausgereift[4].

Cornelia Auerbach hat in ihrer Dissertation *Die deutsche Clavichordkunst des 18. Jahrhunderts* Kriterien aufgestellt, die allgemein für eine Interpretation auf dem Clavichord sprechen. Neben der Bebung, die nur auf diesem Instrument ausgeführt werden kann, insgesamt aber äußerst selten vorgeschrieben ist, nennt sie den bevorzugten Gebrauch enger Intervalle, das chromatische Fortschreiten der Melodie, das vorhaltartige Umspielen der Töne, gefühlsbeladene Intervallschritte, Sechzehntel-Figuren, die zu je zweien gebunden, als „Seufzer"-Motive bezeichnet werden, ein kurzes Vorwegnehmen und Neuansetzen eines Tones, das Ausdrucksmittel der Tonwiederholung, das Carl Philipp Emanuel Bach besonders kultiviert hat, sowie ruhige oder stark expressiv gefärbte Tempo- bzw. Charaktervorschriften[5]. Als das sinnfälligste Kennzeichen der Clavichordmusik bezeichnet sie die vorherrschende Durchsichtigkeit des Satzes[6]. In ihrem Schlußwort aber schwächt Cornelia Auerbach diese Aussage wieder ab und betont, die Dar-

---

3 C. Ph. E. Bach, *Die Württembergischen Sonaten,* hrg. von R. Steglich, Nagels Musik-Archiv Nr. 21 u. 22, Celle bzw. Kassel 1928, Vorwort. Neuauflage bei Bärenreiter (Ba 6498), Kassel, Basel usw. 1987.

4 J. H. van der Meer, „Die klangfarbliche Identität der Klavierwerke Carl Philipp Emanuel Bachs", in: *Mededelingen der koninklijke nederlandse akademie van wetenschappen,* afd. letterkunde, nieuwe reeks deel 41, No. 6, Amsterdam usw. 1978, S. 17–18 bzw. S. 145–146 (Doppelte Seitenzählung: S. 17–18 des Aufsatzes sind S. 145–146 des Buches).

5 C. Auerbach, *Die deutsche Clavichordkunst des 18. Jahrhunderts,* Kassel und Basel [3]1959, S. 68–69, 88–90.

6 Auerbach, a. a. O., S. 79.

stellung der technischen Mittel dürfe man nicht von der inhaltlichen Bedeutung der Clavichordkunst trennen. „Ihr intimer Charakter, der empfindsame Grundton ihrer Gefühlswelt, die Ichbezogenheit aller ihrer Äußerungen sind stichhaltigere Kennzeichen als Dünnstimmigkeit und fließende Melodik. ... Das Clavichord verkörpert das Klangideal der empfindsamen Zeit"[7].

Der Internationale Carl Philipp Emanuel Bach Wettbewerb Hamburg (18.-23. September 1988) war für die Instrumente Clavichord, Cembalo und Fortepiano ausgeschrieben. Die *Württembergischen Sonaten* waren hierbei auf dem Cembalo zu spielen, das Clavichord war nicht vorgesehen. Bei der letzten *Württembergischen Sonate* würde ich dem Clavichord den Vorzug geben. Generell sind die langsamen Sätze vermutlich auf einem Clavichord adäquater zu interpretieren, da das „empfindsame Moment" auf diesem Instrument besser als auf einem Cembalo darzustellen ist. Bei der letzten Sonate kommt noch hinzu, daß der erste Satz, wie schon John Henry van der Meer nachweist, die Grenzen der cembalistischen Möglichkeiten erreicht[8].

Wie Cornelia Auerbach feststellte, „... müssen wir für die Praxis die Auswechselbarkeit der Instrumente anerkennen; mit der Einschränkung, daß ausgesprochen virtuos-konzertante Stücke auf dem Clavichord, ausgesprochen expressive Stücke auf dem Cembalo nicht darstellbar sind"[9]. Hinzu kommt als wichtiger Aspekt die Größe des Raumes und sein Charakter. Das Clavichord kann seine Wirkung nur in sehr kleinen, intimen Räumen voll entfalten; die Wahlmöglichkeit des Künstlers ist dadurch weiter eingeschränkt.

Trotz aller Bemühungen ist eine „originale Wiedergabe" nicht möglich. Seit Carl Philipp Emanuel Bachs Zeit hat sich in allen Bereichen des menschlichen Lebens viel verändert, das Umfeld, das Hörverhalten und nicht zuletzt der Mensch selbst[10]. Interpretationen der *Württembergischen Sonaten* gibt es nicht nur auf den historischen Instrumenten Cembalo, Clavichord und Fortepiano, sondern auch auf dem modernen Flügel. Das Fortepiano hat Carl Philipp Emanuel Bach, als er die *Württembergischen Sonaten* komponierte, nach meinem Wissen nicht vorgesehen. Den modernen Flügel kannte er nicht. In jedem Fall ist es von größter Wichtigkeit, die Interpretation dem jeweils gewählten Instrument anzupassen. Auch ein ver-

---

7 Auerbach, a. a. O., S. 94.
8 S. Anm. 4.
9 Auerbach, a. a. O., S. VI (Vorwort zur 2. Aufl.).
10 Vgl. z. B. D. Krickeberg, „Gesellschaft für Hörer mit alten Ohren"?, in: *Das Musikinstrument,* Jg. 34, H. 7 (Juli 1985), S. 48-51 und H.-P. Schmitz, „50 Jahre historische Aufführungspraxis", in: *Musica,* Jg. 42 (1988), S. 340-347.

stärktes Eingehen auf die Größe des Konzertsaales ist erforderlich; so eignen sich z.B. für ein Schloßkonzert im kleinen, intimen Rahmen besonders Clavichord und Cembalo, in einem großen Konzertsaal hingegen plädiere ich für Cembalo und modernes Klavier. Ein anderes Entscheidungskriterium sind Qualität, Größe und Ausstattung der zur Verfügung stehenden Instrumente, eventuell auch, ob es sich hierbei um historische Instrumente oder um Kopien handelt. Durch den komplexen Sachverhalt bleibt hier die subjektive Entscheidung des Künstlers erfreulicherweise gewahrt.

Gegen Ende seines Lebens veröffentlichte Carl Philipp Emanuel Bach 1787 im Selbstverlag seine 1785 und 1786 komponierten *Clavier-Sonaten und freye Fantasien nebst einigen Rondos fürs Fortepiano für Kenner und Liebhaber ... Sechste Sammlung.* Das Fortepiano, dem Carl Philipp Emanuel Bach im ersten Teil seines *Versuchs* nur geringe Bedeutung zubilligte, hatte nunmehr einen anderen Stellenwert bekommen.

Die Instrumentenangaben im Titel sind nicht eindeutig zu interpretieren. Der Begriff „Clavier" ist - nicht nur bei Bach - mehrdeutig. So wird „Clavier" einerseits als Oberbegriff für die besaiteten Tasteninstrumente Clavichord, Cembalo und Fortepiano gebraucht, andererseits aber ist „Clavier" sowohl die Bezeichnung für Clavichord als auch für Manual. Carl Philipp Emanuel Bach etwa schreibt im ersten Teil seines *Versuchs:* „... viele Arten der Claviere ... Flügel und Clavicorde ... Forte piano ..."[11] Doch Bach verwendet „Clavier" nicht nur als Sammelbegriff, denn in der veränderten dritten Auflage von Teil 1 des *Versuchs* wird „Clavier" als Bezeichnung für das Clavichord verwendet[12], ebenso im Titel seines Rondos *Abschied von meinem Silbermannischen Claviere* (Wq 66/H 272, 1781). Johann Jakob Adlung verwendet in seiner *Musica mechanica organoedi* die Begriffe Clavier und Clavichord synonym[13]. Johann Joachim Quantz spricht in seinem *Versuch einer Anweisung die Flöte traversiere zu spielen* von einem Clavicymbal mit einem bzw. zwei Clavieren, womit er ein bzw. zwei Manuale meint[14]. Diese Bedeutung ist für unsere Fragestellung jedoch ohne Belang.

Die zahlreichen dynamischen Abstufungen in dieser Sammlung sprechen gegen eine Ausführung am Cembalo. John Henry van der Meer vertritt die Ansicht, „... daß sämtliche ... Kompositionen [der Sammlungen 2–6 *für Kenner und Liebhaber*] für das Fortepiano intendiert sind", schränkt diese

11 Bach, *Versuch,* a.a.O., 1. Teil, S.8.

12 Bach, *Versuch,* a.a.O., 1. Teil, Zusatz zu S.126, § 18, in der 3. mit Zusätzen vermehrten Auflage (= 4.Aufl.), Leipzig 1787 (S.94/95). In der Ausgabe von L.Hoffmann-Erbrecht, a.a.O., S.353.

13 J.Adlung, *Musica mechanica organoedi,* Register zu Bd.1 u. 2, Berlin 1768.

14 J.J.Quantz, *Versuch einer Anweisung die Flöte traversiere zu spielen,* Kritisch revidierter Neudruck nach dem Original Berlin 1752, hrg. von A.Schering, Leipzig ²1926, S.175, s.a. S.171.

Aussage jedoch dahingehend ein, daß „... aber manche Stücke – vor allem solche ohne Passagen mit gebrochenen Akkorden – ebensogut auf einem Klavichord spielbar sind“[15].

Der Spieler der zwei Rondos, zwei Sonaten und zwei Fantasien wird demnach, sofern er sich für eine Interpretation auf alten Instrumenten entscheidet, zwischen Fortepiano und Clavichord wählen. Als Charles Burney 1772 in Hamburg Carl Philipp Emanuel Bach besuchte, bezeichnete er diese als die ureigensten Instrumente Bachs[16]. Nach Cornelia Auerbach „... gibt sich ... die kleine D-dur-Sonate in der 6. Folge der ‚Kenner- und Liebhaber‘-Sammlung ... mit ihrem durchbrochenen zarten Satzgewebe als besonders dem Clavichord zugedacht zu erkennen“[17].

Zu den Fantasien äußert sich Bach im zweiten Teil seines *Versuchs:* „Das Clavicord und das Fortepiano sind zu unserer Fantasie die bequemsten Instrumente. Beyde *können* und *müssen* rein gestimmt seyn. Das ungedämpfte Register des Fortepiano ist das angenehmste, und, wenn man die nöthige Behutsamkeit wegen des Nachklingens anzuwenden weiß, das reizendeste zum Fantasiren“[18]. Meiner Meinung nach sind die Kompositionen dieser Sammlung in erster Linie für das Fortepiano intendiert; steht dem Künstler aber kein gutes Fortepiano zur Verfügung, rate ich zu einer Interpretation auf dem Clavichord (besonders bei den Sonaten) bzw. auf dem modernen Flügel.

So möchte ich meine Ausführungen mit der Empfehlung schließen, daß die Interpreten die ausgewählten Kompositionen auf den ihnen zugänglichen Instrumenten spielen und dann von Fall zu Fall entscheiden, welchem sie den Vorzug geben. Bei einer Wiedergabe auf alten Instrumenten ist bei den *Württembergischen Sonaten* zwischen Cembalo und Clavichord, bei der 6. Sammlung *für Kenner und Liebhaber* zwischen Fortepiano und Clavichord zu wählen. Zusätzlich zum Notentext sind die äußeren Faktoren, wie Größe und Art des Saales, Qualität, Größe und Ausstattung der zur Verfügung stehenden Instrumente u. a. m. zu berücksichtigen. Welchem Tasteninstrument schließlich der Vorzug gegeben wird, bleibt somit eine persönliche, subjektive Entscheidung. Um mit Carl Philipp Emanuel Bach zu schließen: „Aus der Seele muß man spielen, und nicht wie ein abgerichteter Vogel“[19].

---

15 van der Meer, a. a. O., S. 43 u. 44.

16 Ch. Burney, *Tagebuch einer musikalischen Reise,* Nachdruck der Ausgaben Hamburg 1772 [u. 1773], Wilhelmshaven 1980 (Taschenbücher zur Musikwissenschaft, 65), S. 448 (= Bd. 3: Durch Böhmen, Sachsen, Brandenburg, Hamburg und Holland, Hamburg 1773).

17 Auerbach, a. a. O., S. 86.

18 Bach, *Versuch,* a. a. O., 2. Teil, S. 327.

19 Bach, *Versuch,* a. a. O., 1. Teil, S. 119.

Wolfgang Horn

„... das Vornehmste, nämlich das Analysieren ..."

Über das Verhältnis von Aufführungspraxis und Komposition bei Carl Philipp Emanuel Bach

1. Einleitung

Das Reden über Aufführungspraxis erfordert Behutsamkeit und Vorsicht. Vieles ist von Musikern und Musikwissenschaftlern im Laufe der Zeit gesagt und getan worden[1]. Beträchtlich ist die Gefahr der (womöglich unabsichtlichen) Wiederholung längst ausgetauschter Argumente und Standpunkte. Groß ist die Empfindlichkeit gegenüber unwillkommener Belehrung, gegenüber tatsächlichen oder vermeintlichen Kompetenzüberschreitungen nach der einen oder anderen Seite hin.

So kann derjenige, der sich in erster Linie philologisch oder analytisch mit Bachs Musik befaßt, dem versierten Praktiker, der Bachs *Versuch über die wahre Art das Clavier zu spielen* zu lesen und umzusetzen versteht, viel-

---

1 Zum Kontext unserer Überlegungen vgl. insbesondere die Arbeit von P. Schleuning, „Verzierungsforschung und Aufführungspraxis. Zum Verhältnis von Notation und Interpretation in der Musik des 18. Jahrhunderts", in: *Basler Jahrbuch für Historische Musikpraxis* III, 1979, S. 11–114 (mit ausführlicher Bibliographie). Schleuning macht deutlich, daß Carl Philipp Emanuel Bach nicht unbesehen als Sprachrohr seiner Zeit reklamiert werden darf, sondern in wichtigen Fragen dezidiert eigene (oder: Gruppen-) Interessen vertritt. Im folgenden soll gezeigt werden, daß Bachs Ansicht vom Stellenwert seiner Notentexte „in der theoretisch gestützten schriftlichen Produktionsform der Komposition" (Schleuning, S. 37) wurzelt. Freilich wird man selbst Bachs „einseitigsten" Ansichten hohes Gewicht beimessen, wenn es um seine eigene Musik geht. – Nach Abschluß des Manuskripts erschien der exzellente Artikel von E. Darbellay, „C. P. E. Bach's Aesthetic as Reflected in his Notation", in: S. L. Clark (Hrg.), *C. P. E. Bach Studies,* Oxford 1988, S. 43–63; er konnte für die Konzeption unserer Überlegungen nicht berücksichtigt werden. Darbellay verfolgt in beeindruckender Konsequenz und logisch-systematischer Verknüpfung eine ähnliche Tendenz (vgl. insbesondere den Abschnitt über die Veränderten Reprisen, a. a. O., S. 51–56). Dennoch ergänzen sich beide Essays in gewisser Weise. Apodiktisch formuliert: Darbellay hat mehr den auf die Aufführung zielenden Bach des *Versuchs I* im Auge, während unsere Überlegungen primär vom Komponisten Bach des *Versuchs II* ausgehen. Dem entspricht eine Zielrichtung auf das Originelle einerseits, das Konventionelle andererseits. Beides findet sich bei Bach reichlich. Die Vermittlung beider Momente in Bachs Musikauffassung ist ein Problem, das auch in Zukunft diskutiert werden wird.

leicht nicht mehr viel Interessantes bieten. Er kann jedoch darauf hinweisen, daß die Abweichung vom Notentext im Zuge einer Aufführung die Grundlage der Arbeit des Philologen und Analytikers berührt. Die folgenden Bemerkungen bescheiden sich damit, diese Grenze vornehmlich im Bereich der Claviermusik ins Auge zu fassen. Sie versuchen, einige markante Äußerungen Bachs mit seiner Kompositionspraxis in Verbindung zu bringen.

Die Eingangsfrage schließt an eine bekannte Sentenz des Johann Joachim Quantz und eine rhetorische Frage Carl Philipp Emanuel Bachs an. Quantz schreibt: „Die gute Wirkung einer Musik hängt fast eben so viel von den Ausführern, als von dem Componisten selbst ab". Bach fragt: „Ist nicht die Hauptabsicht beym Verändern diese: daß der Ausführer sich und zugleich dem Stücke Ehre mache?"[2] Die Arbeit des Komponisten liegt als Schriftdokument vor, die Arbeit des Ausführers entzieht sich dagegen der schriftlichen Fixierung. Unsere Frage lautet: welchen Stellenwert besitzen Carl Philipp Emanuel Bachs Notentexte angesichts eines wirkungsorientierten Musikverständnisses?

2. *„Korrekter Text" und Informationsgehalt*

Im Jahre 1774 schrieb Bach an Johann Nikolaus Forkel über Stücke, die man bei dem Verleger Breitkopf in Form von Abschriften erwerben konnte: „Die geschriebenen Sachen [das meint: handschriftliche Kopien], die Breitkopf von mir verkauft, sind theils nicht von mir, wenigstens sind sie alt u. falsch geschrieben". Mit derselben Formulierung hatte sich Bach bereits zwanzig Jahre zuvor im ersten Teil seines *Versuchs* über einen unautorisierten Druck des Augsburger Verlegers Lotter beklagt: „Ich habe diese Sonaten noch nicht zu sehen bekommen können; ich glaube aber gantz gewiß, daß sie mir entweder gar nicht zugehören, oder daß es wenigstens alte und falsch geschriebene Stücke seyn mögen, wie es gemeiniglich zu geschehen pfleget, wenn jemand etwas heimlich erschleichet und hernach herausgiebet"[3]. Bach legte – so das kurze Fazit dieser Äußerungen – größten Wert

---

2 Quantz: Nachweis siehe Anm. 25; Bach: aus dem Vorwort zu den *Reprisensonaten* (nach der Ausgabe von Darbellay, S. XIII; genauer Nachweis in Anm. 10). In dieser Orientierung an der Wirkung wurzelt die oft konstatierte, hier nicht weiter zu diskutierende „Andersartigkeit des Werkbegriffes" jener Zeit. Im folgenden werden stets die im jeweiligen Kontext eindeutigen Begriffe „Notentext", „Komposition" oder „Stück" verwendet.

3 Nachweis der Zitate: E. Suchalla (Hrg.), *Briefe von Carl Philipp Emanuel Bach an Johann Gottlob Immanuel Breitkopf und Johann Nikolaus Forkel,* Tutzing 1985 (Mainzer Studien zur Musikwissenschaft, Band 19), S. 240 (an Forkel, 26. Aug. 1774); C. Ph. E. Bach, *Versuch über die wahre Art das Clavier zu spielen,* Teil I: Berlin 1753; Teil II: Berlin 1762

darauf, daß seine Kompositionen in der von ihm niedergeschriebenen Form getreu bewahrt wurden. Daß er selbst seine Stücke ständig revidierte, ändert daran grundsätzlich nichts, solange die jeweils spätere Version eine frühere ersetzen und für ungültig erklären sollte[4].

Das Beharren auf der Bewahrung des Notentextes bedeutet nicht, daß dieser sklavisch abgespielt werden sollte. Es bedeutet vielmehr, daß im Notentext Informationen aufgehoben sind, die verloren gehen, wenn die „Schreibart“ sich ändert. Das Stück verweist mittels seiner spezifischen Aufzeichnungsweise auf den Bereich der Komposition, deren Techniken unabhängig von aller Aufführungspraxis sinnvoll bestehen. Am Beispiel des Vorschlags läßt sich zeigen, wie empfindlich dieser Bereich bereits auf kleine Veränderungen reagiert. Schon die Ersetzung der kleinen Vorschlagsnote durch ihr „aufführungspraktisches Äquivalent“, die in den Takt eingeteilte große Note, kann als „falsche Schreibart“ gelten, die mit einem Informationsverlust verbunden ist.

In den Takten 47–50 aus dem ersten Satz der zweiten *Württembergischen Sonate* (Wq 49,2; H 31; Notenbsp. 1) finden sich in Ober- und Mittelstimme insgesamt vier klein geschriebene Vorschläge[5]. An dieser Stelle handelt es sich, wie so häufig in Bachs Sonaten insbesondere der früheren Zeit, um eine figurative Ausgestaltung des Modells der Quintfallsequenz mit Septimen über jedem Baßton (Notenbsp. 2). Die Septimen werden nicht gehalten, sondern vor ihrer Auflösung durch Töne der zugrundeliegenden Harmonie geführt. Die Kompositionslehre der Zeit kennt das Verfahren als

---

(Faksimile-Nachdruck mit den Zusätzen der späteren Auflagen hrg. von L. Hoffmann-Erbrecht, Leipzig 3/1976), Teil I, S. 62, § 29. Vgl. ferner Bachs Brief an den Schweriner Organisten J. J. H. Westphal vom 9. Januar 1787 bei C. H. Bitter, *Carl Philipp Emanuel und Wilhelm Friedemann Bach und deren Brüder,* 2 Bände, Berlin 1868 (Faksimile-Nachdruck Leipzig 1973), Band II, S. 205.

4 Anders zu beurteilen sind die „Alternativ-Versionen“, die eine bestehende Fassung nicht ersetzen, sondern ergänzen sollten. Das Paradebeispiel für solche Alternativ-Versionen ist die Sonate Wq 51,1; H 150, die Bach „nachhero 2 mal durchaus verändert“ hat (Wq 65,35; H 156 und Wq 65,36; H 157; Zitat aus: *Verzeichniß des musikalischen Nachlasses des verstorbenen Capellmeisters Carl Philipp Emanuel Bach,* Hamburg 1790, faksimiliert unter dem Titel: *The Catalog of Carl Philipp Emanuel Bach's Estate.* A Facsimile of the Edition by Schniebes, Hamburg 1790. Annotated, with a Preface, by R. W. Wade, New York–London 1981, S. 16, Nr. 119). Vgl. dazu auch D. M. Berg, „C. P. E. Bach's ‚Variations‘ and ‚Embellishments‘ for his Keyboard Sonatas“, in: *The Journal of Musicology* II, 1983, S. 151–173, und W. Horn, *Carl Philipp Emanuel Bach – Frühe Klaviersonaten. Eine Studie zur „Form“ der ersten Sätze nebst einer kritischen Untersuchung der Quellen,* Hamburg 1988.

5 Benutzte Ausgabe: *Die Württembergischen Sonaten C. Ph. Em. Bachs,* hrg. von R. Steglich (Nr. 1–3 und 4–6: Hannover 1928, Nagels Musik-Archiv Nr. 21 und 22; Reprint ohne Steglichs Vorwort bei Bärenreiter, Kassel u. a. 1987).

Beispiel 1: Wq 49,2; H 31, 1. Satz, T. 44–51

Beispiel 2: Sequenzmodell mit Septimen

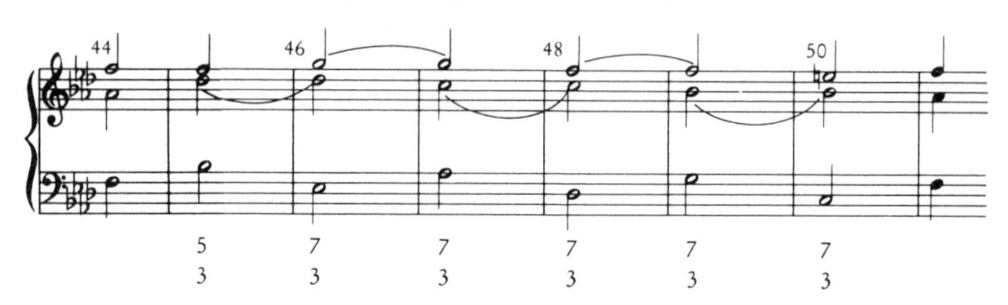

Beispiel 3: Sequenzmodell mit Septimen und Quarten

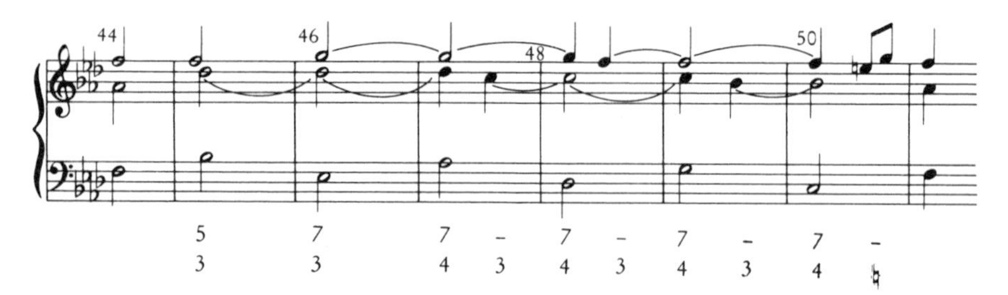

„Variation der Dissonanz vor der Resolution"[6]. Eine besondere Färbung erhält die Stelle durch die als Vorschläge geschriebenen Noten. Denn diese Vorschläge zögern die Auflösung der Septimendissonanz um ein weiteres Viertel hinaus; die Terz wird durch die Quarte aufgehalten (Notenbsp. 3). Aus dem stereotypen Modell wird eine aparte Wendung. Die Notierung der Quarte als kleine Vorschlagsnote und nicht als große Viertelnote verweist den Betrachter unmittelbar auf dieses Verhältnis von Modellhaftem (das re-

6 Vgl. etwa J. D. Heinichen, *Der General-Bass in der Composition,* Dresden 1728 (Faksimile-Nachdruck Hildesheim–New York 1969), S. 588 ff.; vgl. dazu auch W. Heimann, *Der Generalbaß-Satz und seine Rolle in Bachs Choral-Satz,* München 1973 (Freiburger Schriften zur Musikwissenschaft, Band 5), S. 110 ff.

präsentiert wird durch die „großen Halben“) und Besonderem, das durch kleine Noten unmittelbar veranschaulicht wird.

Diese Behauptung ist nicht aus der Luft gegriffen. Im II. Teil seines *Versuchs,* der allseits gepriesenen Generalbaßlehre, geht Bach in einem eigenen Kapitel auf den „Quartseptimenaccord“ ein. Dort heißt es: „Diese Aufgabe gehöret (...) eigentlich zu der Abhandlung von den Vorschlägen (...). Der simple Satz davon ist eigentlich (...) der Septimenaccord. Den ganzen Unterschied machet die Terz, welche hier von der Quarte aufgehalten wird“. Die Dissonanzen „gehen bey der Auflösung herunter, auch so gar die übermäßige Quarte, weil sie hier bloß einen zierlichen Vorschlag, der allenfalls gemisset werden könnte, und keine Hauptziffer vorstellet“[7].

Schließlich gibt Bach noch Hinweise zur stilistischen Bewertung des Exempels. In § 12 liest man: „Wenn viele gebundenen Septimen bey einer in Quarten und Quinten springenden Grundstimme hintereinander vorkommen, so pflegt zuweilen eine Septime um die andere die 4 3 bei sich zu haben [eben dies ist in unserem Beispiel gegeben]. (...) Dieser Fall kommt nur in der galanten Schreibart vor. (...) Die dreystimmige Begleitung hat überhaupt den mehresten Antheil an diesem Capitel, weil die Aufgabe davon in schwer gearbeiteten Compositionen nicht leicht vorkommt“[8]. „Galante Schreibart“ meint hier konkret: satztechnisch freiere Schreibart. Eine dieser Freiheiten wird durch das Ausnotieren der Vorschläge offenbar: die Auflösung des Quartvorhalts führt in Verbindung mit der Figuration der Dissonanz in der „zweiten Oberstimme“ zu nur mühsam verdeckten Einklangs- bzw. Oktavparallelen (Notenbsp. 4).

Beispiel 4: Oberstimme mit ausgeschriebenen Vorhalten

Der Vorschlag ist als Exempel aufgrund seiner Einbindung in die tradierte Kompositionslehre besonders geeignet, wenn es darum geht, den Stellenwert des Bachschen Notentextes im Spannungsfeld zwischen Komposition und Aufführungspraxis zu orten. Denn der Vorschlag kommt in den Lehrbüchern beider Disziplinen zur Sprache. Anders als der Vorschlag gehören dagegen all jene Notationsverfahren aus dem Bereich von Artiku-

7 Bach, *Versuch II,* S. 139 f., § 5.
8 Bach, *Versuch II,* S. 144 f., § 12.

lation und Dynamik, die für Bach zunehmend bedeutsam wurden, nicht zu den Gegenständen der gängigen Kompositionslehre. Dies muß aber keineswegs bedeuten, daß sie aus dem für Bach „substantiellen" Bereich der Komposition auszuschließen wären. Freilich sind sie so an den individuellen Gedanken gebunden, daß sie sich einer in Regeln zu vermittelnden Lehre entziehen.

Am Beispiel des Vorschlags läßt sich *pars pro toto* zeigen, daß der Notentext, oder genauer: die besondere Art der Aufzeichnung des Notentextes, nicht nur die Funktion einer Handlungsanweisung für den Spieler ausübte. Im Notentext ist die Arbeit des Komponisten dokumentiert. Hier zeigt sich, ob der Komponist sein Metier beherrscht. Vor diesem Hintergrund ist Bachs Forderung nach dem „korrekten Text" zu sehen. Mit den nicht unmittelbar handlungsanweisenden Momenten des Textes muß sich aber auch der Praktiker befassen, wenn er „manierlich" spielen und dabei nicht eine leichtfertige Tändelei, sondern eine der Komposition ebenbürtige Version bieten will.

3. Komposition und Reprisenveränderung

Gewiß kann man mit Quantz sowohl dem Stück als auch dem Vortrag einen wesentlichen Anteil am Gelingen der Aufführung zuschreiben. Doch das Stück in der dauerhaften Form des Notentextes muß seine Qualität jederzeit beweisen, während der Vortrag vergänglich ist: jede neue Aufführung vernichtet die vorhergehenden. Demnach käme dem Vortrag eine Bedeutung anderer Art zu als dem Stück: als ein nur in den vergänglichen Momenten der Aufführung wesentlich Werdendes bleibt er für die Qualität der Komposition (nicht aber der „Musik") insgesamt zufällig und akzidentiell.

Doch lassen sich gegen diese Ansicht philologische Bedenken geltend machen. Denn Bachs Beharren auf der getreuen Bewahrung seiner Texte scheint in Konflikt zu geraten mit der zeitgenössischen Gepflogenheit, „die Allegros mit 2 Reprisen das andere mahl zu verändern"[9]. Bach selbst hat in den *Sechs Sonaten mit veränderten Reprisen* und weiteren ähnlichen Drucken sowie in der berühmten Berliner Quelle Mus.ms.Bach P 1135, die mittlerweile im Faksimile und teilweise auch in synoptischen Ausgaben leicht zugänglich ist, solche „Veränderungen und Auszierungen" zu Papier gebracht[10]. Indem Bach dem vormals usuellen Bereich der Reprisenverände-

---

9 Bach, *Versuch I,* S. 132, § 31.

10 Nachweis der wichtigsten Ausgaben und Faksimilia: C. Ph. E. Bach, *Sechs Sonaten mit veränderten Reprisen* (1760; Wq 50), hrg. von E. Darbellay, Winterthur 1976 (Amadeus); C. Ph. E. Bach, *Klaviersonaten,* Auswahl, Band I und II, hrg. von D. M. Berg, München

rung[11] Schriftwürdigkeit zuerkennt, erklärt er zwei Notentexte ein und desselben Stückes[12] für authentisch und stellt so die Forderung nach dem einen korrekten Text als dem zu bewahrenden Vermächtnis kompositorischer Arbeit in Frage.

4. Harmonische oder thematische Analyse?

Eine veränderte Reprise ist „verändert“ im Hinblick auf die Motivik oder Melodik. „Wiederholung“ ist sie im Hinblick auf die weitgehend bewahrten harmonischen Vorgaben des „Erstvortrags“. Dieser Befund scheint die Auffassung zu bestätigen, daß Bachs Kompositionsweise im Grunde auf einer universellen „variatio“ harmonischer Substanz beruhe. So schreibt etwa David Schulenberg in seiner Studie *The Instrumental Music of Carl Philipp Emanuel Bach* (ich gebe das Zitat in deutscher Übersetzung): „Für Bach und seine norddeutschen Kollegen scheint ‚variatio‘ das zentrale Verfahren gewesen zu sein, mittels dessen eine abstrakte harmonische Fortschreitung, gedacht in Form eines bezifferten Basses, in eine individuelle Komposition umgesetzt wurde“[13].

Diese Ansicht läßt sich mit historischen Argumenten stützen, etwa durch den Verweis auf die Generalbaß- und Kompositionslehre Friedrich Erhard Niedts oder auf das von Friedrich Wilhelm Marpurg verwendete Begriffspaar der „Spielmanieren“ und „Setzmanieren“[14]. Wenn ein „abstrakt harmo-

1986 und 1987 (Henle); C. Ph. E. Bach, *The Collected Works for Solo Keyboard,* edited with Introductions by D. M. Berg, 6 Bde., New York and London (Garland Publishing) 1985 (abgekürzt zitiert: CW).

11 Entscheidend ist hier allein, daß Carl Philipp Emanuel Bach selbst dieser Meinung war. Im Vorwort der *Reprisensonaten* schreibt er: „Ich freue mich, meines Wissens der erste zu seyn, der auf diese Art für den Nutzen und das Vergnügen seiner Gönner und Freunde gearbeitet hat“ (nach der Ausgabe von Darbellay, S. XIII). Daß man in den „Agréments“ diverser Sarabanden J. S. Bachs Vorläufer dieser Praxis erblicken kann, ist hier ohne Belang.

12 Daß es sich noch um ein und dasselbe Stück handelt, geht ex negativo aus folgendem Zitat hervor: „Man muß nicht alles verändern, weil es sonst ein neu Stück seyn würde“ (Bach, *Versuch I,* S. 132, § 31).

13 D. Schulenberg, *The Instrumental Music of Carl Philipp Emanuel Bach,* Ann Arbor 1984 (Studies in Musicology, No. 77), S. 25: „But for Bach and his North German colleagues variation (...) seems to have been the principal means of converting an abstract harmonic progression, in the form of a figured bass, into an individual composition“.

14 F. E. Niedt, *Musicalische Handleitung,* Hamburg 1700; *Handleitung zur Variation,* Hamburg 1706; *Musicalischer Handleitung dritter und letzter Theil,* hrg. von J. Mattheson, Hamburg 1717; F. W. Marpurg, *Anleitung zum Clavierspielen der schönern Ausübung der heutigen Zeit gemäß entworfen,* Zweite verbesserte Auflage, Berlin 1765 (1. Auflage 1750) (Faksimile-Nachdruck Hildesheim–New York 1970), S. 36: Spielmanieren kann man „als eine extemporale Nachahmung und Anbringung der Setzmanieren in einer ausgeputztern Gestalt betrachten“. Vgl. dazu und zu weiteren Belegen aus dem zeitgenössischen Schrifttum auch Schulenberg, S. 21 ff.

nisch" definierter, melodisch aber noch konturenloser Generalbaßsatz als das Gefäß verstanden wird, in dem die Grundsubstanz einer Komposition aufgehoben sei, dann entsteht Melodie gleichsam sekundär auf dem Wege der mehr oder minder beliebigen Figuration[15]. David Schulenberg spricht denn auch von einer „inessentiality of Bach's motivic work"[16]. Bachs Notentexte wären demnach lediglich die schriftliche Fixierung einer harmonisch gebundenen Improvisation.

Diese – hier etwas zugespitzt formulierte – Auffassung vom Wesen der Bachschen Komposition hebt sich ab von jener insbesondere seit Rudolf Steglichs Bach-Studie aus dem Jahre 1915 geläufigen, durch Heinrich Besseler, Ekkehard Randebrock und Günther Wagner[17] vertieften Ansicht, daß Carl Philipp Emanuel Bachs Bedeutung in erster Linie auf thematischem Felde liege. Die Stichworte lauten „Charakterthema", „thematisch-motivische Arbeit" oder „Themenverwandlungskunst". Carl Philipp Emanuel Bach habe – so kann man grob zusammenfassen – das Auseinanderfallen seines durchsichtigen, stark oberstimmenbetonten Satzes in disparate Partikel dadurch verhindert, daß er die durch Halb- oder Ganzschlüsse getrennten Abschnitte seiner Sonatensätze aus motivischem Material entwickelte, das zu Beginn des Satzes in einem „Charakterthema" vorgegeben werde. Eine Analyse, die den thematischen Zusammenhängen nachspürt, vertraut auf die absolute Verbindlichkeit des Notentextes.

Rudolf Steglichs Analyse des ersten Satzes der ersten *Württembergischen Sonate* (Notenbsp. 5) mag dies illustrieren. Steglich schreibt dazu: „Der ganze erste Sonatensatz wird im Grunde bestritten von den beiden Motiven A und B. Beide haben auf dem Schwerpunkt Sekundvorhalt von oben, sind aber vor allem durch die hervortretenden Auftakte unterschieden. So spricht man im Hinblick auf ihre Verarbeitung besser von drei Motivteilen: den Auftakten a_1 und a_2 und der Vorhaltsendung e_1. Als eine Abart der letz-

---

15 Gemeint ist hier die „logische" Position, nicht ein zeitliches Nacheinander in der Imagination des Komponisten.

16 Schulenberg, S. 49.

17 R. Steglich, „Karl Philipp Emanuel Bach und der Dresdner Kreuzkantor Gottfried August Homilius im Musikleben ihrer Zeit", in: *Bach-Jahrbuch* 1915, S. 39–145; H. Besseler, „Charakterthema und Erlebnisform bei Bach", in: *Kongreßbericht Lüneburg 1950,* Kassel-Basel o. J., S. 7–32; H. Besseler, „Bach als Wegbereiter", in: *Archiv für Musikwissenschaft* 1955, S. 1–39; E. Randebrock, *Studie zur Klaviersonate Carl Philipp Emanuel Bachs,* masch. Diss. Münster 1953; G. Wagner, *Traditionsbezug im musikhistorischen Prozeß am Beispiel von Johann Sebastian und Carl Philipp Emanuel Bach. Musikalische Analyse und musikhistorische Bewertung,* Neuhausen-Stuttgart 1985. Auch A. Scherings berühmtes Wort von Bachs „redendem Prinzip" dürfte mit der Auffassung von der Beliebigkeit der Motivik kaum zu vereinbaren sein (vgl. A. Schering, „Carl Philipp Emanuel Bach und das ‚redende Prinzip' in der Musik", in: *Jahrbuch der Musikbibliothek Peters 1938,* Leipzig 1939, S. 13–29).

Beispiel 5: Wq 49,1; H 30, Anfang des 1. Satzes (nach Steglich)

ten kann die Triolenendung e_2 gelten“ (…)“[18]. Steglich beschreibt den Fortgang des Satzes sodann im Sinne einer „Weiterbildung“ des zu Beginn bereitgestellten Motivmaterials. Die Gebrochenheit der Linie wird kompensiert durch die Verwandtschaft, die „innere Einheit“ der Motivik in allen Abschnitten.

Wo ist nun das „Werk“ zu suchen? Im differenzierten Notentext oder im harmonischen Gerippe als der Grundlage für die erst bei der Aufführung festzulegende Gestalt? Und wenn beides: gibt es Prioritäten? Zerfällt die Musikgeschichte dieser Zeit in Kompositionsgeschichte einerseits, Aufführungsgeschichte andererseits, die nur in der kaum verläßlich rekonstruierbaren Wirkung auf den (welchen?) Hörer vermittelt wären? Oder soll man die zufälligen Gestalten, die bei der Aufführung so oder anders entstehen, zum wesentlichen Charakteristikum der Musik erklären? Die Existenz und die Dringlichkeit dieser Fragen nicht nur unter „großformalem“ Aspekt, sondern auch auf „lokaler Ebene“, sei an einem instruktiven Beispiel kurz demonstriert[19].

18 Steglich, S. 118; das Notenbeispiel S. 116–118.

19 Zur Herkunft des Beispiels siehe H. J. Marx, „Some Unknown Embellishments of Corelli's Violin Sonatas“, in: *The Musical Quarterly* 1975, S. 65–76; das Notenbeispiel S. 73. – Das Verhältnis von Struktur und Realisierung ist auch im Hinblick auf die Musik früherer Epochen diskutiert worden; vgl. etwa L. Finscher, „Historical Reconstruction versus Structural Interpretation in the Performance of Josquin's Motets“, in: E. E. Lowinsky, B. J. Blackburn (Hrg.), *Josquin des Prez. Proceedings of the International Josquin Festival-Conference New York 1971,* London u. a. 1976, S. 627–632.

5. Kompositorische Struktur und Aufführungspraxis

Zu den streng geregelten kompositorischen Techniken gehört der Kanon. Er ist leicht zu erkennen und eindeutig zu bestimmen. Wenn die kompositorische Intention so klar am Tage liegt wie bei einem Kanon, werden die Konsequenzen aufführungspraktischer Veränderungen für die Komposition unmittelbar anschaulich.

Der erste Satz von Arcangelo Corellis *Violinsonate op. V, 7* besitzt einen kanonischen Eingang. Nun sind in einer von Hans Joachim Marx beschriebenen zeitgenössischen Quelle zwei ausgezierte Versionen dieses Satzes überliefert (in Notenbsp. 6 als „a" und „b" bezeichnet). Da die Baßstimme (zumindest auf dem Papier) nicht verziert ist, wirken die ausgezierten Fassungen der Oberstimme der aus dem Notentext scheinbar eindeutig hervorgehenden Intention des Komponisten, einen Kanon zu präsentieren, entgegen.

Beispiel 6: Corelli op. V,7, Anfang des 1. Satzes (nach Marx)

Das Problem war der Musizierpraxis des 18. Jahrhunderts geläufig. Bach schreibt: „Die Nachahmungen gehören mit unter diejenigen Gedanken, welche bey der Wiederholung pflegen verändert zu werden". Er fordert für den Fall der ausgezierten Ausführung imitatorischer Passagen, daß der „Nachfolger" die veränderte Version des „Vorgängers" möglichst exakt nachspielen solle: „An dieser Veränderung muß ein Accompagnist Theil nehmen, damit die Nachahmungen deutlich bleiben und folglich ihre

Schönheit nicht verliehren“[20]. Bach sieht die potentielle Gefährdung der kompositorischen Absicht durch die Ausführenden und will ihr entgegenwirken. Auch hier vertritt er die Interessen des Komponisten.

Inwieweit die Versionen a und insbesondere b des Corelli-Beispiels vom Continuo aus dem Stegreif nachgespielt werden können, bleibe dahingestellt. Wenn man die Baßstimme gemäß den Versionen a und b ausnotiert, ergeben sich etliche klanglich oder satztechnisch bedenkliche Stellen, so etwa bei Version b Oktavparallelen über der 4. und 5. Note des verzierten Themas nach dessen Einsatz in der Baßstimme. Und noch ein Problem kann das kurze Corelli-Beispiel verdeutlichen: In Corellis Notentext stellen die fünf ersten Achtel des zweiten Taktes eine getreue Oktavversetzung der ersten fünf Achtel des ersten Taktes dar; in den ausgezierten Versionen bleibt diese Entsprechung nicht erhalten. Eine Beschreibung des Notentextes, die auf diese Entsprechung mit Nachdruck hinwiese, würde durch die Aufführung Lügen gestraft oder zumindest relativiert.

6. *Erstvortrag und Wiederholung*

Einen Ausweg aus dem Dilemma könnte die immer wieder erhobene Forderung weisen, daß sich der Spieler beim ersten Vortrag eines Abschnitts an die Noten halten solle und erst bei der Wiederholung seiner Veränderungskunst freien Lauf lassen dürfe[21]. In diesem Sinne könnte man etliche der ausgezierten Versionen bei Corelli verstehen. Doch stellen sich auch hier grundsätzliche Fragen. Präsentiert der Erstvortrag die eigentliche Komposition gleichsam unverhüllt und bedeutet die „veränderte Reprise“ folglich eine Entfernung vom Kern der Sache? Oder sind sowohl Erstvortrag als auch veränderte Reprise kompositorisch von gleichem Rang, stellen sie – im Sinne David Schulenbergs – gleichberechtigte Gestaltungsmöglichkeiten der harmonischen Essenz dar? Legitimieren sie den befähigten Virtuosen dazu, von vornherein auf das Abgehen vom Notentext zu sinnen?

Für diese Auffassung könnte sprechen, daß Bach gerade zu seinen Reprisensonaten handschriftlich weitere Vorschläge für Veränderungen hinter-

---

20 Bach, *Versuch II,* 33. Kap.: „Von der Nachahmung“; die Zitate: S. 290 f., § 1; vgl. auch *Versuch I,* S. 61, § 28.

21 Das Verändern bereits beim ersten Vortrag wird von Bach ausdrücklich kritisiert: „Man hat nicht mehr die Gedult, beym erstenmahle die vorgeschriebenen Noten zu spielen; das zu lange Ausbleiben des BRAVO wird unerträglich“ (zitiert nach der Ausgabe von Darbellay, S. XIII).

Beispiel 7: Wq 50,3; H 138, 3. Satz (nach Darbellay)

lassen hat[22]. Wo es – wie in Notenbsp. 7 – zwei, drei oder vier schriftwürdige Versionen gibt, da stellt sich in der Tat die Frage nach der Identität und Unverwechselbarkeit der Komposition. Allem Anschein nach hat Bach die „Offenheit" seiner Kompositionen als eine unabänderliche Gegebenheit akzeptiert.

Allerdings scheint Bach die verschiedenen Möglichkeiten nicht durchweg als gleichwertig betrachtet zu haben. Dies wird deutlich, wenn er die Spieler in gereiztem Ton vor Selbstüberschätzung warnt: „Alle Veränderungen müssen dem Affeckt des Stückes gemäß seyn. Sie müssen allezeit, wo nicht

22 Die Quellen der Alternativ-Versionen zu den *Reprisensonaten* Wq 50 sind zusammengestellt bei H. Serwer, „C. P. E. Bach, J. C. F. Rellstab, and the Sonatas with Varied Reprises", in: S. L. Clark (Hrg.), *C. P. E. Bach Studies*, Oxford 1988, S. 233–243, Übersicht auf S. 236. – Notenbsp. 7: Wq 50, 3, III (nach der Ausgabe von Darbellay, S. 30 f.). Die Version in kleinen Noten aus Bachs Handexemplar des Erstdruckes stellt eine reduzierte Fassung dar. Auch an dieses Beispiel könnte man Überlegungen zum Verhältnis von Original und Veränderung knüpfen. Serwer (s. o.) hat gezeigt, daß Bach die späteren Alternativ-Versionen aus verlegerischen Rücksichten geschrieben hat. Davon unberührt bleibt die Frage nach den Bedingungen der Möglichkeit solcher Veränderungen.

besser, doch wenigstens eben so gut, als das Original seyn. (Denn man wählt bey der Verfertigung eines Stückes, unter andern Gedanken, oft mit Fleiß denjenigen, welchen man hingeschrieben hat und deswegen für den besten in dieser Art hält, ohngeacht einem die Veränderungen dieses Gedanken, welche mancher Ausführer anbringt und dadurch dem Stücke viele Ehre anzuthun glaubt, zugleich der Erfindung desselben mit beygefallen sind.)“[23] „Das Original“ aber wird man in erster Linie im Erstvortrag suchen (alles andere widerspräche dem Kontext des Zitats). Zwar bleibt der Boden schwankend, denn wenn die Veränderungen theoretisch sogar „besser als das Original“ sein können, dann leidet darunter die Autorität ebendieses Originals. Doch verlieren diese Unsicherheiten an Gewicht, wenn man das Original als das vom jeweiligen Komponisten zu erreichende Optimum betrachtet. Will man den Komponisten ernst nehmen, muß man sein Original ernst nehmen.

Bachs Auffassung ist die Auffassung eines Komponisten; vom Standpunkt des Spielers aus erscheint sie elitär. Es geht Bach nicht um die Anleitung der Dilettanten zu „eigenerfinderischem“ Umgang mit dem Notentext, sondern gerade um dessen Verhinderung: die „vor-geschriebenen“ veränderten Reprisen sollen den Laien von eigenen Versuchen abhalten[24]. Zwar verbietet Bach nirgends die freie Auszierung, doch setzt er einen Standard: je stärker der Anspruch des Komponisten formuliert wird, desto höher werden die Ansprüche an den Spieler, der von seinem angestammten Recht, sich in freien Verzierungen vom vorgegebenen Text zu entfernen, Gebrauch machen will.

7. Analyse, Philologie und Aufführungspraxis

Angesichts von Bachs einschüchterndem Anspruch an die qualitative „Ebenbürtigkeit“ von Veränderungen könnte der Interpret nun nach der in etlichen zeitgenössischen Schriften vorformulierten Faustregel verfahren: „Je

---

23 Bach, *Versuch I,* S. 132 f., § 31; in Klammern: Zusatz zur 3. Auflage, Leipzig 1787, nach dem Anhang der Faksimile-Ausgabe, S. 14. Das Vorwort zu den *Reprisensonaten* Wq 50 verfolgt dieselbe Linie. Überhaupt zeigt sich in der Beurteilung freier Verzierungen ein deutlicher Gegensatz zwischen Berufsmusikern und Dilettanten. So äußert sich K. Ditters von Dittersdorf abfällig über die „Variier- und Fantasiersucht“ seiner Zeit. Eine Darbietung des Flötisten Dulon erregt bei einem gewissen Grafen N. höchste Bewunderung, während Dittersdorf und sein Berufskollege Kozeluch für Dulons „Leistung“ nur Verachtung empfinden (vgl. K. Ditters von Dittersdorf, *Karl von Dittersdorfs Lebensbeschreibung – Seinem Sohne in die Feder diktiert.* Nach dem Erstdruck von 1801 neu hrg. von B. Loets, Leipzig 1940, S. 42 f.).

24 Dies betont mit Nachdruck Schleuning, S. 99 f.

schlechter das Stück, desto ungefährlicher die ausgezierte Ausführung"[25]. Man könnte fortfahren: desto überflüssiger die Ausführung. Deshalb wird sich der an Bach interessierte Spieler bemühen, anhand einer analytischen Beschäftigung mit der zeitgenössischen Musik vertiefte Einsichten in die Qualität verschiedener Kompositionen zu gewinnen. Carl Philipp Emanuel Bach selbst hat diesen Weg gewiesen. Johann Nikolaus Forkel hatte Bach die Programmschrift *Über die Theorie der Musik, insofern sie Liebhabern und Kennern notwendig und nützlich ist* mit der Bitte um Beurteilung übersandt. Bach antwortete am 15. Oktober 1777: „Das Vornehmste, nehml. das analysiren fehlt. Man nehme von aller Art von musikalischen Arbeiten wahrhafte Meisterstücke; zeige den Liebhabern das Schöne, das Gewagte, das Neue darin; man zeige zugleich, wenn dieses alles nicht drinn wäre, wie unbedeutend das Stück seyn würde; ferner weise man die Fehler, die Fallbrücken die vermieden sind; u. besonders in wie fern einer vom ordinären abgehen u. etwas wagen könne u. s .w."[26].

Damit schließt sich der Kreis. Indem der Praktiker auf die Analyse - und das heißt auch bei Bach: die Analyse der Komposition in Form des Notentextes - verwiesen wird, sieht er sich mit denselben Problemen konfrontiert wie der eingangs zitierte Analytiker und Philologe. Der Notentext ist anhand von Kriterien zu untersuchen, die mit Aufführungspraxis unmittelbar nichts zu tun haben. Indem aber in den kompositionstechnischen Einzelheiten der Anspruch des Komponisten sichtbar wird, zeigt die Analyse dem Praktiker, auf welchem Niveau sich seine Veränderungen und Auszierungen bewegen müssen.

8. *Fazit*

Der Spieler kann durch Zurückhaltung in der Demonstration aufführungspraktischer Fertigkeiten den bei Carl Philipp Emanuel Bachs besten Werken[27] in hohem Maße angebrachten Respekt vor der Komposition bekun-

25 Vgl. etwa: „Man sieht hieraus, daß ein guter Vortrag auch ein mittelmäßiges Stück erheben, und ihm Beyfall erwerben kann" (Bach, *Versuch I,* S. 123, § 13); oder deutlicher: „Die gute Wirkung einer Musik hängt fast eben so viel von den Ausführern, als von dem Componisten selbst ab. Die beste Composition kann durch einen schlechten Vortrag verstümmelt, eine mittelmäßige Composition aber durch einen guten Vortrag verbessert, und erhoben werden" (J. J. Quantz, *Versuch einer Anleitung die Flöte traversiere zu spielen,* Berlin 1752, Faksimile-Nachdruck Kassel u. a. 1983, S. 101, § 5).

26 Suchalla, *Briefe,* S. 250 (Kommentar: S. 554 f.).

27 Bach muß hier vor seinen eigenen Ansprüchen in Schutz genommen werden, finden sich unter seinen Werken doch neben wenigen, die er „mit aller Freyheit" komponiert hat, viele Stücke, die sich dem Publikumsgeschmack auf niedrigem Niveau anbequemen (vgl. die Autobiographie Bachs in: *Carl Burneys der Musik Doctors Tagebuch seiner musikalischen Reisen,* deutsch von Ch. D. Ebeling und J. J. Ch. Bode, 3 Bände, Hamburg 1772 und 1773, Faksimile-Nachdruck in einem Band hrg. von R. Schaal, Kassel u. a. 1959, Band III, S. 199-209; die einschlägigen Zitate: S. 208 f.).

den. Der Analytiker sollte seine Darstellung der im Notentext erkennbaren kompositorischen Strukturen nicht als endgültiges Urteil, sondern als Grundlage für eine verbal oder „aufführungspraktisch“ zu führende Diskussion formulieren. So begibt man sich sowohl bei der Analyse des Notentextes als auch bei der praktischen Ausführung auf eine Gratwanderung, bei der es gilt, zwischen den Ansprüchen der Komposition, den Erfordernissen der Ausführung und nicht zuletzt den eigenen Fähigkeiten die Balance zu halten. Aber Gratwanderungen haben ihren eigenen Reiz.

Eduard Melkus

Können wir J. S. Bach und W. A. Mozart im Sinne C. Ph. E. Bachs interpretieren?

Die große Bedeutung des Gesamtwerkes C. Ph. E. Bachs, der Einfluß seiner Kompositionen wie auch seines theoretischen Werkes steht außer Frage. Sie ist in diesem Rahmen bereits ausführlich dargestellt worden – aber auch die gewisse Limitierung. Meine Frage richtet sich nach der Auswertungsmöglichkeit seiner Theorien für die moderne Aufführungspraxis – beginnend mit unseren Editionen, mit dort zu findenden Vorschlägen der jeweiligen Herausgeber. Ich werde mich möglichst kurz fassen, um – gemäß der Grundidee des Round-Table – möglichst viel Zeit zum Gedankenaustausch zu lassen.

Zur Debatte stehen nicht C. Ph. E. Bachs allgemein gehaltene Ideen vom guten Vortrag – sie sind allgemein gültig und dürften zumindest für sein Jahrhundert Geltung besitzen. Ich möchte ein relativ kleines Thema herausgreifen, das besonders zu divergierenden Interpretationen geführt hat: die *Vorschläge.* C. Ph. E. Bach mißt ihnen größte Bedeutung bei[1]:

„Von den Vorschlägen

Die Vorschläge sind eine der nöthigsten Manieren. Sie verbessern so wohl die Melodie als auch die Harmonie. Im erstern Falle erregen sie eine Gefälligkeit, indem sie die Noten gut zusammen hängen; indem sie die Noten, welche wegen ihrer Länge oft verdrießlich fallen könnten, verkürtzen, und zugleich auch das Gehör füllen, und indem sie zuweilen den vorhergehenden Ton wiederholen; man weiß aber aus der Erfahrung, daß überhaupt in der Musick das vernünftige Wiederholen gefällig macht. Im andern Falle verändern sie die Harmonie, welche ohne diese Vorschläge zu simple würde gewesen seyn. Man kan alle Bindungen und Dissonantien auf diese Vorschläge zurück führen; was ist aber eine Harmonie ohne diese beyden Stücke?

§ 2.

Die Vorschläge werden theils andern Noten gleich geschrieben und in den Tackt mit eingetheilt, theils werden sie durch kleine Nötgen besonders angedeutet, indem die grössern ihre Geltung den Augen nach behalten, ob sie schon bey der Ausübung von derselben allezeit etwas verlieren.

---

1 *Versuch über die wahre Art das Clavier zu spielen,* Teil 1, Berlin 1753, S. 62 ff.

§ 3.

Das wenige was etwa bey der ersten Art Vorschläge zu bemercken ist, werden wir am Ende anführen, und uns bloß jetzo mit den letzteren bekannt machen. Beyde Arten gehen so wohl von unten in die Höhe, als von oben herunter.

§ 4.

Diese kleinen Nötgen sind entweder in ihrer Geltung verschieden, oder sie werden allezeit kurtz abgefertigt.

§ 5.

Vermöge des ersten Umstandes hat man seit nicht gar langer Zeit angefangen, diese Vorschläge nach ihrer wahren Geltung anzudeuten, anstatt daß man vor diesem alle Vorschläge durch Acht=Theile zu bezeichnen pflegte, Tab. III Fig. I. Damahls waren die Vorschläge von so verschiedener Geltung noch nicht eingeführet; bey unserm heutigen Geschmacke hingegen können wir um so viel weniger ohne die genaue Andeutung derselben fortkommen, ..."

Wir alle kennen die Grundregel. C. Ph. E. Bach unterscheidet den kurzen und langen Vorschlag:

= nicht

Der kurze Vorschlag ist bei ihm immer „anschlagend" – d. h. er kommt auf die Zeit. Vorschläge vor der Zeit lehnt er ab.

Die Regeln für den Vorschlag lassen sich in 4 Hauptpunkte zusammenfassen:

1. Zweiteilige Hauptnote: Teilung in die Hälfte

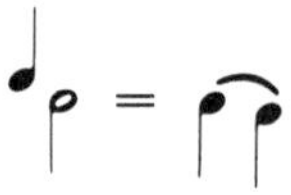

=

2. Dreiteilige Hauptnote: 2/3 der Zeit auf den Vorschlag

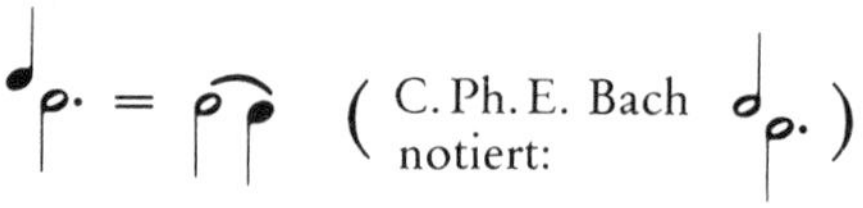

= (C. Ph. E. Bach notiert:)

3. Übergehaltene Note: Vorschlag nimmt die volle Länge der Hauptnote ein

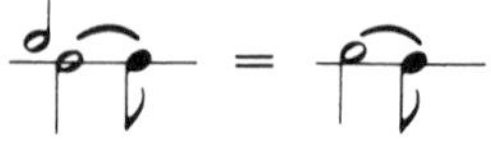

=

4. Vor Pausen: Vorschlag verdrängt die Hauptnote in die Pausenzeit

= (C. P. E. Bach:)

Angesichts der Wichtigkeit, die C. Ph. E. Bach dem Vorschlag für den richtigen Affekt zuweist, müssen wir ihn in seinen verschiedenen Ausdrucksmöglichkeiten prüfen:

Notation:

Ausführung:

Es ist ziemlich klar, warum C. Ph. E. Bach beim kurzen Vorschlag nur die Lösung auf die Zählzeit gelten läßt: Sie ist aggressiver, stürmischer, ihr fehlt das Geschmeidige, einschmeichelnd Rokokohafte des Vorschlags vor der Zählzeit.

Aber inwieweit teilen die Zeitgenossen seine Lehre? Johann Joachim Quantz, der ältere Musiker, zieht 1752 – also zu gleicher Zeit, am gleichen Ort – die kurzen Vorschläge vor der Zeit vor. Leopold Mozart, 1756, wagt der Autorität C. Ph. E. Bach nicht zu widersprechen; er führt die kurzen Vorschläge vor der Zählzeit aber über ein Hintertürchen unter anderem Namen wieder ein als „Nachschläge" (ebenso Marpurg, 1762, und alle Folgenden). Nur Johann Friedrich Agricola (1757 in seiner Übersetzung von Tosi's „*Opinioni*") folgt C. Ph. E. Bach getreu.

Beim kurzen Vorschlag auf die Zählzeit steht C. Ph. E. Bach also isoliert da – es wäre müßig, Parallelen zum Vater oder zu den Wiener Klassikern zu suchen. – Wie aber steht es mit dem langen Vorschlag? Hier nur zwei Beispiele für viele *aus J. S. Bachs Werk*:

Beispiel 1:

J. S. Bach, Triosonate aus dem Musikal. Opfer.

Beispiel 2:

Beachten wir das Nebeneinander von Vorschlag und ausgeschriebenem Vorhalt. Mit überlangen Vorschlag wären beide Takte rhythmisch identisch. Wozu dann die verschiedene Notation?

Der überlange Vorschlag ergäbe in T. 6 und 8 Oktavparallelen zw. V. und Cemb., in T. 20 Quintparallelen zw. V. und Cemb. Auch ist die Inkonsequenz in der Pausensetzung sinnlos: Wenn in T. 16 und 20 durch den langen Vorschlag die Hauptnote in die Pause verdrängt würde, wozu dann hier Pausen notieren? Warum notiert Bach nicht gleich wie in T. 6 und 8 ohne Pause?

Ein starker Trend moderner Musikwissenschaft aber führt C. Ph. E. Bachs Regeln bei Mozarts Musik fort: Dies führt zu Lehrmeinungen bei Mozart, die in den Beispielen 5–7 wiedergegeben sind. Bei Wolfgang Amadeus Mozart liegt der Fall aber ganz anders: Wenn auch Leopold Mozart 1756 – 3 Jahre nach C. Ph. E. Bach (so wie Marpurg und alle anderen Bücher dieser Zeit) – C. Ph. E. Bachs Theorien übernahm (übrigens etwas verwässert!) und sicher den kleinen Sohn darin unterrichtete, beweist dies noch gar nichts für die Zeit nach Wolfgangs Trennung vom Vater. Dazu kommt die geographische Distanz Wien–Berlin, Wolfgangs Kontakte zu Italien, und schließlich war Johann Adam Hillers Anweisung 1774 erschienen: da war Wolfgang 18 Jahre alt! Und obwohl Hiller C. Ph. E. Bach in vielem folgt, kennt er auch schon wieder die alternative Auflösung des langen Vorschlages bei dreizeitigen Hauptnoten im Verhältnis 1:2 (also kürzer als die Hälfte) statt 2:1 (überlang).

Mozarts Unabhängigkeit gegenüber C. Ph. E. Bachs Regeln des langen Vorschlages bei zwei- und dreizeitigen Notenwerten mögen folgende Beispiele zeigen:

Mozart, KV 575

Mozart notiert in der Partitur zur ganzen Note eine Achtel, in seinem Werkverzeichnis aus der Erinnerung eine Viertelnote zur (punktierten) Halben. In der Arie der Elvira im *Don Giovanni* zeigen V. 1 und Flöte, welche Rhythmisierung Mozart für die Singstimme wünscht.

Don Giovanni

Bei beiden Beispielen ist also der ausschlagende (jambische) Vorschlag gegenüber dem überlangen (trochäischen) bevorzugt.

Zu folgendem Beispiel erklärt Hartmut Krones:

Mozart, Klavier-Sonate F-Dur KV 332, Finale.

„Dasselbe [= Anwendung der Regeln des langen Vorschlages nach C. Ph. E. Bach] gilt für jene ... Phrase im Finale der F-Dur-Sonate KV 332 ... die Eva und Paul Badura-Skoda bereits 1957 ... als punktierte Achtelnote auszuführen anregten. ... Daß Mozart den langen Vorschlag 2 Takte später ausschreibt, ist stilgeschichtlich völlig logisch ... (es) hatte die Sonderform um 1780/90 nahezu zu existieren aufgehört..."[2]

2 H. Krones, „Vorschläge und Appoggiaturen bei Wolfgang Amadeus Mozart", in: *ÖMZ* 1987, S. 99–105 (S. 101).

Mir scheint hier der lange Vorschlag eher eine Vergewaltigung der Musik. Erstens wird die Phrase dadurch pathetisch gefühlvoll – ist dies in einem schnellen Satz wünschenswert? –, zweitens wird sie rhythmisch vereinheitlicht und daher stumpf. Wir hören ja in T. 2 und 4 faktisch dasselbe. Viel richtiger ist unter Beachtung des Sechzehntel-Vorschlages ein kurzer Vorschlag, wobei die Länge zwischen Sechzehntel und Achtel variieren kann. Wichtig ist nur, daß aus Gründen der künstlerischen Abwechslung in T. 2 ein Jambus, in T. 4 dann der Spondäus erklingt.

Dasselbe gilt für das nächste Beispiel: „Im Falle zweier aneinandergebundener gleich hoher Noten, deren erste einen Vorschlag aufweist, gilt jedoch – unter anderem laut Türk S. 212 – meist, daß dieser den gesamten Wert der ersten Note erhält. Daher müßte man z. B. den Vorschlag T. 351 im Finale des D-Dur-Klavierkonzertes KV 451, den ganzen ersten Takt lang liegenlassen ... und ihn erst zu Beginn des 2. Taktes in das ‚cis' auflösen."[3]

Mozart, Klavier-Konzert, KV 451, Finale.

Dies ist ein besonders extremer Fall. Hier scheint sich die moderne Theorie im Absurden zu verlaufen. Alles darf es sein, nur nicht, was dort steht. Nur ja kein kurzer Vorschlag, wie Mozart ihn notiert hat.

Mozarts „Veilchen" bietet ein ähnliches Problem. Nach der derzeit vielfach vertretenen Lehre werden die Appoggiaturen im T. 2 und 4 als Achtel ausgehalten und vielfach sogar in T. 3 der Sechzehntel-Vorschlag in ein Achtel verwandelt, so daß die Hauptnote in eine Pause verdrängt wird.

Mozart, „Veilchen", wirklich mit überlangen Vorschlägen? a) Original, b) derzeitige Lehre, c) in der Tradition

Abgesehen von den schon angeführten Beispielen nach Hiller ist hier doch auch der Ausdruckscharakter des Liedes zu bedenken. Der kurze Vorschlag gibt mehr Lieblichkeit, der lange Vorschlag wendet den Ausdruck in das Pathetische. Das enstpricht weder dem Stil des Dichters noch des Komponisten.

3 Ebd., S. 104.

Noch bedenklicher ist, wenn diese Theorie auch auf die nächste Generation ausgedehnt wird: z.B. auf Franz Schubert. So schlägt die Neue Schubert-Ausgabe in der *Violinsonate A-Dur* als Auflösung der Viertel-Appoggiatur eine halbe Note, also den überlangen Vorschlag im Sinne C.Ph.E. Bachs vor – die Herausgeber, daraufhin angesprochen, berufen sich auf Daniel Gottlob Türks Klavierschule, erschienen in Berlin 1789.

Schubert, Sonate A-Dur op. 162

a) Original b) Herausgeber-Vorschlag c) Traditionell: sicher richtiger!

Hier gäbe es ein viel schlüssigeres geographisch und zeitlich näherliegendes Beispiel: Ludwig van Beethoven. Zu seiner Klavierkadenz zur eigenen Bearbeitung des *Konzertes op. 61* als Violinkonzert zitiert er das Hauptthema derart:

Beethoven, Violinkonzert op. 61.

Wir sollten beachten: Alle Beispiele C.Ph.E.Bachs geben, wo der lange oder, wie ich ihn nenne, überlange Vorschlag gefordert wird, den genau erforderlichen Notenwert an: eine Ganze für eine Ganze, Halbe für eine Halbe, 3/4 für 3/4 usw. Und es schreibt ja auch C.Ph.E.Bach: „Diese kleinen Nötgen sind entweder in ihrer Geltung verschieden, oder sie werden allzeit kurtz abgefertigt. Vermöge des ersten Umstandes hat man seit nicht gar langer Zeit angefangen, diese Vorschläge nach ihrer wahren Geltung anzudeuten"[4]. Das haben seine Nachschreiber nicht so genau beherzigt. Aber W.A.Mozart hat es getan: Dieser Grundregel scheint er getreu zu folgen. Und somit ist Mozart, ohne die einzelnen Regeln zu übernehmen, ein besserer, kongenialerer Schüler C.Ph.E.Bachs als alle anderen. Er hat das Wesentliche, Neue an dieser Lehre erkannt und in seinem ganzen Werk an-

4 *Versuch* I, S.63.

gewandt. Wir sollten nur nicht *zu* viel herumdeuteln, ihn nur wirklich genau lesen und wörtlich nehmen!

In J. S. Bachs Werk finden wir von des Sohnes Vorschlagstheorien noch nichts, in W. A. Mozarts Werk nur wenig (wie weit übrigens bei dem späten Haydn - nach 1767 -, ist schwer nachzuweisen). Wieso steht aber C. Ph. E. Bach mit seiner Theorie des langen Vorschlages trotz momentaner zahlreicher Nachfolge so isoliert da? Er ist ein typischer Vertreter der Generation des Sturm und Drang, erhöhter Empfindsamkeit im Sinne des Wertherfiebers, des übergroßen Pathos der Originalgenies. Wir haben den Ausdruckswert des Vorschlages analysiert. Wir haben den besonderen Ausdruckswert des langen Vorschlages gefühlt, auch die nötige zusätzliche Emphasis beim verlängerten Vorschlag. Damit ist eigentlich alles geklärt: Nur dieser Zeit, nur diesem Stil C. Ph. E. Bachs ist der überlange Vorschlag eigen, nicht davor, kaum danach, und dann wird er schon wieder meist ausgeschrieben.

Wir sollten uns als Wissenschaftler und als stilistisch geschulte Musiker immer vor Augen halten, daß wir niemals genug, aber auch niemals alles wissen können. Keiner von uns ist der Liebe Gott der Aufführungspraxis. Grau ist schließlich alle Theorie, sie kann nur Gutes bewirken, wenn unser künstlerisches Empfinden, die Begegnung am lebendigen Kunstwerk ihr Leben einhaucht. Wir leisten diesem großen Mann C. Ph. E. Bach einen schlechten Dienst, wenn wir seinen klaren, ordnenden Verstand, seinen Persönlichkeitsstil zu einer Art Kulturdiktat auf ein ganzes Jahrhundert und auf ganz Europa ausdehnen wollten. Die persönliche Ausführung durch einzelne Interpreten sollte immer alle Freiheit haben, so lange sie nicht den Anspruch auf Authentizität und Allgemeingültigkeit erhebt. Aber in unseren Ausgaben müßten wir bei Vorschlägen für die Interpretation noch viel vorsichtiger und differenzierter vorgehen.

Rudolf Pečman

Bemerkungen zur Aufführungspraxis bei C. Ph. E. Bach im Zusammenhang mit der Affektenlehre

Wenn man in Arbeiten über die Geschichte der Ästhetik blättert, stellt man mit Verwunderung fest, daß die Problematik der Lehre von den Affekten in der Regel nur wenig oder gar nicht vertreten ist. Und doch hat gerade die in Frankreich geborene Affektentheorie die Entwicklung der ästhetischen Ansichten wesentlich vorgezeichnet. Die Absenz unserer Problematik in den Lehrbüchern der Geschichte der Ästhetik ist in der Regel dadurch gegeben, daß die Ästhetik vorwiegend als philosophische Disziplin, keineswegs auch als konkret an den einzelnen Künsten orientierte Wissenschaft aufgefaßt wird. Wenn wir uns also über die Affektentheorie im Blick auf die Musik belehren wollen, greifen wir vor allem nach Traktaten bzw. Erwägungen „gelehrter Musiker“ und ihren Kompositionen, Schulen und Lehrbüchern.

Bekanntlich war in Deutschland schon Johann Kuhnau (1660–1722) gegen eine mechanische Auffassung der Affektentheorie eingestellt; in der Satire *Der musikalische Quacksalber* (1700) ironisierte er den unschöpferischen Zugang zur Lehre von den Affekten, um dann diese Lehre im gleichen Jahr im Vorwort zu seiner Sammlung *Musicalische Vorstellung Einiger Biblischer Historien In 6. Sonaten auff dem Claviere zu spielen* kritisch zu betrachten. Es überschreitet die Möglichkeiten des Musikers – sagt er –, in der Instrumentalmusik den Sinn des Hörers nach eigenem Willen zu führen und über ihn eindeutig Macht zu gewinnen. Anders verhält es sich mit der Vokalmusik, wo der Text Hilfe bietet. Gegenüber der Theorie vom Ausdruck der Affekte durch Musik nimmt auch Johann David Heinichen (1683–1729), der „Notenkünsteleien“ vor allem im Bereich der polyphonen Äußerung verurteilt, eine vorsichtige Haltung ein. Er sieht außermusikalische Tendenzen nicht gern und ist der Ansicht, daß das Gehör absoluter Herrscher der Musik sei, denn man schreibe Musik nicht für die Augen (damit etwa die Partitur vom bildnerischen Standpunkt schön aussieht), sondern damit sie gut klinge. Das Ohr sei das rechte *objectum musices,* das Gehör sei vor „die Vernunft“ zu stellen, also „auditus“ vor „ratio“ (vgl. seine *Neu erfundene und gründliche Anweisung* (...) *zu vollkommener Erlernung des General-Basses,*

Hamburg 1711[1]. Offenbar hat hier Heinichen das Erfordernis akustischer (klanglicher) Parameter der Musik volle vier Jahrzehnte vor Rousseau ausgesprochen[2], der als erster Verkünder der Notwendigkeit einer „musikalischen“ Auffassung der Musik zu gelten pflegt.

Wenn wir die entdeckerischen Blickpunkte der deutschen Ästhetiker und „gelehrten Musiker“ des 18. Jahrhunderts begreifen wollen, werden wir einem zumindest flüchtigen Vergleich mit der französischen Auffassung der Affektentheorie nicht ausweichen können.

Denker vom Typus eines Charles Batteux (1713–1780) oder vor ihm schon Jean Baptiste Dubos (1670–1742) waren allzugroße Rationalisten, als daß sie bei ihrem Studium des Schönheitsbegriffs ein Überschreiten oder Nichterfüllen der Norm zugelassen hätten. Diese beiden Vertreter der französischen Ästhetik, die dann mit Rousseau gipfeln sollte, beantworteten vor allem die Frage nach der Beziehung zwischen Natur und Kunst. Die Kunst galt ihnen als Nachahmung der Natur, allerdings keine sklavische Nachahmung, und es wäre in diesem Zusammenhang zu betonen, daß sie die These, die Natur sei Lehrer, der Künstler Schüler, neu behandelt haben. Der Künstler, Schüler der Natur, kann von ihr so gut lernen, daß er sie zu überhöhen vermag – und im wahrsten Sinne des Wortes auch überhöhen muß –, um ein Werk zu schaffen, das über der Natur steht. Das Bild soll vollendeter sein als das Modell. Dies setzt voraus, daß der Künstler dem „Naturmodell“ weitere schöne Elemente beifügt, daß er es ausschmückt. Dies tut er mit umso größerer Berechtigung, als das Dekorative die Realität zum Idealen erhebt. Die Kunst ist also eine Art zweite, höhere Natur, sie ist die Trägerin der in den Erscheinungen verborgenen „ewigen Ideen“.

Während die Franzosen die Affektentheorie im Rahmen der Nachahmungstheorie sahen und dabei vor allem von der Nachahmung der Natur in der Malerei ausgingen, wobei sie dann folgerichtig bildnerische Blickpunkte auf die Musik anwendeten[3], lösten die deutschen Ästhetiker („gelehrten Musiker“) diese Frage meist am Beispiel der Musik, die allerdings von der Malerei und anderen außermusikalischen Blickpunkten, wie etwa dem Text, weniger abhängig ist. Die deutsche Ästhetik entstand neben der französischen, entwickelte sich aber unabhängig von ihr, obwohl sie – wie anders ja gar nicht möglich – gemeinsame Ausgangspunkte besaß, die von der allgemeinen Auffassung der Musik und Kunst im 18. Jahrhundert geprägt wa-

---

1 Heinichens zitiertes Lehrbuch erschien später (Dresden 1728) unter dem Titel *Der Generalbass in der Composition.*

2 J. J. Rousseau, *Traités sur la Musique.* Oeuvres complètes XVI, Paris 1792.

3 R. Pečman, „Der Wert des musikalischen Kunstwerkes im Lichte der Ausdrucksästhetik und Affektentheorie“, in: *The Music Work, Brno 1975,* hrg. von R. Pečman, Brno 1985, S. 85–90.

ren. Diese allgemeinen Ausgangspunkte wurden den deutschen Ästhetikern und Musikern durch relativ frühe Übersetzungen von Batteux' wichtigsten Schriften aus der Feder Schlegels (1751), Bertrams (1751), Ramlers (1754) u. a. vermittelt.

Aber schon früher versuchte z. B. Johann Mattheson (1681–1764) in seiner Schrift enzyklopädischen Charakters mit dem Titel *Der vollkommene Capellmeister* (Hamburg 1739) erfolgreich, rationalistische Regeln bei dem Hervorrufen und der Darstellung von Affekten in der Musik im Sinn barokker Grundsätze aufzustellen. Vor dem Hintergrund der national und antiitalienisch eingestellten Ideen Johann Matthesons werden wir auch die Zeit des Stilübergangs besser begreifen, der Carl Philipp Emanuel Bach und Johann Joachim Quantz angehören. Dieser Stilübergang bindet sich an die dreißiger und vierziger Jahre des 18. Jahrhunderts, bereitet sich jedoch schon – vor allem in Italien – seit Beginn des 18. Jahrhunderts vor[4]. Damals beginnen die Kriterien des Geschmacks in die Problematik des Stils und der Stilhaftigkeit einzudringen[5]. Der Geschmack gilt als Privilegium der Aristokratie und im Grunde genommen als angeborene Fähigkeit, obwohl man ihn durch Erziehung gewinnen kann. Geschmack und Erfahrung werden dann zur Grundlage einer Wertung der Stilhaftigkeit. Das ist z. B. bei Johann Joachim Quantz (1687–1773) der Fall, der im Jahr 1752[6] die Theorie des „gemischten Geschmacks" und den Prozeß der Mischung von Formen, nationalen und anderen Einflüssen in der Musik beleuchtet. In den Vordergrund seiner Erwägungen gelangt auch die Problematik des persönlichen Stils. Um das Jahr 1750 kommt es zu Verwechslungen der Begriffe „Stil" und „Geschmack" (goût). Das Wort „Stil" bedeutet dann nichts anderes als die Art des Satzes oder des Schreibens von Musikkompositionen. Diese Be-

---

4 R. Pečman, *Ke slohové analýze hudby osvícenského údobí* I, II (Zur Stilanalyse der Musik des Aufklärungszeitalters I, II). Habilitationsschrift. Philosophische Fakultät der Jan-Evangelista-Purkyně-Universität, Brno 1970 (überarbeitet 1976). Ders., „Zum Begriff des Rokokostils in der Musik", in: *Muzikološki zbornik*, Jg. IX, 1973, S. 5–34.

5 Noch heute sind Fragen des Geschmacks und des Geschmackvollen lebendig. Mit diesen Fragen als ästhetischer Kategorie befaßt sich in der ČSSR in der letzten Zeit Dušan Prokop. Vgl. Miloš Jůzl u. Dušan Prokop, *Úvod do estetiky* (Einführung in die Ästhetik), Praha 1982, S. 211–214.
Über Geschmack heißt es hier (S. 213): „Insgesamt läßt sich der Geschmack als erworbene Fähigkeit und Gewandheit charakterisieren, Schönes und Häßliches zu unterscheiden, die auf einem Ensemble ausgewählter Normen und Vorlieben beruht und von Dispositionen, Ansichten, der Bildung, Erziehung, sozialen Situation des Subjekts und seiner ganzen Lebenstätigkeit und -erfahrung beeinflußt wird." Wie man sieht, unterscheidet sich die neuzeitliche Auffassung des Geschmacks von der im 18. Jahrhundert üblichen.

6 J. J. Quantz, *Versuch einer Anweisung, die Flöte traversière zu spielen.* Reprint der Ausgabe Berlin 1752. Mit einem Vorwort von Hans-Peter Schmitz sowie Nachwort, Bemerkungen, Ergänzungen und Registern von Horst Augsbach. Leipzig 1983.

zeichnung ist eher im Sinne der allgemeinen Zeitkonvention („consensus omnium") gemeint und tendiert bereits zu genau unterschiedenen, in ihrer Eindeutigkeit unwiederholbaren Stileigenschaften[7].

Von der Theorie des „gemischten Geschmacks" geht Quantz bei dem Entwurf seines Lehrbuchs des Spiels auf der „Flöte traversière" (1752) aus und man pflegt ihn gemeinsam mit Carl Philipp Emanuel Bach (1714–1788), dem Autor des *Versuchs über die wahre Art das Clavier zu spielen* I, II (1753, 1762), und Leopold Mozart (1719–1787), dem Schöpfer der *Gründlichen Violinschule* (1756), mit Recht zu den Schlüsselgestalten der Musikästhetik des 18. Jahrhunderts zu zählen. Ähnlich wie C. Ph. E. Bach und L. Mozart schafft Quantz in seiner Veröffentlichung eine der wertvollsten Arbeiten des 18. Jahrhunderts. Er war davon überzeugt[8], daß der Vortrag der musikalischen Komposition „jeder vorkommenden Leidenschaft gemäss seyn" müsse; er gestattete sogar die Verbindung sowie den Wechsel mehrerer Leidenschaften in ein und demselben Stück. Quantz befaßt sich mit der Aufführungspraxis seiner Zeit in voller Breite und bringt auch wesentliche Beiträge zur Geschichte der Musik und Musikpsychologie. Darüber hinaus ist seine Schule eine Quellenschrift für die Geschichte der Ästhetik, die vom Rationalismus und der älteren Affektenlehre zum Sensualismus tendiert. Im Vergleich mit Mattheson und seinem *Vollkommenen Capellmeister* ist Quantz jedoch weniger progressiv, denn er schwankt zwischen dem rationalistischen und sensualistischen Prinzip.

Vom Erfordernis des „gemischten Geschmacks" geht auch Carl Philipp Emanuel Bach aus. Bei ihm[9] finden wir die unbedingte Voraussetzung für den ausübenden Künstler, daß er „notwendig sich selbst in alle Affekten setzen können" muß, „welche er bey seinen Zuhörern erregen will". Bach knüpft an Quantz an, aber auch an Mattheson, und dies vor allem im Verlangen nach sangbarer Melodik in der Instrumentalmusik, deren Vorbild die Vokalmusik sein sollte. Bach schreibt sein Lehrbuch für ein akkordisches, d. h. „harmonisches" Instrument, verlangt jedoch trotzdem folgerichtig, man möge das Clavier sangbar spielen. Durch Vermittlung der sangbaren Spielart lassen sich auch verschiedene Affekte ausdrücken. Bach, Verkünder der Sangbarkeit, ist der Ansicht, daß auch das Clavier, ein mit dem Fingeranschlag zum Tönen gebrachtes Instrument, das Erfordernis der Kantabilität erfüllen und sich so der menschlichen Stimme nähern kann. Das Erfordernis der Sangbarkeit des Clavierspiels wird bei Bach durch die Betonung der Frage nach den sogenannten Manieren, d. h. Vorschläge, Tril-

---

7 Vgl. R. Pečman, *Sloh a doba* (Stil und Zeit). Hrg. von der Konzertabteilung des Kultur- und Erholungsparks („Park kultury a oddechu"), Brno 1985, S. 10f.

8 Quantz, *Versuch* XI, § 15.

9 Bach, *Versuch* I, 3. Hauptstück. Berlin 1753, 28, § 14.

ler, Doppelschläge, Mordente, Schneller u. a., unterstützt. Musik ohne Manieren ist für Bach unterentwickelt und eintönig, allerdings ist es nötig, die Manieren ohne Ausdruckshypertrophie, nüchtern und wohlerwogen auszuführen. Die zurückhaltende Ausführung der melodischen Verzierungen ist bereits ein Merkmal der Frühklassik. Den einzelnen Verzierungen kann man genau bemessene Affektwerte zuerkennen. Die äußeren Zeichen dieser Verzierungen drücken nämlich die innere psychologische Seite der Affekte aus. Übrigens kann man ja auch auf die Tonalität, die Intervalle, Rhythmik, Harmonie, Wahl der Tempi usw. den Gedanken anwenden, daß sie Affekte bzw. deren innere psychologische Seite zum Ausdruck bringen. Die Betonung der Kantabilität und der melodischen Verzierungen läßt sich bei Bach, aber auch anderen Theoretikern (besonders bei Quantz) mit ihrer bewußten Unterscheidung der Entwicklungslinie der Musik vom Barock zur Klassik erklären. Beide, Bach und Quantz, stehen auf dem Boden der Frühklassik, als die deutsche Musik relativ rasch die Hegemonie in der Entwicklung der europäischen Musik erringt. Die vom Kontrapunkt getragene horizontale Art der Komposition tritt zugunsten der vertikalen Art zurück, in der die funktionelle Harmonie – und somit auch die Melodik, die Kantabilität – dominiert. Melodische Verzierungen, auf die gerade C. Ph. E. Bach solchen Wert legt, sollen die Melodik (Sangbarkeit) intensivieren, und dies in Beziehung gerade zur musikalischen Präsentation von Affekten in ihrer unendlichen Mannigfaltigkeit. „Worinn (...) besteht der gute Vortrag?“ fragt Bach[10] und fährt fort: „In nichts anderm als der Fertigkeit, musikalische Gedancken nach ihrem wahren Inhalte und Affect singend oder spielend dem Gehöre empfindlich zu machen. Man kan durch die Verschiedenheit desselben einerley Gedancken dem Ohre so veränderlich machen, dass man kaum mehr empfindet, dass es einerley Gedancken gewesen sind.“

C. Ph. E. Bach ist als einer der Schöpfer des instrumentalen Stils des 18. Jahrhunderts zu betrachten, der gerade die Instrumentalmusik als Trägerin der Affekte aufgefaßt hat. In diesem Sinne nähert er sich Domenico Scarlatti. „Er [Bach] beherrscht alle Stile, am vollendendsten ist er aber im Ausdrucksstil“ berichtet Burney[11]. Die Form des Clavierstücks (der Sonate) ähnlich wie D. Scarlatti auffassend, bemüht sich C. Ph. E. Bach, das Ausdrucksvolle, das Pathetische auch in seine Musik einzubeziehen. Er besitzt die Fähigkeit, den Schmerz und die Klage durch Musik darzustellen. Die Schreibweise Bachs nähert sich dem galanten Stil. Gerade in den Verzierungen und ihrer Anwendung scheint er uns eine außergewöhnliche Persönlichkeit zu sein. Aber gerade die Aufführung des Melismatischen birgt für

10 Ebd., S. 117.

11 Ch. Burney, *The Present State of Music*, Vol. II, London 1773, S. 270.

die ausübenden Künstler einige Probleme. Die Verzierungen sind bei Bach nicht nur rein technisch zu betrachten: sie dienen manchmal als schmükkende Zutat, manchmal aber wieder als Ausdrucksmittel, das im Dienste der Emotion steht. Auch die Verzierungen sind also bei Bach Träger der Affekte. Dabei aber sei vor dem Übermaß an Verzierungen zu warnen, meint Bach in seinem oben erwähnten Lehrbuch. Die deutschen Komponisten sollten nicht in die Manier verfallen, die der französischen nahe stünde. Bei den Franzosen insbesondere sei es üblich, fast jede Note mit einer Verzierung zu schmücken. Der Komponist solle aber die edle Einfalt des Gesangs zum Vorbild nehmen. Die Verzierungen könnten manchmal auch das hervorragende Musikwerk verderben. Der Affekt des Tonsatzes solle niemals durch die Verzierungskunst verdunkelt werden. Es sei nötig, die affektuösen und rhetorischen Stellen – z.B. in den Reprisen der Sonatensätze – durch die Verzierungen nicht zu verändern. Die Verzierung diene nur zur tieferen Erklärung des Inhaltes der Komposition.

Die Ansichten Bachs stehen im Gegensatz zur Aufführungspraxis der Berliner Schule, die außerordentlich starken Gebrauch von Verzierungen machte. Bach knüpft eng an die Affektenlehre an und ist der Meinung, daß die Verzierung mit der Tendenz zum Ausdruck des individuellen menschlichen Affektes verbunden sein solle. Mit anderen Worten gesagt: die Verzierung bedeutet für Bach kaum etwas Formelles, sondern ist als ein fester Bestandteil der Komposition und ihrer Ausdruckskraft, als ein Mittel des Dialogs zwischen den ausübenden Künstlern und den Zuhörern zu betrachten. In diesem Sinne steht C.Ph.E.Bach z.B. den französischen Enzyklopädisten[12] nahe und ist davon überzeugt, daß Kunstwerke und speziell Musik auf die Gefühle und die sittliche Haltung des Menschen einwirken können.

Die Gedanken eines C.Ph.E.Bach evozieren u.a. ausgesprochen axiologische Vorstellungen. Das Schöne begreifen sie als empirische Qualität. Dies führt dazu, dem Schönen auch das Moment einer Art Nützlichkeit zu unterstellen. Mit anderen Worten bedeutet dies, daß Bach beispielsweise bedachte, inwieweit die Musik imstande sei, Vorwürfe und Elemente der Realität künstlerisch darzustellen. Man kann sagen, daß sich C.Ph.E.Bach zwischen zwei Grundsätzen bewegte:

---

12 Ähnlichen Tendenzen, die Batteux' Grundsätze auszuarbeiten versuchen, begegnet man bei den französischen Enzyklopädisten. Sie alle waren Bekenner der Nachahmungstheorie und vertreten die Ansicht, das Kunstwerk sei danach zu werten, wie es die Regeln dieser Theorie erfüllte. Dabei waren sie sich, besonders bei der Oper, das Entwicklungsmomentes bewußt, denn sie zogen die italienische *buffa* der französischen *opéra lyrique* vor. Allerdings irrten sie insofern, als sie die Oper allzu einseitig als Theatergebilde sahen und vergaß, daß sie auch sehr prägnante musikalische Parameter besitzt.

1) Die Musik ist nützlich, weil sie imstande ist, die Natur und die menschlichen Affekte nachzuahmen.
2) Die Musik ist deshalb nützlich, weil sie zwar „zu nichts führt", aber an und für sich schön ist; weil sie also Ausdruck der eigenen Schönheit ist und keinen anderen Zwecken dient.

Bach, der vor allem an Quantz' Lehrbuch anknüpfte, tendierte zur klassischen Äußerung. In stilistischer Hinsicht kann man damals, und somit auch in Bachs Ansichten, ein Streben nach Ausbildung und Anwendung einer „discursiven Tonsprache" beobachten, um einen Terminus Hugo Riemanns zu verwenden[13]. Statt einer einheitlichen und einheitlich wirkenden „barokken" Struktur, statt des Strebens nach Ausdruck des Affekts in ganzheitlich klingenden Flächen, tritt eine Tendenz an, die zu der Beweglichkeit und dem Wechsel musikalischer Gedanken strebt. Die thematische Polarität geht Hand in Hand mit den kunstvollen Ausdruck und Themendualismus im Sonatensatz. Die übersichtliche Melodik beeinflußt auch die tektonischen Elemente so weit, daß man hier bereits von einem Zielen nach allgemein verständlicher Musiksprache und allgemein verständlichem musikalischen Ausdruck sprechen darf, und zwar trotz ihrer Mannigfaltigkeit. Freilich wirkt in der Zeit von C. Ph. E. Bach und J. J. Quantz die Vereinfachung der harmonischen Ausdrucksmittel (die früher als Ergebnis der horizontal geführten Stimmen entstanden) möglicherweise als Abstieg von der Stufe der im Barock erreichten musikalischen Entwicklung, aber gerade diese Vereinfachung und bis zu einem gewissen Grad auch Verselbständigung und Trennung der melodischen und harmonischen Komponente ist ein markantes Merkmal der folgenden Stilepoche, an deren Schwelle Bach ebenso wie Quantz stand, die aber auch Leopold Mozart mit seinen Ansichten geformt hat[14].

---

13 Vgl. H. Riemann, *Handbuch der Musikgeschichte* II/3, Leipzig 1913.

14 Bachs und Mozarts Lehrbücher sind im Faksimile erschienen. Vgl. C. Ph. E. Bach, *Versuch über die wahre Art das Clavier zu spielen.* Erster und zweiter Teil. Faksimile-Nachdruck der 1. Auflage, Berlin 1753 und 1762, hrg. von L. Hoffmann-Erbrecht, Leipzig 1969. – L. Mozart, *Gründliche Violinschule.* Augsburg, dritte Ausgabe, 1787. Repr. Leipzig 1956.

Bernhard Stockmann

Der bezifferte Generalbaß von C. Ph. E. Bach zum Credo der h-Moll-Messe J. S. Bachs

Im Nachlaßverzeichnis Carl Philipp Emanuel Bachs ist die Partitur des „Symbolum Nicaenum" vermerkt als Autograph des Komponisten mit handgeschriebenen Stimmen, die aus späterer Zeit stammen[1]. Dieses Material diente zu einer Aufführung des Credo in Hamburg unter der Leitung des Sohnes im Frühjahr 1786, wobei die Stimme des Basso continuo von ihm selbst beziffert wurde[2]. In welcher Beziehung zu dem Basso continuo der eigentlichen „Missa", des Kyrie und Gloria, der von Johann Sebastian Bach bezeichnet ist, steht diese Ergänzung?

Den Generalbaß führen Orgel, Violone und Violoncello aus[3]. In den chorischen Partien des ersten Kyrie folgt der Instrumentalbaß, abgesehen von kleineren Modifizierungen, der unteren Vokalstimme, wobei er, wenn das Fundament verstärkt werden soll, in die tiefere Oktave hinabgeht (z. B. T. 65–67). Die Baßstimme verläuft selbständig dem vokalen Part gegenüber, wenn der Tenor das stimmliche Geschehen einleitet und die oberen Singstimmen in der Imitation allmählich hinzutreten. Hat der vokale Satz die Drei- und Vierstimmigkeit erreicht, dann lautet der instrumentale Baß, in der Art des Basso seguente, mit der Tenorstimme gleich (T. 37–45). Diese Technik ist noch ausgeprägter im „Gratias agimus" des Gloria, wo in den Takten 20 und 21 der Alt, dem Violine und Oboe folgen, zur Basis wird. Eine selbständige Stimme des Violone gibt es für die „Missa" nicht[4], aber

1 *Verzeichniß des musikalischen Nachlasses des verstorbenen Capellmeisters Carl Philipp Emanuel Bach,* Hamburg 1790, S. 72.

2 Staatsbibliothek Preußischer Kulturbesitz, Berlin (West). Signatur St. Bach 118. – Zur Quellenlage: J. S. Bach, Neue Ausgabe sämtlicher Werke. Serie II, Bd. 1. Missa ..., hrg. von F. Smend, Kassel 1956. Kritischer Bericht, S. 130, 328. G. v. Dadelsen, *Beiträge zur Chronologie der Werke J. S. Bachs,* Trossingen 1958, S. 143. J. Rifkin, „,Wobey aber die Singstimmen hinlänglich besetzt seyn müssen.' Zum Credo der h-Moll-Messe in der Aufführung Carl Philipp Emanuel Bachs", in: *Programmbuch Bach-Tage Berlin* 1986.

3 Zum Violone als Instrument vgl. A. Planyavsky, *Geschichte des Kontrabasses,* 2., erweiterte Aufl., Tutzing 1984.

4 Vgl. J. S. Bach, *Missa h-Moll,* BWV 232[1], Dresdener Stimmen. Faksimile. Mit einem Kommentar hrg. v. H.-J. Schulze, Stuttgart 1983.

unter den Instrumentalstimmen der Motette *Der Geist hilft unsrer Schwachheit auf* (BWV 226) ist eine solche enthalten[5]. Nach Johann Gottfried Walther geht der Violone in der Höhe bis zum d' oder e'[6]. Im ersten Teil der Motette wird nun, weil der Baß kurz pausiert, für den Basso continuo das f' und fis' des Tenors gefordert (T. 43–44)[7]. Im dritten Satz bewegt sich der Tenor als Grundstimme in der tieferen Lage, zwischen f und c', die dem Violone keine Schwierigkeiten böte (T. 178–182). Aber Bach verfährt nach einem Schema: Setzt der vokale Baß aus, schweigt gleichfalls das große Streichinstrument. Auf die beiden ersten Sätze der Messe angewandt, bedeudet dies, daß im Kyrie in den Takten 37–45 und im „Gratias agimus" in den Takten 20–22 und 27–28 Orgel und Violoncello den Basso continuo übernehmen. Das zeigt ein Blick auf die bezifferte Stimme. An diesen Stellen ist statt des Baßschlüssels der Tenor- oder Altschlüssel vorgezeichnet. In Takt 28 des „Gratias agimus", wo die Linie des Tenor endet und der Baß erneut beginnt, ist der Basso continuo zweistimmig mit der Quinte d–a gesetzt.

Das Fagott oder der Basson, wie Bach ihn nennt, ist nicht durchgängig dem Basso continuo zugeordnet. In den beiden Kyrie dient es im vokalen Teil vorwiegend zur Unterstützung des Singbasses. Treten im ersten Kyrie die Oboen jedoch solistisch hervor, gesellt sich das Fagott zu den hohen Rohrblattinstrumenten (T. 72–74)[8]. – Das Ausschreiben einer solchen Fagottstimme ging über die bloße Kopistenarbeit hinaus. Im Stimmensatz, der für Dresden bestimmt war, schrieb Bach diese Notenblätter selbst.

Bach hat bei der Stimmführung, so es um die Wiedergabe geht, nicht immer an den Umfang des jeweiligen Instruments gedacht. In Takt 65 und 66 des ersten Kyrie ist für die Entfaltung des Themas das Cis unumgänglich, wenngleich die „kurze" Oktave der Orgel diesen Ton nicht hergeben konnte. Vermutlich behalf sich der Spieler in der Weise, daß er bei der fehlenden Taste in die obere Oktavlage auswich.

„Die Orgel ist bey Kirchensachen, wegen der Fugen, starken Chöre und überhaupt der Bindung wegen unentbehrlich. Sie befördert die Pracht und erhält die Ordnung."[9] Unter einer Bindung versteht der Theoretiker nicht

---

5 Vgl. J. S. Bach, Neue Ausgabe, s. Anmerkung 2, Serie III, Bd. 1, Motetten, hrg. von K. Ameln. Kassel 1965, S. 39.

6 Vgl. *Musicalisches Lexicon,* Leipzig 1732. Reprint Kassel 1953, S. 637.

7 In dieser Motette Bachs nimmt das Violoncello am Basso seguente nicht teil.

8 Vgl. hierzu: K. Brandt, „Fragen zur Fagottbesetzung in den kirchenmusikalischen Werken J. S. Bachs", in: *Bach-Jahrbuch* Jg. 54, 1968.

9 C. Ph. E. Bach, *Versuch über die wahre Art das Clavier zu spielen.* T. 2. Berlin 1762. Reprint Wiesbaden 1986, S. 1.

nur die Verlängerung des Notenwertes durch Haltebögen, vielmehr denkt er dabei auch an die durch eine *syncopatio* vorbereitete Dissonanz und deren anschließende *resolutio.* „Was nun gebunden wird, verlanget nach einer Befreiung, und also gehet es auch mit den Dissonantzen.“[10] Für Carl Philipp Emanuel Bach war bei chorischen Stücken für den Basso continuo die Orgel das Instrument schlechthin, weil ihr nicht verklingender Ton eine komplizierte Stimmführung gut nachzeichnen konnte und ihr Klang auch einen großen Raum mühelos füllte. Der Autor dachte dabei nicht an die Kleinorgel, das Positiv. „Das Pedal bey den letztern thut seine guten Dienste, wenn die Noten in de Grundstimme nicht zu geschwinde sind, und der Baß durch ein sechzehnfüßiges Register durchdringender gemacht werden kann.“[11] Die Frage, wie die Orgel für die Ausführung des Basso continuo heranzuziehen sei, wird von Carl Philipp Emanuel Bach von der spätbarokken Tradition her beantwortet. Bereits Friedrich Erhardt Niedt (1674–1717) gibt folgende Anweisung: „Und endlich bitte ich noch bey den zweygeschwäntzten Noten das arme Pedal zu verschonen, weil sonst nichts anders als ein verdrießliches Geklapper zu hören und die sechzehnfüßigen Stimmen nicht so deutlich ihren Thon von sich geben können.“[12] – Eine weitere Möglichkeit schlägt der Autor des *Versuchs* vor: „Bey dem mezzo forte kann die linke Hand mit den Baßnoten allein auf dem stärkern Manuale bleiben, indem die rechte mit dem schwächern ihre Harmonie vorträget.“[13] Zugleich wird unterschieden: „So bald aber in der Kirche Recitative und Arien, besonders solche, wo die Mittelstimmen der Singstimme, durch ein simpel Accompagnement, alle Freyheit zum Verändern lassen, mit vorkommen, so muß ein Flügel dabey seyn.“[14] Wahrscheinlich geht die später gängige Praxis bei der Aufführung der Kirchenmusik Bachs, im Basso continuo zwischen Orgel und Cembalo zu alternieren, der Idee nach auf den Sohn zurück.

Die Stimmführung im Generalbaß gehorcht den Regeln der Komposition[15]. Im „Qui tollis“ des Gloria werden Violone und Orgel zu den Taktschwerpunkten eingesetzt, um dem Klang mehr Transparenz zu geben. In Takt 3 und 4 erscheint auf dem ersten Viertel ein Septimen- bzw. Nonenak-

---

10 J. Mattheson, *Kleine General-Baß-Schule.* Hamburg 1735. Reprint Laaber 1980, S. 211.

11 C. Ph. E. Bach, *Versuch,* s. Anmerkung 9, S. 245.

12 *Musicalische Handleitung.* T. 3, Hamburg 1717, S. 43.

13 C. Ph. E. Bach, *Versuch,* s. Anmerkung 9, S. 246. – Vgl. auch J. Adlung, *Anleitung zu der musikalischen Gelahrtheit.* Erfurt 1758. Reprint Kassel 1953, S. 657.

14 C. Ph. E. Bach, *Versuch,* s. Anmerkung 9, S. 1.

15 Vgl. hierzu auch A. Mann, „Zur Generalbaßlehre Bachs und Händels.“ J. B. Christensen, „Zur Generalbaßpraxis bei Händel und Bach“, in: *Basler Jahrbuch für historische Musikpraxis.* Jg. 9, 1985.

kord. Während der Baß schweigt, wird auf der Orgel mit den Akkorden der rechten Hand die Weiterführung vollzogen. Der Bezug zum Fundament bleibt somit erhalten. Nur in Takt 23 beginnt nach dem Dreiklang h-Moll eine harmonische Entwicklung, die sich zunächst vom Basso continuo löst. Im „Quoniam tu solus sanctus" schließt auf dem zweiten Viertel der Basso continuo zunächst mit dem Dreiklang h-Moll. Auf dem Clavierinstrument folgt nun der „Accord der grossen Septime", bezogen auf das Fundament H, der sich in den Dreiklang der ersten Stufe auflöst (T. 61–62). Offenbar wollte Bach dem solistischen Baß vom Continuo her für die Intonation eine unmerkliche Hilfe geben. Weil Violone und Violoncello zwar nicht gegeneinander, aber doch verschieden geführt werden, hielt Bach es für ratsam, eine eigene Stimme für dieses Instrument ausschreiben zu lassen.

In der Fassung des Credo, die von Carl Philipp Emanuel Bach herrührt, fällt zunächst auf, daß zu Beginn der große Allabreve-Takt auf zwei halbe Schläge verkürzt wird. Es sind zusätzliche Taktstriche gezogen, die Notenwerte bleiben also unangetastet, doch sind nunmehr öfter Haltebögen, sogenannte Bindungen zu finden. Dem Chor wird es durch diese Unterteilung leichter gemacht, sich im Notenbild auszukennen, wie auch der Spieler vom Cembalo aus mühelos die Taktschwerpunkte markieren konnte.

Carl Philipp Emanuel Bach führte das Credo seines Vaters nicht in der Kirche, sondern im Konzertsaal auf[16]. Statt der Orgel wurde der Basso continuo sogar in den Chören dem „Flügel" – so heißt bei ihm auch das Cembalo – zugewiesen. Weil das Clavier den Ton verklingen läßt, ist die Stütze für den Chor, selbst wenn in vollen Griffen die Tasten niedergedrückt werden, nicht allzu stark[17]. Der jüngere Bach entschied sich nun dafür, die Singstimmen durch Instrumente *colla parte* zu verstärken, und zwar sind die beiden Oboen den Sopranstimmen, die Viola dem Alt und das Violoncello dem Baß zugeteilt. Anders als bei J. S. Bach hat das Fagott den Tenor zu entlasten. Diese Schwierigkeit entstand wohl daraus, daß dieser Generation der fünfstimmige Chor eigentlich schon fremd war.

Das Credo stand am Beginn des Konzertes. Auf die ersten fünf Takte, in denen der Tenor allein lange Notenwerte zu dem bewegten Basso continuo mit den breit ausgehaltenen Akkorden der rechten Hand singt, wäre der Hörer kaum vorbereitet gewesen. Vielleicht hätte dieser Anfang ihn sogar befremdet. Dem wußte Carl Philipp Emanuel dadurch abzuhelfen, daß er

---

16 Der Ort läßt sich heute nicht mehr genau ermitteln. Wahrscheinlich war es der Saal der Handlungsakademie.

17 Vgl. *Versuch*, s. Anmerkung 9, S. 5. – Das vollstimmige Accompagnement lehrt bereits J. D. Heinichen, *Der General-Baß in der Composition*. Dresden 1728. Reprint Hildesheim 1969. Vgl. S. 156.

eine Einleitung von 28 Takten nach Art einer „Sinfonia" dem Stück voranstellte[18] Im gleichfalls fünfstimmigen „Confiteor", das im Original nur vom Basso continuo gestützt wird, ist die klangliche Masse eher vergrößert, weil die beiden Soprane, neben den Oboen, zusätzlich von den hohen Streichern verstärkt werden. Diese Instrumentierung des „Confiteor" schwächt den in Takt 137 überraschend hervortretenden vokalen Klang merklich ab, wenngleich für den ersten Sopran die Wiedergabe durch die mitgehende Oboe und Violine erleichtert wird. In der Intonation ist die Folge der Töne b', alteriert von h', und c", die nach dem Dreiklang A-Dur des vollen Chores steht, schwierig. Auf eine Ähnlichkeit mit dem ersten Takt des einleitenden Kyrie wäre hinzuweisen, wo Bach unvermutet die Colla-parte-Begleitung aufgibt und der zweite Sopran den verminderten Dreiklang ais'-cis"-e" auseinanderbreitet. Jedoch klingt das Fundament mit dem „Sextquintenaccord" in die Pause des letzten Viertels hinein.

Von seiner Hand geschrieben sind die Stimmen des Violoncello und Fagott, jedoch nur für diese zwei Sätze und das abschließende „et vitam venturi". Daraus ist kaum zu folgern, daß in den übrigen Teilen des Credo diese Instrumente auszusetzen hätten. Der letzte Satz schließt sich unmittelbar an, „volti presto" lautet der Hinweis in den Stimmen. Für die Spieler wäre es mühsam gewesen, den Blick sogleich auf ein anderes Notenblatt zu lenken. Die Violoncelli sind im „Credo" und „Confiteor" nicht geteilt. Somit wird durch diese Stütze, die der vokale Baß erhält, zugleich der instrumentale Basso continuo auf Cembalo und Violone eingeschränkt. In den reich besetzten Abschnitten hatte wohl auch das Fagott mitzuwirken, in den Arien und schwächer instrumentierten Teilen mußte es schweigen[19].

In das Autograph des Credo trug Carl Philipp Emanuel Bach für den ersten Satz die Bezifferung vollständig ein, für den folgenden Teil bis zu Takt 65, für das „Et incarnatus est" in den ersten neun Takten, im „Crucifixus" nur in Takt siebzehn[20]. Die Bezifferung in der Partitur unterscheidet sich nur geringfügig von der Stimme des Basso continuo, deren Zahlen jedoch bis zum Schluß gehen. Wenn in jener in Takt 14 und 17 die Wechselnoten

---

18 Vgl. die zeitgenössische Partitur des Credo aus dem Umkreis Carl Philipp Emanuel Bachs. Staatsbibliothek Preußischer Kulturbesitz, Berlin (West). Signatur Bach P 22. – Die Begleitung Colla parte in den Sätzen des „Credo" und „Confiteor" ist in der Quelle nicht ausgeschrieben, sondern bei den vokalen Systemen vermerkt. Im „Credo" steht nur der Hinweis: „Viola con Alto". Hinsichtlich der Verwendung der obligaten Querflöten im „Crucifixus" hält sich der Schreiber an die autographe Partitur.

19 Eine zeitgenössische Fagottstimme des *Magnificat* (H 772) ist erhalten. Nur in den stark besetzten Teilen des Werkes spielte das Instrument mit. Vgl. die Neuausgabe von G. Graulich u. P. Horn. Stuttgart 1971, S. VI.

20 Vgl. *Messe in h-moll,* BWV 232. Faksimile-Lichtdruck des Autographs ... hrg. von A. Dürr, Kassel 1965.

von der Bezifferung übergangen werden, so liegt kaum ein Versehen vor, da auch die Continuostimme nicht immer einheitlich verfährt. (vgl. T. 29). Der Generalbaß fügt den Chor mit den obligaten Instrumenten zusammen. Folglich wird am Schluß die wichtige dominantische Wirkung mit der übermäßigen Sekunde f"-gis" zwischen den beiden Violinen von der Bezifferung beachtet (vgl. T. 45), also die Wechselnote des ersten Sopran nachvollzogen und anschließend, statt des Dreiklangs auf fis, der Septimenakkord gesetzt.

Im zweiten Satz des Credo läßt Carl Philipp Emanuel Bach im sechsten Takt zum dritten Viertel die rechte Hand auf dem Clavier vorausschlagen, um dem Chor einen guten Halt zu bieten. In diesem Sinne könnte schon im „Cum sancto spiritu" des Gloria in Takt 69, wo der Basso continuo zum zweiten Achtel den Dominantseptakkod bringt, die rechte Hand vorausgehen. – Im „Et incarnatus est" verzichtet Carl Philipp Emanuel Bach in den Takten 45–47 auf den auszusetzenden Basso Basso continuo, genauer: die Linie des Basses wird als „unisonus" nachgezeichnet. Unter diesem Terminus versteht er das einstimmige Spielen in der Oktave; wo der Umfang es zuläßt, ist dabei die untere zu greifen, unter Beteiligung der rechten Hand[21]. Diese Manier scheint vor allem dem Cembalo angemessen, überzeugt aber auch auf der Orgel, wie die Partitur des *Heilig* (H 778) zeigt, bei starker Dynamik (T. 225–228). Der Vorschlag für das „Et incarnatus est" unterscheidet sich nun von dem Verständnis des Basso continuo, wie es J. S. Bach noch besaß. In der Arie „Ewigkeit, du machst mir bange" (BWV 20) ist eine ähnliche Stimmführung des Basses mit Ziffern versehen (T. 86–87). Sie machen jedoch die Ausführung für den Spieler, wenn es um das Erfassen der Harmonik geht, nicht leicht. Aber ein entgegengesetztes Argument böte sich gleichfalls an, wonach das Hervortreten einer thematisch wichtigen Linie im Fundament, unter Verzicht auf den eigentlichen Generalbaß, dem Gehalt dieser Musik mehr entspräche.

Das Spielen im *unisono* ist der Ausführung des Basses als „tasto solo" eng verwandt. Bach verwendet sie zu dem Orgelpunkt in den Takten 13–17 des „Et in terra pax" im Gloria. Gleich zu Beginn sind jedoch Ziffern über die Haltestimme des Basses geschrieben (T. 2–4). Dies geschah wohl aus praktischen Gründen, denn der Chor setzt schon im folgenden Takt ein, und die zuvor auf der Orgel angeschlagenen Akkorde sollen den Singstimmen mehr Sicherheit geben. Zur Technik des Orgelpunkts schreibt der Theoretiker: „Diese Orgelpunkte können drey- und mehrstimmig seyn. Die Harmonie

---

21 Vgl. *Versuch,* T. 2, S. 172, 178.

darüber ist oft auch ohne den aushaltenden Baß vollständig, doch giebet ihr der letztere alsdenn die gehörige Gravität. Wenn man die hierbey vorkommenden Veränderungen der Harmonie und besondere Zusammensetzung der Intervallen recht deutlich übersehen und erklären will, so lässet man den Baß weg. Die ungewöhnlichsten Signaturen werden alsdenn zu ganz gewöhnlichen Aufgaben des Generalbasses. ... Wer sie beziffert, muß sich gefallen lassen, daß man sie dem ohngeacht tasto solo spielet. Es ist hieran nicht allein eine sehr nöthige Bequemlichkeit, sondern oft die Unmöglichkeit Schuld."[22] Es wird treffend gesehen, daß die Bezifferung über einem Orgelpunkt wenig erklärt, weil es ja zu seinem Charakteristikum gehört, daß sich die Harmonien darüber frei bewegen. Zum anderen ist Carl Philipp Emanuel Bach Pädagoge genug, um dem Spieler unnötige Schwierigkeiten hinsichtlich der Bezifferung zu ersparen. Zu dem Orgelpunkt im „Confiteor" setzt er folgerichtig „tasto solo" (T. 69). Den Rahmen der barocken Musizierpraxis verläßt er aber, wenn er mit der Ausführung „tasto" die Dynamik absenken möchte, so am Ende der Phrasen im „Et in spiritum sanctum" (z. B. T. 12, 24).

Im „Crucifixus" ist in der autographen Partitur zunächst keine Dynamik vorgeschrieben. Carl Philipp Emanuel Bach ergänzt jedoch zu Anfang „sempre piano". Erst gegen Schluß, T. 49, erscheint dieser originale Stärkegrad, aus dem in der Fassung des jüngeren Bach nun folgerichtig „pianissimo" wird, wie auch der Basso continuo sich auf das „tasto" beschränkt. Die Wiedergabe der chromatischen Schritte wird dadurch für den Chor erschwert, zugleich gewinnt aber diese Stelle fast eine *a-cappella*-Wirkung.

Der jüngere Bach tauscht im „Crucifixus" die beiden obligaten Flöten gegen Oboen aus. In seinen eigenen Kompositionen setzt er die Flöten vor allem in der sehr hohen Lage ein, während die Oboen mit ihrem fülligeren und zugleich dunkleren Klang für den mittleren Tonraum geeigneter scheinen. So bewegen sich die Flöten im ersten Chor des Oratoriums *Die Israeliten in der Wüste* (H 775) zwischen d' und es''', wobei diese Bläser über den Singstimmen liegen und in geringer Distanz zueinander geführt werden.

Betrachtet man das eigene Schaffen Carl Philipp Emanuel Bachs, so bestätigen sich manche dieser Beobachtungen. Der Basso continuo dient auch dazu, die Dynamik zu schattieren, sei es durch das Spielen in Oktaven oder in der Beschränkung auf die bloße Baßlinie, sei es auch, daß auf ihn ganz verzichtet wird. In den einleitenden Takten zum Credo seines Vaters begnügt sich die Mitwirkung des Cembalo mit dem „tasto", und zum allmähli-

---

22 *Versuch,* T. 2, S. 182.

chen, wie aus dem Nichts kommenden Beginn der Kantate *Morgengesang am Schöpfungsfeste* (H 779) heißt es „ohne Flügel und Fagott“. Ähnlich lautet die Anweisung für den ersten Choreinsatz im *Heilig* (H 778). Obwohl Instrumente dabei sind, könnte man in diesem Anfang mit seiner fast sphärischen Klangwirkung eine der Wurzeln des späteren romantischen A-cappella-Ideals sehen. Vielleicht stellen die Vokalwerke Carl Philipp Emanuel Bachs schon insofern einen Abschluß dar, als in der „stark besetzten“ Musik der Basso continuo seine Mannigfaltigkeit verliert und ihm nur noch die Aufgabe zugewiesen wird, dem Chor eine Stütze zu sein[23].

23 Vgl. hierzu auch P. Soinne, „C. Ph. E. Bachs Versuch ... als Quelle der Bach-Forschung“, in: *Bericht über die wissenschaftliche Konferenz zum V. Internationalen Bachfest der DDR,* Leipzig 1988.

VI

Zur Überlieferung der Werke Bachs

Hans-Günter Klein

Werke Carl Philipp Emanuel Bachs in der Staatsbibliothek Preußischer Kulturbesitz Berlin: Neuerwerbungen von Handschriften nach 1945

Die Autographe und Abschriften von Werken C. Ph. E. Bachs aus dem sog. „Altbestand", d. h. dem aus der früheren Preußischen Staatsbibliothek in das Eigentum der Staatsbibliothek Preußischer Kulturbesitz gelangten Teil, sind durch den Katalog von Paul Kast[1] in zwar knapper, aber hinreichender Form erschlossen. Der Nachweis von Kompositionen Emanuel Bachs in den gesondert aufbewahrten Sammelhandschriften aus dem Altbestand ist leider immer noch ein Desiderat, da eine Auswertung dieses Bestandes noch nicht begonnen werden konnte. Seit vielen Jahren ist bekannt, daß auch etliche Handschriften von Werken anderer Komponisten (u. a. von G. Benda, C. H. Graun, Telemann, Stölzel) Eintragungen von der Hand C. Ph. E. Bachs zeigen – Stücke, die er vor allem in seiner Hamburger Zeit aufgeführt hat: diese Handschriften werden nach und nach erfaßt und gesondert verwaltet; die Veröffentlichung eines beschreibenden Verzeichnisses ist vorgesehen.

Aus den Erwerbungen von Handschriften mit Werken C. Ph. E. Bachs nach 1945 lassen sich ihrer Provenienz nach zwei Gruppen unterscheiden: Manuskripte aus der Bibliothek Pretlack wie aus dem Nachlaß von Heinrich Spitta; ferner gelangten fünf Einzelstücke in den Besitz der Bibliothek, von denen das bedeutendste das einzige nach dem Zweiten Weltkrieg erworbene Autograph Bachs ist: die Partitur des Doppelkonzerts in Es-Dur aus dem Jahre 1788.

1) *Handschriften aus der Bibliothek Pretlack*

Die im Jahre 1969 erworbene Musiksammlung der Freiherren von Pretlack stellt ein für den süddeutschen Kleinadel im 18. Jahrhundert typisches Kapellarchiv dar. Einzelheiten über die Entstehung dieser Sammlung und die Musizierpraxis der Freiherren sind nicht bekannt. Als Besitzer ist der Ritt-

---

1 P. Kast, *Die Bach-Handschriften der Berliner Staatsbibliothek,* Trossingen 1958 (Tübinger Bach-Studien, Heft 2/3).

meister des Württembergischen Kürassier-Regiments Johann Ludwig von Pretlack (1716–1781) nachgewiesen, dessen Initialen (L. v. P.) auf mehreren Manuskripten notiert sind. Vielleicht hat er auch Teile aus dem Besitz seines Halbbruders Johann Franz von Pretlack (1709–1767) übernommen. Die Sammlung blieb bis zum Aussterben der Familie (1843) in deren Besitz und ging dann über eine Enkelin Johann Ludwigs auf die Familie von Harnier über, die auch die Burg Echzell im Kreis Büdingen erbte, in der das Kapellarchiv bis 1969 aufbewahrt wurde. Die Sammlung, die neben einigen Drukken 722 Musikhandschriften enthält, ist von Joachim Jaenecke in seiner Frankfurter Dissertation erschlossen[2].

Sieben Handschriften dieser Bibliothek überliefern Werke C. Ph. E. Bachs: sie sind alle – wahrscheinlich um 1760 – von einem Kopisten geschrieben, der in Darmstadt nachweisbar ist und zu den Haupt-Schreibern dieser Sammlung gehört. Bei den Stimmen-Konvoluten der Cembalo-Konzerte handelt es sich in der Regel um einen vollständigen Stimmensatz, bestehend aus fünf Stimmen (für das Solo-Cembalo, Violine 1 und 2, Viola und Baß).

a) 17 Claviersonaten und das Concerto C-Dur Wq 112/1 (H 190)
Signatur: N. Mus. BP 143

f. 1r	Titel: *V Sonates per il Cembalo Solo par C. F. E. Bach*
f. 1v–15v	Sonaten Wq 50/1–5 (H 136–139, 126)
f. 16r–28r	Sonaten Wq 51/1, 2, 4, 5 (H 150, 151, 128, 141)
f. 28v–44r	Sonaten Wq 52/1–6 (H 50, 142, 158, 37, 161, 129)
f. 44v–46v	Sonate D-Dur Wq 62/3 (H 22)
f. 47r–54r	Concerto C-Dur Wq 112/1 (H 190)
f. 54v–56v	Sonate F-Dur Wq 112/7 (H 179)

b) Claviersonate G-Dur Wq 62/19 (H 119)
Signatur: N. Mus. BP 144
Umfang: 12 S. (S. 1 Titel, S. 2 und 12 leer).

c) Claviersonate C-Dur Wq 62/7 (H 41)
In: N. Mus. BP 195, S. 13–18
Die Sammelhandschrift enthält außerdem zwei Claviersonaten von Carl Friedrich Fasch. Umfang: 28 S.

d) Cembalo-Konzert E-Dur Wq 14 (H 417)
Signatur: N. Mus. BP 146
5 Stimmen.

---

2 J. Jaenecke, *Die Musikbibliothek des Ludwig Freiherrn von Pretlack (1716–1781)*, Wiesbaden 1973 (Neue musikgeschichtliche Forschungen, Band 8).

e) Cembalo-Konzert D-Dur Wq 18 (H 421)
Signatur: N. Mus. BP 145
6 Stimmen (Baß: zwei Exemplare).

f) Cembalo-Konzert B-Dur Wq 25 (H 429)
Signatur: N. Mus. BP 149
Nur Stimme des Cembalo concertato (Ripien-Stimmen: N. Mus. BP 150).

g) Cembalo-Konzert B-Dur Wq 25 (H 429)
Signatur: N. Mus. BP 150
4 Stimmen (die fehlende Stimme des Cembalo concertato: N. Mus. BP 149).

h) Cembalo-Konzert g-Moll Wq 32 (H 442)
Signatur: N. Mus. BP 148
4 Stimmen (Violine 1 fehlt, Titel: s. Abb. 1).

i) Cembalo-Konzert G-Dur Wq 34 (H 444)
Signatur: N. Mus. BP 147
5 Stimmen.

2) Handschriften aus dem Nachlaß von Heinrich Spitta

Heinrich Spitta, der Neffe des J. S. Bach-Biographen Philipp Spitta, wurde 1902 in Straßburg geboren, wirkte zunächst an der Berliner Hochschule für Musikerziehung und nach dem Zweiten Weltkrieg an der Pädagogischen Hochschule in Lüneburg, wo er 1972 starb. Teile aus seinem Nachlaß wurden von der Staatsbibliothek im Jahre 1981 erworben, darunter drei Handschriften mit Werken Emanuel Bachs.

a) Sechs Claviersonaten für Kenner und Liebhaber, 1. Sammlung (Druck 1779), Wq 55 (H 244, 130, 245, 186, 243, 187)
Signatur: N. Mus. ms. 10465

Die Abschrift ist auf dem Titelblatt bezeichnet: *6 Sonaten fürs Clavier von C. P. E. Bach in Hamburg. 1780.* Auf dem Titel findet sich auch ein Possessorenvermerk: *J. Hartmann.* Umfang: 48 S. (S. 2 leer).

b) Zwei Clavierwerke: Sonate Nr. 6 aus den Sonaten zum *Versuch,* 1. Satz: Allegro di molto Wq 63/6 (H 75); Solfeggio c-Moll Wq 117/2 (H 220)
In: N. Mus. ms. 10480, S. 2–5 und 6 f.

Die Sammelhandschrift entstand wohl um 1800 und trägt den (korrigierten) Titel *Preludia fürs Piano-Forte von Philip Emanuel Bach.* Es sind aber nur die beiden ersten Kompositionen von C. Ph. E. Bach; zwei weitere Clavierstücke sind von J. S. Bach. Umfang: 16 S. (S. 16 leer).

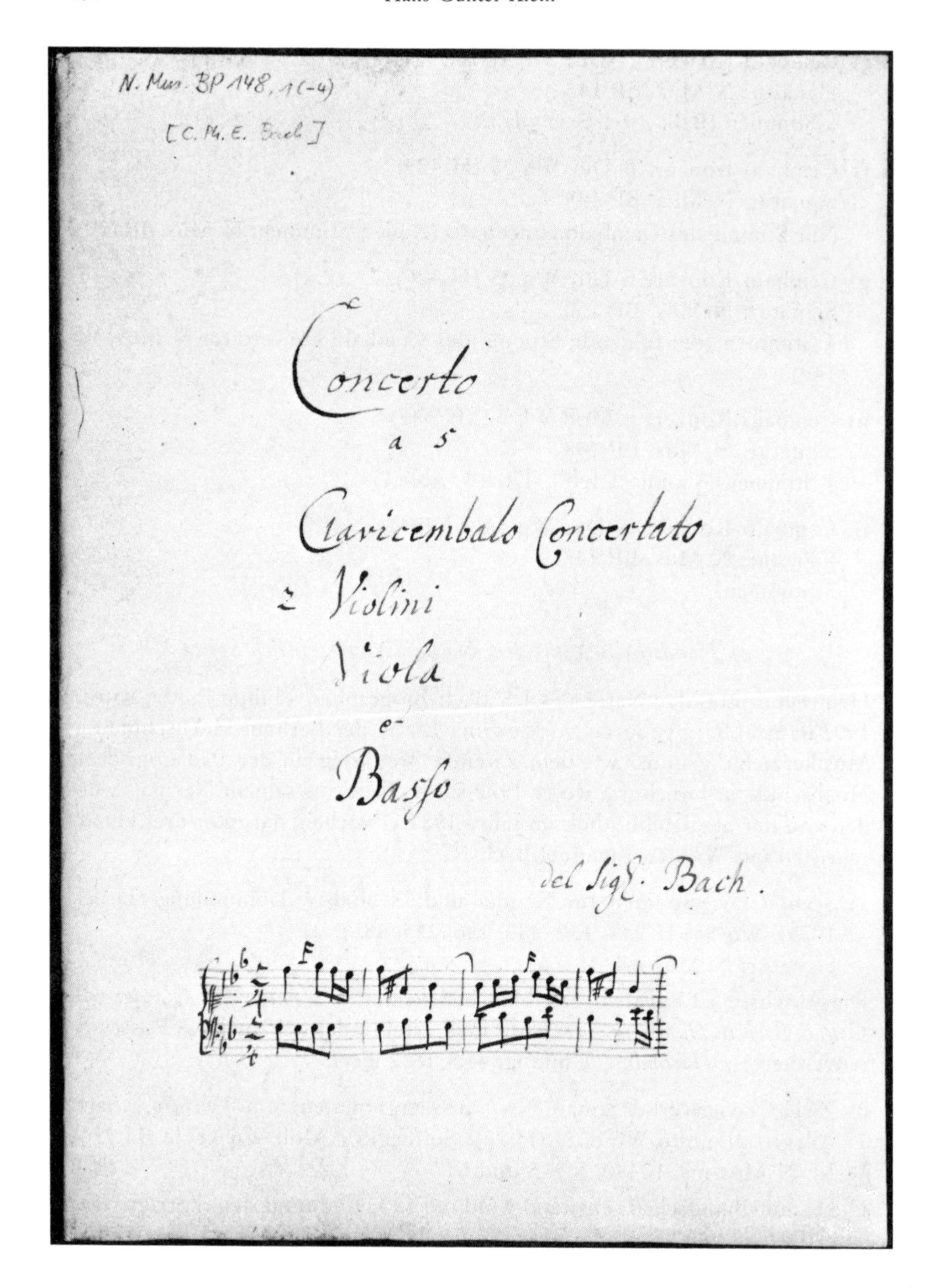

Abb. 1: Cembalo-Konzert g-Moll Wq 32 (H 442). N. Mus. BP 148. Titel

c) Sonate für zwei Violinen und Baß d-Moll, Wq 160 (H 590). Partitur
Signatur: N. Mus. ms. 10479

Die Handschrift entstand in der zweiten Hälfte des 18. Jahrhunderts und trägt im kalligraphisch angelegten Titel eine alte nachträgliche Ergänzung, in der für *Violino Primo* als Besetzungsvariante *o Flauto* notiert ist. Außerdem finden sich auf dem Titel alte Zahleneintragungen: mit Tinte *Nro. 2;* mit Blei *Nr. 15.* Die Bleistiftbemerkung *Berlin 1756* stammt aus neuerer Zeit und beruht offensichtlich auf der Datierung im Verzeichnis von Wotquenne. Umfang: 12 S. (S. 12 leer).

Nach dem Possessorenvermerk gehörte diese Handschrift zunächst Sara Levy, die ihren Namen auf dem Titelblatt, in der Ecke rechts unten, notiert hat. In dem Hause ihres Vaters Daniel Itzig, des Münzentrepreneurs Friedrichs des Großen, pflegte man nicht nur die Musik, sondern schien man auch eine besondere Vorliebe für die Werke C. Ph. E. Bachs zu haben: Cramers *Psalmen* (1774) wurden von drei Familienangehörigen pränumeriert, die *Trios* Wq 90 (1776) von den Töchtern Vögelchen (später Fanny) und Zippora (später Cäcilie), die auch nach ihrer Eheschließung 1777 mit Benjamin Isaac Wulff noch in den Pränumeranten-Listen der Drucke Bachs erscheint. Die Tochter Sara, 1761 geboren, scheint der Musik C. Ph. E. Bachs besonders zugetan gewesen zu sein. Seit der ersten Sammlung der *Sonaten für Kenner und Liebhaber* (1779) wird ihr Name in fast allen Pränumeranten-Verzeichnissen der Drucke Bachs genannt[3], nach ihrer Eheschließung mit Samuel Salomon Levy (1760–1806) am 2. Juli 1783 unter ihrem neuen Familiennamen. Da aus ihrem Besitz auch Musikhandschriften mit der eigenhändigen Eintragung ihres Mädchennamens erhalten sind, darf man annehmen, daß sie die vorliegende Handschrift nach ihrer Heirat erworben hat. – Als weiterer Vorbesitzer ist der Darmstädter Kirchenkomponist Arnold Mendelssohn (1855–1933) nachgewiesen, der den Namen Sara Levys durchgestrichen und seinen eigenen darüber notiert hat (s. Abb. 2.). Da er seinen Vornamen mit „A“. abgekürzt hat, konnte gelegentlich die Vermutung aufkommen, daß sich hier Abraham Mendelssohn Bartholdy eingetragen hat: durch Schriftvergleiche läßt sich diese Annahme eindeutig widerlegen[4]. Ob Sara Levy die Handschrift bis zu ihrem Tod (1854) in ihrem

3 Ob sich hinter der „Mlle Itzig in Berlin“ im Pränumeranten-Verzeichnis der *Cembalo-Konzerte* Wq 42, gedruckt 1772, wirklich die 1761 geborene Sara verbirgt, muß wegen der Altersverhältnisse doch bezweifelt werden. Es kann sich wohl nur um eine der älteren Schwestern handeln.

4 In der Handschrift „Mus. ms. Bach P 1002“ hat Mendelssohn seinen Vornamen mit „Arn.“ abgekürzt eingetragen. Die Schrift stimmt mit der (vollständigen) Unterschrift in frühen Briefen, die sich im Mendelssohn-Archiv der Staatsbibliothek P. K. befinden, überein.

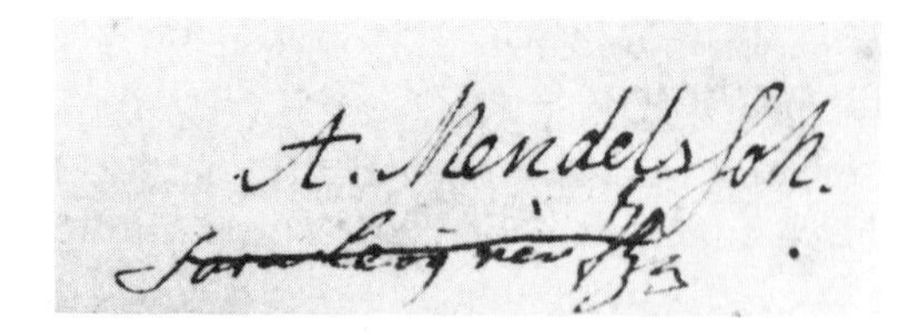

Abb. 2: Sonate für zwei Violinen und Baß d-Moll Wq 160 (H 590). N.Mus. ms. 10479. Titel. Ausschnitt: die Possessorenvermerke

Besitz bewahrt hat und in welcher Weise das Stück in den Besitz von Arnold Mendelssohn gelangt ist, konnte nicht ermittelt werden. – Da Heinrich Spitta Kompositionsschüler von Mendelssohn gewesen ist, darf man annehmen, daß er die Handschrift direkt von ihm erhalten hat.

3) Einzeln erworbene Handschriften

a) Drei Clavierwerke: Sonaten in C-Dur Wq 65/8 (H 17) und in G-Dur Wq 65/6 (H 15); Menuett mit fünf Variationen Wq 118/3 (H 44)
Signatur: N. Mus. ms. 10067

Die drei Manuskripte waren ursprünglich selbständig und sind erst nach 1929 zu einem Konvolut zusammengebunden worden, in dem sie heute getrennt paginiert sind.

Die beiden Sonaten-Handschriften, bestehend aus sechs bzw. fünf Blättern, gehören ihrer Herkunft nach zusammen. Sind sind in der zweiten Hälfte des 18. Jahrhunderts von demselben Kopisten geschrieben der auch in vier 1981 aus dem erwähnten Nachlaß Heinrich Spittas erworbenen Abschriften von Werken J. S. Bachs nachweisbar ist[5]. Im Altbestand besitzt die Staatsbibliothek P.K. von der Hand desselben Kopisten zwei Abschriften- von Claviersonaten C. Ph. E. Bachs (Mus. ms. Bach P 1001: Wq n.v. 31, Mus. ms. Bach P 1002; Wq n.v. 26)[6], von denen die erste denselben Typus der ornamental-kalligraphischen Titelblattgestaltung zeigt wie die beiden neu erworbenen Handschriften.

Die Handschrift der Sonate in C-Dur stellt eine Art Doublette zu der im Altbestand im Konvolut „Mus. ms. Bach P 364“ (S. 59–69) überlieferten Handschrift desselben Werks dar; dort ist das Stück in einer Ergänzung mit

5 Signaturen: N. Mus. ms. 10486, 10488, 10492, 10493.

6 Paul Kast bezeichnet in seinem Bach-Katalog den Schreiber „ähnlich An 303“; die Unterschiede (z. B. in den Formen des Violin- und Bratschen-Schlüssels) sind allerdings eindeutig.

Blei aus dem 20. Jahrhunderts als *erste Fassung (von 1737)* bezeichnet. Beide Handschriften unterscheiden sich nur durch minimale Schreibfehler voneinander; offenbar wurde die neu erworbene Kopie etwas mechanisch abgeschrieben, da für den Diskant des ersten Satzes ein Sopran-Schlüssel notiert ist, der nur im ersten Teil in einen Violin-Schlüssel verändert wurde, nicht aber im zweiten Teil, obwohl auch hier die Partie im Sinne des Violin-Schlüssels niedergeschrieben ist. Alte Zahleneintragungen finden sich auf dem Titel: mit Tinte *No 114,* darübergeschrieben *8* und separat *Litt. F6;* mit Blei *711,453* (s. Abb. 3).

Die Handschrift der Sonate in G-Dur überliefert eine frühe Fassung des Werks: sie enthält einige gravierende Abweichungen von der im Altbestand im Konvolut „Mus. ms. Bach P 772" (S. 37–43) eingebundenen Abschrift, die von Bachs Hamburger Kopisten Michel stammt und von Bach selbst korrigiert und erweitert worden ist. Alte Zahleneintragungen finden sich auf dem Titel: mit Tinte *N:114,* darübergeschrieben *10* und separat *b 2;* die mit Blei notierte Ziffer *711,454* ist fast gänzlich ausradiert.

Beide Handschriften stammen aus der Musikaliensammlung von Sara Levy, die ihren Namen auf dem Titelblatt, in der Ecke rechts unten, eingetragen hat.

Die dritte Handschrift umfaßt vier beschriebene Seiten und ist im Kopftitel als *Menuet avec 5 Variations per il Cembalo da C. P. E. Bach* bezeichnet. Auch sie dürfte in der zweiten Hälfte des 18. Jahrhunderts entstanden sein. Die frühen Possessoren sind nicht bekannt. Alte Zahleneintragungen finden sich auf der ersten Seite: mit Tinte *Nro 4;* mit Blei *711,448.*

Alle drei Handschriften tragen den Besitzvermerk *A. Mendelssohn.* Auch hier ist nicht bekannt, auf welche Weise die beiden Sonaten-Handschriften ihren Weg von Sara Levy zu ihm gefunden haben; ebensowenig weiß man, wann der Berliner Sammler Werner Wolffheim (1877–1930) sie übernommen hat. Bei der Versteigerung eines Teils seiner Sammlung vom 3. bis 8. Juni 1929[7] wurden sie von einem Unbekannten erworben, der sie dann offensichtlich auch in einem hellbraunen Halblederband zusammenfügte. Im Jahre 1972 wurde dieser Band aus dem englischen Antiquariatshandel von der Bibliothek angekauft.

b) Arioso für Violine und Cembalo, A-Dur, Wq 79 (H 535). 2 Stimmen
   Signatur: N. Mus. Ms. 10322

Die Handschrift wurde von Bachs Hamburger Kopisten Michel geschrieben und stellt eine Art Doublette zu der Kopie desselben Werks aus dem

7 Versteigerung der Musikbibliothek des Herrn Dr. Werner Wolffheim (Auktionskatalog), Teil 2, Berlin 1929, Nr. 1104.

Abb. 3: Claviersonate C-Dur Wq 65/8 (H 17). N. Mus. ms. 10067-1. Titel

Altbestand (Mus.ms. Bach St 573) dar, die im Verzeichnis von Paul Kast irrtümlicherweise mit der Werkzählung Wq n.v. 70 notiert ist. Titelblattgestaltung und Aufteilung der Notenzeilen sind in beiden Handschriften nahezu identisch. Eine Rasur auf dem Titelblatt läßt darauf schließen, daß sich hier einst ein Possessorenvermerk befand; ein minimaler Rest ist nicht entzifferbar. Eine alte Zählung *No 24* daneben läßt sich vorläufig nicht deuten. Die Handschrift wurde 1969 aus dem Londoner Antiquariatshandel erworben.

c) Zwei Lieder aus *Gellerts Geistlichen Oden:* „Auf die Himmelfahrt des Erlösers“ und „Gottes Macht und Vorsehung“, Wq 194/20 und 16 (H 686)
In: N.Mus.ms. 10499, S.8f. und 10f.

Die unbetitelte Sammelhandschrift entstand wahrscheinlich Ende des 18. Jahrhunderts und enthält neben den beiden Liedern Bachs drei Werke von anderen Komponisten. Umfang: 14S. (S.14 leer). Die Provenienz ist unbekannt. Die Handschrift wurde 1983 aus dem Stuttgarter Antiquariatshandel erworben.

d) Konzert für Orgel oder Cembalo G-dur Wq 34 (H 444). 7 Stimmen mit autographem Umschlagtitel
Signatur: N.Mus. ms.42

Die Handschrift umfaßt fünf Stimmen (Stimmen 1,4–7; Nr.1: Clavicembalo concertato) entsprechend der Partitur und zusätzlich zwei Stimmblätter (Nr.2,3) mit Kadenzen zu allen Sätzen. Der Umschlag besteht aus jenem blauen Papier, das C.Ph.E.Bach gern für diesen Zweck verwendet hat, und trägt die autographe Aufschrift *Concerto a Cemb conc., con 2 Violini, Viola e Basso da C.Ph.E.Bach.* Ob der Umschlag von Anfang an zu diesem Stimmensatz gehört hat, erscheint zweifelhaft.

Schreiber der Stimmen 1,4–7 ist der Greifswalder Advokat Johann Heinrich Grave, der seinen Namen auf dem Umschlag und dem Titel der Stimme 1 notiert hat. Die Stimmen 2 und 3 sind von Bachs Hamburger Kopisten Michel geschrieben.

Der Stimmensatz wurde 1969 im Londoner Antiquariatshandel erworben; über seine Geschichte ist sonst nichts bekannt.

e) Das Partitur-Autograph des Doppelkonzerts in Es-Dur, Wq 47 (H 479)
Signatur: N.Mus. SA 4

Im Jahre 1974 erwarb die Musikabteilung in Form einer Dauerleihgabe (Depositum) den letzten Rest der alten Bibliothek der Berliner Singakademie, der sich im Westteil Berlins erhalten hatte. Er umfaßt im wesentlichen Musikalien-Drucke und Handschriften, deren Bestand überwiegend Tage- und Protokollbücher der Singakademie bzw. der Berliner Liedertafel ent-

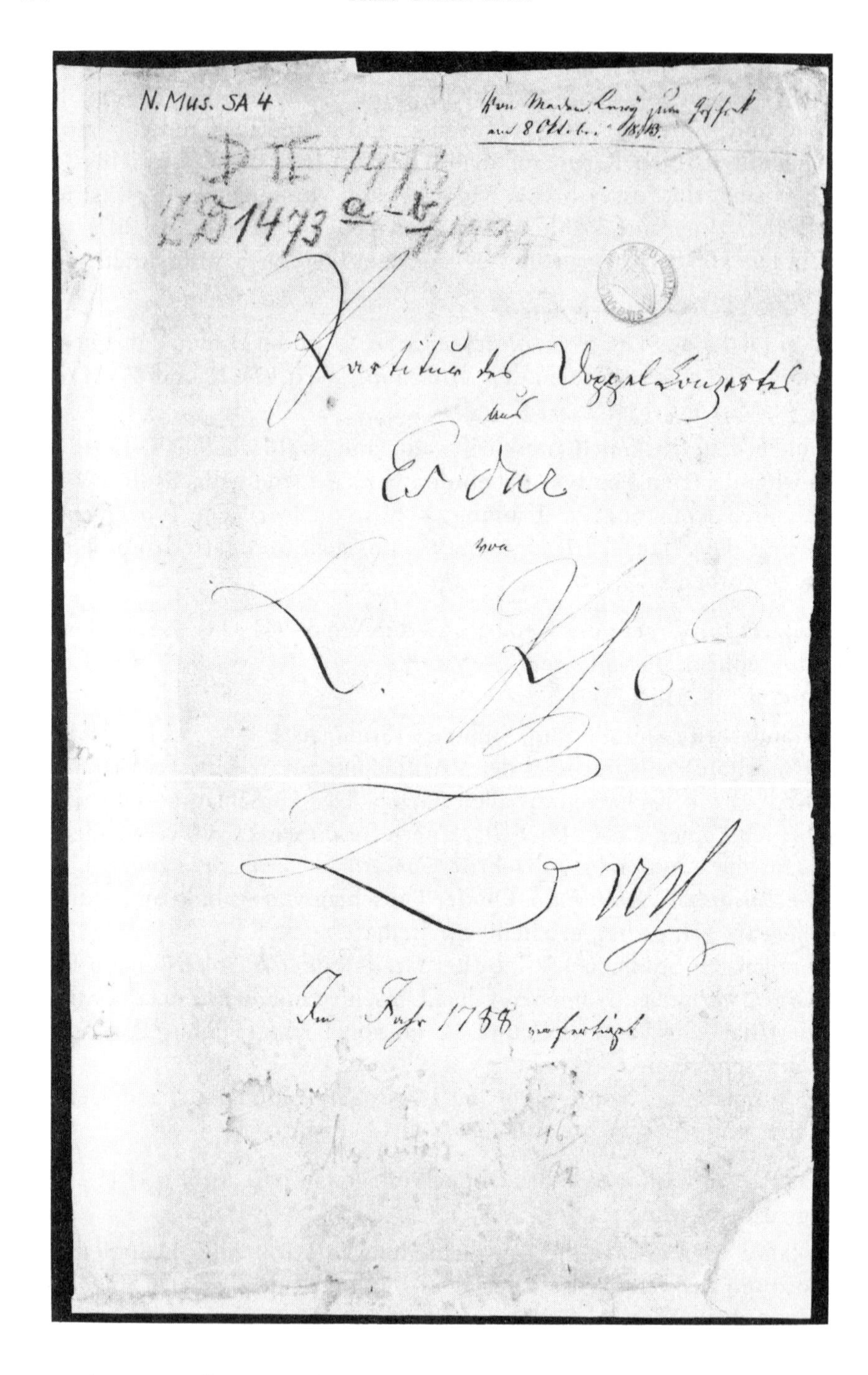

Abb. 4: Doppelkonzert Es-Dur Wq 47 (H 479). Autograph. N. Mus. SA 4. Titel

hält. Nur sehr wenige Musikhandschriften sind darunter, als einziges Werk C.Ph.E.Bachs das Doppelkonzert im Autograph. Die Partitur besteht aus 23 Lagen (Unionen), denen später ein singuläres Blatt vorgeheftet ist (Gesamtumfang: 47 Bll.): auf ihm ist von fremder Hand der Titel notiert (s. Abb.4). Aus der Eintragung Zelters *Von Madam Levy zum Geschenk am 8. Oktober 1813* geht hervor, daß sich das Stück vorher im Besitz von Sara Levy befunden hat. Ob das Geschenk als persönliches Eigentum für Zelter bestimmt war, ist nicht bekannt - ebensowenig, wann es von der Singakademie auf dem Titel gestempelt worden ist. Jedenfalls hat Zelter die Partitur offensichtlich in seinem Besitz aufbewahrt, da sie in dem *Catalog musikalisch-literarischer und practischer Werke aus dem Nachlasse des Königl. Professors Dr. Zelter* unter der laufenden Zählung 1473, ergänzt mit der durch einen sachlichen Aspekt bedingten Nummer 1034 (unter der Rubrik D II: Concerte), erwähnt ist (f.91v)[8]. Diese Ziffern sind auf dem Titelblatt mit dickem Blaustift notiert. Eine weitere Eintragung mit Blei (Ms. autogr. 46/72) ist vorläufig nicht identifizierbar. - Auf der letzten Seite hat Zelter notiert: *Diese Partitur ist von der eigenen Hand des Componisten.*

---

8 Dieser handschriftliche Katalog, unterzeichnet von „Pichler, Taxator über Musikalische Gegenstände beym Königl. Kammergericht", notiert den Bestand Zelters und Schätzwerte für die einzelnen Stücke für die juristischen Auseinandersetzungen zwischen der Singakademie und den Erben Zelters nach dessen Tod. Er wurde im Jahre 1988 von der Musikabteilung der Staatsbibliothek P.K. erworben (Signatur: N.Mus.ms. theor. 30). Vgl. dazu F.Welter, „Die Musikbibliothek der Sing-Akademie zu Berlin. Versuch eines Nachweises ihrer früheren Bestände", in: *Sing-Akademie zu Berlin. Festschrift zum 175jährigen Bestehen,* hrg. von W.Bollert, Berlin 1966, S.34. Zu dem ganzen Komplex: E.N.Kulukundis, „C.P.E.Bach in the Library of the Singakademie zu Berlin", in: *C.P.E.Bach Studies,* hrg. von S.L.Clark, Oxford 1988, S.159-176.

Manfred Hermann Schmid

„Das Geschäft mit dem Nachlaß von C. Ph. E. Bach"

Neue Dokumente zur Westphal-Sammlung des Conservatoire Royal de Musique und der Bibliothèque Royale de Belgique in Brüssel

Georg von Dadelsen zum 70. Geburtstag

Knapp zwei Jahre nach dem Tod von C. Ph. E. Bach erschien 1790 ein 142-seitiges *Verzeichnis des musikalischen Nachlasses des verstorbenen Capellmeisters Carl Philipp Emanuel Bach*[1]. Interessenten wurden so aufgefordert, sich an die Witwe zu wenden, die bereit sei, „für richtige und saubere Copien Sorge zu tragen". Dem gedruckten Verzeichnis, das über Breitkopf in Leipzig vertrieben werden sollte[2], war bereits eine ausführliche handschriftliche Ankündigung der „Witwe des grossen Carl Philipp Emanuel", wie die komplette Unterschrift lautet[3], an Frau Sarah Levy vorausgegangen. Solche Vertriebsaktivitäten sorgten einerseits in künstlerischer Verantwortung für die Verbreitung zuverlässiger Aufführungsmaterialien, entsprachen andererseits aber auch einer bekannten und bewährten Familien-Geschäftstüchtigkeit, von kritischen Beobachtern gerne Bachs Frau zugeschrieben[4]. Unter den Kunden, die Johanna Maria Bach gewinnen konnte, sollte einer mit ständig neuen Nachfragen bald auf sich aufmerksam machen. Es war ein Organist namens Westphal aus Schwerin. Eines Tages würde er durch seine imposante, über Fétis nach Brüssel gelangende C. Ph. E. Bach-Sammlung zu einer der wesentlichen Figuren in der Überlieferungsgeschichte werden.

---

1 Gedruckt bei Gottlieb Friedrich Schniebes in Hamburg 1790. Im Faksimile hrg. v. R. W. Wade, New York 1981; einen Nachdruck veröffentlichte 1938–48 bereits H. Miesner in: Bach-Jahrbuch 1938 (S. 103–116), 1939 (S. 81–112) und 1940–48 (S. 161–181).

2 Vgl. H.-J. Schulze, *Bach-Documente* III, Leipzig und Kassel 1972, S. 449 und das Faksimile bei E. Suchalla, *Briefe von C. Ph. E. Bach an Breitkopf und Forkel*, Tutzing 1985, Tafel 17–19.

3 Ohne diese Unterschrift veröffentlicht bei C. H. Bitter, *Carl Philipp Emanuel Bach und Wilhelm Friedemann Bach und deren Brüder*, Band 2, Berlin 1868, S. 307–311. Das Original des Briefs gelangte in unserem Jahrhundert ins Bach-Haus Eisenach (*Bach-Dokumente* III, S. 503).

4 Siehe den Brief von N. Schiörring bei H. Miesner, *Philipp Emanuel Bach in Hamburg*, Heide 1929, S. 30 f.

1. Die Quellen

Die Anfragen Westphals selbst sind nicht erhalten – wohl aber die Antwortbriefe aus Hamburg, nicht weniger als siebenunddreißig. Sie sollen im folgenden erstmals vollständig ediert werden. Das Verdienst, die Briefe der Forschung gesichert zu haben, gebührt Ernst Fritz Schmid. Er muß im Zuge der Arbeiten an seiner Dissertation auf sie gestoßen sein und sie erworben haben[5]. Für die Herkunft gibt es heute nur noch eine schwache Spur. Aufbewahrt werden die Briefe in einem Kuvert, das Georg Kinsky versiegelt und per Einschreiben mit Poststempel von 1930 an Ernst Fritz Schmid adressiert hat. Da mein Vater die unpraktische, aber gelegentlich nützliche Gewohnheit hatte, Korrespondenz in ihren Umschlägen aufzubewahren, ist sehr wohl denkbar, daß er die Briefe durch Vermittlung des ehemaligen Kustos der berühmten Heyer-Sammlung in Köln erhalten konnte, zumal der Versteigerungskatalog eben dieser Sammlung 1928 den ältesten Beleg für die Existenz der Briefe liefert: „Bach, Carolina ... die Tochter Carl Philipp Emanuel Bachs. 37 eigh. Briefe m.U. Hamburg, September 1790–März 1804. Zusammen über 60 Seiten 4° nebst Adressen und Siegeln. Umfangreiche Briefreihe an den Organisten J.J.H.Westphal in Schwerin“[6]. Vermutlich fanden die Briefe im Februar 1928 keinen Käufer und gingen an die Erben Heyer zurück, für die Kinsky sich um Kontakte und Interessenten bemühte.

Ausgewertet hat Ernst Fritz Schmid die Briefe nie. Zunächst mit anderen Themen befaßt, dann durch Militärdienst in der Arbeit unterbrochen, ging Ernst Fritz Schmid nach dem Krieg so in der Mozartforschung auf, daß für die alten Themen aus den Anfängen der wissenschaftlichen Laufbahn keine Zeit mehr blieb[7]. Die Briefe sind nach seinem Tod 1960 unverändert Teil der archivalischen und musikalischen Sammelstücke geblieben, die seine Frau Lotte Schmid in Augsburg bis heute verwahrt. Der Forschung standen sie immer offen, allerdings unter der Voraussetzung, daß nicht fotokopiert,

5 „Der Originalbrief ist in meinem Besitz“ vermerkt Ernst Fritz Schmid zu dem einen Brief, den er auszugsweise in seiner Dissertation zitiert (*C. Ph. E. Bach und seine Kammermusik,* Kassel 1931, S. 139).

6 *Versteigerung von Musikautographen aus dem Nachlaß des Herrn Kommerzienrates Wilhelm Heyer in Köln, vierter und letzter Teil, 23. Februar 1928, durch Karl Ernst Henrici und Leo Ziepmannssohn, beschreibendes Verzeichnis von Dr. Georg Kinsky,* (Berlin) 1928, S. 2 unter Nr. 8; zur Biographie von Kinsky s. K. Ventzke in *Studia Organologica, Festschrift John Henry van der Meer zum 65. Geburtstag,* hrg. v. Friedemann Hellwig, Tutzing 1987, S. 467–479.

7 Ein biographischen Abriß wie eine Würdigung der Forscherpersönlichkeit gibt neben einem Artikel von W. Strnad (MGG 11, 1963, S. 1845 f.) das anonym von L. Schmid herausgegebene, 1961 bei Bauer in Recklinghausen erschienene Gedenkblatt *In memoriam Ernst Fritz Schmid 1904–1960.*

sondern nur exzerpiert werden durfte. Das hat die Benutzung stark eingeschränkt. Scheuten Europäer meist den Weg, so scheiterten anreisende Amerikaner an Sprache und Schrift. Ergebnis war, daß nur wenige und zufällige Einzelstellen von meiner Mutter den Interessenten entziffert und vorgelesen, in wissenschaftliche Arbeiten Eingang fanden[8]. Ein von mir für 1988 zusammen mit Frau Darrell M. Berg geplantes zweisprachiges Editionsunternehmen in Deutsch und Englisch ließ sich nicht verwirklichen. Um so dankbarer bin ich dem Herausgeber dieses Tagungsberichts für die Möglichkeit der längst nötigen Veröffentlichung.

2. *Der Organist Westphal*

Johann Jacob Heinrich Westphal wurde im Juli 1756 als Sohn eines mecklenburgischen Holzinspektors in Schwerin geboren[9]. Mit dem Hamburger Verleger gleichen Namens besteht entgegen naheliegenden Vermutungen[10] keinerlei Verwandtschaft[11]. Als der Vater Westphal 1776 starb, bat die Witwe Helena Luise um Anstellung ihres Sohnes als Organist bei Hofe. Dem wurde zwar zunächst nicht entsprochen, die Familie aber durch Beschäftigung der Mutter selbst als Kastellanin auf dem Schloß gesichert[12]. Zwei Jahre später, 1778, wird auch der 22jährige Sohn Johann Jacob Heinrich in Hofdienste übernommen. Bis mindestens 1782 wirkt er als Organist im Schloß. Seinen Dienst versah er vermutlich nicht in der geraden neuer-

8 So vor allem in Beiträgen von D. M. Berg (*JAMS* 32, 1979, S. 285 f., 293 und 302; *Journal of Musicology* 2, S. 153 und 159; *Bach-Jahrbuch* 1988, S. 123–161).

9 Gesicherte Daten verdankt die Forschung M. Terry („C. P. E. Bach and J. J. H. Westphal – a clarification", in *JAMS* 22, 1969, S. 106–115), ohne daß sie freilich die zitierten Quellen voll ausgeschöpft und immer richtig wiedergegeben hätte.
Entgangen ist ihr auch, daß einige Informationen aus dem Schweriner Akten bereits E. F. Schmid 1931 mitgeteilt hat, so das Todesjahr 1825 (S. VII und 44, Anm. 2).

10 Fétis hatte angenommen, es würde sich um den zweiten Sohn des Hamburger Verlegers Johann Christoph Westphal handeln (*Biographie universelle* ²1860–65, Band 8, 1865, S. 458). Diese Angabe haben sowohl R. Eitner (*Quellen-Lexikon* Bd. 10), 1904, S. 245) als auch A. Vander Linden (*MGG* 14, 1968, Sp. 527) ungeprüft übernommen. Der Nachtrag im MGG-Supplement Bd. 16, 1979, Sp. 1934 beruht auf dem nicht zitierten Aufsatz M. Terrys.

11 Auch dies war bereits E. F. Schmid klar, der in seinem Exemplar der Arbeit von H. Miesner (*Ph. E. Bach in Hamburg*, Heide 1929) auf Seite 50 die Angabe „Buchhändler" bei der Erwähnung von J. J. H. Westphal durchstrich, den Irrtum vermutlich auch Miesner mitteilte, der ihn in seinen „Nachträgen" (vgl. besonders Nr. 21) allerdings nicht berücksichtigte.

12 Zu entnehmen ist dies erst späteren Quellen: 1785, bei der Taufe des ersten Kindes von J. J. H. Westphal, wird die Großmutter Patin: „Fr. Helena Luisa Westphalin, Castellanin auf dem Schloß, avia paterna" (Taufregister Schwerin-St. Nicolai, Jg. 1785, Nr. 12, 20. Februar; für Fotokopien aus den Kirchenbüchern danke ich Herrn Höpfner vom Domarchiv in Ratzeburg). Nochmals Patin war die Großmutter dann bei der Taufe des vierten Kindes am 12. 6. 1791.

bauten Residenz im gut 30 Kilometer entfernten Ludwigslust, sondern im alten Schloß in Schwerin selbst[13]. 1784 verbesserte er sich an die Schelfkirche St. Nicolai „auf der Neustadt", einem jüngeren Ortsteil Schwerins, und war nun so gestellt, daß er an Heirat denken konnte, die er im gleichen Jahr mit Catharina Dorothea Mau bzw. Mauw, der verwaisten Tochter eines Schweriner Gerichtsaktuars nach Zustimmung der Justizkanzlei ohne weiteres Aufgebot eingehen durfte. Für den „juvenis" Westphal und die „Jungfrau" Mau war es gleichermaßen trotz fortgeschrittenen Alters von 28 und 31 Jahren die erste Ehe: „Den 15ten April (1784) ist H. Johann Jacob Heinrich Westphal, Organist an unserer St. Nicolai Kirche juvenis mit Jgfr. Catharina Dorothea Mauen, eines verstorbenen Gerichts Actuarii Tochter copuliret worden, absque omni proclamatione in der Osterwoche auf erhaltene Dispensation von der Justiz-Kanzley."[14]

Dem Ehepaar wurden in den folgenden zehn Jahren fünf Kinder geboren[15]. Mit seiner Arbeit brachte es Westphal zu Ansehen und einem gewissen Wohlstand, der sich in einem erhaltenen Portrait des Organisten spiegelt[16]. Auch an den Paten der Kinder läßt sich ein sozialer Aufstieg ins respektable Bürgertum ablesen. Bei den letzten drei Täuflingen standen unter anderen der Hofbuchdrucker Wilhelm Baerensprang samt Schwiegersohn, die Frau eines Dr. Schroeder wie die des Pastors Friederich, ein Kommerzienrat Mumm und schließlich Konrektor Heinrich Christoph Bruger Pate. Die Freundschaft mit dem Hofbuchdrucker erklärt sich aus Westphals Bücherleidenschaft und wachsender Bibliothek, die mit dem genannten Konrektor möglicherweise aus einem neuen Amt. Im gleichen Taufeintrag 1794 lautet die Berufsbezeichnung für den Vater nämlich erstmals „Organist und Arithmeticus". Historische und musiktheoretische Interessen hatten Westphal, der als Organist ja auch mit Stimmung und Temperierung (das heißt in der Theorie: mit komplizierten Zahlenverhältnissen) zu tun hatte, den alten Quadriviumszusammenhang von Musik und Arithmetik nachspüren lassen. Es ist denkbar, daß sich daraus auch die Lehrtätigkeit an

---

13 C. Meyer, *Geschichte der Mecklenburg-Schweriner Hofkapelle,* Schwerin 1913, S. 248. Es ist ein Verdienst E. Suchallas (*Die Orchestersinfonien C. Ph. E. Bachs,* Augsburg 1968, S. 159) und M. Terrys (1969), auf diese Arbeit, von der die Bachforschung lange keine Notiz genommen hat, hingewiesen zu haben.

14 Taufregister Schwerin-St. Nicolai Jg. 1784, Nr. 4 (heute Domarchiv Ratzeburg), vgl. M. Terry 1969, S. 113 f.; beim Geburtsnamen der Ehefrau Westphals hält sie irrtümlich die deklinierte Form „Mauen" für den Nominativ, außerdem vertauscht sie die Vornamen.

15 Luisa Dorothea (geb. am 20. 2. 1785, gest. am 9. 7. 1788), Juliana Elisabeth Charlotta (geb. 5. 3. 1787), August Wilhelm Frantz (geb. 7. 3. 1789), Louisa Catharina Wilhelmina (geb. 10. 7. 1791) und Johann Christoph Heinrich (geb. 31. 1. 1794), s. Taufregister Schwerin-St. Nicolai im Domarchiv Ratzeburg.

16 Abgebildet von E. Jacobi in *Journal of the American Musicological Society* (= JAMS) 23, 1970, nach S. 124.

einer Schule entwickelt hat. Davon erfahren wir jedenfalls 1814 anläßlich der Ernennung Westphals zum Domorganisten. Zu den Aufgaben gehört auch der Unterricht am benachbarten Gymnasium Fridericianum[17].

Die Patenschaftvermerke in den Taufregistern geben aber nicht nur Hinweise auf Ämter und Verbindungen, sondern auch auf verwandtschaftliche Beziehungen. 1789 erscheint ein „Amtsschreiber August Westphal in Güstrow", 1787 ein Fräulein Charlotta Sophia Mau. Sie ist „der Mutter Schwester", also Westphals Schwägerin, und lebt „in Hamburg". Ebenfalls aus Hamburg stammt der 1794 genannte Christoph Peter Mauw. Offenbar waren die Geschwister von Frau Westphal nach dem Tod des Vaters in Hamburg untergekommen. Für die Beziehung zur Familie von C. Ph. E. Bach sollte das nicht ohne Bedeutung bleiben.

Westphal wirkte sein ganzes Leben in Schwerin. 37 Jahre lang war er hier Organist in drei verschiedenen Anstellungen. Gestorben ist Westphal, der seine Frau am 27. September 1800 früh begraben mußte, in seiner Heimatstadt am 17. August 1825 im Alter von 69 Jahren[18]. Direkte Nachkommen lebten hier noch bis mindestens 1961[19].

3. *Die Sammlung Westphal und die Familie C. Ph. E. Bach*

Seine umfangreiche Musikalien-, Portrait- und Büchersammlung hat Westphal schon in jungen Jahren anzulegen begonnen. Dabei galt von Anfang an eine besondere Vorliebe Carl Philipp Emanuel Bach.

a) Der Briefwechsel mit C. Ph. E. Bach

Das Interesse ging so weit, daß Westphal in regelmäßige Korrespondenz mit dem Komponisten trat. Insgesamt sind zwölf Gegenbriefe C. Ph. E. Bachs bekannt geworden, von denen vier bereits 1868 Carl Hermann Bitter mitteilen konnte[20], während die übrigen erst in jüngster Zeit durch Erwin Jacobi veröffentlicht worden sind[21]. Danach ergab sich der erste Kontakt 1786 durch eine Werbeaktion Bachs für den sechsten und letzten Teil seiner *Clavier-Sonaten und freyen Fantasien nebst einigen Rondos fürs Fortepiano für*

---

17 S. M. Tery 1969, S. 114.

18 Begräbnis-Register Schwerin-St. Nicolai Jg. 1800 Nr. 77 und Jg. 1825 Nr. 71 (Domarchiv Ratzeburg).

19 M. Terry 1969, S. 114.

20 C. H. Bitter 1886, S. 305–307. Eine englische Übersetzung gab M. Terry 1969, S. 108–110.

21 E. Jacobi, „Five hitherto unknown letters from C. P. E. Bach to J. J. H. Westphal", in *JAMS* 23, 1970, S. 119–127, und „Three additional letters from C. P. E. Bach to J. J. H. Westphal", in: *JAMS* 27, 1974, S. 119–125.

Kenner und Liebhaber[22]. Westphal ließ sich in die Pränumerationsliste eintragen[23] - es ist das erste Mal, daß hier sein Name auftaucht - und übersandte gegen Ende des Jahres 1786 der üblichen Praxis gemäß noch vor Erscheinen des Werks die geforderte Summe, benutzte die Gelegenheit aber auch, sich nach weiteren Klavierkompositionen zu erkundigen. Bach bestätigt am 2. Januar 1787 den Empfang des Geldes und macht Westphal eine deutliche Offerte: „Ich habe sehr wenig mit Buchhändlern zu thun, und sehe gerne, daß die Liebhaber meiner Werke sich gerade an mich wenden. Ich bin immer billiger als jene."[24] Von diesem Angebot, unter Umgehung des Handels Werke direkt zu beziehen, sollte Westphal dann siebzehn Jahre lang Gebrauch machen.

Als erstes bestellt er ergänzend Teil 1-5 der *Sonaten für Kenner und Liebhaber.* Im sofortigen Antwortbrief bietet Bach nun auch handschriftliches Material gegen bloße Kopiaturkosten an[25]. Westphal reagiert mit einer Mitteilung über seine bisherigen Bestände und schickt ein Verzeichnis der Bücher, Kupferstiche und C. Ph. E. Bach-Kompositionen, ein Verzeichnis, dessen „Ordnung" der Komponist bewundert[26]. Nun entwickelt sich ein reger Tauschhandel. Bach ist insbesondere für seine große, schon von Charles Burney und Ernst Ludwig Gerber gerühmte Portraitsammlung[27] an verschiedenen Stücken Westphals interessiert, während er selbst den Schweriner Organisten sowohl mit eigenen Bilddoubletten als auch mit weiteren Clavierkompositionen und schließlich der Neuauflage seines *Versuchs* versorgt. Zwei Buchangebote Westphals schlägt er aus, möchte aber andere Schriften erwerben[28]. Daß C. Ph. E. Bach die Westphal-Sammlung benutzt, um Ergänzungen für das geplante eigene Werkverzeichnis zu gewinnen, wie Miriam Terry vermutet, läßt sich aus den Briefen allerdings nicht erschließen. Für solche Aufgaben wäre die Sammlung zu jung und auch noch zu klein gewesen. Soweit es Fragen an Westphal gibt, dienen sie lediglich der geschäftlichen Orientierung zur Vermeidung von Doppellieferungen[29].

---

22 Der Aufruf zur Vorbestellung erschien am 30. 10. 1786 im *Hamburger Correspondenten,* neu ediert bei E. Suchalla 1985, S. 210.

23 Die komplette Liste hat E. Suchalla 1985 (S. 524-527) mitgeteilt. Westphal wird in der Rubrik „Mecklenburg" geführt.

24 E. Jacobi 1974, S. 121.

25 C. H. Bitter 1868, S. 305.

26 E. Jacobi 1974, S. 122.

27 Ch. Burney, *Tagebuch einer musikalischen Reise* III, ins Deutsche übersetzt von C. D. Ebeling und J. J. Chr. Bode, Hamburg 1773, unter „Hamburg, 12. Oktober 1772"; E. L. Gerber, *Historisch-Biographisches Lexicon der Tonkünstler,* Bd. 1, Leipzig 1790, Sp. 83.

28 C. H. Bitter 1868, S. 306.

29 M. Terrys These (1969, S. 110) beruht zudem auf einem Übersetzungsfehler. Bach fragt am 2. 11. 1788 (Bitter 1868, S. 307) nicht, welche Trios Westphal von seiner Hand, son-

Das gemeinsame Sammelinteresse brachte die Briefpartner auch in persönliche Beziehung. C. Ph. E. Bach nennt Westphal bald seinen Freund, ja sogar einen „würdigsten" und „liebwerthesten" Freund. Er fragt nach dem Befinden, familiären Umständen, gibt gesundheitliche Ratschläge und tröstet beim Tod eines Kindes[30].

b) Der Briefwechsel mit Witwe und Tochter Bach

Am 14. Dezember 1788, wenige Wochen nach einem Brief an Westphal, dem vielleicht letzten Brief des Komponisten[31], stirbt Carl Philipp Emanuel Bach. Damit brechen die Kontakte zwischen Hamburg und Schwerin aber nicht ab. Die freundschaftlichen Verbindungen gingen vielmehr auf Nachkommen und Familie über, die das Erbe verwaltete. Und erst jetzt sollten die Notenschätze Westphals zu dem Umfang anwachsen, dem sie eines Tages ihren Ruf als „die" C. Ph. E. Bach-Sammlung verdanken würden.

Zeugnis für Westphals weitere Sammeltätigkeit legen die eingangs erwähnten 37 Briefe ab. Gleich in ihrem ersten zeigt sich die Witwe Bach wohlvertraut mit bisherigen Geschäften. Nicht nur, daß sie ein zu Lebzeiten ihres Mannes versprochenes Wachsbild eines mecklenburgischen Hofmusikers endlich zustellt, sie schickt Westphal auch als Zeichen der Verbundenheit mit einem „so guten Freunde" ein Portrait Bachs. Hauptgegenstand der Korrespondenz wird dann das Nachlaßverzeichnis. Aus ihm bestellt Westphal in regelmäßigen Abständen immer neue Nummern, Klaviersachen, Trios, Konzerte, Kantaten. Da Westphal um Hilfe bei möglichen Fehlern im Verzeichnis ersucht wird, erlaubt er sich seinerseits die Bitte um Durchsicht von handschriftlichen Stimmen, die er aus anderen Quellen erworben hatte. Das erweist sich allerdings wegen der unterschiedlichen Fassungen und Überarbeitungen als ein mühsames Unterfangen. Soweit sich im Informationsaustausch Korrekturen am Nachlaßverzeichnis ergeben, trägt Westphal sie säuberlich in sein Exemplar ein[32]: Das gilt für Besetzungsangaben bei den Konzerten Nr. 24 wie 39, dem Solo Nr. 11 und dem Trio Nr. 11[33].

Westphal muß glauben, mit der Witwe Johanna Maria Bach zu korrespondieren. In Wirklichkeit ist es freilich die Tochter Anna Carolina Philippina, die alle Briefe zu Papier bringt, aber auch formuliert, wie ein Lapsus in

---

dern aus seiner Hand besitze, das heißt, welche er bisher aus Hamburg geliefert bekommen habe.

30 E. Jacobi 1970, S. 125 f.; zu den Namen der Kinder s. oben Anm. 15.

31 Der Brief datiert entweder vom 2. oder vom 25. November 1788, s. E. Jacobi, S. 120 f.

32 Dieses Exemplar befindet sich heute in der Bibliothèque Royale in Brüssel (Fétis 5217 A) und war die Vorlage für die Faksimileausgabe von R. W. Wade 1981.

33 R. W. Wade erwähnt im Vorwort S. XII diese Korrekturen, hält sie aber für Eigenmächtigkeiten Westphals.

Brief Nr. 6 verrät, wo sie bei Erwähnung C. Ph. E. Bachs statt wie sonst von ihrem „seel. Mann" aus der Rolle fallend von ihrem „lieben seel. Vater" spricht[34]. Im Namen der Mutter betont sie in Brief 6 ausdrücklich, nicht musikalisch zu sein, erweist sich selbst aber doch als hinreichend beschlagen, um Fragen beantworten und auftretende Schwierigkeiten bei Widersprüchen und Fehlern nach Rücksprache mit dem Kopisten präzise schildern zu können. Nach dem Tod der Mutter 1796 ist Philippina allerdings genötigt, sich zu erklären und bittet in Brief 19 um Verständnis für den Namenstausch.

Bestellungen werden auf immer gleiche Art abgewickelt. Philippina Bach beauftragt einen Kopisten mit der Herstellung des Notenmaterials. Dieser Kopist war ein Mann namens Michel, der sonst als Tenorsänger auftrat und seit Beginn der Hamburger Zeit zu C. Ph. E. Bachs Musikern zählte[35]. Nach Meinung von Bachs Tochter war er zwar „nicht der hellste Kopf", aber andererseits „rechtschaffen und ehrlich". Letztlich hält sie ihn für „den Besten". Auch Westphal muß sehr zufrieden gewesen sein und ihn eigens gewünscht haben, so daß Philippina Bach angesichts eines Auftragsengpasses nachfragen muß, ob sie ausnahmsweise einen anderen Schreiber heranziehen dürfe (Briefe 6 und 19). Die Berechnung erfolgte dann nach Bogenzahl, wobei Philippina Bach in Brief 2 die früher schon zwischen Westphal und ihrem Vater ausgehandelte Summe von 6 Schilling pro Bogen zugrunde legt. Dieser Preis muß günstig gewesen sein, denn Westphal soll ihn anderen gegenüber nicht bekannt machen. Ist eine Sendung fertig, wird sie per Paket in Papier eingeschlagen nach Schwerin geschickt. Manchmal ist der zugehörige Brief mit eingepackt (Brief 3, 8, 20 und 37), gewöhnlich begleitet er das Paket aber separat. Philippina Bach beschreibt das Papier jeweils

---

34 Auch sonst hat sich in der Nachlaßkorrespondenz die Hand von Anna Carolina Philippina Bach bestimmen lassen (vgl. H.-J. Schulze in *Bach-Dokumente* III S. 449 und 503 sowie das Faksimile bei E. Suchalla 1985, Tafel 17–19, hier allerdings mit der falschen Angabe „Johanna Maria Bach"). Der Hamburger Magistrat wandte sich nach dem Tode von C. Ph. E. Bach mit Fragen zur Organisation der Kirchenmusiken bezeichnenderweise nicht an die Witwe, sondern die Tochter (s. H. Miesner 1928, S. 14–19). Zu weiteren Belegen der Handschrift von Bachs Tochter s. R. W. Wade, *The Keyboard Concertos of C. P. E. Bach,* Ann Arbor/Michigan 1979/81, S. 27.

35 Zu Michel s. G. von Dadelsen, *Bemerkungen zur Handschrift J. S. Bachs, seiner Familie und seines Kreises,* Trossingen 1957, H. Miesner 1929 S. 86 und 128 (Nachweise als Sänger), D. M. Berg 1988 S. 135 (Anhaltspunkte zu den Lebensdaten) und W. Horn, *C. Ph. E. Bach. Frühe Klaviersonaten,* Hamburg 1988 S. 170 und 270. Zu Kopisten in Hamburg generell s. H. Miesner 1929, S. 19. Von Dadelsens Vermutung, daß Michel auch nach Bachs Tod im Auftrag der Witwe noch weitergearbeitet haben könnte (S. 24), bestätigt sich durch die 37 Briefe der Sammlung Ernst Fritz Schmid einerseits und die Bestände des Conservatoire in Brüssel andererseits in aller Deutlichkeit. In den Brüsseler Westphal-Handschriften ist Michel nicht nur indirekt durch Schriftvergleich nachweisbar, sondern mehrfach auch durch Namensvermerke (s. dazu E. Suchalla 1968, S. 225–233).

so, daß mindestens eine Seite freibleibt, die nach mehrfachem Falten nach außen weist und für die Adresse genutzt werden kann. Verschlossen werden diese Briefe mit Hilfe eines Siegels. Dafür verwendet Philippina Bach drei verschiedene Petschaften, von denen eines mit siebenzackiger Krone auffällig an das Johann Sebastian Bachs erinnert[36].

Auf der Gegenseite führt Westphal getreu Buch. Die eingehenden Briefe erhalten am unteren Rand in säuberlicher Kleinschrift einen Vermerk über die Zahl der gelieferten Bogen. Ergebnis solcher Ordnungsliebe ist, daß es kein einziges Mal in fünfzehn Jahren bei der Abrechnung zu Unstimmigkeiten kommt. Die Partner wußten die gegenseitige Verläßlichkeit durch Großzügigkeit bei Kleinigkeiten zu schätzen. Einmal berechnet Westphal die 6 Schillinge auch für einen Bogen, der außen nur als Umschlag diente. Gleich beeilt sich Philippina Bach mitzuteilen, daß er einen halben Bogen zuviel bezahlt habe und will in einem späteren ähnlichen Fall ausdrücklich vorher an ihre günstigere Berechnungsweise erinnert wissen, bedankt sich aber doch gerne für Aufmerksamkeiten bei ihr entstehenden Zusatzkosten (Briefe 4, 9 und 10). Die Abrechnung wird dadurch erleichtert, daß Westphal jemanden in Hamburg hatte, der das Geld persönlich überbringen konnte. Dieser Bote war der schon genannte Schwager Christoph Peter Mau. In den Briefen kommt das nur zur Sprache, weil für ein Mal ein anderer einspringen mußte. Prompt gab es Komplikationen mit dem Postgeld (Brief 15). Auch mit Westphals Schwägerin Charlotta Sophia Mau kam Philippina Bach in Kontakt, als sie im Auftrag ein Geschenk zu übergeben hatte (Brief 5). Die verwandtschaftlichen Beziehungen waren es schließlich, die Westphal im Sommer 1796 selbst nach Hamburg reisen ließen, wobei eine seiner Töchter, nämlich die neunjährige Juliana oder die fünfjährige Louisa mitfahren und auch noch länger bleiben durfte. Den Hamburger Aufenthalt nutzte Westphal für mehrere Besuche im Hause Bach, um sich endlich persönlich bekannt zu machen. Das bedeutet aller Wahrscheinlichkeit nach auch, daß Westphal den Vater Carl Philipp Emanuel Bach nie getroffen hat[37].

Bis 1797 gilt die Korrespondenz ausschließlich dem Notenmaterial zu Kompositionen. Danach gewinnt ein neues Thema immer stärker an Bedeutung. Philippina Bach hatte sich nach dem Tode der Mutter offenbar entschlossen, die große und weitberühmte Portraitsammlung C. Ph. E. Bachs zu

36 Zu den Siegeln Johann Sebastian Bachs s. W. Neumann und H.-J. Schulze in *Bach-Dokumente* I, Leipzig 1963, S. 160.

37 Eine persönliche Bekanntschaft, ja sogar einen Clavierunterricht bei C. Ph. E. Bach hatte M. Terry annehmen wollen (1969, S. 109); zumindest ein Zusammentreffen schien auch E. Jacobi sicher (1974, S. 124).

veräußern; in der neuen Wohnung fehlte es ihr an Raum für die Bilder[38]. Am 3. Mai 1797 erwähnt sie ihren Plan erstmals Westphal gegenüber, um im nächsten Brief das eigentliche Anliegen zur Sprache zu bringen: Westphal soll ihr helfen, die Stücke zu taxieren. Dazu schickt sie ein Exemplar des Nachlaßverzeichnisses mit der Bitte um Bleistifteinträge von Preisen. Westphal macht postwendend entsprechende Vorschläge, die Philippina Bach mit den Angaben von zwei weiteren Hamburger Helfern, dem Kunstmaler und Kupferstecher Friedrich Wilhelm Skerl sowie einem Sammler, dem Major von Wagener, in Abstimmung bringt und daraus eine Preisliste erstellt, die sie in mehrere Exemplare des Nachlaßverzeichnisses einträgt. Diese läßt sie dann unter möglichen Interessenten kursieren. Ein solches Leihexemplar muß der Organist und Lexikograph Ernst Ludwig Gerber in Sondershausen bekommen haben, was ihn zu der bekannten Klage über die Zerstreuung der einzigartigen Sammlung im *Neuen historisch-biographischen Lexikon der Tonkünstler* (Band 1, Leipzig 1812, Sp. 200) veranlaßt – der einzigen bisher bekannten Äußerung über den Verbleib der Bildnisse[39]. Die Daten passen exakt aufeinander. Gerber berichtet, man habe „im October 1797 mit dem einzelnen Verkaufe" angefangen. Der Brief Philippina Bachs an Westphal, der das Verschicken der Kataloge ankündigt, datiert vom 17. Oktober 1797. Mit diesem Datum bekommt Westphal selbst eine Kopie. Daraufhin bestellt er in den folgenden Jahren immer wieder einmal Bilder aus der Sammlung von C. Ph. E. Bach.

Die geschilderten Umstände können auffällige Eintragungen im Westphal-Exemplar des Nachlaßverzeichnisses erklären[40]. Am unteren Rand von Seite 92, zu Anfang des Bilderkatalogs, notierte Westphal: „NB. Die beygeschriebenen Preise sind diejenigen, wofür theils diese Bildnisse verkauft, theils haben verkauft werden sollen. Von der Tochter des sel. Bach habe ich diese Notizen erhalten."[41] Westphal hat sich also die Preise des kursierenden Katalogs mit Tinte in sein Druckexemplar des Nachlaßverzeichnisses übertragen. Daß es hier Lücken gibt, macht Brief 27 verständlich: Was schon im weiteren Bekanntenkreis, in dem der Physiker und Akustiker Dr. Chladni für Philippina Bach geworben hatte, abgesetzt worden war, sei in den verschickten Katalogen ohne Preisangabe geblieben. Erklärung findet auch der Hinweis auf die Differenz zwischen erzielten und ausgewiesenen

38 Nach den Hamburger Adressbüchern war sie 1796 auf die „hohe Bleichen" umgezogen, 1798 dann auf „das Valentinskamp", 1804 schließlich auf die „große Drehbahn" (H. Miesner 1929, S. 50).

39 Vgl. R. W. Wade 1981, S. X.

40 Vgl. Anm. 32 oben.

41 Vgl. die englische Übersetzung von R. W. Wade 1981, S. XII.

Preisen. Westphal selbst erhielt die von ihm gewünschten Bilder generell mit einem Preisnachlaß von etwa 25 Prozent.

Zu den Eintragungen im Westphal-Exemplar zählen bei den Bildern neben den Preisvermerken und der zitierten Notiz auch einzelne Namensunterstreichungen. Ein Vergleich mit den Briefen zeigt, daß immer wenn unter den vielen pauschalen Angaben einmal ein Name genannt ist, dieser Name im Nachlaßverzeichnis unterstrichen markiert erscheint. Wir dürfen also annehmen, daß Westphal so seine eigenen Erwerbungen gekennzeichnet hat. Einen Beleg dafür gibt nebenbei ein Vermerk auf S. 105 und 125. Bei Damianus a Goes und Ernst Wilhelm Wolf macht Westphal nur einen kleinen Schrägstrich. Er hätte die Bilder gerne gehabt, doch waren ihm laut Brief Nr. 30 und Brief Nr. 27 Dr. Chladni bzw. Ernst Ludwig Gerber zuvorgekommen. Folgt man den Unterstreichungen, besaß Westphal schließlich 160 Bildnisse aus C. Ph. E. Bachs Sammlung - nicht allerdings das große Ölgemälde mit Johann Sebastian Bachs Portrait von der Hand Hausmanns.

Die Erwerbungen Westphals aus dem Nachlaß von C. Ph. E. Bach zogen sich über insgesamt fünfzehn Jahre hin. Sie enden erst 1804, denn am 2. August dieses Jahres stirbt Philippina Bach[42]. Mit ihr erlosch die Hamburger Linie der Bache. Was an Besitz noch vorhanden war, wurde auf der Basis einer summarischen Auflistung am 4. März 1805 öffentlich verkauft[43]. Ob Westphal diese letzte Gelegenheit für eine Komplettierung seiner Materialien genutzt hat, wissen wir nicht. Auch so war seine Sammlung einstweilen eindrucksvoll genug. Als kurz nach 1800 eine Mecklenburgische Chronik veröffentlicht wird, erwähnt der Verfasser eigens für Liebhaber der Musik die Sammlung des Organisten Westphal in Schwerin, die nicht weniger als 600 musiktheoretische Werke, 3000 Kompositionen für alle Arten von Instrumenten und 400 Musikerportraits enthalte[44].

Für die Sammlung war die Familie Bach nicht der einzige Lieferant gewesen. Schon Philippina Bach fragt in Brief 13 vorsichtig nach anderen Quellen. Zudem ist wenigstens ein Brieffragment des Musikalienhändlers Westphal in Hamburg von 1789 an den Organisten in Schwerin bekannt[45]. Doch war Carl Philipp Emanuel Bach offenbar ein Hauptbezugspunkt der Sammeltätigkeit. Was Westphal sich schuf, war eine nahezu komplette Werkserie. Neben Fülle und Ordnung zeichnen den Sammlungsbereich C. Ph. E.

---

42 Beigesetzt wurde sie am 8. August 1804 im Grab der Eltern im Gruftkeller der St. Michaelskirche, s. H. Miesner 1929, S. 48.

43 H.-J. Schulze in *Bach-Dokumente* III, 1972, S. 502.

44 J. Ch. F. Wundemann, *Mecklenburg in Hinsicht auf Kultur, Kunst und Geschmack,* 2. Teil, Schwerin und Wismar 1803, S. 261–263 (zitiert nach E. Suchalla 1968, S. 146 und 155; s. auch M. Terry 1969, S. 113 f.).

45 Veröffentlicht bei M. Terry 1969, S. 110 f.

Bach – soweit die erhaltenen Handschriften ein Urteil erlauben – zwei Besonderheiten aus. Er gibt die Werke einheitlich in den chronologisch letzten Fassungen wieder, hat also im Lesartenvergleich eine hohe und klar einschätzbare Bedeutung. Zum anderen überliefert Westphal Werke, die ohne ihn verloren wären. Das betrifft beispielsweise eine Reihe von Liedern oder die Kadenzen zu den Konzerten.

Westphal beschaffte aber nicht nur Kompositionen. Sein Interesse galt auch Notizen, Zeitungsausschnitten, Rezensionen und anderen Meldungen. Daraus wurde die regelrechte Materialsammlung für eine Biographie, von Westphal überschrieben mit „Gesammelte Nachrichten von dem Leben und den Werken des Herrn Carl Philipp Emanuel Bach, Kapellmeister in Hamburg nebst einer Sammlung verschiedener Recensionen und Beurtheilungen seiner herausgebrachten Werke". Ferner erstellte Westphal ein „Chronologisches Verzeichnis von den sämtlichen Werken des Herrn Kapellmeisters Carl Philipp Emanuel Bach" wie einen kompletten thematischen Katalog[46]. Letzteren veröffentlichte 1905 der Bibliothekar am kgl. Konservatorium in Brüssel, Alfred Wotquenne, unter seinem eigenen Namen[47]. Seitdem werden die Werke C. Ph. E. Bachs in der Forschung mit „Wq"-Nummern zitiert. Die amerikanische Gewohnheit, nur „W" zu schreiben, läßt ungewollt eine Identifizierung mit dem eigentlichen Schöpfer dieser Nummernordnung zu: mit Johann Jacob Heinrich Westphal.

Die Sammlung Westphal mußte in der Folgezeit das Schicksal der von Bach teilen. Es fand sich kein Käufer, der das Ganze übernommen hätte. Verhandlungen der Erben in Berlin, Wien, Schwerin und Stockholm scheiterten[48]. So kam es 1829, vier Jahre nach dem Tod des Begründers, zur Auflösung der Sammlung. Immerhin blieb bei Verkauf und Versteigerung, die sich bisher nicht näher dokumentieren lassen, der eine Komplex „C. Ph. E. Bach" geschlossen erhalten. Um 1838 erwarb ihn der belgische Musikforscher François-Joseph Fétis[49]. Von Fétis ging das Gros der Bach-Materialien 1840 an das Conservatoire Royal de Musique in Brüssel über[50]. Ein zweiter Teil, den Fétis seiner eigenen Bibliothek eingegliedert hatte, kam 1872 durch Ankauf aus dem Nachlaß an die Bibliothèque Royale de Belgi-

46 Zu den Handschriften s. G. Busch, *C. Ph. E. Bach und seine Lieder,* Regensburg 1957, S. 34 f., E. Suchalla 1968, S. 155–160 und R. W. Wade 1979/81, S. 9–11.

47 A. Wotquenne, *Thematisches Verzeichnis der Werke von C. Ph. E. Bach,* Leipzig, Brüssel, London und New York, 1905. Zur Benutzung des Westphal-Manuskripts s. E. F. Schmid 1931, S. VII, R. W. Wade 1979/81, S. 13 und E. Suchalla 1985, S. 276.

48 C. Meyer 1913, S. 250; vgl. E. Suchalla 1968, S. 146 und M. Terry 1969, S. 114.

49 Vgl. Fétis, *Biographie universelle,* 2. Auflage, Band 8, 1865, S. 453: „Westphal avait réuni une belle bibliothèque ... que j'ai acquise après sa mort."

50 Vgl. E. Suchalla 1968, S. 145–148.

que[51]. Nicht betroffen waren davon aber offenbar begleitende Dokumente und Archivalien. So sind die Briefe C.Ph.E.Bachs an Westphal, die Bitter 1868 noch aus dem Besitz von Fétis veröffentlicht hatte (vgl. Anmerkung 20 oben), nicht in Bibliotheksbeständen aufgegangen. Auch für die anderen Zeugnisse der Korrespondenz 1787–88 gibt es Hinweise auf einen „Sonderfond" Fétis außerhalb der offiziellen Besitzübertragung an den belgischen Staat. Zu solchen Reststücken, denen wahrscheinlich auch die 37 Briefe der Tochter Bach angehörten, muß der Kölner Sammler und Industrielle Wilhelm Heyer Zugang gefunden haben[52]. Auch insofern hat die vermutete Vermittlerrolle Georg Kinskys beim vorläufig letzten Besitzerwechsel der Briefe 1930 an Ernst Fritz Schmid in Tübingen bzw. Wien einige Wahrscheinlichkeit[53].

4. *Edition und Kommentar*

Der Text folgt in Schreibweise und Interpunktion dem Original. Bei eigenen Korrekturen von Philippina Bach ist die ursprüngliche Lesart im Kommentar nachgewiesen. Textfehler bleiben in der Edition stehen und werden erst im Kommentar verbessert. Am Schluß jedes Briefes sind die Rechnungs- und Bogenzählungsvermerke Westphals mitgeteilt. Gerechnet wird in Mark und Schilling (abgekürzt: M und s), wobei 16 Schillinge eine Mark ergeben (s. K.Schneider, *Hamburgs Münz- und Geldgeschichte im 19. Jahrhundert bis zur Einführung der Reichswährung,* Koblenz 1983). Das verwendete Längenmaß bei besonderem Verpackungsmaterial ist die Elle (abge-

51 „Acquise par l'etat belge" heißt es im Titel des gedruckten, von L.Avin redigierten Katalogs (*Bibliothèque Royale de Belgique. Catalogue de la Bibliothèque de F. J. Fétis. Acquise par l'etat belge,* Bruxelles 1877, vgl. Vorwort S.IX). Ich möchte vermuten, daß sich in dieser Bibliothek auch Teile der Westphal-Sammlung befinden, die nichts mit C.Ph.E. Bach zu tun haben, vgl. auch Anm.52 unten.

52 1916 erwähnt G.Kinsky zehn Briefe C.Ph.E.Bachs in Heyers Besitz (*Katalog des musikhistorischen Museums Wilhelm Heyer in Cöln,* Band 4, Köln 1916, S.93). Sieben von ihnen sind an Westphal gerichtet, wie der Versteigerungskatalog von 1927 erweist (*Versteigerung von Musikautographen aus dem Nachlaß des Herrn Kommerzienrat Wilhelm Heyer in Köln, 3. Teil, am 29. September 1927, durch Karl Ernst Henrici und Leo Liepmannssohn in Berlin. Beschreibendes Verzeichnis von Dr. Georg Kinsky,* S.3, Nr.11 und 12; vgl. E. Jacobi 1974, S.120). Daß über C.Ph.E.Bach hinaus Teile der Westphal-Sammlung bei Heyer zu suchen sind, macht schon im 1.Teil des Versteigerungskatalogs für den 6./7. Dezember 1926 die Nennung von elf Briefen Daniel Gottlob Türks 1782–89 an Westphal in Schwerin deutlich (S.105, Nr.542). Im 4.Teil des Versteigerungskatalogs finden schließlich die im Katalog von 1916 noch nicht genannten 37 Briefe der Tochter Bach Erwähnung (vgl. oben Anm.6), außerdem als Nr.7 auch noch ein letzter Brief C.Ph.E.Bachs an Westphal vom 9.2.1787. Damit sind alle zehn Briefe aus dem Katalog von 1916 auch in den Auktionsverzeichnissen nachweisbar.

53 Vgl. Anm.6 oben.

kürzt: El). Sie mißt nach metrischem System 57 cm (s. R.W.Wade 1981, S.X).

Der Kommentar versucht, den Kontext der nur einseitig erhaltenen Korrespondenz deutlich zu machen, sei es intern durch Querverweise innerhalb der Briefe, sei es extern durch Einbeziehung weiterer Quellen und Literatur. Genannte Personen ließen sich bis auf eine Ausnahme identifizieren. Besondere Aufmerksamkeit mußte den verzeichneten Werken C.Ph.E.Bachs gelten. Angestrebt wurde der Nachweis erhaltener Handschriften der Westphal-Sammlung in Brüssel, die durch die Briefe teilweise auf die Woche genau datierbar werden. Allerdings tauchen hier auch Fragen auf, bei denen der Rahmen einer Briefausgabe gesprengt wird. Erinnert sei nur, was relative und absolute Chronologie angeht, an die kontroverse Interpretation gleicher Quellen und Dokumente bei Darrell M.Berg und Wolfgang Horn 1988.

An Bibliotheks- und Literatursiglen im Kommentar sind benutzt:

Bach-Dok.	W. Neumann und H.-J. Schulze, *Bach-Dokumente* I, Leipzig 1963. H.-J. Schulze, *Bach-Dokumente* III, Leipzig, Kassel usw. 1972.
B bc	Brüssel, Bibliothèque du Conservatoire royal de musique.
Berg CW	D. M. Berg (Hrg.), *C. P. E. Bach, The Collected Works for Solo keyboard,* 6 Bände, New York und London 1985.
Berg 1979	D. M. Berg, „Towards a Catalogue of the Keyboard Sonatas of C. P. E. Bach“, in: *JAMS* 32, 1979, S. 276–303.
Berg 1988	D. M. Berg, „C. Ph. E. Bachs Umarbeitungen seiner Claviersonaten“, in: *BJb* 1988, S. 123–161.
Busch 1957	G. Busch, *C. Ph. E. Bach und seine Lieder,* Regensburg 1957.
Horn 1988	W. Horn, *C. Ph. E. Bach. Frühe Klaviersonaten,* Hamburg 1988.
Jacobi 1970	E. Jacobi, „Five hitherto unknown letters from C. P. E. Bach to J. J. H. Westphal“, in: *JAMS* 23, 1970, S. 119–127.
Jacobi 1974	E. Jacobi, „Three additional letters from C. P. E. Bach to J. J. H. Westphal“, in: *JAMS* 27, 1974, S. 119–125.
MGG	*Die Musik in Geschichte und Gegenwart.* Allgemeine Enzyklopädie der Musik, hrg. v. F. Blume, 17 Bände, Kassel 1949–1986.
Miesner 1929	H. Miesner, *Ph. E. Bach in Hamburg,* Heide 1929.
NV	*Verzeichniß des musikalischen Nachlasses des verstorbenen Capellmeisters Carl Philipp Emanuel Bach,* Hamburg gedruckt bei Gottlieb Friedrich Schniebes 1790 (Faksimile hrg. von R. W. Wade, New York und London 1981).
Ottenberg 1982	H.-G. Ottenberg, *C. Ph. E. Bach,* Leipzig 1982.
Schmid 1931	E. F. Schmid, *C. Ph. E. Bach und seine Kammermusik,* Kassel 1931.
Suchalla 1968	E. Suchalla, *Die Orchestersinfonien C. Ph. E. Bachs nebst einem thematischen Verzeichnis seiner Orchesterwerke,* Augsburg 1968.
Suchalla 1985	E. Suchalla, *Briefe von C. Ph. E. Bach an J. G. I. Breitkopf und J. N. Forkel,* Tutzing 1985.
Terry 1969	M. Terry, „C. P. E. Bach and J. J. H. Westphal – a clarification“, in: *JAMS* 22, 1969, S. 106–115.
W.	J. J. H. Westphal, [Thematischer Katalog der Werke C. Ph. E. Bachs], Handschrift um 1800 in B bc, Fonds Fétis II 4140 (der Titel Catalogue thématique ... stammt von Fétis), hrg. von A. Wotquenne, *Thematisches Verzeichnis der Werke von C. Ph. E. Bach,* Leipzig, Brüssel, London und New York 1905.
Wade 1979/81	R. W. Wade, *The Keyboard Concertos of C. P. E. Bach,* Diss. New York 1979, Ann Arbor Michigan 1981.
Wade 1981	s. unter NV.
Wotquenne	s. unter W.

Nr. 1

An den Herrn Organisten Westphal in Schwerin / frey
Nebst einem Päckchen mit gedruckten Sachen in Wachstuch, Sig: H. W.

Hochedelgebohrener, Hochzuehrender Herr

Ew. Hochedelgeb. habe ich die Ehre, die 3 pränumerirten Exempl.[1] zu überschicken.

Einem so guten Freunde[2] meines seel. Mannes wird es vermuthlich angenehm seyn, zu erfahren, daß dieser Catalogus so sorgfältig, und so vollständig, als möglich verfaßt ist, so daß er zu einer Uebersicht dient, was der liebe Seelige der Welt geleistet hat. Ich habe ein Kupfer[3], was hier verfertigt ist, und welches ihn freylich nicht recht ähnlich vorstellt, wie keines der Kupferstiche, die von ihm vorhanden sind, mit beygelegt, weil ich glaube, daß es einem Freunde angenehm seyn kann, wenn ein Kenner die Mischung von römischer und deutscher Tracht gleich sehr tadeln wird.

Einen Abdruck in Wachs von Noelli[4], den mein lieber Mann Ihnen längst übersendet hätte, wenn er nicht so schlimm bey andern Sachen zu packen[5] wäre habe ich die Ehre, gleichfalls mit zu schicken. Ich habe ihn so einballirt, daß ich hoffe, er werde unbeschädigt zu Ihnen gelangen.

Ich habe die Ehre, mit wahrer Hochachtung zu seyn

Hamburg Ew. Hochedelgeb. gehorsamste Dienerin
d. 24 Sept. 1790 J. M. Bach, W[we6]

Adresse – „Sig: H. W.": Signatum Herr Westphal

1 „3 pränumerirte Exempl.": Westphal hatte nach Ankündigung des Nachlaßverzeichnisses im Februar 1790 (*Bach-Dok.* III, S. 465) offenbar drei Exemplare bestellt und vorausbezahlt. Die Zahl läßt vermuten, daß Westphal auch als Vermittler für andere Interessenten auftrat und so vielleicht einen Teil seiner Unkosten finanzierte. Am gleichen 24. 9. 1790, an dem Brief und Paket an Westphal abgingen, erschien eine Besprechung des Nachlaßverzeichnisses im *Hamburger Correspondenten* (Suchalla 1968, S. 152–155; vgl. *Bach-Dok.*, III S. 505). Das Nachlaßverzeichnis ist also wohl im September fertig und ausgeliefert worden.

2 „Freunde": Philippina Bach bezieht sich auf die Korrespondenz zwischen Westphal und ihrem Vater.

3 „Kupfer": Bei dem genannten Portrait dürfte es sich um den 1789 posthum erschienen Stich von A. Stöttrup handeln (wiedergegeben bei Ottenberg, S. 251), der eine Büste mit römischer Toga und Barockperücke zeigt; er wurde auch als Vignette für den Klavierauszug der *Passionskantate* W. 233 benutzt. Vgl. auch Brief 30, Anm. 2.

4 „Noelli": Georg Noelli (1729–1789), Hackbrettvirtuose und Schüler von Pantaleon Hebenstreit, bekannt mit C. Ph. E. Bach, seit 1776 Mitglied der Mecklenburgisch-Schweriner Hofkapelle in Ludwigslust (MGG 9, 1961, Sp. 1547 f.). Das Wachsbild war Westphal noch 1788 von C. Ph. E. Bach versprochen worden, hatte aber Verpackungsschwierigkeiten bereitet (s. die beiden Briefe bei Jacobi 1970, S. 124 und 126; die mitgeteilten Daten können allerdings nicht stimmen: der Brief vom „29. Februar" muß nach dem vom „31. Juli" liegen. Zur Konfusion in den Daten s. auch Jacobi 1974, S. 120).

5 „schlimm ... zu packen": schwierig zu verpacken.

6 „W[we]": Witwe.

Nr. 2

An den Herrn Organisten Westphal in Schwerin / *frey*

Wohlgebohrener, Hochzuehrender Herr,

Es ist mir überaus angenehm gewesen, von Ihnen zu vernehmen, daß beyde übersendete Stücke[1] Ihnen willkommen gewesen sind. Auch freut es mich von Herzen, daß der Catalogus[2] nach Ihrem Sinn ausgefallen ist. Einige Fehler haben sich doch, leider, in denselben eingeschlichen; und in Ansehung des einen nehme ich meine Zuflucht zu Ew. Wohlgeb. Zu dem Concerte Nr. 28[3] gehören, der eigenhändigen Aufschrift meines lieben seel. Mannes zufolge Trompeten und Pauken; auch habe ich wirklich die von ihm selbst geschriebene Paukenstimme: die Trompeten kann ich aber, leider nicht finden, so viel Mühe ich mir auch gegeben habe. Wäre es nicht aus Versehen[4] geschehen, so hätte dies Concert lieber ohne Trompeten und Pauken in den Catalogus gerückt werden müssen.

Sollten Ew. Wohlgeb. wohl dieses Concert mit den Trompeten und Pauken-Stimmen von meinem lieben seel. Mann erhalten haben, so bitte ich Sie inständigst[5], die Güte zu haben, und mir die 3 Trompeten correct abschreiben zu lassen, und sie mir baldigst mit der Post auf meine Kosten geneigt zuzusenden. Den Betrag dafür rechnen Ew. Wohlgeb. in der Folge ab.

Für die Abschrift der aufgetragenen Sachen werde ich Sorge tragen; nur ersuche ich Sie um etwas Geduld. Die Aufträge kommen jetzt alle auf einmal und ehrliche und zugleich gut schreibende Kopisten[6] sind rar. Sollten Dieselben indessen eins oder das andere Stück vorzüglich bald zu haben wünschen, so will ich es vorzüglich fördern.

Ich weiß es daß Dieselben meinem seel. Mann 6 s für den Bogen gezahlt haben, und dies soll auch der Preis seyn, um welchen Ew. Wohlgeb. von mir, was Sie begehren werden erhalten sollen.

Nur ersuche ich Sie, diesen Preis nicht andern bekannt zu machen, die nicht so würdige, so schätzbare Freunde meines lieben Seel. sind.

Ueberhaupt richten sich die Preise der Sachen je nachdem sie mehr oder weniger bekannt[7] sind. Ich habe keine beydrucken lassen, theils weil durch öftere Abschriften unbekannt gewesene Sachen, nach und nach in ihren Preisen fallen, theils damit mit[8] nicht Musikhändler[9] sich Stücke anschaffen und sie, freylich fabrikenmäßig weggeschrieben wohlfeiler ausbieten mögen.

Mit wahrer Hochachtung habe ich die Ehre zu seyn

Hamburg,
d. 25ten 9br. 1790

Ew. Wohlgeb. ergebene Dienerin
J. M. Bach.

1 „beyde übersendete Stücke“: Wachsbild Noellis und Kupferstich C. Ph. E. Bachs, s. Brief 1.
2 „Catalogus“: Nachlaßverzeichnis.
3 „Concerte Nr. 28“: W. 27, s. NV S. 31: „3 Trompeten, Pauken“.
4 „Versehen“: da eine Paukenstimme vorhanden ist, können die Trompetenstimmen nicht irrtümlich angegeben sein – ein Indiz dafür, daß das Nachlaßverzeichnis nicht erst im Auftrag von Witwe und Tochter entstanden ist.
5 „bitte ich Sie inständigst“: Westphal konnte hier nicht helfen, er besitzt bislang keine Konzerte (vgl. Brief 3 Absatz 3). Philippina Bach muß es jedoch möglich gewesen sein, wenigstens zwei der Trompetenstimmen aus anderen Quellen zu erhalten, denn im November 1795 kann sie Westphal eine Abschrift des Konzerts liefern (vgl. Brief 19 Anm. 3), die zwei Trompeten verlangt (zur Brüsseler Handschrift der Westphal-Sammlung 5887 s. Suchalla 1968, S. 193).
6 „Kopisten“: s. dazu Brief 19.
7 „mehr oder weniger bekannt“: Philippina Bach wiederholt hier ein Preisargument, das sie schon in einem Brief an Breitkopf vom 4. 3. 1789 benutzt hatte (Suchalla 1985, S. 228).
8 „mit“: zu streichen.
9 „Musikhändler“: gemeint ist in erster Linie J. C. Westphal in Hamburg (vgl. Brief 3 Anm. 4 und Brief 13 Anm. 4).

Nr. 3

Wohlgebohrener, Hochzuehrender Herr,

Endlich habe ich das Vergnügen, Ihnen die verlangten Sachen[1] zu übersenden; und Ihrer Güte verdanke ich es, daß Sie Sich so lange geduldet haben. Aus der Bogenzahl[2] werden Sie den Betrag selbst übersehen können, mit dessen Uebersendung es völlig Zeit hat. Auch ohne Ew. Wohlgeb. Versprechen war ich es überzeugt daß ein Mann von so rechtschaffener Denkungsart keinen übeln Gebrauch von den Musikalien seines verklärten Freundes, zum Nachtheil dessen Familie, machen konnte.

Die Freyheiten, die sich Buchhändler, insonderheit Rellstab[3], nehmen, kann ich freylich nicht wehren; indessen halte ich dies Verfahren immer für unredlich. Ließe er gleich andern Musikhändlern[4] bloß Abschriften davon nehmen, so gienge es noch an, aber durch die Notendruckerey[5], die er besitzt, das Eigenthum anderer zu verfielfältigen, und ihren Absatz zu zerstören, reimt sich mit den Begriffen, die ich von Ehrlichkeit habe, wenigstens nicht.

Bey den Veränderungen und Verzierungen[6] einiger Sonaten und Concerte, habe ich mit Fleiß die Verzierungen der Concerte nicht mit abschreiben lassen[7], weil Sie mir berichtet haben, daß Sie die Concerte meines lieben seel. Mannes nicht besitzen. Ich dachte, daß es besser wäre, in der Folge, jedem Concerte, seine Verzierung beyzufügen. Indessen soll es von Ihnen abhängen ob ich[8] sie Ihnen abschreiben lassen und voher[8] zuschicken soll. Mit wahrer Hochachtung beharre ich lebenslang

Hamburg Ew. Wohlgeb. ergebene Dienerin
d. 8ten Febr. 1791[9] J. M. Bach.

(S. 1 mit Rötel Westphals Bogenzahl-Vermerk: „21½“)
1 „die verlangten Sachen“: nicht bestimmbar.
2 „Bogenzahl“: 21½, vgl. letzte Zeile.
3 „Rellstab“: Johann Carl Friedrich Rellstab (1759–1813), Schüler von J. F. Agricola und Verehrer C. Ph. E. Bachs, seit 1779 in Berlin Inhaber der väterlichen Buchdruckerei und Gründer einer Musikhandlung; erwarb 1785 den Musikverlag G. L. Winter (MGG 11, 1963, Sp. 215 f.).
4 „andern Musikhändlern“: vgl. Brief 2 Anm. 9 und Brief 13 Anm. 4.
5 „Notendruckerey“: Rellstab druckte 1786 gegen C. Ph. E. Bachs Wunsch die *Reprisensonaten* W. 50–52 und 114 (Suchalla 1985 S. 181 und H. Serwer, „C. P. E. Bach, J. C. F. Rellstab, and Sonatas with varied reprises“, in: *C. P. E. Bach Studies,* hrg. von Stephen L. Clark, Oxford 1988, S. 233–243), 1789 die *Anfangsstücke mit einer Anleitung* W. 259 und 5 *Klavierstücke* W. 260, 1790 die *Singode* W. 201 bzw. 264 und die *Orgelsonaten* W. 70 bzw. 265, 1791 die *Claviersonaten* W. 266 (Wotquenne, S. 106 f., *Bach-Dok.* III, S. 488 und 490). 1790 gab Rellstab ein Verlagsverzeichnis heraus, dem bis 1813 insgesamt 28 Supplemente folgten (MGG 11, 1963, Sp. 215).
6 „Veränderungen und Verzierungen“: Philippina Bach bezieht sich auf den elften Eintrag auf S. 53 des Nachlaßverzeichnisses: „Veränderungen und Auszierungen über einige Sonaten und Concerte für Scholaren“. Die für Westphal angefertigte Handschrift ist in Brüssel erhalten (B-Bc 5885) und enthält Zusätze zu den Sonaten W. 53/1, 49/6, 53/5, 62/16, 49/6, 50/3–5, 50/1–3, 51/2–6 und 52/3 (vgl. Wade 1981 S. 145).
7 „Verzierungen der Concerte nicht mit abschreiben lassen“: später wird Westphal sie nachbestellen, s. Brief 15 Anm. 3 und Brief 18 Anm. 3.
8 Das Wort „ich“ ist irrtümlich zweimal geschrieben. – „voher“: vorher.
9 „1791“: korrigiert aus 1790.

Nr. 4

An den Herrn Organisten Westphal in Schwerin
Nebst einem Päckchen mit Musik, in weiß Papier, Sig: H. W. O.[1]

Wohlgebohrener Hochzuehrender Herr

Ew. Wohlgeb. erhalten hiebey die verlangten Musikalien, und entschuldigen gütigst, daß es so lange damit gewährt hat. Für die übersandten 8 M 4 s[2] bin ich gehorsamst verbunden, und es ist damit die Bemühung meines Notisten völlig befriediget. Ich hoffe, daß die Beantwortung Ihrer Fragen Sie völlig befriedigen wird. Mit wahrer Ergebenheit beharre ich

Hamburg, Ew. Wohlgeb. gehorsamste Dienerin
d. 30ten April, 1791 J. M. Bach.

(S. 1 mit Blei Westphals Vermerk: „26 Bogen / ½ dito“)
1 „H. W. O.“: Herrn Westphal, Organist
2 „8 M 4 s“: Westphal hatte somit 22 Bogen berechnet (zum Preis vgl. Brief 2 Absatz 4, zur Bogenzahl Brief 3 letzte Zeile).

Nr. 5

An den Herrn Organisten Westphal in Schwerin / frey
Hamburg, d, 30ten May, 1791.

Wohlgebohrener Herr, Theuerster Freund,

Ich danke Ihnen ganz gehorsamst für das übersandte Geld, welches für einen Bogen zu viel[1] beträgt, den Sie aufs Künftige zu gut behalten. Ich werde die aufs Neue begehrten Musikalien so viel möglich zu fördern suchen, damit Sie sie baldigst erhalten mögen.

Für die delicaten Krebse sage ich Ihnen meinen verbundensten Dank. Wir haben Sie auf die Gesundheit ihres gütigen Senders verzehrt. Geben Sie mir bald Gelegenheit, Ihnen künftig eine Erkenntlichkeit bezeigen zu können.

Mit aufrichtiger Freundschaft beharre ich

Ew. Wohlgeb. ergebene Dienerin
J. M. Bach.

Die Ringe habe ich der Demoiselle Mau[2] zustellen lassen.

1 „einen Bogen zu viel“: vermutlich hat Westphal wie schon bei der vorigen Sendung einen halben Bogen ganz bezahlt. Bei diesen halben Bögen handelt es sich vermutlich um Umschlagbögen, vgl. Brief 10 Anm. 3.
2 „Demoiselle Mau“: Westphals in Hambug lebende Schwägerin Charlotta Sophia Mau.

Nr. 6

An den Herrn Organisten Westphal in Schwerin
Nebst einem Paket mit Musik, in weiß Papier, Sig: H. O. W.

Wohlgebohrener, Hochzuehrender Herr,

Für das Uebersandte danke ich Ihnen verbundenst, und will, weil Sie es gütigst so haben wollen[1], weiter nichts gedenken, sondern in der Stille Ihre rechtschaffene Denkungsart hoch schätzen. Ich habe Ihre Aufträge[2] mit möglichster Genauigkeit ausgerichtet; nur muß ich mich in vielen Stücken, da ich nicht musikalisch bin, ganz auf meinen Notisten[3] verlassen, den ich indessen nicht anders kenne, als einen rechtschaffenen und ehrlichen Mann. Er hat mir gesagt, daß die Son. N: 168[4] von der Clavierparthie des Concerts N. 43 hin und wieder sehr abweiche[5]. Ich habe sie deßwegen abcopiren lassen.

Beykommende wenigen Veränderungen, sind die einzigen, die noch in dem gedruckten Exempl.[6] befindlich sind, und Ihnen unbekannt sind; die Uebrigen besitzen Ew. Wohlgeb. schon. Ich hoffe, daß mein Notist, der nicht den hellsten Kopf besitzt, die Stellen deutlich genug wird angeführt haben.

Von den Liedern besitzen Sie bloß die 5 nicht[7], die ich habe einschreiben lassen, und noch 2 Hagedornschen[8], von denen ich aber keinen Gebrauch machen darf. Der Buchhändler, H. Herold[9] ließ sie in der letzten Zeit des Lebens meines lieben seel Mannes componiren, um sie einer Lob-Beschreibung von Hervstehude[10], die er in Druck geben wollte, bey zu fügen. Er hat zwar bis jetzt keinen Gebrauch davon gemacht, und scheint, das Vorhaben ganz aufgegeben zu haben[11]; indessen wäre es doch unredlich von mir gehandelt, wenn ich sein unbenutztes Eigenthum bekannt machen wollte. Das eingelegte Freymäurer Lied[12] gehört wirklich zu den Zwölfen. Bey der im Verzeichnisse bestimmten Zahl, sind die Lieder[13] nicht mit gerechnet worden, die zu einigen Sonaten gehören, z. B. Amor ist mein Lied[14], Das Fest der Holden. Ew. Wohlgeb. haben nicht Ursach wegen des Auftrags[15] in Ansehung der geschriebenen Sonaten Entschuldigungen zu machen. Mit Freuden habe ich diesen Auftrag übernommen. Es ist mir immer sehr lieb, so viel Ordnung und Pünktlichkeit bey einem Liebhaber der Musikalien meines lieben seel. Vaters wahr zu nehmen, da er selbst so äußerst dafür sorgte, daß seine Werke in richtigen Abschriften bekannt würden. Von den 7 Sonaten hat die 14ten[16] der vielen Veränderungen wegen ganz müssen abgeschrieben werden. In der 18ten Sonate ist an die Stelle des Ihrigen ein ganz anderes Andante abgeschrieben, und gehörigen Orts eingeheftet worden, und in der 20ten Sonate ist statt Ihres letzten Presto auf eben die Art ein Allegretto grazioso gekommen. Alles Uebrige ist scharf durchgesehen, und genau geändert worden, welches insbesondere in der 18ten Sonate sehr zu merken ist. Die meisten Veränderungen sind auch in meinen Exemplaren als Veränderungen merklich[17].

Für das Durchsehen und radiren dieser Sonaten habe ich meinem Notisten 2 M bezahlt. Ich hoffe, daß diese Forderung nicht unbillig seyn wird.

Mit wahrer Hochachtung und Freundschaft habe ich die Ehre zu beharren

Hamburg
d. ...ten August[18], 1791.

Ew. Wohlgeb. ergebene Dienerin
J. M. Bach.

1 „weil Sie es gütigst so haben wollen“: Westphal dürfte auf die Gutschrift eines Bogens verzichtet haben, vgl. Brief 4 Anm. 2 und Brief 5 Anm. 1.
2 „Aufträge“: s. Anm. 15.
3 „Notisten“: Michel, s. Brief 25, Anm. 1.
4 „Son. N: 168“: ursprünglich „43“, überschrieben mit „168“. Die Inzipits von Konzert 43 und Sonate 168 (W. 42) stimmen in NV S. 21 und 34 überein.
5 „abweiche“: Diese Information übertrug Westphal in sein thematisches Werkverzeichnis C. Ph. E. Bachs: „Unter den Clavier-Concerten findet man dieses Concert auch mit Begleitung von Instrumenten; doch weichet dieses Ex., welches der selig. Verfasser für das Clavier allein eingerichtet hat, von der Clavierparthie daselbst merklich ab“ (Wade 1979/81, S. 151; über die chronologische Reihenfolge ist damit entgegen Wade S. 113 nichts gesagt). Eine Abschrift des Konzerts Nr. 43 (W. 42) aus der Hand Michels hat sich in der Westphal-Sammlung in Brüssel erhalten (B-Bc 5887), vgl. Wade 1979/81, S. 254).
6 „Veränderungen ... in dem gedruckten Exempl.“: Die Rede ist vermutlich von den *Reprisensonaten* W. 50/1-6 und den späteren handschriftlichen Zusätzen C. Ph. E. Bachs, die im Nachlaßverzeichnis S. 53 unter Eintrag 10 erwähnt sind. Westphal hat laut Brief 6 davon alle Varianten bekommen. Die entsprechende Handschrift ist in Brüssel erhalten (B-Bc 5885). Westphal hat sie mit folgender Erläuterung versehen: „N. B. dieses sind die Veränderungen, welcher der seel. Bach in einem Exemplar des 1ten Theils der Reprisen-Sonaten eigenhändig eingeschrieben. vid. das gedruckte Verzeichnis seines musikalischen Nachlasses p. 53.“ (Vgl. Wade 1981, S. 144).
7 „Von den Liedern besitzen Sie bloß die 5 nicht“: Westphal scheint ein Verzeichnis der bei ihm schon vorhandenen Lieder geschickt zu haben. Nötig war das, weil das Nachlaßverzeichnis Lieder nur pauschal S. 55 und 64 f. benennt. Eine Handschrift mit genau fünf Liedern aus der Westphal-Sammlung ist in Brüssel erhalten (B-Bc 286). Sie überliefert als Unikum die Lieder W. 202/Teil O (s. Busch 1957, S. 206).
8 „2 Hagedornschen“: Diese Lieder sind heute nicht mehr nachzuweisen (Buch 1957, S. 211), eben weil Westphal sie nicht bekommen hat.
9 „H. Herold“: Die Heroldsche Buchhandlung in Hamburg wurde seit 1788 von den beiden Brüdern Johann Henrich (geb. 1742) und Christian Herold (geb. 1750) geführt. Mit Johann Henrich Herold, der 1796 Hamburg verließ, erlosch die Firma (s. W. Kayser, Hamburger Bücher 1491–1850, Hamburg 1973, S. 110–112). Herold verlegte 1780 Sturms *Geistliche Gesänge* in der Vertonung C. Ph. E. Bachs W. 197; auch im Postverkehr gab es eine Zusammenarbeit, s. Suchalla 1985, S. 282.
10 „Hervstehude“: Erholungsort vor den Toren Hamburgs, heute der Stadtteil Harvestehude. Von Hagedorn war 1746 ein siebenstrophiges Gedicht „Harvstehude“ erschienen (Busch 1957, S. 211 ff.).
11 „aufgegeben zu haben“: Das beschriebene Verlagsvorhaben ist nicht verwirklicht worden.
12 „Das eingelegte Freymäurer Lied“: Eines der Lieder W. 202/Teil N. Das Nachlaßverzeichnis führt die Lieder S. 64 unter den ungedruckten Sachen, wieder ein Indiz dafür, daß es in seinen Grundzügen noch zu Lebzeiten C. Ph. E. Bachs angelegt worden ist. Denn die Lieder erschienen erst 1788 posthum in Kopenhagen im Druck. H. Miesners Zweifel an der Autorschaft C. Ph. E. Bachs (1929) sind heute ausgeräumt (Busch 1957, S. 181–190).
13 „Zahl ... Lieder“: Zu den 95 in NV S. 65 summarisch angegebenen Liedern müssen solche, „die zu einigen Sonaten gehören“, also hinzugerechnet werden. Die Formulierung ist unklar. Mit Textierung von Instrumentalmusik hat sie sicher nichts zu tun (so vermutet hingegen Berg 1979, S. 292), eher mit gemeinsamer Veröffentlichung. „Amor“ ist im Kontext ei-

nes *Musikalischen Vielerley* gedruckt, für „Das Fest“ ist allerdings keine Sammelpublikation bekannt (Busch 1957, S. 211).
14 „Amor ist mein Lied“, „Das Fest der Holden“: W. 202/Teil D und W. 199/16.
15 „Auftrag“: Westphal hatte sieben handschriftliche Sonaten seiner Sammlung mit Bitte um Durchsicht und Vergleich geschickt, s. Absatz 3 und 4, vgl. Brief 9 Anm. 4 und Schlußabsatz, Brief 13 Anm. 3, Brief 19 Anm. 6 und Brief 20 Anm. 4 und 5.
16 „14ten“: Die Zahl bezieht sich wie auch „18ten“ und „20ten“ in den folgenden Zeilen auf das Nachlaßverzeichnis (vgl. Berg 1988, S. 134), wie an den Brüsseler Handschriften der Westphal-Sammlung deutlich wird (B-Bc 5883). Nummer 14 (W. 65/6) ist „ganz ... abgeschrieben“ von der Hand Michels vorhanden, Nummer 18 (W 65/10) hingegen in Westphals eigener Hand, wobei ein zusätzliches Blatt für das „andere Adagio“ eingelegt ist (allerdings mit der Überschrift „Andante“), das wieder Michels Hand zeigt. Ähnlich ist bei Nummer 20 (W. 65/11) der Finalsatz verdoppelt (vgl dazu Berg CW 3, S. XXII, Berg 1988, S. 134 mit Faksimile, 135 f. mit Faksimile und 132 f. mit Faksimile, ferner Horn 1988, S. 257 f. wie insbesondere S. 262–264). Die Forschung hat aus dem Vorliegen von zwei Finalsätzen bei Nummer 20 (W. 65/11) irrtümlich eine viersätzige Sonate gemacht, vgl. die Ausgabe von E. Bosquet, Paris 1922.
17 „auch in meinen Exemplaren als Veränderungen merklich“: Die Kopiervorlage im Hause Bach waren offenbar Kopistenabschriften, in die C. Ph. E. Bach eigenhändig seine Veränderungen eingetragen hat. Einzelne solcher Handschriften sind in Berlin erhalten, bei W 65/10 in Mus. ms. Bach P 772 (s. Berg 1988, S. 137 mit Faksimile, und Berg CW 3, Faksimile S. 229–235; vgl. Horn 1988, S. 227 und 257), bei W. 65/11 in Mus. ms. Bach P 775 (s. Berg 1988, S. 157; vgl. Horn 1988, S. 224 f.).
18 „d(en) ... ten August“: Ein Tag ist nicht eingesetzt.

Nr. 7

Sr. Wohlgeb. dem Herrn Organisten Westphal in Schwerin
Hiebey ein Päckchen mit Musik in weiß Papier, Sig: H. O. W.

Wohlgebohrener Hochzuehrender Herr,

Ew. Wohlgeb. empfangen nebst meinem ergebenem Dank für das eingesandte Geld, die aufs neue bestellten Musikalien. Auf die 1ste[1] Veränderung der 119 Sonate[2] hat mein Notist die Titel-Aufschrift so eingerichtet, wie sie sich auf dem Umschlag des Originals befindet, und wenn Sie die 2te Veränderung, die Sie schon besitzen, zu dieser mit einlegen wollen, so wäre die Aufschrift ganz richtig.

Zu den Trii No. 1, 2 und 7[3] ist keine Baßbezifferung vorhanden, und es ist keine Nachlässigkeit des Notisten, daß sie unterlassen ist. Bey dem Trio No. 9 ist die Flöte mit der Clavierparthie völlig gleich; bey dem Trio N. 15 gilt dieses ebenfalls von der 1sten Flötenstimme; bey dem Trio N. 17[4] ist die Flöte die 1ste Violinstimme, nur muß die Violinstimme an den Stellen, die in der Flötenstimme mit einem rothen Strich bezeichnet sind, eine Octav niedriger gespielt werden. Das Clavier ist mit der 2ten Violine gleich. Zu den Quartetten[5] ist kein anderer Baß, als der der Clavierparthie, sonst hätten ihn Ew. Wohlgeb. gewiß gleich mit erhalten.

Mit aufrichtiger Hochachtung und Freundschaft beharre ich ewig

Hamburg, Ew. Wohlgeb. ganz ergebenste Dienerin
d. 7ten October, 1791. J. M. Bach

(S. 2 mit Rötel Westphals Vermerk: „34 Bog")

1 „1ste": ursprünglich „2te", überschrieben mit „1ste".

2 „119 Sonate": Laut NV S. 16 ist „diese Sonate nachhero 2 mal durchaus verändert". In seinem thematischen Verzeichnis hat Westphal die beiden Veränderungen eigens unter den handschriftlichen Sonaten aufgeführt (W. 65/35 und W. 65/36, vgl. Wotquenne, S. 23 mit Anm. 23). Dem Brief zufolge bekam er beide Veränderungen. Die entsprechenden Handschriften, Kopien von Michel, sind in Brüssel erhalten (B-Bc 5883). Die zugehörigen Kopiervorlagen dürften wiederum in Berlin vorliegen (Mus. ms. Bach P 776, vgl. Berg 1988, S. 139).

3 „Trii No. 1, 2 und 7": NV S. 36 f., W. 71, W. 72 und W. 147. Westphals Frage nach einem möglicherweise fehlenden Baß bzw. einer Bezifferung erklärt sich aus den nur zwei Instrumenten. Das „Cembalo obligato", wie dann Westphal zur Präzisierung in seinen thematischen Katalog anstelle des bloßen „Clavier" im Nachlaßverzeichnis bei W. 71 und 72 schreiben wird, zählt jedoch für zwei Stimmen.

4 „Trio No. 9 ... 15 ... 17": NV S. 37 f. Aus den mitgeteilten Varianten im Nachlaßverzeichnis und den Angaben in den Briefen gibt Westphal in seinem thematischen Katalog den verschiedenen Fassungen je nach Besetzung unterschiedliche Nummern in verschiedenen Rubriken: W. 73 + 149, W. 84 + 162, W. 85 + 152 + 157. Die Werke sind jeweils in allen Fassungen durch die Handschriften der Westphal-Sammlung in Brüssel überliefert (Schmid 1931, S. 161 f.).

5 „Quartetten": NV S. 51 f., Nr. 1–3. Auch hier erhob sich die Frage nach Stimmenzahl und Instrumenten. Abermals ist die Doppelrolle des „Cembalo obligato" verantwortlich. Wenn die linke Hand zusätzlich mit einem Violoncello verstärkt wird, stimmen Stimmenzahl des Satzes und Zahl der Ausführenden wieder überein (vgl. Schmid 1931, S. 139). Das Schwanken zwischen beiden Kriterien führt bei Wotquenne zu unterschiedlichen Titeln: W 93 und 94 heißen „Trio", W. 95 „Quartetto" (S. 32 f.). Die Westphal gelieferten Handschriften sind in Brüssel erhalten (Schmid 1931, S. 164).

Nr. 8

Wohlgebohrener, Hochzuehrender Herr,

Ew. Wohlgeb. sage ich den verbindlichsten Dank für das letzt Eingesandte, und habe die Ehre, die aufs neu bestellten Musikalien hiebey zu übersenden. Die beyden Soli N. 10 und N. 12[1] haben mich in die Nachbarschaft eines in das Verzeichniß eingeschlichenen Druckfehlers[2] gebracht, den ich bey dieser Gelegenheit Ew. Wohlgeb. bekannt machen will: Das Solo No. 11 ist nicht für die Flöte, sondern für die Gambe gesetzt.

Mit aufrichtiger Hochachtung und Freundschaft beharre ich ewig

Hamburg
d. ... ten Xbr.[3] 1791

Ew. Wohlgeb. ergebene Dienerin
J. M. Bach

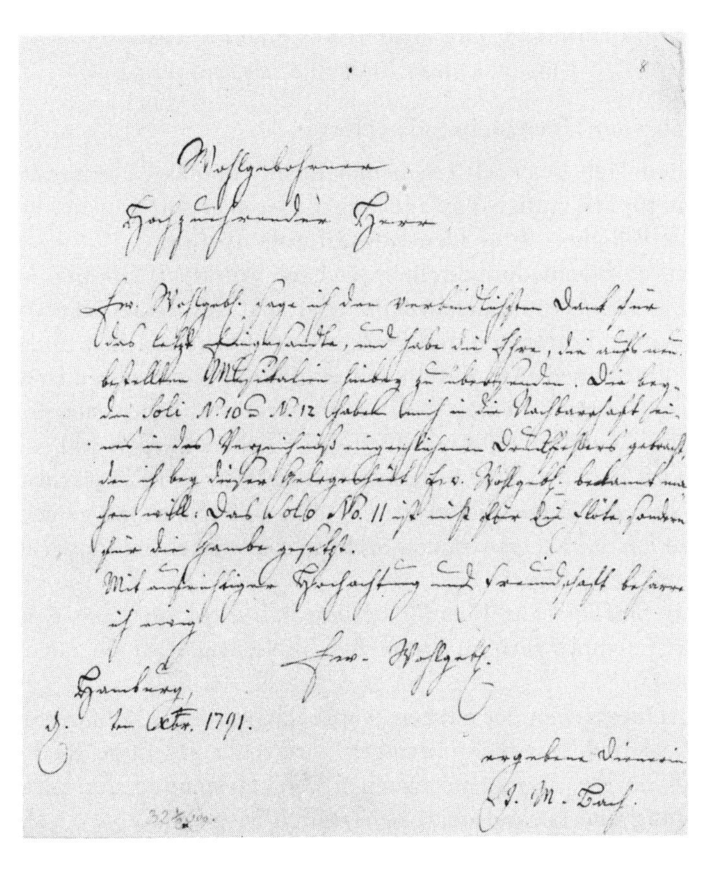

Nr. 8: Brief der Witwe C. Ph. E. Bachs, geschrieben von seiner Tochter. Der Tag beim Datum ist nicht eingetragen. Unten am Rand hat Westphal die Bogenzahl der gleichzeitig erhaltenen Musikalien notiert: „$32\frac{1}{2}$ Bog.“

(S. 1 mit Rötel Westphals Vermerk: $32\frac{1}{2}$ Bog.“)

1 „Soli N. 10 und N. 12“: NV S. 50.

2 „Druckfehlers“: Westphal übertrug die Angabe in sein Exemplar des Nachlaßverzeichnisses, durchstreicht „Flöte“ und schreibt daneben „Viol. di Gambe“ (vgl. Faks. Wade 1981, S. 50). Auch im thematischen Verzeichnis führt er das Stück unter „Solos für Viola da

Gamba" als Nr. 136 an (vgl. Wotquenne, S. 55). Von drei genannten Werken sind nur zwei (W. 136 und W. 137) in Handschriften der Westphal-Sammlung erhalten (Schmid 1931, S. 168).

3 „...ten Xbr.": Decembris; ein Tag ist nicht eingesetzt.

Nr. 9

Sr. Wohlgeb. dem Herrn Organisten Westphal in Schwerin
Nebst einem Paket mit Musik in braun Papier, Sig. H. O. W.

Wohlgebohrener Hochzuehrender Herr

Ew. Hochedelgeb. sage ich ergebenen Dank für das Uebersandte und insonderheit für die gütige Beylage wegen der kleinen Nebenunkosten. Ich verehre die Billigkeit Ihrer Denkungsart aufs höchste.

Sie erhalten hiemit die bestellten Sachen. Von den Chorälen mit Instrumenten[1] hat mein Notist einen: Bald oder spät des Todes Raub, weggelassen. Er ist ohne Trompeten und Pauken und die andern Instrumente gehen mit den Singstimmen. Aus Furcht, etwas Unnötiges zu schreiben, da Sie die gedruckten Choräle[2] meines seel. Mannes vermuthlich besitzen, ist dieser weggelassen. Wenn er indessen doch geschrieben werden soll, so belieben Sie es nur zu befehlen. Die Sonatine[3] hat müssen ganz abgeschrieben werden, weil sie ganz umgearbeitet ist; die übrigen Sachen sind genau durchgesehen[4] und corrigirt. Das von den Sinfonien überbliebene Papier ist den andern Sachen beygefügt.

Von der Sinfonie aus E moll[5] besitze ich selbst nur eine Kopie; sonst stünde das Exempl.[6] gern zu Ihrem Befehl. Gedruckt ist sie gar nicht mehr zu bekommen.

Für das Durchsehen der Sachen, werde ich, wenn die Zahl der durchgesehenen Musikalien erst mehr betragen wird, eine gewaltige Rechnung machen, und Sie Ew. Wohlgeb. zustellen. Mit Gesinnung der aufrichtigsten Hochachtung und Freundschaft beharre ich ewig

Hamburg, Ihre ganz ergebene Dienerin
d. 30ten März, 1792 J. M. Bach

(S. 1 in Blei Westphals Vermerk: „42 Bog.")

1 „Chorälen mit Instrumenten": Im Nachlaßverzeichnis S. 62 f. sind acht Chöre aufgeführt, ferner ist auf die Chöre innerhalb der Passionsmusiken verwiesen. Von diesen Chören heißt es in einer generellen Bemerkung S. 66, sie „können den Liebhabern auch einzeln in Abschrift überlassen werden". Darauf muß Westphal sich bezogen haben.

2 „Bald oder spät des Todes Raub ... gedruckte Choräle": *Neue Melodien zu einigen Liedern des Hamburgischen Gesangbuchs,* gedruckt 1787 bei Schniebes, verlegt bei Herold; darin Nr. 13 (W. 203/13).

3 „Sonatine“: ein Werk zum „Durchsehen“ (vgl. Brief 6 Anm. 15), d. h., Westphal hatte bereits ein Exemplar. Da aus seiner Sammlung alle sechs Sonatinen für Clavier allein in Hamburger Kopien Michels erhalten sind (B-Bc 5881, vgl. Berg 1988, S. 153 f.), dürfte es sich bei der genannten Sonatine um eine der Ensemblesonatinen handeln (NV S. 46–48), von denen Exemplare unterschiedlicher Schreiber in Brüssel liegen (B-Bc 6352, vgl. Schmid 1931), darunter wiederum auch Kopien, die mit „Michel“ gekennzeichnet sind (Suchalla 1968, S. 225–228). Zu den Ensemblesonatinen s. auch Brief 24, 25 und 27–29.
4 „durchgesehen“: s. auch Schlußabsatz, vgl. Brief 6 Anm. 15 und 16 sowie Absatz 4.
5 „Sinfonie aus E moll“: W. 177, gedruckt 1759 bei Balthasar Schmid in Nürnberg.
6 „Exempl.“: Westphal wollte offenbar den Druck von 1759 erwerben, von dem aber im Hause Bach nicht einmal mehr ein Belegexemplar vorhanden war.

Nr. 10

Sr. Wohlgeb. dem Herrn Organisten Westphal in Schwerin
Nebst einem Pakete mit Musik in weiß Papier, Sig: H. O. W.

Wohlgebohrener Hochzuehrender Herr,

Ew. Wohlgeb. werden meine späte Antwort gütigst verzeihen. Die sehr große Unruhe, die mit Veränderung meiner Wohnung[1] verknüpft war, und eine darauf erfolgte Unpäßlichkeit, eine natürliche Folge dieser Unruhe, sind die Veranlassungen dieser Verzögerung. Ich danke Ew. Wohlgeb. für das Eingesendete ergebenst, und habe die Ehre die verlangten 3 Stück zu überschicken. Bey der Sonatina Nr. 2[2] bitte ich aber recht sehr, den Umschlag Bogen[3] nicht zu der Zahl der Uebrigen zu rechnen.

Mit Vergnügen werde ich jeden Auftrag von Ihnen erhalten, und besorgen lassen.

Zu den Concerten N. 27, 40 und 41[4] sind die Begleitungs-Stimmen der verschiedenen Conc. Stimmen dieselben[5]. Zum Conc. N. 29 sind zum Clavier und Violoncell dieselben Begleitungs-Stimmen; aber zur Flöte weichen sie ab. Zum Conc. N 30[6] weichen die Stimmen hin und wieder voneinander ab; so daß jede Concertstimme ihre eigene Begleitung hat. Dies gilt ebenfalls vom Conc. N. 35[7].

Mit wahrer Ergebenheit und Freundschaft beharre ich ewig

Hamburg, Ew. Wohlgebohrene ergebene Dienerin
d. 13ten Juni, 1792. J. M. Bach

(S. 1 mit Rötel Westphals Vermerk: „43½ B.“)
1 „Veränderung meiner Wohnung“: Witwe und Tochter Bach waren 1792 in das Haus Hohe Bleichen 274 umgezogen. Bis dahin hatten sie die alte Wohnung C. Ph. E. Bachs in der Bleichenbrücke 348 behalten (freundliche Mitteilung von Frau Dr. Gisela Jaacks, Museum für Hamburgische Geschichte); zu späteren Adressen s. Anm. 38 im einführenden Text.

2 „Sonatina 2": da die übersandten drei Stücke insgesamt 43½ Bogen ausmachen, muß es sich um die Ensemblesonatine W. 109 handeln.
3 „Umschlagbogen": Zur Berechnung vgl. Brief 4 und 5.
4 „Concerten N. 27, 40 und 41": Westphal hatte offenbar nach Abweichungen im Orchester bei den sechs Konzerten gefragt, die austauschbare Solostimmen vorsehen. Im Nachlaßverzeichnis S. 31 und 33 f. sind für das Klavier zu Nr. 27 (W. 26) alternativ „auch das Violoncell und die Flöte" angegeben, zu Nr. 40 (W. 39) wie zu Nr. 41 (W. 40) „auch ... die Hoboe".
5 „Begleitungs-Stimmen ... dieselben": In Brief 11 muß Philippina Bach diese Auskunft bei den Oboenkonzerten korrigieren.
6 „Conc. N. 29 ... N. 30": Das Nachlaßverzeichnis nennt S. 31 bei Nr. 29 (W. 28) wie Nr. 30 (W. 29) statt des Klavier auch „das Violoncell und die Flöte".
7 „Conc. N. 35": Das Nachlaßverzeichnis nennt S. 32 bei Nr. 35 (W. 34) als Alternative für das Solo „die Flöte". Die genannten Auskünfte haben zur Folge, daß Westphal in seinem thematischen Katalog jede Besetzungsform mit einer eigenen Nummer und Querverweisen führen wird: W. 26 (Flöte: W. 166, Cello W. 170), W. 28 (Flöte: W. 167, Cello: W. 171), W. 29 (Flöte: W. 168, Cello: W. 172), W. 34 (Flöte: W. 169), W. 39 (Oboe: W. 164), W. 40 (Oboe: W. 165). Dabei macht Westphal jeweils ausführliche Angaben über den Grad der Veränderungen (s. Suchalla 1968, S. 192, 194 f., 200 und 205 f.), was Wotquenne in der Formulierung zu „etwas verändert" standardisiert hat.

Nr. 11

Sr. Wohlgeb. dem Herrn Organisten Westphal in Schwerin
Hiebey ein Paket mit Musik in weiß Papier, Sig: M. O. W.

Wohlgebohrener Hochzuehrender Herr

Eine schwere Krankheit ist Ursach, daß ich so spät meinen Dank für das Eingesendete abstatte, und die aufs neue bestellten Musikalien[1] übersende. Ich muß im Namen meines Notisten sehr um Vergebung bitten. Er hat beym Nachsehen nicht Aufmerksamkeit genug angewendet. Beyde Concerte können mit den zum Clavier ausgeschriebenen Stimmen nicht als Hoboe Concerte[2] aufgeführt werden; weil die Stimmen zur Hoboe allerdings hin und wieder von diesen abweichen, wie Ew. Wohlgeb. auch solches schon aus der Verschiedenheit der Tacktzahl bemerken können. Es soll also ganz von Ihnen abhängen, ob Sie die Hoboe Stimme mir zurück senden wollen, oder ob mein Notist mit der Zeit auch die andern Begleitungsstimmen[3] schreiben soll. Die Species Dkt. haben völlig den Werth[4], zu welchem Sie dieselben gerechnet haben.

Ich empfehle mich Ihrer fortdauernden Freundschaft, und verbleibe mit wahrer Hochachtung

Hamburg, Ew. Wohlgeb. ergebene Dienerin,
d. ... ten August[5], 1792 J. M. Bach.

(S. 1 mit Rötel Westphals Vermerk: „28 Bog.“)

1 „aufs neue bestellten Musikalien“: Dem folgenden Text nach hatte Westphal einige der in Brief 10 erläuterten Konzerte abschreiben lassen. Bis zum Februar des folgenden Jahres (vgl. Briefe 12 und 13) dürfte er alle Konzerte in Abschriften erhalten haben, die heute noch in Brüssel (B-Bc 5887 die Clavierkonzerte, 5520 die Oboenkonzerte, 5515 und 5516 die Flötenkonzerte und 5633 die Violoncellokonzerte) verwahrt werden. Soweit die gleichen Orchesterstimmen benutzbar sind, nämlich bei W. 166, 170 und 171, ist nur die Solostimme kopiert und auf ihr ein entsprechender Vermerk angebracht: „NB. Da dieses Concert auch für das Clavier gesetzt ist, und die Begleitungs-Stimmen unverändert geblieben sind, so können die 4 Begleitungs-Stimmen von 2 Violinen, Bratsche und Baß, welche bey dem Clavier-Concert befindlich sind, auch bey diesem Flöten-Concert [bzw.: „Violoncell-Concert“] zur Begleitung gebraucht werden“ (Suchalla 1968, S. 239 und 243 f.; bei W. 171 gelten die gleichen Orchesterstimmen nur für Geigen und Bratsche, vgl. Brief 13 Zeile 6, vgl. Suchalla 1968, S. 244). Ein Bibliothekar in Brüssel hat das nicht verstanden und bei W. 170 die Orchesterstimmen als fehlend bezeichnet: „mq. parties sep. de viol. I, viol. II et alto, constaté en juin 1924“, s. Suchalla 1968, S. 243.

2 „Hoboe Concerte“: NV Nr. 40 und 41 (W. 39 und 40), vgl. Brief 10 Anm. 4.

3 „Die anderen Begleitungsstimmen“: Westphal hat sich dafür entschieden, vgl. Anmerkung 1.

4 „Dkt. ... Werth“: Dukaten, gilt 7 Mark, 8 Schillinge, s. Brief 21 erster Absatz.

5 „d(en) ... ten August“: ein Tag ist nicht eingesetzt.

Nr. 12

An den Herrn Organisten Westphal in Schwerin
Hiebey ein Packet mit Musik in weiß Papier, Sig: H. O. W.

Hamburg, d 4ten Januar, 1793

Wohlgebohrener, Hochzuehrender Herr,

Wenn Ew. Wohlgeb. diesmal ungeduldig worden sind, so ist es Ihnen ganz und gar nicht zu verdenken, und ich kann nichts thun, als gehorsamst um Verzeihung bitten, daß ich Ihre gütige Nachricht so sehr auf die Probe gesetzt habe. Indessen war mir es unmöglich, diese Sachen[1] früher zu liefern, da ich eine ziemlich starke Bestellung, bey Empfang Ihres gütigen Auftrags, zu besorgen hatte, die zu den Winterconcerten[2] geliefert werden mußte.

Mit verbindlichem Dank für das erhaltene Geld, habe ich das Vergnügen, mich zu nennen

Ihre ganz ergebene
J. M. Bach

(S. 1 mit Rötel Westphals Vermerk: „40 Bog.“)

1 „diese Sachen“: die Konzerte.

2 „Winterconcerten“: bei diesen bürgerlichen Konzertveranstaltungen der Hansestadt wurden Opernauszüge, Kantaten, Sinfonien und Instrumentalkonzerte aufgeführt (s. Ottenberg 1982, S. 157–161).

Nr. 13

An den Herrn Organisten Westphal in Schwerin
Nebst einem Packet mit Musik, in weiß Papier, Sig: H. O. W.

Wohlgebohrener, Hochzuehrender Herr,

Ich bin Ihnen unendlich verbunden für Ihre Nachsicht, in Ansehung der Dauer meiner vorigen Sendung. Ihre gegenwärtigen Aufträge habe ich hoffentlich zu Ihrer Zufriedenheit ausgerichtet.

Zu dem Concert N. 29[1] habe ich den Baß zum Clavier Concert mit abschreiben lassen, weil er von dem Baß des Violoncell Conc. hin und wieder verschieden ist. Zu dem Concerte N. 35[2] habe ich die Verzierungen des Adagio mit abschreiben lassen, da ich weiß, daß Sie dieselben noch nicht besitzen. Die 3 mir zugesandten Concerte[3] sind genau durchgesehen und corrigirt.

Ist mirs erlaubt, so wollte ich mich wol bey Ihnen wonach erkundigen. Vorher aber ersuche ich Sie, mir ohne Rückhalt mein Gesuch abzuschlagen, wenn Sie meine Fragen nicht wohl beantworten können. Ich wünschte nehmlich zu wissen 1) ob Sie die Concerte, die Sie mir zur Durchsicht zugesandt haben, von dem hiesigen Musikhändler, H. Westphal[4] erhalten haben, und, wenn meine Frage nicht zu unbescheiden ist, 2) um welche Preise? Keinen Ihnen nachtheiligen, oder überhaupt bösen Gebrauch werde ich von Ihrer Antwort machen. Ich habe den Westphalschen Catalogen[5], da ich aber aus demselben nur sehen kann, wie viel Stücke aus dieser oder jener Tonart er von meinem lieben seel. Man besitzt, oder zu besitzen glaubt, so habe ich mir längst eine nähere Nachricht darüber einzuziehen gewünscht. Verzeihen Sie mir nochmals meine Anfragen, und seyen Sie versichert, daß ich mit unwandelbarer Hochachtung, Ihre Antwort mag befriedigend oder nicht ausfallen, ewig beharre

Hamburg, Ew. Wohlgeb. ganz ergebene
d. 15ten Febr. 1793 J. M. Bach

1 „Concert N. 29“: s. Brief 10 Schlußabsatz und Brief 11, Anm. 1. Die Baßstimmen zu den beiden Fassungen sind in Brüssel erhalten (B-Bc 5887und 5633, vgl. hier den Besetzungsvermerk, mitgeteilt bei Suchalla 1968, S. 244).

2 „Concerte N. 35“: s. Brief 10 Anm. 7 und Brief 11, Anm. 1.

3 „Die 3 mir zugesandten Concerte“: Westphal hat wieder Material aus anderen Quellen „durchsehen“ lassen, vgl. Brief 6 Anm. 15 und 16 sowie Absatz 4 sowie Brief 9 Anm. 3 und Schlußabsatz. Ein Gesamtverzeichnis durchgesehener Konzerte gibt Brief 20 Zeile Absatz 4.

4 „Musikhändler, H. Westphal“: Johann Christoph Westphal (1717–1799), Buchhändler und Musikverleger, laut *Hamburger Correspondent* 1782 mit Geschäftsbeziehungen zu „fast

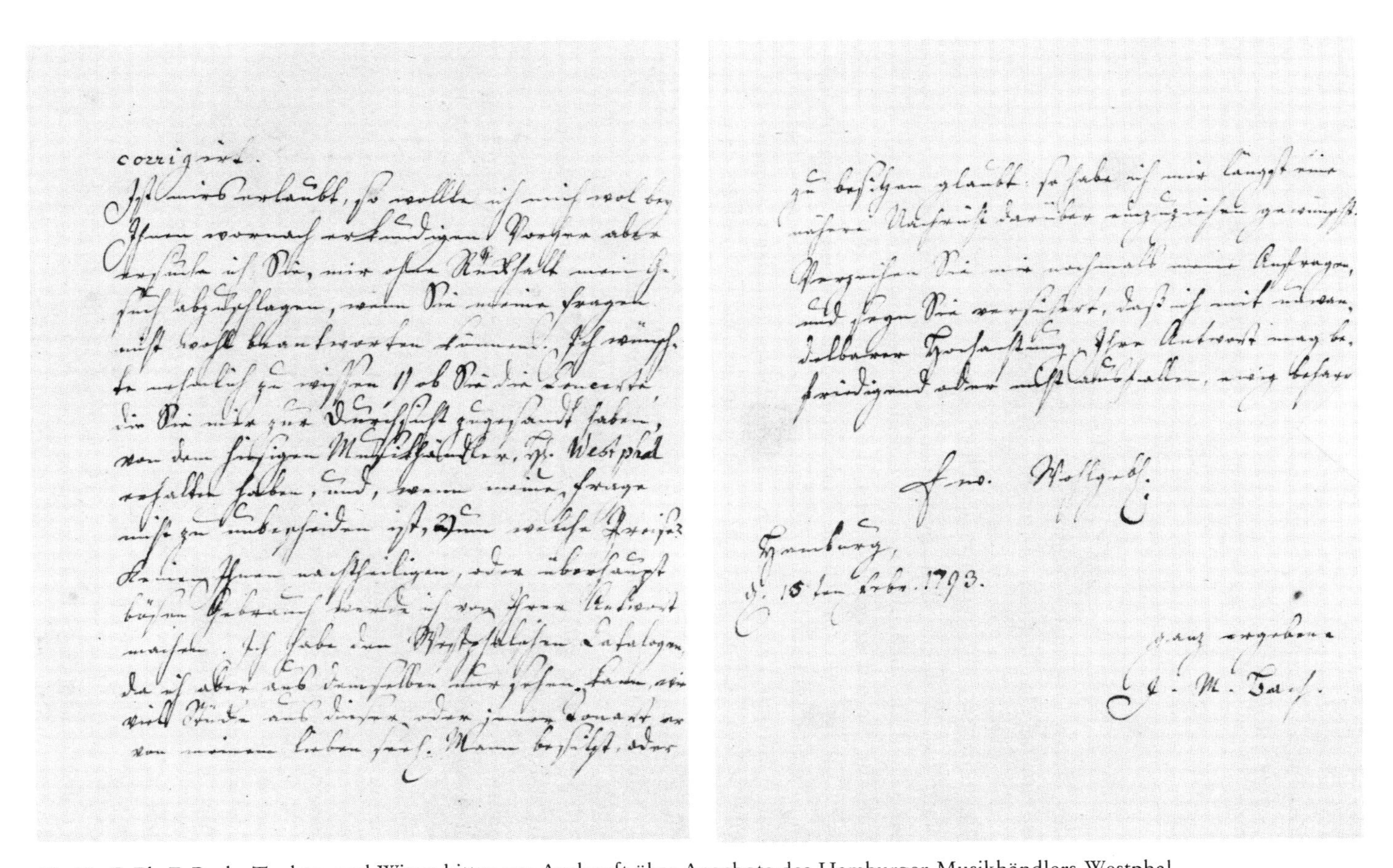

Nr. 13: C. Ph. E. Bachs Tochter und Witwe bitten um Auskunft über Angebote des Hamburger Musikhändlers Westphal.

allen europäischen Ländern" (Suchalla 1985, S. 282). J. J. H. Westphal in Schwerin hatte in der Tat auch mit dem Hamburger Geschäft korrespondiert (s. Terry 1969, S. 110 f.).
5 „Westphalschen Catalogen": Der Hamburger Musikhändler veröffentlichte 1770 bis 1796 Verkaufslisten (s. Terry 1969, S. 107 und *Bach-Dok.* III, S. 274). Diese Listen besaß der Schweriner Organist Westphal, wie die Exemplare in Brüssel belegen (*Bach-Dok.* III, S. 275).

Nr. 14

An den Herrn Organisten Westphal in Schwerin
Nebst einem Päckchen mit Musik, Sig: H. O. W.

Wohlgebohrener, Hochzuehrender Herr,

Ich statte Ew. Wohlgeb. den verbindlichsten Dank ab so wohl für das empfangene Geld als auch für das mir gesendete Verzeichniß[1], und für die Erlaubniß, die Sie mir gegeben haben, die Ausführung Ihrer Aufträge verzögern zu dürfen, wovon ich diesmal wiederum Gebrauch gemacht habe. Doch ist meine sehr schwächliche Gesundheit auch an diesem Aufschub mit Schuld. Von den Veränderungen und Verzierungen der Concerte[2] haben Sie eine schon letzthin erhalten[3]; zwey erfolgen hiebey und zu dem Conc. N. 24[4] ist ein fast ganz verändertes Adagio, welches ich nicht habe mit abschreiben lassen, da das zuerst verfertigte Adagio cassirt ist. Wenn Sie dies Conc. schon besitzen, so will ich dies Adagio alsdann abschreiben lassen wenn ich das Thema Ihres Adagio erhalte, und daraus sehe, daß es das 1ste Ad. ist. Sonst halte ich es für besser[5], es bey dem Concerte zu lassen.

Mit wahrer Ergebenheit beharre ich unaufhörlich

Hamburg. Ihre gehorsame Dienerin und Freundin
d. 30ten April. 1793 J. M. Bach.

(S. 1 mit Rötel Westphals Vermerk: „36 Bog.")
1 „das mir gesendete Verzeichniß": bezieht sich wohl auf Philippina Bachs Anfrage in Brief 13 Absatz 3.
2 „Concerte": darunter Konzert Nr. 32 (W. 31), vgl. Brief 18 Anm. 2 und 3.
3 „letzthin erhalten": Verzierung zu Konzert Nr. 35 (W. 34), vgl. Brief 13 Anm. 2.
4 „Conc. N. 24": W. 23, NV S. 30. Im Autograph C. Ph. E. Bachs war das erste Adagio „cassirt", also entfernt worden (vgl. die Quellenbeschreibung bei Wade 1979/81, S. 98 f.). Philippina Bach ließ für Westphal keine Verzierung ausschreiben, weil sie nicht wußte, welche Fassung des Konzerts er aus seinen Frembeständen besitzt (s. dazu Anm. 5). Zur Besetzung vgl. Brief 16.
5 „für besser": Falls Westphal die neue Fassung des Adagio hätte, wäre sie vorzuziehen. Westphal besitzt das Konzert zu dieser Zeit allerdings überhaupt nicht und bekommt es später einheitlich in Michels Hand aus Hamburg, erwartungsgemäß mit der neuen Fassung des Mittelsatzes (B-Bc 5887, vgl. Suchalla 1968, S. 188 und Wade 1979/81, S. 246).

Nr. 15

Sr. Wohlgeb. dem Herrn Organisten Westphal in Schwerin
Nebst einem Paket Musik, in weiß Papier, Sig: H. O. W.

Wohlgebohrener, Hochzuehrender Herr,

Ich sage Ihnen ergebenen Dank für Ihre gütige Theilnehmung. Meine Gesundheit ist jetzt ziemlich erträglich. Auf eine gänzliche Herstellung darf ich in meinen Jahren eben nicht rechnen. Dem Himmel sey Dank, der mir so weit geholfen hat.

Das mir überschickte Geld ist mir durch Hn. Mattesen[1] richtig eingehändigt worden; und ich bin Ihnen dafür gehorsamst verbunden. Erlauben Sie mir aber, etwas anzuführen, welches ich nicht anführen würde, da es eine Kleinigkeit betrifft, wenn ich nicht recht überzeugt wäre, daß es Ihnen nicht zu nutzen kommt, und gewiß ganz wider Ihre Absicht geschieht. Ich habe dem Hn. Mattesen[1] daß Postgeld vergüten müssen. Woher durch diesen und nicht durch Ihren Hn. Schwager[2] das Geld an mich gekommen ist, weiß ich nicht. Ich bitte nochmals dieser Anzeige wegen gehorsamst um Vergebung.

Die mir gütigst aufgetragenen Abschriften erfolgen hiebey. Zu den Concerten sind, Ihrer Vermuthung gemäß, keine weitern Veränderungen und Verzierungen[3] vorhanden.

Bey den Violoncell Concert No: 30, das Sie letzthin erhalten haben hat sich in der 1sten Violine ein Fehler eingeschlichen, der vergessen worden ist abzuändern, den Sie aber, wenn Sie Sich gütigst damit befassen wollen, leicht abhelfen können. Gegen Ende des 1sten Allegro sind 4 Noten ausgelassen, die aber aus der 1sten Violine desselben Clavierconcerts berichtigt werden können, da bede[4] 1ste Violinstimmen an dieser Stelle völlig übereinstimmen.

Mit wahrer Hochachtung und Freundschaft beharre ich ewig

Hamburg. Ihre ergebene Dienerin
den 12ten Jul: 1793. J. M. Bach.

1 „Herr Mattesen“: nicht identifiziert.

2 „Ihren Hn. Schwager“: Christoph Peter Mau in Hamburg, vgl. Brief 5 Anm. 2.

3 „keine weitern Veränderungen und Verzierungen“: Westphal hat also jetzt alle später überarbeiteten oder ausgetauschten Sätze bei den Konzerten in letzter Fassung, vgl. Brief 14 Anm. 2 und Brief 18 Anm. 3.

4 „bede“: beide.

Nr. 16

An den Herrn Organisten Westphal in Schwerin
Nebst einem Päckchen mit Musik, in blau Papier, Sig: H. O. W.

Wohlgebohrener, Hochzuehrender Herr,

Ew. Wohlgeb. erhalten hiebey die verlangten Sachen. Bey der vorigen Sendung hatte ich allerdings vergessen, zu melden, daß die in dem Catalog[1] benannten Flöten unrichtig diesem Concert[2] beygedruckt sind, da sie eigentlich zu dem Concert N. 39[3] gehören, welches in dem Catalogus ohne Flöten eingerückt ist. Dieser Unachtsamkeit wegen bitte ich um Verzeihung.

Für die gütige Uebersendung des Geldes danke ich ergebenst, und beharre mit wahrer Hochachtung

Hamburg. Ew. Wohlgeb. ergebene Dienerin
den 3ten Sept. 1793. J. M. Bach.

(S. 1 mit Rötel Westphals Vermerk: „19 Bog.")
1 „Catalog": Nachlaßverzeichnis S. 30.
2 „diesem Concert": Konzert Nr. 24 (W. 23), vgl. Brief 14 Anm. 4 und Brief 17 Anm. 1.
3 „Concert N. 39": NV S. 33, W. 38; vgl. auch Brief 17 Anm. 1. Westphal hat die angegebene Korrektur in sein Exemplar des Nachlaßverzeichnisses übertragen (vgl. Faksimile bei Wade 1981, S. 30 und 33). Die überlieferten Quellen, darunter auch eine Handschrift der Westphal-Sammlung (B-Bc 5887: bei W. 38 mit dem Zusatz „ad libitum" für die Flöten, s. Wade 1979/81, S. 149 Anm. 54) bestätigen den Brieftext (zur Besetzung der Konzerte vgl. Suchalla 1968, S. 188 und 203; den Widerspruch zum gedruckten Nachlaßverzeichnis bemerkt Wade 1979/81, S. 101, ohne ihn mit Westphals Korrektur in Zusammenhang zu bringen. Bei Konzert Nr. 24, W. 23, hält sie die eingetragenen Flötenstimmen für verloren).

Nr. 17

Sr. Wohlgeb. dem Herrn Organisten Westphal in Schwerin
Hiebey ein Paket mit Musik in weiß Papier, Sig: H. O. W.

Wohlgebohrener, Hochzuehrender Herr,

Von ganzer Seele bedaure ich, daß die Ursach Ihrer verzögerten Antwort, über die es ganz keiner Entschuldigung bedarf, von so sehr unangenehmer Art ist. Ich hoffe das nächstemal erfreulichere Nachrichten von Ihnen zu bekommen. Der Himmel bestätige meine Erwartung.

Für das eingesandte danke ich Ihnen ergebenst, und übersende hiebey die 3 verlangten Concerte. Bey dem Concerte N. 39 befinden sich Flötenstimmen[1], die im Catalogus irrig dem Concert N. 24 beygedruckt sind.

Ich empfehle mich Ihrer gütigen Freundschaft, und verbleibe hochachtungsvoll

Hamburg, Ihre ganz ergebene
d. 17ten May, 1794. J. M. Bach.

(S. 1 mit Rötel Westphals Vermerk: „39 B." und „4 X[2] 42 s")

1 „Concerte N. 39 ... Flötenstimmen": vgl. Brief 16 Zeile 3–6.

2 „X": Abkürzung für eine Münzsortenangabe, die nicht sicher zu lesen ist. Ihr Wert beträgt 3 Mark bzw. 48 Schillinge, wie sich aus dem Bogenpreis von 6 Schillingen errechnen läßt.

Nr. 18

Sr. Wohlgeb. dem Herrn Organisten Westphal in Schwerin
Nebst einem Paket mit Musik in weiß Papier, Sig: H. O. W.

Wohlgebohrener, Hochzuehrender Herr,

Recht sehr muß ich um Verzeihung bitten, daß es diesmal so sehr lange gedauert hat. Eine schon längst mir übertragene starke Bestellung, ist nebst meiner kränklichen Gesundheit Schuld an dieser Verzögerung; ich rechne deßhalb ganz auf Ihre freundschaftliche Nachsicht.

Mit Freuden habe ich die Nachricht von Ihrer völligen Genesung gelesen. Ich wünsche, daß sie von vollkommener Dauer seyn möge! In meinen Jahren ist auf eine gänzliche Besserung nicht mehr zu rechnen; und man muß zufrieden seyn, wenn es nur erträglich ist.

Ich weiß nicht, ob es recht ist, daß mein Notist[1] das Concert N. 32[2] in der neuen Gestalt ausgeschrieben hat, da Sie die Verzierungen des Adagio dieses Concerts schon haben[3]. Bestellen Sie nur, ob ich etwann eine Partitur des Adagio in seiner ursprünglichen Gestalt[4] nächstens beylegen soll oder nicht. Weil dies Concert jedesmal so abgeschrieben wird, wie es hier erscheint[5], so hat der Notist es auch diesmal ohne Anfrage so abgeschrieben.

Für das Eingesendete danke ich ganz ergebenst, und beharre mit der größten Wertschätzung

Hamburg, Ew. Wohlgeb. ergebene Dienerin
d. 30 August, 1794. J. M. Bach.

(S. 1 mit Rötel Westphals Vermerk: „40 Bog." und „5 X[6]")

1 „mein Notist": Michel. Von seiner Hand stammt komplett das Konzert Nr. 32 (W. 31) in Brüssel (B-Bc 5887). Zu Michel s. Anmerkung zu Brief 25.

2 „Concert N. 32": NV S. 32, W. 31.

3 „da Sie die Verzierungen des Adagio ... schon haben": Diese Handschrift scheint nicht erhalten.

4 „ursprüngliche Gestalt“ Die Erstfassung des Adagio ist in zwei Berliner Handschriften erhalten, vgl. Wade 1979/81, S. 96 und 148, Anm. 35.
5 „wie es hier erscheint“: Hinweis auf die Kopiervorlage, die in Berlin (Mus. ms. Bach St 524) erhalten sein dürfte.
6 „X“: s. Brief 17, Anmerkung 2.

Nr. 19

An den Herrn Organisten Westphal in Schwerin
Hiebey ein Paket mit Musik, Sig: H. O. W.

Wohlgebohrener, Hochzuehrender Herr,

Ich muß meines sehr langen Stillschweigens wegen sehr um Entschuldigung bitten. Von den verschiedenen Ursachen desselben wird der für mich sehr traurige Verlust meiner geliebten Mutter[1], die ihrem Tode vorhergegangene Krankheit, und die Unruhe, die solchem Fall allemal folgen, hoffentlich schon eine Veranlassung gütiger Nachsicht gegen mich bey Ihnen gewesen seyn, da ich diesen Verlust durch die Zeitungen[2] meinen auswärtigen Freunden und Bekannten wissend gemacht habe. Da ich indessen Ihren Auftrag schon vor so langer Zeit erhalten habe, so ist es mir Pflicht mich von dem Verdacht der Nachlässigkeit zu reinigen; und dies will ich hiemit durch eine offenherzige Erzählung aller nacheinander folgenden Abhalthungen thun.

Als Ihr letztes Schreiben mit dem Auftrage des Conc. N. 28.[3] einlief, hatte ich eben eine sehr große Bestellung nach London übernommen, der Beendigung dieses Geschäftes folgte eine Krankheit meines Notisten[4], von dessen Feder sie gern das Concert copirt haben wollten. Er ist freylich hier der Beßte, aber auch jetzt, da ein gleichfalls ganz guter Notist gestorben[5] ist, so gar sehr besetzt, daß ich dadurch gegenwärtig nur allzuoft in die größte Verlegenheit gerathe. Ueberdem hielt er mich mit Uebernehmung der Durchsicht[6] 2er Ihrer Concerte unglaublich lange, unter dem Vorwand des Mangels an Zeit, auf, und endlich erklärte er mir gerade heraus, daß solche Durchsicht mühsam sey und wenn sie gehörig besorgt werden solle, mehr Zeit wegnähme, als wenn er etwas ganz neues von eben dem Umfange schriebe. Ich habe ihn also gar nicht dahin bringen können, es zu thun, und habe doch mit einem anderen Mann[7] den Versuch, in den 2en hiebey zurückfolgenden Concerten, machen müssen. Dieser Notist schreibt nächst dem andern noch wohl am Beßten. Haben Sie die Güte, mir aufrichtig zu melden, wie Sie mit dieser Arbeit zufrieden sind, und ob ich ihm, die 4 Concerte, die ich noch von Ihnen habe[8], zur Berichtigung übergeben könne, oder was ich sonst in Ansehung dieser 4 Concerte thun soll. Die beyden Violinstimmen des Conc. N. 10[9] sollen sehr confus geschrieben seyn, indessen soll, wo die 1ste Viol. in die 2te übergeht, gerade die 2te in die 1ste übergehen. Ehe er dies bemerkt hat, hat er in der 1sten Viol, so sehr viel radirt gehabt, daß er es hernach hat müssen umschreiben, und die Stelle bemerken, die diese Verwechslung enthalten.

Ihrer Freundschaft empfehle ich mich nun persönlich ganz ergebenst, so wie ich es sonst unter dem Namen meiner geliebten verewigten Mutter gethan habe, und bin mit wahrer Hochachtung

Hamburg. Ew. Wohlgeb. ergebene Dienerin
d. 3ten 9br. 1795. C. Bach.

(S. 1 mit Tinte Westphals Vermerk: „Concert 18½ Bog. / Nro. 10. 8[10]“)

1 „Verlust meiner geliebten Mutter“: Maria Anna Bach war am 19. September 1795 gestorben.

2 „durch die Zeitungen“: Eine Anzeige der Tochter erschien am 29. September 1796 im *Hamburgischen Correspondenten.* Dabei wird ausdrücklich die Fortsetzung des Musikalienhandels aus dem Nachlaß erwähnt: „Der bisher von meiner sel. Mutter geführte Handel mit Musikalien meines sel. Vaters und Großvaters wird inskünftige von mir mit der äußersten Aufmerksamkeit fortgesetzt werden.“ (*Bach-Dok.* III, S. 541).

3 „Conc. N. 28“: NV S. 31, W. 27; vgl. Brief 2 Anm. 3.

4 „meines Notisten“: Die Abschrift der Westphal-Sammlung in Brüssel (B-Bc 5887) stammt von Michel, s. Wade 1979/81, S. 248. Zu Michel s. auch die Anmerkung zu Brief 25 – „Krankheit“: Michel war 1793/94 vermutlich aus Alters- und Gesundheitsgründen von seinen Sängerpflichten entbunden worden und bekam seitdem Zuwendungen aus der Kirchen-Pensionskasse St. Petri, die bis 1813 andauerten (Berg 1988, S. 135).

5 „gleichfalls ganz guter Notist gestorben“: nicht identifiziert.

6 „Durchsicht“: s. auch Anm. 8 (vgl. Brief 6 Anm. 15 und 16 sowie Absatz 4). Ein Gesamtverzeichnis durchgesehener Konzerte gibt Brief 20 Absatz 4.

7 „anderen Mann“: nicht identifiziert.

8 „die 4 Concerte, die ich noch von Ihnen habe“: s. dazu Anm. 6.

9 „Conc. N. 10“: NV S. 28, W. 9; die Kopie in Brüssel (B-Bc 5887) hat Westphal selbst geschrieben, s. Wade 1979/81, S. 239.

10 „Nro. 10. 8“: Gemeint könnte sein, daß vom Material des Konzerts Nr. 10 (W. 9) acht Bogen neu geschrieben werden mußten.

Nr. 20

Wohlgebohrener, Hochzuehrender Herr,

Für Ihre gütige Theilnahme an meinem Verlust[1] bin ich Ihnen unendlich verbunden, so wie für das Anerbieten Ihrer mir sehr schätzbaren Freundschaft. Ich werde suchen mich derselben würdig zu machen, und werde sie als ein Erbtheil betrachten, das durch den Segen meiner verewigten Eltern auf mich gekommen ist.

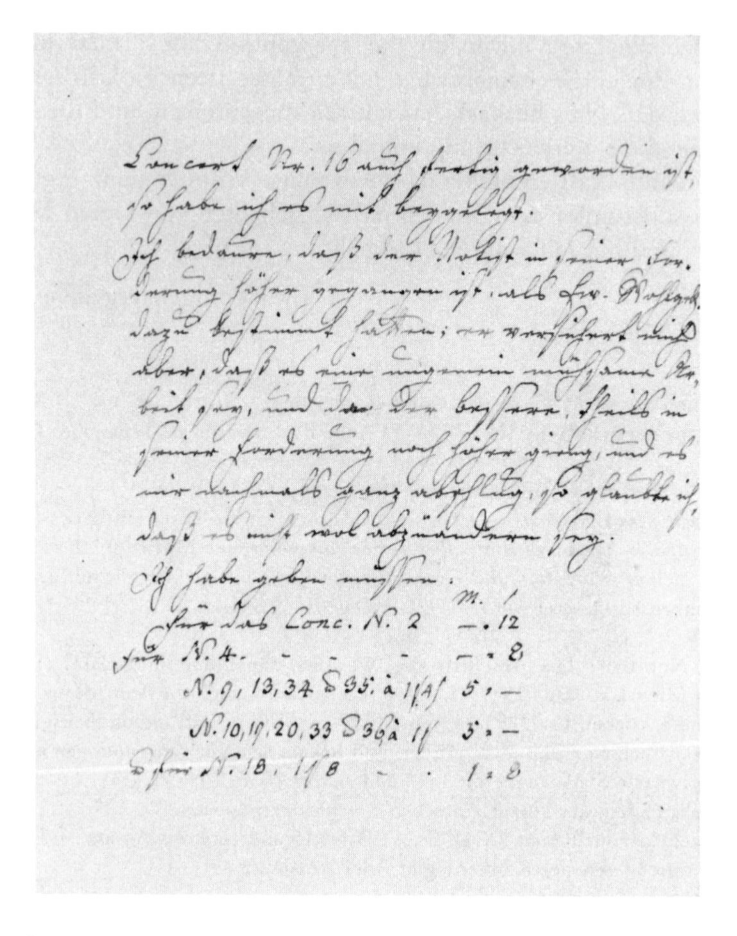

Concert Nr. 16 auch fertig geworden ist,
so habe ich es mit beygelegt.
Ich bedaure, daß der Notist in seiner Forderung höher gegangen ist, als Ew. Wohlgeb.
dazu bestimmt hatten; er versichert mich
aber, daß es eine ungemein mühsame Arbeit sey, und der bessere, theils in
seiner Forderung noch höher ging, und es
mir nachmals ganz abschlug, so glaubte ich,
daß es nicht wol abzuändern sey.
Ich habe geben müssen:

	m.	ß
für das Conc. N. 2	—	12
für N. 4. - - -	—	8
N. 9, 13, 34 & 35. à 1ß 4ß	5	—
N. 10, 19, 20, 33 & 36 à 1ß	5	—
für N. 18. 1ß 8 -	1	8

Nr. 20: Tabelle der Preise mit Spalten für Mark und Schillinge für die durchgesehenen und korrigierten Materialien zu Konzerten von C. Ph. E. Bach mit den entsprechenden Nummern aus dem Nachlaßverzeichnis.

Ich habe das Vergnügen, Ihnen endlich einmal die 4 letzten durchgesehenen Concerte[2] zu übersenden; und da eben das Concert Nr. 16[3] auch fertig geworden ist, so habe ich es mit beygelegt.

Ich bedaure, daß der Notist[4] in seiner Forderung höher gegangen ist, als Ew. Wohlgeb. dazu bestimmt hatten; er versichert mich aber, daß es eine ungemein mühsame Arbeit sey, und der bessere, theils in seiner Forderung noch höher ging, und es mir nachmals ganz abschlug, so glaubte ich, daß es nicht wol abzuändern sey.

Ich habe geben müssen[5]:

	M.	s
für das Conc. N. 2	–,	12
für N. 4	–,	8
N. 9, 13, 34 und 35, à 1 M 4 s	5,	–
N. 10, 19, 20, 33 und 36, à 1 M	5,	–
und für N. 18, 1 M 8 s	1,	8

Hierauf haben Ew. Wohlgeb. einen holländischen Dukaten[6] übersendet. Ich wünsche bey künftigen Aufträgen glücklicher in der Ausführung seyn zu können, und beharre mit der aufrichtigsten Hochachtung

Hamburg, Ew. Wohlgeb. ganz ergebene Dienerin
d. 13ten Febr. 1796. C. Bach.

(S. 1 mit Rötel Westphals Vermerk: „15 Bog.“)

1 „meinem Verlust“: Tod der Mutter, vgl. Brief 19 Anm. 1.

2 „4 letzten durchgesehenen Concerte“: s. Brief 19 Anm. 8.

3 „Concert Nr. 16“: NV S. 29, W. 15. Die entsprechende Handschrift aus der Westphal-Sammlung scheint verloren. Weder Suchalla noch Wade weisen eine Kopie des Konzerts in Brüssel nach.

4 „mein Notist“: wahrscheinlich doch statt des in Brief 19 Anm. 7 erwähnten Ersatzmanns Michel selbst.

5 Liste durchgesehener Konzerte. Alle zwölf sind in Handschriften der Westphal-Sammlung erhalten (B-Bc 5887), bezeichnenderweise neben Westphal selbst überwiegend von fremden Kopisten geschrieben (Wade 1979/81: Schreiber Q, R, S sowie An 305, vgl. Appendix A und C). Für Konzert 2, 4, 34 und 35 (W. 2, 4, 33 und 34) nennt Wade als ausschließlichen Schreiber Michel (S. 235 und 250). Den Briefen nach ist es unwahrscheinlich, daß er das komplette Material geschrieben hat. Von seiner Hand stammen möglicherweise nur einzelne Stimmen. Bei den Konzerten, die neu bestellt wurden, ist hingegen zu erwarten, daß Michel, wie es der Handschriftenbefund auch sagt (Konzert NV 16, 24, 27–30, 32, 49–41, 43), allein als Schreiber tätig war.

6 „holländischen Dukaten“: hat den Wert von 7 Mark und 8 Schillingen, vgl. Brief 21 Anm. 1.

Nr. 21

An den Herrn Organisten Westphal in Schwerin
Nebst einem Päckchen mit Musik in weiß Papier, Sig: H. O. W.

Wohlgebohrener Hochzuehrender Herr,

Ich freue mich, daß das Corrigiren der Concerte zu Ihrer Zufriedenheit ausgefallen ist. Auf den Spec. Duc.[1] haben Sie 8 s bey mir zu gute, da er im gewöhnlichen Cours allemal 7 M 8 s gibt.

Wie froh macht mich die Erwartung[2], einen würdigen Freund meiner lieben seligen Eltern von Person kennen zu lernen, und ihm meine Hochachtung bezeugen zu können!

Ich habe das Vergnügen, Ihnen die beyden bestellten Concerte[3] zu übersenden, und in der angenehmen Hoffnung Ihre persönliche Bekanntschaft bald zu erhalten beharre ich mit wahrer Ergebenheit

Hamburg, Ew. Wohlgeb. gehorsamste Dienerin
d. 12ten April, 1796. A. C. Ph. Bach.

(S. 1 mit Rötel Westphals Vermerk: „22 Bog.")

1 „Spec. Duc.: Species Dukaten.

2 „Erwartung": Westphal wird im Sommer 1796 Hamburg besuchen, vgl. Brief 22.

3 „die beyden bestellten Concerte": nicht bestimmbar.

Nr. 22

Des Herrn Organisten Westphal Wohlgeb. in Schwerin
Nebst einem Paket mit Musik in weiß Papier, Sig: H. O. W.

Wohlgebohrener, Hochzuehrender Herr,

Von ganzer Seele wünsche ich, daß Ihr nur allzukurzer Aufenthalt in Hamburg, keine nachtheiligen Folgen für Ihre Gesundheit möge gehabt haben. Ich bedaure es immer noch, daß ich so selten, so sehr selten das Glück gehabt habe, Sie bey mir zu sehen, und freue mich, daß der hiesige Aufenthalt Ihrer lieben Demoiselle Tochter[1] mir Bürge ist, dies Glück einst wieder zu erhalten.

Ich habe endlich das Vergnügen, Ihnen die verlangten Sachen[2] zu übersenden, und Sie zugleich der ehrerbietigen Hochachtung zu versichern, mit der ich beharre

Hamburg, Ihre aufrichtig ergebene
d. 30ten Aug. 1796. A. C. Ph. Bach.

(S. 1 mit Rötel Westphals Vermerk: „15½ B.")

1 „Demoiselle Tochter": Die fünfjährige Louisa Catharina Wilhelmina oder die neunjährige Juliana Elisabeth Charlotta Westphal.

2 „verlangten Sachen": darunter eine Kantate, vgl. Brief 23 Anm. 1.

Nr. 23

Sr. Wohlgebohrenen dem Herrn Organisten Westphal in Schwerin
Hiebey ein Päckchen mit Musikalien, in weiß Papier, Sig: H. O. W.

Wohlgebohrener Hochzuehrender Herr

Von Herzen freue ich mich, über Ihre glückliche Zuhausekunft und über Ihr Wohlbefinden. Mir war immer des Zufalls wegen bange für Folgen.

Für das Überschickte sage ich ergebenst Dank, und habe das Vergnügen, die verlangten Musikalien zu übersenden. Bey der Cantate[1] habe ich die vorigesmal übersandte zur Richtschnur genommen, und sie in Partitur abschreiben lassen. Ich hoffe hierinnen nicht gefehlt zu haben.

Mit der vollkommensten Hochachtung empfehle ich mich und beharre

Hamburg, Ihre ganz ergebene
d. 14ten Oct. 1796 A. C. Ph. Bach.

(S. 1 mit Rötel Westphals Vermerk: „13½ B.“)

1 „Cantate“: Das Nachlaßverzeichnis nennt unter den handschriftlichen „Sing-Compositionen“ S. 56 und 62 insgesamt fünf „Cantaten“. Davon verzeichnet Westphal in seinem thematischen Katalog nur drei (W. 233, 236 und 237). Zu dieser Gruppe dürften die beiden im Brief genannten Kantaten gehören.

Nr. 24

Sr. Wohlgeb. dem Herrn Organisten Westphal in Schwerin
Nebst einem Päckchen mit Musik in weiß Papier, Sig: H. O. W.

Wohlgebohrener Hochzuehrender Herr,

Endlich habe ich das Vergnügen, Ihnen die Sonatine[1] und das Lied auf die Wiederkunft des Hn. Dt. ...[2] zu übersenden. Bey dem letzteren hat der Notist vergessen anzumerken, daß die Instrumente mit den Singstimmen gehen. Für das Eingesendete danke ich ergebenst, und beharre mit der aufrichtigsten Hochachtung

Hamburg, Ew. Wohlgeb. gehorsamste Dienerin
d. 27ten Jan. 1797 A. C. Ph. Bach.

(S. 1 mit Rötel Westphals Vermerk: „11 Bog.“)

1 „Sonatine“: Bei der verzeichneten Bogenzahl dürfte sie in die Gruppe der Ensemblesonatinen gehören (W. 96–110), vgl. Brief 25 Anm. 1.

2 „Lied auf die Wiederkunft des Hn. Dt. ...“: s. NV S. 62, 5. Eintrag: „Auf die Wiederkunft des Herrn Dr. *** aus dem Bade. H(amburg) 1785. Mit 4 Singstimmen und den gewöhnlichen Instrumenten“ (W. 231).

Nr. 25

An des Herrn Organisten Westphal Wohlgeb. in Schwerin
Nebst einem Päckchen mit Musik in weiß Papier, Sig: H. O. W.

Wohlgebohrener, Hochzuehrender Herr,

Mit ergebenstem Dank für das Erhaltene habe ich das Vergnügen Ihnen die beyden Sonatinen[1] zu übersenden.

Auf Anrathen verschiedener Freunde bin ich anjetzt gekommen, die musikalische Bildniß-Sammlung[2] im einzelnen zu verkaufen, so bald ich sie werde, durch einen Sachverständigen, nach dem ich mich jetzt umthue, taxiren lassen. Ich halte es für Pflicht, einem so würdigen Freunde meines lieben seligen Vaters dies vorzüglich bekannt zu machen.

Ich habe die Ehre hochachtungsvoll zu seyn

Hamburg, Ihre ganz ergebene
d. 3ten May, 1797[3]. C. Bach.

(S. 1 mit Tinte Westphals Vermerk: „20 Bog.")

1 „die beyden Sonatinen": Da sie zwanzig Bogen ausmachen, müssen Ensemblesonatinen gemeint sein. Sie stehen jetzt ein Jahr lang im Vordergrund der Erwerbungen Westphals (Briefe 24 und 27–29). Bei den erworbenen Kopien, die in Brüssel erhalten sind (B-Bc 6352 und 6353), ist ausnahmsweise der Kopist genannt: auf vier Titelblättern steht „Ms. Michel" (W. 101–104, s. Suchalla 1968, S. 225–228).

2 „musikalische Bildniß-Sammlung": erste Erwähnung der Portraitsammlung C. Ph. E. Bachs in den Briefen.

3 Der Tag in der Datumsangabe wurde erst später eingesetzt und auch noch korrigiert.

Nr. 26

Sr. Wohlgeb. dem Herrn Organisten Westphal in Schwerin / frey.

Wohlgebohrener, Hochzuehrender Herr,

Von Ihrer Güte überzeugt, wage ich eine Bitte an Sie. Ich habe in meinem letzten Briefe des Entschlusses gedacht, die musikalische Bildniß-Sammlung im einzelnen zu verkaufen. Theils glaube ich, daß sich zu der ganzen Sammlung schwerlich ein Liebhaber finden wird, theils werde ich so dazu aufgefordert, und theils nöthigt mich der Mangel an Raum[1] bey Veränderung meiner Wohnung, diesen Weg einzuschlagen. Ich bin völlig mit den Preisen unbekannt, und aller Mühe ohnerachtet, die ich mir gegeben habe, jemanden aufzutreiben, der mir die Stücke taxiere, will es niemand übernehmen, weil es hiebey hauptsächlich auf Liebhaberey ankömmt. Ich weiß, daß Sie selbst eine ansehnliche Sammlung besitzen[2]; dürfte ich Sie wol ersuchen, in beykommenden Verzeichnisse mit Bleystift die Ihnen bekannten Preise bey den Portraits beyzuschreiben, und mir dann den Catalogen[3] wieder zu-zusenden.

Sie würden durch diese Freundschaft unendlich verbinden

Hamburg
d. 24sten May, 1797

Ihre ganz ergebene
A. C. Ph. Bach.

1 „Mangel an Raum": 1796 war Philippina Bach auf die „hohe Bleichen" umgezogen (Miesner 1929, S. 50).

2 „daß Sie selbst eine ansehnliche Sammlung besitzen": Philippina Bach bezieht sich auf Westphals Korrespondenz mit ihrem Vater.

3 „Verzeichnisse ... Catalogen": Exemplare des Nachlaßverzeichnisses von 1790.

Nr. 27

Sr. Wohlgeb. dem Herrn Organisten Westphal in Schwerin
Nebst einem Päckchen mit Musik in Papier, Sig: H. O. W.

Wohlgebohrener, Hochzuehrender Herr,

Den verbindlichsten Dank sage ich Ihnen für Ihre gütige freundschaftliche Bemühung[1]. Durch die von Ihnen und von noch zweyen Freunden erhaltene Nachricht, bin ich in Stand gesetzt worden, die Preise der Stücke so ziemlich taxiren zu können. Herr Skerl[2], ein geschickter Mahler hat mir in Ansehung der Gemälde und Zeichnungen, so wie Sie, würdigster Freund und der Herr Major von Wagener[3], ein starker Sammler, in Ansehung der Kupferstiche so viel Auskunft gegeben, daß ich mich so ziemlich habe helfen können.

Freylich ist es zu bedauern[4], daß diese Sammlung vereinzelt werden muß; indessen, denke ich, ist es besser noch, bey meinem Leben, alsdaß sie vielleicht nach meinem Tode, dem ich vergangenen Winter sehr nahe war, gar verschleudert werde.

Für die gütige Bezahlung sage ich ergebenst Dank, und übersende die beyden verlangten Sonatinen[5] hiebey.

Ihrem freundschaftlichen Wohlwollen empfehle ich mich ergebenst, und beharre mit unwandelbarer Hochachtung

Hamburg
den 28ten Jul. 1797[6]

Ew. Wohlgeb. gehorsamste
A. C. Ph. Bach.

(S. 2 mit Rötel Westphals Vermerk: „18 1/2 Bog.")

1 „Bemühung": Westphal hatte offenbar die Bitte aus Brief 25 Zeile 17–21 erfüllt.

2 „Herr Skerl": Friedrich Wilhelm Skerl (1752–1810), als Maler, Kupferstecher und Kupferdrucker 1793–1798 in Hamburg ansässig, s. *Hamburgisches Künstler-Lexikon,* bearbeitet

von einem Ausschusse des Vereins für Hamburgische Geschichte, Band 1, Hamburg 1864, S. 233.

3 „Herr Major von Wagener": sicherlich identisch mit einem als Hamburger Bildersammler im *Magazin der Musik* I, 1783 S. 962 f. erwähnten „Herrn Hauptmann von Wagener beym Knobelsdorffschen Infanterieregiment zu Stendal" (*Bach-Dok.* III, S. 381). Verwandt ist er möglicherweise mit der Familie des Meisters des Maleramts Gottfried Christoph Wagener (gest. 1772; s. E. Rump, *Lexikon der bildenden Künstler Hamburgs, Altonas und der näheren Umgebung,* Hamburg 1912, S. 148) und der Familie des Hamburger Senators und Bürgermeisters Anton Wagener, der 1767 für Bachs Anstellung im Hamburg mitverantwortlich war (Miesner 1929, S. 7 und 126). Ein späterer Nachkomme könnte der Marburger Anatom Dr. Guido Richard Wagener sein (1822–1896), in dessen Besitz sich Handschriften Johann Sebastian und Carl Philipp Emanuel Bachs befanden (*Bach-Dok.* I, S. 199 und 220; Suchalla 1968, S. 145).

4 „zu bedauern": Westphal, vielleicht in Kenntnis von E. L. Gerbers Notiz im *Historisch.-Biographischen Lexicon der Tonkünstler* (Band 1, Leipzig 1790, Sp. 83: „Endlich besaß Herr Bach, früher schon als jemand, einen Schatz von 330 unvermischten Virtuosenbildnissen, worunter sich besonders viele Gemälde und Zeichnungen befanden. Es ist zu wünschen, daß diese schätzbare Sammlung unzertheilt in gute Hände kommt"), hatte offenbar Bedenken gegen die Zerstreuung vorgebracht.

5 „die beyden verlangten Sonatinen": vgl. Brief 25, Anmerkung 1.

6 „1797": ursprünglich „1796", überschrieben mit „1797".

Nr. 28

Sr. Wohlgeb. dem Herrn Organisten Westphal in Schwerin
Hiebey ein Päckchen mit Musik, in weiß Papier, Sig: H. O. W.

Wohlgebohrener, Hochzuehrender Herr,

Für die gütige Bezahlung der beyden Sonatinen[1] danke ich ergebenst, und habe das Vergnügen Ihnen die beyden begehrten zu übersenden.

Auf die Erfüllung Ihres Wunsches, daß mir <u>nichts</u> von der Bildniß-Sammlung nachbleiben möge, darf ich gar nicht rechnen. Die Gemälde und Zeichnungen, deren Anzahl sehr beträchtlich ist, und die natürlicher Weise viel theurer, als die Kupferstiche sind, werden nicht gesucht werden, da die Liebhaber selten so bemittelt sind, daß sie für ihre Liebhaberey viel anwenden können, und sich bey ihrem Sammeln gemeiniglich nur auf Kupferstiche beschränken.

Der Doctor Chladni[2], der viele Stücke von mir bekommen hat, giebt sich sehr freundschaftlich alle Mühe, mir Liebhaber zu meiner Sammlung zuzuweisen. Ich habe verschiedenen Catalogen[3] mit Bleystift die Preise beygesetzt, und diese roulliren unter seiner Leitung umher. Einen solchen Catalog habe ich mir die Freyheit genommen, den Sonatinen beyzufügen. Die Stücke, bey welchen kein Preis beygesetzt ist, sind verkauft.

Ihrer Freundschaft empfehle ich mich ganz ergebenst, und beharre mit vorzüglicher Hochachtung

Hamburg Ew. Wohlgeb. gehorsamste
d. 17ten Octob. 1797. A. C. Ph. Bach.

(S. 1 mit Rötel Westphals Vermerk: „23 Bog.“)

1 „beyden Sonatinen“: vgl. Brief 25.

2 „Doctor Chladni“: Ernst Florens Friedrich Chladni (1756–1827), Dr. jur., Begründer der experimentellen Akustik. Chladni hatte sich in Wittenberg aus Liebhaberei eine „sehr zahlreiche und gehörig geordnete Sammlung von Tonkünstlerbildnissen“ angelegt, die er 1813 vor der Belagerung und Beschießung der Stadt nach Kemberg retten konnte, wie er in seiner Autobiographie von 1824 (gedruckt in *Caecilia* VI, 1827, S. 297–306) eigens erwähnt. Mit der Familie Bach war er vermutlich auf einer seiner zahllosen Reisen, die ihn auch nach Hamburg führten (so 1793, vgl. Franz Melde, *Ueber Chladni's Leben und Wirken,* Marburg 1866, S. 8) bekannt geworden.

3 „Catalogen“: Exemplare des Nachlaßverzeichnisses von 1790.

Nr. 29

Sr. Wohlgeb. dem Herrn Organisten Westphal in Schwerin
Nebst einem Päckchen mit Musik, in weiß Papier, Sig: H. O. W.

Wohlgebohrener, Hochzuehrender Herr,

Mit aufrichtigem Bedauern habe ich die unangenehme Nachricht von Ihrem Uebelbefinden gelesen. Der Himmel gebe, daß Sie jetzt völlig hergestellt seyn mögen!

Die verlangte Sonatine[1] und die Partitur des Duetts[2] habe ich das Vergnügen, hiebey zu übersenden, und sage für das empfangene Geld ergebenst Dank.

Wenn Ew. Wohlgeb. sich von der Bildniß-Sammlung etwas werden ausgesucht haben, so werden wir, des Preises wegen wohl zurecht kommen. Ich weiß zwischen einem Freunde meines lieben seel. Vaters, dem die Sammlung so manches Stück zu verdanken hat[3], und andern Käufern den Unterschied[4] sehr wohl zu erkennen, und mich darauf pflichtmäßig zu richten.

Ich wiederhole meine aufrichtigen Wünsche für Ihre schätzbare Gesundheit, und bin mit unveränderlicher Hochachtung

Hamburg, Ew. Wohlgeb. ergebene Dienerin
den 6ten Febr. 1798. A. C. Ph. Bach.

(S. 1 mit Rötel Westphals Vermerk: „14 Bogen")
1 „Sonatine": vgl. Brief 25.
2 „Duett": Das Nachlaßverzeichnis kennt keine solche Rubrik, allerdings erscheinen bei den „Soli" am Ende (S. 51, Nr. 16 und 17) zwei Duette. Westphal bildet aus ihnen und einem dritten Stück in seinem thematischen Katalog eine eigene Gruppe Duette (W. 140–142). Zu ihnen dürfte das im Brief erwähnte Werk gehören.
3 „dem die Sammlung so manches Stück zu verdanken hat": Philippina Bach bezieht sich auf die Korrespondenz Westphals mit ihrem Vater und den gegenseitigen Doublettentausch bei den Bildern (Brief C. Ph. E. Bachs vom 8. 5. 1787, Jacobi 1974, S. 122 f. und 1970, S. 119 f.).
4 „Unterschied": Zu den Sonderpreisen für Westphal s. Brief 32.

Nr. 30

Sr. Wohlgeb. dem Herrn Organisten Westphal in Schwerin
Nebst einem Päckchen mit Musik in weiß Papier, Sig: H. O. W.

Wohlgebohrener, Hochzuehrender Herr,

Ich habe das Vergnügen, Ihnen die verlangte Partitur[1] zu übersenden, und danke gehorsamst für das Eingesandte.

Von den verzeichneten Bildnissen bitte ich das von meinem lieben seel. Vater / in Gips[2] / zu seinem Andenken anzunehmen; und für die Uebrigen mit Ausnahme Wolf[3], welchen H. Dr. Chladni schon ohnlängst erhalten hat, denke ich würde 12 M nicht zu viel seyn. Ew. Wohlgeb. sind nur gütigst besorgt, die Veranstaltung zu treffen, daß Sie sie ohne viele Kosten übersendet erhalten können, welches der Fassung wegen mit Schwierigkeiten verknüpft ist.

Mit unwandelbarer Hochachtung habe ich die Ehre zu seyn

Hamburg, Ew. Wohlgeb. ganz ergebene
d. 15ten Junius, 1798 C. Bach.

(S. 1 mit Rötel Westphals Vermerk: „19 Bog.")
1 „Partitur": nicht bestimmbar; den 19 Bogen nach aber ein größeres Werk.
2 „seel. Vater in Gips": Dankesgabe für Westphals Hilfe bei der Bildertaxierung. Die „Gipsbüste von Schubert" ist in Westphals thematischem Katalog der Werke C. Ph. E. Bachs am Ende unter W. 277 genannt und dem posthumen Stich von Stöttrup zugeordnet (vgl. Wotquenne, S. 108); das könnte bedeuten, daß Stöttrup (vgl. Brief 1, Anmerkung 2) die heute verschollene Büste als Vorlage benutzt hat.
3 „Wolf": Ernst Wihelm Wolf, Kapellmeister in Weimar (NV S. 125, Eintrag 8) – „Dr. Chladni": s. Brief 28 Anm. 2. Die Nichterfüllung seines Wunsches vermerkt Westphal mit einem kleinen Schrägstrich beim Namen Wolf in seinem Exemplar des Nachlaßverzeichnisses (s. Faksimile Wade 1981, S. 125).

Nr. 31

Sr. Wohlgeb. dem Herrn Organisten Westphal in Schwerin
Nebst einem Päckchen mit Musik, in weiß Papier, Sig: H. O. W.

Wohlgebohrener Hochzuehrender Herr,

Die außerordentlich lange Verzögerung, die ich gütigst zu entschuldigen bitte, rührt theils meiner Seits von einer Unpäßlichkeit her, die mir alle Thätigkeit auf einige Zeit raubte, theils von Seiten meines Notisten[1], der so sehr mit Arbeit überhäuft war. Ich freue mich, daß ich endlich das Vergnügen haben kann, Ihre Wünsche[2] zu befriedigen. Unter den Kupferstichen werden Sie den Damianus a Goes[3] vermissen, den H. Gerber[4] in Sonderhausen schon vorlängst erhalten hat. Ich hoffe den Preis mit 4 M 4 s nicht zu hoch angesetzt zu haben. Mit dem aufrichtigsten Wunsch für Ihr Wohl und für die Gewährung Ihrer mir unendlich schätzbaren Freundschaft habe ich die Ehre zu seyn

Hamburg, d. 11ten
Januar, 1799.

Ew. Wohlgeb. ergebenste
A. C. Ph. Bach.

(S. 1 mit Blei Westphals Vermerk: „Kat. S. 105 (Goes)", mit Rötel: „19 Bog." und mit Tinte: „4 X[5] 9 s.")

1 „meines Notisten": vermutlich wieder Michel.

2 „Ihre Wünsche": nicht bestimmbare Musikalien.

3 „Damianus a Goes": spanischer Komponist und Geschichtsschreiber (1502–1574, s. MGG 5, Sp. 430 f.).

4 „H. Gerber": Ernst Ludwig Gerber (1746–1819), Organist und Lexikograph. Seine Bildersammlung war der Anlaß für die Ausarbeitung des *Historisch-Biographischen Lexicons der Tonkünstler* 1790–92, ²1812–14, s. MGG 4, Sp. 1779–1782.

5 „X": s. Brief 17, Anmerkung 2.

Nr. 32

Sr. Wohlgeb. dem Herrn Organisten Westphal in Schwerin
Nebst einem Päckchen mit Musik, in weiß Papier, Sig: H. O. W.

Wohlgebohrener, Hochzuehrender Herr

Mit gehorsamem Dank für die gütige Zahlung habe ich das Vergnügen, Ihnen das begehrte Michaelis-Stück[1] nebst den Bildnissen zu übersenden. Der Preis der Bildnisse[2] wäre folgender:

Accursius	6 s	Metastasio	8 s
Albertus	6	Meursius	6
Alstedius	6	Musculus	6
Caecilia	12	Picus	6
Doletus	6	Politianus	6
Dionysius	12	Phytagoras[3]	6
Euclides	6	Stenger	8
Jovianus	3	Vossius	3
Keppler	6	Xylander	3

Ihrer Freundschaft empfehle ich mich ergebenst und beharre mit unveränderlicher Hochachtung

Hamburg
d. 30ten April, 1799.

Ew. Wohlgeb. gehorsamste Dienerin
A. C. Ph. Bach.

(S. 1 mit roter Tinte Westphals Vermerk: „16 Bogen.")
1 „Michaelisstück": Das Nachlaßverzeichnis erwähnt S. 61 f. drei solcher Kantaten, Westphals thematischer Katalog allerdings vier (W. 245–247 und 248).
2 „Bildnisse": Auf Nachweis der bekannten und in Lexika verzeichneten Namen im folgenden ist verzichtet. Die angegebenen Preise im Nachlaßverzeichnis S. 92–126 (s. Faksimile Wade 1981) sind jeweils um etwa ein Viertel unterschritten.
3 Im Nachlaßverzeichnis ist der Name Pythagoras auf S. 117 richtig geschrieben.

Nr. 33

Sr. Wohlgeb. dem Herrn Organisten Westphal in Schwerin.
Nebst einem Päckchen Schildereyen in Wachstuch, Sig: H. O. W.

Wohlgebohrener Hochzuehrender Herr,

Mit der innigsten Theilnahme las ich die Ankündigung Ihres großen Verlustes[1] – und schwieg, um in Ihnen das traurige Andenken daran nicht zu erneuern. Gott lindere Ihren Schmerz durch die gewisse Aussicht des ewigen Wiedersehens.

Ich danke Ihnen für Ihre gütige Bezahlung, in welcher das Wachstuch aber um 4 s zu hoch gerechnet war. Von den 6 begehrten Kupferstichen habe ich Nardini, wegen des zu großen Formats[2], zurücklassen müssen. Für die andern fünf wäre der Betrag 5 M 2 s und das Wachstuch, nach Abzug der zu viel bezahlten 4 s, beträgt 4 s.

Ich wünsche, daß dies Päckchen eben so gut überkommen möge als das vorige. Die Antwort bitte ich ganz nach Ihrer Bequemlichkeit einzurichten.

Ich weiß aus vielfacher Erfahrung, was so wichtige Veränderungen nach sich ziehen.

Mit den wärmsten Wünschen für Ihr Wohl beharre ich hochachtungsvoll

Hamburg, Ihre ergebene
d. 7ten 9br, 1800 A. C. Ph. Bach.

1 „Ihres großen Verlustes“: Westphals Frau Catharina Dorothea war am 27. 9. 1800 im Alter von 47 Jahren gestorben.
2 „Nardini, wegen des zu großen Formats“: Das Nachlaßverzeichnis spricht von Quartformat (S. 114).

Nr. 34

Sr. Wohlgeb. dem Herrn Organisten Westphal in Schwerin
Nebst einem Päckchen mit Schildereyen in Wachstuch, Sig: H. O. W.

Wohlgebohrener, Hochzuehrender Herr,

Für Ihre gütige Theilnahme[1] danke ich ganz ergebenst. Bey meinen immer mehr zunehmenden Jahren und meiner ohnehin schwachen Constitution wird Geduld wohl das beßte Linderungsmittel seyn.

Ich wünsche, daß diese vier Portraits[2], ebenso unbeschädigt ankommen mögen, als die vorgesendeten, für deren Berichtigung ich gehorsamst danke. Außer einer Elle Wachstuch für 10 s wäre der Betrag 7 M 4 s.

Mit der vollkommensten Hochachtung habe ich die Ehre zu seyn

Hamburg, Ew. Wohlgeb. ergebenste Dienerin
d. 22ten May, 1801. A. C. Ph. Bach.

(S. 1 in Blei Westphals Vermerk: „7 M 4 s.“)
1 „Theilnahme“: möglicherweise fehlt ein Brief zwischen 7. 11. 1800 und 22. 5. 1801; in Brief 33 gab es keine Klage, die eine Teilnahme erwarten ließe.
2 „vier Portraits“: nicht bestimmbar.

Nr. 35

Sr. Wohlgeb. dem Herrn Organisten Westphal in Schwerin
Nebst einem Pakete mit Schildereyen in Wachstuch, Sig: H. O. W.

Wohlgebohrener Herr, theuerster Freund,

Mit Vergnügen denke ich noch an die glückliche Stunde zurück, in welcher ich das Vergnügen hatte Sie, nur auf zu kurze Zeit, bey mir zu sehen[1], und wünsche mir dann dieses Glück öfterer und länger genießen zu können.

Die beyden Tonkünstler Bildnisse[2] für die der Betrag in 7 M 12 s, außer 10 s für Wachstuch besteht, erfolgen, Ihrem Verlangen gemäß, hiebey.

Hochachtungsvoll beharre ich
Hamburg, Ew. Wohlgeb. ergebene
d. 18ten 7br 1801. A. C. Ph. Bach.

1 „bey mir zu sehen“: Westphal war im Sommer 1801 in Hamburg gewesen.
2 „Die beyden Tonkünstler Bildnisse“: des relativ hohen Preises wegen können von den im Westphal-Verzeichnis unterstrichenen nur vier in Frage kommen: Geminiani („5 M“), Lampe („5 M“), Leveridge („5 M“) und Pecour („4 M, 8 s“).

Nr. 36

Sr. Wohlgeb. dem Herrn Organisten Westphal in Schwerin
Nebst einem Päckchen mit Schildereyen in Wachstuch, Sig: H. O. W.

Wohlgebohrener Herr, Theuerster würdigster Freund,

Es freut mich, aus Ihrem Schreiben Ihr Wohlbefinden ersehen zu haben, und zugleich freue ich mich auf die Hoffnung, die Sie mir machen, Sie künftigen Sommer in Hamburg zu sehen. Möge der Himmel Gesundheit und Frieden dazu verleihen!

Für die beykommenden Bildnisse[1] ist der Betrag 5 M, wovon die 4 s, die ich von Ihrer gütigen Bezahlung über habe, abgehen. Zur einballirung[2] sind 3/4 El. Wachstuch gekommen.

Die Schwäche meiner Augen erlaubt mir nur noch Ihnen zu sagen, daß ich mit der aufrichtigsten Hochachtung bin

Hamburg, Ihre ganz ergebene
d. 4ten Oct. 1803 A. C. Ph. Bach.

1 „Bildnisse“: nicht bestimmbar.
2 „einballirung“: Verpackung (deutsch/französisches Mischwort aus ‚einpacken‘ und ‚emballer‘).

Nr. 37

Wohlgebohrener, Hochzuehrender Herr,

Gebe der Himmel, daß dies Päckchen mit Bildnissen so gut überkommen möge, als das Vorige! Mir ist, des sehr verschiedenen Formats wegen bange davor. Meinen möglichsten Fleiß habe ich indessen beym einpacken angewendet.

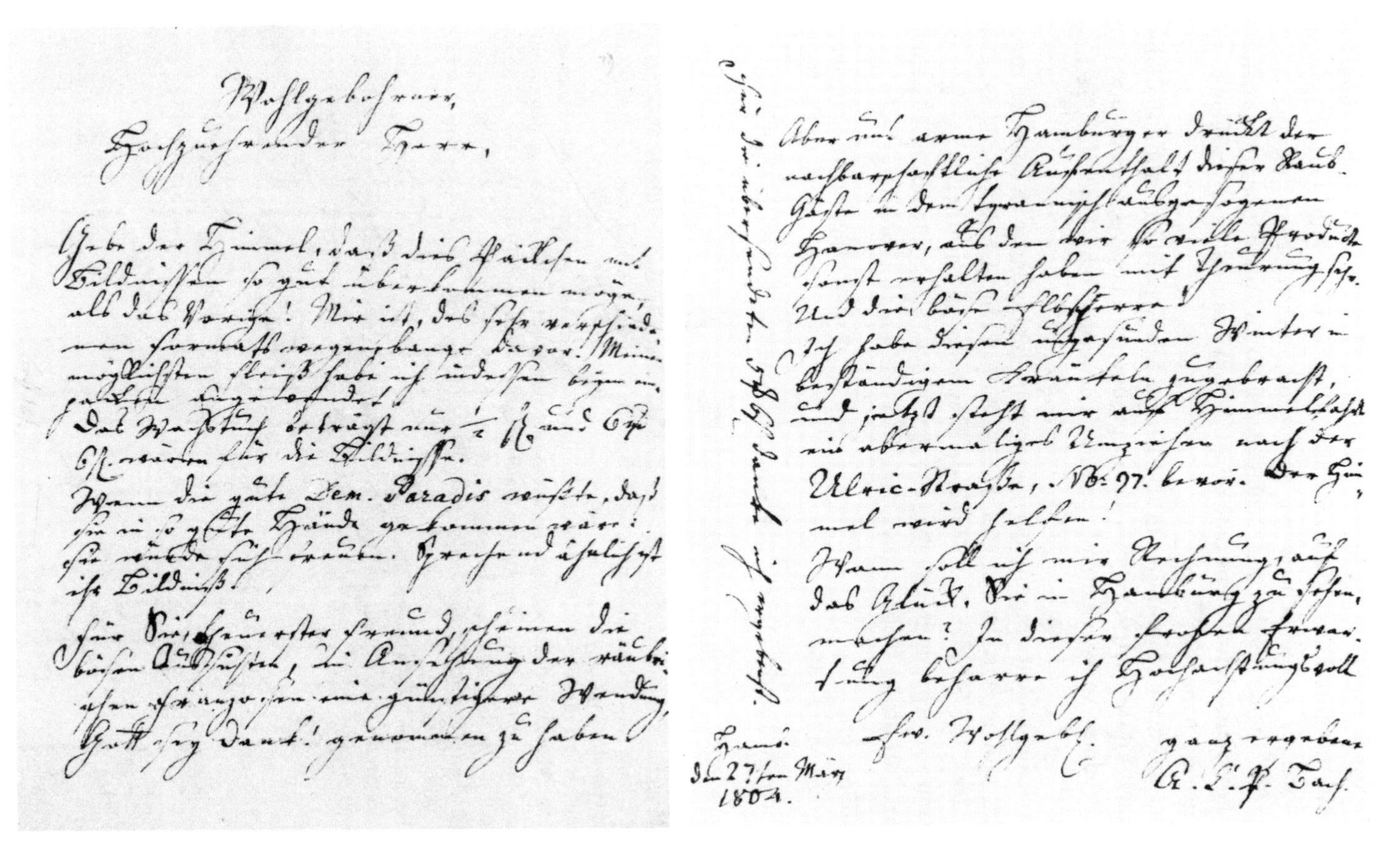

Nr. 37: Der letzte Brief von Anna Carolina Philippina Bach (27. März 1804).

Das Wachstuch beträgt nur 1/2 El. und 6 M 6 s wäre für die Bildnisse. Wenn die gute Dem. Paradis[1] wüßte, daß sie in so gute Hände gekommen wäre: sie würde sich freuen. Sprechend ähnlich ist ihr Bildniß.

Für Sie, theuerster Freund, scheinen die bösen Aussichten, in Ansehung der räubrischen Franzosen[2] eine günstigere Wendung, Gott sey Dank! genommen zu haben.

Aber uns arme Hamburger drückt der nachbarschaftliche Aufenthalt dieser Raub-Gäste in dem tyrannisch ausgesogenen Hanover, aus dem wir so viele Producte sonst erhalten haben mit Theuerung sehr. Und die böse Elbscherre[3]!

Ich habe diesen ungesunden Winter in beständigem Kränkeln zugebracht, und jetzt steht mir auf Himmelfahrt[4] ein abermaliges Umziehen nach der Ulric-Straße[5], No. 97. bevor. Der Himmel wird helfen.

Wann soll ich mir Rechnung, auf das Glück, Sie in Hamburg zu sehen, machen? In dieser frohen Erwartung beharre ich Hochachtungsvoll

Hamburg. Ew. Wohlgeb. ganz ergebene
den 27ten März 1804. A. C. Ph. Bach.

(Seitlich am Rand:) Für die übersendeten 5 M 6 s danke ich ergebenst.

(S. 1 quer in Blei Westphals Vermerk: „6 M 14 s")

1 „Dem. Paradis": Maria Theresia Paradis (1759–1824), seit ihrer Kindheit blinde Pianistin und Sängerin, s. MGG 10, Sp. 743f. Auf ihrer Konzertreise durch Europa muß sie mit C. Ph. E. Bach und seiner Familie persönlich bekannt geworden sein, vgl. die Bemerkung „sprechend ähnlich".

2 „räubrische Franzosen": 1803 hatten die Franzosen Hannover besetzt, was Hamburgs deutschen Handelsverkehr weitgehend unterbrach und die Stadt zudem zwang, den Hannoveraner Ständen mehr als eine Million Taler vorzuschießen. Am 19. 11. 1806 wurde Hamburg selbst von den Franzosen besetzt.

3 „Elbscherre": verschrieben für Elbsperre. Die Elbmündung war 1803–04 von den Engländern blockiert.

4 „Himmelfahrt": 1804 am 10. Mai.

5 „Ulric-Straße, No. 97": auf der „großen Drehbahn", s. *Hamburger Adreßbuch* 1804 (Miesner 1929, S. 50).

5. *Anhang*

a) Papiersorten

Für ihre 37 Briefe hat Philippina Bach 19 verschiedene Papiere in erstaunlich unregelmäßiger Weise benutzt. Aus dem Schreibmaterial allein ließe sich keine chronologische Reihenfolge erstellen. Vor dem Beschreiben sind alle Papierbögen einmal zu einem Hochformat geknickt worden. Für den Briefversand folgte dann ein mehrfaches Falten und Versiegeln. Davon sind nur vier Briefe ausgenommen (Nr. 3, 8, 20 und 37), die nicht eigens verschickt, sondern einem Paket beigelegt wurden.

1) Papier mittlerer Stärke, Format zwischen 31,3×20,1 und 31,6×20,1 cm. Wasserzeichen: Rundzaun um Mann mit Spieß und stehenden Löwen samt Schwert, darunter „PRO PATRIA“.
Brief 1, 5, 12, 22, 24, 26, 27, 29, 37

2) Kräftiges Notenpapier, mit der Schere frei auf ca. 32,5×19,9 cm zugeschnitten, kein Wasserzeichen.
Brief 2

3) Dünnes Briefpapier, Format 32,3×20,8 cm. Wasserzeichen: Krone mit zwei Löwen, zwischen ihnen ein X.
Brief 3

4) Papier mittlerer Stärke, Format 31,2×20,5 cm. Wasserzeichen wie Papier 1), nur seitenverkehrt. Text rechts oben „PRO PATRIA“, unten „I. S. B.“
Brief 4

5) Dünnes Briefpapier, Format 38,0×22,8, Wasserzeichen: „VANDER LEY“.
Brief 6 und 7

6) Kräftiges Notenpapier, mit der Schere auf 35,2×20,7 cm zugeschnitten, Wasserzeichen: Lilie, darunter „I CV“.
Brief 8

7) Dünnes Briefpapier, Format ca. 38,2×22,8, Wasserzeichen: Wappenschild mit Posthorn, darunter „VANDER LEY“.
Brief 9, 10, 30, 31 (hier Format: 36,0×22,5 cm), 32

8) Kräftiges Notenpapier, mit der Schere auf 32,6×22,2 cm zugeschnitten, Wasserzeichen: „VI“.
Brief 11

9) Papier mittlerer Stärke, Format ca. 31,4×20,1 cm, Wasserzeichen: „J. HONIG / ZOONEN“.
Brief 13, 20, 21, 25, 28

10) Dünnes Briefpapier, Format 34,3×21,2 cm, Wasserzeichen: Geflügeltes Wappenschild mit Krone.
Brief 14

11) Dünnes Briefpapier, Format 34,7×22,6 cm, Wasserzeichen: sehr schmale Stege, Posthorn.
Brief 15

12) Papier mittlerer Stärke, mit der Schere auf 34,5×21,0 cm zugeschnitten, Wasserzeichen: Insgesamt vier Buchstaben „I...P“, die beiden mittleren sind vom Siegel überdeckt.
Brief 16

13) Dünnes Briefpapier, Format 37,9×22,9 cm, Wasserzeichen: „H R“.
Brief 17 und 18

14) Dünnes Briefpapier, Format 37,9×22,8 cm, Wasserzeichen: „PIETER DE VRIES / & / COMP“.
Brief 19

15) Papier mittlerer Stärke, Format 33,0×20,3 cm. Wasserzeichen wie Papier 4), aber Text unten „I: BERENDS & ZOON“.
Brief 23

16) Kräftiges Notenpapier, Format 30,7×20,2 cm, Wasserzeichen: Eichenbaum, darunter: „LIBEICH“.
Brief 33

17) Papier mittlerer Stärke in leichtem Graublauton, Format 31,8×19,5 cm, Wasserzeichen: „D & C ... HAUW“ (ein Buchstabe durch Siegel verdeckt).
Brief 34

18) Papier mittlerer Stärke, Format 30,8×19,9 cm, Wasserzeichen: „J. KOOL“.
Brief 35

19) Dünnes Briefpapier, Format 37,4×22,8 cm, Wasserzeichen: Wappenschild mit Posthorn wie bei Papier 7), doch mit Text „PIETER DE VRIES / & / COMP“.
Brief 36

b) Siegel

Nur vier Briefe blieben unversiegelt (vgl. Anhang a). Alle anderen tragen Siegel, die Westphal durch vorsichtiges Aufschneiden des Papiers unverletzt gelassen hat. In drei Fällen ist der Siegellack schwarz (Nr. 19, 21 und 32), sonst zeigt er das übliche Rot. An Petschaften sind insgesamt drei benutzt:

Siegel 1

Siegel 2

Siegel 3

1) Oval mit umlaufender Schrift „L'ESPERANCE ME CONSERVE“; ein Bildzeichen in der Mitte (Posthorn?) ist nicht klar bestimmbar.

Brief 1 (nur Bruchstück mit „...AN...“), Brief 2, Brief 5 (Siegel abgesprungen, aber noch erkennbar an den Druckstellen im Papier)

2) Symmetrisch verschlungene Buchstaben mit siebenzackiger Krone oben und Palmwedeln unten.

Brief 4, 6 (Bruchstück), 9, 10, 16, 21, 22, 23, 33

3) Symmetrisch verschlungene Buchstaben mit fünfzackiger Krone oben.

Brief 12–15, 17–19, 24–32 und 34–36

c) Werkregister

K = Kommentar
W. = Nummern von Westphals thematischem Katalog in der Ausgabe von Alfred Wotquenne 1905

W. 62/14	Brief 3
W. 64/1-6	Brief 9K
W. 65/6	Brief 6
W. 65/10-11	Brief 6
W. 65/35-36	Brief 7
W. 70	Brief 3K
W. 71-73	Brief 7
W. 84-85	Brief 7
W. 93-95	Brief 7
W. 96-108	Brief 9, 24-25, 27-29
W. 109	Brief 10
W. 114	Brief 3K
W. 136-138	Brief 8
W. 140-142	Brief 29
W. 147	Brief 7
W. 149	Brief 7
W. 152	Brief 7
W. 157	Brief 7
W. 162	Brief 7
W. 164-165	Brief 10
W. 166	Brief 10 und 11K
W. 167	Brief 10 und 13
W. 168-169	Brief 10
W. 170-171	Brief 10 und 11K
W. 172	Brief 10
W. 177	Brief 9
W. 197	Brief 6K
W. 199/16	Brief 6
W. 201	Brief 3K
W. 202/D	Brief 6
W. 202/N	Brief 6
W. 202/O	Brief 6
W. 203/13	Brief 9
W. 221-230	Brief 9
W. 231	Brief 24
W. 233	Brief 23
W. 236-237	Brief 23
W. 245-248	Brief 32
W. 259-260	Brief 3K
W. 264-266	Brief 3K
W. desunt	Brief 6

Für Rat und Hilfe möchte ich danken: Frau Dr. Darell M. Berg, St. Louis/USA, Herrn Prof. Dr. Georg von Dadelsen, Tübingen, Herrn Dr. Wolfgang Horn, Tübingen, Herrn Dr. Alexander Pilipczuk, Hamburg, und Herrn Karl Ventzke, Düren.

Hartmut Krones

Carl Philipp Emanuel Bach im Wien des 18. Jahrhunderts

Die Präsenz von Carl Philipp Emanuel Bach im Wien des 18. Jahrhunderts ist ebenso wie die seines Vaters Johann Sebastian in der musikwissenschaftlichen Literatur immer wieder unterschätzt worden. Im Falle des Vaters, der in der Hauptstadt des Heiligen Römischen Reiches Deutscher Nation seit frühen Jahren gleichsam Heimatrecht hatte, wie Stimmensätze, Eintragungen in Aufführungsmaterialien, handschriftliche Kopiaturen sowie frühe Drucke in den Bibliotheken der Wiener Adelshäuser und Klöster auf Schritt und Tritt beweisen, wurde dieses Bild beim Wiener Bach-Symposion 1985 einer gründlichen Revision unterzogen[1]. Das Carl-Philipp-Emanuel-Bach-Jahr 1988 möge nun der Anlaß sein, die Bedeutung des Sohnes für Österreich im allgemeinen und Wien im speziellen genauer darzustellen, um der irrigen Meinung entgegenzutreten, seine Kompositionen hätten „einen bestimmenden Einfluß auf das Musikleben in Wien nicht ausgeübt“[2]. Denn sowohl die schöpferischen Musiker als auch „Kenner und Liebhaber“ wußten um die Bedeutung Carl Philipp Emanuel Bachs ganz genau, wie die Wiener Verlagssituation bzw. die Verlagsangebote der zweiten Hälfte des 18. Jahrhunderts sowie das Vorhandensein zahlreicher Kopiaturen eindeutig dokumentieren.

Zwei Zitate aus den frühen Haydn-Biographien mögen die Wiener Szene um 1750 eingangs beleuchten: „Um diese Zeit“ – gemeint ist hier der November 1749 – „fielen Haydn die sechs ersten Sonaten von Emanuel Bach in die Hände; ‚da kam ich nicht mehr von meinem Klavier hinweg, bis sie durchgespielt waren, und wer mich gründlich kennt, der muß finden, daß ich dem Emanuel Bach sehr vieles verdanke, daß ich ihn verstanden und

---

1 Insbesondere in folgenden Referaten: Otto Biba, „Von der Bach-Tradition in Österreich“; Yoshitake Kobayashi, „Frühe Bach-Quellen im altösterreichischen Raum“; Rudolf Flotzinger, „Anfänge der Bach- und Händel-Rezeption in österreichischen Klöstern“; Hartmut Krones, „Das Bach-Bild der (Wiener) ‚Allgemeinen Musikalischen Zeitung mit besonderer Rücksicht auf den österreichischen Kaiserstaat‘ (Wien 1817–1823) und der ‚Allgemeinen Wiener Musikzeitung‘ (Wien 1841–1848)“. Kongreßbericht in Vorbereitung (Wien 1990).

2 H.-G. Ottenberg, *Carl Philipp Emanuel Bach,* Leipzig 1982, S. 254.

fleißig studirt habe…'."[3] – Und das zweite Zitat: „Haydn wagte, in einen Buchladen einzutreten und ein gutes theoretisches Lehrbuch zu fordern. Der Buchhändler nannte Carl Philipp Emanuel Bachs Schriften als die neuesten und besten. Haydn wollte sehen, sich überzeugen, fing an zu lesen, begriff, fand, was er suchte, bezahlte das Buch und trug es zufrieden fort."[4]

Auf Grund der inzwischen sehr weit gediehenen Erforschung des Wiener Verlagswesens jener Zeit können wir mit ziemlicher Sicherheit die Herkunft der beiden Bach'schen Arbeiten feststellen: Die erste Anzeige eines Werkes von Carl Philipp Emanuel Bach im *Wiener Diarium* fand im Oktober 1746 durch das Verlagshaus Peter Conrad Monath statt, das damals die jüngst erschienenen *Sei Sonate per Cembalo* anbot[5]. Da der Verlag diese Serie auch in seinen Meßkatalogen 1749 und 1750 anführte, haben wir ihm wohl Haydns Begegnung mit jenen „sechs ersten Sonaten von Emanuel Bach" zu danken, von denen Georg August Griesinger berichtet. Monath besaß im übrigen eine Niederlassung in Nürnberg und verfügte auch in anderen Fällen überaus schnell über die neuesten Veröffentlichungen; so legte er bereits im Erscheinungsjahr 1752 Johann Joachim Quantz' Flötenschule auf.

Wann Joseph Haydn Carl Philipp Emanuel Bachs *Versuch über die wahre Art das Clavier zu spielen* – und nur von ihm kann im zweiten (Dies'schen) Zitat die Rede sein – erstand, ist nicht genau zu eruieren. Im *Wiener Diarium* angezeigt ist das Werk, allerdings mit dem Zusatz „2 Theile Berlin 1762", erst im November 1763, und zwar von einem „Küster Schmid in Regensburg"[6]. Albert Christoph Dies' zeitliche Einordnung deutet aber stark auf die erste Zeit Haydns bei Nicola Porpora[7], also auf die Jahre 1753 oder 1754, so daß es sich doch um den ersten Teil (1753) von Bachs *Versuch* allein handeln mußte, der bei irgendeinem Buchhändler auflag, ohne daß er in einer Anzeige angepriesen wurde. Wir müssen daraus schließen, daß immer wieder Werke, die in der folgenden Übersicht fehlen, bei einzelnen Händlern in Wien auftauchten, daß also die Präsenz Carl Philipp Emanuel Bachs noch bedeutender als hier dokumentiert war.

---

3 G.A. Griesinger, *Biographische Notizen über Joseph Haydn,* Wien 1810, Repr. Wien 1954, S. 11.

4 A.Ch. Dies, *Biographische Nachrichten von Joseph Haydn,* Wien 1810, Repr. Berlin o.J. (1959), S. 40.

5 Siehe H. Gericke, *Der Wiener Musikalienhandel von 1700 bis 1778,* Graz-Köln 1960, S. 38.

6 Ebd., S. 83.

7 Zu den Beziehungen Haydn-Porpora siehe H. Krones, „Der Einfluß der italienischen Musik auf das Vokal- und Instrumentalschaffen Joseph Haydns", in: *Der Einfluß der italienischen Musik in der ersten Hälfte des 18. Jahrhunderts* (= Studien zur Aufführungspraxis und Interpretation der Musik des 18. Jahrhunderts, Heft 34), Michaelstein/Blankenburg 1988, S. 22–34.

Im Mai des Jahres 1756 kam dann eine umfangreiche Auswahl Bach'scher Werke durch den Buchhändler Georg Bauer auf den Wiener Markt, und zwar ein Cembalokonzert, zwei Trios und sechs Cembalosonaten aus dem Jahre 1756 (wieder die Sonaten Wq 48), 1762 schlossen sich noch *Oden mit Melodien* und *Tonstücke für das Clavier*[8] an, die von insgesamt drei Häusern angeboten wurden[9]. 1767 folgten bei Johann Thomas von Trattner sowohl die *Sechs Sonaten für Clavier mit veränderten Reprisen* (Berlin 1760) als auch die *Musik zu den Tänzen und Sprüngen des Hrn. Bergé nebst Variationen* (Berlin 1764)[10], die auch noch einige spätere Kataloge füllen[11], 1769 (bei Augustin Bernardi) *Kurze und leichte Clavierstücke mit veränderten Reprisen und beygefügter Fingersetzung für Anfänger* (Augsburg 1768)[12] und 1771 (bei Johann Peter Edler von Ghelen) *Sechs leichte Clavier-Sonaten* (Leipzig 1766)[13]. 1772 schließlich betritt der Pariser Verleger Anton Huberty über seinen Wiener Partner Ghelen die Bühne und bringt *Six Sonates pour le Clavecin* (Paris 1761) sowie ein Cembalokonzert (Paris 1762) auf den Markt[14], und 1773 kann man bei Ghelen sogar den *Versuch* samt *Exempeln und 18 Probestücken in 6 Sonaten* (1759) erstehen[15].

In den nächsten Jahren werden die bisher genannten Werke Bachs immer wieder offeriert, 1775 treten noch (bei Trattner) *Bachs, Nichelmanns und Händels Sonaten und Fugen fürs Clavier* (Berlin 1774) sowie in privaten handschriftlichen Kopiaturen *Klaviersonaten mit Begleitung von Violine und Violoncello* hinzu[16], 1776 das *Musikalische Vielerley* (Hamburg 1770), das Ghelen anbietet – auch diese Opera sind durch häufige Anzeigen gleichsam allgegenwärtig. Mai 1777 folgt dann eine Anzeige des Verlages Artaria, *6 Sonaten für das Clavier* betreffend[17], die aber keineswegs ein Beweis für ein sonstiges Nichtbeachten Bachs ist[18]; denn gerade das Haus Artaria zählte zu den eifrigsten Subskribenten und daher auch Vertreibern der Drucke unseres Meisters (siehe unten).

---

8 Gericke, a. a. O., S. 59 und S. 57; bei Felix Emmerich Bader: „Oden mit Melodien und Tonstücke für das Clavier. Berlin 1762".

9 Außer bei Bader noch bei Johann Paul Krauß und bei Johann Thomas von Trattner.

10 Gericke, a. a. O., S. 71 f.

11 Die *Musik* noch die Kataloge von 1770 und 1777; die Sonaten wurden 1769 noch einmal im *Diarium* angekündigt.

12 Gericke, a. a. O., S. 51.

13 Ebd., S. 22.

14 Ebd. Genaueres zur Tätigkeit des Verlages Huberty siehe A. Weinmann, *Kataloge Anton Huberty (Wien) und Christoph Torricella* (= Beiträge zur Geschichte des Alt-Wiener Musikverlages, Reihe 2, Folge 7), Wien 1962, S. 52 f., 68 und 71.

15 Gericke, a. a. O., S. 22.

16 Ebd., S. 72 und 98.

17 Ebd., S. 94.

18 Wie Ottenberg schließt. A. a. O., S. 254 sowie S. 326 f. (Anm. 6).

Im August 1777 bietet noch Hermann Joseph Krüchten für den Pariser Verleger Huberty eine *Sonate pour le Clavecin, Fortepiano, Orgue ou Harpe* an[19], und ein Katalog 1777 des Hauses Trattner weist folgende Werke Carl Philipp Emanuel Bachs aus: *Musik zu den Tänzen und Sprüngen des Hrn. Bergé nebst Variationen. Berlin 1764, Concerto per il Cembalo. 2. Tom. Riga 1773, Musikalisches Vielerley. Hamburg 1773, Sei Sonate per il Clavicembalo solo, all'uso delle Donne. Riga 1773* sowie die 1775 angebotenen Sonaten und Fugen[20].

Eine neue Szenerie ergibt sich in den Jahren 1784–86, als der Kopiatur-Betrieb Johann Traeg gerade Werke unseres Meisters in hoher Zahl anbietet: am 14. Jänner 1784 u.a. „12 deutsche Lieder fürs Klavier, sauber und korrekt geschrieben. Sie sind von Gluck, Bach, Benda, Kraus, Schweizer und Häsler (lauter Namen, die sie empfehlen)" sowie auch „Eine sehr schöne Sonate fürs Clavier von Friedemann Bach", am 27. Oktober 1784 „Klavierkonzerte von Haydn, Mozart, Bach, Zimmermann, etc." sowie „Klaviervariationen von Mozart, Bach, Sarti, Haydn, Richter", am 30. April 1785 „Variationen per il Clavicemb. von Bach, Eckard, Fasch, Haydn, Mozart, Kirnberger, Knecht, Richter etc." und am 13. Mai 1786 „verschiedene noch ungedruckte Sonaten vom C. P. E. Bach", wie die *Wiener Zeitung* anpreist[21].

Im Jahre 1789 werden in Linz *5 kurze und leichte Clavierstücke mit Fingersatz* aus dem Jahre 1766 (Winter) nachgedruckt[22], 1790 faßt Koželuchs *Musikalisches Magazin* laut *Wiener Zeitung* vom 8. Dezember „3 Rondeaux" aus den *Claviersonaten für Kenner und Liebhaber* (5. und 6. Band) zu einer speziellen Ausgabe zusammen[23], und die Kopiatur Traeg bietet in den Jahren danach zunächst 1792 „Fugen von J. S. Bach, Haendel, C. P. E. Bach, Albrechtsberger" und schließlich 1798 das Oratorium *Auferstehung und Himmelfahrt* an[24]; aus dem Fundus bzw. nach den Vorlagen Traegs vervollständigte nicht zuletzt Kaiser Franz (als deutscher Kaiser Franz II., als österreichischer Franz I.) seine große Musikaliensammlung (siehe unten). – 1792

19 Weinmann (Huberty), a. a. O., S. 78.

20 Gericke, a. a. O., S. 71 f.

21 A. Weinmann, *Die Anzeigen des Kopiaturbetriebes Johann Traeg in der Wiener Zeitung zwischen 1782 und 1805* (= Wiener Archivstudien, Band VI), Wien 1981, S. 16, 18, 20 und 22.

22 A. Weinmann, *Wiener Musikverlag „am Rande". Ein lückenfüllender Beitrag zur Geschichte des Alt-Wiener Musikverlages* (= Beiträge zur Geschichte des Alt-Wiener Musikverlages, Reihe 2, Folge 13), Wien 1970, S. 80.

23 A. Weinmann, *Verzeichnis der Verlagswerke des Musikalischen Magazins in Wien, 1784–1802, Leopold (und Anton) Koželuch, 2. Auflage* (= Beiträge zur Geschichte des Alt-Wiener Musikverlages, Reihe 2, Folge 1 a), Wien 1979, S. 25.

24 Weinmann (Kopiaturbetrieb Traeg), a. a. O., S. 32 und 66.

werden in Wien sogar die *Zwey Litaneyen aus dem Schleswig-Holsteinischen Gesangbuche* nachgedruckt[25].

Das Jahr 1799, das vorletzte des hier zu behandelnden Zeitraumes, gibt uns Gelegenheit zu einer speziellen Zusammenfassung. Denn damals zeigte nicht nur die Musikalisch-Typographische Gesellschaft drei Sammlungen *Kleine leichte Klavierstücke mit der Fingersetzung, für Anfänger. Neueste in den Violin-Schlüssel übersetzte Auflage* sowie noch *Neue Lieder-Melodien nebst einer Kantate zum Singen beym Clavier* (Lübeck 1789) in Wiener Nachdrucken[26] an, sondern in jenem Jahr erschien auch ein umfangreiches gedrucktes *Musikalienverzeichnis* Johann Traegs, in dem Carl Philipp Emanuel Bach zu den präsentesten Komponisten zählt[27].

In diesem Verzeichnis wurden von unserem Meister – ich zähle zusammenfassend, aber in der originalen Reihenfolge auf – folgende Werke angeboten: 2 Violoncellokonzerte; 6 Quartett-Sinfonien und eine Fuge für zwei Violinen, Viola und Violoncello; 4 Terzette für zwei Violinen und Violoncello; 1 Terzett für Flöte, Violine und Violoncello; 1 Solosonate für Flöte; 15 Concerti „per il Clavicembalo ô Piano-Forte"; 9 Sonatinen für Cembalo und Orchester (eine davon für zwei Cembali); 2 Sammlungen Terzette für Cembalo, Violine und Violoncello; 1 (?) Sonate für Cembalo und Violine; 2 Sammlungen „kurze und leichte Klavier Stücke für Anfänger"; 72 Cembalo-Sonaten[28]; alle 6 Sammlungen *Clavier-Sonaten nebst einigen Rondos &c. für Kenner und Liebhaber*; 9 Clavier Stücke aus dem *Mancherley*; 9 Petits Pieces für Cembalo; 16 Charact. Clavierstücke; 1 Parthia für Cembalo; 6 Fugen für Orgel („einzeln geschrieben"); Klopstocks *Morgengesang*; die „Fantasia, mit doppelt unterlegten Text von Gerstenberg"; „einige Lieder"; *Gellerts geistliche Oden und Lieder*; 1 „Missa à 4 Voci 2 Viol. 2 Ob. 2 Cor. 2 Tromb. 2 Clar. Tymp. Organo e Basso in B"; das „Oratorium die Leiden- und Sterbensgeschichte Jesu Christi"; das „Oratorium (die Israeliten in der Wüste)"; das Oratorium „die Auferstehung und Himmelfahrt Christi".

---

25 Wq 204. Ein Exemplar des Wiener Nachdrucks befindet sich im Archiv der Gesellschaft der Musikfreunde.

26 A. Weinmann, *Die Wiener Verlagswerke von Franz Anton Hoffmeister* (= Beiträge zur Geschichte des Alt-Wiener Musikverlages 2/8), Wien 1964, S. 176, sowie Ders., *Addenda und Corrigenda zum Verlagsverzeichnis Franz Anton Hoffmeister* (= Beiträge 2/8 a), Wien 1982, S. 17. Die Drucke der „Musikalisch-Typographischen Gesellschaft" sind vorzugsweise in Hoffmeisters Verlagsankündigungen angeführt.

27 A. Weinmann, *Johann Traeg. Die Musikalienverzeichnisse von 1799 und 1804 (Handschriften und Sortiment)*, Bd. I (= Beiträge 2/17), Wien 1973, passim sowie (Nachtrag) S. 423.

28 Es handelt sich, den Titeln nach zu schließen, um die Sonaten 48/1–6; 49/1–6; 50/1–6; 51/1–6; 52/1–6; 54/1–6; 62/4, 5, 8, 9, 10, 13, 14, 16, 17, 18, 19, 20, 21 („6. aus den Œuvres Mellanges", gemeint aus den „Œuvres mêlées", hrsg. von Haffner; „6. aus den musikalischen Mancherley"; „6. Paris op. 1", siehe auch Wq 65); 63/1–6; 65/9, 10, 18, 22. Die restlichen 13 Sonaten sind nicht eindeutig zu bestimmen.

Diese Aufzählung alleine führt die Meinung, Carl Philipp Emanuel Bach wäre im Wien des 18. Jahrhunderts nicht präsent gewesen, ad absurdum. – Im übrigen kamen in Traegs Nachtrag von 1804 noch das „Heilig in 2 Chören“, das „Oratorium Soprano Hamona, Alto die Menschenliebe. Tenor Der Patriotismus. Basso Die Dankbarkeit“, ein „Magnificat a 4 Voci ...“ (mit Orchester), 2 Chöre (mit Orchester), der Chor „Gott dem ich lebe“, der Chor „Meine Lebenszeit verstreicht“ sowie das „Bitten von Gellert alle 4 Verse“ hinzu[29]. Und in der Sammlung *Musikalische classische Kunstwerke der Deutschen alter und neuer Zeit* des Verlagshauses Steiner und Compagnie ist gleich in der 1. Lieferung auch ein Werk Carl Philipp Emanuels: „Leite mich nach deinem Willen“ für 4 Singstimmen und Orchester; das war 1818[30].

Ein ähnliches Bild ergibt sich, wenn wir die Pränumeranten-Listen in den Erstausgaben durchsehen – auch hier ist Wien sehr prominent vertreten. Artaria bestellte oft 12 Exemplare, Gottfried van Swieten nahezu immer, ob er sich nun in Berlin oder in Wien aufhielt. Unter den anderen Persönlichkeiten finden sich Hofrat von Braun (von den Hoftheatern), Baron von Dittmer, Frau von Collenbach, Frau von Dorn, Frau von Drostig, Baron von Gärtner, Hofrat von Heß, Herr von Keßler, Baron von Vockel und Madame von Arnstein, also ein durchaus repräsentativer Querschnitt durch die Wiener Gesellschaft, in der unser Bach dann sehr lange gleichsam zuhause war – insbesondere in „allerhöchsten“ Kreisen, wie die Kataloge der Bibliotheken von Kaiser Franz II. und Erzherzog Rudolph deutlich zeigen. Diese beiden Bibliotheken sollen nun einer eingehenderen Betrachtung zugeführt werden.

Das eigenartige Schicksal der „kaiserlichen Sammlung“ ist 1970 von Ernst Fritz Schmid dargestellt worden[31], es genügt daher eine kurze Zusammenfassung: Sie hatte unbekannt bis „nach 1846“ in einem verborgenen Gelaß der Wiener Hofburg geschlummert, war dann entdeckt und schließlich 1879 als „Privatmusikaliensammlung des weiland Kaiser Franz“ von Kaiser Franz Joseph I. dem Steiermärkischen Musikverein in Graz als Geschenk überlassen worden – zuvor aber hatte der damalige Archivar der Wiener

---

29 Erwähnt sei, daß sowohl in dem Katalog von 1799 als auch in dem Nachtrag von 1804 Johann Sebastian Bach überaus prominent vertreten ist; 1804 z. B. werden eine „Missa a 5 Voci“ (wohl die h-Moll-Messe), eine „Missa a 4 Voci“, das *Magnificat,* die Motetten, *Der Streit zwischen Phoebus und Pan* sowie das *Weihnachtsoratorium* (in sechs Teilen) angeboten.

30 A. Weinmann, *Vollständiges Verlagsverzeichnis Senefelder Steiner Haslinger,* Bd. 1 (Wien 1803–1826), München-Salzburg 1979, S. 161.

31 E. F. Schmid, „Die Privatmusikaliensammlung des Kaisers Franz II. und ihre Wiederentdeckung in Graz im Jahre 1933“, in: *Österreichische Musikzeitschrift* 25 (1970), Heft 10, S. 596–599.

Gesellschaft der Musikfreunde, Carl Ferdinand Pohl, alles ihm wichtig Erscheinende für das Archiv entnehmen dürfen; und darunter befanden sich z. B. sämtliche Werke Carl Philipp Emanuel Bachs, die Franz II. besaß. 1936 ging der Grazer Bestand wieder an die Nationalbibliothek zurück.

Der alte, in der Musiksammlung der Österreichischen Nationalbibliothek befindliche „Catalogo alter Musikalien u. gehört in das privat Musikalien Archiv S. Maj. des Kaisers" weist folgende Werke unseres Bach aus, wobei der mit blauem Buntstift geschriebene Vermerk „Wien" bekundet, daß sämtliche Exemplare an das Archiv der Gesellschaft der Musikfreunde gingen, wo sie sich bis heute befinden[32]:

Passions Cantate Manuscript
Passionsmusik nach den Evangelisten Mathaeus[33]
Serenate. Vocal und Instrumentalmusik
Die Auferstehung und Himmelfahrt Xti
Sonata con Violone (Rubrik „Musica per il Cembalo")
Sonata in D, con Violine e Basso (gleiche Rubrik)
Quartetti fugati B

Es handelt sich um die Werke Wq 233, 235, deest, 240, 90, 91 sowie 119/6, wobei im Falle der Sonaten Wq 90 und 91 die Katalog-Eintragungen ungenau sind. Die Serenate für Diskant, Alt, Tenor, Baß, 2 Flöten, 2 Violinen, Bratsche und Fundament „Der Trommeln Schlag, der Pfeifen Spiel" ist in Partitur-Kopie von der Hand von Bachs ständigem Kopisten Michel erhalten und weist auf der Titelseite folgende Eintragung auf: „Diese Serenate gehört zum Oratorium von 1780/Bürgerkapitänsmusik"; diese Eintragung ist mit 1. Mai 1928 datiert und stammt von der Hand des Carl-Philipp-Emanuel-Bach-Forschers Heinrich Miesner, dem auch noch der Zusatz-Hinweis „aus Westphals Bibl." zu danken ist. Das Werk müßte also zu identifizieren sein, wenngleich eigenartig scheint, daß Alfred Wotquenne, der Johann Jakob Heinrich Westphals Thematisches Verzeichnis der Werke Bachs benutzte, die „Serenate" nicht kannte[34].

Wie Kaiser Franz II. an die Handschrift kam, ist nicht festzustellen; daß van Swieten eine Vermittlerrolle eingenommen habe, wie dies Andreas Holschneider annimmt[35], ist jedenfalls nur Hypothese und erscheint mehr als fraglich. Zum Teil stammen die Exemplare sicher aus dem Kopiatur-Betrieb Johann Traegs, was übrigens auch für die weiter unten behandelte Bibliothek Erzherzog Rudolphs gilt. Denn einige Numerierungen auf den

---

32 „Catalogo" S. 12, 18, 71, 110 und 123.
33 Hier handelt es sich um die *Lukas-Passion*, Wq 235, in einer von Michel angefertigten Partitur-Kopie.
34 Siehe Ottenberg, a. a. O., S. 284.
35 A. Holschneider, „Die musikalische Bibliothek Gottfried van Swietens", in: *Bericht über den internationalen musikwissenschaftlichen Kongreß Kassel 1962,* Kassel etc. 1963, S. 176.

Manuskripten (links oben) stimmen mit den Verlags-Nummern in Traegs Katalog von 1799 überein[36] – Franz II. hat also sowohl für ihn angefertigte Kopiaturen bezogen als auch, wie wohl im Falle der Handschrift Michels, Original-Vorlagen selbst erhalten. Und er hat sich offensichtlich für die damals in Österreich so sehr gepflegte „alte" Musik interessiert – hier mag Gottfried van Swieten seinen Teil dazu beigetragen haben.

Auch die Bibliothek Erzherzog Rudolphs befindet sich weitgehend im Archiv der Gesellschaft der Musikfreunde[37], insbesondere aber der Katalog der Sammlung seiner Musikalien, und auch hier fällt das reiche Vorhandensein von Werken aus der Familie Bach sofort auf; sowohl Vater Johann Sebastian als auch die vier komponierenden Söhne sind überaus repräsentativ vertreten. Rudolphs Sekretär und Bibliothekar Joseph Anton Ignaz Edler von Baumeister listete folgende Kompositionen Carl Philipp Emanuel Bachs auf:

Geistliche Oden und Lieder von Gellert nebst einem Anhange zwölf geistlicher Oden und Lieder (Leipzig, Breitkopf)
Trois Rondeaux pour le Pf (Wien, Koželuchs „Magazin")
Sonata per il Pianoforte. MS. (Manuskript)
Clavier-Sonaten und freye Fantasien (Leipzig 1785)
6 Clavier-Sonaten (Leipzig 1779)
Claviersonaten nebst Rondos (Leipzig 1780)
Claviersonaten nebst Rondos (Leipzig 1781)
Claviersonaten und einige Fantasien nebst Rondos (Leipzig 1783)
Zweyte Fortsetzung von 6 Sonaten fürs Clavier (Berlin, Winter 1763)
Sturms geistliche Gesänge (Hamburg 1781)
Die Israeliten in der Wüste. Ein Oratorium (Hamburg 1775)
Claviersonaten („detto, detto") (Leipzig 1785)
Sonata per Pf.
6 Sonates p. le Pf. (Wien 1803, „Bur. d'Industrie" a.b. 212.213)[38]
Auferstehung und Himmelfahrt Jesu von Ramler (Leipzig 1787)
Morgengesang von Klopstock (Leipzig 1784)
Die Leiden u. Sterben Jesu Christi. Oratorium. MS. Part.
Klopfstoks Morgen-Gesang am Schöpfungsfeste. Klavierauszug
X Fughe e Capriccien p. Pf. MS.
6 leichte Claviersonaten (Leipzig 1766)
2 Sonate con Variazioni e 2 Fugue per Pf. MS.
Chor „Leite mich nach deinem Willen" (Wien, Steiner)

---

36 Mitteilung durch den Direktor des Archivs der Gesellschaft der Musikfreunde, Dr. Otto Biba, dem auch für mannigfache andere Unterstützung gedankt sei.

37 Teile verblieben im Zuge der Überführung nach Wien nach Rudolphs Tod (1831) auf Schloß Kremsier zurück. Siehe G. Croll, „Die Musiksammlung des Erzherzogs Rudolph", in: *Beethoven-Studien,* Wien 1970, S. 53 f. Zum so bedeutsamen Wirken Erzherzog Rudolphs siehe neuerdings S. Kagan, *Archduke Rudolph, Beethoven's Patron, Pupil, and Friend. His Life and Music,* Stuyvesant 1988, insbesondere S. 267 ff.

38 Siehe A. Weinmann, „Vollständiges Verlagsverzeichnis der Musikalien des Kunst- und Industrie Comptoirs in Wien 1801–1819", in: *Studien zur Musikwissenschaft,* Bd. 22, Wien 1955, S. 227 f.

Bach. Sebastian.

Motetten. Part. Heft: I. II. Leipzig, Breitkopf.

Exercices pour le Clavecin. Oeuv. I. Partie [illegible] --- II. --- III. Vienne, chez Hofmeister, Leipzig au Bureau de Musique

Choral-Vorspiele für die Orgel mit einem und zwey Klavieren und Pedal. Heft 1, 2, 3, Leipzig, Breitkopf.

X Preludes et Fugues ou Le Clavecin bien tempéré dans tous les tons et Semitons. Partie 1ere, 2onde, Wien, bey Hofmeister und Comp. / Leipzig, Kühnel

*. Magnificat a 5 Voci, 2 Violini 2 Oboe, 3 Trombi, Tambur, Basson, Viola e Basso continuo Bonn, Simrock. N. 770.

* 6 Präludien und 6 Fugen für Orgel o. Pf. Wien, [illegible] 724.

X Choralgesänge vierstimmige. Berlin u. Leipzig, Wentlich I. T. 1765, II. T. 1769.

Fugen in [illegible] MS Kanons

Missa à 4 Voci 2 Flauti 2 Violini Viola e Organo

Die Kunst der Fuge Manuscript mit einem [illegible] von Marpurg.

6. Sonate a tre per l'Organo a 2 Tastature ed Pedale Obligato

---

Hofmeister / Kühnel. Leipzig

1/ Minuetto molto difficile. MS.

2/ Sonata. MS.

3/ Fantaisie chromatique. [illegible]

4/ Fantaisie. ibid. [illegible]

5/ Simphonies, ib. pour le Clavecin ibid. [illegible]

6/ Inventions, ib. pour le Clavecin.

7/ Six Preludes a l'usage des Commençants ibid. [illegible]

8/ 6 Suites pour le Clavecin. ibid. [illegible]

9/ Grandes Suites, dites Suites Angloises pour le Clavecin N. 1, Leipzig. Kühnel et Hofmeister. 412. N. 2. 1003.

10/ Toccata per Cembalo. Wien. Hofmeister [illegible]

11/ Fuga per due Cembali. a. 6. MS.

12/ Fuga ex D moll a 4 Voci con Pedale obligato.

13/ Fugue. MS.

14/ 12 Choräle umgearbeitet von Vogler, zergliedert von Carl Maria von Weber. nebst Bogen [illegible] Leipz. Kühnel. 843 Recensere [illegible] minimum maximum est emendare opus, perficere inceptum Vogler.

15/ Andante et Allegro [illegible]

16/ Fugue MS.

17/ [illegible] MS.

18/ Prelude MS.

19/ [illegible] und [illegible] [illegible] Part.

Ein feste Burg ist unser Gott Cantate für 4 Singstimmen und [illegible] Part. Leipzig. Breitkopf [illegible] Spalte 39.

Bach. W.

1/ Rheinweinlied von C. Wichler, [illegible] Berlin. [illegible]

2/ Berlinade, oder Lindenlied von L. Monti. ibid. / In den Sammlungen / Allegro p. Pf. ib. a Allegretto – ibid. Menuetti – ibid. Andante con Var. ibid. Andante Spagnuolo ib. a Andantino – ibid. Divertimento – ibid.

3. XII Grandes Variations sur un air allemand populaire p. l. Pfte Berlin [illegible]

20. Der 117te Psalm für 4 Singstimmen Part. Leipzig Breitkopf.

Vierstimmige Choralgesänge Theil 1, 2, 3, 4, Leipzig, [illegible] 1784. – 1787.

21. Six Sonates, ou Etudes p. l. Violoncello Solo. Oeuv. Posthume. Probst.

*. Detto Le Clavecin bien temperé Partie 1. 2. Edition nouvelle et corigée. Leipzig. C. F. Peters

Missa à 4 cantantibus concitante Orchestra No. II. Bonnae. N. Simrock

22. Grandes Suites dites Suites angloises p. l. Clavecin No 3. 4. Berlin. Trautwein.

Bach. C.

1/ Montesuma Ballo. MS.

2/ Divertimenti per il Clavicembalo con Violino e Basso a, b, c, d, e, f, MS.

Gioas Re di Giuda Oratorio a 6 Voci con Cori. 2 Parti da Christiano Bach 1770. Part. MS.

Te Deum Laudamus Part. u. St. MS.

Quintetto Part MS.

Gran Sinfonia a 2 Orche. Part. MS.

Sinfonia. P. MS. a, b,

Cantate e arie del Sig: G. C. Bach Manuscript. 11. St. Geb.

Bach Friedemann.

1/ 4 Fugen, MS.

2/ 12. Polonaisen für Pf. mit [illegible] [illegible] [illegible] Leipzig Peters.

Bach Chr. Friedr.

Die Amerikanerinn ein lyr. Gemälde von Gerstenberg. Riga, 1776 Part. geb.

Cramers Psalmen mit Melodien beym Clavier, Leipzig beym Autor. 1774. geb.

Heilig mit Chören und einer Arielle zur Einleitung. Hamburg, 1779 beym Autor [illegible] geb.

Oden mit Melodien 2te Aufl. Berlin, Wever geb. 1774

Liedermelodien, [illegible] zum singen beym Clavier [illegible] 1784. Sonaten

Neue Melodien zu einigen Liedern des neuen Hamburgischen Gesangbuchs. 1787. bey Herold.

Bach. J. C.

1/ Six Sonates pour le Pianoforte quatre avec accomp. d'un Violon et Vell. la cinquieme a 4 mains la sixieme concertante a 2 Clavecins Berlin, Hummel. [illegible]

2/ Six Sonates quatre avec acc. d'un Violon. Deux a 4 mains [illegible]

3/ Ouverture et airs de Ballet d'Amadis par Hüllmandel arr. pour le Clavecin. Paris, chez Sieber.

4/ Sonate for the Pf. Op. 5. London, printed by Welcker.

5/ Four of Sonatas and two Duetts for the Pianoforte or Harpsichord with accompaniments of Violon and Violoncello. / Kingdom / London, by [illegible]

6 Divertissement pour le Clavecin [illegible] Mde la Comtesse de Sandgin

7. 6. Sonates. Op. VI

Bach, Em.

9/ X Fughe e Capricci p. Pf. MS.

10/ 6 leichte Claviersonaten. Leipzig, Breitkopf. 1766.

11/ 2 Sonate con Variazioni e 2 Fughe per Pf. MS.

12 Chor [illegible] [illegible] für 4 Singstimmen und Orchester [illegible] [illegible]

13. Fuga } MS.

14

15 6. Sonate per il Clavicembalo solo All uso delle Donne

16 6. Sonate dedicate al Re di Prussia Federico II. [illegible] [illegible] 31.

Bach. Carl Phil. Emanuel.

1/ Geistliche Oden und Lieder von Gellert nebst einem Anhange zwölf geistlicher Oden und Lieder. Leipz. J. G. Breitkopf.

2/ Trois Rondeaux pour le Pf. Vienne, [illegible]

3/ Sonata per il Pianoforte. MS.

4/ * Clavier-Sonaten und freye Fantasien. Leipzig, 1783 [illegible]

5/ Zweyte Fortsetzung von 6 Sonaten fürs Clavier. Berlin, Winter, [illegible] 1760

6/ Sturms geistliche Gesänge zum Singen beym Clavier. Hamburg, 1781. bey G. H. Herold.

4 * a/ 6 Clavier-Sonaten [illegible] Leipz. 1779. im [illegible]

b/ Claviersonaten nebst Rondos / [illegible] Heinrich. idem. ibid. 1780.

c/ – detto – detto. / Baron van Swieten idem ibid. 1782.

d/ – detto und einige Fantasien nebst Rondos. idem ibid. 1783.

Die Israeliten in der Wüste. ein Oratorium. Hamburg, 1775. — Part.

e/ detto, detto / [illegible] Ludwig [illegible] idem. ibid. 1785.

7/ Sonata per Pf.

8/ 6 Sonate p. il Pf. Vienne. [illegible] a. 6. [illegible]

Auferstehung und Himmelfahrt Jesu von Ramler. [illegible] Leipzig Breitkopf. 1787.

Morgengesang v. Klopstock. Part. u. [illegible] Leipzig beim Autor. 1784.

Die Leiden u. Sterben Jesu Christi. Oratorium MS. Part.

Klopstocks Morgengesang am Schöpfungsfeste [illegible]

ad pag: 41.

Erzherzog Rudolphs Musikalien-Register: Bach.

Fuga MS.
Fuga MS.
6 Sonate per il Clavicembalo solo All uso delle Donne
6 Sonate. dedicate al Re di Prussia Federico II
Cramers Psalmen (Leipzig 1774)
Heilig mit Chören und einer Ariette zur Einleitung (Hamburg 1779)
Oden mit Melodien (2. Aufl. Berlin 1774)
Neue Liedermelodien nebst einer Kantate (Lübeck 1789)
Neue Melodien zu einigen Liedern des neuen Hamburgischen Gesangbuches (1787 bey Herold)
Missa in B. MS. Part. u. Stimmen
Magnificat in D. MS.
Chor. Gott, dem ich lebe. MS
Chor Meine Lebenszeit. MS
Motetto. Gott, deine Güte. MS
Detto mit Orgel oder Klavier Begleitung (Simrock)
Sonate für Piano Forte (Berlin 1838)
Practische Orgel-Schule enthaltend 6. Sonaten für 2 Manuale und durchaus obligates Pedal (Zürich, Nägeli)
Magnificat a 4 voci (Bonn, Simrock)

Baumeister (bzw. zum Teil ein anderer Archivar) hat das „Musikalien Register A bis K" (Signatur 1268/33 I.) offensichtlich noch nach dem Tod Erzherzog Rudolphs ergänzt, wie an den zuletzt eingetragenen späten Drucken festzustellen ist.

Die hohe Wertschätzung Carl Philipp Emanuel Bachs, die am Beispiel Kaiser Franz II. und Erzherzog Rudolphs so augenfällig dokumentiert werden konnte, zeichnete auch zahlreiche weitere Mitglieder der Wiener Gesellschaft aus. Neben den schon genannten Pränumeranten der Erstausgaben (von denen Gottfried van Swieten, wie wir nicht zuletzt aus der Biographie Mozarts wissen, noch eine Sonderstellung einnahm) sollen hier noch einige wichtige andere Erwähnung finden:

Als der große Wiener Sammler Baron von du Beine (auch Dubain[39]) 1813 starb und seine Musikalien versteigert wurden, waren in der gedruckten Auktionsliste 10 Bach'sche Werke bzw. Sammlungen angeboten[40]. Im Haus des Beamten der k.k. Hofkriegs-Buchhaltung Josef Hochenadl erklangen im zweiten Jahrzehnt des 19. Jahrhunderts zahlreiche große Oratorien der Zeit, darunter Händels *Messias,* Grauns *Der Tod Jesu,* Hasses *Die Pilgrime am Golgatha,* Beethovens *Christus am Ölberge* sowie auch Carl Philipp Ema-

39 Siehe J. F. von Schönfeld, *Jahrbuch der Tonkunst von Wien und Prag 1796,* Faksimile-Nachdruck der Ausgabe Wien 1796. Mit Nachwort und Register von O. Biba, München-Salzburg 1976, S. 79.

40 *Verzeichniß einer Bücher und Musikalien Sammlung, welche den 21. April 1813 und die folgenden Tage ... öffentlich versteigert wird, Wien.* Ein Verzeichnis befindet sich im Archiv der Gesellschaft der Musikfreunde (freundlicher Hinweis durch Otto Biba).

nuel Bachs *Die Israeliten in der Wüste*[41]. Ganz Ähnliches ist von den Hauskonzerten des Ahnherrn der wissenschaftlichen Aufführungspraxis und des Historismus, Raphael Georg Kiesewetter[42], zu berichten, der gleichsam eine flächendeckende Musikgeschichte in Beispielen bot und dabei natürlich auch Vater und Sohn Bach reichlich bedachte; eine in der Wiener *Allgemeinen Musikalischen Zeitung, mit besonderer Rücksicht auf den österreichischen Kaiserstaat* im August 1817 abgedruckte Liste kündet von der Belesenheit und vom guten Geschmack des alten Hofrates[43]. Und zuletzt sei der „Compositeur Johann Spech" zitiert, der in der genannten Zeitschrift am 16. März 1822 die Bibliothek des Pariser Conservatoire zwar zunächst lobt, dann aber folgendermaßen einschränkt: „jedoch fehlen in dieser Anstalt sehr viele, besonders J. Sebastian und Philipp Emanuel Bach's Werke. Ein effectiver Defekt."

Wir sehen, Carl Philipp Emanuel Bach war im späteren 18. und im frühen 19. Jahrhundert in Wien, der Hauptstadt des Heiligen Römischen Reiches Deutscher Nation, überaus präsent und geachtet. Vorbild der drei „Wiener Klassiker" Haydn, Mozart und Beethoven, besaß sein Œuvre darüber hinaus in Wiens gebildeter Gesellschaft Heimatrecht. Und so existieren in Wien philologische, historische, rezeptionsgeschichtliche und aufführungspraktische Quellen in großer Zahl, Quellen, die bis dato von der Bach-Forschung geradezu sträflich vernachlässigt wurden. Das aufzuzeigen ist es anläßlich des Carl-Philipp-Emanuel-Bach-Jahres 1988 endlich an der Zeit.

*

Zusätzlich zu den Materialien, die sich seit dem 18. Jahrhundert in Wien befinden, gibt es hier noch weitere: in erster Linie die Autographen und Abschriften (z. T. mit Überschriften und Korrekturen von der Hand Bachs) aus dem Brahms-Nachlaß, der sich im Archiv der Gesellschaft der Musikfreunde befindet, sowie die umfangreiche Handschriften-Sammlung Anthony van Hobokens in derselben Bibliothek. Während der Brahms-Nachlaß allgemein bekannt ist, harren die Objekte Hobokens noch der wissenschaftlichen Aufarbeitung[44]. Gerade für das Œuvre Carl Philipp Emanuel

---

41 Mitgeteilt durch L. von Sonnleithner, „Musikalische Skizzen aus Alt-Wien", in: *Recensionen und Mittheilungen über Theater und Musik*, 7. Jg. (1861), Nr. 47 (24. November), S. 740. Freundlicher Hinweis durch Otto Biba.

42 Siehe H. Kier, *Raphael Georg Kiesewetter (1773–1850), Wegbereiter des musikalischen Historismus*, Regensburg 1968 (= Studien zur Musikgeschichte des 19. Jahrhunderts 13).

43 So kamen z. B. im Winter 1816/17 folgende Komponisten zur Aufführung (Spalte 270 der genannten Zeitung): „Palestrina, Bai, Lotti, Pergolesi, Bend. Marcello, Caldera, Jomelli, Sarti, Händel, Seb. Bach, Fux, Phil. Em. Bach, Wagenseil, Jos. und Michael Haydn und Mozart".

44 Hobokens Sammlung von Drucken, die sich in der Musiksammlung der Österreichi-

Bachs sind sie aber von besonderer Bedeutung, stellen sie doch gerade auf dem Gebiet der Cembalo-Kompositionen einen nicht zu unterschätzenden Fundus möglicher Lesarten oder Varianten dar; darüber hinaus scheinen etliche Werke in Wotquennes Verzeichnis nicht auf.

Handschriftliche Kopiaturen existieren im Archiv der Gesellschaft der Musikfreunde von folgenden Cembalowerken, wobei neben den Exemplaren aus der Hoboken-Sammlung auch anderweitig erworbene berücksichtigt sind: Wq. 48/1–6; 49/1–6; 54/4; 62/3, 5, 8, 9, 20, 21, 22; 64/2, 4, 5, 6; 65/1, 8, 9, 10, 11, 12, 13, 14, 15, 16, 17, 18, 21, 22, 23, 25, 26, 28, 31, 33, 42; 66; 69; 113; 117/24, 26, 28, 29, 30, 32; 118/1, 3, 4; 119/2, 3, 4, 5; schließlich noch die Orgelsonate Wq. 70/2, Partituren der Cembalokonzerte Wq. 1 und Wq. 19 sowie (teilweise in mehreren Exemplaren) Stimmenmaterial der Konzerte Wq. 43/1–6.

Wotquenne nicht bekannt sind zwei Fugen für Cembalo in c-Moll und C-Dur sowie einige kleine Cembalostücke, die sich in einer Sammlung „9 karakteristische, 15 petites Pieces und 4 kleine Allegro" befinden, die gesonderte Betrachtung erfahren soll: umfaßt sie doch auch das bekannte Charakterstück *Spinoza,* das gerade in letzter Zeit Objekt eingehender Würdigung und Analyse wurde[45], wenngleich die Autorschaft Carl Philipp Emanuel Bachs bis heute nicht ganz gesichert erscheint, und schließt sie doch mit dem Charakterstück *La Juliane* (Wq deest), das sich in der Musiksammlung der Österreichischen Nationalbibliothek einzeln handschriftlich erhalten hat, wobei die Titelüberschrift, wie schon Georg von Dadelsen[46] bezeugte, offensichtlich von der Hand Carl Philipp Emanuel Bachs stammt.

Die Sammlung[47] umfaßt folgende Stücke:

No. 1. *Spinoza* (Wq deest)
No. 2. *Das Klagen zweyer Freunde bey einem Glase Wein* (deest)
No. 3. *Zanga* (deest)
No. 4. *Ein Kompliment* (deest)
No. 5.. *Der Zank* (deest)
No. 6. *Das Lokken* (deest)
No. 7. *Die jugendliche Freude* (deest)
No. 8. *Die Warnung* (deest)

---

schen Nationalbibliothek befindet, wird derzeit von Thomas Leibnitz katalogisiert. Seine Handschriftensammlung liegt seit 1932 im Archiv der Gesellschaft der Musikfreunde.

45 A. Edler, „Das Charakterstück Carl Philipp Emanuel Bachs und die französische Tradition", in: *Aufklärungen. Studien zur deutsch-französischen Musikgeschichte im 18. Jahrhundert,* Bd. 2, hrg. von W. Birtel und Ch.-H. Mahling, Heidelberg 1986, S. 226 ff. Zu anderen Charakterstücken Bachs siehe D. M. Berg, „C. P. E. Bach's Character Pieces and his Friendship Circle", in: *C. P. E. Bach Studies,* ed. by S. L. Clark, Oxford 1988, S. 1 ff.

46 Signatur 15961. Dadelsens Zeugnis ist von Leopold Nowak, dem vormaligen Leiter der Musiksammlung, im Einband der Handschrift vermerkt.

47 Signatur Q 11713.

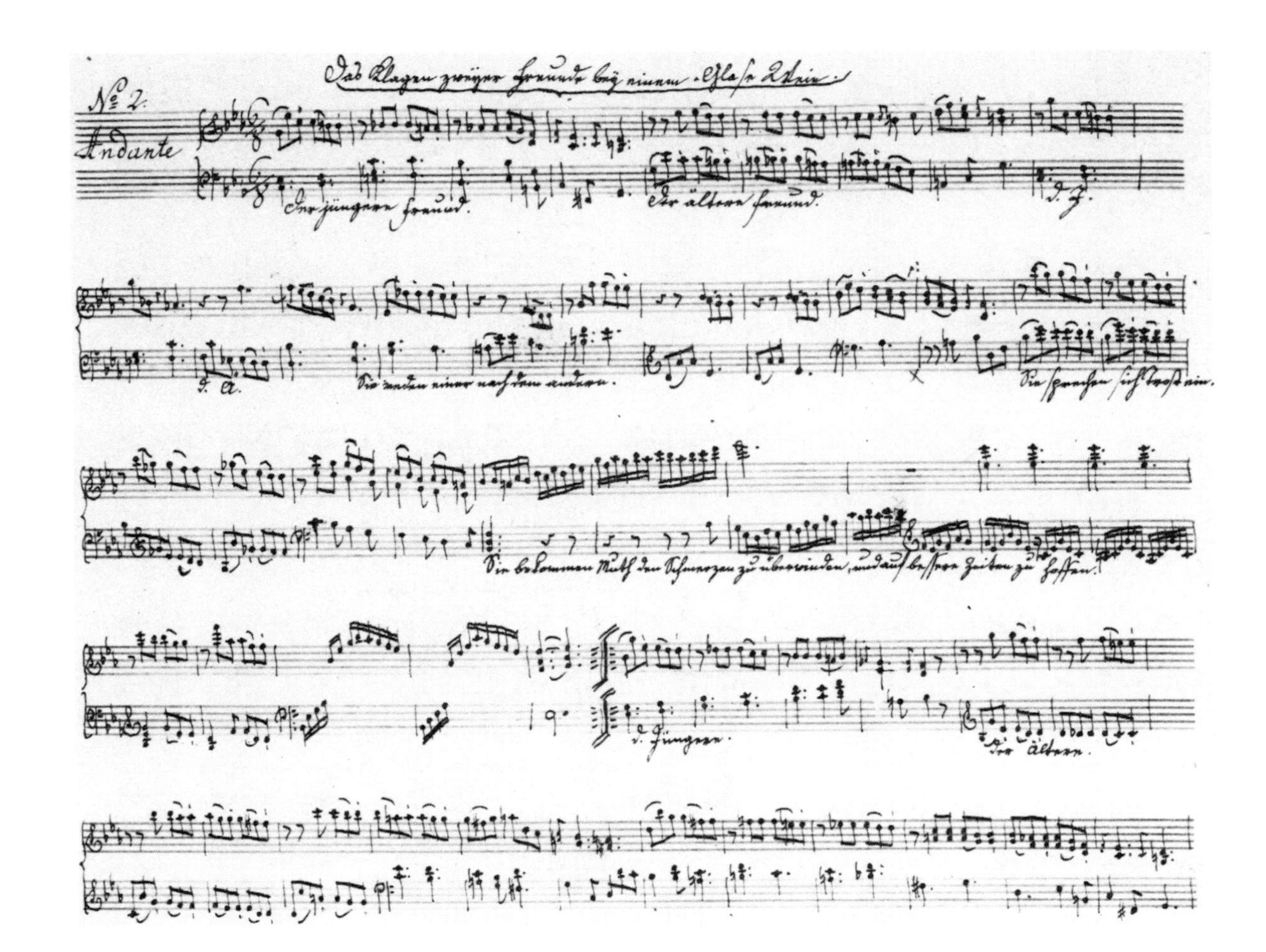

C. Ph. E. Bach: 9 karakteristische, 15 petites Pieces und 4 kleine Allegro, Nr. 2

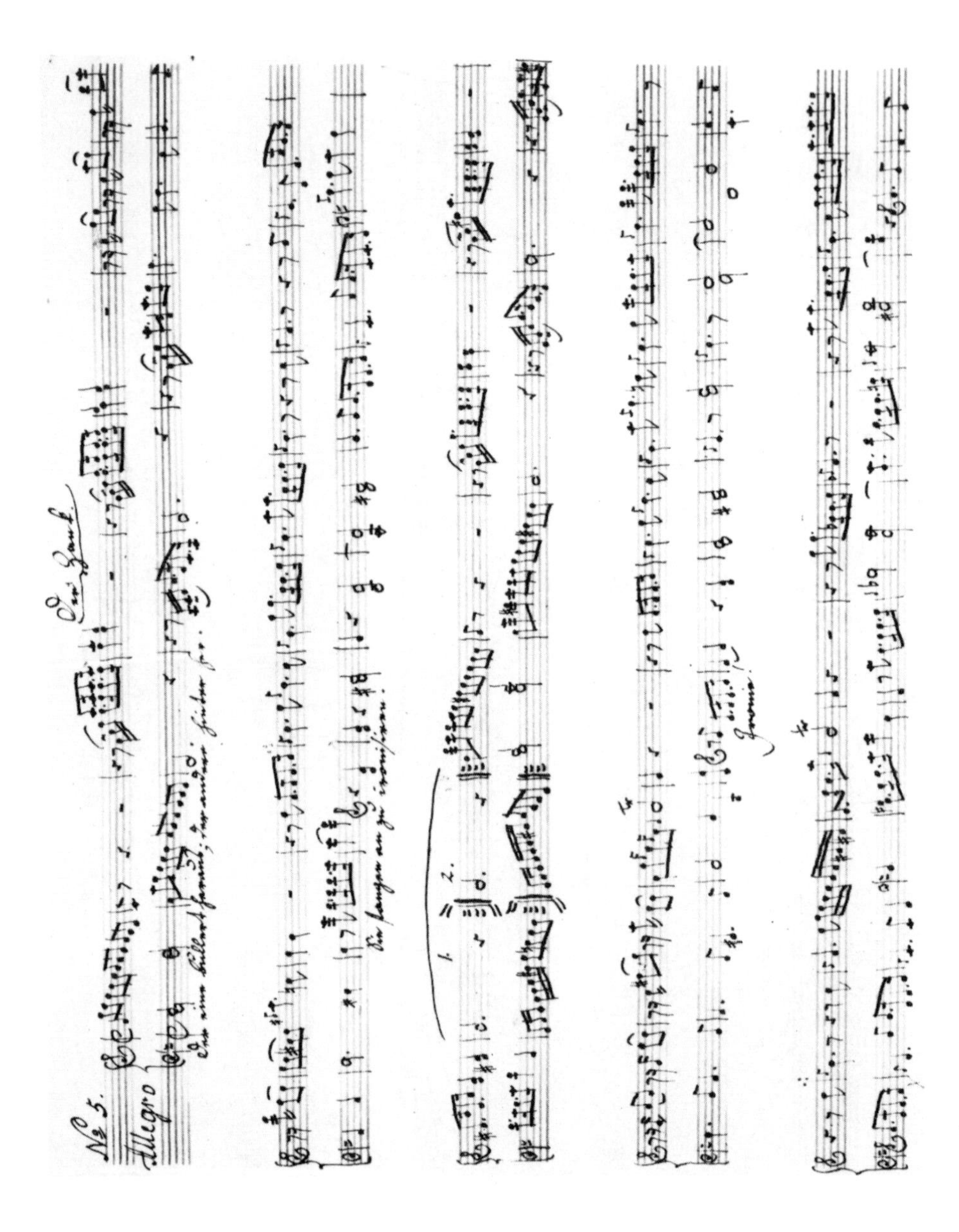

C. Ph. E. Bach: 9 karakteristische, 15 petites Pieces und 4 kleine Allegro, Nr. 5

No. 9. *Die Verwunderung* (deest)
No. 10. *La Mourcqui (Boehmer)*, Wq 117/26
No. 11. *L'Herrmann*, Wq 117/23
No. 12. *La Buchholz*, Wq 117/24
No. 13. *La Stahl*, Wq 117/25
No. 14. *L'Aly Rupalich*, Wq 117/27
No. 15. *La d'Aubarede* (deest)
No. 16. *Les Lanqueurs tendres*, Wq 117/30
No. 17. *La Louise*, Wq 117/36
No. 18. *La Carolina*, Wq 117/39
No. 19. *La Philippine*, Wq 117/34
No. 20. *La Gabriel*, Wq 117/35
No. 21. Ohne Überschrift (= *La Prinzette*), Wq 117/21
No. 22. *La Gause*, Wq 117/37
No. 23. *La Pott* (= *La Lott*), Wq 117/18
No. 24. *L'Augusta*, Wq 117/22
No. 25. Allegro (deest?)
No. 26. Allegro, Wq 116/20
No. 27. Allegro, Wq 116/19
No. 28. Andantino, Wq 116/18
No. 29. *La Juliane* (deest)

Die Stücke No. 1 bis No. 5 sind mit erklärenden programmatischen Texten versehen; der Text zu *Spinoza* ist identisch mit dem in *Musikalisches Mancherley*, Berlin 1762, 3. Stück (siehe Anm. 45). Auch sonst ähneln die kurzen „karakteristischen" Kompositionen, was Aufbau, Harmonik und Affekt-Ausdeutung betrifft, den Werken Wq 117/17–40, so daß durchaus originale Schöpfungen vorliegen mögen. Auch der Befund der Handschrift spricht nicht dagegen: es handelt sich um eine private Handschrift aus der Zeit um 1800 auf in Wien häufig verwendetem venezianischem Papier, Querformat, mit dem Wasserzeichen 3 Halbmonde GFA, wobei mit Bleistift angedeutete Seiten-Einteilungen dokumentieren, daß die Quelle als Stichvorlage dienen sollte – zu einem Druck ist es dann offensichtlich nicht gekommen.

Da der Text zu *Spinoza* durch Arnfried Edlers Aufsatz leicht zugänglich ist, mögen hier die unterlegten Kommentare zu den Stücken No. 2–5 der Sammlung wiedergegeben werden, um die Ähnlichkeit der Gesamtanlage und der grundsätzlichen Affekt-Sphären zu verdeutlichen:

Das Klagen zweyer Freunde bey einem Glase Wein: Der jüngere Freund. – Der ältere Freund. – D. J. – D. Ä. – Sie reden einer nach dem andern. – Sie sprechen sich Trost ein. – Sie bekommen Muth den Schmerzen zu überwinden, und auf bessere Zeiten zu hoffen. – D. Jüngere. – Der Ältere. – Sie attendriren sich. – Sie trösten sich, und hoffen, daß das Glück ihnen endlich ein freundliches Gesicht machen werde.

Zanga: Er beschließt die Rache – wiederholt den Schluß! ja, es bleibt dabey! – Er stellt sich vor, wie Alonzo sich quält – neuer Stoß, noch einen Stoß! – noch nicht genug. Zanga freut sich. – boshafte Freude. – Es ist beschlossen, es bleibt beym gefaßten Entschlusse der Rache. – Zanga hört den Alonzo jammern, sich mit der Eifersucht, die er bey ihm erreget, quälen. – so recht! so recht! – Er will auch nicht einen einzigen Seufzer dem

Alonzo schenken. – Da sind die Stösse schon wieder losgegangen, immer besser, und dies ist vortrefflich! dies ist Schlag auf Schlag – so ruft Zanga, und vergnügt sich zum Voraus in Gedanken über die Rache an dem Alonzo.

Ein Kompliment: Wenn sie sich wohlbefinden, so soll es mir lieb seyn. Antw. Vielmehr freue ich mich, daß ich sie wohlsehe. Ich habe gehört, daß sie unpaß gewesen, es thut mir leid. Dem Himmel sey Dank! ich bin wieder hergestellt – Aber sie beschämen mich, ich werde schon Platz nehmen, erlauben sie mir. Sie zerren sich herum, wer den Stuhl heranbringen soll. – Hier sezt man sich nieder. Ich empfehle mich – und ich empfehle mich zu ihrer Freundschaft.

Der Zank: Der eine bullert heraus; der andere hinter her. – Sie fangen an zu ironisieren. – Ironie!

Eine vom Autor geplante Herausgabe der Sammlung soll möglichst bald Gelegenheit geben, stilkritische Untersuchungen anzustellen und die Stücke im Kontext der semantisch bestimmten „musiksprachlichen" Äußerungen innerhalb des großen Kapitels der Affektenlehre des 18. Jahrhunderts[48] zu sehen.

---

48 Hierzu siehe u. a. H. Krones, „‚Meine Sprache verstehet man durch die ganze Welt'. Das ‚redende Prinzip' in Joseph Haydns Instrumentalmusik", in: Ders. (Hrg.), *Wort und Ton im europäischen Raum. Gedenkschrift für Robert Schollum,* Wien-Köln 1989, S. 79–108.

Anschriften der Autoren

Dr. Darrel M. Berg, 6334 Waterman, St. Louis, MO 63130, USA

Dr. Gudrun Busch, Roermonder Straße 58, 4050 Mönchengladbach 1

Prof. Dr. Thomas Christensen, University of Pennsylvania, Dep. of Music, 201 South 34th Street, Philadelphia, PA 19104

Prof. Dr. Ludwig Finscher, Musikwissenschaftliches Seminar der Universität, Augustinergasse 7, 6900 Heidelberg

Wolfgang Gersthofer, Musikwissenschaftliches Seminar der Universität, Augustinergasse 7, 6900 Heidelberg

Dr. Andreas Glöckner, Johann Sebastian Bach-Archiv, Bosehaus, 7010 Leipzig

Prof. Dr. E. Eugene Helm, University of Maryland, Dep. of Music, College Park, MD 20742, USA

Dr. Wolfgang Horn, Staatliche Hochschule für Musik, Emmichplatz 1, 3000 Hannover

Dr. Ada Kadelbach, Entendorfer Weg 15, 2301 Westensee

Dr. Hans-Günther Klein, Staatsbibliothek Preußischer Kulturbesitz, Musikabteilung, Potsdamer Str. 33, 1000 Berlin 30

Dr. Franklin Kopitzsch, Historisches Seminar der Universität, Von-Melle-Park 6, 2000 Hamburg 13

Dr. Dieter Krickeberg, Germanisches Nationalmuseum, Musikinstrumentensammlung, 8500 Nürnberg 11

Prof. Dr. Hartmut Krones, Hochschule für Musik und darstellende Kunst, Rennweg 8, 1030 Wien, Österreich

Prof. Dr. Friedhelm Krummacher, Musikwissenschaftliches Institut der Universität, Olshausenstraße 40, 2300 Kiel 1

Prof. Dr. Stefan Kunze, Musikwissenschaftliches Seminar der Universität, Hallerstraße 12, 3012 Bern, Schweiz

Prof. Dr. Ernst Lichtenhahn, Musikwissenschaftliches Seminar der Universität, Florhofgasse 8, 8001 Zürich, Schweiz

Prof. Dr. Hans Joachim Marx, Musikwissenschaftliches Institut der Universität, Neue Rabenstraße 13, 2000 Hamburg 36

Prof. Eduard Melkus, Hochschule für Musik und darstellende Kunst, Obere Donaustraße 57/14, 1020 Wien, Österreich

Dr. Hans-Günter Ottenberg, Technische Universität, Mommsenstraße 13, 8027 Dresden

Prof. Dr. Rudolf Pečman, Loosova 12, 63800 Brno, Tchechoslowakische Republik

Prof. Dr. Gerhard Sauder, Germanistisches Seminar der Universität des Saarlandes, 6600 Saarbrücken

Prof. Dr. Gerhard Seifert, Präsident der Joachim Jungius-Gesellschaft der Wissenschaften Hamburg, Edmund Siemers-Allee 1, 2000 Hamburg 13

Prof. Dr. Manfred Hermann Schmid, Musikwissenschaftliches Institut der Universität, Schulberg 2, 7400 Tübingen 1

Dr. Hans-Joachim Schultze, Johann Sebastian Bach-Archiv, Bosehaus, 7010 Leipzig

Prof. Dr. Heinrich W. Schwab, Musikwissenschaftliches Institut der Universität, Olshausenstraße 40, 2300 Kiel 1

Prof. Dr. Howard E. Smither, The University of North Carolina at Chapel Hill, Hill Hall 020A, Chapel Hill, N.C. 27514

Dr. Susanne Staral, Uhlandstraße 141, 1000 Berlin 31

Dr. Bernhard Stockmann, Staats- und Universitätsbibliothek - Carl von Ossietzky -, Von-Melle-Park 3, 2000 Hamburg 13

Dr. Ernst Suchalla, Alter Weg 3, 5758 Fröndenberg-Strickherdicke

Dr. Rachel W. Wade, University of Maryland, Dep. of Music, College Park, MD 20742

Dr. Günther Wagner, Staatliches Institut für Musikforschung, Tiergartenstraße 1, 1000 Berlin 30

Prof. Dr. Christoph Wolff, Harvard University, Dep. of Music, Cambridge, Mass. 02138, USA

Register der Kompositionen C. Ph. E. Bachs

(Zusammengestellt von CHRISTIAN MÜLLER)

Alle Angaben des vorliegenden Werkregisters stützen sich auf das Helm-Verzeichnis der Werke C. Ph. E. Bachs[1]. Angaben nach Wotquenne[2], wie sie sich in manchen Beiträgen finden, sind in Helm-Nummern übertragen worden. In Fällen, in denen mehrere, nicht chronologische Helm-Ziffern unter einem Punkt zusammengefaßt sind (etwa bei Sammelwerken, Drucken etc.), bestimmt die niedrigste Helm-Ziffer den Ort im Register.

CLAVIERWERKE

H. 1.5 Menuet, 1731 (W. 111) S. *116*
H. 2–13 Sonaten, 1731–35 (W. 62/1, 65/1–4, 64/1–6, 65/5) S. *224*
H. 2 Sonate, 1731, rev. 1744 (W. 62/1) S. *240, 238*
H. 3–6, 13, 15 ... Sonaten ... (W. 65) S. *533*
H. 3, rev. 1744 (W. 65/1) S. *235, 233, 214, 540*
H. 4 Sonata, 1732, rev. 1744 (W. 65/2) S. *115, 235, 233*
H. 6, 1733, rev., 1744 (W. 65/4) S. *115*
H. 7–12 Sonatinen, 1734, rev. 1744 (W. 64/1–6) S. *229, 239, 241*
H. 7, 1734, 1734, rev. 1744 (W. 64/1) S. *239*
H. 8, 1734, rev. 1744 (W. 64/2) S. *540*
H. 10, 1734, rev. 1744 (W. 64/4) S. *540*
H. 11, 1734, rev. 1744 (W. 65/5) S. *540*
H. 12, 1734, rev. 1744 (W. 64/6) S. *540*
H. 13 Sonate, 1735, rev. 1743 (W. 65/5) S. *237*
H. 14 Menuet mit 3 Veränderungen von Locatelli, 1735 (W. 118/7) S. *224*
H. 15 Sonate, 1736 (W. 65/6) S. *224, 466, 493, 495*
H. 16–19 Sonaten, 1736–38 (W. 65/7–10) S. *224*
H. 17, 1737, rev. 1743 (W. 65/8) S. *466, 468, 540*
H. 18, 1737, rev. 1743 (W. 65/9) S. *533, 540*
H. 19, 1738, rev. 1743 (W. 65/10) S. *493, 495, 533, 540*
H. 21, Sonate, 1739 (W. 65/11) S. *493, 495, 540*
H. 22, 1740 (W. 62/3) S. *462, 540*
H. 23, 1740 (W. 65/12) S. *540*
H. 24–29 Preußische Sonaten, Nürnberg 1742 oder 1743 (W. 48) S. *21f, 172, 232, 237, 241ff, 533, 538, 540*

---

1 E. Eugene Helm: *Thematic Catalogue of the Works of Carl Philipp Emanuel Bach.* – Yale University Press 1989.

2 Alfred Wotquenne: *Thematisches Verzeichnis der Werke von Carl Philipp Emanuel Bach* – Leipzig 1905.

KONZERTE UND SONATINEN

KAMMERMUSIK

H. 534 Sonate für Clavier, Violine und Violoncello, 1777 (W. 91/4) S. *224*
H. 535 Arioso für Cembalo und Violine, 1781 (W. 79) S. *224, 467*
H. 537 Quartett für Clavier, Flöte, Viola und Bass, 1788 (W. 93) S. *249, 255ff, 258, 260, 263, 265, 496*
H. 538, 1788 (W. 94) S. *249f, 252ff, 262f, 496*
H. 539, 1788 (W. 95) S. *249, 258ff, 261f, 264f, 496*
H. 558 Sonate für Viola da gamba und Bass, 1745 (W. 136) S. *497f*
H. 559 Solo für Viola da gamba und Bass, 1746 (W. 137) S. *254, 497f*
H. 564 Sonate für Traversflöte und Bass, 1786 (W. 133) S. *249, 254*
H. 567 Sonate für Traversflöte, Violine und Bass, 1731, rev. 1747 (W. 143) S. *114*
H. 569–570 Sonaten für Traversflöte, Violine und Bass, 1731, rev. 1747 (W. 145–146) S. *114*
H. 571 Sonate für Traversflöte, Violine und Bass, 1747 (W. 147) S. *114, 495f*
H. 573 Sonate für Flöten, Violine und Bass, ca. 1745 (W. 149) S. *495f*
H. 580 Trio für zwei Flöten und Bass, 1749 (W. 162) S. *495f*
H. 581 Trio für Traversflöte, Violine und Bass, 1754 (W. 152) S. *495f*
H. 583 Sonate für zwei Violinen und Bass, 1754 (W. 157) S. *495f*
H. 590, 1756 (W. 160) S. *466*
H. 598 Duett für Flöte und Violine, 1748 (W. 140) S. *518*
H. 599 Duett für zwei Violinen, 1752 (W. 141) S. *518*
H. 636 Duett für zwei Clarinetten, n. d. (W. 142) S. *518*

SINFONIEN

H. 648 Sinfonia, 1741 (W. 173) S. *227, 269, 272*
H. 649, 1755 (W. 174) S. *272, 387*
H. 650, 1755 (W. 175) S. *227, 272, 275, 299*
H. 651, 1755 (W. 176) S. *237, 272, 275, 278*
H. 652, 1756 (W. 177) S. *227, 272, 274, 498f*
H. 653, ca. 1756 (W. 178) S. *272, 274*
H. 654, 1757 (W. 179) S. *272, 275*
H. 655, 1762 (W. 180) S. *227, 269, 272, 275*
H. 656, 1762 (W. 181) S. *227, 272*
H. 657–662 Sinfonien für G. van Swieten, 1773 (W. 182) S. *23, 29, 121, 123, 270, 272, 275ff, 281ff, 295, 297*
H. 657 Sinfonia, 1773 (W. 182/1) S. *269, 276, 284ff, 295ff*
H. 658, 1773 (W. 182/2) S. *269, 277, 295ff, 301f, 306*
H. 659, 1773 (W. 182/3) S. *298f, 300f, 303*
H. 660, 1773 (W. 182/4) S. *276f, 299ff*
H. 661, 1773 (W. 182/5) S. *277, 301, 303, 305f*
H. 662, 1773 (W. 182/6) S. *303ff*
H. 663–666 Orchester-Sinfonien, Leipzig 1780 (W. 183) S. *23, 121, 162, 272, 278, 280, 284*
H. 663 Sinfonia, 1780 (W. 183/1) S. *269, 279*
H. 664, 1780 (W. 183/2) S. *269*
H. 665, 1780 (W. 183/3) S. *269*
H. 666, 1780 (W. 183/4) S. *279*

LIEDER

H. 673 „Die Küsse“, 1750–53 (W. 199/4) S. *203, 211, 219*
H. 674 Trinklied, 1750–53 (W. 199/5) S. *203*
H. 675 „Amint“, 1750–53 (W. 199/11) S. *203*
H. 678 „Dorinde“, 1754 oder 55 (W. 199/7) S. *98f*

CHORWERKE

H. 821 m/3 „Unwandelbar, welch ein Gedanke“, (W. 253/3) S. *367*
H. 821 m/7 „Wenn einst von deinem Schelten“, (W. 235/7) S. *355f, 367*
H. 821 m/14 „Seht, Gottes Klarheit“, (W. 253/14) S. *367*
H. 821 m/16 „Zeige dich der Heerde“, (W. 253/16) S. *367*
H. 822 a Oratorium zur Feyer des Ehrenmahls der Herrn Bürger-Capitains in Hamburg, 1780 (W. deest) S. *228, 368, 535*
H. 822 a/3 „Du Schöpfer meiner“, 1780 (W. deest) S. *368*
H. 822 a/5 „Entfleuch, entfleuch in deines Abgrunds“, (W. deest) S. *368*
H. 822 a/7 „Wir sollen kalt und hoch“, (W. deest) S. *367*
H. 822 b Serenata zu demselben Endzweck, 1780 (W. deest) S. *367, 535*
H. 822 b/7 „Mein Rasen war wie einer Sündflut“, (W. deest) S. *367*
H. 823 Musik am Dankfeste wegen des fertigen Michaelis-Turms, 1786 (W. deest) S. *228*
H. 824 e Dank-Hymne der Freundschaft, ein Geburtstagsstück, 1785 (W. deest) S. *228*
H. 826/3 „Bitten“ („Gott, deine Güte“), nach 1767 (W. 208/3) S. *175ff, 183*
H. 831 Der 8. Psalm („Wer ist so würdig als du“), 1774 (W. 222) S. *228*
H. 833 „Gott, dem ich lebe“, 1780 (W. 225) S. *534, 538*
H. 835 „Leite mich nach deinem Willen“, 1783 (W. 227) S. *534*
H. 836 „Meine Lebenszeit verstreicht“, 1783 (W. 228) S. *534, 538*
H. 842 Choräle zu Liedern des Grafen von Wernigerode, ca. 1767 (W., Anm. zu S. 96) S. *391*
H. 848 Einleitung zum Credo der h-moll-Messe von J. S. Bach S. *451*

THEORETISCHE WERKE

H. 868 Versuch über die wahre Art das Clavier zu spielen, ca. 1753 (W. 254) S. *26, 28, 32, 69, 76f, 160ff, 170, 191, 206, 209, 212, 241, 274, 280, 405ff, 410f, 414ff, 421, 423, 433ff, 446, 449, 452ff, 456, 478, 530f*
H. 869 Einfall, einen doppelten Contrapunkt, ca. 1757 (W. 257) S. *229*
H. 871 Zwei Litaneien aus dem Schleswig-Holsteinischen Gesangbuch, 1785–86 (W. 204) S. *209*
H. 872 Gedanken eines Liebhabers der Tonkunst über Herrn Nichelmanns Tractat von der Melodie, ca. 1755 S. *206*

IM HELM-VERZEICHNIS NICHT AUFGEFÜHRTE WERKE:

11 Charakterstücke, C. Ph. E. Bach zugeschrieben S. *540, 543*
Markus-Passion, C. Ph. E. Bach zugeschrieben S. *343*

Personenregister

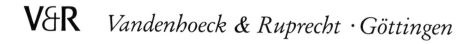